6e édition

COMPORTEMENT HUMAIN ET ORGANISATION

6e édition

COMPORTEMENT HUMAIN ET ORGANISATION

**Mary Uhl-Bien • John R. Schermerhorn, Jr. • Richard N. Osborn
Claire de Billy**

Pearson
ERPI

Développement éditorial
Julie Fortin

Gestion de projet
Liette Beaulieu

Traduction
Sylvie Larue

Révision linguistique
Christine Dufresne

Correction d'épreuves
Stéphanie Lessard, Jocelyne Tétreault

Recherche iconographique et libération de droits
Aude Maggiori, Mélissa Duval

Indexation
Monique Dumont

Direction artistique
Hélène Cousineau

Supervision de la réalisation
Estelle Cuillerier

Conception de la couverture
Benoit Pitre

Conception graphique
Catherine Boily

Réalisation graphique
Talisman illustration design

Remerciements

Madame Claire de Billy tient à remercier toutes les personnes qui ont participé à la réalisation de cette édition française, notamment ses collègues enseignants de l'Université Laval qui donnent le cours *Comportement organisationnel*.

Dépôt légal – Bibliothèque et Archives nationales du Québec, 2018
Dépôt légal – Bibliothèque et Archives Canada, 2018

Imprimé au Canada   23456789   SO   24 23 22 21
ISBN 978-2-7613-8242-7   20794 ABCD   SM9

Avant-propos

Exercer un travail utile, mener une carrière intéressante, contribuer au fonctionnement optimal des organisations de notre société – petites et grandes entreprises, hôpitaux, écoles, gouvernements, organismes communautaires, etc. : voilà des objectifs professionnels que vous poursuivez sans doute. À cet égard, le champ de connaissances du comportement organisationnel, c'est-à-dire l'étude des comportements humains au sein des organisations, vous offrira des enseignements solides et orientés vers la pratique.

Ainsi, le contenu de cette 6e édition de *Comportement humain et organisation* :

- présente les dernières découvertes de la recherche, les plus récents changements observés dans les organisations et les enjeux actuels auxquels celles-ci doivent faire face ;
- met l'accent sur les fondements du comportement organisationnel (notamment la personnalité, la motivation, la dynamique de l'équipe et les caractéristiques organisationnelles) ;
- souligne l'importance cruciale des relations interpersonnelles, des communications et de l'interconnectivité dans la vie organisationnelle, et donne un aperçu équilibré des aspects positifs et négatifs liés au pouvoir et au jeu politique ;
- place l'éthique et la responsabilité sociale au cœur de toute appréciation des réalisations individuelles et organisationnelles, comme le respect d'une main-d'œuvre diversifiée sur les plans sociodémographique et ethnoculturel ;
- reconnaît pleinement l'empreinte quotidienne des forces de la mondialisation et prend en considération les enjeux associés à l'instauration de conditions favorables à la santé et au bien-être des personnes ;
- est accompagné de la **plateforme numérique MonLab**, qui met entre autres à la disposition de l'étudiant des exercices de révision pour chaque chapitre, de multiples études de cas, des autoévaluations visant à favoriser sa connaissance de lui-même ainsi que des activités pédagogiques.

Fort de ces connaissances qui vous permettent de comprendre les comportements que vous observez autour de vous, vous aurez les outils qu'il faut pour relever avec succès les défis qui se présentent à vous, professionnels ou autres.

*Titulaire d'un baccalauréat en psychologie et d'un MBA (Université Laval), **Claire de Billy** est chargée d'enseignement au Département de management de la Faculté des sciences de l'administration de l'Université Laval, à Québec, depuis 1987. Elle donne, notamment, des cours de comportement organisationnel aux programmes de 1er et de 2e cycle. Conférencière appréciée, elle participe à la formation continue de différents groupes de professionnels, en particulier les pharmaciens travaillant dans les établissements de santé et en milieu communautaire. Récipiendaire de plusieurs distinctions pour la qualité de son enseignement, elle a obtenu, pour la deuxième édition de* Comportement humain et organisation, *le Prix d'excellence en enseignement, catégorie « volume », de l'Université Laval.*

PASSEZ
DE LA THÉORIE
À LA PRATIQUE !

L'application des connaissances de **Comportement humain et organisation** est à votre portée. Grâce aux outils d'apprentissage **MonLab, réussir devient facile !**

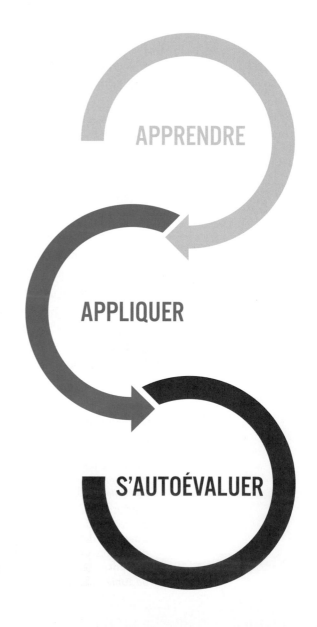

APPRENDRE

APPLIQUER

S'AUTOÉVALUER

APPRENDRE

**Dans le manuel,
de chapitre en chapitre.**

Découvrez un **contenu riche et actuel**, enrichi d'applications pratiques sous forme d'encadrés et de 5 rubriques thématiques:

- *Du côté de la pratique* relate des situations réelles vécues en entreprise;
- *En matière de leadership* présente les témoignages de leaders du Québec et d'ailleurs qui se démarquent dans leur secteur;
- *Du côté de la recherche* sélectionne et résume des articles scientifiques d'intérêt;
- *Éthique en CO* expose des enjeux éthiques vécus en entreprise;
- *Dilemme : À considérer... ou à éviter?* analyse le pour et le contre de nouvelles pratiques ou tendances.

+ Profitez d'un **guide de révision indispensable** à la fin de chaque chapitre, qui comporte:
  - un **résumé** pratique de la matière, par objectifs, et la liste des **mots clés** à retenir;
  - un **exercice de révision** comportant des questions à choix multiple, des questions à réponse brève et à développement;
  - la liste des **compléments numériques** utiles.

APPLIQUER

**Après la théorie,
la pratique en ligne
dans MonLab.**

Consolidez vos acquis à l'aide:

- de 30 **études de cas**;
- de 42 **activités pratiques**;
- du recueil de **Jossey-Bass et Pfeiffer** pour évaluer vos compétences en matière de leadership;
- de 2 modules complémentaires sur les fondements du comportement organisationnel;
- de liens vers des ressources additionnelles.

S'AUTOÉVALUER

**Êtes-vous sûr d'avoir
bien compris? Évaluez vos
connaissances dans MonLab.**

**et préparez-vous encore mieux
pour vos examens!**

- **Testez** vos connaissances avant les examens grâce aux questions de révision prévues pour chacun des 17 chapitres.
- Vérifiez si vous avez **bien répondu**.
- Mesurez vos progrès en consultant la section **Résultats**.
- Apprenez à mieux vous connaître comme employé ou futur employeur grâce aux **22 tests d'autoévaluation**.

Sommaire

Table des matières

Chapitre 3 ▮
Les émotions, les attitudes et la satisfaction professionnelle

Chapitre 4 ▮
La perception, l'attribution et l'apprentissage

Partie 3
Les équipes et le travail d'équipe en milieu organisationnel

Partie 5
La structure et la culture organisationnelles dans un environnement en changement

Chapitre 16 ▮
La culture organisationnelle et l'innovation

Chapitre 17 ▮
Le changement et le stress en milieu organisationnel

Glossaire

Notes

Sources des photos

Index

Ma Biblio — Les outils numériques

Sommaire

MaBiblio > MonLab > Exercices > Ch01 à Ch17 > Exercices de révision

MaBiblio > MonLab > Documents

> Études de cas
> Activités
> Autoévaluations
> Recueil de Jossey-Bass et Pfeiffer
> Corrigé des exercices de révision
> Modules complémentaires
> Ressources additionnelles
> > Inventaires des styles d'apprentissage
> > Queendom
> > Organizational Behavior

Table des matières

 MonLab > Documents > Études de cas

Cas	Chapitres suggérés	Mots clés
1. Trader Joe's	1. Introduction au comportement organisationnel	Culture organisationnelle; innovation; conception de poste; processus de leadership; gestion du rendement et récompenses
2. Xerox	2. Les différences individuelles et la diversité en milieu organisationnel	Culture organisationnelle; innovation; perception et attribution
3. Les enfants terribles	2. Les différences individuelles et la diversité en milieu organisationnel	Théories de la motivation; conception de poste; culture organisationnelle; processus décisionnel
4. Une conseillère pas comme les autres	2. Les différences individuelles et la diversité en milieu organisationnel 3. Les émotions, les attitudes et la satisfaction professionnelle 5. Les théories de la motivation	Changement organisationnel; stress
5. C'est trop injuste!	3. Les émotions, les attitudes et la satisfaction professionnelle 5. Les théories de la motivation 6. La motivation, la conception de poste et les récompenses	Perception et attribution; communication

Activités	Chapitres suggérés	Mots clés
1. Mon meilleur patron I	1. Introduction au comportement organisationnel 11. Les traits et les styles de comportement du leader	Processus de leadership; théories de la motivation; émotions, attitudes et satisfaction professionnelle; personnalité et différences individuelles
2. Les mots de la fin : remue-méninges et idées en vrac	1. Introduction au comportement organisationnel	Différences individuelles et diversité; perception et attribution; communication
3. Mon meilleur emploi	1. Introduction au comportement organisationnel 6. La motivation, la conception de poste et les récompenses	Théories de la motivation; émotions, attitudes et satisfaction professionnelle; personnalité et différences individuelles
4. Que valorisez-vous particulièrement dans un travail ?	2. Les différences individuelles et la diversité en milieu organisationnel 3. Les émotions, les attitudes et la satisfaction professionnelle 4. La perception, l'attribution et l'apprentissage 5. Les théories de la motivation	Conception de poste; gestion du rendement et récompenses
5. Votre actif	2. Les différences individuelles et la diversité en milieu organisationnel 3. Les émotions, les attitudes et la satisfaction professionnelle	Perception, attribution et apprentissage; gestion du rendement et récompenses
6. Un poste à l'étranger	2. Les différences individuelles et la diversité en milieu organisationnel 16. La culture organisationnelle et l'innovation	Perception, attribution et apprentissage; processus décisionnel
7. Signaux culturels	2. Les différences individuelles et la diversité en milieu organisationnel 4. La perception, l'attribution et l'apprentissage 13. La communication 16. La culture organisationnelle et l'innovation	Nature des équipes et travail d'équipe; processus de leadership; processus décisionnel
8. Les préjugés au quotidien	2. Les différences individuelles et la diversité en milieu organisationnel 3. Les émotions, les attitudes et la satisfaction professionnelle 4. La perception, l'attribution et l'apprentissage	Nature des équipes et travail d'équipe; conflit; communication
9. Comment percevons-nous les différences ?	4. La perception, l'attribution et l'apprentissage 16. La culture organisationnelle et l'innovation	Différences individuelles et diversité; nature des équipes et travail d'équipe; communication
10. La rivière aux alligators	2. Les différences individuelles et la diversité en milieu organisationnel 4. La perception, l'attribution et l'apprentissage	Processus décisionnel; communication; conflit; nature des équipes et travail d'équipe

Activités	Chapitres suggérés	Mots clés
11. Travail d'équipe et motivation	5. Les théories de la motivation 8. Le travail d'équipe et le rendement des équipes	Gestion du rendement et récompenses; conception de poste; nature des équipes
12. Les inconvénients des mesures disciplinaires	4. La perception, l'attribution et l'apprentissage	Théories de la motivation; gestion du rendement et récompenses
13. Le jeu de construction	6. La motivation, la conception de poste et les récompenses 15. La structure et la conception organisationnelles	Culture organisationnelle; nature des équipes et travail d'équipe; processus de leadership; traits et comportements du leader
14. Préférences en matière de conception de poste	6. La motivation, la conception de poste et les récompenses	Théories de la motivation; personnalité et différences individuelles; émotions, attitudes et satisfaction professionnelle
15. Un emploi de rêve	6. La motivation, la conception de poste et les récompenses	Théories de la motivation; personnalité et différences individuelles; émotions, attitudes et satisfaction professionnelle
16. La motivation par l'enrichissement des tâches	6. La motivation, la conception de poste et les récompenses	Théories de la motivation; perception et attribution; personnalité et différences individuelles; changement et stress en milieu organisationnel
17. Augmentations de salaire annuelles	5. Les théories de la motivation 6. La motivation, la conception de poste et les récompenses	Processus décisionnel; perception, attribution et apprentissage; nature des équipes et travail d'équipe
18. Double appartenance	7. La nature des équipes	Dynamique interéquipes; travail d'équipe; communication; conflit; stress
19. Travœufs pratiques	7. La nature des équipes 8. Le travail d'équipe et le rendement des équipes	Processus décisionnel; communication; processus de leadership
20. Consolidation d'équipe: la chasse aux trésors	8. Le travail d'équipe et le rendement des équipes	Nature des équipes; processus de leadership; communication
21. Dynamique d'une équipe de travail	8. Le travail d'équipe et le rendement des équipes	Nature des équipes; théories de la motivation; processus décisionnel et créativité; communication; conflit
22. Détermination des normes d'équipe	8. Le travail d'équipe et le rendement des équipes	Nature des équipes; culture organisationnelle; communication; perception et attribution
23. La culture d'une équipe de travail	8. Le travail d'équipe et le rendement des équipes 16. La culture organisationnelle et l'innovation	Nature des équipes; perception et attribution; communication
24. La chaise vide	8. Le travail d'équipe et le rendement des équipes	Nature des équipes; communication; conflits et négociation; pouvoir et jeu politique; processus de leadership
25. Entrevue avec un dirigeant	10. Le processus de leadership	Traits et comportements du leader; pouvoir et jeu politique; éthique; nouveaux milieux de travail; changement organisationnel et stress
26. Inventaire des compétences en leadership	11. Les traits et les comportements du leader	Processus de leadership; personnalité et différences individuelles; perception et attribution; nature des équipes et travail d'équipe; processus décisionnel

Activités	Chapitres suggérés	Mots clés
42. Les cercles du pouvoir	9. Le pouvoir et le jeu politique	Processus de leadership; conception et structure organisationnelles; gestion du changement

MonLab > Documents > Autoévaluations

Tests	Chapitres suggérés	Mots clés
1. Les postulats d'un gestionnaire	1. Introduction au comportement organisationnel 2. Les différences individuelles et la diversité en milieu organisationnel 4. La perception, l'attribution et l'apprentissage	Processus de leadership; traits et comportements du leader; théories de la motivation
2. Le gestionnaire du 21e siècle	1. Introduction au comportement organisationnel 10. Le processus de leadership 11. Les traits et les comportements du leader	Valeurs, personnalité et différences individuelles; structure et conception organisationnelles
3. Votre tolérance à l'agitation	1. Introduction au comportement organisationnel 2. Les différences individuelles et la diversité en milieu organisationnel 17. Le changement et le stress en milieu organisationnel	Traits et comportements du leader; émotions, attitudes et satisfaction professionnelle; perception et attribution
4. Votre indice de préparation à la mondialisation	3. Les émotions, les attitudes et la satisfaction professionnelle 10. Le processus de leadership	Diversité et différences individuelles; culture organisationnelle; perception et attribution; traits et comportements du leader
5. Vos valeurs personnelles	2. Les différences individuelles et la diversité en milieu organisationnel 3. Les émotions, les attitudes et la satisfaction professionnelle 6. La motivation, la conception de poste et les récompenses	Traits et comportements du leader; culture organisationnelle; perception
6. Votre degré de tolérance à l'ambiguïté	2. Les différences individuelles et la diversité en milieu organisationnel 17. Le changement et le stress en milieu organisationnel	Traits et comportements du leader; perception et attribution; théories de la motivation; conception de poste
7. Profil bifactoriel	5. Les théories de la motivation 6. La motivation, la conception de poste et les récompenses	Personnalité et différences individuelles; perception et attribution
8. Êtes-vous *universel*?	6. La motivation, la conception de poste et les récompenses 16. La culture organisationnelle et l'innovation	Personnalité et différences individuelles; structure et conception organisationnelles

Tests	Chapitres suggérés	Mots clés
9. L'efficacité d'une équipe	7. La nature des équipes 8. Le travail d'équipe et le rendement des équipes	Processus de leadership; culture organisationnelle
10. Le questionnaire du collègue le moins apprécié	11. Les traits et les comportements du leader	Processus de leadership; personnalité et différences individuelles; dynamique d'équipe et travail d'équipe; perception et attribution
11. Votre style de leadership	11. Les traits et les comportements du leader	Processus de leadership; personnalité et différences individuelles; dynamique d'équipe et travail d'équipe; perception et attribution
12. Leadership transactionnel et leadership transformateur	11. Les traits et les comportements du leader 13. La communication	Processus de leadership; personnalité et différences individuelles; dynamique d'équipe et travail d'équipe; perception et attribution
13. Votre propension à la délégation	2. Les différences individuelles et la diversité en milieu organisationnel 9. Le pouvoir et le jeu politique 10. Le processus de leadership 11. Les traits et les comportements du leader 13. La communication	Dynamique d'équipe et travail d'équipe; perception et attribution
14. Votre degré de machiavélisme	2. Les différences individuelles et la diversité en milieu organisationnel 9. Le pouvoir et le jeu politique	Processus de leadership; traits et comportements du leader; théories de la motivation
15. Votre profil de pouvoir	9. Le pouvoir et le jeu politique	Processus de leadership; traits et comportements du leader; personnalité et différences individuelles; théories de la motivation
16. Êtes-vous intuitif?	12. Le processus décisionnel et la créativité	Personnalité et différences individuelles
17. L'influence des heuristiques sur le processus décisionnel	4. La perception, l'attribution et l'apprentissage 8. Le travail d'équipe et le rendement des équipes 12. Le processus décisionnel et la créativité	Nature des équipes; communication
18. Les styles de gestion des conflits	14. Les conflits et la négociation	Personnalité et différences individuelles; communication; traits et comportements du leader
19. Votre type de personnalité	2. Les différences individuelles et la diversité en milieu organisationnel 17. Le changement et le stress en milieu organisationnel	Théories de la motivation; conception de poste
20. Comment gérez-vous votre temps?	17. Le changement et le stress en milieu organisationnel	Personnalité et différences individuelles
21. Votre préférence en matière de structure organisationnelle	15. La structure et la conception organisationnelles	Culture organisationnelle; conception de poste; personnalité et différences individuelles
22. Quelle est la culture qui vous convient?	16. La culture organisationnelle et l'innovation	Perception et attribution; personnalité et différences individuelles

A. Inventaire des pratiques de leadership de l'étudiant, de Kouzes et Posner

Sections	Contenu
1. Inventaire des pratiques de leadership de l'étudiant – Cahier de l'étudiant	• Les comportements des leaders • Foire aux questions sur l'IPL de l'étudiant • La compilation de vos résultats • L'interprétation de vos résultats • Fiche récapitulative et plan d'action
2. Inventaire des pratiques de leadership de l'étudiant – Autoévaluation	30 énoncés d'autoévaluation des compétences en leadership
3. Inventaire des pratiques de leadership de l'étudiant – Observateur	30 énoncés d'évaluation des compétences en leadership

B. Exercices expérientiels extraits des manuels de formation que publie annuellement Pfeiffer

Sections	Chapitres suggérés	Mots clés
1. Séance de questions : définir les problèmes et les besoins par des interrogations	1. Introduction au comportement organisationnel	Dynamique d'équipe ; communication.
2. Gestion efficace des conflits : savoir choisir la stratégie appropriée	14. Les conflits et la négociation	Communication ; processus décisionnel ; dynamique d'équipe et travail d'équipe.
3. Favoriser la créativité : les facteurs de motivation intrinsèques et extrinsèques	5. Les théories de la motivation 12. processus décisionnel et la créativité	Conception de poste ; gestion du rendement et récompense.

Le comportement organisationnel de nos jours

CHAPITRE 1

Introduction au comportement organisationnel

Les êtres humains, dans leur diversité, constituent les fondements de toute organisation. Chacun mérite d'être respecté au travail ; chacun mérite de tirer une satisfaction professionnelle de ses tâches et de ses réalisations. Le chapitre 1 présente le comportement organisationnel comme un champ de connaissances qui peut contribuer à une gestion efficace des individus et des équipes dans les milieux de travail complexes d'aujourd'hui, et favoriser la réussite professionnelle.

OBJECTIFS D'APPRENTISSAGE

Après l'étude de ce chapitre, vous devriez pouvoir :

- Définir le comportement organisationnel et mesurer l'importance de ce champ de connaissances.
- Saisir les fondements historiques et scientifiques du comportement organisationnel et expliquer comment se fait son apprentissage.
- Décrire le comportement organisationnel dans son contexte.
- Expliquer ce qui caractérise les rôles du gestionnaire.
- Expliquer ce qui caractérise les rôles du leader.

PLAN DU CHAPITRE

Les êtres humains, dans leur diversité, constituent les fondements de toute organisation.

Groupe Montoni : le capital humain avant le capital

Dario Montoni l'admet sans détour : si son entreprise de construction a acquis une réputation enviable dans une industrie où ça joue souvent des coudes sur les chantiers, c'est parce qu'il a toujours pu compter sur les compétences et la collaboration étroite de ses employés.

En revanche, le patron de Groupe Montoni affirme les avoir toujours respectés. « Nous les traitons comme des êtres humains et non pas comme des numéros, fait-il valoir. On leur permet de se réaliser au sein de l'entreprise. »

Il ajoute : « On a réussi à développer un fort sentiment d'appartenance, une culture d'entreprise où tout le monde est mis à contribution, qu'il s'agisse de la réceptionniste, du journalier, du contremaître, du surintendant, du gérant de projet, du chauffeur de camion ou du vice-président. »

Mais pas question de bomber le torse. « Il faut toujours s'améliorer et ne jamais se dire qu'on est bons », prévient M. Montoni.

Le patron ne cache pas que cette vision demande des efforts et un suivi de tous les instants avec les employés. « Ça exige beaucoup de coaching, dit-il.

On leur confie des projets, comme s'ils étaient eux-mêmes des entrepreneurs, comme si l'entreprise leur appartenait. On les fait travailler à l'intérieur d'unités bien identifiées, et on leur donne les outils nécessaires pour qu'ils s'accomplissent dans l'exercice de leurs fonctions. »

Or, dans une industrie comme celle de la construction, où la concurrence est vive, il est important, note Dario Montoni, de garder le cap et d'être « constamment créatif pour surprendre nos clients ».

M. Montoni est particulièrement fier du projet de siège social d'Ericsson, près de l'autoroute 40. « On a fait preuve d'une grande créativité, relève-t-il. Il y a 50 % d'espaces verts sur le campus, avec un lac et des pistes de jogging pour les employés. Ça permet d'attirer une nouvelle génération d'employés qui ne veulent pas travailler dans un univers de béton. »

Dario Montoni se dit lui-même à l'écoute des besoins de ses propres employés. « On les recrute, on évalue leur potentiel et on les fait évoluer dans la spécialité où ils se sentent le plus à l'aise, note-t-il. On les fait grandir dans la compagnie, et c'est extrêmement

> **Nous traitons nos employés comme des êtres humains et non pas comme des numéros.**

valorisant de les voir gravir les échelons et atteindre parfois même la vice-présidence ! »

Il insiste d'ailleurs sur la philosophie préconisée par son entreprise de construction, où la priorité est accordée au travail en équipe et à la satisfaction du client.

« C'est vrai pour les employés qui sont en poste depuis des années, dit-il, et ce l'est tout autant pour les jeunes que nous embauchons. Chaque année, nous grossissons notre effectif de 5 à 10 employés. » [...]

Source : Yvon Laprade, « Groupe Montoni : le capital humain avant le capital », *La Presse*, 9 mars 2016.

Introduction au comportement organisationnel

Le message qu'on doit retenir au sujet des meilleurs employeurs et des organisations les mieux gérées est le suivant: «Les êtres humains, dans leur diversité, constituent les fondements de toute organisation.» Jeffrey Pfeffer, professeur à l'Université Stanford, souligne que cette conviction ne relève pas d'un simple attachement sentimental au facteur humain. Les résultats, insiste-t-il, sont aussi là pour le prouver. Les organisations qui adoptent des pratiques positives en matière de gestion des ressources humaines obtiennent un avantage concurrentiel grâce à la hausse de leur productivité et à la baisse du roulement de leur personnel. Selon ce professeur, les organisations réussissent mieux quand leurs dirigeants traitent bien les employés et les considèrent non pas comme des coûts à maîtriser, mais plutôt comme un actif qu'il faut soutenir et mettre en valeur[1].

Quand on agit de manière éthique et qu'on traite avec égards les membres d'une organisation, on peut s'attendre à une considération semblable de leur part en retour. Toutefois, les voies menant au succès sont aujourd'hui complexes. Bien que stimulantes, elles demeurent semées d'embûches. Et rien n'est jamais sûr. Par contre, même en pleine crise, un dirigeant peut faire face aux incertitudes avec confiance s'il a su gagner le respect de ses employés.

Les organisations gagnent à ne pas considérer les employés comme des coûts, mais comme un actif.

Quel que soit le cadre de travail où vous évoluerez – PME, grande entreprise, fonction publique ou autre –, vous devriez retenir cet enseignement: les individus sont les assises de la réussite organisationnelle. Une organisation parvient à prospérer quand ses membres s'engagent à fond, individuellement et collectivement, pour contribuer à son succès. Tant au sein de l'organisation que dans les rapports avec l'extérieur, le parcours menant à la réussite implique donc le respect des gens, de leurs besoins, de leurs talents et de leurs aspirations. Il exige aussi une compréhension du comportement humain, tel qu'il se manifeste dans des systèmes organisationnels devenus complexes.

Ce livre peut vous aider à établir des liens entre le comportement organisationnel en tant qu'ensemble de connaissances et le comportement organisationnel en tant que voie vers le succès sur les plans professionnel et personnel. Cet ouvrage parle de gens comme vous et moi qui travaillent et poursuivent leur carrière dans les cadres nouveaux et exigeants qu'on connaît aujourd'hui, des gens qui, en ces temps incertains, cherchent à s'accomplir de toutes sortes de manières sur les plans personnel et professionnel. Il traite des défis propres aux milieux de travail actuels, dont ceux qui sont associés au leadership, à l'éthique, à la mondialisation, à l'usage de la technologie, à la diversité de la main-d'œuvre ainsi qu'à l'équilibre entre vie professionnelle et vie personnelle. Il aborde aussi la façon dont l'environnement complexe pousse les individus et les organisations à apprendre et à se perfectionner sans cesse, dans la quête d'un avenir gratifiant et d'excellents résultats.

Qu'est-ce que le comportement organisationnel?

Le champ de connaissances qu'englobe le terme «comportement organisationnel» apporte un éclairage du plus grand intérêt sur la nouvelle donne avec laquelle doit maintenant composer le monde du travail et des organisations. On appelle **comportement organisationnel** – CO en abrégé – l'étude du comportement humain au sein des organisations. Il s'agit d'un domaine multidisciplinaire dans lequel on cherche à mieux comprendre le comportement des individus et des groupes, les processus interpersonnels et les dynamiques organisationnelles en vue d'améliorer l'efficacité organisationnelle et la satisfaction professionnelle. L'apprentissage du CO peut vous apporter une meilleure compréhension de vous-même et d'autrui dans un contexte de travail. Il pourrait aussi contribuer à votre réussite professionnelle dans les milieux de travail complexes, mouvants et parsemés de défis d'aujourd'hui... et de demain.

Comportement organisationnel
Étude du comportement humain au sein des organisations

DU CÔTÉ DE LA PRATIQUE

Développer des compétences pour réussir dans une économie de collaboration

Chaque fois que vous ouvrez une session sur Facebook ou LinkedIn, que vous participez à un jeu multijoueur ou que vous consultez Yelp pour avoir une suggestion de bon restaurant, vous entrez dans un monde en mouvement, axé sur la technologie et le réseautage social. Cependant, utilisez-vous les compétences ciblées que vous acquérez lors de ces expériences quotidiennes et les perfectionnez-vous pour réussir sur le plan professionnel dans une nouvelle «économie de collaboration»? Il s'agit d'un contexte où le travail s'accomplit, où les clients sont servis et où les idées et renseignements sont partagés en continu.

Dean Sally Blount, de la Kellogg School of Management de l'Université Northwestern, mentionne que ce sont «les personnes et les entreprises qui communiquent et collaborent le mieux» qui connaissent du succès dans l'économie de collaboration.

Jacob Morgan, auteur de *The Collaborative Organization* (McGraw-Hill, 2012), précise qu'il y a de la place pour les «leaders collaboratifs» qui estiment et respectent les autres et les considèrent comme l'atout le plus important des organisations.

Les leaders collaboratifs ne sont pas des figurants avec des titres officiels. Ce sont de vrais leaders qui excellent dans certaines activités: travailler en équipe, partager des renseignements, donner et recevoir de la rétroaction, offrir du soutien aux collègues et reconnaître la contribution des autres. En d'autres termes, les leaders collaboratifs aident à créer les liens interpersonnels qui donnent vie aux organisations collaboratives. Ils savent allier technologies sociales et interactions personnelles pour tirer avantage des pouvoirs de la connaissance, de la créativité et du travail d'équipe.

L'économie collaborative constitue un test professionnel plutôt difficile. Elle exige des compétences technologiques «dures» et une véritable expertise professionnelle, combinées à des compétences «molles» en relations humaines et à une présence personnelle authentique. Voilà l'importance de votre cours en comportement organisationnel — une occasion d'en apprendre davantage sur vous-même et sur la façon dont les gens travaillent dans les organisations. Question: êtes-vous prêt à vous lancer et à laisser le CO vous aider à développer vos compétences afin d'atteindre le succès dans une économie collaborative?

L'importance du comportement organisationnel

Pensez CO et excellents emplois! Pensez CO et réussite professionnelle! Pensez CO et qualité de vie! Ne considérez pas le CO comme un simple cours pour obtenir votre diplôme.

La véritable importance du CO est que, dans un monde en perpétuel changement, il peut vous aider à développer des compétences nécessaires à l'obtention du succès dans votre carrière. Nous vivons à une époque où les complexités inhérentes au comportement humain dans les organisations sont intensifiées en raison d'un environnement en évolution constante et de l'influence croissante de la technologie sociale. Faites le test de la pertinence du CO. Êtes-vous prêt à exceller dans des emplois aux titres aussi avant-gardistes que ceux-ci : champion des relations, maître de la logistique, chef de l'innovation, expert de la collaboration ou virtuose des tendances du marché[2]?

Si vous êtes capable de décrire en vos propres mots les tâches des titulaires de ces emplois, vous êtes dans la bonne direction. Vous commencez à comprendre ce qui est nécessaire pour réussir dans cette sphère de travail émergente et l'importance d'apprendre ce que le CO peut vous enseigner sur le comportement humain dans les organisations.

Les titres d'emploi mentionnés précédemment ont des fondements communs : il est question de «réseaux», «connexion», «idées», «collaboration», «aide», «liens», «soutien», «recherche» et «rendement». Les comportements sous-jacents caractérisent ce qu'on appelle une **main-d'œuvre intelligente**, au sein de laquelle vous devez être prêt à exceller[3]. Les mains-d'œuvre intelligentes sont des communautés d'action dont les membres mènent des projets en évolution constante, tout en partageant leurs connaissances et leurs compétences afin de résoudre des problèmes réels et souvent complexes. Les mains-d'œuvre intelligentes émergent des liens construits par les compétences relationnelles et les technologies sociales; elles participent à la constitution d'un puissant cerveau collectif qui continue de croître et de s'adapter avec le temps.

L'environnement dynamique dans lequel on vit et travaille aujourd'hui exige d'être sans cesse en mode d'apprentissage et de vigilance. En ce qui concerne les attentes et les valeurs des individus évoluant dans les organisations, le CO reconnaît plusieurs grandes tendances[4].

- *L'importance des liens et des réseaux.* Le travail est de plus en plus effectué par l'entremise de liens personnels et de réseaux. Dans ce contexte, la capacité à nouer des liens favorables, en personne et en ligne, est une aptitude professionnelle essentielle.

- *La volonté d'adopter des comportements conformes à l'éthique.* Des scandales largement publicisés, mettant en cause des conduites professionnelles illégales et contraires à l'éthique, ont attiré l'attention sur l'éthique dans les milieux de travail. La tolérance diminue à l'endroit des organisations et des dirigeants qui trahissent la confiance du public.

Main-d'œuvre intelligente
Communauté d'action dont les membres mènent des projets en évolution constante, tout en partageant leurs connaissances et leurs compétences afin de résoudre des problèmes réels et souvent complexes

- *La vue élargie du leadership.* En raison des nouvelles demandes et pressions, les organisations ne peuvent plus compter uniquement sur les gestionnaires pour maintenir leur leadership. Elles doivent aussi s'appuyer sur les qualités de meneur de chaque membre de l'organisation. Le leadership doit se cultiver à tous les échelons de la hiérarchie et circuler dans tous les sens, pas seulement de haut en bas.

- *La priorité donnée au capital humain et au travail d'équipe.* On ne réussit que grâce à la connaissance et à l'expérience de tout un chacun ainsi qu'à l'engagement envers les autres, qui constituent des ressources humaines précieuses. Pour accomplir le travail, on s'appuie de plus en plus sur les équipes, tout en reconnaissant la contribution de chaque membre.

- *La disparition de la direction centralisée.* Les structures hiérarchiques et les pratiques de gestion traditionnelles se révèlent peu efficaces pour relever les défis d'aujourd'hui. Elles sont en voie d'être remplacées par des structures flexibles et des cadres de travail participatifs dans lesquels le capital humain est apprécié à sa juste valeur.

- *L'influence des technologies de l'information.* À mesure que les technologies, notamment les médias sociaux, s'immiscent dans tous les aspects du monde du travail, l'importance de leur rôle dans l'organisation du travail, les processus, les systèmes organisationnels et le comportement des individus ne cesse de croître.

La nouvelle génération de travailleurs tolère moins la hiérarchie, exige plus de flexibilité et se montre moins sensible au statut professionnel.

- *Le respect des nouvelles attentes de la main-d'œuvre.* La nouvelle génération de travailleurs tolère moins la hiérarchie, exige plus de flexibilité et se montre moins sensible au statut professionnel. Les membres de cette génération valorisent la conciliation responsabilités professionnelles-vie personnelle, et les organisations ne peuvent l'ignorer.

- *Les cheminements professionnels en mutation.* Dans le contexte de l'économie du savoir, les emplois exigent un ensemble de connaissances et de compétences particulières qui doivent sans cesse être mises à jour. Un nombre croissant d'individus ont le statut de travailleur autonome plutôt que celui de salarié permanent à temps plein.

- *Les préoccupations relatives au développement durable.* Les questions de développement durable sont prioritaires. Les prises de décision et l'établissement d'objectifs tiennent de plus en plus compte de l'environnement, de l'impact des activités sur le climat et de la préservation des ressources pour les générations futures.

Le comportement organisationnel en tant que science

Comment savoir ce qu'une nouvelle génération de diplômés attend réellement de son travail et de sa carrière ? Comment apprendre à rassembler des mains-d'œuvre multigénérationnelles autour d'objectifs communs et d'attentes de rendement élevées ? Comment obtenir de solides connaissances sur le rôle que ces facteurs et d'autres éléments importants du comportement humain jouent dans la pratique organisationnelle quotidienne ? La réponse se trouve dans un mot : science.

Les fondements historiques et scientifiques du comportement organisationnel

Il y a plus d'un siècle que les universitaires et les spécialistes se sont mis à l'étude systématique de la gestion. Les premières recherches, notamment celles de Frederick Taylor et d'Henri Fayol, portaient surtout sur les conditions matérielles du travail et sur les grands principes de l'administration et du génie industriel. Cependant, à partir des années 1940, particulièrement avec les recherches d'Elton Mayo, le champ d'études s'est étendu à l'élément humain, facteur essentiel s'il en est un. Dès lors, la recherche sur les comportements individuels, la dynamique des groupes et les relations entre gestionnaires et travailleurs a pris un essor considérable. Le **module complémentaire A** présente les fondements historiques du CO, et surtout les études de Taylor, de Fayol et de Mayo. Devenu une discipline à part entière, le comportement organisationnel consiste aujourd'hui en l'analyse scientifique du comportement humain au sein des organisations, et de l'influence des structures, des systèmes et des processus organisationnels sur le rendement[5].

MaBiblio
> MonLab > Documents
> Modules complémentaires
> Module A

L'interdisciplinarité des connaissances

Le CO constitue un ensemble de connaissances interdisciplinaires étroitement liées aux sciences du comportement, comme la psychologie, la sociologie et l'anthropologie ainsi qu'aux sciences sociales connexes, comme l'économie et les sciences politiques. La singularité du CO réside dans le fait qu'il intègre et applique des connaissances issues de ces diverses disciplines pour parvenir à une meilleure compréhension du comportement humain dans les organisations. Essentiellement, le CO vise l'amélioration du rendement des individus, des groupes et des organisations ainsi que l'amélioration de la qualité de vie professionnelle.

Le recours à des méthodes scientifiques

Le CO s'appuie sur des méthodes de recherche scientifiques pour établir et vérifier empiriquement des hypothèses concernant le comportement humain dans les organisations. Grâce à ces méthodes, les chercheurs proposent et mettent à l'épreuve des **modèles** – c'est-à-dire des visions simplifiées de la réalité –, par lesquels ils tentent de dégager les principaux facteurs et les forces sous-jacentes pouvant expliquer les phénomènes du monde réel. Ces modèles mettent en relation des variables indépendantes, les causes présumées, et des variables dépendantes, des résultats qui représentent une valeur ou un intérêt pratique. La **variable dépendante** est un fait ou un événement auquel le chercheur s'intéresse et qui, selon son hypothèse de recherche,

Modèle
Vision simplifiée de la réalité par laquelle le chercheur tente d'expliquer un phénomène du monde réel

Variable dépendante
Fait ou événement auquel le chercheur s'intéresse et qui, selon son hypothèse de recherche, devrait varier sous l'effet de la variable indépendante

devrait varier sous l'effet de la **variable indépendante**. Le schéma ci-dessous, par exemple, illustre un modèle très simple décrivant l'une des découvertes de la recherche en comportement organisationnel : la satisfaction à l'égard de l'emploi (variable indépendante) influe sur l'absentéisme (variable dépendante).

Notez que les signes « + » et « − » du modèle ci-dessous indiquent que plus la satisfaction à l'égard de l'emploi augmente, plus l'absentéisme tend à diminuer ; par ailleurs, à mesure que la satisfaction à l'égard de l'emploi diminue, l'absentéisme tend à s'accroître. En regardant ce modèle, vous pourriez vous demander quelles autres variables dépendantes font l'objet d'études en comportement organisationnel. Peut-être des facteurs comme le rendement, le comportement conforme à l'éthique, le stress professionnel, l'incivilité, la cohésion de l'équipe et l'efficacité du leadership. La satisfaction à l'égard de l'emploi peut également être une variable dépendante. À votre avis, quelles variables indépendantes pourraient déterminer un niveau faible ou élevé de satisfaction à l'égard de l'emploi chez une personne travaillant dans le secteur tertiaire (services), comme un agent de bord, ou chez une personne jouant un rôle de cadre, comme un directeur d'école ?

La **figure 1.1** présente les principales méthodes de recherche en comportement organisationnel. Les chercheurs du CO se réclament de la pensée scientifique parce que : (1) ils procèdent à une collecte de données systématique et contrôlée ; (2) ils soumettent les hypothèses qu'ils avancent à une vérification rigoureuse ; (3) ils ne retiennent que les explications scientifiquement vérifiables. Le **module complémentaire B** décrit les fondements scientifiques du CO et s'attache particulièrement aux méthodes et aux plans de recherche.

MaBiblio
> MonLab > Documents
> Modules complémentaires
> Module B

FIGURE 1.1 **Les méthodes de recherche en comportement organisationnel**

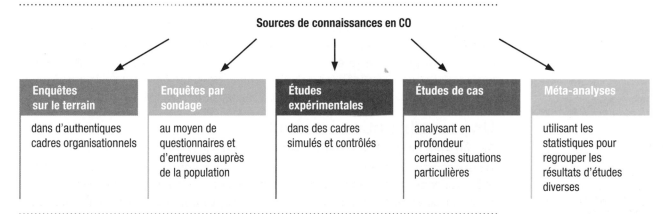

La priorité aux applications

Comme cela a été dit, le champ d'études du CO consiste surtout dans les applications susceptibles de bonifier sensiblement le rendement des organisations et des gens qui y travaillent, mais aussi d'améliorer la satisfaction professionnelle de ces derniers. Voici quelques-unes des questions pratiques qu'aborde cette discipline et que reprend cet ouvrage : Qu'est-ce qui fait qu'une organisation et ses membres adoptent ou non un comportement conforme à l'éthique et socialement responsable ? Comment doit-on utiliser des gratifications comme les augmentations de salaire liées au mérite ? Comment concevoir des postes de travail stimulants favorisant des niveaux élevés de satisfaction professionnelle et de rendement ? Quels sont les ingrédients d'une équipe à rendement élevé ? Comment un gestionnaire peut-il gérer efficacement la résistance aux changements ? Les décisions doivent-elles se prendre individuellement, en consultation ou collectivement ? Au cours d'une négociation, quelle est la meilleure façon de conclure une entente qui ne fasse que des gagnants ?

L'approche de la contingence

Au lieu de présumer qu'il existe une bonne réponse aux différentes questions qui viennent d'être soulevées, les spécialistes en CO préfèrent adopter l'**approche de la contingence**, par laquelle ils reconnaissent la nécessité d'adapter le comportement ou le style de gestion aux particularités de la situation dans laquelle il s'exerce. L'une des conclusions scientifiques les plus largement acceptées est qu'il n'existe pas de méthode unique surpassant toutes les autres pour la gestion des organisations et des ressources humaines. Autrement dit, il n'y a pas de solutions toutes faites pouvant résoudre les problèmes organisationnels courants. Les solutions doivent être conçues autant que possible en fonction des situations et des personnes. Comme vous pouvez vous en douter, de solides données scientifiques en comportement organisationnel se révèlent ainsi des plus importantes. La rubrique *Du côté de la recherche*, figurant dans chacun des chapitres, vous en donnera de nombreux exemples.

La quête de données probantes

L'un des apports importants d'une science, quelle qu'elle soit, est de créer et de mettre à l'épreuve des modèles menant à des prises de décision et à des actions étayées par des données probantes. Dans l'un de leurs ouvrages, les chercheurs Jeffrey Pfeffer et Robert Sutton définissent la **gestion fondée sur des données probantes** comme la prise de décision reposant sur des «faits indéniables», c'est-à-dire des faits réels, non pas sur des «demi-vérités dangereuses», faits qui ont l'air intéressants, mais qu'on ne peut corroborer empiriquement[6]. En comportement organisationnel, la pensée fondée sur des données probantes s'exprime notamment à travers l'approche de la contingence, par laquelle les chercheurs tentent de déterminer le meilleur moyen de comprendre et de prendre en charge différentes situations.

Une sensibilisation interculturelle

En cette ère de mondialisation complexe, il importe que chaque individu – qu'il soit gestionnaire, employé ou chef de gouvernement – comprenne comment les théories et les concepts du comportement organisationnel s'appliquent dans différents pays[7]. Bien qu'il soit relativement facile de conclure que ce qui fonctionne dans une culture ne fonctionne pas nécessairement dans une autre, ça l'est bien moins de décrire comment des différences culturelles précises peuvent influer sur des facteurs comme la motivation, la satisfaction à l'égard de l'emploi, le style de leadership, les tendances touchant la négociation et le comportement éthique. Heureusement, le domaine du comportement organisationnel s'est enrichi d'une abondance de données empiriques relatives aux problèmes interculturels.

L'apprentissage du comportement organisationnel

Dans le monde d'aujourd'hui, fondé sur l'économie du savoir et les mains-d'œuvre intelligentes, on accorde une grande valeur à l'apprentissage. Seules les personnes ayant soif d'apprendre peuvent suivre le rythme effréné actuel et réussir dans un environnement mondial hautement technologique et en constante évolution.

On entend habituellement par **apprentissage** un changement durable du comportement résultant de l'expérience. L'**apprentissage continu** est le développement permanent d'une personne et de ses connaissances, jour après jour, grâce aux expériences quotidiennes. En matière de comportement organisationnel, ce livre et votre cours, qui complètent d'autres ressources pour enrichir votre expérience, sont d'excellents points de départ. En outre, grâce aux expériences que vous vivrez au travail, aux échanges avec vos collègues et amis, à l'orientation et aux conseils que vous recevrez de mentors, à l'observation de modèles de réussite, à la participation à des séminaires ou à des ateliers de formation, les situations d'apprentissage se multiplieront. À certains égards, l'apprentissage découlant de telles expériences constituera un élément clé de votre succès. Vous pouvez dès maintenant entamer une démarche continue de développement personnel et professionnel. Les rubriques *Du côté de la pratique*, que vous trouverez dans chacun des chapitres, vous aideront à établir des liens entre les notions et concepts du comportement organisationnel et des situations vécues dans les organisations.

La **figure 1.2** montre comment la matière et les activités d'un cours type de CO se complètent en formant un cycle d'apprentissage expérientiel[8]. L'apprentissage commence par une expérience initiale, suivie d'une réflexion. Le processus se poursuit avec l'élaboration d'une théorie visant à expliquer les phénomènes observés. Celle-ci fait l'objet d'une expérimentation dans de nouvelles situations concrètes. Le manuel, les lectures, les discussions en classe et les activités de formation devraient vous aider à traverser les différentes phases du cycle de l'apprentissage.

Apprentissage
Changement durable du comportement

Apprentissage continu
Développement permanent d'une personne et de ses connaissances, jour après jour, grâce aux expériences vécues

FIGURE **1.2** **Le cycle de l'apprentissage expérientiel dans un cours type de CO**

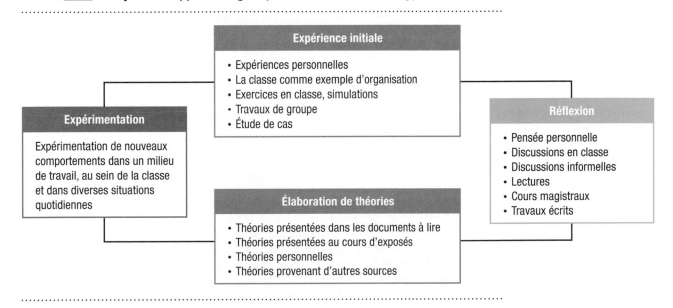

Dans cette perspective, vous êtes en grande partie responsable de votre apprentissage. Les auteurs de cet ouvrage, tout comme votre professeur, peuvent vous fournir des exemples, des études de cas et des exercices représentant votre expérience initiale. Nous pouvons alimenter votre réflexion et vous procurer d'importants repères théoriques par les concepts que nous présentons, les résultats de recherche dont nous discutons et leurs incidences pratiques. Mais tôt ou tard, vous devrez participer activement au processus, faire le travail nécessaire, car personne n'effectuera à votre place la mise en pratique qui doit boucler le cycle de l'apprentissage.

Dans MonLab, vous trouverez des compléments numériques stimulants offrant une variété d'occasions d'apprentissage actif qui vous aideront à mieux comprendre les applications pratiques des concepts, des modèles et des théories du CO. Ces compléments comportent des études de cas à analyser, des activités en équipe et expérientielles ainsi que des autoévaluations, dont le populaire *Inventaire des pratiques de leadership de l'étudiant* de Kouzes et Posner.

MaBiblio
> MonLab > Documents

DILEMME : À CONSIDÉRER... OU À ÉVITER ?

Vous avez de la difficulté à trouver l'équilibre entre le travail et votre vie privée ? Le travail à domicile pourrait être la solution.

Un groupe de chercheurs de l'Université Stanford voulait savoir si le travail à domicile pouvait être favorable pour les employeurs. Souhaitant obtenir des données probantes, ils ont fait une expérience sur le terrain qui prenait pour sujets les employés du centre d'appels d'une importante agence de voyages chinoise.

En se basant sur des dates de naissance paires ou impaires, ils ont réparti les volontaires : 255 d'entre eux ont été affectés à des quarts de travail « à la maison » ou « au bureau » pendant neuf mois. Leur rendement était surveillé, et une évaluation globale a été faite à la fin de la période de recherche. Les résultats ont démontré que les télétravailleurs étaient en ligne plus longtemps, répondaient à plus d'appels par heure et étaient moins enclins à donner leur démission. Ils affichaient aussi une humeur plus positive et une plus grande satisfaction par rapport à l'emploi que les travailleurs de bureau. Les télétravailleurs prenaient moins de pauses pendant leur quart de travail et moins de congés de maladie.

Lorsqu'on a compilé les gains de productivité, la réduction des coûts liés à la formation, à l'embauche et à la location de bureaux, l'entreprise a calculé qu'elle avait économisé 2 000 $ pour chaque tranche de 3 000 $ dépensée en salaires des télétravailleurs. Lorsque l'expérience a pris fin et qu'on a donné aux travailleurs la possibilité de changer de groupe s'ils le désiraient, ceux qui se sont joints au groupe de télétravailleurs sont devenus encore plus productifs.

QUESTIONS

Qu'en pensez-vous ? Est-ce que les résultats de cette étude correspondent à vos impressions et à votre expérience ? Cette étude suggère-t-elle que tout le monde devrait avoir l'option de travailler de la maison, tout au moins une partie du temps ? Quelles conditions établiriez-vous pour le type d'emplois et de titulaires admissibles au travail à domicile ? Le résultat de cette étude est-il suffisant pour prendre de véritables décisions par rapport au télétravail ?

Le comportement organisationnel dans son contexte

Dans notre processus de compréhension des forces complexes qui entrent en jeu dans le comportement humain en milieu organisationnel, l'analyse de la nature même de l'organisation est un point de départ incontournable.

Les organisations et leur environnement externe

Une **organisation** peut être définie simplement comme un regroupement d'individus qui, après répartition des tâches, travaillent à la réalisation d'un objectif commun. Cette définition englobe aussi bien les associations, les organismes sans but lucratif et les groupes religieux que les petites et grandes entreprises, les syndicats, les établissements d'enseignement, les établissements de santé et la fonction publique.

La **figure 1.3** montre que l'organisation est un **système ouvert** : elle reçoit de l'environnement des ressources qu'elle transforme, avant de les y retourner sous forme de produits finis (biens ou services). Si les interactions se passent bien, les fournisseurs valorisent l'organisation et continuent de l'approvisionner, les employés valorisent leur travail et insufflent leur enthousiasme et leur intelligence au processus de transformation, et les clients valorisent suffisamment les produits ou les services de l'organisation pour maintenir leur demande.

Les organisations sont aussi des **systèmes adaptatifs complexes**. Puisque les environnements avec lesquels elles interagissent évoluent et changent constamment, les organisations doivent s'adapter pour survivre. Dans un monde de plus en plus complexe sur les plans social, politique et économique, ce processus d'adaptation est continu. De nos jours, les organisations sont implantées dans des environnements dont les éléments sont tellement interreliés qu'un changement modifiant un seul de ces éléments peut avoir une incidence, parfois non prévisible et même incontrôlable, sur les autres éléments. Une étude menée auprès des directeurs généraux d'IBM à travers le monde a conclu que la complexité croissante de l'environnement constitue

Organisation
Regroupement d'individus qui travaillent à la réalisation d'un objectif commun

Système ouvert
Système qui interagit avec son environnement, transforme les ressources qu'il reçoit de lui, avant de les y retourner sous forme de produits finis (biens ou services)

Système adaptatif complexe
Système qui interagit avec son environnement et s'y adapte pour survivre

FIGURE **1.3** Les interactions entre l'organisation et son environnement

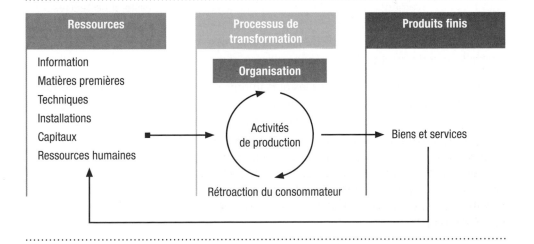

l'un des plus grands défis auxquels les dirigeants mondiaux doivent faire face aujourd'hui. Un PDG a affirmé : «Le temps disponible pour saisir, interpréter et modifier une situation devient de plus en plus court[9].»

On peut décrire et analyser les environnements organisationnels complexes à la lumière des **parties prenantes**, c'est-à-dire des individus, des groupes et des organisations susceptibles d'être touchés par le rendement de l'organisation et ayant par conséquent des intérêts dans son évolution. Dans le domaine du comportement organisationnel, les parties prenantes sont généralement les clients, les actionnaires, le personnel, les fournisseurs, les organismes de contrôle, les collectivités locales ainsi que les générations futures. La question à se poser à leur sujet est : Que veut chacune d'elles ?

Idéalement, une organisation devrait orienter ses activités de manière à servir les intérêts de toutes les parties prenantes. Dans les faits, la nécessité de concilier les intérêts divergents des multiples parties ajoute à la complexité à laquelle font face les décideurs. En effet, les clients exigent de plus en plus des prix équitables et des produits de qualité. Les actionnaires, quant à eux, se préoccupent des profits et du rendement de leurs investissements. Les membres du personnel se soucient de pouvoir gagner leur vie et souhaitent obtenir de bonnes conditions de travail. Les fournisseurs veulent décrocher des contrats et s'attendent à être payés dans les délais prévus. Les organismes de contrôle veillent au respect de la réglementation. Les collectivités locales attachent de l'importance au comportement citoyen de l'organisation et au soutien qu'elle apporte à la communauté. Enfin, les générations futures souhaitent la protection de l'environnement et la durabilité des ressources naturelles.

L'environnement interne des organisations

Le comportement des individus qui travaillent au sein des organisations dépend aussi beaucoup du contexte dans lequel il s'inscrit. Prenez votre exemple. Agissez-vous de la même façon quand vous êtes avec vos amis, à l'université ou au travail ? Vous répondrez probablement «non». La question suivante est alors : Pourquoi ? Pour comprendre un comportement dans un milieu donné, vous devez vous demander comment et en quoi les facteurs contextuels l'influencent. Vous devez également considérer le fait que vous pourriez, vous aussi, influer sur le contexte. Comment vos comportements contribuent-ils positivement ou négativement à la dynamique individuelle et collective ? En fin de compte, l'un des éléments clés pour mieux comprendre le comportement humain en milieu organisationnel réside dans l'analyse des situations ou des contextes dans lesquels ce comportement se produit.

L'une des influences contextuelles les plus importantes qui s'exercent sur le comportement humain en milieu organisationnel est la **culture organisationnelle**, c'est-à-dire l'ensemble des attitudes, des valeurs et des croyances communes qu'acquièrent les membres d'une organisation et qui orientent leur comportement. L'ex-présidente d'eBay, Meg Whitman, parle de la «personnalité» de l'organisation. Elle dit que la culture organisationnelle est «un ensemble de valeurs et de principes sur lequel on s'appuie pour diriger une organisation» et qu'elle devient le «centre moral» aidant chaque membre à comprendre quel comportement individuel il convient ou non d'adopter[10].

Parties prenantes
Individus, groupes et organisations ayant des intérêts dans l'évolution du rendement de l'organisation

Culture organisationnelle
Ensemble des attitudes, des valeurs et des croyances communes qu'acquièrent les membres d'une organisation et qui orientent leur comportement

Depuis que la génération Facebook est entrée dans le monde du travail, les choses ont beaucoup changé

On l'appelle la génération Facebook ou génération F. Elle est composée de jeunes qui s'investissent beaucoup dans le monde des médias sociaux et apportent des changements notables au marché du travail. Le chercheur et consultant en gestion Gary Hamel affirme que les gestionnaires qui veulent travailler efficacement avec la génération F doivent répondre à des attentes complètement nouvelles. Voici les principes qui, à son avis, gouvernent l'attitude de la génération F concernant le travail :

- Personne n'a le droit de tuer une idée dans l'œuf ; toutes les idées méritent d'être entendues.
- Les résultats priment les titres de compétence.
- Le respect n'est pas acquis d'avance ; il doit être mérité.
- Les leaders émergent du groupe ; ils ne sont pas imposés par la direction.
- Le pouvoir vient du partage de l'information.
- La sagesse émane des foules ; l'avis des pairs compte.
- Les équipes sont capables d'autonomie et d'autocontrôle.
- Le sentiment d'appartenance se développe grâce à des prises de décision collectives.
- La reconnaissance et le plaisir au travail sont d'importants facteurs de motivation, tout comme l'argent.
- Les remises en question doivent être encouragées, et non pas réprimées.

Source : D'après Gary Hamel, « The Facebook Generation vs. the Fortune 500 », opensource.com, consulté le 22 septembre 2010.

La culture organisationnelle exerce une grande influence sur notre façon de penser et d'agir au sein d'une organisation. Dans une culture fondée sur l'autoritarisme et la hiérarchie, les individus hésitent à prendre des décisions ou à agir de leur propre chef ; ils ont tendance à prendre peu d'initiatives et à attendre qu'on les approuve. Par ailleurs, dans une culture axée davantage sur la concurrence, ils peuvent être extrêmement combatifs, cherchant à obtenir des résultats et des récompenses pour leurs performances. Finalement, dans une autre culture, on peut accorder de l'importance à l'habileté et à la diligence avec lesquelles on s'adapte aux marchés et à l'environnement ainsi qu'à la promotion de nouvelles idées et d'innovations.

Tout comme elles ont une culture, les organisations ont un climat. Le **climat organisationnel** représente la perception qu'ont les employés de leur milieu de travail, notamment sur les plans de l'ambiance de travail, des relations avec les collègues et de la supervision. Il peut être, entre autres, empreint de confiance, de respect, de transparence, d'entraide et d'équité. Vous avez probablement noté et ressenti le climat des organisations au sein desquelles vous avez travaillé. Dans certains cas, les relations entre les gestionnaires et les employés sont décontractées, et la communication

Climat organisationnel
Perception qu'ont les employés de leur milieu de travail, notamment de l'ambiance de travail, des relations avec les collègues et de la supervision

se fait librement. Dans d'autres, les gestionnaires gardent leurs distances, favorisent des interactions et des procédés de travail rigides; la communication est alors plus structurée et plus limitée.

La façon dont la culture et le climat organisationnels influent sur les individus dépend de la «concordance», c'est-à-dire de l'harmonie existant ou non entre l'environnement interne et les caractéristiques de ses membres. Les personnes qui sentent une harmonie entre la culture et le climat organisationnels et leurs propres caractéristiques tendent à se montrer confiantes et sont satisfaites de leur travail. Celles qui, au contraire, perçoivent une discordance peuvent se replier sur elles-mêmes, trouver leur travail stressant et même devenir hostiles et agressives à cause de l'insatisfaction qu'elles éprouvent. L'encadré sur la génération Facebook (p. 15) énonce des principes de gestion susceptibles de s'harmoniser aux préférences des diplômés d'aujourd'hui.

La diversité de la main-d'œuvre

Les personnes constituent l'élément clé de l'environnement interne de toute organisation. Le consultant R. Roosevelt Thomas souligne le fait que les cultures organisationnelles positives savent tirer profit des talents, des idées et du potentiel créatif de tous les membres de l'organisation[11]. La **diversité de la main-d'œuvre** rend compte de la présence, au sein des organisations, d'une multitude d'individus différents par leur sexe, leur origine ethnoculturelle, leur âge, leur état physique et mental, et leur orientation sexuelle ou identité de genre[12].

Diversité de la main-d'œuvre
Présence, au sein de la main-d'œuvre, d'une variété d'individus se différenciant par le sexe, l'origine ethnoculturelle, l'âge, l'état physique et mental, et l'orientation sexuelle ou l'identité de genre

La diversité croissante de la main-d'œuvre canadienne et québécoise reflète les tendances démographiques au sein de la société. Un des aspects de cette diversification est la proportion de plus en plus importante de personnes issues de minorités visibles. La progression au cours des années est flagrante: en 1981, seulement 4,7 % de la population canadienne pouvait être considérée comme appartenant à un groupe de minorités visibles; 30 ans plus tard, les personnes appartenant à des minorités visibles représentaient environ 20 % de l'ensemble de la population active. D'ici à 2031, leur proportion pourrait atteindre 25 %[13]. Par ailleurs, d'ici à 2031, dans la population active, environ une personne canadienne sur trois pourrait être née à l'étranger. En outre, la présence des femmes sur le marché du travail est plus marquée qu'elle ne l'a jamais été. Au Canada et au Québec, en 2016, celles-ci représentent plus de 47 % de la population active[14]. Fait à noter: le taux d'emploi des femmes ayant des enfants a connu une progression constante au cours des dernières décennies. De 1976 à 2014, la proportion de couples à deux soutiens a presque doublé parmi les familles consistant en un couple avec enfants, passant de 36 % à 69 %.

En 2011, 20 % de la population active était issue des minorités visibles au Canada.

Les familles qui comprennent deux parents travaillant à temps plein représentent maintenant plus de la moitié de l'ensemble des familles se composant d'un couple et d'enfants au Canada[15]. Enfin, la proportion de plus en plus forte des personnes de 55 ans et plus sur le marché du travail représente un autre aspect de cette diversification de la main-d'œuvre et constitue un des faits marquants des dernières années.

De 2005 à 2015, la proportion de ces derniers a crû de 64 %. On estime qu'en 2021 près de un travailleur sur quatre pourrait avoir plus de 55 ans, ce qui correspondrait à la plus forte proportion jamais enregistrée[16].

Malgré les nouvelles tendances, rien n'assure que la diversité soit pleinement respectée, valorisée et mise à contribution. Parmi les critères clés se trouve le degré d'**inclusion**, indiquant dans quelle mesure une organisation respecte et valorise la diversité dans sa culture en s'ouvrant à quiconque se montre capable d'accomplir adéquatement son travail, quelles que soient les différences qui pourraient le caractériser[17].

La valorisation de la diversité est l'un des thèmes centraux de l'étude du comportement organisationnel. L'attention que nous lui accordons dans ce livre reflète son importance dans les milieux de travail actuels[18]. En pratique, toutefois, il reste beaucoup à faire dans ce domaine, comme en témoignent des données récentes montrant qu'au Canada, pour un dollar gagné par un homme, une femme gagne en moyenne 81 cents[19]. De plus, au sein des conseils d'administration des 500 plus grandes entreprises canadiennes comprises dans le classement du *Financial Post* (FP500), les femmes ne représentent que 19,5 % des administrateurs[20].

La gestion et le comportement organisationnel

Les gestionnaires efficaces

Le **gestionnaire** exécute des tâches impliquant un soutien direct aux efforts déployés par d'autres. Il doit assumer différentes responsabilités étroitement liées au domaine du comportement organisationnel. Son rôle consiste à aider les membres du personnel à obtenir des résultats dans les délais prescrits, conformément à des normes de qualité élevées et d'une façon personnellement satisfaisante pour eux. Dans les milieux de travail actuels, l'atteinte de ces objectifs passe davantage par l'*encadrement* et le *soutien* que par les fonctions traditionnelles de *direction* et de *contrôle*. D'ailleurs, le terme « gestionnaire » est de plus en plus associé à des rôles de *coordonnateur*, d'*accompagnateur* ou de *chef d'équipe*.

Le **gestionnaire efficace** est celui dont l'unité de travail, le groupe ou l'équipe atteint ses objectifs à plusieurs reprises, sans que fléchissent l'engagement et l'enthousiasme de ses membres. Cette définition met en lumière deux éléments clés, deux variables dépendantes se situant au cœur du comportement organisationnel : l'**efficacité fonctionnelle**, c'est-à-dire l'obtention, par un individu, par une unité de travail ou par une organisation dans son ensemble, des résultats escomptés, autant sur le plan du rendement quantitatif que qualitatif ; la **satisfaction professionnelle**, c'est-à-dire le sentiment favorable qu'inspirent aux individus leur emploi et leur milieu de travail.

Le point de vue du comportement organisationnel est assez clair à ce sujet : le gestionnaire devrait avoir à répondre des résultats sur les deux plans. Le premier, celui du rendement, se passe d'explications. Le deuxième, celui de la satisfaction, demande un peu de réflexion. Tout comme on ne devrait pas laisser tomber en panne une machine utile par manque d'entretien, on ne devrait pas laisser s'essouffler les talents et l'enthousiasme des effectifs d'une organisation par manque d'attention et de soutien à leur égard. Dans ce sens, on pourrait dire qu'en cultivant aujourd'hui la satisfaction des employés, on investit dans le rendement de demain.

Le processus de gestion

Quiconque occupe un poste de gestionnaire ou de chef d'équipe assume la responsabilité d'un travail à la fois très complexe et très exigeant. La nature du travail de gestion est souvent décrite et enseignée en mettant en évidence les quatre fonctions présentées à la **figure 1.4**: planification, organisation, direction et contrôle. Le **processus de gestion** intègre ces responsabilités devant être assumées par un gestionnaire.

Les quatre fonctions du gestionnaire

1. La **planification**, qui consiste à établir des objectifs de rendement stratégiques et spécifiques, et à déterminer les actions à entreprendre pour les atteindre.

2. L'**organisation**, qui consiste non seulement à mettre sur pied des structures, à répartir des tâches et à définir des rythmes de travail, mais aussi à distribuer les ressources en fonction des objectifs à atteindre.

3. La **direction**, qui consiste à communiquer avec le personnel afin de lui insuffler de l'enthousiasme, de le motiver à faire du bon travail et de maintenir de bonnes relations interpersonnelles.

4. Le **contrôle**, qui consiste à veiller au bon déroulement du plan d'action en faisant le suivi du rendement et en prenant, au besoin, les mesures correctives appropriées.

FIGURE **1.4** **Les quatre fonctions du gestionnaire**

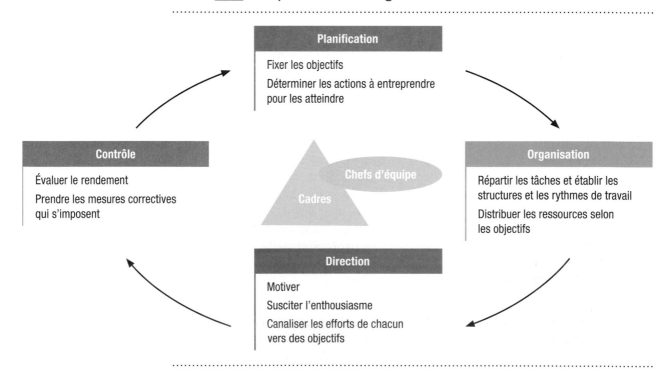

Planification
Fixer les objectifs
Déterminer les actions à entreprendre pour les atteindre

Organisation
Répartir les tâches et établir les structures et les rythmes de travail
Distribuer les ressources selon les objectifs

Direction
Motiver
Susciter l'enthousiasme
Canaliser les efforts de chacun vers des objectifs

Contrôle
Évaluer le rendement
Prendre les mesures correctives qui s'imposent

Chefs d'équipe
Cadres

Processus de gestion
Processus intégrant les responsabilités devant être assumées par un gestionnaire, soit la planification, la direction, l'organisation et le contrôle

Planification
Fixer des objectifs et déterminer les actions à entreprendre pour les atteindre

Organisation
Répartir les tâches et distribuer les ressources en fonction des objectifs

Direction
Insuffler au personnel de l'enthousiasme et de l'ardeur au travail

Contrôle
Surveiller le rendement et prendre les mesures correctives qui s'imposent

Dans une étude devenue un classique, Henry Mintzberg décrit comment les gestionnaires assument leurs responsabilités dans un contexte de travail chargé, exigeant et mouvementé. Selon cette étude, leur travail se caractérise par l'intensité et la diversité des tâches à accomplir au cours d'une même journée ainsi que par de nombreuses interruptions. L'auteur poursuit en démontrant que les quatre fonctions du gestionnaire s'accomplissent plus simultanément que selon une approche progressive. En outre, ces fonctions s'expriment à travers les 10 rôles que le gestionnaire doit être prêt à jouer au jour le jour[21]. Comme l'illustre la **figure 1.5**, ces rôles se répartissent en trois catégories.

FIGURE **1.5** **Les 10 rôles du gestionnaire efficace**

Rôles interpersonnels

Interactions avec autrui
• Représentation
• Leadership
• Liaison

Rôles informationnels

Échange et traitement de l'information
• Collecte et contrôle des données
• Diffusion des données
• Propagation des données (rôle de porte-parole)

Rôles décisionnels

Utilisation de l'information et prise de décision
• Entrepreneuriat
• Gestion des perturbations
• Répartition des ressources
• Négociation

Les *rôles interpersonnels*, décrits dans le rectangle du haut, impliquent des relations directes avec d'autres personnes : animation d'événements officiels ou assistance à de tels événements (représentation) ; stimulation de l'enthousiasme du personnel et réponse aux besoins de ce dernier (leadership) ; relations avec les individus et les groupes importants (liaison).

Les *rôles informationnels*, regroupés dans le rectangle du centre, concernent l'échange d'information : recherche de l'information utile (collecte et contrôle des données) ; partage de l'information à l'intérieur de l'organisation (diffusion des données) et à l'extérieur (propagation des données, rôle de porte-parole).

Enfin, les *rôles décisionnels*, rassemblés dans le rectangle du bas, ont trait à la prise de décision ayant des répercussions sur d'autres personnes : détermination des problèmes à résoudre et recherche de nouvelles possibilités d'activités (entrepreneuriat) ;

intervention dans la résolution de conflits (gestion des perturbations); affectation des ressources à diverses fins (répartition des ressources); transactions avec diverses entités (négociation).

Les compétences fondamentales du gestionnaire

Compétence
Aptitude à traduire un savoir en actions qui produiront les résultats escomptés

Une **compétence** est une aptitude à traduire un savoir en actions qui produiront les résultats escomptés. Robert Katz distingue trois types de compétences essentielles au travail de gestion: les compétences techniques, les compétences humaines et les compétences conceptuelles[22].

Les compétences techniques

Compétence technique
Aptitude à effectuer certaines tâches spécialisées

Une **compétence technique** est une aptitude à s'acquitter de certaines tâches spécialisées. Découlant d'un savoir ou d'une expertise acquis par la formation ou l'expérience pratique, elle permet d'utiliser efficacement les méthodes, les procédures et les procédés choisis en fonction des tâches à accomplir. L'aptitude à se servir des technologies de pointe en matière de communication et d'information en est un bon exemple. Dans les milieux de travail actuels, de plus en plus dépendants de la haute technologie, les compétences en gestion de données, en analyse de chiffriers électroniques et en utilisation des réseaux sociaux et des divers outils de communication électroniques sont souvent des préalables à l'embauche.

Les compétences humaines

Compétence humaine
Aptitude qui permet de bien travailler avec d'autres

Au cœur du travail de gestion, d'encadrement et de direction d'équipe, les **compétences humaines** confèrent la capacité de travailler efficacement avec d'autres personnes. Sans les compétences humaines, impossible de développer des réseaux de relations positives. L'individu possédant de solides compétences humaines dégage et inspire de la confiance, de l'enthousiasme et un engagement sincère dans les relations interpersonnelles; il a une excellente connaissance de soi et sait faire preuve d'ouverture d'esprit et d'empathie pour comprendre ce que ressent son entourage. Il peut interagir sans heurts avec autrui, est capable de convaincre, de dissiper les malentendus et de résoudre les conflits.

Intelligence émotionnelle (IE)
Capacité de reconnaître ses propres sentiments et ceux des autres, de se motiver et de bien gérer ses émotions, en soi-même et dans ses relations avec autrui

L'**intelligence émotionnelle** (IE) est un aspect important des compétences humaines. Daniel Goleman la définit comme la capacité de reconnaître ses propres sentiments et ceux des autres, de se motiver et de bien gérer ses émotions, en soi-même et dans ses relations avec autrui[23]. Cette compétence est aujourd'hui considérée comme incontournable en matière de leadership. Selon les recherches effectuées par Goleman, l'intelligence émotionnelle d'une personne contribue largement à sa capacité de s'affirmer véritablement comme leader. À une époque où les hiérarchies traditionnelles et les structures verticales cèdent la place aux relations horizontales et aux structures collégiales, elle est une compétence humaine primordiale. Les principales facettes de cette forme d'intelligence sont les suivantes.

- *La conscience de soi:* la capacité de comprendre ses propres humeurs et émotions.

- *La maîtrise de soi:* la capacité de réfléchir avant d'agir et de maîtriser ses propres émotions.

- *La motivation :* la capacité de travailler avec ardeur et persévérance.

- *L'empathie :* la capacité de comprendre les émotions d'autrui.

- *Les aptitudes sociales :* la capacité d'établir et d'entretenir de bonnes relations avec les autres.

Les compétences humaines telles que l'intelligence émotionnelle se révèlent primordiales pour bien assumer les rôles et effectuer l'ensemble des activités de gestion présentées précédemment. Les cadres et les chefs d'équipe doivent savoir créer et maintenir des réseaux à l'intérieur et à l'extérieur de l'organisation : *réseaux de tâches*, constitués des contacts particuliers liés au travail ; *réseaux professionnels*, regroupant les contacts permettant d'obtenir des conseils de carrière et des occasions d'affaires ; *réseaux sociaux*, comprenant les contacts personnels, les amis et les collègues en qui ils ont confiance[24]. En ce sens, on peut affirmer que les gestionnaires doivent constituer et maintenir leur **capital social**, c'est-à-dire l'ensemble des relations et des réseaux sur lesquels ils peuvent, au besoin, s'appuyer pour mener à bien certaines tâches.

Capital social
Ensemble des relations et des réseaux sur lesquels le gestionnaire peut, au besoin, s'appuyer pour mener à bien certaines tâches

Les compétences conceptuelles

Outre qu'il possède des compétences techniques et humaines, le bon gestionnaire est capable d'appréhender une organisation ou une situation dans son ensemble, de résoudre des problèmes pour le plus grand bien de toutes les parties concernées. On appelle **compétence conceptuelle** cette aptitude à analyser et à résoudre des problèmes complexes en tenant compte de toutes leurs facettes, y compris les dynamiques interpersonnelles. Le gestionnaire doit pouvoir envisager l'organisation comme un système global. Il doit comprendre son fonctionnement général ainsi que le rôle de chacune de ses composantes et les liens qui unissent celles-ci. Les compétences conceptuelles du cadre lui permettent de discerner les problèmes et les occasions à saisir, de recueillir et d'interpréter les données utiles et de prendre des décisions éclairées.

Compétence conceptuelle
Aptitude à analyser et à résoudre des problèmes complexes

Finalement, en ce qui concerne les trois types de compétences essentielles au travail de gestion, il est important de souligner ce point qui mérite réflexion : l'importance relative de ces dernières, précise Katz, varie selon les responsabilités du gestionnaire. Les compétences techniques ont plus d'importance aux échelons inférieurs de la hiérarchie, où les superviseurs et les chefs d'équipe doivent traiter des problèmes liés de près au travail quotidien. Les compétences conceptuelles sont nécessaires aux échelons supérieurs, où les cadres s'occupant beaucoup de questions touchant à la raison d'être, à la mission et aux stratégies de l'organisation prennent des décisions à long terme, vastes et délicates. Enfin, les compétences humaines, intrinsèquement liées aux fondements du CO, ont pratiquement autant d'importance à tous les échelons de la hiérarchie.

Pour bien assumer son rôle, un gestionnaire doit savoir entretenir de bonnes relations avec son entourage.

La gestion conforme à l'éthique

C'est une chose de posséder les compétences essentielles au travail de gestion, c'en est une autre de les mettre en œuvre correctement pour atteindre les résultats escomptés. En matière d'éthique et de moralité, Archie B. Carroll, spécialiste en gestion, fait une distinction entre le gestionnaire immoral, le gestionnaire amoral et le gestionnaire moral[25].

Gestionnaire immoral

Gestionnaire qui ne souscrit à aucun principe éthique; quelle que soit la situation, il agit et prend des décisions uniquement en fonction de ses propres intérêts

Gestionnaire amoral

Gestionnaire qui omet de considérer les enjeux éthiques de ses décisions ou de ses comportements

Gestionnaire moral

Gestionnaire qui intègre des principes et des visées éthiques dans son comportement personnel

Le **gestionnaire immoral** ne souscrit à aucun principe éthique; quelle que soit la situation, il agit et prend des décisions uniquement en fonction de ses propres intérêts. Ce type de gestionnaire, en somme, choisit délibérément de se conduire de manière contraire à l'éthique. Et c'est là le chapeau que pourraient sans doute porter Bernard Madoff et les autres dirigeants d'entreprise dont la disgrâce a fait la manchette. Le **gestionnaire amoral**, en revanche, omet de considérer les enjeux éthiques de ses décisions ou de ses comportements. S'il agit parfois de façon contraire à l'éthique, c'est involontairement. Ces écarts de conduite involontaires, qu'on risque tous de commettre si on n'y fait pas attention, prennent souvent des formes insidieuses: préjugés découlant de stéréotypes et d'attitudes inconscients; partis pris pour son groupe d'appartenance; attribution injuste d'un mérite à soi-même et de privilèges à des personnes qui servent ses intérêts[26]. Enfin, le **gestionnaire moral** intègre des principes et des visées éthiques dans son comportement personnel. Pour ce type de gestionnaire, adopter et maintenir un comportement conforme à l'éthique devient un but, une exigence, voire une habitude bien ancrée.

De l'avis de Carroll, la majorité des gestionnaires tendent à se comporter de façon amorale. Si cela est vrai, et puisqu'on sait tous qu'il existe certains gestionnaires immoraux, il est important de bien saisir la responsabilité personnelle en matière de comportements et de leadership conformes à l'éthique. Tous les membres d'une organisation peuvent et doivent être des leaders éthiques, notamment en prêchant par l'exemple et en se montrant fermes à l'égard de subordonnés, de collègues ou de supérieurs qui adoptent des conduites non éthiques.

Conscience éthique

Conscience enrichie qui incite la personne à s'interroger systématiquement sur la valeur éthique de ses décisions et de ses comportements

Dans un article de synthèse, Terry Thomas et ses collègues posent l'existence, dans toute organisation, d'un «centre de gravité éthique» qui, comme l'illustre la **figure 1.6**, pourrait se déplacer dans un sens positif – ou «vertueux» – grâce à un leadership moral, ou dans un sens négatif sous l'influence d'un leadership amoral[27]. En ce sens, le gestionnaire moral prêche par l'exemple, transmet des valeurs et des messages conformes à l'éthique et se fait le champion de la **conscience éthique**, «conscience enrichie» qui incite la personne à s'interroger sans cesse sur l'éthique au fil des décisions qu'elle est amenée à prendre et des comportements qu'elle adopte. Par ailleurs, le gestionnaire moral, en transmettant des valeurs éthiques, contribue à créer une culture organisationnelle dans laquelle la conscience éthique devient la norme. Lorsqu'une telle «évolution vertueuse» se produit (flèche allant vers la droite dans la figure 1.6), les membres de l'organisation finissent par intégrer l'éthique dans leur quotidien, presque comme un réflexe naturel. L'un des thèmes de ce livre, comme l'illustre la rubrique *L'éthique en CO* figurant dans chaque chapitre, est l'éthique en tant que responsabilité de tout un chacun au sein d'une organisation.

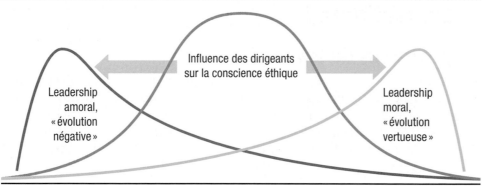

Centre de gravité éthique de l'organisation

Source : Inspiré de Terry Thomas, John R. Schermerhorn Jr. et John W. Dinehart, « Strategic Leadership of Ethical Behavior in Business », *Academy of Management Executive*, 2004.

L'ÉTHIQUE EN CO

La gestion est-elle une profession ?

Seriez-vous surpris d'apprendre que les chefs d'entreprise sont en train de perdre la confiance du public, d'après les auteurs d'un article paru dans la *Harvard Business Review* ? Pour améliorer la situation, ces derniers ont exhorté les écoles de commerce à considérer la gestion comme une « profession » régie par des codes de conduite qui « établissent implicitement un contrat social avec la société ». Une des conséquences est la création du MBA Oath, une organisation sans but lucratif. Son objectif est de constituer une communauté d'étudiants diplômés du MBA provenant de n'importe quelle université qui signeraient volontairement un serment qui les engage à « produire de la valeur de façon responsable et éthique ». Jusqu'à maintenant, plus de 250 écoles sont représentées dans la communauté. Un étudiant signant le serment MBA s'engage ainsi :

> « Je gérerai mon entreprise avec loyauté et soin, et je ne placerai pas mon propre intérêt avant celui de mon entreprise ou de la société.

> « Je m'abstiendrai de toute corruption, concurrence déloyale ou pratiques commerciales préjudiciables à la société.

> « Je protégerai les droits et la dignité de toutes les personnes touchées par mon entreprise, et je m'opposerai à toute discrimination et exploitation. »

QUESTIONS
Que pensez-vous du serment MBA ? Feriez-vous ce serment, et essayeriez-vous de le respecter quotidiennement ? À votre avis, la gestion devrait-elle être considérée comme une profession, au même titre que la médecine et le droit ? La professionnalisation de la gestion peut-elle avoir une incidence sur la responsabilité éthique et le comportement de gestion quotidien ?

Le leadership et le comportement organisationnel

Le processus de leadership

Le gestionnaire n'a jamais eu un travail plus exigeant que dans les milieux dynamiques et hyperconcurrentiels d'aujourd'hui. Toutefois, tous les gestionnaires ne sont pas de bons leaders. Même si c'était le cas, ils ne pourraient, à eux seuls, résoudre tous les problèmes complexes qu'ils rencontrent dans leur organisation. De nos jours, le leadership doit être présent à tous les paliers des organisations et ne doit pas être exercé uniquement par ceux qui détiennent un titre officiel.

Il y a leadership lorsque les leaders et les subordonnés travaillent de concert pour mettre en œuvre des changements favorisant la réalisation de la mission et de la vision de l'organisation. Le leadership désigne un *processus*, et non pas seulement le comportement du leader. Comme l'illustre la **figure 1.7**, les leaders et les subordonnés doivent travailler de concert pour remettre en question les anciennes façons de penser et faire avancer de nouvelles idées et de nouvelles solutions. La présence de subordonnés efficaces constitue un élément essentiel, sinon l'élément le plus important, du **processus de leadership**. Sans subordonnés, il n'y a pas de leaders.

Processus de leadership
Processus menant leaders et subordonnés à travailler de concert pour mettre en œuvre des changements favorisant la réalisation de la mission et de la vision de l'organisation

Il est intéressant de noter que le leadership n'est pas toujours délibéré. Il arrive que des individus suivent une personne parce qu'ils voient un potentiel de leadership en elle, ou parce qu'ils aiment ce que cette personne dit ou la façon dont elle le dit. Contrairement au point de vue traditionnel selon lequel le leadership s'exerce du haut vers le bas, aujourd'hui, une partie substantielle du leadership s'exerce du bas vers le haut et horizontalement. Vous pouvez être un leader pour vos collègues en devenant la personne vers laquelle ils se tournent pour obtenir des conseils, du soutien ou une marche à suivre. Vous pouvez être un leader si vous convainquez la haute direction d'adopter vos suggestions de nouvelles pratiques. Enfin, comme nous l'avons dit auparavant, le gestionnaire est aussi un *entraîneur* et un *coordonnateur*. Ainsi, chaque fois que vous vous conduisez d'une manière qui correspond à ces rôles, vous êtes sans aucun doute un leader.

FIGURE **1.7** Le processus de leadership

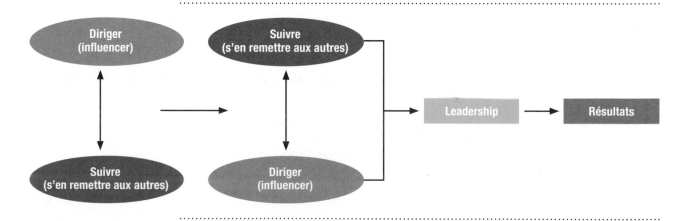

L'effet d'entraînement du comportement abusif du gestionnaire

Il y a tout lieu de croire que le comportement abusif d'un superviseur (par exemple dire à un subordonné que ses opinions ou ses idées sont stupides ou le rabaisser devant les autres) entraîne des effets néfastes sur les plans psychologique et comportemental chez les employés. Pourquoi les superviseurs ont-ils des comportements abusifs? Et pourquoi leur comportement abusif incite-t-il leurs employés à agir de la même façon?

Pour le découvrir, Mary Bardes Mawritz et ses collègues ont testé un modèle des effets d'entraînement du comportement abusif du gestionnaire qui suggère que, au sein d'une organisation, ce type de comportements peut circuler des paliers les plus élevés de la direction jusqu'aux employés des paliers inférieurs. Selon ce modèle, les employés seront touchés par un tel comportement abusif si leur superviseur immédiat l'adopte.

Le modèle et les prédictions sont basés sur la théorie sociale cognitive et l'apprentissage par observation, qui stipulent que le comportement abusif à des paliers supérieurs d'une organisation est reproduit par les superviseurs et les employés subalternes. Autrement dit, les superviseurs reproduisent le comportement abusif de leurs gestionnaires envers leurs propres employés. Les employés reproduisent ensuite le comportement abusif de leur superviseur, ce qui entraîne une déviance interpersonnelle au sein du groupe de travail (c'est-à-dire des comportements abusifs d'employés envers d'autres employés).

Les chercheurs ont aussi émis l'hypothèse que l'incidence du comportement abusif du gestionnaire sur une déviance interpersonnelle du groupe de travail serait particulièrement forte lorsque le climat du groupe de travail est hostile (c'est-à-dire caractérisé par la présence permanente de sentiments hargneux, antagonistes et méfiants). Dans un climat hostile, les membres d'un groupe de travail sont envieux, moins confiants et agressifs les uns envers les autres.

Les employés de différentes organisations répondaient à un sondage et demandaient ensuite à quatre de leurs collègues et à leur superviseur immédiat de répondre au même sondage. Comme prévu, le comportement abusif du gestionnaire a été positivement relié à un comportement abusif du superviseur, et le comportement abusif du superviseur a été positivement relié à une déviance interpersonnelle du groupe de travail. Autrement dit, les superviseurs ayant des gestionnaires qui sont injurieux ou agressifs envers eux sont, à leur tour, injurieux ou agressifs envers leurs employés, qui se traitent entre eux de manière injurieuse ou agressive.

Les résultats ont aussi démontré que les employés sont plus susceptibles de reproduire le comportement abusif de leur superviseur lorsque le climat de leur groupe de travail est hostile. Quand le climat du groupe de travail est positif, cela contrecarre les effets négatifs que pourrait avoir sur le groupe de travail le comportement abusif du superviseur. Par conséquent, les employés travaillant dans un climat non hostile ne reproduisent pas le comportement abusif de leur superviseur.

Ces résultats démontrent que les gestionnaires et superviseurs ont tout intérêt à agir comme des modèles positifs, car leurs comportements, qu'ils soient positifs ou négatifs, auront des effets d'entraînement; ils seront observés et reproduits par leurs employés.

Source : M. Bardes Mawritz, D. M. Mayer, J. M. Hoobler, S. J. Wayne et S. V. Marinova, « A trickle-down Model of Abusive Supervision », *Personnel Psychology*, vol. 65, 2012, p. 325-357, cité dans Gary Johns et Alan M. Saks, *Organizational Behavior: Understanding and Managing Life at Work*, 10e édition, Toronto, Pearson, 2017, p. 64. Reproduit avec la permission de Pearson Canada Inc.

Les leaders efficaces

Les leaders efficaces contribuent au processus de leadership en utilisant leur influence pour obtenir des résultats positifs. Les leaders sont ceux qui sont prêts à envisager de façon proactive de nouvelles manières de faire les choses, et à prendre l'initiative de favoriser les changements nécessaires dans les organisations. Les organisations ont de nombreux leaders dans leurs effectifs, tant parmi les gestionnaires que parmi les simples salariés. Il s'agit de personnes que tout le monde écoute : leurs collègues, leurs chefs de service, leurs subordonnés et leurs supérieurs hiérarchiques.

Les leaders savent que la compétence, la réputation, la communication efficace et le développement de relations et de réseaux d'influence sont essentiels pour leur réussite. Par conséquent, ils travaillent à perfectionner ces compétences. Par exemple, les leaders efficaces cadrent la communication de façon à ce que les autres les écoutent. Dans ce contexte, le **cadrage** consiste à adapter la communication de telle sorte qu'elle favorise certaines interprétations et en défavorise d'autres. Un leader efficace sait que mettre l'accent sur l'intérêt organisationnel (par exemple, « On peut accroître le rendement si on accorde plus de temps aux personnes pour qu'elles puissent se reposer et se ressourcer ») sera une structure de communication plus efficace que de mettre l'accent sur l'intérêt personnel (par exemple, « On a trop travaillé et on veut prendre congé »).

Les leaders efficaces savent aussi comment bâtir des relations. Afin de se révéler dignes de confiance, fiables et respectueux, ils ne partagent pas et ne propagent pas des renseignements de manière inappropriée. Ils comprennent que les relations se développent au moyen d'**échanges sociaux** ; ils gèrent donc des processus d'échange et de réciprocité pour établir des partenariats et des réseaux. Ils aident les autres qui en ont besoin, car ils savent que la **règle de réciprocité** entraînera chez l'autre un sentiment d'obligation de rendre la pareille (« Si je fais quelque chose pour toi, tu feras quelque chose pour moi ultérieurement si j'en ai besoin »). Ainsi, ils peuvent bâtir des réseaux et des relations qui servent à asseoir leur influence de leader.

Les leaders réussissent lorsque les gens les suivent non pas parce qu'ils doivent le faire, mais parce qu'ils *veulent* le faire. Les gens les suivent parce qu'ils constatent la valeur de leurs idées et de leurs suggestions. Cette influence positive provient de la compétence, de la persuasion et des compétences humaines des leaders. En raison de leur position d'autorité, les gestionnaires et les chefs d'équipe ont la possibilité d'agir comme des leaders. Toutefois, ils ne le font pas toujours ou ne réussissent pas toujours à le faire. La rubrique *En matière de leadership* figurant dans chaque chapitre vous donnera des modèles de rôle inspirants et vous incitera à développer votre potentiel de leader.

Les subordonnés efficaces

Les subordonnés efficaces travaillent avec les leaders dans le but d'obtenir des résultats positifs. Ils soutiennent les leaders en acceptant de collaborer et de s'en remettre à eux au besoin, plutôt que de travailler à l'encontre des leaders ou d'essayer de miner leur pouvoir. En même temps, les subordonnés efficaces n'obéissent pas aveuglément ; ils ne sont ni soumis ni passifs. Vous êtes un subordonné efficace lorsque vous assumez la responsabilité de transmettre aux leaders les renseignements qu'ils doivent savoir, les mauvaises nouvelles comme les bonnes.

Cadrage
Processus d'adaptation de la communication de façon à favoriser certaines interprétations et à en défavoriser d'autres

Échange social
Processus d'échange et de réciprocité favorisant le développement de partenariats et de réseaux

Règle de réciprocité
Sentiment de devoir rendre la pareille à quelqu'un qui a fait quelque chose pour soi

Comment communiquer votre passion aux autres

Un entrepreneur, et de manière plus large un leader, est avant tout un passionné. Mais la passion seule ne suffit pas pour connaître le succès, loin de là. Encore faut-il savoir transmettre sa passion aux autres.

« C'est quand même dingue, quand on y pense : un entrepreneur a une passion, c'est-à-dire des idées folles, et il doit trouver le moyen d'embarquer d'autres personnes dans sa folie. Des personnes qui vont devenir ses partenaires, ses clients, ses employés. Comment réussir ce tour de force ? Pas d'autre solution que de les emballer par son enthousiasme. Oui, il faut être convaincu pour être convaincant », disait Gaëtan Namouric il y a un an et demi, au moment où il quittait l'agence Bleublancrouge pour fonder son cabinet-conseil en stratégie et créativité, Perrier Jablonski. Une démarche visiblement payante puisqu'il compte parmi sa clientèle la Banque Nationale, Bell Média et Danone.

L'enthousiasme, donc. Mais aussi la confiance, selon Dan Pontefract, idéateur en chef, bureau de la transformation, de Telus : « La passion ne pourra être le moteur d'une entreprise – et se traduire par l'engagement des employés – que si le leader parvient à inspirer confiance. Ce qu'il peut faire à condition de vraiment favoriser la collaboration, c'est-à-dire

de ne plus miser sur l'individu, mais sur le collectif », a-t-il dit lors d'une récente conférence.

Et d'ajouter : « Le leader passionné doit faire preuve d'humilité, en laissant toute la place aux talents des autres, pourvu que ceux-ci s'expriment de manière harmonieuse. »

Idéalement, il faudrait aller encore plus loin en ce sens et viser l'amitié, d'après Tim Brown, PDG de l'agence américaine IDEO. « L'amitié est le meilleur liant de toute forme de communauté, aussi bien à l'échelle de l'équipe que de l'entreprise. Parce qu'elle repose sur la générosité : chacun donne dès lors sans compter aux autres, que ce soit son temps ou son talent, afin qu'ils puissent tous ensemble voler de succès en succès », a-t-il dit lors de l'événement C2 Montréal, en mai 2016.

Il a illustré son propos en parlant d'un « bus dont chaque passager serait à tour de rôle le chauffeur, libre d'aller où bon lui semble, les autres lui faisant entièrement confiance quant à la pertinence de la destination ».

Marc MacDonald, chef de la direction, ressources humaines et communications, de la chaîne David's Tea, a abondé dans le même sens à l'occasion de l'événement Expérience client 2015 du Groupe Les Affaires : « La clé, c'est de partager sa passion,

tout comme on a plaisir à partager un vin d'exception avec ses chums. Ce qui signifie la répartir équitablement entre chacun, puis laisser les uns et les autres l'apprécier à leur guise », a-t-il dit.

Comment y parvenir ? En s'appuyant sur les quatre piliers de la passion, comme le considère M. MacDonald : la convivialité, l'envie d'expérimenter, l'attitude responsable et, surtout, le plaisir. « Bref, sur ce que j'appelle une culture *cheeky*, faite d'impertinence et de débrouillardise. Une culture où l'on peut oser sans être jugé, où l'on peut même dévoiler sa vulnérabilité, parce que les autres n'en profiteront pas pour nous enfoncer, mais plutôt pour nous tirer vers le haut », a-t-il expliqué, en soulignant que « qui dit passion dit compassion ».

On le voit bien, la passion peut être communiquée à autrui si l'on sait faire preuve d'enthousiasme et de confiance, voire, si possible, d'amitié et de vulnérabilité. C'est alors qu'elle sera véritablement nourrie, et par conséquent en mesure de grandir. [...]

Source : Olivier Schmouker, « Comment communiquer votre passion aux autres », *Les Affaires*, 1er juillet 2016, p. 8. Cet extrait a été reproduit aux termes d'une licence accordée par Copibec.

QUESTIONS

Quelles sont les principales compétences que doivent manifester les leaders ? Comment doivent-ils assumer leur rôle ? Quels défis doivent-ils relever ? À l'instar des leaders présentés dans cette rubrique, tout un chacun peut-il devenir un leader ?

Délégation ascendante
Transmission des problèmes ou des responsabilités aux supérieurs, ayant pour conséquence de les surcharger

Les meilleurs subordonnés n'ont pas à être microgérés. Ils sont responsables de leurs propres attitudes et comportements, et ils se considèrent comme des partenaires des leaders dans le processus de leadership. Ils aident le gestionnaire en évitant de faire de la **délégation ascendante**, ou de transmettre leurs problèmes aux gestionnaires, ce qui a pour effet de les surcharger de travail. Les meilleurs subordonnés trouvent des solutions aux problèmes. De façon générale, ils essayent de cerner les éléments qui pourraient porter préjudice aux leaders et travaillent pour trouver des solutions avant que les problèmes ne dégénèrent.

De nos jours, les organisations subissent d'importantes transitions. Elles nécessitent un bon leadership à tous les paliers, et le besoin de subordonnés efficaces est à la hausse. Les subordonnés d'aujourd'hui ne peuvent s'en tirer en rejetant la responsabilité ou en renvoyant le blâme comme ils pouvaient parfois le faire dans le passé. On s'attend à ce qu'ils remettent en question leurs leaders ou les défient au besoin, et qu'ils apportent de nouvelles idées et de la créativité dans leur travail. Mais pour ce faire, ils doivent agir avec respect et garder le but ultime en tête : l'objectif est de travailler avec les leaders de façon à faire avancer la mission et la raison d'être de l'organisation. Lorsque les leaders et les subordonnés s'associent de manière efficace, il en résulte une expérience de travail plus valorisante, stimulante et enrichissante.

Guide de RÉVISION

RÉSUMÉ

Qu'est-ce que le comportement organisationnel et en quoi est-il si important?

- Le comportement organisationnel – CO – est l'étude du comportement humain au sein des organisations.

- Le CO est un ensemble de connaissances avec des applications concrètes dans le quotidien et les carrières de tout un chacun, surtout au sein d'une main-d'œuvre intelligente dans laquelle les liens et la collaboration représentent la clé du succès.

- L'évolution des paradigmes du domaine du comportement organisationnel reflète les grandes tendances que sont l'importance des liens et des réseaux, l'affirmation de l'importance du comportement éthique, du capital humain et du travail d'équipe, l'influence croissante des technologies de l'information, les nouvelles attentes de la main-d'œuvre, la mutation des cheminements professionnels et les préoccupations relatives au développement durable.

Quels sont les fondements du comportement organisationnel et comment peut-on faire l'apprentissage du comportement organisationnel?

- Le CO est une discipline appliquée qui s'appuie sur des méthodes de recherche scientifiques.

- Le CO fait appel à l'approche de la contingence, reconnaissant la nécessité d'adapter les pratiques de gestion aux particularités de la situation.

- L'apprentissage se définit comme un changement durable du comportement résultant de l'expérience.

- En matière de comportement organisationnel, l'apprentissage continu exige un engagement personnel dans l'acquisition continue de connaissances et de moyens de les mettre en application, tant au travail qu'en dehors du milieu professionnel.

- Les cours de comportement organisationnel font généralement appel à un éventail de méthodes et d'approches qui s'appuient sur un cycle d'apprentissage expérientiel.

Dans quel contexte évolue le comportement organisationnel ?

- Une organisation est un regroupement d'individus travaillant à un objectif commun, après répartition des tâches.

- L'organisation est un système ouvert en interaction avec son environnement : elle tire de celui-ci des ressources qu'elle transforme pour les y retourner sous forme de produits finis (biens ou services).

- Les parties prenantes, dans l'environnement externe de l'organisation, comprennent notamment les clients, les actionnaires, les fournisseurs, le personnel, les organismes de contrôle, les collectivités locales et les générations futures.

- La culture organisationnelle, sorte de « personnalité » de l'organisation, est l'ensemble des croyances et des valeurs communes qu'acquièrent les membres d'une organisation et qui orientent leur comportement.

- Les cultures organisationnelles positives accordent une valeur élevée à la diversité de la main-d'œuvre. Elles préconisent le respect des différences et un degré d'inclusion élevé.

Qu'est-ce qui caractérise le travail de gestion ?

- Le gestionnaire efficace exécute des tâches impliquant un soutien direct aux efforts déployés par d'autres. Les nouveaux milieux de travail exigent de plus en plus de lui qu'il soit un *accompagnateur* et un *coordonnateur* plutôt qu'un donneur d'ordres et un inspecteur.

- Le gestionnaire efficace est celui dont l'unité de travail, le groupe ou l'équipe atteint ses objectifs à plusieurs reprises, sans que fléchissent l'engagement et l'enthousiasme de ses membres.

- Les quatre fonctions du gestionnaire sont : (1) la planification, soit la détermination de l'orientation ; (2) l'organisation, soit la coordination des ressources et des systèmes ; (3) la direction, soit la stimulation de l'enthousiasme et de l'ardeur au travail du personnel ; (4) le contrôle, soit la vérification de l'obtention des résultats escomptés.

- L'efficacité du gestionnaire repose sur une combinaison de compétences techniques, humaines et conceptuelles.

- Le gestionnaire remplit divers rôles interpersonnels, informationnels et décisionnels ; il travaille avec des réseaux de contacts à l'intérieur et à l'extérieur de l'organisation.

- L'intelligence émotionnelle est une compétence humaine importante consistant en la capacité de reconnaître ses propres sentiments et ceux des autres, de se motiver et de bien gérer ses émotions, en soi-même et dans ses relations avec autrui.

Qu'est-ce qui caractérise le leadership au sein des organisations ?

- Les leaders efficaces sont des individus qui utilisent avec succès leur influence pour générer des changements pour le bienfait de la mission et de la vision de l'organisation.

- Ce ne sont pas tous les gestionnaires qui sont de bons leaders. Ces derniers réussissent à rallier les subordonnés à leurs suggestions ou idées parce qu'ils les apprécient et les valorisent.

- Les aptitudes essentielles du leadership comprennent le développement de la compétence et de la réputation, des qualités de communication efficace et le développement de relations et de liens avec des réseaux d'influence.

- Les aptitudes essentielles des subordonnés sont de soutenir les leaders, de ne pas renvoyer les problèmes aux supérieurs et de prévoir de manière proactive les problèmes ou préoccupations qui pourraient déranger l'équipe ou la capacité du leader de satisfaire aux objectifs de l'organisation.

MOTS CLÉS

MaBiblio > MonLab > Exercices > Ch01 > Exercice de révision

EXERCICE DE RÉVISION

Questions à choix multiple

1. Lequel des problèmes suivants est au cœur de la discipline du comportement organisationnel ? **a)** L'élaboration d'une campagne de publicité efficace pour faire connaître un nouveau produit. **b)** La mise en œuvre de mesures visant à accroître la satisfaction professionnelle et le rendement des employés. **c)** La mise au point d'une stratégie visant à assurer la croissance de l'organisation. **d)** La conception d'un nouveau système de gestion de l'information.

2. Parmi les affirmations suivantes, laquelle décrit le mieux le contexte dans lequel évolue le CO de nos jours? **a)** La tendance est à la direction centralisée. **b)** La main-d'œuvre de la nouvelle génération a des attentes relativement semblables à celles des générations précédentes. **c)** Le concept d'autonomisation est dépassé. **d)** Le travail est effectué par l'entremise de liens personnels et de réseaux.

3. Lorsqu'on parle de diversité de la main-d'œuvre, on parle de la présence, au sein de la main-d'œuvre, d'une variété d'individus se différenciant notamment par le sexe, l'âge, l'origine ethnoculturelle, l'orientation sexuelle ou l'identité de genre et _____ **a)** le statut social. **b)** la fortune personnelle. **c)** l'état physique et mental. **d)** l'orientation politique.

4. Laquelle de ces affirmations est exacte? **a)** Le CO cherche des solutions universelles aux problèmes de gestion. **b)** Le CO est une science tout à fait originale qui a peu de rapport avec les autres disciplines scientifiques. **c)** Le CO se voue surtout à la recherche d'applications concrètes. **d)** Le CO est une discipline si nouvelle qu'il n'a pratiquement aucune racine historique.

5. Dans la conception de l'organisation comme système ouvert, les techniques, l'information et les capitaux sont _____ **a)** des biens. **b)** des services. **c)** des ressources. **d)** des produits finis.

6. Si la culture d'une organisation représente sa nature même sur le plan des valeurs communes, _____ représente les perceptions qu'ont les employés de leur milieu de travail, notamment en ce qui a trait à l'ambiance, aux relations avec les collègues et à la supervision. **a)** la chaîne de valeur **b)** le climat organisationnel **c)** le processus de transformation **d)** la stratégie organisationnelle

7. Parmi les paires suivantes, laquelle n'associe pas correctement la partie prenante et l'aspect qu'elle tient pour important? **a)** Clients – produits de qualité. **b)** Actionnaires – rendement du capital investi. **c)** Générations futures – prix équitables. **d)** Organismes de contrôle – respect de la réglementation.

8. Parmi les notions suivantes, laquelle permet de décrire une culture organisationnelle qui accorde une grande valeur à la diversité au sein de sa main-d'œuvre? **a)** L'inclusion. **b)** L'efficacité. **c)** Le dynamisme. **d)** La prévisibilité.

9. Parmi les fonctions du gestionnaire, laquelle consiste à insuffler au personnel de l'enthousiasme et de l'ardeur au travail ? **a)** La planification. **b)** La motivation. **c)** Le contrôle. **d)** La direction.

10. Parmi les fonctions du gestionnaire, laquelle consiste à mesurer le rendement et à prendre des mesures correctives en vue d'améliorer celui-ci ? **a)** La prise de mesures disciplinaires. **b)** L'organisation. **c)** La direction. **d)** Le contrôle.

11. Parmi les 10 rôles du gestionnaire efficace définis par Mintzberg, le leadership et la liaison font partie des rôles _____ **a)** interpersonnels. **b)** informationnels. **c)** décisionnels. **d)** conceptuels.

12. Selon Katz, quand un gestionnaire monte dans la hiérarchie et se voit confier des responsabilités correspondant à un échelon supérieur, l'importance relative des compétences _____ diminue et celle des compétences _____ s'accroît. **a)** humaines ; conceptuelles **b)** conceptuelles ; émotionnelles **c)** techniques ; conceptuelles **d)** émotionnelles ; humaines

13. Une personne dotée d'un degré élevé d'intelligence émotionnelle démontrera, notamment, une grande _____, soit une grande capacité à réfléchir avant d'agir et à maîtriser ses propres émotions. **a)** motivation **b)** persévérance **c)** maîtrise de soi **d)** empathie

14. Une personne qui a de grandes compétences humaines, qui noue facilement des relations avec les autres et qui sollicite leur aide professionnelle en toute confiance arrive à acquérir aisément _____ **a)** une capacité analytique. **b)** une pleine conscience éthique. **c)** un capital social. **d)** une dimension multiculturelle.

15. Les discussions en classe, les comptes rendus, les travaux individuels fondés sur des études de cas, les travaux d'équipe et les activités en classe sont autant de méthodes que votre enseignant utilise pour vous engager dans une phase précise du cycle de l'apprentissage expérientiel. Laquelle ? **a)** L'expérience initiale. **b)** La réflexion. **c)** L'élaboration de théories. **d)** L'expérimentation.

Questions à réponse brève

16. Quelles sont les caractéristiques clés du comportement organisationnel en tant que discipline scientifique?

17. Que signifie «valoriser la diversité» dans les milieux de travail?

18. Que signifie l'expression «maîtrise de soi» lorsqu'on l'utilise pour parler de l'intelligence émotionnelle d'une personne?

19. Quand un gestionnaire peut-il être qualifié de leader efficace?

Question à développement

20. Clara, étudiante universitaire de premier cycle, participe à un projet spécial de liaison avec une école primaire de son milieu. En compagnie d'autres étudiants en gestion, elle se prépare à rencontrer pendant toute une journée des élèves de sixième année afin de les encourager à poursuivre leurs études jusqu'à l'université. Elle devra, notamment, amener ces élèves à discuter de la question suivante: «Quelles sont les tendances actuelles dans le monde du travail?» Aidez Clara en résumant les principaux points qu'elle devrait aborder.

Le CO dans le feu de l'action

Pour ce chapitre, nous vous suggérons les compléments numériques suivants dans MonLab.

MaBiblio >
MonLab > Documents > Études de cas
> 1. Trader Joe's

MonLab > Documents > Activités
> 1. Mon meilleur patron I
> 2. Les mots de la fin: remue-méninges et idées en vrac
> 3. Mon meilleur emploi

MonLab > Documents > Autoévaluations
> 1. Les postulats d'un gestionnaire
> 2. Le gestionnaire du 21e siècle
> 3. Votre tolérance à l'agitation

Les caractéristiques individuelles et le comportement en milieu organisationnel

2

Les différences individuelles et la diversité en milieu organisationnel

Le comportement organisationnel se traduit par les actions des individus qui inter-agissent dans un contexte professionnel. Par conséquent, on doit commencer par comprendre l'individu. Ce chapitre montre l'importance de considérer l'éventail des différences entre les êtres humains – notamment en ce qui concerne leurs traits de personnalité, leurs valeurs, leurs caractéristiques sociodémographiques, leurs apti-tudes – dans l'étude des milieux de travail de plus en plus hétérogènes qu'on connaît aujourd'hui. Ces caractéristiques individuelles influencent les actions et les interactions en milieu organisationnel.

OBJECTIFS D'APPRENTISSAGE

Après l'étude de ce chapitre, vous devriez pouvoir :

- Expliquer ce que sont les différences individuelles et quelle est leur importance.
- Définir la personnalité et décrire les principaux traits distinctifs sur le plan de la personnalité.
- Expliquer ce qui distingue les personnes et les cultures nationales les unes des autres sur le plan des valeurs.
- Expliquer comment les caractéristiques sociodémographiques se reflètent dans la diversité de la main-d'œuvre et comment cette diversité devrait être gérée.
- Distinguer les aptitudes des capacités.

PLAN DU CHAPITRE

Les différences individuelles
La conscience de soi et la conscience de l'autre
L'image de soi

La personnalité
Les traits de personnalité selon le modèle à cinq facteurs
Les traits sociaux
Les traits relatifs à la conception personnelle du monde
Les traits relatifs à l'adaptation affective

Les valeurs
L'origine des valeurs
Les valeurs individuelles
Les valeurs culturelles

Les caractéristiques sociodémographiques et la valorisation de la diversité
La diversité de la main-d'œuvre
Les caractéristiques sociodémographiques
La valorisation de la diversité

Les aptitudes et les capacités

Guide de révision

Chaque personne
est unique.

Traiter les besoins spécifiques de chaque employé, la recette de SherWeb

SherWeb, une entreprise sherbrookoise de services informatiques, compte 22 % de Néo-Canadiens sur 250 employés. Elle a été parmi les premières entreprises certifiées Employeur remarquable – Diversité ethnoculturelle par le Bureau de normalisation du Québec en 2015 en raison de ses bonnes pratiques en matière de gestion et d'intégration des travailleurs de toutes origines.

« Cette certification signifie beaucoup pour nous, affirme la directrice des ressources humaines de SherWeb, Véronique Bibeau. Ici, le talent n'a pas de frontières : chaque fois que nous ouvrons un poste, nous évaluons les candidats en fonction du talent, peu importe la culture, l'origine du candidat ou même l'endroit où il se trouve [au moment de l'entretien d'embauche]. » […]

« Nous travaillons avec Pro-Gestion Estrie, Préférence Estrie et le Service d'aide aux Néo-Canadiens, dit-elle. Ce sont des organismes très facilitants pour nous, qui devons tenir compte de la famille d'un employé dans le cas d'une relocalisation ; il s'agit de conditions de rétention et de mobilisation. » Ces organismes permettent de faciliter l'intégration sociale dans la communauté locale de tous les membres de la famille des nouveaux employés, par exemple en aidant les conjoints à se trouver un emploi ou les parents à trouver une place dans une école pour leurs enfants.

La volonté de la haute direction de promouvoir la diversité au sein de l'entreprise constitue une autre condition essentielle, indique Sylvie St-Pierre, consultante en diversité. « Il faut que les dirigeants posent des gestes concrets de sensibilisation, de formation et peut-être même de reddition de compte relativement aux embauches de personnes issues de groupes minoritaires », détaille la conseillère en ressources humaines agréée.

Cependant, les cofondateurs de SherWeb, Peter et Matthew Cassar – dont les grands-parents paternels ont immigré au Québec il y a longtemps –, n'y portent aucune attention particulière, selon Mme Bibeau. « Nous n'avons pas de mesures spécifiques destinées aux immigrants, même que nous trouvons que c'est une forme de discrimination, fait-elle valoir. Nos prémisses sont l'équité et l'égalité. Nous traitons donc les besoins spécifiques de chaque individu, quelle que soit son origine. »

Cette attention personnalisée doit permettre à l'entreprise d'éviter la discrimination involontaire, avertit Mme St-Pierre. « L'égalité, ce n'est pas nécessairement de traiter tout le monde de la même façon, dit-elle. Quand un employeur est en présence de personnes au profil atypique, par exemple des handicapés, l'égalité devient une source de discrimination, parce qu'elle ne tient pas compte des particularités qui pourraient les exclure d'emblée. » […]

Chez SherWeb, qui a des clients dans une centaine de pays, la diversité contribue également à fidéliser les clients. « Nos employés parlent plus de 20 langues, dit Véronique Bibeau. Quand quelqu'un prend en charge un dossier et qu'il est capable de communiquer avec le client dans sa langue maternelle, cela ajoute une certaine proximité très appréciée. » Ce multilinguisme a toutefois obligé l'entreprise à réviser sa structure de communication interne. Par exemple, tous les courriels qui sont échangés à l'interne doivent être bilingues. De plus, des cours de français sont offerts.

> **Ici, le talent n'a pas de frontières…**

Source : Benoîte Labrosse, « Traiter les besoins spécifiques de chaque employé, la recette de SherWeb », *Les Affaires*, 5 mars 2016, p. 18.

Les entreprises doivent chercher à refléter ce que nos économies sont en train de devenir : une réalité marquée par la diversité des clientèles et de la main-d'œuvre. Qui dit diversité dit aussi différences, lesquelles peuvent conduire autant à des problèmes qu'à des possibilités. Prendre en considération la diversité et les différences individuelles signifie qu'on s'intéresse au rôle que jouent la personnalité, les valeurs, les caractéristiques sociodémographiques ainsi que les aptitudes des personnes. Voilà donc énumérés certains des concepts fondamentaux du CO qui sont examinés de plus près dans ce chapitre.

Les différences individuelles

Les êtres humains sont complexes. Devant une même situation, vous agirez d'une certaine façon, alors qu'une autre personne agira tout à fait différemment. En raison des différences entre les individus, il peut être difficile de prévoir et de comprendre le comportement dans les organisations. Mais ce sont également ces différences, entre autres, qui donnent une dimension fascinante à l'étude du comportement organisationnel. Dans le domaine du CO, le terme **différences individuelles** désigne tout ce qui distingue les individus les uns des autres sur le plan des caractéristiques personnelles.

Différences individuelles
Différences sur le plan des caractéristiques personnelles qui distinguent les êtres humains les uns des autres

Si elles peuvent parfois rendre le travail de collaboration difficile, les différences individuelles peuvent aussi présenter beaucoup d'avantages. Les meilleures équipes sont souvent celles qui rassemblent des individus ayant des compétences, des approches et des façons de penser différentes, celles dans lesquelles on met à contribution le « cerveau global ». Pour profiter des différences, il faut comprendre ce qu'elles sont et miser sur les avantages qu'elles offrent.

Diversité en surface
Différences individuelles dans les attributs visibles tels que l'origine ethnoculturelle, le sexe, l'âge ainsi que l'état physique et mental

Diversité en profondeur
Différences individuelles dans des attributs tels que la personnalité et les valeurs

Le mélange des différences individuelles dans les organisations crée la diversité de la main-d'œuvre. Certaines de ces différences sont facilement perceptibles et souvent démographiques. Elles représentent la **diversité en surface** basée sur des attributs plutôt visibles tels que l'origine ethnoculturelle, le sexe, l'âge ainsi que l'état physique et mental. D'autres différences individuelles – telles que les traits de personnalité, les valeurs et les attitudes – sont moins visibles de façon immédiate. Elles représentent la **diversité en profondeur**, dont la compréhension peut demander temps et efforts[1].

Peu importe leur nature, les éléments concernant la diversité sont d'un grand intérêt en CO. Par exemple, de nos jours, des femmes dirigent des entreprises mondiales comme PepsiCo, Xerox, IBM et Kraft. Toutefois, les femmes n'occupent que 13,5 % des postes de haute direction au Canada et 16,8 % des postes de direction au Québec[2]. Pourquoi est-ce que si peu de femmes gravissent les échelons jusqu'au sommet ? De plus, la société devient de plus en plus variée sur le plan ethnoculturel. Toutefois, une étude menée par la Commission des droits de la personne et des droits de la jeunesse du Québec[3] a démontré que des curriculum vitæ de candidats avec un nom de famille québécois francophone avaient 60 % plus de chances d'être retenus pour un entretien d'embauche que ceux qui portaient un nom à consonance africaine, arabe ou latino-américaine[4]. Comment peut-on expliquer ces résultats puisque les curriculum vitæ avaient été conçus de la même façon ?

La conscience de soi et la conscience de l'autre

Pour bien comprendre et gérer les différences individuelles et la diversité en milieu de travail, il est important d'avoir une bonne conscience de soi. La **conscience de soi** est la connaissance de ses propres comportements, préférences, styles, louvoiements, traits de personnalité, etc. La **conscience de l'autre** est la connaissance de ces mêmes éléments chez autrui. Pour creuser davantage ces thèmes, il faut commencer par comprendre ce qu'est l'image de soi et comment elle se forme. Nous verrons ensuite ce qu'est la personnalité et chercherons à reconnaître les caractéristiques et les valeurs personnelles les plus pertinentes pour le CO. Tout au long de l'étude de ces notions, tâchez de vous situer par rapport à elles. Dans quelle mesure correspondent-elles à ce que vous êtes ? Dans quelle mesure vous font-elles penser à des personnes que vous connaissez ?

Conscience de soi
Connaissance de ses propres comportements, préférences, styles, louvoiements, traits de personnalité, etc.

Conscience de l'autre
Connaissance des comportements, préférences, styles, louvoiements et traits de personnalité d'autrui

L'image de soi

La façon dont un individu intègre et organise toutes les composantes et tous les traits qui le caractérisent contribue à bâtir l'image qu'il a de lui-même. L'**image de soi** est la conception que chacun se fait de son identité sociale, physique, spirituelle et morale ; c'est une façon de se reconnaître en tant qu'être unique[5].

Image de soi
Conception que chacun se fait de son identité sociale, physique, spirituelle et morale

L'image de soi comporte deux dimensions importantes : l'estime de soi et le sentiment de compétence. L'**estime de soi** est l'opinion que chacun a de lui-même en fonction d'une autoévaluation générale[6]. Les personnes qui ont une grande estime d'elles-mêmes se jugent capables, méritantes et respectables, et doutent rarement de leur potentiel, au contraire de celles qui ont une faible estime d'elles-mêmes. Des recherches en CO semblent indiquer que, si elle peut souvent stimuler le rendement et favoriser la fidélité à l'organisation, une haute estime de soi peut également, en situation de stress, se traduire par de l'arrogance et de l'égocentrisme. Trop sûres d'elles-mêmes, certaines personnes négligent parfois des informations importantes[7]. Autre facette de l'image de soi, le **sentiment de compétence** (ou **autoefficacité**) est la conviction intime qu'un individu a de pouvoir accomplir avec succès une tâche déterminée. On peut très bien avoir une haute estime de soi et un faible sentiment de compétence par rapport à une situation précise (prendre la parole en public, par exemple).

Estime de soi
Opinion que chacun a de lui-même en fonction d'une autoévaluation générale

Sentiment de compétence (ou autoefficacité)
Conviction intime qu'un individu a de pouvoir accomplir avec succès une tâche déterminée

Qu'est-ce qui détermine le développement de *soi* ? En outre, comment peut-on expliquer ces préjugés qui se manifestent par la démonstration d'opinions et d'attitudes négatives, irrationnelles et de supériorité envers les autres qui sont différents de soi ? Tantôt on entend dire qu'untel « agit comme sa mère », tantôt que « son comportement s'explique par son éducation ». Ces deux commentaires reflètent l'éternelle polémique sur la part de l'inné et de l'acquis. Est-ce l'hérédité, par l'intermédiaire des gènes, qui détermine qui on est ? Est-ce plutôt l'environnement, soit le milieu culturel et familial dans lequel on a été élevé et dans lequel on vit ? En fait, ces deux influences agissent de concert. L'hérédité établit les limites et l'environnement détermine le développement de la personne à l'intérieur de ces limites[8].

Une étude l'a démontré : les CV de candidats aux noms francophones sont plus souvent retenus par les employeurs québécois que ceux affichant des noms à consonance africaine, arabe ou latino-américaine.

Si les gènes contiennent l'information de base du développement, c'est l'expérience de vie de chaque individu qui détermine lesquels seront actualisés, comment cela se fera et à quel moment.

La personnalité

La **personnalité** est le profil global d'un individu, une combinaison de traits qui font de lui un être unique par la manière qu'il a de se comporter et d'entrer en relation avec autrui. Elle englobe un ensemble de caractéristiques, notamment émotives, affectives et mentales, qui orientent les perceptions de l'individu, sa façon de penser, ses actes et ce qu'il ressent. Pensez, par exemple, à des situations où vous êtes avec des membres de votre famille ou des amis. Vos interactions avec eux ne dépendent-elles pas, en grande partie, de votre personnalité et de la leur ? Allez-vous interagir avec un ami susceptible de la même façon qu'avec un ami ou un membre de votre famille qui prend bien la plaisanterie ?

DU CÔTÉ DE LA RECHERCHE

Les études sur les jumeaux : hérédité ou environnement ?

Dans l'étude des différences individuelles, en psychologie, une question se pose depuis longtemps : quelle est la part de l'hérédité et la part de l'environnement dans ce qu'on est ? La recherche scientifique commence à ouvrir des perspectives fascinantes à ce propos grâce aux études effectuées auprès d'échantillons de jumeaux. Avant de lire ce qui suit, tentez de répondre à la question suivante : à votre avis, dans les compétences en matière de leadership, quelle est la part de l'hérédité et celle de l'environnement ?

Cette question a fait l'objet d'une recherche menée par Rich Arvey et ses collègues. Dans une étude récente, ces derniers ont utilisé un échantillon de 178 jumelles dizygotes et de 214 jumelles monozygotes pour déterminer s'ils pouvaient généraliser leur découverte selon laquelle les variations dans l'exercice du rôle de

leader, chez les jumeaux de sexe masculin, pourraient s'expliquer par des facteurs génétiques dans une proportion de 30 %. Ils ont tiré leur échantillon du Registre des jumeaux du Minnesota en y recensant les jumeaux nés dans cet État entre 1936 et 1951 et qui ont été élevés ensemble pendant leur enfance. Ils ont envoyé aux jumelles de leur échantillon un questionnaire visant à évaluer leurs expériences en matière de leadership (exercice du rôle de leader) ainsi que leurs expériences de développement personnel, notamment dans la vie familiale et professionnelle.

Les résultats obtenus ont corroboré les tendances qu'ils avaient décelées avec l'échantillon de jumeaux de sexe masculin, à savoir que les variations dans l'exercice du rôle de leader découlaient de l'hérédité dans une proportion de 32 %. Les expériences

familiales et professionnelles étaient aussi liées à l'exercice du rôle de leader, même si, fait peu surprenant, les expériences professionnelles avaient plus de poids que les expériences familiales dans le développement du leadership chez les femmes. Ces découvertes sont importantes, car elles indiquent que les expériences déterminantes pour le développement peuvent aider autant les hommes que les femmes à exercer des rôles de leaders.

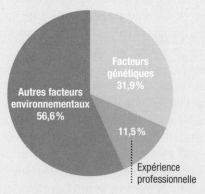

Facteurs génétiques 31,9 %

Autres facteurs environnementaux 56,6 %

11,5 %

Expérience professionnelle

On tente parfois de cerner la personnalité à l'aide de questionnaires et de tests spéciaux. Cependant, on peut souvent en saisir les grands traits simplement en observant le comportement d'un individu. Quelle que soit la façon dont ils s'y prennent, les gestionnaires doivent être capables de cerner cette importante caractéristique individuelle qu'est la personnalité, car cela leur permet de prévoir de manière générale les comportements des individus et leurs interactions.

Les traits de personnalité selon le modèle à cinq facteurs

On a dressé d'innombrables listes de **traits de personnalité**, caractéristiques marquées et durables qui déterminent le comportement d'un individu, et beaucoup d'entre elles ont servi à la recherche en CO. Au début des années 1990, des études ont permis d'élaborer un modèle de personnalité à cinq facteurs qui synthétise les listes interminables et les ramène à cinq grandes dimensions, appelées les « Big Five »[9].

Traits de personnalité
Caractéristiques marquées et durables qui déterminent le comportement d'un individu

Les cinq grandes dimensions de la personnalité

1. *L'extraversion et l'introversion.* Cette dimension concerne la facilité ou la difficulté qu'a une personne à entrer en relation avec les autres. La personne extravertie est communicative, sociable et assurée. Au contraire, la personne introvertie est timide, réservée et calme.

2. *L'amabilité et le manque d'amabilité.* Cette dimension a trait à la tendance plus ou moins grande qu'a une personne de se montrer plaisante avec les autres. La personne présentant un haut degré d'amabilité est facile à vivre, confiante et coopérative. À l'inverse, la personne manifestant un faible degré d'amabilité est déplaisante, froide, voire hostile.

3. *L'application et l'inapplication.* Cette dimension renvoie au degré plus ou moins grand de fiabilité d'une personne, à son sens des responsabilités et à sa persévérance. Une personne appliquée est responsable, fiable et persévérante. Au contraire, une personne manquant d'application est négligente, désorganisée et peu fiable.

4. *La stabilité et l'instabilité émotionnelle.* Cette dimension correspond à la capacité plus ou moins grande d'une personne à maintenir un équilibre émotif, malgré les aléas de la vie. La personne stable émotionnellement est sereine, stable et détendue. À l'inverse, la personne instable émotionnellement manifeste une humeur plutôt fluctuante et se montre nerveuse.

Une personne appliquée est responsable, fiable et persévérante. Au contraire, une personne manquant d'application est négligente, désorganisée et peu fiable.

5. *L'ouverture et la fermeture à l'expérience.* Cette dernière dimension concerne l'intérêt que porte une personne à la nouveauté et donc sa tolérance aux changements. La personne ouverte à l'expérience est imaginative, curieuse et créative. En revanche, la personne fermée résiste aux changements et manifeste une préférence pour la routine, le statu quo et les situations présentant peu d'incertitudes.

Personnalité et performance adaptative

Les nouveautés en matière de technologie et de conception des tâches ont fait en sorte qu'il est de plus en plus important que les employés s'adaptent rapidement aux changements et aux nouvelles situations au travail. En effet, l'incertitude croissante qui règne dans les milieux organisationnels oblige les employés et les gestionnaires à demeurer en phase avec les changements au travail et à modifier leur comportement en conséquence. Être capable de s'adapter est essentiel pour les employés et pour leur organisation.

La capacité de s'adapter aux changements correspond à une dimension particulière du rendement professionnel qu'on appelle la « performance adaptative ». On la définit comme l'aptitude d'une personne à adapter son comportement aux exigences d'une nouvelle tâche, d'un événement, d'une situation ou de contraintes dans son environnement. La performance adaptative demande donc à la personne de réagir aux changements dans l'environnement en modifiant son comportement.

La personnalité est considérée comme étant un indicateur important de la performance adaptative. On a émis l'hypothèse que, parmi les traits de personnalité du modèle à cinq facteurs, la stabilité émotionnelle, l'extraversion et l'ouverture à l'expérience seraient plus particulièrement liées à la performance adaptative. La *stabilité émotionnelle* y serait liée en raison de la prédisposition à demeurer calme et serein devant les défis et les difficultés, et de la grande volonté

à faire face aux changements et à s'y adapter. L'*extraversion* serait aussi liée à la performance adaptative, car les personnes extraverties sont plus disposées à accueillir les défis lorsqu'elles font face à une nouvelle tâche ou à un nouveau milieu de travail et plus disposées à amorcer un changement (par des activités entrepreneuriales, par exemple). Cela s'applique particulièrement à l'ambition, qui est un aspect spécifique de l'extraversion. L'*ouverture à l'expérience* serait aussi liée à la performance adaptative, car il est démontré qu'elle est liée à la quête de nouveaux environnements et à l'adaptation à ceux-ci. Par ailleurs, l'application et l'amabilité ne seraient pas de bons indicateurs de la performance adaptative. En effet, comme l'*application* est associée à une préférence pour la routine et la structure, les personnes appliquées pourraient être trop rigides pour faire face aux changements dans le milieu de travail et s'y adapter. Quant à l'*amabilité*, elle est de la plus haute importance pour les interactions interpersonnelles.

La relation entre la personnalité et la performance adaptative a été évaluée lors d'une étude qui a analysé les résultats de 71 échantillons indépendants d'employés et de gestionnaires provenant de divers secteurs d'activité. Les résultats ont confirmé que seules la stabilité émotionnelle et l'ambition étaient reliées de façon positive à la performance adaptative, tant pour les employés que pour les

gestionnaires. Ces relations étaient toutefois plus solides pour les gestionnaires, la performance adaptative étant plus sollicitée chez eux.

Étant donné l'importance croissante de la performance adaptative au travail de nos jours, les organisations ont tout intérêt à déterminer quelles sont les personnes qui peuvent s'adapter aux tâches changeantes et aux situations dynamiques, car ces personnes pourront les aider à obtenir un avantage concurrentiel. Les résultats de cette étude indiquent que la stabilité émotionnelle et l'extraversion sont deux des traits de personnalité qui influent sur la performance adaptative d'un individu.

Source : J. L. Huang, A. M. Ryan, K. L. Zabel et A. Palmer, « Personality and Adaptive Performance at Work : A Meta-Analytic Investigation », *Journal of Applied Psychology*, vol. 99, 2014, p. 162-179, cité dans Gary Johns et Alan M. Saks, *Organizational Behavior : Understanding and Managing Life at Work*, 10e édition, Toronto, Pearson, 2017, p. 51. Reproduit avec la permission de Pearson Canada Inc.

De nombreuses études relient les cinq grandes dimensions de la personnalité au comportement au travail et dans la vie en général. Par exemple, un degré élevé d'application pèse positivement sur le rendement professionnel dans certains types d'emplois, notamment l'ingénierie, la police, la vente et les postes qualifiés et semi-qualifiés. En outre, on ne s'étonnera pas qu'un haut degré d'extraversion laisse présager un rendement élevé dans des emplois de gestion ou de vente. Finalement, il semblerait que les personnes extraverties ont tendance à être plus heureuses dans leur vie en général que les personnes introverties, et que les personnes appliquées ainsi que celles qui sont davantage ouvertes aux expériences sont plus productives[10].

Vous pouvez facilement cerner les cinq grandes dimensions de la personnalité chez les personnes que vous fréquentez ou avec lesquelles vous travaillez ou étudiez. Toutefois, n'oubliez pas qu'elles s'appliquent aussi à vous. Les autres se font une idée de votre personnalité et agissent en conséquence, tout comme vous le faites pour eux. Les gestionnaires utilisent souvent leur appréciation de la personnalité d'un individu à la lumière de ces cinq grandes dimensions, ainsi que d'autres, pour assigner les tâches, bâtir des équipes et tenir compte de tout ce qui touche de près ou de loin au côté social du travail au quotidien.

Une deuxième approche en CO, relativement à l'étude de la personnalité, consiste à diviser les traits de personnalité en trois catégories, soit les traits sociaux, les traits relatifs à la conception personnelle du monde et les traits relatifs à l'adaptation affective, puis à évaluer leur dynamique dans la personnalité d'un individu.

Les traits sociaux

Les **traits sociaux** sont les caractéristiques apparentes qui composent l'image projetée par un individu en interaction sociale. Le mode de résolution de problèmes, étudié par l'éminent psychiatre Carl Jung, en est un bon exemple. Il correspond à la façon dont un individu procède à la collecte et à l'évaluation de l'information qui lui servira à résoudre un problème et à prendre une décision.

Traits sociaux
Caractéristiques apparentes qui composent l'image que projette un individu en interaction sociale

La *collecte d'information*, première dimension de la typologie de Jung, englobe à la fois la recherche et l'organisation des données en vue de leur utilisation. Les divers modes de collecte d'information sont axés soit sur la sensation, soit sur l'intuition. L'individu de type *sensation* aime la routine et l'ordre, et il s'attache aux moindres détails lorsqu'il recueille de l'information. Plutôt que d'envisager de nouvelles possibilités, il préfère travailler à partir de faits établis. À l'opposé, l'individu de type *intuition* privilégie une vue d'ensemble de la situation, a la routine en aversion et aime avoir de nouveaux problèmes à résoudre. Plutôt que de travailler à partir de faits établis, il préfère chercher de nouvelles possibilités.

Deuxième dimension de la résolution de problèmes, l'*évaluation des données* concerne la façon de traiter l'information recueillie. Selon les individus, le mode d'évaluation sera axé soit sur le sentiment, soit sur la pensée. L'individu de type *sentiment* est enclin au conformisme et s'efforce de bien s'entendre avec les autres. Il tente d'éviter les situations potentiellement conflictuelles. L'individu de type *pensée* fait appel à la raison et à l'intellect pour résoudre les problèmes. Il est porté à en minimiser les aspects émotionnels.

En combinant les façons qu'ont les individus de procéder à la collecte et à l'évaluation des données, on peut dégager quatre grands modes de résolution de problèmes, que décrit brièvement la **figure 2.1** : *sensation-sentiment*, *intuition-sentiment*, *sensation-pensée* et *intuition-pensée*.

FIGURE 2.1 **Résumé des quatre modes de résolution de problèmes**

Sensation-sentiment	Sensation-pensée
Sociabilité Attention prêtée aux détails d'ordre humain Approche amicale, sympathique Communication ouverte Rétroaction rapide **Doué pour :** • l'empathie • la coopération **But :** aider autrui	Attention prêtée aux détails d'ordre technique Capacité à analyser des données brutes Ordre, minutie Respect des règles et des procédures Fiabilité, sens des responsabilités **Doué pour :** • l'observation • l'organisation • le classement • ce qui exige de la mémoire **But :** faire les choses comme il se doit
Intuition-sentiment	**Intuition-pensée**
Introspection, spiritualité Idéalisme, altruisme Créativité, originalité Vision globale, orientée vers les gens Intérêt pour le potentiel humain **Doué pour :** • l'invention, la conception • les nouveaux concepts **But :** embellir le monde	Capacité d'abstraction, de spéculation Volonté de comprendre Esprit de synthèse Pensée logique, analyse Objectivité, détachement, idéalisme **Doué pour :** • la découverte • la recherche, l'enquête • la résolution de problèmes **But :** aller au fond des choses

Les recherches montrent l'existence d'une correspondance entre le mode de résolution de problèmes d'une personne et le type de décisions qu'elle privilégie. Ainsi, l'individu de type *sensation-pensée* s'oriente vers des stratégies analytiques axées sur les détails et une approche méthodique, tandis que l'individu de type *intuition-sentiment* préfère les stratégies intuitives axées sur une vue d'ensemble de la situation et de ses ramifications. Les individus de type mixte (*sensation-sentiment* ou *intuition-pensée*), eux, combinent les stratégies intuitives et analytiques.

Par ailleurs, d'après certaines études, les individus de type *pensée* sont plus motivés au travail que ceux de type *sentiment*, et les individus de type *sensation* éprouvent plus de satisfaction professionnelle que ceux de type *intuition*. Ces constats, avec d'autres résultats de recherche, donnent à penser qu'il existe des différences fondamentales entre les divers modes de résolution de problèmes. Ainsi, pour pourvoir un poste donné, il est important de trouver la personne dont le mode de résolution de problèmes correspond aux exigences du poste en matière de traitement et d'évaluation de l'information[11].

On se sert fréquemment de l'indicateur typologique de Myers-Briggs (MBTI) pour évaluer les modes de résolution de problèmes. Ce test comporte près d'une centaine de questions sur les réactions et les sentiments suscités par des situations déterminées. Un grand nombre d'organisations ont recours à cet outil pour favoriser le développement de la conscience de soi dans le cadre de programmes de formation et de perfectionnement destinés à leurs cadres[12]. Au Québec, Lionel Arsenault a conçu, au début des années 1990, le modèle TRIMA, qui puise ses fondements, notamment, dans le modèle à cinq facteurs (les Big Five) et le MBTI. Ce modèle comporte trois questionnaires psychométriques validés, conçus pour mesurer, dans un tout cohérent et intégré, trois aspects des dimensions identitaires :

1. *Les styles sociaux, ou la disposition à agir :* préférences, attitudes et traits de caractère.

2. *Les compétences, ou le savoir-agir :* ressources et stratégies de succès.

3. *Le leadership, ou l'intention d'agir :* mode d'influence recherché.

Les traits relatifs à la conception personnelle du monde

On appelle **traits relatifs à la conception personnelle du monde** les traits de personnalité qui se rapportent à la façon dont l'individu conçoit son environnement social et physique, à ses croyances et à ses convictions intimes sur diverses questions. Dans le cadre du comportement organisationnel, les traits relatifs à la conception personnelle du monde qui font l'objet des plus nombreuses études et discussions sont le lieu de contrôle, la personnalité proactive, l'autoritarisme et le dogmatisme, le machiavélisme et le monitorage de soi.

Le lieu de contrôle

Le degré d'emprise que les gens ont l'impression d'avoir sur leur propre vie fait état de leur **lieu de contrôle**[13]. Certains pensent qu'ils peuvent orienter le cours des événements. Ils attribuent ce qui leur arrive à des facteurs inhérents à leur personne : leur intelligence, leurs compétences, leurs choix, etc. Ils croient donc être maîtres de leur destinée. On dit d'eux qu'ils ont un **lieu de contrôle interne**. D'autres, au contraire, ont un **lieu de contrôle externe**. Ils ont l'impression que ce qui leur arrive résulte de forces ou de facteurs extérieurs sur lesquels ils n'ont pas d'emprise, tels que leur environnement physique et social, le hasard, etc.

Généralement, les externes sont plus extravertis et plus axés sur le monde extérieur. Les internes, plus introvertis, ont tendance à se fier à leurs propres impressions et idées. La **figure 2.2** (p. 48) présente les principales caractéristiques distinguant l'individu ayant un lieu de contrôle interne de l'individu ayant un lieu de contrôle externe. Bien que sommaire, cette description suggère qu'un individu ayant un lieu de contrôle interne réussira mieux dans un poste exigeant des capacités de traitement de données complexes, d'apprentissage et d'initiative, exigences qui caractérisent de nombreux postes de gestion et maintes professions.

Traits relatifs à la conception personnelle du monde
Traits de personnalité qui se rapportent à la façon dont un individu conçoit son environnement social et physique, à ses croyances et à ses convictions intimes sur diverses questions

Lieu de contrôle
Degré d'emprise que les gens ont l'impression d'avoir sur leur propre vie

Lieu de contrôle interne
Tendance de l'individu à attribuer ce qui lui arrive à des facteurs inhérents à sa personne et à se croire maître de sa destinée

Lieu de contrôle externe
Tendance de l'individu à attribuer ce qui lui arrive à des facteurs externes sur lesquels il n'a pas d'emprise

Traitement de l'information	Rarement satisfait de la quantité d'information qu'il possède, l'interne cherche toujours à en obtenir davantage et l'utilise adéquatement.
Satisfaction professionnelle	L'interne est généralement plus satisfait, moins isolé, mieux ancré dans son milieu de travail ; chez lui, le lien entre la satisfaction professionnelle et le rendement est particulièrement étroit.
Rendement	L'interne réussit mieux sur le plan de l'apprentissage et de la résolution de problèmes si son rendement lui procure le type de récompenses qu'il valorise.
Maîtrise de soi, gestion du risque, anxiété	L'interne a une plus grande maîtrise de soi ; il est plus prudent, moins enclin aux comportements à risque et moins anxieux.
Motivation, attentes et résultats	L'interne a une plus grande motivation au travail ; il associe plus étroitement ce qu'il fait et ce qui lui arrive, s'attend à ce qu'un travail intense se traduise par un bon rendement et gère mieux son temps.
Réaction aux autres	L'interne est plus indépendant, se fie davantage à son propre jugement, est moins influençable et plus susceptible d'évaluer objectivement le bien-fondé de l'information reçue.

La personnalité proactive

Personnalité proactive
Disposition d'un individu qui tend à agir en vue de modifier son environnement

Certains membres d'une organisation restent passifs au moment où ils se heurtent à des contraintes, alors que d'autres se mobilisent et prennent des mesures pour changer leur situation. La **personnalité proactive** caractérise l'individu disposé à agir en vue de modifier son environnement. Les individus ayant une forte personnalité proactive reconnaissent les occasions qui se présentent et les saisissent, font des gestes concrets et persévèrent jusqu'à l'obtention d'un changement notable. Au contraire, les individus non proactifs ne perçoivent pas les occasions à saisir et ne peuvent donc pas agir pour apporter des changements à leur situation. Passifs et inertes, ils préfèrent s'adapter aux circonstances plutôt que les changer[14].

Dans le monde du travail d'aujourd'hui, de plus en plus exigeant, de nombreuses sociétés cherchent des employés ayant les qualités d'une personnalité proactive, des individus prenant des initiatives et s'engageant activement dans la résolution de problèmes. La recherche soutient cette démarche, puisqu'elle montre qu'une personnalité proactive est associée à un bon rendement, à la créativité, au leadership et à une carrière couronnée de succès. Des études ont également mis en évidence les liens existant entre, d'une part, une personnalité proactive et, d'autre part, l'efficacité d'une équipe et l'entrepreneuriat. De plus, lorsque les organisations souhaitent apporter des changements novateurs et concrets, les effets se révèlent plus positifs pour les personnes proactives que pour les autres, car elles s'investissent davantage et sont plus réceptives au changement. Cela montre qu'une personnalité proactive est un élément important et souhaitable dans le monde du travail d'aujourd'hui.

L'autoritarisme et le dogmatisme

L'autoritarisme et le dogmatisme renvoient à la rigidité des convictions. L'individu très enclin à l'**autoritarisme** est porté à adhérer scrupuleusement aux valeurs traditionnelles, à obéir à l'autorité établie, à privilégier la fermeté et le pouvoir, et à rejeter les impressions subjectives. On peut s'attendre à ce que les individus très autoritaires soient une source de problèmes d'ordre éthique, car leur attachement à l'autorité et leur empressement à s'y plier risquent de les amener à commettre des actes répréhensibles sur ce plan[15].

L'individu qui est très enclin au **dogmatisme** perçoit le monde comme une source de menaces, tient l'autorité légitime pour absolue et juge les autres en fonction de leur degré de soumission à cette autorité. Les cadres enclins au dogmatisme ont tendance à se montrer inflexibles et bornés. Par ailleurs, les subalternes dogmatiques recherchent un encadrement rigide et des certitudes venues d'en haut[16].

Le machiavélisme

Autre trait de personnalité lié à la conception personnelle du monde, le **machiavélisme** tient son nom de Nicolas Machiavel (1469-1527). Administrateur de la république de Florence impliqué dans un complot visant à abattre les Médicis et à restaurer la République, cet homme fut arrêté, torturé et banni. Durant son exil, il écrivit *Le Prince*[17] dans le but d'instruire les princes et les tyrans sans envergure sur l'art de rester au pouvoir par tous les moyens : le mensonge, le vol et même l'assassinat. C'est notamment à Shakespeare, qui le décrivit comme « le sanguinaire Machiavel », que le Florentin doit sa triste réputation. La lecture au premier degré qu'on a faite de son *Prince* n'était peut-être pas justifiée, mais on dit encore d'une personne n'ayant pas de scrupules et manipulant les autres à son profit qu'elle est machiavélique.

Une personne très encline au machiavélisme aborde les situations avec logique et sang-froid et n'hésite pas à mentir pour atteindre ses objectifs[18]. Peu soucieuse de loyauté, d'amitié et des opinions d'autrui, elle se sent rarement liée par ses promesses et excelle dans l'art de manipuler les gens. De plus, la personne à forte tendance machiavélique, flegmatique et détachée, tentera de manipuler et d'exploiter les situations floues et ambiguës, mais fera preuve d'une légèreté frôlant la désinvolture dans les contextes bien structurés. Si la situation s'y prête, elle pourra dire ou faire tout ce qu'elle estime nécessaire pour arriver à ses fins. Au contraire, la personne très peu machiavélique sera portée à respecter les règles de l'éthique et à refuser de mentir ou de tricher.

Le monitorage de soi

Dernier trait de personnalité associé à la conception personnelle du monde, auquel les gestionnaires devraient d'ailleurs s'intéresser de près, le **monitorage de soi** est la capacité qu'a un individu d'adapter son comportement aux facteurs environnementaux (situation, cadre de travail, etc.)[19].

Les personnes qui présentent un haut degré de monitorage de soi sont sensibles aux signaux de l'environnement et tendent à agir différemment dans des situations différentes. Souvent, il y a un écart important entre ce qu'elles semblent être et ce qu'elles sont réellement. Par contre, les personnes qui ont un faible degré de monitorage de soi n'arrivent pas à déguiser leurs comportements ; elles sont ce qu'elles paraissent être.

Autoritarisme
Tendance à adhérer scrupuleusement à des valeurs traditionnelles, à obéir à l'autorité établie et à privilégier la fermeté et le pouvoir

Dogmatisme
Tendance à percevoir le monde comme une source de menaces et à tenir l'autorité légitime pour absolue

Machiavélisme
Tendance à manœuvrer en usant de tous les moyens pour parvenir à ses fins

Monitorage de soi
Capacité qu'a un individu d'adapter son comportement aux facteurs environnementaux

En outre, les personnes dont le degré de monitorage de soi est élevé s'adaptent plus rapidement aux comportements des autres et se plient plus facilement à leurs exigences[20]. Elles peuvent montrer une grande flexibilité et se révéler particulièrement aptes à faire face aux contingences dont nous traitons dans cet ouvrage. Par exemple, elles parviennent facilement à modifier leur style de leadership en fonction de l'expérience de leurs subordonnés, de la nature du travail et de la structure organisationnelle.

Les traits relatifs à l'adaptation affective

Traits relatifs à l'adaptation affective
Traits de personnalité qui déterminent dans quelle mesure un individu est émotionnellement instable ou enclin à adopter des comportements inadmissibles

Les **traits relatifs à l'adaptation affective** déterminent dans quelle mesure un individu est émotionnellement instable ou enclin à adopter des comportements inadmissibles empreints d'impatience, d'irritabilité ou d'agressivité. Parmi les nombreux traits relatifs à l'adaptation affective qui sont étudiés, les personnalités de types A et B présentent un intérêt particulier pour le CO.

Avant de poursuivre votre lecture, afin de bien saisir ce qui caractérise les personnalités de types A et B et de prendre conscience de vos propres tendances à cet égard, prenez quelques instants pour faire le petit test proposé ci-dessous. Pour cela, encerclez le chiffre qui vous décrit le mieux.

Je suis souvent en retard.	1 2 3 4 5 6 7 8	Je ne suis jamais en retard.
Je n'ai pas l'esprit de compétition.	1 2 3 4 5 6 7 8	J'ai un esprit de compétition très poussé.
Je ne me sens jamais pressé(e) ni bousculé(e).	1 2 3 4 5 6 7 8	Je me sens souvent pressé(e) et bousculé(e).
Je fais une chose à la fois.	1 2 3 4 5 6 7 8	J'essaie de faire plusieurs choses à la fois.
J'agis en prenant mon temps.	1 2 3 4 5 6 7 8	J'agis rapidement.
J'exprime mes sentiments.	1 2 3 4 5 6 7 8	Je ne manifeste pas mes sentiments.
Beaucoup de choses m'intéressent en dehors du travail.	1 2 3 4 5 6 7 8	Peu de choses m'intéressent en dehors du travail.

Faites le total de vos points, multipliez-les par 3 et servez-vous du barème ci-dessous pour déterminer l'orientation de votre personnalité.

Résultat (total des points)	moins de 90	de 90 à 99	de 100 à 105	de 106 à 119	120 ou plus
Personnalité de type…	B+	B	A-	A	A+

Source : R. W. Bortner, « A Short Rating Scale as a Potential Measure of Pattern A Behavior », *Journal of Chronic Diseases*, vol. 22, n° 2, 1969, p. 87-91. Reproduction autorisée par Elsevier par l'entremise de Copyright Clearance Center.

La **personnalité de type A** se caractérise par l'impatience, le désir de réussite et le perfectionnisme, tandis que la **personnalité de type B** se distingue plutôt par un caractère calme et un faible esprit de compétition[21]. L'individu de type A est porté à travailler vite et à se montrer brusque, rigide, mal à l'aise, irascible et agressif. De telles tendances dénotent un comportement obsessionnel. Travailleur acharné et méticuleux, l'individu de type A se fixe des objectifs de rendement très élevés et s'épanouit dans la routine. Poussée à l'extrême, son obsession du travail bien fait peut l'amener à s'intéresser plus aux détails qu'aux résultats, à résister au changement et à encadrer ses subordonnés de façon tatillonne. Elle peut également engendrer des problèmes interpersonnels pouvant aller jusqu'aux menaces ou même à la violence physique. Le gestionnaire de type B est généralement beaucoup plus serein et patient dans ses relations avec ses collègues et ses subordonnés.

Personnalité de type A
Personnalité caractérisée par l'impatience, le désir de réussite et le perfectionnisme

Personnalité de type B
Personnalité caractérisée par un tempérament calme et un faible esprit de compétition

Les valeurs

On peut définir les **valeurs** comme les principes généraux qui orientent les actions et les jugements d'une personne, tant dans sa vie privée que dans sa vie professionnelle. Les valeurs sont intimement liées à la notion qu'a chacun du bien et du mal et, jusqu'à un certain point, de « ce qui doit être[22] ». *L'égalité entre tous les êtres humains* ainsi que *le respect et la dignité de la personne humaine* sont des exemples de valeurs.

Valeurs
Principes généraux qui orientent les actions et les jugements d'un individu

Les valeurs pèsent sur les attitudes et le comportement. Par exemple, si vous êtes très attaché à la valeur de l'égalité entre toutes les personnes et que vous commencez à travailler pour une organisation traitant beaucoup mieux ses cadres que ses salariés, vous considérerez votre employeur et votre lieu de travail comme injustes. En conséquence, vous adopterez une attitude négative, ne serez pas très efficace et pourrez même démissionner. Dans une organisation ayant une philosophie plus « égalitaire », votre attitude et vos comportements seraient probablement plus positifs et plus constructifs.

L'origine des valeurs

Nos parents, nos amis, nos enseignants et nos groupes de référence en général peuvent influer sur nos valeurs personnelles. Celles-ci sont le fruit de nos apprentissages et de nos expériences dans le contexte culturel où on grandit. Comme ces deux facteurs varient considérablement d'une personne à une autre, il en résulte inévitablement des différences de valeurs. Profondément enracinées dans la tendre enfance et l'éducation reçue, les valeurs sont difficiles, mais pas impossibles, à changer[23].

Les valeurs individuelles

Les valeurs finales et instrumentales de Rokeach

Dans sa célèbre typologie, l'éminent psychologue Milton Rokeach répartit les valeurs en deux grandes catégories: les valeurs finales et les valeurs instrumentales[24]. Les **valeurs finales** indiquent les choix de l'individu quant aux buts et aux objectifs qu'il se fixe dans la vie. Les **valeurs instrumentales**, elles, concernent les moyens que l'individu utilise pour atteindre ses buts; elles indiquent comment il pourra se comporter pour parvenir à ses fins, selon l'importance qu'il accorde aux moyens.

Valeurs finales
Valeurs relatives aux choix de l'individu quant aux buts et aux objectifs qu'il se fixe dans la vie

Valeurs instrumentales
Valeurs relatives aux moyens qu'utilise l'individu pour atteindre ses buts

La **figure 2.3** énumère les 18 valeurs finales et les 18 valeurs instrumentales définies par Rokeach. Jetez un coup d'œil à cette liste. Puis demandez-vous ceci : quelles sont mes cinq principales valeurs, et que révèlent-elles sur moi et la façon dont j'interagis et travaille avec les autres ?

FIGURE 2.3 **Le classement des valeurs selon Rokeach**

Valeurs finales	Valeurs instrumentales
• Amitié authentique (camaraderie)	• Affection (tendresse, attachement)
• Amour accompli (sexualité et intimité)	• Ambition (travail acharné)
• Beauté dans le monde (nature, arts)	• Bienveillance (altruisme)
• Bonheur (bien-être)	• Capacités (compétences, efficacité)
• Confort (aisance)	• Courage (force de défendre ses convictions)
• Égalité (fraternité, égalité des chances)	• Docilité (dévouement, respect)
• Liberté (indépendance, libre choix)	• Entrain (humour, gaieté)
• Paix dans le monde (ni guerres ni conflits)	• Honnêteté (sincérité, franchise)
• Paix intérieure (sérénité)	• Imagination (créativité, audace)
• Plaisir (vie douce et agréable)	• Indépendance (autosuffisance)
• Reconnaissance sociale (admiration, respect)	• Intelligence (pensée, réflexion)
• Respect de soi (estime de soi)	• Largeur d'esprit (ouverture, tolérance)
• Sagesse (maturité, discernement)	• Logique (rationalité, cohérence)
• Salut (rédemption, vie éternelle)	• Maîtrise de soi (autodiscipline)
• Sécurité familiale (soin des proches)	• Mansuétude (indulgence)
• Sécurité nationale (défense du pays, de la nation)	• Netteté (ordre, méthode)
• Vie passionnante (stimulation)	• Politesse (courtoisie, civilité)
• Volonté d'accomplissement (réalisations durables)	• Sens des responsabilités (sérieux, fiabilité)

La classification des valeurs d'Allport, selon six champs d'intérêt

L'équipe du psychologue Gordon Allport a conçu une autre classification des valeurs humaines, elle aussi couramment utilisée, reposant sur six champs d'intérêt[25] :

1. *Le champ théorique :* l'intérêt pour une quête de la vérité fondée sur la raison et la pensée rationnelle.

2. *Le champ économique :* l'intérêt pour tout ce qui est utile et pratique, y compris l'accumulation des biens.

3. *Le champ esthétique :* l'intérêt pour l'harmonie, la beauté et l'art.

4. *Le champ social :* l'intérêt pour autrui et pour l'amour comme dimension des relations humaines.

5. *Le champ politique :* l'intérêt pour le pouvoir et la persuasion.

6. *Le champ religieux :* l'aspiration à l'harmonie et à la compréhension de l'univers.

Bien entendu, selon les groupes, l'ordre de priorité accordé à ces valeurs varie considérablement. À titre d'exemple, la **figure 2.4** présente les échelles de valeurs de trois groupes professionnels.

FIGURE 2.4 **Les échelles de valeurs de trois groupes professionnels**

	Ministres du culte	Directeurs des achats	Chercheurs industriels
Champs d'intérêt par ordre de priorité	• religieux • social • esthétique • politique • théorique • économique	• économique • théorique • politique • religieux • esthétique • social	• théorique • politique • économique • esthétique • religieux • social

Source : Adapté de R. Tagiuri, « Purchasing Executive : General Manager or Specialist ? », *Journal of Purchasing and Materials Management*, août 1967, p. 16-21.

La grille des valeurs liées au travail, d'après Meglino et son équipe

Les typologies précédentes, largement diffusées et reprises par de nombreux auteurs, ne portent pas spécifiquement sur les valeurs des gens en milieu de travail. Or, il y a quelques années, Bruce Meglino et ses collaborateurs ont établi une grille de valeurs liées au monde du travail et ont mis en évidence les valeurs suivantes[26] :

- *L'accomplissement :* faire ce qu'il y a à faire, travailler dur pour relever des défis et accomplir de grandes choses dans la vie.

- *L'entraide et l'altruisme :* se préoccuper des autres, leur venir en aide.

- *L'honnêteté :* s'en tenir à la vérité et agir selon ses convictions.

- *L'équité :* agir en toute justice et en toute impartialité.

Comme ces quatre valeurs se révèlent particulièrement importantes en milieu de travail, la grille de Meglino convient tout à fait à l'étude des valeurs dans le cadre du CO.

L'influence des valeurs en milieu de travail devient évidente lorsqu'il y a **congruence des valeurs**, c'est-à-dire lorsque les individus se disent satisfaits de travailler avec des personnes dont les valeurs sont comparables aux leurs. Quand cette concordance fait défaut, on peut s'attendre à des conflits, notamment concernant les objectifs et les moyens à employer pour les atteindre. Ayant utilisé leur grille pour étudier la congruence des valeurs entre les leaders et leurs subordonnés, Meglino et son équipe ont constaté que les subordonnés étaient plus satisfaits de leurs leaders lorsqu'ils partageaient leur vision des choses en matière de réalisation, d'entraide, d'honnêteté et d'équité[27].

Congruence des valeurs
Situation dans laquelle des individus se disent satisfaits d'être en relation avec d'autres personnes aux valeurs comparables aux leurs

Les valeurs culturelles

Les valeurs peuvent aussi être étudiées en lien avec la culture nationale ou sociétale. Cette dernière correspond au bagage commun de valeurs et de façons de faire qu'acquièrent les membres d'une collectivité ou d'une société. Elle comprend les manières dont les personnes mangent, s'habillent, se saluent, agissent les unes envers les autres, éduquent les enfants, abordent et résolvent les problèmes du quotidien[28].

La société enseigne à chacun de ses membres sa culture, qui les distingue des autres groupes et influence ses interactions.

Le chercheur néerlandais Geert Hofstede parle de la culture comme du «logiciel de l'esprit» (*software of the mind*), suggérant par cette métaphore que l'esprit lui-même est le matériel (*hardware*) commun à tous les êtres humains[29]. En revanche, le «logiciel culturel» peut varier. On ne naît pas avec une culture; on naît au sein d'une société qui enseigne à chacun de ses membres sa culture. Comme la culture est partagée par le groupe, elle détermine en partie ce qui le distingue d'un autre groupe et influe ainsi sur ses interactions.

D'une culture à une autre, les valeurs peuvent différer considérablement, et ces différences méritent d'être prises en considération dans l'analyse du comportement organisationnel. L'idée que se font les gens de la réussite, de la richesse, des gains matériels, du risque ou de l'innovation peut agir sur leur façon d'aborder le travail et sur leurs relations avec les organisations. L'expression **intelligence culturelle** est de plus en plus utilisée pour décrire la capacité qu'a une personne de reconnaître et de comprendre les traits propres à une culture, ainsi que d'agir avec tact et efficacité en situation interculturelle[30]. C'est un point qui vaut la peine d'être pris en compte lorsqu'il est question de développement personnel et de perfectionnement professionnel.

Intelligence culturelle
Capacité de reconnaître et de comprendre les traits propres à une culture, et d'agir avec tact et efficacité en situation interculturelle

Les dimensions des cultures nationales selon Hofstede

Hofstede a élaboré une «grille culturelle» qui permet de prévoir l'influence potentielle des différences de valeurs liées à l'identité culturelle sur le comportement au travail. Son cadre conceptuel comporte cinq dimensions visant à cerner les grandes caractéristiques des cultures nationales[31]. Voyons brièvement en quoi elles consistent.

1. La *distance hiérarchique* traduit le degré d'acceptation culturelle des inégalités de statut et de pouvoir entre les individus. Cette dimension est révélatrice du degré de respect que manifestent les gens à l'égard de la hiérarchie et de l'autorité au sein des organisations. Ainsi, on considère que la distance hiérarchique est élevée dans la culture malaisienne et très faible dans la culture suédoise.

2. La *maîtrise de l'incertitude* correspond à la propension culturelle à éviter le risque et l'ambiguïté. Cette dimension indique si les gens préfèrent les situations organisationnelles très structurées ou, au contraire, peu structurées. Ainsi, on considère que la culture grecque accorde énormément d'importance à la maîtrise de l'incertitude, tandis que la culture de Hong Kong s'en soucie fort peu.

3. L'*individualisme* et le *collectivisme* constituent des tendances culturelles opposées privilégiant, l'une, l'intérêt individuel, et l'autre, l'intérêt collectif. Elles témoignent de la propension d'une société à valoriser le travail individuel ou le travail en groupe. Ainsi, la culture des États-Unis se révèle hautement individualiste, tandis que la culture panaméenne est nettement plus collectiviste.

4. L'*orientation masculine* et l'*orientation féminine* constituent des tendances culturelles divergentes valorisant, l'une, des traits associés au stéréotype masculin, et l'autre, des traits associés au stéréotype féminin. Elles témoignent de la propension d'une société à privilégier la compétitivité et la combativité ou, au contraire, l'empathie et l'harmonie dans les relations interpersonnelles. Ainsi, on considère la culture japonaise comme très « masculine » et la culture danoise comme plus « féminine ».

5. L'*orientation à long terme* et l'*orientation à court terme* témoignent de valeurs associées à l'avenir, comme l'esprit d'économie et la persévérance, ou au contraire de valeurs centrées sur le présent, voire l'immédiat. Elles se manifestent dans les organisations par des objectifs de rendement à long terme ou à court terme. Ainsi, typiquement, les organisations hongkongaises ont une orientation à long terme, alors que les organisations canadiennes favorisent l'orientation à court terme.

La **figure 2.5** illustre un échantillon de pays classés selon ces cinq dimensions définies par Hofstede.

FIGURE 2.5 **Un échantillon de pays classés selon les cinq dimensions définies par Hofstede**

Malaisie	Inde	France	Portugal	Japon	Canada	Suède

Distance hiérarchique élevée — **Distance hiérarchique faible**

Grèce	France	Pakistan	Canada	Japon	États-Unis	Hong Kong

Forte maîtrise de l'incertitude — **Faible maîtrise de l'incertitude**

États-Unis	Canada	France	Japon	Mexique	Indonésie	Panama

Individualisme — **Collectivisme**

Japon	Venezuela	Autriche	États-Unis	Canada	France	Finlande	Danemark

Orientation masculine — **Orientation féminine**

Hong Kong	Japon	Corée du Sud	Pays-Bas	États-Unis	Canada

Orientation à long terme — **Orientation à court terme**

Les traits culturels des gestionnaires québécois selon Su et Lessard

Su et Lessard ont utilisé le modèle de Hofstede pour définir les traits culturels des gestionnaires québécois et classer quatre des cinq dimensions (distance hiérarchique, maîtrise de l'incertitude, individualisme ou collectivisme, orientation masculine ou orientation féminine) selon l'importance qu'ils leur accordent[32]. Reconnaissant que les caractéristiques culturelles des Québécois résultent de l'interaction de deux cultures, la culture anglo-saxonne (Canada anglais, États-Unis, Angleterre) et la culture latine (France), ces chercheurs ont comparé les résultats des gestionnaires québécois avec ceux des gestionnaires des autres provinces canadiennes et de la France. Examinons les résultats qu'ils ont obtenus.

- *Une distance hiérarchique marquée.* Tout comme leurs homologues français, les gestionnaires québécois font preuve d'une grande tolérance à l'égard de la répartition inégale du pouvoir. Ils se distinguent en cela des gestionnaires du Canada anglais, qui ne la tolèrent que modérément.

- *Une forte maîtrise de l'incertitude.* Tout comme leurs homologues français, les gestionnaires québécois tolèrent mal l'incertitude et cherchent à la maîtriser, ce qui est loin d'être le cas des gestionnaires des autres provinces canadiennes. Ces derniers, selon d'autres études, manifestent une tolérance à l'incertitude bien supérieure à celle de la moyenne internationale.

- *L'individualisme.* À l'instar de leurs collègues du reste du Canada, les gestionnaires québécois font preuve d'un très fort individualisme, bien supérieur à celui des dirigeants français.

- *L'orientation féminine.* Les dirigeants québécois privilégient nettement les valeurs féminines, se distinguant en cela à la fois de leurs homologues de France et de ceux des autres provinces canadiennes.

Selon Su et Lessard, le très haut degré d'individualisme des Québécois devrait avoir une influence importante sur les pratiques de gestion, qu'il convient d'adapter en conséquence. Par ailleurs, bien que les dimensions « distance hiérarchique marquée », « forte maîtrise de l'incertitude » et « orientation féminine » décrivent bien la culture de gestion québécoise, elles ne semblent pas avoir un effet très marqué sur les pratiques de gestion.

L'interdépendance des dimensions de Hofstede

Les quatre premières dimensions du cadre conceptuel de Hofstede découlent d'une recherche très approfondie menée auprès de milliers de travailleurs d'une multinationale exerçant ses activités dans plus de 40 pays[33]. La cinquième dimension, concernant l'orientation temporelle, s'appuie sur une étude des valeurs chinoises menée par le psychologue transculturel Michael Bond et ses collègues[34]. Ces derniers ont mis en lumière l'importance culturelle du confucianisme – du nom de Confucius, philosophe chinois du 5e siècle av. J.-C. –, qui valorise la persévérance, la hiérarchie des relations, l'esprit d'économie, la loyauté, la fermeté, le fait de s'engager à rendre des services réciproques, le sens de l'honneur, l'amour-propre (« sauver la face ») ainsi que le respect des traditions[35]. Ces valeurs sont celles qui caractérisent les organisations favorisant l'orientation à long terme.

Lorsqu'on utilise la grille culturelle de Hofstede, il ne faut jamais oublier que les cinq dimensions ne sont pas indépendantes les unes des autres, au contraire[36]. Pour mieux comprendre les cultures nationales, il convient de les imaginer comme des regroupements intégrant plusieurs dimensions. À titre d'exemple, la **figure 2.6** situe un ensemble de pays selon leurs tendances culturelles quant aux dimensions « distance hiérarchique » et « collectivisme ou individualisme ». On remarque que la tendance collectiviste va souvent de pair avec une distance hiérarchique marquée, et la tendance individualiste, avec une faible distance hiérarchique. Ainsi, on pourrait s'attendre à ce qu'une équipe de travail indonésienne (au collectivisme marqué) fonctionne par consensus. Cependant, à cause de la distance hiérarchique marquée qui caractérise cette culture, les opinions du chef d'équipe sont susceptibles de peser lourdement sur les décisions prises. Par contre, dans une équipe de travail à la culture plus individualiste, avec une distance hiérarchique plus faible (une équipe canadienne ou américaine, par exemple), les décisions devraient découler d'une discussion plus ouverte, autorisant même l'expression d'opinions contraires à celles du chef d'équipe.

FIGURE 2.6 **Un échantillon de pays classés selon les dimensions « distance hiérarchique » et « collectivisme-individualisme » définies par Hofstede**

À l'échelle nationale, les dimensions culturelles qui ont été mises en lumière par Hofstede ont tendance à agir sur les contextes qui sont à l'origine des valeurs individuelles, dont il a été question précédemment dans cet ouvrage. Ces contextes filtrent et orientent les valeurs individuelles, qui se reflètent ensuite dans les structures de valeurs des personnes. Par exemple, aux États-Unis, dans un contexte de faible distance hiérarchique, les personnes sont incitées à orienter leur propre structure de valeurs en fonction du filtre de cette dimension. De même, les habitants d'autres pays ou sociétés sont influencés par la position de leur pays relativement à ces différentes dimensions. Toutefois, Hofstede met en garde contre le piège du **sophisme écologique**, qui consiste à agir en fonction de la fausse prémisse selon laquelle une valeur culturelle, telle que l'individualisme en Amérique du Nord ou l'orientation masculine au Japon, est partagée indistinctement par tous les membres d'une culture[37]. Finalement, précisons que ce modèle ne constitue qu'un point de départ pour le développement d'une conscience interculturelle des valeurs et des différences en cette matière, et que d'autres cadres de référence intéressants ont aussi été élaborés[38].

Sophisme écologique
Processus qui consiste à agir en fonction de la fausse prémisse selon laquelle une valeur culturelle est partagée indistinctement par tous les membres d'une culture

Les caractéristiques sociodémographiques et la valorisation de la diversité

La diversité de la main-d'œuvre

Nous avons mentionné, en début de chapitre, que les différences individuelles sont importantes, car elles peuvent comporter beaucoup d'avantages. En abordant le sujet de la diversité, nous sommes maintenant prêts à faire le tour complet de la question.

La *diversité de la main-d'œuvre*, comme nous l'avons mentionné au chapitre 1, fait référence aux caractéristiques qui distinguent les individus les uns des autres[39]. Pour être plus précis, disons que la diversité d'une main-d'œuvre donnée résulte des différences que présentent les individus qui la composent quant aux caractéristiques sociodémographiques comme le sexe, l'origine ethnoculturelle, l'âge, l'état physique et mental, l'orientation sexuelle et l'identité de genre, et même, dans certains cas, la situation matrimoniale et familiale, ou la religion[40].

Les minorités visibles forment environ 20 % des travailleurs au Canada, une proportion en augmentation constante.

Au Canada, comme dans la plupart des pays industrialisés, la main-d'œuvre se diversifie de plus en plus. En 2016, 57 % des femmes occupaient un emploi, ce qui représentait une augmentation de 15 % par rapport à 1976[41]. La présence des membres des minorités visibles continue également de s'accroître : ces derniers représentent environ 20 % de la population active, et cette proportion pourrait atteindre 25 % d'ici à 2031[42]. Enfin, le taux de participation au marché du travail des personnes de plus de 55 ans dépasse 35 %[43]. Voilà qui donne à la main-d'œuvre actuelle un visage bien différent de celui qu'elle avait autrefois, quand elle était composée d'une majorité d'hommes blancs et jeunes.

De nos jours, le défi consiste à gérer cette diversité de façon à mobiliser l'ensemble des membres d'une organisation pour partager une vision commune, une mission et des objectifs précis, tout en respectant le rôle et l'apport de chacun. Les organisations ont reconnu qu'il était important d'adopter une philosophie et des pratiques visant à diversifier leur main-d'œuvre, car la diversité améliore la compétitivité, consolide les talents et élargit les capacités organisationnelles et l'accès à des marchés diversifiés[44].

Pour tirer pleinement profit de cette diversité, il faut connaître les forces qu'elle peut apporter à l'organisation. La recherche montre que, dans les organisations, la diversité accroît la créativité et l'innovation. Pensez-y ! Pour pouvoir vous montrer créatif, allez-vous vous tourner vers des personnes qui vous ressemblent ou vers des personnes qui ne pensent pas comme vous ? De plus, pour comprendre quelque chose de nouveau, comme une nouvelle culture ou un marché émergent, allez-vous vous tourner vers des gens qui vous ressemblent ou irez-vous vous renseigner auprès de collègues qui connaissent cette culture? Ces exemples illustrent les avantages d'une perspective hétérogène plutôt qu'homogène, permettant de tirer parti des diverses visions du monde, cultures et expériences personnelles composant un milieu de travail.

Limiter la partialité et l'impact des stéréotypes lors de l'évaluation du rendement

On a beau essayer de l'éviter, mais la partialité a cette façon de s'immiscer dans les évaluations du rendement et autres décisions en gestion des ressources humaines. Toutefois, les chercheurs de Harvard Iris Bohnet, Alexandra van Geen et Max H. Bazerman pourraient avoir trouvé une façon de minimiser ou d'éliminer une telle discrimination implicite. Selon eux, la clé est de s'assurer que les évaluateurs comparent les candidats plutôt que de les évaluer au cas par cas.

Ce conseil est tiré des résultats d'une recherche au cours de laquelle on a demandé à 100 participants d'agir comme candidats à un nouveau poste. Ils devaient effectuer diverses tâches mathématiques et verbales choisies par les chercheurs en raison du stéréotype sexuel fréquent voulant que «les femmes soient moins bonnes que les hommes pour les tâches mathématiques, mais

meilleures pour les tâches verbales». Par ailleurs, 554 autres participants à l'étude agissaient comme évaluateurs pour sélectionner les candidats pour une deuxième ronde de tests. On leur donnait les résultats des tests et le sexe de chaque candidat. Certains évaluateurs devaient apprécier les candidats individuellement, alors que d'autres devaient comparer directement les candidats masculins et féminins.

Les stéréotypes sexuels ont influencé les évaluations individuelles, les candidates étant plus souvent choisies pour d'autres tests verbaux et les candidats, pour d'autres tests mathématiques. Toutefois, lorsque les candidates et les candidats faisaient l'objet d'une comparaison, les stéréotypes sexuels disparaissaient.

Les trois chercheurs ont résumé leur recherche ainsi: «Si on examine une paire de chaussures, il est difficile

d'en évaluer la qualité. On utilisera probablement des stéréotypes, des heuristiques ou des règles générales. Mais si on possède plusieurs paires de chaussures, on est mieux placé pour comparer les différents attributs des chaussures.»

QUESTIONS

Est-ce que cette recherche en CO a découvert une façon toute simple d'éliminer la partialité dans les décisions en ressources humaines? Devrait-on cesser d'évaluer les candidats un à un et plutôt les comparer les uns aux autres? Quelles autres mesures pourrait-on adopter pour favoriser l'équité en matière d'évaluation du rendement?

Bien que, dans certains cas, cette diversité soit valorisée, dans d'autres, elle suscite au contraire de la **discrimination** flagrante envers les membres de certains groupes sur le marché du travail, notamment les femmes et les minorités visibles. Il y a discrimination lorsque les femmes ou les membres de minorités sont traités injustement et qu'ils se voient refuser les avantages auxquels les autres membres de l'organisation ont droit. Par exemple, un directeur invente des raisons pour ne pas rencontrer un candidat membre d'une minorité ou refuse d'accorder une promotion à une mère de famille en se disant « qu'elle a beaucoup trop de responsabilités parentales pour effectuer un bon travail à ce niveau ». Une telle façon de penser sous-tend une forme de discrimination appelée l'**effet du plafond de verre**, une barrière invisible ou un « plafond » qui empêche les femmes et les minorités de gravir les échelons pour atteindre un certain niveau de responsabilité organisationnelle[45].

Les caractéristiques sociodémographiques

Les **caractéristiques sociodémographiques** englobent toutes les variables qui sont liées à la situation sociale d'une personne et qui influent sur son devenir. Certaines d'entre elles, comme l'état de santé, concernent sa situation actuelle. D'autres, comme le parcours professionnel, se rapportent à son histoire, à son passé. En ce qui concerne la diversité de la main-d'œuvre et les pratiques d'équité en matière d'emploi, les caractéristiques qui nous intéressent particulièrement sont l'origine ethnoculturelle, le sexe, l'âge, l'état physique et mental ainsi que l'orientation sexuelle et l'identité de genre.

L'origine ethnoculturelle

On emploie le terme de plus en plus répandu de « groupes ethnoculturels » pour désigner le large éventail de groupes ethniques qui constituent un segment de plus en plus important de la main-d'œuvre[46]. La présence croissante de personnes appartenant aux minorités visibles témoigne de la diversité de la main-d'œuvre canadienne. Selon la *Loi sur l'équité en matière d'emploi*, les personnes non autochtones qui n'ont pas la peau blanche font partie des minorités visibles. Sont ainsi considérés comme minorités visibles les groupes suivants : les Chinois, les Sud-Asiatiques, les Noirs, les Arabes, les Asiatiques occidentaux, les Philippins, les Asiatiques du Sud-Est, les Latino-Américains, les Japonais, les Coréens et les autres groupes comme les personnes originaires des îles du Pacifique[47].

Les membres de ces communautés représentent environ 20 % de la population canadienne et de la main-d'œuvre active. Parmi eux, les Sud-Asiatiques, les Chinois et les Noirs sont les plus nombreux[48]. On prévoit qu'en 2031, au Canada, environ un travailleur sur trois appartiendra à un groupe faisant partie des minorités visibles. Cette proportion était de 15,7 % en 2006[49]. Au Québec, environ 10 % de la population est composée de personnes appartenant à des groupes de minorités visibles. Le pourcentage grimpe à 20 % à Montréal. Dans la métropole québécoise, les Noirs constituent la minorité visible la plus importante, devant les Arabes et les Latino-Américains. Il devient donc urgent de prendre conscience de l'importance de tels phénomènes et de leurs conséquences, en particulier des stéréotypes et de la discrimination qui risquent de freiner la carrière et l'avancement professionnel des membres de ces groupes.

Porsche mise sur les réfugiés

En Syrie, il rêvait d'avoir une Porsche. Maintenant, Ammar Alkhouli peut caresser les entrailles des bolides, grâce à un programme d'intégration destiné aux réfugiés mis en place par le prestigieux constructeur allemand.

Le jeune homme originaire de Damas s'affaire dans l'atelier de mécanique du centre de formation de Porsche à Stuttgart, dans le sud de l'Allemagne. Féru de technique, Ammar, 19 ans, débuta en septembre 2016 un apprentissage de trois ans chez le fabricant de la mythique voiture de sport 911 et du 4x4 citadin Cayenne, pour devenir mécatronicien.

De tous les métiers découverts durant le programme d'intégration ces derniers mois, c'est celui qu'il a préféré. «On peut démonter et remonter le moteur», résume-t-il, les yeux brillants.

Après l'afflux massif de réfugiés en Allemagne en 2015, Porsche a lancé en mars ce programme pour «montrer la culture d'accueil allemande et permettre aux gens de s'établir le plus vite et le mieux possible», relate Norbert Göggerle, directeur de la formation professionnelle technique.

Âgés de 16 à 38 ans, les 13 participants viennent d'Érythrée, d'Irak, d'Iran, d'Afghanistan, du Pakistan, de Syrie.

Sélectionnés parmi une centaine de candidats, ils ont reçu pendant cinq mois des cours d'allemand, des enseignements sur la culture du pays – histoire, formalités bureaucratiques, fonctionnement d'une entreprise – et des enseignements techniques variés. Ainsi qu'une petite rémunération de 250 euros par mois et par personne.

La plupart n'ayant qu'un allemand rudimentaire, le programme s'est surtout concentré là-dessus.

À son arrivée dans le pays deux ans plus tôt, Ammar ne parlait pas un mot de la langue de Goethe, mais c'est désormais dans un allemand fluide et assuré, teinté d'un léger accent, qu'il se raconte.

«J'ai fui vers l'Allemagne, car la situation en Syrie est très mauvaise et on ne peut pas bien vivre là-bas, explique-t-il posément. Mes amis allemands m'ont dit que j'avais de la chance d'être chez Porsche et qu'il fallait que j'en profite», ajoute Ammar, qui espère bien faire carrière ici.

Contrairement à Ammar, Zaryab Imran, 18 ans, n'avait jamais entendu parler de Porsche auparavant. Elle est arrivée en Allemagne avec sa famille en avril 2015. «Je n'étais pas en sécurité au Pakistan», raconte-t-elle dans un allemand hésitant.

Particulièrement intéressée par le travail du cuir pour l'aménagement intérieur des voitures, elle va suivre une formation supplémentaire d'un an chez le constructeur, avant d'y devenir apprentie.

Filiale du géant automobile Volkswagen et fleuron de l'industrie allemande, Porsche est un employeur recherché qui a pour habitude de verser de généreuses primes à ses salariés (plus de 8 000 euros [11 570 $ CA] par personne cette année).

«La motivation des réfugiés était extrêmement forte», s'étonne encore M. Göggerle. «On leur a expliqué que l'idée n'était pas de leur offrir un emploi chez Porsche, qu'il s'agissait de les aider à mettre le pied à l'étrier en Allemagne, mais ils se sont dit "si je me donne à fond, cela marchera peut-être", et on l'a remarqué. Les gens étaient toujours ponctuels, très fiables», explique-t-il.

Résultat, la grande majorité des 13 participants va effectivement rester chez Porsche, pour une formation pluridisciplinaire, un apprentissage ou bien directement un poste en CDI [contrat à durée indéterminée] à la production.

La démarche de Porsche répond en partie au besoin croissant de main-d'œuvre qualifiée dans certains secteurs en Allemagne, comme la sous-traitance automobile, sur fond de vieillissement démographique.

Les milieux économiques fondent beaucoup d'espoir sur les réfugiés pour, à terme, adoucir la pénurie de main-d'œuvre. Mais cela ne se fera qu'au prix d'un effort considérable de formation.

De nombreuses entreprises, grandes ou moyennes, ont mis en place des initiatives pour faciliter l'accès des réfugiés au marché du travail. Beaucoup butent toutefois sur la lourdeur des procédures administratives, l'obstacle de la langue ou des qualifications insuffisantes. [...]

....

Source : Estelle Peard (Agence France-Presse), « Porsche mise sur les réfugiés », 15 août 2016, p. 26.

Le sexe

Les femmes apportent à leur milieu de travail non seulement leur expertise liée à leurs tâches, mais aussi une gamme de compétences interpersonnelles et des styles différents. Elles ont, notamment, la capacité d'être à l'écoute et de résoudre les problèmes dans un esprit de collaboration, de fonctionner en mode multitâche et de synthétiser rapidement et efficacement plusieurs points de vue. La recherche montre que les entreprises ayant un pourcentage élevé de femmes dans leur conseil d'administration et dans la haute direction obtiennent en moyenne des résultats financiers bien supérieurs à ceux des entreprises dans lesquelles ce pourcentage est le plus bas[50]. De plus, les femmes occupant des postes de direction encouragent d'autres femmes à joindre leurs rangs et servent de modèles ou de mentors aux plus jeunes femmes. Leur présence montre que l'organisation est un grand vivier de talents, ainsi qu'un « employeur de premier choix » qui offre un milieu de travail favorisant l'intégration et encourageant la diversité.

Malgré les avantages qu'elles apportent à leur milieu de travail et les chartes interdisant la discrimination, les femmes n'atteignent pas les postes de haute direction dans la proportion à laquelle on pourrait s'attendre. Pire, plusieurs d'entre elles quittent l'organisation au moment où elles sont sur le point d'atteindre les échelons supérieurs. On appelle cela le **phénomène du tuyau percé**, équivalent de l'expression *leaky pipeline*, qui décrit ce phénomène mis en évidence par la professeure Lynda Gratton de la London Business School[51]. Cette dernière a étudié 61 organisations exerçant leurs activités dans 12 pays européens et a constaté que le nombre de femmes décroît à mesure qu'on s'élève dans la hiérarchie.

Ce phénomène de « fuite » peut s'expliquer par les stéréotypes. Les **stéréotypes** naissent lorsqu'on assimile une personne à une catégorie ou à un groupe de la population sans tenir compte de ses particularités individuelles, et qu'on lui attribue d'emblée les caractéristiques couramment associées à ce groupe. Une recherche effectuée par Catalyst a révélé que, pour une grande majorité de femmes, les stéréotypes d'ordre sexuel constituent un obstacle de taille à la progression dans une organisation[52]. Il existerait un état d'esprit associant systématiquement la direction au sexe masculin, une idée selon laquelle les hommes sont des leaders par défaut. Les hommes comme les femmes ont la vision stéréotypée des femmes compétentes dans les rôles subalternes, les rôles de soutien et d'encouragement des autres. Ils ont par ailleurs la vision stéréotypée des hommes compétents dans les rôles de gestion, à responsabilités, dans lesquels ils influencent leurs supérieurs hiérarchiques et résolvent des problèmes, caractéristiques auparavant jugées essentielles à l'exercice du leadership.

Les femmes sont, de ce fait, enfermées dans un dilemme en matière de leadership : si elles se conforment aux stéréotypes, elles sont considérées comme faibles ; si elles ne s'y conforment pas, elles s'opposent en même temps aux normes de la féminité. Comme l'expriment certains : « Elles sont perdantes quoi qu'elles fassent[53]. » Pour surmonter les stéréotypes, les organisations devraient créer des milieux de travail qui ont plus de sens pour les femmes brillantes et qui leur apportent plus de satisfaction,

Phénomène du tuyau percé
Expression utilisée pour désigner le fait que les femmes quittent leur organisation avant d'atteindre les échelons les plus élevés

Stéréotype
Attribution à une personne des caractéristiques couramment prêtées à une catégorie ou à un groupe de la population auquel on l'associe – les femmes, par exemple –, sans tenir compte de ses particularités individuelles

Les femmes gestionnaires doivent-elles renier leur féminité pour ne pas être qualifiées de faibles ?

La réussite est une valeur qui se partage, selon les femmes

Les femmes sont de plus en plus nombreuses à créer des entreprises, apportant de nouvelles manières de faire des affaires, mais aussi de définir la réussite entrepreneuriale. Si, pour les hommes, la réussite est surtout synonyme de hausse de parts de marché ou de croissance du chiffre d'affaires, les femmes recherchent une réussite plus qualitative, reposant sur des critères moins matériels, selon des spécialistes de l'entrepreneuriat féminin interrogés.

« Mon succès en tant qu'entrepreneure est fondé sur le respect de mes valeurs d'intégrité, le respect des autres, la transparence et la qualité du travail effectué », dit Amina Benzina, présidente et fondatrice d'ABna Services conseils, une entreprise de consultation en gestion de projets. C'est sa passion pour son métier de gestionnaire de projets qui l'a poussée à créer cette entreprise. Depuis ses débuts en 2008, elle a tenu à mettre l'accent sur les valeurs humaines. « J'ai cherché à favoriser le développement de mes collaborateurs et à bâtir une équipe qui travaille dans l'harmonie et le plaisir. »

ABna Services conseils a engrangé 19 millions de dollars de contrats de juin 2013 à juin 2014. Pourtant,

Amina Benzina n'est pas prête à faire croître sa société à n'importe quel prix. « La réussite, c'est de bâtir et de faire grandir son entreprise tout en restant soi-même, assure-t-elle. Si cela se combine avec la rentabilité financière, alors c'est le summum de la réussite ! »

Si certaines entrepreneures rêvent de conquérir le pays ou de remplir leurs comptes en banque, elles sont nombreuses à partager la vision de la réussite d'Amina Benzina, selon Hélène Lee-Gosselin, professeure au Département de management de l'Université Laval. En 2010, elle a dirigé une étude portant sur des entrepreneures de la Capitale-Nationale. Pour 20 % des 60 participantes, l'élément dominant de leur définition de la réussite était la persévérance.

Ne pas avoir abandonné malgré les obstacles est déjà une réussite. L'équilibre entre entrepreneuriat et vie personnelle arrive en seconde position (17 %), suivi de l'épanouissement personnel (13,5 %), de la satisfaction de la clientèle (12 %), puis de la pérennité de l'entreprise et de l'harmonie avec soi-même ainsi qu'avec les autres (10 %). « Elles préfèrent avoir du plaisir plutôt que de faire grossir l'entreprise, surtout si cela implique de devoir abandonner la production de leur bien ou de leur service pour se consacrer uniquement à la gestion », dit Mme Lee-Gosselin.

Gloria Lemire, présidente du réseau Femmessor, constate elle aussi que les entrepreneures ont une vision plus globale de la réussite que leurs

homologues masculins. « Les femmes compartimentent moins leur vie que les hommes ; ainsi, réussir en affaires passe par la réussite de l'ensemble de leur vie, dit-elle. Elles veulent réussir leur vie, alors que les hommes visent plus à réussir dans la vie. »

La réussite des entrepreneures est également plus souvent collective que personnelle. « Sans vouloir généraliser, elles souhaitent que leur travail améliore les choses dans leur communauté et que leur réussite serve aussi aux autres et pas qu'à elles-mêmes, explique Claude Ananou, maître d'enseignement à HEC Montréal, administrateur de la Fondation de l'entrepreneurship et lui-même entrepreneur. Leur réussite est aussi plus pacifique, car elles veulent réussir sans écraser les autres. »

Cette définition différente de la réussite a des conséquences sur les entreprises qu'elles dirigent, puisque leur croissance est souvent plus lente. « Statistiquement, les entreprises dirigées par des femmes sont plus petites que ce qu'elles pourraient être, car les femmes ont moins l'esprit de conquête que les hommes et privilégient la proximité avec le consommateur », affirme-t-il. Mais, à défaut d'être fulgurante, la réussite des femmes est durable. « Leurs entreprises sont ainsi plus enracinées et donc moins fragiles », ajoute-t-il, en se fondant sur ses constatations personnelles. [...]

....

Source : Fanny Bourel, « La réussite est une valeur qui se partage, selon les femmes », *Les Affaires*, 8 novembre 2014, p. 20.

c'est-à-dire des milieux de travail plus souples dont la culture met moins l'accent sur le commandement et le contrôle[54]. Pour citer le rapport de Catalyst : « En fin de compte, ce n'est pas le style de leadership des femmes qui doit changer, ce sont les structures et les perceptions qui doivent s'adapter aux évolutions de notre époque. »

L'âge

Il devient de plus en plus difficile de discuter avec les gestionnaires d'aujourd'hui sans aborder la question de la différence d'âge. La diversité relative à l'âge, ou plutôt la diversité *générationnelle* joue un rôle sans précédent dans le monde du travail. Les baby-boomers (1946-1964), les membres des générations X (1965-1980), Y (1981-1995) et Z (1996-2010) se trouvent tous en même temps sur le marché du travail et doivent apprendre à s'entendre les uns avec les autres. Néanmoins, des points de discorde importants, basés sur des stéréotypes liés à l'âge, surgissent. Les baby-boomers pensent que les membres des générations Y et Z ne font pas assez d'efforts et ont tendance à considérer que tout leur est acquis. Eux, ils valorisent le travail acharné, les vêtements d'allure « professionnelle », de longues heures de travail et l'acquittement de leurs dettes ; ils estiment que gagner des galons est un long processus[55]. Les membres des générations Y et Z, quant à eux, pensent que les baby-boomers et les membres de la génération X se préoccupent plus des heures travaillées que des résultats obtenus. Eux, ils valorisent la souplesse, le plaisir, la chance d'avoir dès le départ un travail qui a un sens, des carrières « sur mesure » leur permettant d'avancer à leur rythme.

Ce mélange de générations est un excellent exemple de la diversité en action. Ainsi, les membres des générations Y et Z apportent sur le marché du travail leur grand attachement à l'égalité des sexes et à la diversité sexuelle, culturelle et raciale. Ils prisent aussi la collectivité et la collaboration. Ils peuvent aider à créer un milieu de travail plus décontracté, moins embarrassé par les problèmes de statut social et de hiérarchie[56]. Les baby-boomers et les membres de la génération X, quant à eux, apportent leur grande expérience, leur dévouement et leur engagement qui contribuent à une plus grande productivité, ainsi qu'un sens du professionnalisme dont leurs jeunes collègues peuvent tirer profit.

Étant donné le vieillissement de la main-d'œuvre, les recherches portant sur l'âge prennent une importance particulière. Parmi l'ensemble des Canadiens travaillant en 2016, 20 % étaient âgés de 55 ans et plus, alors qu'ils représentaient 10 % en 2000. On estime que plus de 24 % de la population sera âgée de plus de 65 ans d'ici 2031. Ainsi, plus de 78 % des entreprises canadiennes prévoient de proposer des emplois flexibles pour attirer ou conserver les semi-retraités ou les retraités. Depuis juillet 2011, le Québec compte plus de personnes âgées de 65 ans

Des employés plus lents, mais plus compétents

Les employés plus âgés sont-ils moins productifs ? Ce que la science sait, c'est que leur cerveau fonctionne différemment. La composante la plus touchée par le vieillissement est la vitesse. « Le temps de réaction est plus lent, affirme la D[re] Sylvie Belleville, directrice de la recherche à l'Institut universitaire de gériatrie de Montréal. On a du mal à passer rapidement d'une activité à l'autre. » C'est à se demander si le multitâche n'est pas condamné à disparaître. Ce déclin se produit de façon graduelle, dès qu'on franchit la trentaine, indique-t-elle. Par contre, le travailleur âgé compense sa lenteur à encoder de nouvelles informations par des jugements plus sûrs et une meilleure prise de décision. « Dans tous les emplois, les travailleurs âgés sont plus compétents que les plus jeunes », dit la D[re] Belleville. Le problème de productivité peut se poser si un employeur demande à un travailleur âgé d'apprendre trop de choses en même temps et trop vite, sans formation adaptée. » [...]

Source : Suzanne Dansereau, « Des employés plus lents, mais plus compétents », *Les Affaires*, 3 avril 2010, p. 14. Cet extrait a été reproduit aux termes d'une licence accordée par Copibec.

et plus que de jeunes âgés de 15 ans et moins. Depuis 2013, la population québécoise en âge de travailler (15-65 ans) a cessé de croître. De 2010 à 2030, le groupe des 15-65 ans diminuera de 3 %[57]. Ce déclin du bassin de main-d'œuvre potentiel aura des répercussions majeures sur les organisations.

DILEMME : À CONSIDÉRER... OU À ÉVITER ?

Pourriez-vous passer à autre chose ? Nous faisons de la place pour la génération Y.

Les employeurs aiment beaucoup les aptitudes que les membres de la génération Y – les milléniaux – apportent sur le marché du travail. Aucun problème avec la technologie : ils sont toujours à l'avant-garde. Aucun problème avec la collaboration : ils ont grandi avec le travail d'équipe et les médias sociaux. Aucun problème non plus avec la motivation : ils privilégient les tâches à accomplir et sont axés sur leur carrière.

Mais les membres de la génération Y doivent être gérés différemment. Ils peuvent être gâtés et égocentriques, se plaindre rapidement lorsque leur patron ne communique pas suffisamment, lorsque leurs aptitudes ne sont pas pleinement exploitées et lorsque les règles du travail et la bureaucratie deviennent trop contraignantes. En outre, ils sont impatients d'obtenir de nouvelles tâches et des promotions, ainsi que des régimes de travail

souples. Quand ils ne les obtiennent pas, ils ne tardent pas à quitter leur emploi. Consacrer l'ensemble de leur carrière à un seul employeur ne fait pas partie de leur ADN.

Certains employeurs sont prêts à tout faire pour que leurs employés de la génération Y soient heureux, au point que les employés « plus âgés » se sentent un peu exploités. Le service de livres en ligne Chegg supprime, par exemple, les postes de cadres intermédiaires pour permettre aux jeunes employés d'avancer. Le chef de la direction, Dan Rosensweig, explique : « S'ils n'ont pas l'impression d'apporter quelque chose à une entreprise rapidement, ils ne restent pas. » Le fabricant de logiciels Aprimo garantit une promotion et une augmentation de salaire après un an aux employés de la génération Y si leur rendement correspond aux attentes. Le président, Bob Boehnlein, raconte

que, lorsque des employés plus âgés se sont opposés à ce traitement de faveur, il a dû faire preuve de fermeté.

QUESTIONS

La génération Y mérite-t-elle un traitement de faveur ? Et lorsqu'elle l'obtient, est-ce que ce devrait être au détriment d'autres employés plus âgés ? Comment concilier les besoins et intérêts d'une nouvelle génération de travailleurs avec ceux d'employés qui sont là depuis quelque temps, et même plus longtemps ? Qui sont les gagnants et les perdants lorsque les membres d'une nouvelle génération forcent les employeurs à repenser la nature de leur contrat de travail ?

L'état physique et mental

Selon les Nations Unies, l'incapacité peut consister en des déficiences d'ordre physique, intellectuel ou sensoriel, tenir à un état pathologique ou à une maladie mentale ; elle peut être temporaire ou permanente. Citons, notamment, la cécité, la surdité ou la paralysie. L'incapacité est donc la capacité réduite d'une personne à effectuer une activité généralement jugée normale chez l'être humain, par exemple la difficulté à voir ou à entendre à un degré jugé normal. Une personne vivant avec une incapacité est toutefois en mesure de participer et de contribuer à la société.

Les personnes handicapées ont beaucoup d'obstacles et de difficultés à surmonter. Les outils permettant la participation à la société ne leur sont pas toujours accessibles. Les attitudes des autres citoyens peuvent également constituer des obstacles

En vertu de la *Loi canadienne sur les droits de la personne*, les employeurs soumis à la réglementation canadienne sont tenus de prévenir la discrimination fondée sur la déficience physique ou mentale.

à leur intégration. La contribution sociale et économique des personnes handicapées n'est pas toujours reconnue. On a tendance à faire plus attention à leur incapacité qu'à leur personne. À cause du manque de mesures d'adaptation dans les domaines du travail, de l'éducation et du transport, ces personnes n'ont pas toujours accès aux mêmes possibilités que les autres et sont plus susceptibles de souffrir de l'isolement social, du chômage et de la pauvreté.

L'égalité et la pleine participation à la société sont des droits de la personne. Comme tous les citoyens, les personnes handicapées ont des libertés et des droits fondamentaux en matière, notamment, de soins de santé, d'emploi, d'éducation et de participation aux activités culturelles. Au Canada et au Québec, la loi garantit le droit à l'égalité des chances et oblige à prendre les mesures d'adaptation nécessaires pour répondre aux besoins des personnes handicapées. La *Charte canadienne des droits et libertés*[58] et la *Charte des droits et libertés de la personne*[59] du Québec citent spécifiquement la déficience physique ou mentale comme motif de discrimination illicite.

En vertu de la *Loi canadienne sur les droits de la personne*[60], les employeurs sous réglementation fédérale sont légalement tenus de prévenir la discrimination fondée sur la déficience physique ou mentale et de fournir un accès et un soutien aux personnes handicapées. Toutefois, ils ne sont obligés de prendre des mesures d'adaptation que lorsque celles-ci ne constituent pas une « contrainte excessive » pour eux : pour des raisons de sécurité ou de coût, certaines mesures d'adaptation peuvent être trop extraordinaires et présenter trop de difficultés ou de dangers pour eux.

Au Québec, la *Loi assurant l'exercice des droits des personnes handicapées* vise à permettre à celles-ci d'exercer leurs droits et à favoriser leur intégration, grâce à une participation des ministères et de leurs réseaux, des municipalités et des organismes publics et privés, et grâce à la mise en œuvre de diverses mesures concernant les personnes handicapées, leur famille, leur milieu de vie, le développement et l'organisation de ressources et de services. À cette fin, l'Office des personnes handicapées du Québec a pour mission d'évaluer l'intégration des personnes handicapées, de veiller au respect des principes et des règles édictées par la loi et de jouer un rôle de conseil et de coordination pour encourager l'offre de possibilités aux personnes handicapées.

Au sein de la société américaine, notamment, les mouvements de défense des droits des personnes handicapées travaillent sans relâche à la redéfinition de l'incapacité. Leur but est d'abolir la **stigmatisation**, c'est-à-dire le déni ou le rejet des personnes handicapées à cause de leur incapacité. Par peur de la stigmatisation et de la discrimination, de nombreuses personnes handicapées hésitent à faire appel à la loi pour faire valoir leurs droits.

Le besoin de résoudre la question de la stigmatisation et de l'intégration des personnes handicapées n'est pas négligeable. Au Québec, on estime que plus de 13 % de la population vit avec une ou plusieurs incapacités physiques ou mentales. Or les études montrent que les travailleurs handicapés peuvent accomplir leur travail aussi bien, sinon mieux, que les autres. Pourtant, seulement 40 % des personnes de 15 à 64 ans vivant avec une incapacité occupent un emploi, ce qui est nettement moins que la proportion observée chez les personnes sans incapacité du même âge, soit 73 %[61].

L'orientation sexuelle et l'identité de genre

À l'échelle mondiale, les personnes aimant des personnes de même sexe ont souvent été l'objet de discrimination dans le droit national et les pratiques sociales. En 2015, dans le cadre de l'*Enquête sur la santé dans les collectivités canadiennes* de Statistique Canada, 1,7 % des Canadiens âgés de 18 à 59 ont déclaré se considérer comme homosexuels (gais ou lesbiennes) et 1,3 % des Canadiens âgés de 18 à 59 ans ont déclaré se considérer comme bisexuels[62]. Au Canada, environ 0,8 % des couples sont des couples comportant des personnes de même sexe[63]. Avant 1969, les rapports entre adultes consentants de même sexe étaient considérés comme un crime et punissables d'une peine d'emprisonnement. Cette année-là, le gouvernement canadien a adopté un projet de loi omnibus décriminalisant les actes sexuels privés entre deux personnes de plus de 21 ans. Il s'agissait là d'une étape décisive dans la prise en compte des gais, des lesbiennes et des bisexuels.

La *Loi canadienne sur les droits de la personne*[64] interdit toute discrimination, notamment le traitement inégal des gais, des lesbiennes et des bisexuels. En 1996, on l'a modifiée pour y inclure explicitement l'orientation sexuelle parmi les motifs de discrimination illicite. Ce faisant, on reconnaissait expressément que les gais et les lesbiennes du Canada ont droit « à l'égalité des chances d'épanouissement et à la prise de mesures visant à la satisfaction de leurs besoins ». La Commission canadienne des droits de la personne est chargée de surveiller l'application de la Loi.

L'article 15 de la *Charte canadienne des droits et libertés*[65] établit que tous les individus sont égaux, indépendamment de leur origine nationale ou ethnique, de leur couleur, de leur religion, de leur sexe, de leur âge ou de leurs incapacités mentales ou physiques. La Cour suprême du Canada a soutenu que, même si « l'orientation sexuelle » n'est pas inscrite dans la liste des motifs de discrimination illicite, elle constitue un motif analogue sur lequel on peut fonder une plainte pour discrimination illicite. En outre, soulignons que la plupart des provinces et des territoires ont inclus l'orientation sexuelle comme motif de discrimination illicite dans leur législation relative aux droits de la personne. Le Québec a été la première province canadienne à le faire, en 1977.

Stigmatisation
Déni ou rejet d'une personne à cause d'un attribut que la société dans laquelle elle vit dénigre fortement

La valorisation de la diversité

L'accent mis sur l'intégration

Alors que, par le passé, de nombreuses organisations traitaient de diversité en se contentant de respecter les lois, ces dernières années, elles ont mis l'accent sur l'**intégration**, soit la création d'un milieu de travail où tous les employés sont traités équitablement et respectueusement, ont des chances égales de promotion et un même accès aux ressources, et peuvent contribuer pleinement au succès de l'organisation. Cette évolution, qui est de première importance, représente le passage d'un jeu sur les pourcentages à un recentrage sur la culture et sur la recherche de modalités d'intégration de tous.

Le changement de cap de la diversité vers l'intégration s'explique principalement par le fait que les employeurs ont compris que, s'ils réussissaient à recruter une main-d'œuvre diversifiée, ils n'arrivaient pas à la retenir. Dans les milieux de travail où la haute direction continuait d'être formée principalement d'hommes blancs, la prise de conscience a suscité d'importantes interrogations : Est-ce que les employés de tous les groupes et de toutes les catégories se sentent à l'aise et bien accueillis dans l'organisation ? Se sentent-ils intégrés, ont-ils l'impression que leur milieu de travail favorise leur insertion[66] ?

La théorie de l'identité sociale

Les questions présentées ci-dessus constituent le point de mire de la **théorie de l'identité sociale**. Les psychologues Henri Tajfel et John Turner ont élaboré cette théorie pour comprendre les fondements psychologiques de la discrimination[67]. Selon cette théorie, les individus n'ont pas un seul « moi personnel », mais plusieurs. C'est le groupe auquel une personne s'identifie qui détermine quel moi s'active. Le simple fait de se considérer comme membre de ce groupe incite la personne à le privilégier et renforce son sentiment d'appartenance à cet **endogroupe**. Favoriser l'endogroupe se fait *au détriment* de l'**exogroupe**. Sur le plan de la diversité, la théorie de l'identité sociale laisse entendre que la simple présence de groupes divers soulève la question de l'identité. Les gens réfléchissent à l'identité et s'engagent dans une tentative de catégorisation en *endogroupes* et en *exogroupes*.

Quand un individu s'identifie à un groupe, il le privilégie, ce qui renforce son sentiment d'appartenance à cet ensemble de personnes, appelé « endogroupe ».

Les implications de cette théorie sont évidentes. Si les organisations ont des identités marquées quant à des endogroupes et à des exogroupes, tous les employés ne se sentiront pas intégrés. Ce qu'il faut retenir, c'est que le simple fait de dire « nous vous acceptons » n'est pas suffisant. Dans le contexte organisationnel, cette catégorisation, bien que subtile, peut être très puissante. Les individus entrant dans la catégorie des exogroupes ressentiront particulièrement ses effets. Bien qu'elles n'aient pas forcément l'intention de créer un milieu discriminatoire, les organisations peuvent manifester une tendance concernant un exogroupe en n'embauchant que quelques membres de ce groupe. De ce fait, ces derniers peuvent se sentir mal à l'aise et éprouver un sentiment de non-appartenance à l'égard de cette organisation.

La valorisation et le soutien de la diversité

Comment les gestionnaires et les organisations s'en sortent-ils ? En créant des cultures et des milieux de travail qui adoptent et favorisent l'intégration. Le concept de valorisation de la diversité se traduit par l'acceptation des différences et la création d'un milieu où chacun se sent valorisé et bien à sa place, grâce à des mesures comme les suivantes[68] :

- Un engagement fort du conseil d'administration et de la haute direction.

- La présence de mentors et d'accompagnateurs qui aident les employés à élaborer un plan de carrière et à comprendre les diverses pratiques.

- Des occasions de se créer des réseaux.

- Des modèles à suivre parmi les employés de même sexe ou de même groupe ethnoculturel.

- L'attribution de tâches à haute visibilité mettant en évidence les employés qui les ont accomplies.

- La création d'une culture de l'intégration, qui valorise les différences et n'exige pas d'efforts trop grands de la part des employés pour se faire accepter.

- La limitation de la stigmatisation et des stéréotypes insidieux et inconscients.

La valorisation de la diversité implique la conservation des caractéristiques des groupes ainsi que la transformation de l'organisation par les groupes et inversement. Comme l'a dit Santiago Rodriguez, ancien directeur de Diversity for Microsoft, les entreprises démontrant une vraie volonté de diversité sont celles qui « embauchent des personnes différentes en sachant qu'elles changeront leur façon de faire des affaires, et en voulant cela ».

DU CÔTÉ DE LA PRATIQUE

Le Groupe Rouillier vise à former et à recruter plus d'employés autochtones

En 2012, Forages Rouillier, une entreprise d'Amos qui manquait de travailleurs spécialisés pour répondre à la demande, a décidé de s'allier à la Commission scolaire de la Baie-James. Après un an de cours théoriques et de formation pratique au sein de la PME, une quinzaine de Cris ont reçu un diplôme de leur « école de foreurs » à Matagami.

« Certains ont travaillé avec nous sur un contrat à la mine Stornoway, raconte Mario Rouillier, président du Groupe Rouillier. Quand ce contrat s'est terminé, deux d'entre eux ont été embauchés par cette mine. »

Cette défection n'a toutefois pas contrarié Mario Rouillier outre mesure. « Nous aimerions que les travailleurs que nous avons formés nous suivent

Mario Rouillier, du Groupe Rouillier

dans nos contrats, admet-il. Mais pour cela, c'est à nous d'être un très bon employeur et de les maintenir en poste. Autrement, leur diplôme leur donne l'occasion d'être embauchés ailleurs. »

La proximité de la main-d'œuvre spécialisée est un enjeu de taille pour les entreprises qui œuvrent dans l'exploration minière, car elles font souvent l'exploitation dans des secteurs isolés. « Une firme de forage qui peut soumissionner plus bas que les autres parce que son personnel lui coûte moins cher en frais de déplacement dispose d'un avantage concurrentiel indéniable », illustre Valérie Fillion, directrice générale de l'Association de l'exploration minière du Québec.

Une initiative comme celle de Rouillier « permet à des gens des communautés autochtones de progresser en emploi », fait valoir Mme Fillion.

« L'industrie minière est proportionnellement le secteur d'activité qui fournit le plus de travail à ces communautés au Canada [les Autochtones y occupent environ 20 % des postes], principalement dans des fonctions moins spécialisées, à l'étape de la production, ajoute-t-elle. Une migration s'effectue tranquillement vers les métiers techniques qui nécessitent plus de compétences, mais c'est encore rare. »

Comme l'industrie minière est entrée dans un creux de vague, il n'y a pas eu de deuxième cohorte d'étudiants en forage à Matagami. Cependant, plusieurs formations semblables se profilent à l'horizon, car la PME abitibienne a pris de l'ampleur. Elle a acquis Forage Boréal et VersaDrill Canada à Val-d'Or, ainsi que Pro Forage Guyane, en Guyane française. « Là-bas, 90 % de nos employés sont des personnes du coin que nous avons formées ; il y a des foreurs, des comptables et des contremaîtres », souligne M. Rouillier. [...]

Leur engagement à former et à embaucher des membres de la Première Nation néo-brunswickoise Pabineau – par une récente coentreprise de Forage Boréal – est cependant public. Même chose pour des Inuits du Nunavut dans le cadre du nouveau partenariat d'affaires avec Avataa Explorations. « Nous sommes en pourparlers pour bâtir un programme adapté avec une commission scolaire, précise M. Rouillier. L'endroit de la formation est à l'étude : les gens de là-bas aimeraient que ce soit à Kuujjuaq, mais certains modules sur le terrain devront être faits en Abitibi, parce qu'actuellement, nous n'avons pas de contrats dans le Grand Nord. »

« Souvent, les travailleurs qui demeurent déjà dans le secteur où a lieu l'exploration connaissent le terrain et peuvent faciliter le repérage », fait remarquer Valérie Fillion. Le Groupe Rouillier entend en profiter.

« Il y aura un transfert de connaissances des deux côtés, note le président. Ils nous aideront à adapter notre formation en santé et sécurité aux conditions du Grand Nord – comment réagir aux blizzards, par exemple – et tout notre personnel sera ainsi mieux formé. »

L'ensemble des employés profite déjà d'un des compromis auxquels l'entreprise doit consentir pour satisfaire ses employés autochtones : les congés de chasse. « Il y a des périodes sacrées pour eux, il a donc fallu s'adapter, dit M. Rouillier. Nous réduisons entre autres le nombre de nos contrats et nous fermons temporairement des foreuses. Sauf qu'il ne faut pas oublier que certains de nos employés non autochtones d'Abitibi sont eux aussi prêts à perdre leur emploi si nous ne leur donnons pas leurs congés de chasse ! » Mario Rouillier juge que l'intégration des travailleurs des Premières Nations au sein du Groupe n'a causé « aucun problème ». « Nos gars sont très ouverts, assure-t-il, surtout quand on arrive avec quelqu'un qui est bien formé. »

Mme Fillion souligne qu'en cas de besoin, le Comité sectoriel de main-d'œuvre de l'industrie des mines offre aux travailleurs et aux superviseurs des formations de sensibilisation à la diversité culturelle autochtone, ainsi qu'un programme facilitant l'intégration professionnelle des communautés des Premières Nations et des Inuits dans l'industrie.

« Connaître et partager d'autres cultures, cela fait progresser », conclut le président du Groupe Rouillier.

Source : Benoîte Labrosse, « Le Groupe Rouillier vise à former et à recruter plus d'employés autochtones », *Les Affaires*, 5 mars 2016, p. 19.

Les aptitudes et les capacités

Lorsqu'on réduit des caractéristiques sociodémographiques à des stéréotypes, on prive les individus du droit d'être évalués selon leurs aptitudes et leurs capacités. Les **aptitudes** sont les prédispositions d'un individu à apprendre certaines choses. Les **capacités** sont les facultés qu'a un individu d'accomplir les tâches inhérentes à un poste donné[69]. En d'autres termes, les aptitudes d'une personne sont ses capacités potentielles, et ses capacités englobent le savoir-faire et les compétences qu'elle possède déjà.

Les gestionnaires accordent évidemment beaucoup d'importance aux aptitudes et aux capacités lorsqu'ils sélectionnent les membres de leur personnel. Tout le monde sait qu'il existe des tests pour évaluer les aptitudes et les capacités intellectuelles. Certains, comme le Stanford-Binet, fournissent des indications globales sur le quotient intellectuel (QI); d'autres mesurent des compétences plus particulières, nécessaires, entre autres, pour un programme de formation ou un emploi. Vous vous êtes peut-être déjà prêté à ce genre de tests visant à faciliter le processus de sélection lors d'une inscription à un programme de formation ou d'une recherche d'emploi. Outre les aptitudes et les capacités intellectuelles, certains emplois, comme ceux de pompier ou de policier, requièrent des capacités physiques qui doivent être évaluées. Les tests conçus à cette fin permettent d'estimer de nombreux paramètres, notamment la force musculaire et l'endurance cardiovasculaire[70].

Toutefois, la loi oblige les employeurs à démontrer que des résultats supérieurs à ces tests sont vraiment liés à un rendement supérieur dans le programme de formation ou le poste concerné; en d'autres mots, elle les force à prouver que les aptitudes et les capacités recherchées correspondent vraiment aux exigences du poste. Par exemple, si vous voulez devenir chirurgien et que votre coordination oculomanuelle est médiocre, vous n'avez pas les capacités correspondant aux exigences du poste. Cette correspondance est absolument essentielle; c'est d'ailleurs l'un des concepts clés du chapitre 6, consacré à la motivation, à la conception de poste et aux récompenses.

Aptitude
Prédisposition à apprendre; capacité potentielle

Capacité
Faculté d'accomplir les tâches inhérentes à un poste donné

Guide de RÉVISION

RÉSUMÉ

Que sont les différences individuelles et pourquoi sont-elles importantes ?

- L'étude des différences individuelles aide à déceler les tendances comportementales, avec leurs similitudes et leurs différences, et permet de prédire avec plus de justesse comment les gens se conduiront et pourquoi ils se conduiront ainsi.

- La conscience de soi est la connaissance de ses propres comportements, préférences, styles, louvoiements et traits de personnalité. La conscience de l'autre est la connaissance de ces mêmes éléments chez autrui.

- L'image de soi est l'idée qu'une personne se fait d'elle-même, en tant qu'être physique, social, spirituel et moral. C'est une façon de se reconnaître soi-même en tant qu'être humain unique.

- La dichotomie hérédité-environnement pousse à se demander si on est tel qu'on est en raison de son hérédité ou en raison de l'environnement dans lequel on a été élevé et dans lequel on vit.

Qu'est-ce que la personnalité ?

- La personnalité est le profil global d'une personne, une combinaison de traits qui font d'elle un être unique par la manière qu'elle a de se comporter et d'entrer en relation avec autrui.

- La personnalité est déterminée à la fois par l'hérédité et par l'environnement.

- Selon le modèle à cinq facteurs, les cinq grandes dimensions de la personnalité sont l'extraversion, l'amabilité, l'application, la stabilité émotionnelle et l'ouverture à l'expérience.

- Une autre approche très utile consiste à distinguer trois catégories de traits de personnalité, soit les traits sociaux, les traits relatifs à la conception personnelle du monde et les traits relatifs à l'adaptation affective, puis à évaluer leur dynamique dans la personnalité d'un individu.

Qu'est-ce qui distingue les personnes et les cultures nationales sur le plan des valeurs?

- Les valeurs sont des principes généraux qui orientent les jugements et les actions d'un individu.

- Le classement des valeurs de Milton Rokeach comporte 18 valeurs finales (choix des objectifs) et 18 valeurs instrumentales (choix des moyens).

- Gordon Allport et son équipe classent les valeurs en six grandes catégories correspondant à six champs d'intérêt, soit les champs théorique, économique, esthétique, social, politique et religieux.

- Bruce Meglino et son équipe ont élaboré une grille des valeurs liées au travail et ont mis en évidence les valeurs suivantes: l'accomplissement, l'entraide et l'altruisme, l'honnêteté et l'équité.

- La culture nationale ou sociétale correspond au bagage commun de valeurs et de façons de faire qu'acquièrent les membres d'une collectivité ou d'une société. Elle reflète les influences profondes de la société sur les façons de penser, de se comporter et de résoudre les problèmes.

- Selon Geert Hofstede, les cinq dimensions permettant de définir les grandes caractéristiques des cultures nationales sont: (1) la distance hiérarchique; (2) la maîtrise de l'incertitude; (3) l'individualisme ou le collectivisme; (4) l'orientation masculine ou féminine; (5) l'orientation à court terme ou à long terme.

Comment les caractéristiques sociodémographiques se reflètent-elles dans la diversité de la main-d'œuvre et comment devrait-on gérer cette diversité?

- Les mains-d'œuvre du Canada, des États-Unis et de l'Europe sont de plus en plus diversifiées. Apprendre à valoriser et à bien gérer cette diversité est essentiel pour assurer la compétitivité des organisations et le développement des individus.

- La diversité d'une main-d'œuvre donnée résulte des différences que présentent les individus qui la composent en fonction, notamment, de caractéristiques sociodémographiques comme l'origine ethnoculturelle, le sexe, l'âge, l'état physique et mental ainsi que l'orientation sexuelle et l'identité de genre.

- Les organisations ne doivent pas seulement «gérer» la diversité, mais aussi la valoriser.

- Ces dernières années, nous avons assisté à une tendance mettant l'accent sur l'intégration plutôt que sur la seule diversité, ce qui traduit le besoin de se centrer non seulement sur le recrutement, mais aussi sur la rétention de la main-d'œuvre.

- Selon la théorie de l'identité sociale d'Henri Tajfel et de John Turner, il existe de nombreuses formes de discrimination subtiles, mais lourdes de conséquences. Elles peuvent prendre la forme de processus psychologiques inconscients que les membres des exogroupes perçoivent sur les lieux de travail.

- Les organisations peuvent favoriser la diversité en promouvant une culture de l'intégration, en mettant en œuvre une philosophie et des pratiques permettant de créer un environnement de travail équitable, donnant des chances égales d'avancement à tous les salariés.

Qu'est-ce qui distingue les aptitudes des capacités ?

- Les aptitudes sont les prédispositions d'un individu à apprendre certaines choses ; ce sont des capacités potentielles.

- Les capacités sont les facultés qu'a un individu d'accomplir les tâches inhérentes à un poste donné ; elles englobent le savoir-faire et les compétences qu'il possède déjà.

- La prise en considération des aptitudes et des capacités tant intellectuelles que physiques d'un candidat permet de s'assurer de leur correspondance avec les exigences du poste à pourvoir.

MOTS CLÉS

EXERCICE DE RÉVISION

MaBiblio > MonLab > Exercices
> Ch02 > Exercice de révision

Questions à choix multiple

1. Les différences individuelles sont importantes, car elles _____
   a) impliquent qu'on doit se distinguer des autres. **b)** réduisent l'importance de l'individualité. **c)** prouvent que certains groupes culturels sont supérieurs aux autres. **d)** aident à prédire avec plus de justesse en quelles circonstances les gens adopteront un comportement donné.

2. La conscience de soi _____ la conscience de l'autre. **a)** est plus importante que **b)** est moins importante que **c)** est aussi importante que **d)** n'est pas liée à.

3. Le sentiment de compétence est une des dimensions de _____ **a)** la conscience de soi. **b)** l'image de soi. **c)** la présence et des soins. **d)** l'affabilité.

4. La personnalité englobe _____ **a)** un ensemble de caractéristiques générales qui rendent une personne unique. **b)** uniquement les composantes du soi déterminées par l'environnement. **c)** uniquement les composantes du soi déterminées par l'hérédité. **d)** la conscience de soi de la personne.

5. Les personnes qui ont un lieu de contrôle interne puissant _____ **a)** pensent que ce qui leur arrive est déterminé par des forces environnementales, tel le destin. **b)** pensent qu'elles ont une emprise sur leur existence ou sur leur destin. **c)** sont très extraverties. **d)** sont moins aptes à accomplir des tâches qui nécessitent un apprentissage ou un esprit d'initiative.

6. La personnalité proactive _____ dans les milieux de travail d'aujourd'hui. **a)** est condamnée **b)** est absente **c)** devient plus importante **d)** prend moins d'importance

7. Les employés qui ont tendance à avoir _____ sont susceptibles de suivre des directives non conformes à l'éthique sans les remettre en question. **a)** un lieu de contrôle interne puissant **b)** une conduite machiavélique **c)** une personnalité proactive et extravertie **d)** une personnalité autoritaire et dogmatique

8. On peut dire que les gestionnaires qui sont dynamiques et méticuleux, qui se fixent des normes de rendement élevées et qui sont stimulés par la routine ont _____ **a)** une personnalité de type A. **b)** une personnalité de type B. **c)** un fort monitorage de soi. **d)** un comportement peu machiavélique.

9. Les aptitudes et les capacités _____ **a)** se transforment parfois en stéréotypes. **b)** sont d'ordre physique et intellectuel. **c)** concernent l'intellect et la personnalité. **d)** peuvent être de type agressif ou de type passif.

10. Les caractéristiques sociodémographiques _____ **a)** sont de très bons indicateurs permettant d'évaluer si une personne possède les compétences requises pour occuper un emploi. **b)** témoignent des aptitudes et des capacités d'un individu. **c)** sont des variables qui reflètent la situation sociale d'un individu et qui influent sur son devenir. **d)** sont des aspects importants de la personnalité.

11. Concernant les valeurs, _____ **a)** les valeurs instrumentales sont plus importantes que les valeurs finales. **b)** la congruence des valeurs semble être le facteur qui détermine la satisfaction. **c)** il est rare que les gens aient les mêmes valeurs. **d)** la plupart des cultures ont des valeurs communes.

12. La culture sociétale correspond à _____ **a)** l'ensemble des principales croyances d'une personne et son attitude générale concernant un certain nombre de sujets. **b)** la façon dont une personne recueille de l'information et l'évalue. **c)** la façon dont une personne est perçue par les autres pendant qu'elle interagit dans diverses situations sociales. **d)** l'ensemble des valeurs et des façons de faire acquises par les membres d'une société.

13. La composition démographique de la main-d'œuvre _____ **a)** est restée relativement stable. **b)** n'a aucun lien avec les pratiques de gestion. **c)** a connu des changements très importants au cours des dernières décennies. **d)** n'est plus une préoccupation majeure des directions d'organisations.

14. Les entreprises qui _____ tirent pleinement profit de la diversité de leurs employés. **a)** ont appris à embaucher des salariés en misant sur leurs différences **b)** ont appris à embaucher des salariés en dépit de leurs différences **c)** ne se préoccupent pas des différences entre leurs salariés **d)** ont mis en œuvre des programmes de promotion de la diversité fondés uniquement sur l'action positive.

15. Sur le plan de la diversité, la théorie de l'identité sociale laisse entendre que la simple présence de groupes divers soulève la question _____ **a)** de la stigmatisation. **b)** du tuyau percé. **c)** de l'intégration. **d)** de l'identité sociale.

Questions à réponse brève

16. Que sont les différences individuelles et quelle est leur importance pour le comportement organisationnel?

17. De l'hérédité ou de l'environnement, lequel joue le rôle le plus marquant dans la détermination de la personnalité?

18. Quelles valeurs Meglino et ses collaborateurs ont-ils définies, et comment peut-on les associer au comportement en milieu professionnel?

19. Concernant la diversité et l'intégration, qu'avez-vous appris au sujet des milieux qui favorisent et soutiennent le plus la diversité?

Question à développement

20. La PDG de votre organisation se demande comment faire pour avoir à chaque poste l'employé qui convient le mieux, la personne qui pourra plus que toute autre améliorer le rendement général, et comment gérer efficacement un personnel comptant de plus en plus de membres issus de minorités visibles. Elle souhaite que vous rédigiez à son intention un bref rapport sur la question, comprenant des recommandations précises quant aux mesures à prendre.

Le CO dans le feu de l'action

Pour ce chapitre, nous vous suggérons les compléments numériques suivants dans MonLab.

MaBiblio >
MonLab > Documents > Études de cas
> 2. Xerox
> 3. Les enfants terribles
> 4. Une conseillère pas comme les autres

MonLab > Documents > Activités
> 4. Que valorisez-vous particulièrement dans un travail?
> 5. Votre actif
> 6. Un poste à l'étranger
> 7. Signaux culturels
> 8. Les préjugés au quotidien
> 10. La rivière aux alligators
> 28. Mon meilleur patron II

MonLab > Documents > Autoévaluations
> 1. Les postulats d'un gestionnaire
> 3. Votre tolérance à l'agitation
> 5. Vos valeurs personnelles
> 6. Votre degré de tolérance à l'ambiguïté
> 13. Votre propension à la délégation
> 14. Votre degré de machiavélisme
> 19. Votre type de personnalité

CHAPITRE

3

Les émotions, les attitudes et la satisfaction professionnelle

Chaque jour, vous éprouvez une multitude d'émotions. Lorsque vous vous sentez bien, tout va pour le mieux. Mais quand la déprime vous gagne, elle se répercute sur votre bien-être et, souvent, sur celui de votre entourage. Les chercheurs en CO s'intéressent beaucoup aux répercussions des émotions, des attitudes et de la satisfaction professionnelle sur le comportement des gens. Ce chapitre traite ainsi de la dimension affective de l'étude du comportement organisationnel, dont l'importance est de plus en plus reconnue, parallèlement à celle des facteurs cognitifs. Les nombreux apprentissages que vous pouvez faire à ce sujet peuvent vous aider tant sur le plan personnel que sur le plan professionnel.

OBJECTIFS D'APPRENTISSAGE

Après l'étude de ce chapitre, vous devriez pouvoir :

- Décrire les fondements des émotions et de l'humeur.
- Montrer comment les émotions et l'humeur se manifestent concrètement.
- Expliquer ce qu'est une attitude et quelle est son importance en milieu professionnel.
- Définir le concept de satisfaction professionnelle et discuter des liens entre la satisfaction professionnelle et le rendement.

PLAN DU CHAPITRE

Les émotions et l'humeur
La nature des émotions
L'intelligence émotionnelle
Les types d'émotions
La nature des humeurs

Les émotions et l'humeur dans l'organisation
La contagion des émotions et de l'humeur
Le travail émotionnel
L'empathie émotionnelle
Les aspects culturels des émotions et de l'humeur
La théorie des événements affectifs

Les attitudes
Les composantes d'une attitude
Les attitudes et le comportement
Les attitudes et la dissonance cognitive
Les types d'attitudes au travail

La satisfaction professionnelle
Le concept et les méthodes de mesure
Les tendances relatives à la satisfaction professionnelle
L'influence de la satisfaction professionnelle sur le comportement au travail
La satisfaction professionnelle et le rendement

Guide de révision

Il faut aller au-delà de ce que les personnes pensent et saisir ce qu'elles ressentent.

Une première décennie réussie pour GSoft

GSoft célèbre ses 10 ans d'existence au moment où elle connaît une poussée intéressante. Son principal logiciel, Sharegate, compte maintenant plus de 10 000 clients dans 90 pays. Un succès qui ne va pas sans poser quelques défis. [...]

Le beau succès commercial de Sharegate fait parfois oublier les défis importants que doit relever GSoft. Sur le plan technologique, d'abord. «Sharegate dépend entièrement de l'évolution des technologies de Microsoft, puisqu'il sert à gérer la plateforme SharePoint, illustre Simon De Baene. Or, Microsoft fait présentement un grand virage technologique vers l'infonuagique, auquel nous devons nous adapter.»

Un défi commercial, ensuite, puisque Sharegate affronte la compétition de gros acteurs américains, telles Metalogix ou AvePoint. Comptant des centaines d'employés et financés à coups de millions de dollars, ces adversaires sont féroces.

«De notre côté, nous n'avons jamais eu recours à du financement externe, fait remarquer Simon De Baene. Nous avons une autre dynamique, dans laquelle il faut apprendre à se

débrouiller avec moins de moyens. Mais je préfère notre modèle, axé sur la croissance organique, sur nos propres innovations et surtout sur une culture d'entreprise bien particulière, axée sur le bonheur de nos employés.»

C'est justement cette culture d'entreprise hors du commun qui a séduit Daniel Guillemette, président d'iGeny, une société qui conçoit des applications web pour les conseillers en sécurité financière canadiens. GSoft a été choisie dès le début de l'élaboration de la plateforme iGeny en 2012 et continue d'être étroitement associée au projet aujourd'hui. La collaboration devenue la plus stable et la plus longue de l'histoire de GSoft.

«Nous faisons un développement soutenu depuis juillet 2012 et recherchions une entreprise stable, capable surtout de garder ses bons programmeurs longtemps, explique Daniel Guillemette. Nous cherchions aussi une entreprise partageant des valeurs semblables à la nôtre qui permettraient à certains de nos employés de se greffer à leur équipe.» [...]

Si l'on en croit Simon De Baene, iGeny et les autres clients de GSoft pourront continuer de compter sur la culture

> ## Garder nos employés heureux est crucial.

d'entreprise de la PME. Cette dernière n'hésite pas à envoyer ses employés passer du temps à Barcelone ou à les inviter à célébrer la fin d'une année de travail à New York, à Miami ou à Varadero. «Garder nos employés heureux est crucial, dans un contexte où la compétition pour attirer et conserver les meilleurs talents est parfois féroce, dit-il. Au-delà de cela, nous croyons beaucoup en un équilibre entre le rendement et le bonheur au travail. Trop de gens sont encore malheureux dans leur environnement de travail. Pourtant, un bon environnement de travail augmente la performance, j'en suis convaincu.»

Source : Jean-François Venne, « Une première décennie réussie pour GSoft », LesAffaires.com, 28 juillet 2016.

Les émotions et l'humeur

Que ressentez-vous lorsque vous conduisez votre voiture et qu'un policier vous arrête? Lorsque vous recevez une mauvaise note à un examen? Lorsque votre animal de compagnie meurt? Lorsque vous trouvez dans vos courriels une invitation à vous présenter à une entrevue pour un nouvel emploi? Lorsque vous croisez un bon ami qui passe sans vous saluer? Lorsqu'un de vos parents, de vos frères ou de vos sœurs perd son emploi? Lorsque vous trouvez dans votre messagerie le SMS suivant, envoyé par une nouvelle connaissance: «tle +bo J»?

Ces exemples de situations montrent que ce qui vous arrive suscite en vous toutes sortes de «sentiments»: joie ou tristesse, colère ou contentement. Ces sentiments forment l'**affect**, c'est-à-dire la gamme d'émotions et d'humeurs que les individus éprouvent dans diverses circonstances de leur vie[1]. Les affects influent beaucoup sur votre vie en général et, par conséquent, sur votre comportement au travail[2].

La nature des émotions

La colère, l'excitation, la peur, la tristesse, l'exaltation, le chagrin sont des **émotions** qui prennent la forme de forts sentiments positifs ou négatifs envers une personne ou un objet[3]. Les émotions sont habituellement intenses et de courte durée. Elles découlent toujours d'une source, soit une personne ou un objet déterminant ce qu'on ressent à un moment précis. Vous pouvez vous sentir heureux (émotion positive) lorsque votre enseignant vous félicite pour votre présentation devant le groupe ou en colère (émotion négative) lorsqu'il vous critique devant toute la classe. Dans les deux situations, la source de votre émotion est l'enseignant, mais les répercussions de son comportement sur vos émotions sont très différentes. De même, votre réaction aux émotions déclenchées variera probablement beaucoup d'une situation à l'autre. Votre visage s'éclairera sans doute d'un grand sourire lorsque vous serez félicité, et vous aurez peut-être envie de faire un commentaire désobligeant et de vous replier sur vous-même lorsque vous recevrez une critique.

L'intelligence émotionnelle

Les tests de mesure du quotient intellectuel (QI), menés depuis de nombreuses années, nous ont familiarisés avec les notions de «compétence cognitive» et d'«intelligence». L'*intelligence émotionnelle*, ou IE, est un concept plus récent dont nous avons déjà parlé au chapitre 1, lorsque nous décrivions les compétences humaines essentielles à un gestionnaire. Le chercheur Daniel Goleman, qui l'a mise en évidence, l'a définie comme la capacité à comprendre ses émotions et celles des autres, puis à utiliser cette compréhension pour nouer des relations efficaces[4]. L'IE se révèle, notamment, dans les façons dont on gère ses émotions, par exemple lorsqu'une émotion négative risque de nous causer des problèmes et qu'on est capable de la refréner suffisamment pour qu'elle ne vienne pas nous perturber.

Selon Goleman, l'intelligence émotionnelle aide à obtenir de bons résultats parce qu'elle rend capable de reconnaître ses émotions et celles des autres, et de les gérer. Lorsqu'on a une IE élevée, on arrive à ne pas se laisser submerger par ses émotions. En sachant à l'avance que les critiques de votre enseignant vont vous mettre en colère, par exemple, vous réussissez mieux, grâce à l'IE, à maîtriser votre colère et à

Affect
Terme générique désignant le large éventail de sentiments que les individus éprouvent dans leur vie et qui se manifestent sous forme d'émotions et d'humeurs

Émotion
Fort sentiment, positif ou négatif, ressenti à l'égard de quelqu'un ou de quelque chose

montrer une attitude positive, ce qui pourrait inciter l'enseignant à vous féliciter la prochaine fois pour une bonne intervention en classe. Si vous ne pouvez réprimer votre colère et que vous vous laissez aller à faire une remarque désobligeante ou à adopter une conduite agressive, vous suscitez une impression négative chez votre enseignant. De même, si vous vous repliez sur vous-même et refusez de participer aux travaux en classe, vous donnez à l'enseignant l'impression que vous vous désintéressez du cours. Dans ces deux cas, votre expérience d'apprentissage s'en ressent.

Si vous arrivez à prendre conscience de vos propres émotions et à les gérer, si vous êtes capable d'interpréter les émotions des autres, vous interagirez mieux avec ceux qui vous entourent, aussi bien au travail et dans votre vie en général que dans les situations où vous devez faire preuve de leadership[5]. La **figure 3.1** illustre quatre compétences rattachées à l'intelligence émotionnelle qui sont essentielles pour réussir dans votre rôle de leader, et même dans tous les types de situations interpersonnelles[6]. Ces compétences sont : la conscience de soi, la conscience sociale, la gestion de soi et la gestion des relations.

FIGURE **3.1** **Les quatre grandes compétences rattachées à l'intelligence émotionnelle, essentielles au rôle de leader et dans tous les types de situations interpersonnelles**

Sur le plan de l'intelligence émotionnelle, la **conscience de soi** est la capacité de comprendre ses propres émotions et leurs répercussions sur soi et sur les autres. C'est comme une évaluation constante de ses émotions qui aide à bien les comprendre et à les exprimer naturellement. La **conscience sociale** est la capacité de faire preuve d'*empathie*, de comprendre les émotions des autres et de se servir de cette compréhension pour avoir de meilleurs rapports avec eux.

Sur le plan de l'intelligence émotionnelle, la **gestion de soi** est la capacité de penser avant d'agir et de maîtriser des émotions qui pourraient, autrement, être destructrices. C'est une forme d'*autorégulation* qui permet de maîtriser ses émotions et de ne pas se laisser submerger par elles. La **gestion des relations** est la capacité d'établir de bons rapports avec les autres, de manière à nouer avec eux des relations satisfaisantes et à influer positivement sur leurs émotions. Elle implique la reconnaissance continuelle des émotions des autres, pour une meilleure compréhension de ces derniers et l'établissement de meilleures relations avec eux.

Les types d'émotions

Les chercheurs ont dégagé six grandes catégories d'émotions : la colère, la peur, la joie, l'amour, la tristesse et la surprise[7]. Sur le plan de l'intelligence émotionnelle, les principales questions sont : reconnaît-on ses propres émotions et celles des autres, et est-on capable de bien les gérer ? Ainsi, la colère peut inclure, entre autres, le dégoût et l'envie, qui peuvent avoir des conséquences très négatives. La peur peut se manifester sous forme d'état d'alerte ou encore d'anxiété. La joie peut s'exprimer sous forme de gaieté ou de contentement. L'amour peut être fait d'affection, d'attirance romantique ou de désir. La tristesse peut correspondre à de la déception, à un sentiment d'abandon ou de honte.

On distingue souvent les **émotions liées à la conscience de soi**, d'origine interne, des **émotions liées à la conscience sociale**, provenant d'une source externe[8]. Les premières, telles que la honte, la culpabilité, la gêne et la fierté, aideraient l'individu à réguler ses rapports avec les autres et à y demeurer attentif. Les secondes, telles que la pitié, l'envie et la jalousie, sont liées à une information extérieure. Par exemple, vous pouvez ressentir de l'envie, voire de la jalousie, à l'égard d'un collègue de travail en apprenant qu'il a obtenu une promotion à laquelle vous aspiriez.

Émotion liée à la conscience de soi
Émotion d'origine interne

Émotion liée à la conscience sociale
Émotion liée à une information externe

La nature des humeurs

Contrairement aux émotions, qui sont d'habitude de courte durée et qui visent clairement une personne ou une chose, les **humeurs** sont des sentiments ou des états d'esprit négatifs ou positifs moins intenses, mais pouvant persister pendant un certain temps et ne résultant généralement pas d'un stimulus contextuel particulier. Tout le monde peut être occasionnellement de bonne ou de mauvaise humeur, ce qui se traduit de nombreuses façons que vous connaissez bien. Il vous arrive tous de vous réveiller frais et dispos le matin et de vous sentir de bonne humeur, ou alors plutôt fatigué et morose et de vous sentir malheureux. Quelles sont les conséquences de ces différentes formes d'humeur sur le comportement que vous adoptez avec vos amis, les membres de votre famille, vos collègues de bureau ou vos camarades de classe ?

Humeur
Sentiment ou état d'esprit, négatif ou positif, moins intense qu'une émotion, mais pouvant persister pendant un certain temps et ne résultant généralement pas d'un stimulus contextuel particulier

Dans le domaine du CO, on s'intéresse tout particulièrement aux influences des humeurs sur le rendement professionnel et sur la capacité de se montrer agréable au travail. Par exemple, mieux vaut pour un PDG être vu comme étant de bonne humeur, ce qui fera en sorte qu'il sera perçu comme étant chaleureux et empathique. Certains PDG embauchent même des consultants pour apprendre à prendre en charge leurs affects et à se montrer plus amicaux et plus accessibles dans leurs relations avec les autres. Si un PDG se rend à une réunion de bonne humeur et est perçu comme « jovial », « charmant », « drôle », « amical » et « franc », il verra sa cote de popularité augmenter au sein de l'équipe. Mais s'il s'y rend de mauvaise humeur et est perçu comme « pinailleur », « impatient », « distant », « dur », « hargneux » et même « impitoyable », il verra fort probablement sa cote de popularité chuter[9].

La **figure 3.2** (p. 84) présente une comparaison entre les émotions et les humeurs. En général, les émotions sont des sentiments intenses qui visent une personne ou un objet ; toujours déclenchées par un événement précis, elles se manifestent de nombreuses façons : colère, peur, joie, etc. Les humeurs, quant à elles, ont tendance à prendre la forme d'un sentiment positif ou négatif plus généralisé. Elles sont moins intenses que les émotions et ne semblent pas découler d'une source précise. Il est souvent difficile de déterminer pourquoi ou comment on est gouverné par une humeur en particulier[10]. Par ailleurs, les humeurs ont tendance à durer plus longtemps que les émotions. Si une personne dit ou fait quelque chose qui provoque une réaction positive ou négative brusque et intense, cette émotion passera probablement rapidement. Au contraire, une humeur, bonne ou mauvaise, a tendance à persister pendant plusieurs heures, voire plusieurs jours, et influe sur un grand nombre de comportements.

FIGURE 3.2 **Les émotions et les humeurs diffèrent les unes des autres, mais elles peuvent aussi agir les unes sur les autres**

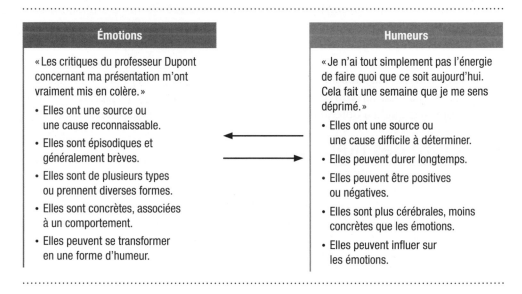

Émotions	Humeurs
«Les critiques du professeur Dupont concernant ma présentation m'ont vraiment mis en colère.»	«Je n'ai tout simplement pas l'énergie de faire quoi que ce soit aujourd'hui. Cela fait une semaine que je me sens déprimé.»
• Elles ont une source ou une cause reconnaissable.	• Elles ont une source ou une cause difficile à déterminer.
• Elles sont épisodiques et généralement brèves.	• Elles peuvent durer longtemps.
• Elles sont de plusieurs types ou prennent diverses formes.	• Elles peuvent être positives ou négatives.
• Elles sont concrètes, associées à un comportement.	• Elles sont plus cérébrales, moins concrètes que les émotions.
• Elles peuvent se transformer en une forme d'humeur.	• Elles peuvent influer sur les émotions.

Les émotions et l'humeur dans l'organisation

Comme nous l'avons montré, différents facteurs peuvent influer sur les émotions et l'humeur. Toutefois, on observe chez les individus des tendances relativement stables à éprouver des sentiments positifs ou négatifs[11]. Ainsi, ceux qui possèdent une **affectivité positive** marquée tendent à se montrer perpétuellement positifs : à leurs yeux, le verre est presque toujours à moitié plein. En revanche, ceux qui présentent une **affectivité négative** sont enclins à être démoralisés, à laisser leurs humeurs négatives prendre le dessus dans les circonstances les plus diverses : à leurs yeux, le verre est presque toujours à moitié vide. Ces éternels pessimistes réalisent des choses peu impressionnantes et peuvent nuire au rendement des autres par leur état d'esprit. Ils tendent en effet à créer un climat négatif qui déteint sur la prise de décision et le travail d'équipe. Ils suscitent souvent l'hostilité de leurs collègues.

Ainsi, les grandes tendances des individus à se montrer optimistes ou pessimistes ont une influence non seulement sur leurs propres comportements, mais aussi sur ceux des personnes qu'ils côtoient, collègues de travail, amis et membres de la famille.

Affectivité positive
Tendance à être continuellement positif

Affectivité négative
Tendance à être démoralisé la plupart du temps

Attention aux indiscrétions sur Facebook

Facebook peut être amusant, mais si, parce que vous avez eu une mauvaise journée ou que vous êtes de mauvaise humeur, vous y publiez quelque chose de malséant, comme une photo indécente, un commentaire sarcastique ou une critique à l'égard de votre employeur, vous devrez peut-être modifier votre profil en ligne pour écrire: «Je viens d'être viré!»

Employée d'une banque naviguant depuis son lit – Après qu'une employée de banque suisse a appelé son employeur pour se déclarer malade, expliquant qu'elle devait rester couchée dans le noir, les directeurs de la banque ont remarqué qu'elle naviguait sur Facebook. Ils l'ont congédiée en invoquant le prétexte que «la banque ne pouvait plus lui faire confiance».

Mascotte en colère – Les Pirates de Pittsburgh ont congédié leur mascotte après qu'elle a affiché sur sa page Facebook des critiques à l'encontre de la direction de l'équipe. Une campagne de soutien sur Twitter lui a permis d'être réembauchée.

Serveuse mécontente – Une serveuse travaillant dans une pizzeria de la Caroline du Nord a écrit sur Facebook que ses clients étaient «radins», car ils ne lui laissaient que de petits pourboires. Ses patrons, ayant pris connaissance de son message, l'ont congédiée pour avoir dérogé aux politiques de l'établissement.

Source: Information tirée de Joe O'Shea, «How a Facebook Update Can Cost You Your Job», *Irish Independent*, 1er septembre 2010, p. 34.

QUESTIONS

Qui a raison, qui a tort? Peut-être connaissez-vous des cas similaires d'employés pénalisés pour ce qu'ils ont écrit sur leur page Facebook. Comment départager ce qui est acceptable de ce qui ne l'est pas? La page Facebook d'une personne ne fait-elle pas partie de sa vie privée? N'est-on pas libre de parler librement de son travail, de ses collègues et même de ses employés en dehors de son travail? Ou alors existe-t-il une frontière éthique entre le travail et les communications au public qu'il est interdit de franchir? Quelles questions éthiques se posent ici pour l'employé et pour l'employeur?

La contagion des émotions et de l'humeur

Les chercheurs s'intéressent de plus en plus au phénomène de **contagion des émotions et de l'humeur**, c'est-à-dire à la propagation des émotions et de l'humeur d'une personne à d'autres personnes de son entourage[12]. De même qu'un rhume peut s'attraper, les recherches montrent que les émotions positives et négatives sont «contagieuses». L'humeur positive ou négative peut donc se transmettre aux collègues de travail et aux membres d'un groupe, tout comme aux amis et aux membres de la famille[13].

Daniel Goleman et ses collègues, qui étudient l'intelligence émotionnelle, pensent que les leaders devraient se préoccuper de la contagion de l'humeur et des émotions. «La mauvaise humeur d'un haut dirigeant tend à se propager le plus vite, disent-ils, car tout le monde a les yeux rivés sur le patron[14].» Lorsqu'un leader est de bonne humeur, il exerce un plus grand attrait sur ses subalternes, qui lui attribuent une cote de popularité plus élevée[15]. Par ailleurs, une étude a permis de constater qu'après

Contagion des émotions et de l'humeur
Propagation des émotions et de l'humeur d'une personne à d'autres personnes de son entourage

deux heures passées ensemble, les membres d'une équipe partageaient leur bonne ou leur mauvaise humeur. Chose curieuse, la mauvaise humeur se transmet plus rapidement que la bonne humeur[16].

Le travail émotionnel

Travail émotionnel
Effort déployé par un individu pour manifester les émotions que l'organisation attend de lui au cours des échanges interpersonnels au travail

Le concept de **travail émotionnel** fait référence à l'effort déployé par un individu pour manifester les émotions que l'organisation attend de lui au cours des échanges interpersonnels au travail[17]. On en trouve de bons exemples dans le travail qu'attendent les sociétés aériennes du personnel au sol ou des agents de bord: ces employés

---

DU CÔTÉ DE LA RECHERCHE

Le bonheur est contagieux

Le bonheur est contagieux, ont découvert des sociologues américains. Mais il n'est pas transmissible au téléphone et encore moins par courriel: pour attraper le virus du bonheur, il faut entrer en contact direct avec une personne heureuse.

Avoir un ami heureux augmente de 15,3 % la probabilité d'être soi-même heureux. L'effet diminue à chaque « degré de séparation »: si un ami a lui-même un ami heureux, la probabilité augmente de 9,8 %; si un ami d'un ami d'un ami est heureux, la probabilité augmente de 5,6 %. En d'autres mots, si un ami de votre sœur est heureux et qu'un ami du frère de votre voisin est heureux, votre chance d'être heureux grimpe de 16 % (1,098 multiplié par 1,056).

Les personnes les plus heureuses avaient le plus grand nombre de proches, et les chercheurs ont expliqué aux médias que le bonheur se comporte comme un virus. Ils ont proposé l'exemple du sida, qui touche davantage les gens ayant un grand nombre de partenaires sexuels.

« Ce n'est pas la première fois qu'on montre que le bonheur est contagieux », explique Yaël Glick, sociologue et psychologue à l'Université Concordia, à qui *La Presse* a demandé des commentaires sur l'étude publiée dans le *British Medical Journal*[18]. « Mais les chercheurs prouvent que l'interaction sociale doit se faire en chair et en os pour que l'humeur de quelqu'un influence vraiment quelqu'un d'autre. Les cellulaires et les courriels ne comptent pas. »

Les chercheurs de l'Université de Californie à San Diego et de Harvard ont pu établir l'importance du contact direct en comparant les amis qui habitaient à moins d'un kilomètre, et les autres. Ils ont postulé que les amis habitant à proximité se voient plus souvent face à face. Ils ont épluché 5 000 dossiers d'une étude ayant

suivi pendant des décennies la santé cardiovasculaire de patients, et qui a recueilli des données nominales sur les proches des cobayes.

Pourquoi l'étude est-elle publiée dans une revue médicale? « La médecine a tendance à considérer le patient individuellement, sans tenir compte de son réseau de proches, dit Mme Glick. Mais on ne peut vraiment savoir comment va une personne sans tenir compte de ses réseaux sociaux. »

Ces résultats donnent une note d'espoir, selon Mme Glick. « Les contacts sociaux peuvent être une réponse à la possibilité de désespoir et d'aliénation dans notre société de plus en plus centrée sur la consommation. L'essence de la santé est la communauté. » [...]

Source: Mathieu Perreault, « Le bonheur est contagieux », *La Presse*, 23 décembre 2008, p. 34.

---

doivent se montrer accessibles, affables et cordiaux pendant qu'ils prennent des dispositions pour satisfaire les voyageurs. Certaines sociétés aériennes, comme Southwest, vont jusqu'à demander à leurs employés de se montrer « drôles », « bienveillants » et « joviaux » pendant qu'ils accomplissent leur travail.

Le travail émotionnel n'est pas toujours facile. Il peut être pénible de devoir constamment exprimer les émotions attendues au travail. Si vous êtes dans un mauvais jour ou si vous avez eu une altercation avec votre voisin, par exemple, vous pouvez trouver difficile de vous montrer « joyeux » et « empressé » en servant un client très exigeant. Une telle situation peut engendrer une **dissonance émotionnelle**, c'est-à-dire une divergence entre les émotions que vous ressentez réellement et celles que vous essayez d'exprimer, de projeter[19]. C'est une dichotomie entre ce que vous éprouvez et ce que vous êtes censé éprouver.

Il faut souvent faire preuve de maîtrise de soi pour pouvoir exprimer au travail les émotions qu'attend l'employeur. Il suffit de penser, par exemple, aux employés travaillant dans les services, qui doivent surmonter leurs émotions personnelles ou passer outre leur humeur dissonante pour arborer une attitude positive envers les clients[20]. Le *jeu en profondeur* et le *jeu en surface* représentent deux façons possibles de réduire la dissonance émotionnelle. Le **jeu en profondeur** est le fait d'essayer de modifier ses émotions pour mieux s'adapter à une situation : par exemple, se mettre dans la peau d'un voyageur dont on a perdu les bagages et se sentir tout aussi désemparé que lui. Par le jeu en profondeur, l'individu tente de modifier ses sentiments intimes selon les **règles de présentation de soi**, c'est-à-dire les normes informelles

Dissonance émotionnelle
Écart susceptible de survenir entre les émotions qu'on ressent réellement et celles qu'on tente d'exprimer, de projeter

Jeu en profondeur
Tentative de modification de ses sentiments intimes, selon des règles de présentation de soi, pour mieux s'adapter à une situation

Règles de présentation de soi
Normes informelles d'un groupe social donné qui déterminent dans quelle mesure il est approprié, pour ses membres, de manifester ses émotions

Aidez vos collègues

Dans une étude qu'ils ont réalisée auprès de 1 648 étudiants de Harvard, Shawn Achor, Phil Stone et Tal Ben-Shahar ont constaté que le soutien social était l'indicateur prévisionnel de bonheur le plus important durant les périodes de grand stress. En fait, le coefficient de corrélation entre le bonheur et l'échelle de soutien social de Zimet (la mesure scientifique qu'ils ont utilisée pour évaluer l'investissement positif des étudiants dans leur réseau social) était de 0,71 ; en comparaison, le coefficient de corrélation entre la cigarette et le cancer est de 0,37. Cette étude était axée sur l'importance du soutien social que recevaient les étudiants.

Toutefois, dans une étude de suivi menée en mars 2011, Shawn Achor a constaté que le soutien social qu'offraient les étudiants contribuait encore plus à soutenir le bonheur et l'investissement. Par exemple, combien de fois un étudiant aide-t-il les autres lorsqu'ils sont débordés de travail ? Combien de fois amorce-t-il des interactions sociales au travail ? Ceux qui fournissaient du soutien social, c'est-à-dire ceux qui ont pris la relève pour d'autres, ont invité des collègues à déjeuner et ont organisé des activités au bureau, étaient 10 fois plus susceptibles de s'investir dans le travail que ceux qui ne socialisaient pas, et ils avaient 40 % plus de chances d'avoir une promotion.

Source : Shawn Achor, « L'intelligence positive », *Premium*, vol. 14, juin-juillet-août 2012, p. 30. Version anglaise originale publiée dans *Harvard Business Review*.

Jeu en surface
Dissimulation de ses
sentiments intimes et
renoncement à les exprimer,
en réponse aux règles de
présentation de soi

de son groupe d'appartenance qui déterminent dans quelle mesure il est approprié de manifester ses émotions. Le **jeu en surface** consiste à cacher ses vraies émotions et à en exprimer des différentes : par exemple, sourire à un client qui a fait une réclamation dans des termes offensants. Par le jeu en surface, l'individu dissimule ses sentiments intimes et renonce à les exprimer, en réponse aux règles de présentation de soi[21].

L'empathie émotionnelle

Comme nous l'avons mentionné précédemment, l'empathie est un élément important de l'intelligence émotionnelle. Bien qu'on puisse considérer l'empathie comme étant une sensibilité généralisée envers d'autres personnes et leur état d'esprit, on peut aussi la distinguer sur les plans cognitif et émotionnel[22]. Daniel Goleman établit une différence entre l'**empathie cognitive**, soit la capacité de saisir comment les autres voient les choses, et l'**empathie émotionnelle**, soit la capacité de ressentir ce qu'une autre personne vit dans une situation particulière[23].

Empathie cognitive
Capacité de saisir comment
les autres voient les choses

Empathie émotionnelle
Capacité de ressentir ce
qu'une autre personne vit
dans une situation particulière

L'empathie émotionnelle est importante dans l'évolution des relations, que ce soit entre époux et membres de la famille, entre amis ou entre collègues. Le simple fait de percevoir qu'un partenaire fait les efforts nécessaires pour être empathique sur le plan émotionnel a été lié à la satisfaction des conjoints envers leur relation[24]. Dans le contexte professionnel, l'empathie émotionnelle et la gestion ont une incidence sur la confiance et la collaboration dans les relations interpersonnelles[25]. Lorsqu'il est question de la démonstration d'aptitudes émotionnelles empathiques, Goleman mentionne que les recherches indiquent que les femmes réussissent mieux que les hommes[26].

Les jeux vidéo : bénéfiques pour le cerveau ?

Croyez-le ou non, les chercheurs commencent à penser que les jeux vidéo pourraient être bénéfiques pour le cerveau. Ils se basent sur des données telles que celles-ci : les joueurs de Starcraft font preuve d'une pensée et de mouvements plus rapides ; les joueurs de jeux vidéo d'action sont 25 % plus rapides dans la prise de décision que les non-joueurs ; les joueurs peuvent suivre six choses en même temps, alors que les non-joueurs en suivent quatre ; les chirurgiens qui jouent à des jeux vidéo au moins trois heures par semaine commettent moins d'erreurs chirurgicales. Bien entendu, il n'y a pas que de bons côtés. Les adeptes des jeux vidéo violents auraient des pensées plus agressives et se soucieraient moins des autres. Qui sait ? Votre passion du jeu, tout bien considéré, pourrait être un atout dans la prise de décision en stimulant votre créativité et votre capacité à effectuer plusieurs tâches à la fois.

Les aspects culturels des émotions et de l'humeur

Dans des situations multiculturelles, les questions de l'intelligence émotionnelle, de la contagion des émotions et de l'humeur ainsi que du travail émotionnel peuvent s'avérer difficiles à aborder. Les interprétations générales des émotions ou de l'humeur semblent similaires dans les diverses cultures, les émotions comme la joie, le bonheur et l'amour étant toutes considérées comme positives[27]. En revanche, la fréquence et l'intensité des émotions varient d'une culture à une autre. Par exemple, la recherche a montré qu'en Chine continentale les individus éprouvent moins d'émotions positives et négatives et moins d'émotions intenses que dans d'autres cultures[28]. En outre, les normes concernant l'expression des émotions varient d'une culture à une autre. Par exemple, dans les cultures collectivistes, favorisant les relations au sein du groupe, comme celle du Japon, l'expression des émotions est plus rare et moins bien acceptée que dans les cultures individualistes, comme celles du Canada et des États-Unis[29].

Comme nous l'avons souligné précédemment, des *règles de présentation de soi*, culturelles et informelles, déterminent dans quelle mesure il est approprié de manifester ses émotions. En Grande-Bretagne, une certaine réserve est de mise, tandis qu'au Mexique, on se montre assez démonstratif en public. L'attitude amicale et chaleureuse que Walmart encourage tellement chez ses employés n'est pas bien accueillie en Allemagne, où les acheteurs adoptent une attitude plus réservée[30].

Au travail, les femmes ont en général des aptitudes émotionnelles empathiques plus développées que leurs collègues masculins.

Compte tenu de toutes ces observations, une personne avisée devrait accorder une attention particulière à la façon, souvent très différente, dont s'expriment les émotions dans les cultures autres que la sienne.

La théorie des événements affectifs

La **figure 3.3** présente la théorie des événements affectifs, résumant notre exposé sur les émotions, l'humeur et le comportement humain dans les organisations[31]. Fondamentalement, cette théorie indique que les émotions et l'humeur d'une personne sont influencées par ceux et celles qui l'entourent et par des situations. Elles influencent ensuite son rendement au travail et la satisfaction professionnelle qu'elle éprouve.

La partie gauche de la figure 3.3 représente la façon dont provoquent des réactions émotionnelles positives ou négatives les événements liés au travail et l'environnement de travail, notamment les caractéristiques et les exigences de l'emploi et le travail

FIGURE 3.3 **La théorie des événements affectifs**

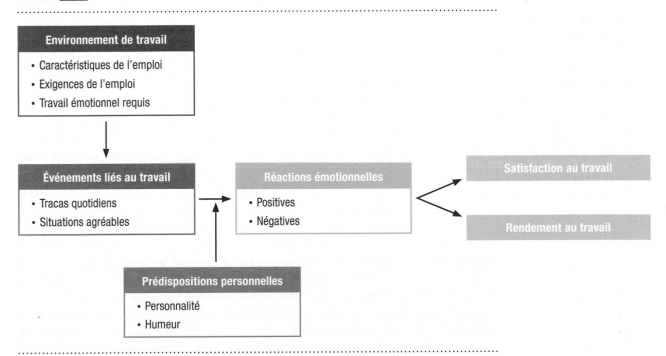

Le bonheur, un actif au bilan

Les habitants du Bhoutan se l'offrent, les patients et les soignants du Centre de réadaptation de l'Estrie y goûtent depuis quelques années, et les équipes d'Adecco Québec en font la quête avec le slogan «Travailler heureux, vivre mieux». Qu'ont-ils en commun? Le bonheur!

À première vue, ces personnes partagent bien peu de choses. Mais en y regardant de plus près, on constate qu'elles ont toutes choisi un jour d'écouter les gens autour d'elles pour comprendre que chacun cherche à être heureux et, bien sûr, à souffrir le moins possible. Elles ont du coup pris conscience que c'était ce qu'elles recherchaient elles-mêmes. Conclusion: le bonheur pour tous! Toutes ces personnes sont par conséquent sorties de la dualité qui oblige à choisir entre faire plaisir aux actionnaires (ou au roi) et faire plaisir aux employés. Elles ont compris qu'il faut cesser de se battre les uns contre les autres pour gagner son bonheur.

Elles ont amorcé des dialogues sur ce qui les rendait heureuses ou malheureuses, et elles ont choisi de dépasser ce qui les rendait heureuses et d'éviter ce qui les rendait

malheureuses… Finalement, elles sont devenues plus heureuses… Tout simple, n'est-ce pas?

Quand vous êtes-vous interrogé sur ce qui vous rend heureux? Quand avez-vous amorcé une discussion avec vos équipes pour échanger sur les façons d'être plus heureux ensemble? Délicat, n'est-ce pas? […]

Comme tout grand projet le requiert, ces personnes ont un dernier point en commun: elles possèdent toutes des leaders de premier plan qui ont travaillé dur pour se donner de nouvelles bases de vie commune, de nouveaux principes de gestion et des valeurs claires. Elles sont ensuite devenues des gardiens de la cohérence entre les aspirations et les gestes quotidiens. Tracy-Ann Lugg, d'Adecco Québec, porte haut les valeurs choisies. Lucie Dumas, du Centre de réadaptation de l'Estrie, s'est jointe au réseau américain Planetree, qui travaille sur cet enjeu depuis longtemps. Avec les membres de ce réseau, elle a défini de nouveaux principes de gestion. Le roi du Bhoutan a remplacé la mesure du PNB (produit national brut) par celle du BNB (bonheur national brut).

Avec ses ministres, il a défini quatre grands piliers pour assurer le bonheur de son peuple, soit la croissance et le développement économique, la conservation et la promotion de la culture, la sauvegarde de l'environnement et la gouvernance responsable…

Pour toutes ces personnes, la croissance, la performance et la richesse ont pris l'aspect d'un résultat, et non d'une finalité. Le bonheur est accessible à tous. Il l'est aux citoyens d'un pays, à une grande entreprise cotée en Bourse qui emploie des milliers de personnes, à une organisation de santé ou à un individu… En tant que leaders, nous avons du pouvoir sur nous-mêmes et la responsabilité d'offrir un environnement propice au bonheur. Et vous, qu'attendez-vous pour être heureux?

Source: Rémi Tremblay, « Le bonheur, un actif au bilan », *Premium*, vol. 14, juin-juillet-août 2012, p. 82.

QUESTION

En quoi le bonheur permet-il aux leaders d'être plus efficaces au travail et d'assurer la croissance de leur organisation?

émotionnel requis. Ces réactions influent à leur tour sur le degré de satisfaction au travail et sur le rendement[32]. Notez que les prédispositions personnelles, sous la forme de la personnalité et de l'humeur, jouent un rôle déterminant. La personnalité, par la prédominance positive ou négative de l'affectivité qui la caractérise, accentue ou atténue les réactions émotionnelles positives ou négatives. De même, l'humeur du moment peut amplifier les émotions provoquées par un événement. Par exemple, le commentaire d'un collègue qui vous paraîtrait bien inoffensif en d'autres circonstances vous blessera probablement davantage si vous venez de recevoir une critique très négative de votre patron.

Ainsi, au travail, on fait tous face tantôt à des contrariétés, tantôt à des situations agréables, parfois dans la même journée. De ces réactions émotionnelles positives ou négatives aux événements dépendent alors sa façon de travailler et son attitude. Ces réactions émotionnelles positives ou négatives sont accentuées ou atténuées par sa personnalité.

Les attitudes

L'**attitude** est la disposition d'esprit positive ou négative à l'égard d'une personne ou d'un objet de l'environnement. Quand vous dites que vous aimez ou n'aimez pas quelqu'un ou quelque chose, vous exprimez une attitude. Mais il ne faut pas oublier que l'attitude, comme la valeur, est un concept abstrait. En réalité, les attitudes se dégagent des propos ou des comportements d'une personne.

Influencées par les valeurs, les attitudes proviennent des mêmes sources : amis, enseignants, parents, modèles à suivre et culture. Cependant, elles concernent des personnes ou des objets particuliers. Ainsi, la conviction que les salariés doivent avoir voix au chapitre constitue une valeur. Par ailleurs, votre sentiment positif ou négatif quant au degré de participation que vous permet votre emploi est une attitude.

Les composantes d'une attitude

Comme le montre la **figure 3.4**, les attitudes d'un individu ont des antécédents, correspondent elles-mêmes à des sentiments et engendrent des manifestations comportementales[33]. Les antécédents constituent la **composante cognitive d'une attitude** et rassemblent les **croyances**, les opinions, les connaissances et l'information que possède la personne. Les croyances sont les idées qu'on entretient sur quelqu'un ou quelque chose ainsi que les conclusions auxquelles elles mènent ; elles correspondent à la représentation qu'on se fait d'une réalité donnée. Elles peuvent être fondées ou non et s'appuient sur des valeurs.

Attitude
Disposition d'esprit positive ou négative à l'égard d'une personne ou d'un objet de l'environnement

Composante cognitive d'une attitude
Ensemble des croyances, des opinions, des connaissances et de l'information que possède un individu et qui engendrent des sentiments ; antécédents de l'attitude

Croyance
Idée qu'entretient un individu sur une personne ou une situation, et conclusion qui en découle

FIGURE 3.4 **Les trois composantes d'une attitude : un exemple en milieu de travail**

Les antécédents	engendrent	L'attitude	qui déterminent	La manifestation
Les croyances, les valeurs et l'information mémorisée « *Mon poste ne comporte pas assez de responsabilités.* » « *Les responsabilités au travail sont importantes.* »		des sentiments positifs et négatifs « *Je n'aime pas cet emploi.* »		l'intention comportementale « *Je vais démissionner.* »

Ainsi, pour reprendre l'exemple de la figure 3.4, la croyance « Mon poste ne comporte pas assez de responsabilités » relève de la composante cognitive de l'attitude et repose sur la valeur résumée dans la phrase « Les responsabilités au travail sont importantes ». Le sentiment particulier qu'éprouve un individu à l'égard de quelqu'un ou de quelque chose, et qui dépend de ses antécédents, constitue la **composante affective d'une attitude**. C'est l'attitude en soi : par exemple, « Je n'aime pas cet emploi ». Cette composante détermine à son tour une intention de comportement – « Je vais démissionner » –, une prédisposition à agir d'une façon donnée : c'est la **composante comportementale d'une attitude**.

Les attitudes et le comportement

Il faut bien comprendre que la relation entre telle attitude et tel comportement n'est pas automatique. L'attitude débouche sur une intention comportementale, qui peut ou non se concrétiser selon les circonstances. Généralement, plus les attitudes et les comportements sont particuliers, plus la relation entre les deux est étroite. Il est plus probable que la personne exprimant l'attitude « Je ne suis pas capable d'endurer le harcèlement d'Alex une journée de plus au travail » quitte effectivement son emploi que la personne exprimant l'attitude « Je n'aime pas mon emploi ». Dans le premier cas, tant l'attitude que le comportement concernent précisément Alex, font référence à une situation de travail donnée et s'inscrivent dans une période déterminée. On peut donc s'attendre à trouver un lien très étroit entre l'attitude exprimée par la personne et sa détermination à passer rapidement à l'action. Précisons que la concrétisation d'une intention de comportement dépend d'un autre facteur non négligeable : la liberté d'action. Dans notre exemple, celle-ci dépend beaucoup des offres d'emploi[34].

Les attitudes et la dissonance cognitive

On doit au prestigieux psychosociologue Leon Festinger l'expression **dissonance cognitive**, qui décrit le malaise que ressentent les êtres humains lorsqu'il y a contradiction entre leur attitude et leur comportement[35]. Imaginons la situation suivante : vous estimez que la récupération est une bonne chose pour l'environnement, mais vous continuez de jeter à la poubelle le carton, le verre et le papier. Selon Festinger, cette contradiction suscitera en vous un désagrément que vous serez tenté d'éliminer ou de diminuer : (1) en modifiant votre attitude à l'égard du recyclage ; (2) en changeant de comportement (en récupérant les matières recyclables) ; (3) en rationalisant votre comportement, c'est-à-dire en trouvant une façon de justifier la contradiction entre votre attitude et votre comportement.

Un facteur important qui influe sur les décisions qu'un individu prend en réponse à la dissonance cognitive est le degré de maîtrise de la situation qu'il croit avoir. Dans l'exemple précédent, si le problème se pose au travail parce que votre patron a refusé d'implanter un programme de récupération, il y a moins de probabilités que vous changiez d'attitude que si vous aviez décidé vous-même de ne pas récupérer les matières recyclables. Vous opterez alors plutôt pour la rationalisation. Vous pouvez aussi réduire la dissonance en réaffirmant votre intention de recycler dans l'avenir.

Les types d'attitudes au travail

Si les attitudes ne permettent pas toujours de prédire le comportement, la relation entre l'attitude et l'intention comportementale constitue un enjeu important en milieu de travail. Pensez à vos propres expériences professionnelles ou aux conversations que vous avez pu avoir avec des amis à propos de leur emploi : vous avez peut-être le souvenir d'une collègue dont l'attitude au travail « laissait à désirer » ou d'une autre qui, au contraire, avait « une bonne attitude ». Ces sentiments se reflètent dans le degré

DILEMME : À CONSIDÉRER... OU À ÉVITER ?

Sortez les tapis de yoga !

L'époque où les employeurs n'investissaient que dans la formation relative aux compétences spécialisées est révolue. Tout est différent aujourd'hui. Jetez un coup d'œil à la nouvelle réalité du géant mondial General Mills.

Il est 16 h. Dans une grande salle aménagée sur les lieux de travail, une cinquantaine de personnes en vêtements mous assises sur des coussins de méditation affichent des visages sereins. Les cloches de prière tibétaines sonnent trois fois, puis l'animateur donne la directive suivante : « Adoptez une position qui, pour vous, représente la dignité et la force. Laissez votre corps se détendre, oubliez le travail et portez attention à la sensation de chaque respiration. » Un soupir collectif chasse le stress, laissant place à la pleine conscience.

Cette séance fait partie du programme Mindful Leadership de General Mills. Il a reçu un appui si solide de la haute direction que la méditation et le yoga font maintenant partie de la culture organisationnelle. Et les évaluations confirment l'investissement : plus de 80 % des participants affirment que ce programme augmente leur productivité, facilite leur prise de décision et améliore leur écoute.

General Mills n'est pas la seule entreprise à se tourner vers la méditation et le yoga afin de réduire le stress et d'améliorer l'investissement professionnel. Google, Aetna et Target ont aussi adopté des approches similaires. William George, ancien chef de la direction de Medtronic, a publié dans la *Harvard Business Review* un article où il vante les vertus de la méditation. Il y affirme entre autres

qu'avec sa vie trépidante, cette pratique l'aide à demeurer focalisé. Il écrit : « Si vous êtes pleinement présent au travail, vous serez un meilleur leader, vous prendrez de meilleures décisions et vous travaillerez mieux avec les autres. »

QUESTIONS

L'intérêt des entreprises pour la méditation et le yoga n'est-il qu'une mode passagère ? La General Mills a-t-elle trouvé une formule que les employeurs, grands ou petits, devraient copier ? S'agit-il plutôt d'une solution de luxe que seule une poignée d'employeurs peut se permettre et qui intéresse peu d'employés ? Jusqu'à quel point les organisations devraient-elles encourager leur personnel à participer à ce type d'activités ?

de satisfaction professionnelle de la personne ainsi que dans son investissement professionnel, son attachement et son identification à l'organisation et son engagement.

La satisfaction professionnelle et l'insatisfaction professionnelle

Satisfaction professionnelle
Attitude positive ou sentiment positif qu'un individu éprouve, à divers degrés, à l'égard de son emploi et de son milieu de travail

Insatisfaction professionnelle
Attitude négative ou sentiment négatif qu'un individu éprouve, à divers degrés, à l'égard de son emploi et de son milieu de travail

Vous entendez sans doute souvent parler du « moral d'une personne » pour évoquer son état d'esprit envers son travail ou son employeur. Ce terme est très proche de ceux, plus précis, de « satisfaction professionnelle » et d'« insatisfaction professionnelle ». La **satisfaction professionnelle** est l'attitude ou le sentiment positif que le travailleur éprouve, à divers degrés, à l'égard de son emploi et de son milieu de travail. Au contraire, l'**insatisfaction professionnelle** est le sentiment négatif ressenti par un individu, à divers degrés, à l'égard de son emploi et de son milieu de travail.

Quand on aime son travail, qu'on s'y identifie, on s'y investit au-delà de ce qui est exigé, avec enthousiasme.

Vous devez vous rappeler qu'aider les autres à être satisfaits dans leur travail est une qualité importante d'un gestionnaire efficace. Celui-ci sait créer un milieu de travail qui incite les employés à fournir un rendement élevé et à tirer une grande satisfaction de ce qu'ils font. La satisfaction professionnelle étant un concept très important en CO, nous lui accordons une attention particulière dans la section suivante de ce chapitre.

L'investissement professionnel

Investissement professionnel
Attitude qui se manifeste par l'intensité du dévouement d'un individu à l'égard de son emploi

Outre la satisfaction professionnelle, les chercheurs et spécialistes du comportement organisationnel s'intéressent à l'**investissement professionnel**, c'est-à-dire à l'attitude qui se manifeste par l'intensité du dévouement d'un individu à l'égard de son emploi. Une personne qui s'investit psychologiquement beaucoup sur le plan professionnel s'identifie à son emploi et accomplit des tâches qui vont au-delà de ce qui est exigé. Un degré élevé d'investissement professionnel est habituellement lié à une fréquence inférieure de repli du travail, soit physique, par exemple en démissionnant, soit psychologique, par exemple en réduisant ses efforts.

L'attachement à l'organisation et l'identification à l'organisation

Attachement à l'organisation
Attitude au travail qui traduit le degré de loyauté d'une personne envers son organisation

Parmi les autres attitudes au travail, citons l'**attachement à l'organisation**, c'est-à-dire l'attitude au travail qui traduit le degré de loyauté d'une personne envers son organisation. Les employés très attachés à leur organisation s'identifient beaucoup à elle et sont fiers d'en faire partie. Tout comme les personnes ayant un degré élevé d'investissement professionnel, les employés très attachés à leur organisation sont plus enclins à rester en poste et à apporter leur pleine contribution plutôt qu'à se replier physiquement ou psychologiquement.

On parle souvent de deux types d'attachements à l'organisation. L'*attachement rationnel* traduit le sentiment que son emploi sert ses intérêts financiers et professionnels, ainsi que ses besoins en matière de développement (« Je suis attaché à l'organisation parce que j'ai besoin de ce que l'organisation peut m'offrir en échange de mon travail »). Par ailleurs, l'*attachement affectif* traduit le sentiment d'accomplir un travail important, ayant de la valeur et profitant réellement aux autres (« Je suis attaché à l'organisation en raison de la satisfaction que j'éprouve en tant que membre de l'organisation »). La recherche montre que l'attachement affectif influe beaucoup plus sur le rendement au travail que l'attachement rationnel[36].

Dans la recherche en CO, le concept d'attachement affectif est lié à ce qu'on appelle l'**identification organisationnelle**. Il s'agit de l'attitude d'une personne au travail qui traduit l'intensité de son attachement affectif et de son sentiment d'identification à l'organisation, au point que cette identification devient une partie de sa conception d'elle-même. Cette notion provient de la théorie sur l'identité sociale et le principe selon lequel l'appartenance des individus à l'organisation contribue à leur estime de soi[37].

Identification organisationnelle
Attitude au travail qui traduit l'intensité de l'attachement affectif et du sentiment d'identification d'une personne à l'organisation

Lorsque l'identification à l'organisation est positive pour l'estime de soi d'une personne, on s'attend à ce que cette personne s'efforce d'adopter un bon esprit d'équipe, de devenir un citoyen organisationnel responsable et, généralement, un collaborateur professionnel et un travailleur performant[38]. Il est aussi reconnu que l'identification à l'organisation peut être négative si elle incite une personne à poser des gestes contraires à l'éthique si elle les considère comme nécessaires pour demeurer membre de l'organisation[39]. En fait, l'identification organisationnelle peut être à la fois négative et positive. Pensez à une personne qui dirait « J'appartiens à cette organisation, mais je ne suis pas bien dans ma peau pour cette raison ». Les personnes dans cette situation peuvent avoir de la difficulté à équilibrer psychologiquement leur image de soi avec la réalité de l'appartenance organisationnelle[40].

L'engagement de l'employé

Selon un sondage effectué aux États-Unis par Gallup auprès de 55 000 employés, les profits des employeurs sont plus élevés lorsque les attitudes des employés témoignent d'un grand investissement professionnel, d'un fort attachement et d'une importante identification à l'organisation. Ces trois facteurs entraînent un profond **engagement de l'employé**, que Gallup définit comme « un lien serré avec l'organisation » et « une passion pour son emploi »[41]. Jeffrey Pfeffer, professeur à l'Université Stanford, décrit cet engagement comme le « cousin conceptuel » de la satisfaction professionnelle[42].

Engagement de l'employé
Attitude de l'employé qui traduit la force de son sentiment d'appartenance envers l'organisation et sa passion pour son emploi

Un degré élevé d'engagement de l'employé se traduit par la volonté d'aider ses collègues, de ne pas lésiner sur ses efforts pour améliorer le rendement et de toujours parler en termes positifs de l'organisation. Les employés fortement engagés démontrent une humeur plus positive et gèrent mieux le stress en milieu de travail. D'après le sondage Gallup, les facteurs déterminants d'un fort engagement sont la conviction qu'on a chaque jour la possibilité de se dépasser, que son opinion compte, que les collègues de travail attachent une grande valeur à la qualité et qu'il existe un lien direct entre son travail et la mission de l'entreprise[43].

Compte tenu de cela, croyez-vous que la plupart des employés sont engagés au travail ? Les données d'un récent sondage montrent que 54 % des travailleurs du

Canada et des États-Unis « ne sont pas engagés » – ils exécutent leurs tâches de façon routinière et ils se sentent « déconnectés » de l'organisation – alors que 18 % sont « activement désengagés » – ils n'aiment pas leur environnement de travail, expriment ouvertement leurs frustrations et leurs récriminations, et font preuve de repli psychologique. Bien que l'engagement de l'employé ait des effets bénéfiques pour l'organisation ainsi que pour l'individu, seulement 29 % des employés font preuve d'engagement : ces employés activement engagés sont loyaux et psychologiquement attachés à l'organisation[44].

DU CÔTÉ DE LA RECHERCHE

Engagement organisationnel collectif et rendement organisationnel

Au cours des 10 dernières années, un nombre croissant d'études ont démontré que les employés qui sont plus engagés ont une attitude professionnelle plus positive et un rendement professionnel plus élevé. Bien qu'on ait souvent supposé que l'engagement des employés a une incidence positive sur les résultats d'une organisation, donc sur le rendement organisationnel, très peu de recherches avaient relié l'engagement dans l'organisation aux résultats organisationnels.

Pour en apprendre davantage sur ce lien, Murray R. Barrick, Gary R. Thurgood, Troy A. Smith et Stephen H. Courtright ont mené une recherche sur ce qu'ils appellent l'« engagement organisationnel collectif ». Ils le définissent comme la perception qu'ont en commun les membres d'une organisation qu'ils sont, dans l'ensemble, investis physiquement, cognitivement et émotionnellement dans leur travail. Cet engagement est donc présent sur le plan organisationnel, ce qui signifie que les organisations diffèrent à l'égard de leur niveau d'engagement organisationnel collectif.

Les auteurs ont testé un modèle selon lequel plusieurs facteurs déterminent le niveau d'engagement organisationnel collectif, lequel influe sur le rendement organisationnel. Ils ont d'abord émis l'hypothèse que trois variables organisationnelles seraient liées à l'engagement organisationnel collectif : des postes de travail stimulants, de bonnes pratiques de gestion des ressources humaines (GRH) et des comportements de leadership transformateur de la part du premier dirigeant.

Par poste de travail stimulant, on fait référence à la mesure dans laquelle un poste de travail intègre les cinq caractéristiques fondamentales d'un emploi enrichi : polyvalence, intégralité de la tâche, valeur de la tâche, autonomie et rétroaction (la théorie des caractéristiques de l'emploi sera traitée plus en détail au chapitre 6). Les pratiques en GRH devraient entraîner un engagement organisationnel collectif lorsqu'elles mettent l'accent sur les attentes de l'entreprise vis-à-vis des employés et rehaussent les récompenses et résultats attendus par les employés (équité salariale, sécurité d'emploi, rétroaction à des fins de

perfectionnement et rémunération selon le rendement). La troisième variable organisationnelle qui, selon les auteurs de l'étude, devrait influer sur l'engagement organisationnel collectif est le leadership transformateur du premier dirigeant, qui est la mesure dans laquelle le PDG arrive à communiquer une vision convaincante qui stimule les subordonnés sur le plan intellectuel et établit des attentes et des objectifs ambitieux. Les leaders transformationnels encouragent les subordonnés à voir au-delà de leur propre intérêt pour considérer celui de l'organisation. (Le leadership transformateur sera étudié plus en détail au chapitre 11.)

Les auteurs ont ensuite supposé que le lien entre ces variables organisationnelles et l'engagement organisationnel collectif était renforcé si la mise en œuvre stratégique était élevée. La mise en œuvre stratégique est la mesure dans laquelle la haute direction d'une organisation définit, poursuit et surveille les objectifs stratégiques de l'organisation. Par conséquent, l'incidence des trois variables organisationnelles mentionnées sur l'engagement organisationnel collectif est accrue lorsque la haute direction met efficacement en œuvre les objectifs stratégiques de l'organisation. Enfin, les auteurs ont émis l'hypothèse que l'engagement organisationnel collectif créait de la valeur pour l'organisation et était positivement lié au rendement de l'entreprise.

Afin de tester leur modèle, les auteurs ont effectué une étude auprès de 83 coopératives d'épargne et de crédit de taille petite à moyenne situées un peu partout aux États-Unis. Les participants de l'étude incluaient des employés de divers niveaux hiérarchiques (haute direction, gestionnaires intermédiaires et salariés). Les résultats ont indiqué que les trois variables organisationnelles (postes de travail stimulants, bonnes pratiques de GRH et comportements de leadership transformateur

de la part du premier dirigeant) étaient liées de façon positive à l'engagement organisationnel collectif, et que ces trois relations étaient à leur plus fort lorsque la haute direction insistait sur la mise en œuvre des objectifs et stratégies de l'organisation. De plus, l'engagement organisationnel collectif a été lié de façon positive au rendement de l'entreprise.

Les résultats de cette étude démontrent qu'une organisation peut améliorer son rendement et devenir plus concurrentielle en favorisant un niveau élevé d'engagement organisationnel collectif. Elle peut y parvenir en enrichissant les tâches de ses employés et en misant sur des pratiques de GRH qui rehaussent les récompenses et résultats attendus, en favorisant l'adoption, par son

premier dirigeant, d'un leadership transformateur et en incitant sa haute direction à mettre en œuvre les objectifs et la stratégie de l'organisation. L'étude démontre aussi que l'engagement organisationnel collectif est un mécanisme essentiel pour expliquer les incidences des variables organisationnelles sur le rendement de l'entreprise.

....

Source : M. R. Barrick, G. R. Thurgood, T. A. Smith et S. H. Courtright, « Collective Organizational Engagement : Linking Motivational Antecedents, Strategic Implementation, and Firm Performance », *Academy of Management Journal*, vol. 58, 2015, p. 111-135, cité dans Gary Johns et Alan M. Saks, *Organizational Behavior : Understanding and Managing Life at Work*, 10e edition, Toronto, Pearson, 2017, p. 25. Reproduit avec la permission de Pearson Canada Inc.

La satisfaction professionnelle

Il ne fait aucun doute que la satisfaction professionnelle est l'une des attitudes au travail dont on parle le plus. Comme nous l'avons expliqué précédemment, elle reflète les sentiments positifs d'une personne envers son travail ou les tâches qu'elle doit accomplir à un certain moment[45]. À propos de la satisfaction professionnelle, on peut

Des étudiants partagent leurs devoirs : collaboration ou plagiat ?

Un professeur qui donne un cours sur les pouvoirs publics à l'Université Harvard s'est rendu compte, après avoir corrigé les examens faits à la maison par plus d'une centaine d'étudiants, que beaucoup trop de réponses étaient similaires. Lorsqu'il a rapporté l'incident à l'administration, Harvard s'est retrouvée avec un scandale de « plagiat » sur les bras. Mais en était-ce vraiment un ? Selon certains étudiants, il aurait mieux valu parler de « collaboration ». C'est l'opinion des membres d'une génération qui a grandi en utilisant Internet et différents médias de collaboration, et pour qui les cours et travaux en ligne sont un style de vie. Quel point de vue est correct ? Les professeurs sont-ils démodés ? Les règles relatives aux examens devraient-elles être clarifiées ? Les étudiants profitent-ils de ces situations sans précédent et des nouvelles technologies ?

se poser plusieurs questions pertinentes. Quelles en sont les principales composantes? Quelles grandes découvertes ont été faites, quelles tendances ont été mises au jour? Quel lien existe-t-il entre la satisfaction professionnelle et le rendement au travail?

Le concept et les méthodes de mesure

Les gestionnaires peuvent évaluer régulièrement la satisfaction de leurs employés en observant le déroulement de leurs activités ou en écoutant attentivement et en interprétant avec soin leurs commentaires sur leur travail. Pour évaluer plus précisément le degré de satisfaction d'équipes ou de groupes particuliers de travailleurs, ils peuvent aussi recourir à des questionnaires et à des entrevues structurées ou, comme le font de plus en plus d'organisations, à de nouvelles méthodes comme les groupes de discussion et les sondages informatisés[46].

Parmi les questionnaires qui ont fait leurs preuves, citons le Minnesota Satisfaction Questionnaire (MSQ) et le Job Descriptive Index (JDI)[47]. Ces deux outils mettent en lumière certaines composantes de la satisfaction professionnelle des subordonnés auxquelles les gestionnaires devraient prêter attention. Ainsi, le MSQ mesure la satisfaction à l'égard, notamment, des conditions de travail, des possibilités d'avancement, du degré de latitude dans le travail, de la reconnaissance du travail accompli et de la réalisation de soi. Quant au JDI, il évalue la satisfaction en fonction des cinq critères suivants:

1. Le *travail proprement dit*: responsabilités, intérêt et épanouissement personnel.

2. La *qualité de l'encadrement*: soutien technique et social.

3. Les *relations avec les collègues*: environnement de travail harmonieux et respectueux.

4. Les *possibilités de promotion*: avancement professionnel.

5. Le *salaire*: salaire adéquat et perception d'un traitement équitable.

Les tendances relatives à la satisfaction professionnelle

Si vous écoutez ou lisez les nouvelles, vous trouvez régulièrement des commentaires sur la satisfaction professionnelle des travailleurs. De plus, un grand nombre d'études ou de sondages portant sur le sujet sont régulièrement menés. Ainsi, d'après la plus récente enquête trimestrielle sur le travail réalisée par Randstad[48], près du tiers (31%) des employés canadiens ont déclaré être «très satisfaits». Le sondage a été réalisé en ligne auprès d'employés de 32 pays, plus précisément d'individus âgés de 18 à 65 ans travaillant au moins 24 heures par semaine dans un emploi rémunéré, les travailleurs autonomes étant exclus. L'échantillon minimal était de 400 entrevues par pays. Seuls le Danemark (35%), le Luxembourg (33%), la Norvège (33%) et la Suisse

Le lien avec le rendement

Dans une méta-analyse en profondeur de 225 études universitaires, Sonja Lyubomirsky et Ed Diener ont constaté qu'en moyenne, la productivité des employés heureux est supérieure de 31%. De plus, ceux-ci réalisent 37% plus de ventes et ils sont trois fois plus créatifs.

....

Source: Shawn Achor, «L'intelligence positive», *Premium*, vol. 14, juin-juillet-août 2012, p. 31.

(32 %) ont obtenu un score plus élevé que le Canada quant au degré de satisfaction des employés. Lorsqu'on regroupe les catégories, on constate que 76 % des travailleurs canadiens affirment être « très satisfaits » et « satisfaits » au travail. Ces résultats sont analogues à ceux des États-Unis (72 %) et de l'Australie (73 %). Au Canada, ce sont les employés âgés de 18 à 24 ans qui montrent le plus haut taux de satisfaction, 47 % des travailleurs de ce groupe affirmant être « très satisfaits » de leur employeur. À l'inverse, on observe le taux de satisfaction le plus bas chez les travailleurs âgés de 25 à 34 ans (23 %).

EN MATIÈRE DE LEADERSHIP

Don Thompson laisse les émotions et l'écoute prendre les commandes

L'aménagement à aire ouverte du siège social mondial de McDonald's à Oak Brook, en Illinois, correspond très bien au style de gestion et à la personnalité du président-directeur général, Don Thompson. Son ancien mentor, Raymond Mines, dit de lui : « Il a la capacité d'écouter, de s'adapter, d'analyser et de communiquer. Les gens se sentent à l'aise avec lui. Beaucoup de hauts dirigeants ont très peu de temps à consacrer à leurs subalternes. Avec Don, tout le monde est partie prenante du processus. »

Lorsque Don Thompson a été nommé PDG, son patron, Jim Skinner, vice-président et chef de la direction de McDonald's, a dit : « Don a fait un travail incroyable à la tête de notre division américaine, et je suis persuadé qu'il apportera la même énergie et la même pensée novatrice dans son nouveau poste mondial. »

Bien que ces éloges soient mérités, Don a dû faire un choix audacieux au cours de sa carrière. Après avoir connu beaucoup de succès lorsqu'il s'est joint à McDonald's, il a connu un passage à vide. Il avait l'impression de plafonner et songeait même à changer d'employeur. C'est alors que le responsable de la diversité au sein de l'entreprise lui a recommandé de parler à Raymond Mines, qui était, à l'époque, le dirigeant afro-américain le plus haut gradé de l'entreprise. Lorsque Don lui a confié qu'il voulait avoir « plus d'influence sur les décisions », Mines lui a conseillé de laisser l'ingénierie et de passer au secteur exploitation.

Don Thompson a suivi son conseil et s'est retrouvé en territoire inconnu. Il a obtenu le soutien qu'il lui fallait pour accéder à des responsabilités toujours plus élevées :

exploitation des restaurants, relations avec les franchisés, puis gestion stratégique mondiale.

Aujourd'hui, Don Thompson affirme : « Je veux m'assurer que les autres atteignent leurs objectifs, tout comme j'ai pu le faire. »

QUESTIONS
Êtes-vous à l'écoute de vos émotions et de celles des autres ? Que faites-vous lorsque vous vous sentez frustré ? Faites-vous fi de vos frustrations ou essayez-vous de les surmonter en demandant conseil aux autres ? Voulez-vous aider les autres en leur faisant part de vos connaissances ?

Des sondages effectués par le Conference Board en 1987 ont démontré que près de 61 % des travailleurs américains se disaient satisfaits, alors qu'en 2009, seulement 45 % de ceux-ci faisaient état de satisfaction professionnelle[49]. Le rapport mentionne : « Moins d'Américains sont satisfaits de tous les aspects de leur travail ; aucun groupe d'âge ou de revenu n'est épargné. En fait, le groupe d'employés les plus jeunes (ceux ayant moins de 25 ans) a fait état du degré le plus élevé d'insatisfaction jamais enregistré pour ce groupe d'âge. » En ce qui concerne les autres éléments, seulement 51 % des travailleurs ayant répondu au sondage en 2009 ont dit que leur emploi était intéressant en comparaison de 70 % en 1987. De plus, seulement 51 % ont dit être satisfaits de leur patron en comparaison de 60 % en 1987.

En 2011, Accenture a réalisé une enquête auprès de 3 400 professionnels de 29 pays[50]. D'après les résultats, moins de la moitié d'entre eux se disaient satisfaits sur le plan professionnel, avec un pourcentage approximativement égal chez les femmes (43 %) et chez les hommes (42 %). Mais environ les trois quarts des répondants affirmaient qu'ils n'avaient pas l'intention de quitter leur emploi du moment. On peut donc se demander quelles sont les répercussions, pour les employeurs et les employés, d'une si faible satisfaction professionnelle chez des travailleurs qui ne désirent pourtant pas quitter leur emploi.

Les employeurs semblent surestimer la satisfaction de leurs employés au travail, puisque environ les deux tiers de ces derniers chercheraient un nouvel emploi par réseautage, Internet, affichage de CV ou petites annonces.

Les répondants à ce sondage mené par Accenture, hommes ou femmes, s'accordaient généralement pour indiquer que les aspects les moins satisfaisants de leur travail étaient la rémunération insuffisante, le manque de possibilités d'avancement et le sentiment d'être dans une impasse. Toutefois, des différences entre les sexes ressortaient également. Ainsi, les femmes se sentaient moins enclines que les hommes à demander une augmentation de salaire (44 % contre 48 %) ou une promotion (28 % contre 39 %). Elles avaient plus tendance à croire qu'on ne pouvait pas accélérer sa carrière (63 % contre 55 %) et que l'avancement n'allait pas sans un travail acharné et de longues heures de travail (68 % contre 55 %). Pour ce qui est des différences entre les générations, les employés de la génération Y voyaient dans la rémunération une source plus importante de motivation (73 %) que ceux de la génération X (67 %) ou que les baby-boomers (58 %).

L'influence de la satisfaction professionnelle sur le comportement au travail

Vous reconnaîtrez probablement que les gens méritent de tirer une certaine satisfaction de leur travail. Mais la satisfaction professionnelle a-t-elle d'autres avantages que celui de procurer un sentiment de bien-être ? Quelle est son influence sur le comportement au travail et sur le rendement ? À propos des résultats de certains sondages menés par le Conference Board des États-Unis, Lynn Franco, directrice du Centre de recherche sur les consommateurs de l'organisation, a déclaré : « La tendance à la baisse de la satisfaction professionnelle risque de poser des problèmes sur le plan de l'engagement des employés américains et, en fin de compte, sur le plan de leur productivité[51]. »

Les comportements de repli sur soi

Il existe un lien étroit entre l'insatisfaction professionnelle et les comportements de repli physique comme l'*absentéisme* et la *rotation du personnel*. Les travailleurs satisfaits sont moins souvent absents que les autres. Ils sont aussi plus susceptibles de garder leur emploi que les travailleurs insatisfaits. Ces derniers sont plus enclins à démissionner ou à être sans cesse à l'affût de nouvelles occasions[52]. Les comportements de repli comme l'absentéisme et la rotation de la main-d'œuvre peuvent coûter très cher à une entreprise: ils constituent une perte d'expérience et engendrent des coûts de recrutement et de formation pour le remplacement des employés absents ou ayant démissionné[53].

Un sondage réalisé par Salary.com montre que les employeurs tendent à surestimer la satisfaction que leurs employés tirent de leur travail et à sous-estimer le temps qu'ils passent à rechercher un nouvel emploi[54]. Alors que les employeurs estimaient que 37 % de leurs employés étaient en quête d'un nouvel emploi, 65 % de ceux-ci déclaraient chercher du travail par réseautage, Internet, affichage de curriculum vitæ ou petites annonces. Les membres des générations Y et Z sont les plus enclins à se chercher un travail « juste au cas où ». Le sondage conclut que « la plupart des employeurs n'ont pas suffisamment mis l'accent sur des stratégies de fidélisation du personnel efficaces ».

Il existe également un lien entre l'insatisfaction professionnelle et les comportements de repli psychologique. Nous avons étudié précédemment le concept d'« engagement de l'employé », défini et expliqué comme une attitude positive; nous traitons maintenant de son pendant négatif, soit le désengagement de l'employé. Les comportements de repli psychologique prennent la forme de rêveries, de cyberflânage, de relations sociales poussées à l'extrême ou consistent à se contenter de faire acte de présence. Ces comportements sont des indicateurs de désengagement professionnel, un sentiment éprouvé à l'occasion par 71 % des travailleurs, selon les chercheurs de Gallup[55].

L'insatisfaction ressentie à l'égard du patron diffère selon les générations

Seriez-vous surpris d'apprendre que les membres des générations Y et Z ne voient pas leur patron de la même façon que leurs collègues de la génération X ou baby-boomers? Ce fait est clairement ressorti d'un sondage réalisé par Kenexa auprès de 11 000 répondants auxquels on avait demandé d'évaluer le rendement de leur patron. D'après les résultats, le rendement du patron était évalué positivement par 55 % des baby-boomers, 59 % des membres de la génération X et 68 % des membres des générations Y et Z. Sa gestion du personnel était évaluée positivement par 50 % des baby-boomers, 53 % des membres de la génération X et 62 % des membres des générations Y et Z. Enfin, son leadership était évalué positivement par 39 % des baby-boomers, 43 % des membres de la génération X et 51 % des membres des générations Y et Z.

....

Source: Information tirée de « Generation Gap: On Their Bosses, Millenials Happier Than Boomers », *The Wall Street Journal*, 15 novembre 2010, p. B6. Voir aussi Brenda Kowske, « The "Generations" Debate Degenerates: Finding Facts Among the Myths », Kenexa Research Institute, 2010.

La citoyenneté organisationnelle

La satisfaction professionnelle est également liée à la notion de **comportements de citoyenneté organisationnelle**[56]. Ces derniers sont des comportements non obligatoires qui manifestent une volonté d'aller au-delà de son devoir ou de faire un effort supplémentaire dans son travail[57]. Le bon citoyen organisationnel déploie des efforts particuliers pour aider les autres, par des *comportements de citoyenneté organisationnelle axés sur les relations interpersonnelles*, ou pour faire avancer le rendement de l'entreprise, par des *comportements de citoyenneté organisationnelle axés sur l'organisation et ses résultats*[58]. On peut observer le premier type de comportements chez un employé du service à la clientèle qui s'occupe d'un client en colère avec une extrême courtoisie ou chez un employé qui s'acquitte d'une partie du travail d'un collègue de son équipe qui est malade ou absent. On peut observer le deuxième type de comportements chez un employé qui se porte toujours volontaire pour participer à un comité particulier ou à un groupe de travail, ou chez un employé qui fait toujours des commentaires positifs en public sur son entreprise.

À l'opposé des comportements de citoyenneté organisationnelle, les **comportements professionnels contreproductifs**[59], souvent associés à une quelconque forme d'insatisfaction professionnelle, visent à perturber les relations, à nuire à la culture organisationnelle ou à freiner le rendement au travail[60]. Ils englobent une vaste gamme de comportements allant de la paresse aux agressions physiques et verbales, au dénigrement, au sabotage pur et simple et même au vol.

L'**intimidation au travail** est un type spécial de comportement contreproductif qui se manifeste lorsqu'une personne agit de manière abusive, humiliante, intimidante ou violente envers une autre personne, et ce, sur une base continue. L'intimidation est constante plutôt que sporadique ou occasionnelle ; c'est ce qui la différencie d'un comportement essentiellement «mauvais». Bien que l'intimidation soit ancrée dans la personnalité de l'intimidateur et les déséquilibres de pouvoir entre ce dernier et sa victime, elle peut aussi être le reflet de l'insatisfaction personnelle de l'intimidateur à l'égard de son emploi[61].

Les affects domestiques

Les chercheurs en CO reconnaissent très bien que les événements de la vie familiale ont une incidence sur les attitudes et les comportements au travail, et vice versa. D'après les recherches, les personnes qui tirent une plus grande satisfaction de leur profession expriment des émotions plus positives à la maison[62]. Une étude menée sur les évaluations du conjoint et des proches a mis en évidence des scores relatifs à l'affect domestique plus élevés les jours où les travailleurs étaient plus satisfaits de leur travail[63]. La question du lien entre la satisfaction professionnelle et les affects domestiques s'avère particulièrement importante dans l'environnement de haute technologie d'aujourd'hui, où il est de plus en plus difficile de concilier la vie privée et la vie professionnelle.

La satisfaction professionnelle et le rendement

En ce qui concerne leur travail, les gens prennent deux décisions qui ont un lien avec leur satisfaction professionnelle. La première a trait à l'*appartenance*: ils décident de se joindre à une organisation et d'y demeurer en tant que membre à part entière. La

Payer le prix fort pour l'incivilité au travail

L'incivilité au travail a des conséquences bien plus graves que des employés froissés et de mauvaises relations. Lorsque l'impolitesse dicte le comportement, l'entreprise finit par accuser des pertes. Les coûts liés à l'incivilité sont le sujet d'une recherche menée par deux universitaires de Harvard, Christine Porath et Christine Pearson. Elles reconnaissent que la plupart des gestionnaires se disent opposés à l'incivilité et qu'ils essaient de l'empêcher lorsqu'ils le peuvent. Elles précisent aussi que les gestionnaires ne connaissent pas les véritables coûts qu'entraînent l'impolitesse et l'irrespect des employés les uns envers les autres.

Lorsque les chercheuses ont demandé à 800 travailleurs de différents secteurs de l'industrie comment ils réagissaient à l'incivilité au travail, les résultats ont été les suivants:

- 48% ont diminué leurs efforts au travail;
- 47% ont réduit le temps passé au travail;

- 80% ont perdu des heures de travail en raison d'inquiétudes;
- 63% ont obtenu un moins bon rendement;
- 78% étaient moins engagés envers l'organisation;
- 25% ont passé leur frustration sur les clients.

Il y a beaucoup de mesures que les gestionnaires, les leaders et les employeurs peuvent prendre pour améliorer la civilité au travail: être un modèle positif, donner de la formation ou pénaliser les comportements inacceptables. Cisco Systems constitue un très bon exemple. L'entreprise met en œuvre un programme mondial de civilité au travail conçu pour réduire l'incivilité et intégrer la civilité à la culture organisationnelle. Elle a instauré ce programme après avoir effectué une étude qui démontrait que les comportements d'incivilité lui coûtaient près de 12 millions de dollars par année.

Christine Porath et Christine Pearson ont conclu leur article sur cet avertissement: «Un seul employé généralement déplaisant occupant un poste important dans votre organisation peut vous coûter cher en pertes d'employés, pertes de clients et pertes de productivité.» Qu'est-ce que vous en pensez? Est-ce que l'incivilité menace les équipes et organisations autour de vous? Une civilité accrue serait-elle la voie vers un meilleur rendement?

deuxième concerne le *rendement*: ils décident de fournir un travail de qualité et un rendement élevé. Ce sont deux décisions distinctes, car le sentiment d'appartenance ne garantit pas un rendement répondant aux attentes de l'organisation.

La décision d'appartenir à une organisation concerne l'assiduité et la présence à long terme, autrement dit, le *temps* que le travailleur décide d'y passer. En ce sens, l'insatisfaction professionnelle entraîne des comportements de repli physique comme l'absentéisme et la rotation du personnel: vous ne serez pas étonné d'apprendre qu'en général les travailleurs insatisfaits sont moins assidus au travail et restent moins longtemps au service d'une organisation. Mais quel est le lien entre la satisfaction professionnelle et le rendement[64]? À titre d'exemple, une étude récente montre qu'une grande satisfaction des employés entraîne une grande satisfaction de la clientèle à l'égard de ces employés[65].

Exemples de comportements contreproductifs ou déviants au travail

Alors que les comportements de citoyenneté organisationnelle peuvent améliorer le climat de travail, les comportements contreproductifs ou déviants font tout le contraire. À divers degrés de gravité, ils portent préjudice au travail, aux employés et à la culture organisationnelle. Voici quelques exemples :

- L'agression contre des personnes : harcèlement sexuel, violence verbale, violence physique, intimidation, humiliation.
- La déviance à l'égard de la production : gaspillage des ressources, paresse, perturbation des opérations, erreurs délibérées.
- La déviance à l'égard des politiques : colportage de rumeurs nuisibles, commérages, écarts de langage, manque de politesse.
- La déviance à l'égard de la propriété : sabotage ou destruction des lieux et du matériel, vol d'argent ou d'autres ressources.

Toutefois, on sait aussi que chaque personne qui appartient à une organisation – que ce soit une salle de cours, un milieu de travail, une équipe sportive ou un groupe de bénévoles – ne répondra pas toujours aux attentes. Donc, quel est le lien de causalité entre la satisfaction professionnelle et le rendement[66] ? Cette question est loin d'être réglée. En fait, elle suscite une énorme controverse qui oppose trois points de vue bien distincts.

Le premier est que la satisfaction professionnelle entraîne le rendement ; autrement dit, un travailleur heureux est un travailleur productif. Le deuxième est que le rendement entraîne la satisfaction professionnelle. Le troisième est que la satisfaction professionnelle et le rendement influent l'un sur l'autre, et qu'ils sont en plus mutuellement influencés par d'autres facteurs tels que les récompenses. Vos propres expériences professionnelles peuvent correspondre à une ou à plusieurs de ces positions.

1. *La satisfaction entraîne le rendement.* Si la satisfaction professionnelle se traduit par un rendement élevé, le message est clair pour les gestionnaires : si vous voulez augmenter le rendement des travailleurs, rendez-les heureux. Cependant, les recherches indiquent qu'il n'existe pas de lien direct entre la satisfaction professionnelle d'un individu à un moment donné et le rendement qu'il fournit par la suite. C'est la conclusion à laquelle sont parvenus de nombreux chercheurs en CO, bien que certaines études mettent en évidence un lien plus marqué entre la satisfaction et le rendement chez les membres des professions libérales et les salariés des catégories supérieures que chez les salariés des échelons inférieurs. À elle seule, la satisfaction professionnelle ne constitue pas une variable prédictive juste du rendement.

2. *Le rendement entraîne la satisfaction.* Si c'est un rendement élevé qui suscite la satisfaction des travailleurs, le message est tout à fait différent du précédent pour les gestionnaires : au lieu d'insister sur la satisfaction des travailleurs, aidez-les à atteindre un rendement élevé en leur donnant tous les moyens et toutes les

ressources nécessaires, et la satisfaction devrait suivre. Les recherches indiquent un lien empirique entre le rendement fourni par un individu, au cours d'une période donnée, et la satisfaction qu'il éprouve par la suite.

La **figure 3.5** illustre ce lien entre le rendement et la satisfaction à l'aide d'un modèle tiré des travaux d'Edward E. Lawler et Lyman Porter. Dans ce modèle, le rendement au travail conduit à des récompenses, qui suscitent à leur tour de la satisfaction[67]. Les récompenses y sont des variables intermédiaires, faisant le lien entre le rendement et la satisfaction ultérieure lorsque celui qui les reçoit les valorise. La perception d'équité concernant les récompenses y est une variable modératrice : le rendement n'engendre de la satisfaction que si les récompenses sont perçues comme justes et équitables. Bien que ce modèle soit un point de départ valable et l'un des modèles dont nous nous servirons au chapitre 6 pour parler de motivation, nous savons par expérience que certaines personnes peuvent donner un bon rendement tout en n'aimant pas le travail qu'elles doivent accomplir.

3. *Les récompenses améliorent à la fois le rendement et la satisfaction.* Ce dernier point de vue sur le lien entre la satisfaction professionnelle et le rendement au travail avance qu'une attribution adéquate des récompenses peut avoir une incidence positive tant sur le rendement que sur la satisfaction. Quant à l'attribution des récompenses, le mot clé est « adéquate » : les récompenses doivent être proportionnelles au rendement ; leur importance et leur valeur doivent varier selon le rendement. Elles seront conséquentes pour un rendement élevé, et faibles ou inexistantes pour un rendement médiocre.

Si les études indiquent généralement que les travailleurs recevant d'importantes récompenses ressentent une plus grande satisfaction, elles montrent aussi que les récompenses liées au rendement ont bel et bien un effet sur les résultats[68]. Le gestionnaire avisé devrait donc, pour favoriser la satisfaction et le rendement, accorder des récompenses en fonction du niveau de rendement. Attribuer de minces récompenses au travailleur au rendement médiocre peut faire naître en lui un sentiment d'insatisfaction dans un premier temps, mais devrait aussi lui donner envie de faire des efforts pour améliorer son rendement et obtenir des récompenses plus importantes[69].

FIGURE 3.5 **Le modèle de Porter-Lawler simplifié représentant le lien entre le rendement et la satisfaction professionnelle**

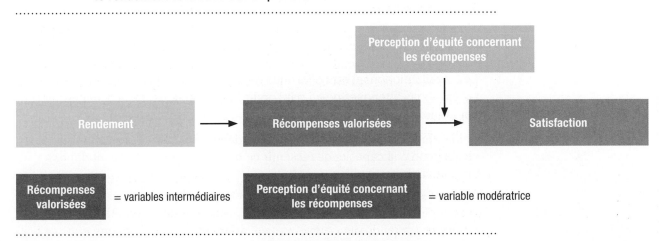

Guide de RÉVISION

RÉSUMÉ

Quels sont les fondements des émotions et de l'humeur ?

- Le terme « affect » désigne le large éventail de sentiments que les individus éprouvent dans leur vie et qui se manifestent sous forme d'émotions et d'humeurs.

- Les émotions sont des sentiments positifs ou négatifs habituellement intenses et de courte durée ressentis à l'égard de quelqu'un ou de quelque chose.

- L'humeur est un sentiment ou un état d'esprit positif ou négatif moins intense qu'une émotion, mais pouvant persister pendant un certain temps et ne résultant généralement pas d'un stimulus contextuel particulier.

- L'intelligence émotionnelle (IE) est la capacité de reconnaître ses émotions et celles des autres, et de les gérer. Les quatre grandes compétences rattachées à l'intelligence émotionnelle sont la conscience de soi, la conscience sociale, la gestion de soi et la gestion des relations.

- Les émotions liées à la conscience sociale sont provoquées par une information extérieure à l'individu et correspondent à des sentiments tels que la pitié, l'envie, le mépris et la jalousie. Les émotions liées à la conscience de soi ont une origine interne et aident l'individu à réguler ses rapports avec les autres et à y demeurer attentif ; elles comprennent la honte, la culpabilité, la gêne et la fierté.

Comment les émotions et l'humeur se manifestent-elles concrètement ?

- La contagion des émotions et de l'humeur est le phénomène de propagation des émotions et de l'humeur d'une personne à d'autres personnes de son entourage.

- Le travail émotionnel est l'effort que déploie un individu pour manifester les émotions attendues de lui par l'organisation au cours des échanges interpersonnels au travail.

- L'empathie émotionnelle est importante dans l'évolution des relations et correspond à la capacité de ressentir ce qu'une autre personne vit dans une situation particulière.

- La dissonance émotionnelle apparaît lorsque survient un écart entre les émotions réellement ressenties et celles qu'on essaye d'exprimer pour répondre aux attentes de l'organisation. Elle implique souvent un jeu en profondeur, par lequel la personne tente de modifier ses véritables sentiments pour s'adapter, ou encore un jeu en surface, par lequel la personne dissimule ses sentiments réels pour en exprimer d'autres.

- La théorie des événements affectifs (TEA) met en relation, d'une part, l'environnement de travail et les événements liés au travail et, d'autre part, les réactions émotionnelles positives ou négatives. Ces dernières, elles-mêmes atténuées ou accentuées par des prédispositions personnelles positives ou négatives, finissent par avoir une incidence sur la satisfaction professionnelle et sur le rendement.

Qu'est-ce que l'attitude ? Comment influence-t-elle le comportement en milieu professionnel ?

- Une attitude est une disposition d'esprit positive ou négative à l'égard d'une personne ou d'un objet de l'environnement.

- Les attitudes ont des composantes cognitives, affectives et comportementales.

- Bien que les attitudes prédisposent une personne à certains comportements, elles ne garantissent pas leur adoption systématique.

- Les personnes visent la cohérence entre leurs attitudes et leurs comportements, et elles ressentent une dissonance cognitive lorsque celle-ci fait défaut.

- La satisfaction professionnelle est une attitude ou un sentiment positif que le travailleur éprouve, à divers degrés, à l'égard de son emploi, de ses collègues et de son milieu de travail. À l'opposé, l'insatisfaction professionnelle est un sentiment négatif ressenti à l'égard de ce qui concerne le travail.

- L'investissement professionnel est une attitude qui se manifeste par l'intensité du dévouement d'un individu à l'égard de son emploi.

- L'attachement à l'organisation est une attitude qui traduit le degré de loyauté d'une personne envers son organisation.

- L'identification organisationnelle est une attitude au travail qui traduit l'intensité de l'attachement affectif et du sentiment d'identification d'une personne à l'organisation.

- L'engagement de l'employé est une attitude qui traduit la force de son sentiment d'appartenance envers l'organisation et sa passion pour son emploi.

Qu'est-ce que la satisfaction professionnelle ?

- Selon le Job Descriptive Index (JDI), les cinq composantes de la satisfaction ou de l'insatisfaction professionnelle sont le travail lui-même, la qualité de l'encadrement, les relations avec les collègues, les possibilités de promotion et la rémunération.

- L'insatisfaction professionnelle entraîne des comportements de repli physique comme l'absentéisme et la rotation du personnel ainsi que des comportements de repli psychologique comme la rêverie et le cyberflânage.

- La satisfaction professionnelle est liée aux comportements de citoyenneté organisationnelle qui peuvent être axés sur les relations interpersonnelles, comme lorsqu'on fait un travail supplémentaire pour aider un collègue, ou axés sur l'organisation et ses résultats, comme quand on ne cesse de parler de son entreprise en termes positifs.

- L'insatisfaction professionnelle peut entraîner des comportements contre-productifs pouvant aller de la paresse aux agressions physiques et verbales, en passant par l'accomplissement délibéré d'un travail de piètre qualité et par des vols sur le lieu de travail.

- Trois points de vue s'affrontent en ce qui a trait au lien entre le rendement et la satisfaction professionnelle : (1) la satisfaction entraîne le rendement ; (2) le rendement entraîne la satisfaction ; (3) les récompenses améliorent à la fois le rendement et la satisfaction.

MOTS CLÉS

EXERCICE DE RÉVISION

MaBiblio > MonLab > Exercices > Ch03 > Exercice de révision

Questions à choix multiple

1. _____ est un sentiment positif ou négatif habituellement intense, mais de courte durée, concernant une personne ou une situation, alors que _____ est un sentiment négatif ou positif moins intense, mais pouvant persister un certain temps, et ne résultant généralement pas d'un stimulus contextuel particulier. **a)** Le facteur de stress ; le facteur de satisfaction **b)** L'affect ; l'attitude **c)** Le débordement ; le facteur modérateur **d)** L'émotion ; l'humeur

2. Quand une personne se fâche à cause d'un collègue ou d'une situation, elle manifeste _____, mais quand elle dit qu'elle a «juste une mauvaise journée», elle manifeste _____ **a)** une humeur; une émotion. **b)** une émotion; une humeur. **c)** un affect; un effet. **d)** une dissonance; une consonance.

3. Les émotions et les humeurs, en tant que représentations de l'affect d'une personne, ont une influence sur _____ **a)** les attitudes. **b)** l'habileté. **c)** l'aptitude. **d)** l'intelligence.

4. Une personne qui se montre empathique, comprend les émotions des autres et utilise ces compétences pour consolider ses rapports avec eux possède la composante de l'intelligence émotionnelle qu'on appelle _____ **a)** la conscience de soi. **b)** la contagion des émotions. **c)** la gestion des relations. **d)** la conscience sociale.

5. La composante _____ d'une attitude est la croyance d'une personne en quelque chose, alors que la composante _____ est le sentiment positif ou négatif à cet égard. **a)** cognitive; affective **b)** émotionnelle; affective **c)** cognitive; thymique **d)** comportementale; thymique

6. _____ décrit le malaise qu'une personne ressent lorsque son comportement n'est pas en phase avec son attitude. **a)** L'aliénation **b)** La dissonance cognitive **c)** L'insatisfaction professionnelle **d)** Le déséquilibre entre la vie privée et la vie professionnelle

7. Selon la théorie des événements affectifs, les réactions émotionnelles d'une personne à des événements professionnels et à l'environnement de travail ainsi que ses prédispositions personnelles ont une incidence sur _____ **a)** sa satisfaction professionnelle et son rendement. **b)** son travail émotionnel. **c)** son intelligence émotionnelle. **d)** la contagion émotionnelle.

8. On appelle _____ la tendance à manifester au travail des sentiments correspondant à l'humeur des collègues et des patrons. **a)** dissonance émotionnelle **b)** travail émotionnel **c)** contagion de l'humeur **d)** stabilité émotionnelle

9. Lorsqu'un agent de bord exprime, dans ses interactions avec les passagers, les émotions que sa compagnie aérienne attend de lui, il donne un exemple _____ **a)** de travail émotionnel. **b)** de contagion émotionnelle. **c)** de dévouement professionnel. **d)** d'affect négatif.

10. On dit d'une personne qui se porte toujours volontaire pour faire du travail supplémentaire ou qui aide un collègue que _____ est fort(e). **a)** son travail émotionnel **b)** son affect **c)** son intelligence émotionnelle **d)** son attachement à l'organisation

11. La principale différence entre l'investissement professionnel et _____ est que le premier exprime une attitude envers l'emploi et que le ou la deuxième exprime une attitude envers l'organisation. **a)** l'attachement à l'organisation **b)** l'engagement de l'employé **c)** la satisfaction professionnelle **d)** la dissonance cognitive

12. On sait que le degré de satisfaction professionnelle est un bon prédicteur _____ **a)** du jeu en profondeur. **b)** de l'intelligence émotionnelle. **c)** de la dissonance cognitive. **d)** du taux d'absentéisme.

13. La meilleure conclusion qu'on puisse tirer à propos de la satisfaction professionnelle dans le marché du travail d'aujourd'hui est _____ **a)** qu'elle est une question sans importance. **b)** que la seule préoccupation réelle est la rémunération. **c)** qu'elle suit une forte tendance à la hausse. **d)** qu'une minorité de gens sont engagés sur le plan professionnel.

14. Quel énoncé à propos du lien entre la satisfaction professionnelle et le rendement reflète probablement le mieux les résultats des recherches? _____ **a)** Un travailleur heureux sera productif. **b)** Un travailleur productif sera heureux. **c)** Un travailleur productif et adéquatement récompensé sera heureux. **d)** Un travailleur insuffisamment récompensé sera heureux.

15. À quoi fait référence l'expression «attribution adéquate» lorsqu'il est question des récompenses et de leur influence possible sur la satisfaction et sur le rendement? _____ **a)** Les récompenses sont très valorisées. **b)** Les récompenses sont fréquentes. **c)** Les récompenses sont proportionnelles au rendement. **d)** Les récompenses sont uniquement fonction de l'ancienneté.

Questions à réponse brève

16. Quelles sont les principales différences entre les émotions et l'humeur à titre d'affects personnels ?

17. Nommez et décrivez les trois composantes d'une attitude, et donnez-en des exemples.

18. Indiquez les cinq aspects ou composantes de la satisfaction professionnelle et expliquez brièvement leur importance.

19. Pourquoi est-il important que les gestionnaires comprennent la notion de dissonance cognitive ?

Question à développement

20. Votre patronne a affiché sur sa porte le message suivant : « Un travailleur satisfait est un travailleur à haut rendement. » En le pointant et en plaisantant à moitié, elle vous dit : « Vous qui êtes frais émoulu de l'université, diplômé en administration des affaires, croyez-vous que j'ai raison ou que j'ai tort ? » Que lui répondez-vous ?

Le CO dans le feu de l'action

Pour ce chapitre, nous vous suggérons les compléments numériques suivants dans MonLab.

MaBiblio >

MonLab > Documents > Études de cas
> 4. Une conseillère pas comme les autres
> 5. C'est trop injuste !
> 18. La société MagRec
> 30. L'arrivée de Mme Roy

MonLab > Documents > Activités
> 4. Que valorisez-vous particulièrement dans un travail ?
> 5. Votre actif
> 8. Les préjugés au quotidien

MonLab > Documents > Autoévaluations
> 4. Votre indice de préparation à la mondialisation
> 5. Vos valeurs personnelles

Tout est dans le regard de celui qui regarde.

CHAPITRE 4

La perception, l'attribution et l'apprentissage

Quels que soient les événements ou les expériences de la vie quotidienne, on s'étonne toujours que des gens ayant vu la même chose que soi n'arrivent pas aux mêmes conclusions. Souvent, en effet, les gens ont des perceptions différentes d'une même situation et y réagissent différemment. Mieux on comprend les perceptions, les attributions et leurs effets sur le comportement et l'apprentissage, plus on sait prendre en charge les événements, les personnes et les relations avec efficacité et de façon positive. Ce chapitre traite d'abord des processus de perception, d'attribution et d'apprentissage social, puis de l'apprentissage par renforcement.

OBJECTIFS D'APPRENTISSAGE

Après l'étude de ce chapitre, vous devriez pouvoir :

- Décrire le processus de perception.
- Définir les principales erreurs de perception.
- Expliquer les processus d'attribution et d'apprentissage social.
- Expliquer et distinguer les diverses stratégies en matière d'apprentissage par renforcement.

PLAN DU CHAPITRE

Le processus de perception
Les facteurs qui influent sur le processus de perception
Les étapes du processus de perception
La perception, la gestion des impressions et les médias sociaux

Les erreurs de perception les plus répandues
Le stéréotype ou le cliché
L'effet de halo
La perception sélective
La projection
L'effet de contraste
La prophétie qui se réalise

La perception, l'attribution et l'apprentissage social
L'importance de l'attribution
Les erreurs d'attribution
Les différences interculturelles en matière d'attribution
L'attribution et l'apprentissage social

L'apprentissage par renforcement
Le conditionnement répondant
Le conditionnement opérant et la loi de l'effet
Le renforcement positif
Le renforcement négatif
La punition
L'extinction
Résumé des stratégies de modification du comportement organisationnel
Le renforcement : le pour et le contre

Guide de révision

Passée la première impression, point de salut?

Jessica Drolet se souvient de l'uniforme porté lors de ses années d'études secondaires. «L'accent était mis sur la présentation», se remémore-t-elle. L'enseignement sur l'image projetée ne s'est pas arrêté là pour la conseillère en communication de Syrus Réputation.

«On se fait enseigner que les employeurs et collègues de travail se forgent une idée sur nous très rapidement, à cause de notre diction, de la confiance dégagée et de notre habillement, raconte Jessica Drolet. Et c'est assez difficile à défaire. Je rencontre beaucoup de gens. Je suis souvent appelée à représenter mon bureau. On est très sensibilisés à la première impression dans le milieu des communications.»

Pour le meilleur ou pour le pire, tout se jouerait dans les premières secondes quand on se présente pour la première fois à quelqu'un. Imaginez en sélection de candidats!

«Nous sommes dans la génération iPad et des réseaux sociaux, explique Roger T. Duguay, associé directeur de la firme de recrutement Boyden, à Montréal, et auteur du livre *Démarquez-vous : comment maximiser votre impact*. On passe rapidement à autre chose. On a moins le temps de s'asseoir, d'apprécier et de voir le vrai potentiel d'une personne. Inconsciemment, on juge très rapidement. La première impression joue ainsi un rôle important.»

À ce sujet, Roger T. Duguay cite François de Gaspé Beaubien, chef de la direction de Zoom Média, dans son livre : «J'ai rarement plus de 5 ou 10 minutes quand je rencontre quelqu'un. Je n'ai pas le choix de me forger une opinion rapidement. Et cette opinion est parfois la seule information qu'il me reste de cette personne.»

En fait, il ne faudrait que sept secondes pour façonner cette première impression, selon Linda Blair, psychologue clinicienne et chercheuse associée de la British Psychological Society. «Le contexte économique actuel nous impose de faire plus avec moins, pense Maryse Désilets, styliste et présidente d'En mode affaires, dont le site Internet met de l'avant ces sept secondes. Il y a moins de budget et de temps pour sortir les clients à l'heure du lunch et apprendre à les connaître. Alors on juge le succès de l'employé ou de l'entreprise par ce que l'on voit.»

Outre sa confiance apparente, chaque candidat a donc avantage à être soigné en entrevue.

«Car 71% des gens disent juger les autres avant même de savoir ce qu'ils ont à dire, selon un sondage Léger, rapporte Luc Nowlan, styliste et conférencier chez Les Effrontés. Et 73% disent être plus confiants dans des vêtements dans lesquels ils se sentent bien. C'est la base. La confiance vient notamment avec l'apparence. Il arrive

> **Il ne faudrait que sept secondes pour façonner cette première impression.**

qu'on se prépare beaucoup aux questions potentielles en entrevue et qu'on oublie de finaliser le look. Et ça importe jusqu'à nos ongles, car la poignée de main est la première chose qu'on donne!»

Cette importance accordée à une première impression peut-elle occulter ce qu'un candidat ou un futur employé a à offrir? «Oui, malheureusement, c'est dans la nature humaine de choisir quelque chose de mieux présenté, se désole Luc Nowlan. Mais la sélection d'un candidat n'est pas qu'un choix personnel. C'est l'image de l'entreprise.» [...]

Source : Isabelle Massé, «Passée la première impression, point de salut?», *La Presse*, 16 septembre 2015, p. 7.

L'exemple présenté ci-dessus illustre l'importance non seulement des processus de perception et de gestion des impressions, mais aussi des processus qui leur sont apparentés. Ce chapitre vise à vous en assurer une meilleure compréhension.

Le processus de perception

La **perception** est le processus par lequel on sélectionne, organise, interprète et récupère l'information transmise par l'environnement, pour ensuite y réagir[1]. Ce processus permet de se faire une opinion sur soi-même, sur autrui et sur les événements de la vie quotidienne. Il sert également de filtre, tamisant l'information avant qu'elle ne parvienne jusqu'à soi et n'exerce son influence. Comme des facteurs personnels interviennent dans ce processus, deux personnes vivant un même événement peuvent en avoir une perception très différente et y réagir tout à fait différemment. La qualité ou la justesse des perceptions d'un individu a des conséquences majeures sur les décisions qu'il prend dans diverses situations.

La perception et les réactions des cadres d'une organisation peuvent être nettement éloignées de celles de leurs subordonnés. Examinez la **figure 4.1**, qui fait ressortir les divergences de perception entre cadres et subordonnés en matière d'évaluation du rendement. Vous constaterez que l'écart entre la perception des uns et des autres est éloquent. Dans ce cas précis, les cadres ont l'impression de s'être suffisamment penchés sur des points comme le rendement antérieur de leurs subordonnés, leur cheminement professionnel et l'appui dont ils ont besoin. Par conséquent, ils ne reviendront probablement plus sur ces sujets dans les prochaines entrevues d'évaluation du rendement. Leurs subordonnés risquent d'en éprouver une frustration croissante, puisqu'ils estiment, de leur côté, qu'on a accordé trop peu d'attention à ces questions.

Perception
Processus par lequel on sélectionne, organise, interprète et récupère l'information transmise par l'environnement

FIGURE 4.1 **Les divergences de perception entre des cadres et leurs subordonnés : le cas des entrevues d'évaluation du rendement**

Lorsqu'on leur a demandé dans quelle mesure les questions suivantes avaient été discutées lors des entrevues d'évaluation du rendement...

... les cadres et les subordonnés qui ont participé à cette étude ont répondu :

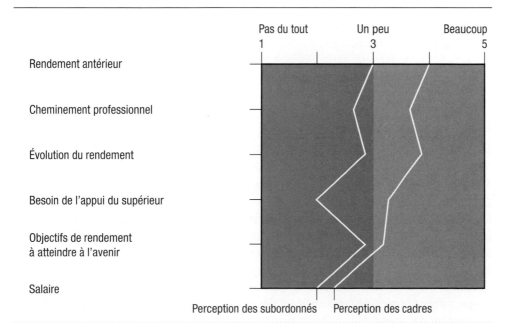

Les facteurs qui influent sur le processus de perception

Comme le montre la **figure 4.2**, les caractéristiques de l'*agent perceptif* (celui qui perçoit), du *cadre de perception* (le contexte, l'environnement) et de l'*objet perçu* (la personne, la chose, l'événement) sont autant de facteurs qui interviennent dans le processus de perception et qui contribuent aux différences de perception en milieu de travail.

FIGURE **4.2**   **Les facteurs qui interviennent dans le processus de perception**

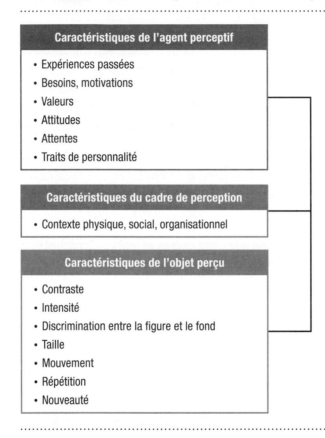

L'agent perceptif

Les expériences passées d'une personne, ses attentes, ses besoins, ses motivations, sa personnalité, ses valeurs et ses attitudes influent sur le processus de perception. Ainsi, la personne qui éprouve un fort besoin d'accomplissement aura tendance à percevoir une situation donnée en fonction de celui-ci. Par exemple, si elle voit dans la réussite scolaire un bon moyen de satisfaire ce besoin, elle tiendra compte de la probabilité de bien réussir lorsqu'elle choisira ses cours. Dans le même ordre d'idées, la personne qui a une attitude négative à l'égard des jeunes travailleurs réagira mal dès qu'elle sera appelée à travailler pour un jeune chef d'équipe nouvellement embauché, même s'il est très compétent. Ces caractéristiques, et bien d'autres, de l'agent perceptif sont autant de facteurs dont dépendent les diverses étapes du processus de perception décrites à la section suivante.

Le cadre de perception

Le contexte physique, social et organisationnel peut également influer sur le processus de perception. Ainsi, une personne au tempérament bouillant à qui il arrive de s'emporter peut être perçue comme très menaçante si elle accède au poste de chef de la direction. Le contexte ayant changé, ses accès de colère, qui ne portaient pas trop à conséquence jusque-là, peuvent intimider ses subalternes au point qu'ils en arrivent à craindre d'exprimer leurs opinions ou de formuler des recommandations.

L'objet perçu

L'*objet*, c'est-à-dire la personne, la chose ou la situation, est perçu différemment selon plusieurs paramètres jouant tous un rôle déterminant dans la perception.

- *Le contraste*. On remarque plus vite un homme au milieu d'un groupe de femmes qu'au milieu d'autres hommes, et on le perçoit différemment. Il en va de même d'un iPad au milieu d'une demi-douzaine de tablettes Android.

- *L'intensité*. L'intensité peut varier, notamment sur les plans de la brillance, de la couleur et du son. Une voiture rouge se détache d'autres véhicules de couleur sombre; un murmure ou un cri détonne dans une conversation courante.

- *La discrimination entre la figure et le fond*. L'objet de la perception ressort toujours dans un environnement donné; ce à quoi on prête attention, la figure, se détache de ce qui l'entoure, le fond. Distinguer ce qui appartient à la figure et ce qui relève du fond permet d'observer plus facilement des personnes et des choses lorsque l'environnement est très chargé. Examinez la **figure 4.3**. Voyez-vous deux profils ou un vase? Cela dépend de la partie sur laquelle vous focalisez votre attention, de ce qui constitue pour vous la figure et le fond : la partie blanche ou la partie rouge.

FIGURE 4.3 **La discrimination entre la figure et le fond**

- *La taille*. Plus un objet est grand, plus il a de chances d'être perçu. On remarque plus vite une personne de grande taille qu'une personne de taille moyenne, et on la perçoit différemment.

- *Le mouvement*. En général, l'objet en mouvement attire davantage l'attention que l'objet immobile.

- *La répétition*. Plus le stimulus est répété, plus il a de chances d'être perçu. Les publicitaires en savent quelque chose…

- *La nouveauté*. La nouveauté d'une situation, son caractère inédit, son originalité pèsent sur notre perception. On remarque plus vite une adolescente aux cheveux violets qu'une blonde ou une brune, et on la perçoit autrement.

Si l'objet de la perception est un être humain, des facteurs particuliers interviendront dans le processus de perception.

- *Les caractéristiques sociodémographiques*. L'âge, le sexe, l'origine ethnoculturelle et la profession d'une personne, entre autres éléments, jouent sur la perception qu'on a d'elle. Ainsi, quelqu'un qui fait preuve d'autorité et d'audace sera perçu différemment selon qu'il s'agit d'un homme ou d'une femme, selon qu'il est jeune ou âgé, etc.

- *L'apparence générale et le comportement*. La tenue vestimentaire, les gestes, la posture, les expressions faciales et le timbre de voix d'une personne sont autant de facteurs qui jouent un rôle dans la perception qu'on a d'elle. Au cours d'une entrevue de sélection, le candidat qui porte un jean sera perçu différemment de celui qui a revêtu un costume élégant; on pourra penser du premier qu'il est irrespectueux, impertinent et contestataire. Par ailleurs, un candidat souriant, qui regarde son interlocuteur bien en face avec des yeux pétillants, sera probablement perçu comme dynamique et déterminé, ce qui ne sera probablement pas le cas de celui qui arrive en traînant les pieds, qui s'affale dans un fauteuil ou qui a un regard fuyant et un visage crispé.

Les étapes du processus de perception

Maintenant que nous avons passé en revue les facteurs clés qui interviennent dans le processus de perception, penchons-nous sur les étapes du traitement de l'information qui déterminent la perception d'une personne ainsi que ses réactions à cette perception. Ces étapes, qui sont au nombre de quatre, sont indiquées au milieu de la **figure 4.4**: l'attention et la sélection, l'organisation, l'interprétation ainsi que la récupération de l'information.

L'attention et la sélection

Pour éviter d'être submergé par la prodigieuse quantité d'information que lui transmettent ses sens et qu'il serait bien incapable de traiter dans sa totalité, l'être humain doit la filtrer. Ce **filtrage sélectif** fait en sorte qu'il ne perçoit qu'une infime partie des données fournies par l'environnement.

La sélection se fait en partie par un traitement volontaire et maîtrisé de l'information, au cours duquel l'individu décide de prendre en considération certaines données et d'en écarter d'autres. Il s'agit d'un processus conscient : pensez, par exemple, à la façon dont vous filtrez les bruits qui vous assaillent dans un restaurant bondé afin d'accorder toute votre attention à votre interlocuteur.

Filtrage sélectif

Processus par lequel une personne trie les données fournies par l'environnement pour n'en retenir qu'une infime partie

FIGURE **4.4** **Le processus de perception**

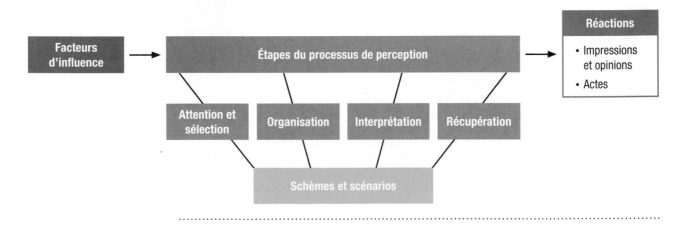

Mais cette opération de filtrage peut aussi se faire sans qu'on s'en rende compte. Par exemple, une personne au volant d'une voiture n'a pas conscience de toutes les opérations mentales qu'implique la conduite automobile. Elle peut très bien réfléchir à un problème, à un projet ou à une conversation tout en recevant, par ailleurs, une quantité considérable d'information sur la circulation : feux de signalisation, mouvements des autres véhicules, des cyclistes et des piétons, etc. Le cerveau du conducteur traite toutes ces données sans qu'il y prête attention. S'il survient un événement qui sort de l'ordinaire – un animal s'élançant brusquement sur la route, par exemple –, le filtrage de l'information change de mode : il passe du traitement automatique au traitement contrôlé, ce qui permet d'éviter un accident. Cette réaction, qu'on observe dans de nombreuses situations, s'expliquerait, selon les psychologues, par le fait que le cerveau accorde alors plus d'attention aux *changements* de stimuli qu'aux stimuli stables.

L'organisation

Après l'étape de l'attention et du filtrage de l'information perçue, il faut trouver des façons d'organiser efficacement les données sélectionnées. Interviennent alors les **schèmes**, cadres cognitifs correspondant à la connaissance, structurée par le temps et l'expérience, qu'a l'individu d'un concept ou d'un stimulus donné[2]. Ainsi, le *schème de soi* (image de soi) englobe l'information que chacun possède sur son apparence, son comportement et sa personnalité. La personne ayant un schème de soi marqué par l'esprit de décision sera portée à se percevoir en fonction de cette caractéristique, surtout dans des situations exigeant du leadership.

Bien entendu, les schèmes de perception ne s'appliquent pas qu'à soi. Les *schèmes de l'autre* concernent la catégorisation que chacun opère à l'égard des gens, les classant en types, en groupes, en styles, etc., selon des caractéristiques perçues comme analogues. On utilise souvent les termes *cliché* et *stéréotype* pour désigner ces concepts rudimentaires, ces « idées toutes faites », ces opinions préconçues constituées de caractéristiques souvent associées à tous les membres d'une catégorie. Comme nous l'avons vu au chapitre 2, les stéréotypes reposent généralement sur des caractéristiques sociodémographiques comme l'âge, le sexe, l'origine ethnoculturelle, l'orientation sexuelle et l'identité de genre ainsi que l'état physique et mental. Une fois ces clichés formés, l'individu les stocke dans sa mémoire à long terme pour pouvoir, au besoin, les retrouver et vérifier dans quelle mesure les caractéristiques de telle ou telle personne correspondent à celles de la catégorie à laquelle il l'associe. Ainsi, le cadre qui s'est composé un stéréotype du *salarié performant*, représenté par un travailleur acharné, intelligent, ponctuel, s'exprimant bien et capable de prendre des décisions, y fera appel lorsqu'il voudra évaluer un membre de son personnel.

Les schèmes s'appliquent également aux situations. L'individu se construit des *scénarios*, c'est-à-dire des cadres cognitifs établissant la *séquence* attendue des événements dans telle ou telle situation[3]. Le gestionnaire chevronné en utilise pour se répéter mentalement les étapes d'une réunion importante, par exemple.

Enfin, on observe des schèmes sur les *personnes en situation*, plus globaux, et combinant les schèmes de soi, les schèmes de l'autre et les scénarios[4]. Ainsi, un gestionnaire pourrait organiser l'information qu'il perçoit au cours d'une réunion en fonction de l'image qu'il a de lui et de l'image qu'il a d'une des personnes clés du groupe quant

Schème
Cadre cognitif qui correspond à la connaissance, structurée par le temps et l'expérience, qu'a l'individu d'un concept ou d'un stimulus donné

à l'esprit de décision. Dans cette situation, il puiserait dans le *scénario* les étapes de la réunion et leur séquence. Il procéderait avec fermeté, ferait accepter ses décisions à la hâte (*schème de soi*) et, de temps à autre, ferait appel au participant connu pour son esprit de décision (*schème de l'autre*) afin qu'il réagisse résolument.

Notons que, si cette approche peut faciliter l'organisation de l'information importante, elle risque de fausser les perceptions qu'on a des autres participants. Ainsi, dans notre exemple, le schème *personnes en situation* du gestionnaire, fondé sur l'esprit de décision, ne laisse pas assez de temps et de latitude aux autres participants pour permettre une discussion franche et ouverte.

Si vous réexaminez la figure 4.4, vous pouvez constater que les schèmes et les scénarios jouent un rôle important non seulement à l'étape de l'organisation, mais aussi à toutes les autres étapes du processus de perception. Ajoutons qu'ils reposent largement sur un *traitement automatique* de l'information de manière à permettre aux individus de se concentrer sur un *traitement contrôlé* lorsqu'il le faut. Retenons enfin que les divers facteurs qui influent sur le processus de perception influent également sur ces schèmes et scénarios, de la même façon que les erreurs de perception, auxquelles nous consacrons la prochaine section de ce chapitre.

L'interprétation

Une fois que certains stimuli ont retenu votre attention et que votre cerveau a organisé et classé les données reçues, vous cherchez à découvrir les raisons qui sous-tendent un comportement ou une réaction. En effet, même si votre attention retient la même information qu'une autre personne et même si vous l'organisez exactement comme elle, il se peut que vous l'interprétiez tout autrement ou que vous lui *attribuiez* des causes tout à fait différentes. Prenons l'exemple du salarié qui adresse un compliment à un supérieur hiérarchique. Ce dernier pourra *attribuer* cette attitude amicale à l'enthousiasme sincère de son subordonné, tandis qu'un collègue témoin de la scène pourra l'interpréter comme une flatterie hypocrite.

La récupération

Parler des étapes du processus de perception comme si elles se succédaient de façon ininterrompue, ce que nous avons fait jusqu'ici, revient à faire fi du rôle crucial qu'y joue la mémoire. En effet, chacune des trois étapes que nous venons de décrire alimente cette dernière par le stockage de stimuli et de données. Mais, pour pouvoir utiliser l'information emmagasinée, il faut d'abord la récupérer; c'est la dernière étape du processus de perception (figure 4.4, p. 118).

Il arrive fréquemment qu'on soit incapable de récupérer dans sa mémoire de l'information qui y est pourtant stockée. La mémoire flanche : on retrouve certaines données, mais d'autres nous échappent. Les schèmes et les scénarios contribuent à ce phénomène en rendant plus difficile la mémorisation des éléments qui n'en font pas partie. Par exemple, le cadre ayant en tête un stéréotype du *salarié performant* risque, au moment de l'évaluation d'un subalterne qu'il considère généralement comme un *bon travailleur*, de surestimer chez ce dernier la présence des caractéristiques clés qu'il associe à son stéréotype : travailleur acharné, intelligent, ponctuel, s'exprimant bien et capable de prendre des décisions. Parallèlement, il risque de sous-estimer d'autres caractéristiques qui n'y sont pas associées.

La perception de la justice interactionnelle influe sur l'intention de démissionner

Selon les recherches effectuées par Merideth Ferguson, Neta Moye et Ray Friedman, les perceptions relatives à la justice interactionnelle pendant les entrevues de recrutement influent sur les relations d'emploi à long terme. Avec les questions d'équité au travail comme point de mire, une littérature impressionnante sur la justice organisationnelle montre que les personnes réagissent positivement ou négativement aux traitements qu'elles perçoivent comme équitables ou inéquitables, le lien entre la perception d'une injustice et les comportements négatifs étant particulièrement fort.

Examinant les perceptions relatives à l'équité pendant les négociations du processus de recrutement, les chercheurs ont tenté de déterminer dans quelle mesure elles avaient des répercussions sur l'intention de démissionner plus tard. Ils ont vérifié deux hypothèses. Selon la première, la perception de pressions exercées par le recruteur pendant les négociations aurait un effet négatif sur la perception de la justice interactionnelle par les candidats. Selon la seconde, la perception d'une injustice interactionnelle pendant les négociations aurait un effet positif à long terme sur l'intention des employés nouvellement embauchés de démissionner plus tard.

Les chercheurs ont mené deux études. Dans le cadre de la première, ils ont demandé à 68 anciens étudiants d'un programme universitaire en administration des affaires quelles étaient leurs perceptions rétrospectives de la justice interactionnelle pendant leurs négociations de recrutement et quelle était leur intention du moment quant à une éventuelle démission. Dans le cadre de la deuxième étude, ils ont interrogé un échantillon de jeunes ayant récemment reçu leur diplôme de maîtrise en administration des affaires sur leurs perceptions de la justice interactionnelle pendant leurs négociations de recrutement. Six mois plus tard, ils leur ont demandé s'ils avaient l'intention de quitter leur nouvel emploi. Les résultats de ces études ont confirmé les deux hypothèses émises au départ.

Pour conclure, Ferguson et ses collaborateurs affirment que «l'injustice qu'une personne ressent pendant les négociations a une incidence sur ses intentions de quitter l'établissement l'ayant embauchée [...] les négociations qui ont lieu pendant le processus de recrutement donnent le ton aux relations de travail à venir». Ils recommandent d'autres recherches permettant d'examiner dans quelle

mesure certaines tactiques de négociation, comme la lenteur à répondre, le manque d'honnêteté ou de respect ou le refus de faire des concessions, jouent sur la perception de la justice et sur l'intention de démissionner plus tard. Ils avancent aussi que, lorsque les offres d'emploi abondent, la perception d'injustice pendant le processus de recrutement peut inciter les candidats à aller chercher ailleurs, alors que, lorsque les offres d'emploi sont rares, elle n'empêche pas les candidats d'accepter le poste, mais fait naître en eux l'intention de démissionner dès qu'une occasion se présentera.

Source: D'après Merideth Ferguson, Neta Moye et Ray Friedman, «The Lingering Effects of the Recruitment Experience on the Long-Term Employment Relationship», *Negociation and Conflict Management Research*, vol. 1, 2008, p. 246-262.

1re hypothèse   2e hypothèse

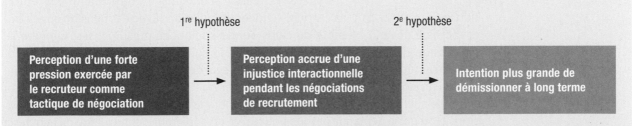

| Perception d'une forte pression exercée par le recruteur comme tactique de négociation | → | Perception accrue d'une injustice interactionnelle pendant les négociations de recrutement | → | Intention plus grande de démissionner à long terme |

De fait, les gens peuvent «se souvenir» tout aussi bien de traits inexistants que de traits bien réels. Qui plus est, une fois établis, les clichés et les stéréotypes sont particulièrement tenaces. De toute évidence, ces erreurs de perception qui faussent le jugement peuvent avoir de lourdes conséquences sur l'évaluation du rendement et la promotion, comme sur tout le reste d'ailleurs. Il ne faut donc jamais oublier que les schèmes qui aident à synthétiser et à gérer la surabondance d'information sont une arme à double tranchant.

La perception, la gestion des impressions et les médias sociaux

Gestion des impressions
Déploiement systématique d'efforts par une personne dans le but d'influer sur la perception des autres à son sujet

Richard Branson, PDG du groupe Virgin, est l'un des hauts dirigeants les plus riches et les plus connus du monde. On pourrait dire également qu'il est passé maître en **gestion des impressions**. Cette expression désigne les efforts systématiques que déploie une personne pour se comporter de manière à produire sur les autres les impressions recherchées, et à maintenir ces impressions[5]. L'une des premières réalisations de Branson a été la création de Virgin Airlines, entreprise florissante dès ses débuts, qui est devenue une concurrente mondiale redoutée par les compagnies aériennes traditionnelles. Dans un mémoire, l'ancien chef de la direction de British Airways, Lord King, avait avoué : « Si Richard Branson avait porté une chemise et une cravate au lieu d'une barbichette et d'un pull, je ne l'aurais probablement pas sous-estimé[6]. »

Vous vous demandez peut-être si la volonté de Branson de donner de lui une image d'insouciance ne fait pas partie d'une stratégie commerciale. Que cela fût le cas ou non, il y a fort à parier qu'il s'est servi du personnage qu'il a créé dans d'autres démarches commerciales. Voilà un bon exemple de l'importance de l'image qu'on projette, qu'elle soit positive ou négative. Et ce n'est pas un fait nouveau; on en a déjà entendu parler. Qui n'a pas reçu ce conseil avant une entrevue d'emploi : « Essaie de faire bonne impression »? Ce conseil est d'autant plus judicieux que, comme l'indique l'article qui introduit ce chapitre, il ne faudrait que quelques secondes pour façonner une première impression.

Une photo choquante ou un commentaire déplacé de votre part dans les médias sociaux pourrait vous coûter un emploi…

En vérité, dans la vie de tous les jours, on essaye souvent de gérer les impressions qu'on produit. C'est le cas lorsque, par sa façon de s'habiller et de parler ou par les objets dont on s'entoure, on renforce une image recommandable de soi-même et qu'on essaye de la transmettre aux autres. En cas de réussite, cette image aide à obtenir des promotions et à avancer dans sa carrière, à nouer des relations avec des gens qu'on admire, et même à devenir membre de clubs ou d'associations prestigieuses. On gère les impressions lorsqu'on fait du « réseautage », lorsqu'on choisit une tenue élégante ou décontractée selon l'occasion, lorsqu'on regarde dans les yeux la personne que quelqu'un nous présente, lorsqu'on rend service pour se faire accepter, lorsqu'on encense quelqu'un pour gagner ses faveurs, lorsqu'on s'attribue le mérite d'une réussite ou lorsqu'on demande pardon pour un geste déplorable, enfin lorsqu'on acquiesce aux opinions d'autrui[7].

L'un des aspects les plus puissants de la gestion des impressions aujourd'hui est peut-être celui qui est le moins reconnu : la façon de communiquer sa présence en ligne dans le monde des médias sociaux. Il se pourrait même que ce court message mérite de devenir viral : « Attention ! L'image de marque que vous donnez de vous-même dans les médias sociaux risque de vous coller à la peau toute votre vie ! »

Ce n'est un secret pour personne que de plus en plus d'employeurs font des recherches poussées dans le web pour en apprendre davantage sur les candidats à un poste. En réalité, ils recueillent des impressions que les candidats ont laissées pendant leurs interventions dans les médias sociaux. Une photo inappropriée, un sobriquet moqueur ou un commentaire déplacé peut produire une mauvaise impression et tuer dans l'œuf une possibilité d'emploi. Lorsqu'on est très actif sur Internet, on suscite sans cesse des impressions à son sujet. Or, aussi drôles qu'elles puissent être au sein des réseaux sociaux, ces images peuvent nuire sur le plan professionnel.

Il y a beaucoup à apprendre sur la gestion des impressions et les réseaux sociaux. Au minimum, il vaut la peine d'établir une frontière bien étanche entre les deux espaces des réseaux sociaux, l'espace personnel et l'espace professionnel, et de les séparer avec un bon pare-feu. Vous trouverez d'autres renseignements sur la question dans l'encadré ci-contre.

Réseaux sociaux : valorisez votre image de marque et l'impression que vous produisez

Gardez la maîtrise de votre présence dans les médias sociaux. Pour cela, la gestion de l'impression est aussi importante en ligne que dans les rapports en face à face. Voici quelques conseils qui pourraient vous aider à gérer efficacement l'impression que vous produisez.

Questions à vous poser

- « Comment est-ce que je veux être perçu ? Quels sont mes objectifs quand je participe à ce groupe de discussion ? »
- « Qu'est-ce que je communique ou veux communiquer à mon auditoire ? »
- « Est-ce que je veux que ma famille, mes proches ou mon employeur éventuel voient la photo que je m'apprête à afficher ? »

À faire

- Choisissez un nom d'utilisateur respectable.
- Construisez votre profil en fonction de la façon dont vous voulez réellement être connu par les autres ; restez cohérent dans vos interventions.
- Considérez votre personnalité en ligne comme une « image de marque » que vous allez porter pendant longtemps. Assurez-vous que votre personnage et votre image de marque sont en harmonie.
- Quand vous affichez des photos et participez à des groupes de discussion en ligne, faites-le uniquement dans le respect de votre image de marque. Ne faites rien qui puisse nuire à cette dernière.

Les erreurs de perception les plus répandues

Étant donné la complexité de l'information qui afflue de l'environnement, on doit recourir à divers moyens pour simplifier et organiser ses perceptions. Cependant, de telles simplifications risquent de fausser ses impressions et le processus de perception en général. Les types les plus courants d'erreurs de perception qui peuvent influer sur les réactions humaines en faussant le processus sont le stéréotype (ou cliché), l'effet de halo, la perception sélective, la projection, l'effet de contraste et la prophétie qui se réalise, également appelée *effet Pygmalion* ou *effet Rosenthal*.

Le stéréotype ou le cliché

L'une des simplifications les plus courantes dans le processus de perception est le recours aux *stéréotypes*, qui consiste à identifier une personne à un groupe ou à une catégorie, puis à utiliser les attributs supposés de ce groupe ou de cette catégorie pour décrire cette personne. La plupart des stéréotypes qui se propagent dans le monde du travail et dans la société en général sont associés à des facteurs socio-démographiques tels que le sexe, l'origine ethnoculturelle, l'orientation sexuelle, l'identité de genre ainsi que l'âge et l'état physique et mental. Bien que le cliché puisse faciliter les choses dans la mesure où il permet de ne pas tenir compte des caractéristiques uniques de chaque personne, il s'agit d'une simplification extrême. Comme il obscurcit les différences individuelles, il peut amener à méconnaître une personne. Les gestionnaires qui ont tendance à recourir à des stéréotypes risquent entre autres de ne pas comprendre les besoins, les préférences et les compétences de chaque employé de leur équipe.

Le sexe

Il suffit d'observer la situation de la plupart des conseils d'administration et des conseils de direction pour constater à quel point les stéréotypes sont tenaces. Le Conseil canadien pour la diversité administrative a recueilli des données concernant les conseils d'administration et les équipes de haute direction des sociétés du *Financial Post 500* (FP500). Leur analyse démontre que les femmes occupent seulement 21,6 % des postes aux conseils d'administration et 19,1 % des postes de haute direction[8]. Dans ces sociétés, l'écart entre les représentations féminine et masculine dans les postes de haute direction est donc supérieur à celui qu'on observe au sein des conseils d'administration.

Au Québec, les femmes constituent 19,8 % des membres des conseils d'administration d'entreprises. La *Loi sur la gouvernance des sociétés d'État*, adoptée en 2006, impose à 22 sociétés d'État la parité dans les conseils d'administration. Ainsi, alors que les femmes représentaient 27,5 % des membres des conseils d'administration de ces sociétés en 2006, elles en représentent maintenant 52,4 %. En outre, le pourcentage de femmes cadres dans la fonction publique québécoise a atteint 46 % en mars 2016, soit un bond de 2,6 % depuis mars 2012[9].

Une étude réalisée par Catalyst quant aux possibilités qui s'offrent aux femmes sur les marchés internationaux incrimine les *stéréotypes sexistes* qui font en sorte que les femmes sont désavantagées au profit des hommes. La tendance est de présumer que

Présence féminine dans les conseils d'administration : adopter des quotas comme en Europe ?

La société d'experts-conseils McKinsey & Company indique dans un rapport que les femmes sont embauchées pour pourvoir plus de 50 % des emplois professionnels des grandes sociétés en Amérique. Puis le phénomène du tuyau percé entre en jeu : plus on monte dans les échelons, plus leur nombre diminue. Elles détiennent 28 % des postes d'administrateurs au sein des conseils d'administration, 14 % des postes de haut dirigeant et seulement 3 % des postes de PDG. Les données provenant du reste de la planète sont pires. Les femmes occupent seulement 13,7 % des postes d'administrateurs en Europe, et 7,1 % ailleurs dans le monde.

Ces faibles pourcentages de femmes aux échelons les plus élevés des entreprises sont en contradiction avec les données indiquant que leur présence a une incidence positive sur le rendement. Une étude de Millward

Brown Optimor a démontré que les grandes entreprises mondiales qui ont des femmes dans leur conseil d'administration affichent une croissance de leur marque de 66 % sur une période de 5 ans, alors que celles qui n'en ont pas obtiennent une maigre croissance de 6 %. Une étude d'Ernst & Young précise : « La conclusion incontestée de toutes les recherches est que la présence de plus de femmes au sommet de la hiérarchie améliore le rendement financier. » Le rapport mentionne aussi que « le rendement augmente de façon importante lorsqu'une masse critique est atteinte, soit au moins 3 femmes dans un comité de direction comptant 10 membres ».

Plutôt que de laisser cette question au hasard, l'Europe a commencé à considérer les quotas. La Norvège, l'Espagne, l'Islande et la France ont déjà adopté des quotas de plus de 40 %. Un projet de loi exigeant

que toutes les entreprises membres de l'Union européenne nomment 40 % de femmes aux postes d'administrateurs non dirigeants dans les conseils d'ici 2020 a été déposé à la Commission européenne, mais a dû être retiré faute d'appui. Certains pays membres projettent de le déposer à nouveau.

Un sondage de Heidrick & Struggles a montré que 51 % des femmes chefs de la direction appuyaient des quotas tels que ceux en Europe, mais que seulement 25 % de leurs homologues masculins les approuvaient.

QUESTIONS

Par l'adoption de quotas, l'Europe est-elle en voie de corriger les disparités entre hommes et femmes au sein des conseils d'administration ? Cette préoccupation générale de représentativité devrait-elle se limiter aux femmes ? Qu'en est-il des femmes de couleur ? Qu'en est-il des autres minorités, hommes ou femmes ? En ce qui concerne l'avancement professionnel des femmes et des minorités dans le monde des affaires, est-il temps de considérer les quotas ou devrait-on attendre que les changements se fassent naturellement ?

les femmes n'ont pas les compétences nécessaires pour travailler à l'étranger ou qu'elles n'ont pas envie de le faire[10]. Les stéréotypes sexistes faussent également l'interprétation des comportements de chaque jour. Par exemple, « il parle avec ses collègues » sera interprété comme « il leur explique les termes d'un nouveau contrat », alors que « elle parle avec ses collègues » sera interprété comme « elle colporte des commérages »[11].

Le leadership n'a pas de genre

Aux yeux des trois finalistes du prix Leadership de l'Association des femmes en finance du Québec, le leadership ne se conjugue ni au féminin ni au masculin. C'est plutôt une question de qualités et d'aptitudes, comme en font foi leurs récentes réussites.

Je n'aime pas parler de leadership féminin et je crois que cette idée disparaîtra au fur et à mesure que la parité s'imposera.

Il y a deux ans, **Madeleine Féquière** a été nommée à la tête du conseil d'administration de l'École supérieure de ballet du Québec. Elle a lancé deux grands projets : déménager dans une nouvelle Maison de la danse et, pour financer cette aventure, remettre sur les rails la Fondation de l'École, qui a lancé sa campagne de financement il y a quelques mois.

« Nous allons changer la vie de centaines de danseuses et danseurs en les aidant à réaliser leur rêve », espère Madeleine Féquière, qui est aussi directrice générale et chef du crédit corporatif chez Domtar.

Cette réalisation illustre bien sa conception du leadership qui s'incarne dans la rigueur, la responsabilité, l'obligation de rendre compte, l'humanisme et l'altruisme. « Des qualités qui s'appliquent autant aux hommes qu'aux femmes », signale-t-elle.

Selon elle, les jeunes femmes qui aspirent à devenir des leaders devraient « s'impliquer socialement et entretenir leur réseau ». « Et surtout, elles ne doivent pas avoir peur de se promouvoir. Car si elles ne le font pas, personne ne le fera à leur place », insiste-t-elle.

Nous avons réussi à susciter la participation des 300 directeurs généraux de caisse, ce qui a permis d'améliorer la performance financière.

« Pour moi, le leadership n'a pas de genre », déclare **Nathalie Larue**, vice-présidente, développement et mise en œuvre des solutions d'affaires au Mouvement Desjardins.

« Qu'il soit homme ou femme, un leader doit savoir rallier les gens autour d'une vision claire et leur démontrer de façon concrète qu'il est capable de livrer des résultats, explique-t-elle. Il doit en plus faire preuve d'authenticité et d'humilité. Pour cela, il faut bien s'entourer. »

C'est ce qu'elle tâche de faire depuis maintenant cinq ans grâce à la transformation organisationnelle du réseau des caisses populaires.

Autre retombée de ce programme : la mobilisation des employés est passée de 72 % à 85 %, selon l'étude des Employeurs de choix Aon — ce dont la vice-présidente n'est pas peu fière.

À celles qui suivront ses traces, Nathalie Larue suggère de prendre un moment chaque jour pour dresser un petit bilan de leurs réalisations afin d'alimenter leur confiance en elles-mêmes. « Ça a fait une grande différence dans mon parcours personnel et professionnel », raconte-t-elle.

Je donne beaucoup d'autonomie à mes employés très performants alors qu'avec les plus jeunes, j'interviens davantage comme un coach.

Sylvie Pinsonnault se dit une femme d'action et de résultats. Sa mission : catalyser la croissance des entreprises québécoises qui ont le potentiel de devenir les leaders de demain.

À titre de vice-présidente au capital de risque, aux fonds d'investissement et aux mesures fiscales chez Investissement Québec, elle a récemment donné un sérieux coup de pouce à deux entreprises technologiques, Coveo et Lightspeed. « Dans le cas de Coveo, on a rencontré l'entreprise, travaillé avec les investisseurs, structuré et clôturé la transaction en trois ou quatre mois. De grosses rondes comme celle-là peuvent prendre beaucoup plus de temps. »

**Madeleine Féquière :
une leader altruiste**

**Nathalie Larue :
une leader authentique**

**Sylvie Pinsonnault :
une leader audacieuse**

L'ingrédient magique pour agir aussi vite et bien? La capacité de mobiliser les partenaires et les employés — une aptitude qu'on trouve aussi bien chez les hommes que chez les femmes, souligne Sylvie Pinsonnault. «Il faut aussi savoir adapter son style de leadership selon la personne qui est devant soi», ajoute-t-elle.

Ses conseils aux futures leaders se résument en quelques mots: «Ayez confiance en vous-mêmes. Soyez audacieuses et déterminées. Entourez-vous de gens très forts.

N'attendez pas le contexte parfait pour accepter des défis. Foncez!»

Source: Marie Lambert-Chan, « Le leadership n'a pas de genre », affaires.lapresse.ca, 12 avril 2016.

QUESTION
Quelles caractéristiques composent votre stéréotype du leader féminin?

L'origine ethnoculturelle

On peut aussi se poser des questions légitimes sur les *stéréotypes raciaux et ethniques*, notamment sur la lenteur avec laquelle des gestionnaires issus de minorités visibles gravissent les échelons de la hiérarchie. Les membres de minorités visibles occupent seulement 4,5 % des sièges au sein des conseils d'administration des entreprises du FP500[12]. La proportion d'Autochtones siégeant au sein de ces conseils d'administration n'est que de 0,6 %[13].

Bien que la société soit de plus en plus diversifiée, certaines tensions subsistent entre membres de différents groupes ethnoculturels. Selon un sondage récent[14], 68 % des Canadiens disent avoir entendu un commentaire raciste au cours de la dernière année. Près d'un tiers d'entre eux ont été témoins d'un incident raciste. Selon ce sondage, ce sont les 18 à 24 ans qui sont les plus susceptibles d'avoir entendu des commentaires racistes ou d'avoir vu des incidents racistes. Dans l'ensemble, la proportion de gens qui ont vu un geste raciste au cours de 2009 est de 31 %, mais chez les jeunes de 18 à 24 ans, cette proportion grimpe à 50 %. Ils sont aussi très nombreux, soit 81 %, à dire qu'ils ont entendu un commentaire raciste.

Ajoutons que l'écart entre le taux d'emploi des immigrants et celui des natifs du Québec reste important, en plus d'être plus accentué qu'ailleurs au Canada. Selon les données de Statistique Canada pour l'année 2015, le taux d'emploi pour les personnes de 25 à 54 ans était de 72,8 % pour les immigrants reçus vivant au Québec et de 84,5 % pour la population née au pays, un écart de 11,7 points. Le portrait n'est pas reluisant quand on examine la situation des immigrants reçus depuis cinq ans ou moins. Au Québec, l'écart est de 25,8 points. Ces chiffres occultent un autre problème: le type d'emplois occupé. Une proportion beaucoup plus grande d'immigrants sont surqualifiés pour leur emploi (43 % comparativement à 29,7 % dans l'ensemble de la population), et cela est particulièrement vrai pour les diplômés universitaires (53,5 %), selon une étude publiée en 2016 par l'Institut de recherche et d'informations socioéconomiques (IRIS)[15].

Une étude menée par la Commission des droits de la personne et des droits de la jeunesse (CDPDJ) à Montréal montre qu'à qualifications et compétences égales, les candidats dont le nom a une consonance québécoise ont 60 % plus de chances d'être invités à un entretien d'embauche que ceux qui ont un nom à consonance africaine, arabe ou latino-américaine[16]. La CDPDJ a répondu à plus de 581 offres d'emploi d'organismes publics, d'organismes à but non lucratif (OBNL) ou d'entreprises privées pour des postes dans trois domaines qualifiés ou deux domaines peu ou pas qualifiés. Deux CV accompagnés de lettres de motivation ont été envoyés pour chaque poste : l'un portait un nom franco-québécois, l'autre, un nom à consonance africaine, arabe ou latino-américaine. Dans les deux cas, les «candidats» avaient étudié et travaillé au Québec. Pourtant, dans les entreprises privées comme dans les organismes à but non lucratif, le candidat avec un nom franco-québécois a été plus souvent rappelé que l'autre. Le taux de discrimination est de 37 % pour une entreprise privée, et de 35 % pour un OBNL. Du côté des employeurs publics, il n'y a pas de discrimination, ce qui, selon la CDPDJ, peut s'expliquer par le fait que ces derniers sont obligés d'appliquer des programmes d'accès à l'égalité. Mentionnons que, depuis 1980, l'Orchestre symphonique de Toronto a instauré une pratique d'audition «à l'aveugle», les candidats étant dissimulés par un paravent. Depuis, le nombre de femmes et de membres des minorités visibles y a grimpé en flèche. En octobre 2015, la Grande-Bretagne a adopté une politique de recrutement semblable pour sa fonction publique. Les gestionnaires n'ont que l'information nécessaire pour juger les qualifications du candidat, pas son nom[17].

L'orientation sexuelle et l'identité de genre

Au Canada, les droits des personnes lesbiennes, gaies, bisexuelles ou transgenres (LGBT) ont nettement progressé au cours des dernières décennies. Les communautés LGBT sont protégées contre la discrimination et le harcèlement basés sur l'orientation sexuelle ou l'identité ou l'expression de genre. Toutefois, de nombreuses personnes LGBT sont encore exposées à des attitudes homophobes et transphobes profondément ancrées. Beaucoup sont victimes de discrimination sur le marché du travail. Ainsi, 29 % des employés LGBT participant à une étude ont déclaré avoir été victimes de discrimination dans leur emploi et 33 % ont rapporté avoir été témoins de discrimination envers des collègues LGBT[18]. Pourtant, l'homophobie reste une question relativement peu traitée au sein des organisations, alors même qu'elle se manifeste au quotidien et à toutes les étapes de la vie professionnelle.

En 2016, le Conseil canadien pour la diversité administrative a interrogé pour la première fois les administrateurs et administratrices des sociétés du FP500 sur leur orientation sexuelle, qui représente un nouveau facteur de diversité. Parmi les répondants, 2,1 % se sont déclarés membres de la communauté LGBT ou allosexuelle (*queer*)[19].

L'âge et l'état physique et mental

Les *stéréotypes relatifs à l'âge (âgisme) et à l'état physique et mental* sont également fréquents dans le monde du travail. Un employé âgé et talentueux peut ne pas bénéficier d'une promotion à cause d'un chef de service présumant que les personnes âgées sont circonspectes et évitent généralement de prendre des risques[20]. Or, aux États-Unis, un sondage du Conference Board réalisé auprès d'employés de 50 ans et plus montre que 72 % d'entre eux estiment pouvoir assumer des responsabilités supplémentaires, et que les deux tiers aimeraient suivre une nouvelle formation et se perfectionner[21]. À l'opposé, on se demande souvent si une personne jeune peut devenir un réel leader et même un PDG. Mark Zuckerberg avait 20 ans lorsqu'il a fondé

Facebook. Et lorsque l'actuelle directrice générale de Facebook, Sheryl Sandberg, a quitté Google pour se joindre à l'entreprise de Zuckerberg, elle reconnaît avoir pensé : « Waouh, je vais travailler sous les ordres d'un PDG bien jeune. » « Mark est un excellent leader », déclare-t-elle maintenant. Après avoir travaillé avec lui, sa perception a changé. « Mark a une vision vraiment nette des choses… Il entraîne les gens avec lui.[22] »

Enfin, concernant les *stéréotypes relatifs à l'état physique et mental*, notons qu'au Canada, les personnes handicapées occupent 1,8 % des postes d'administrateurs des entreprises du FP500[23]. Les candidats vivant avec des limitations mentales ou physiques peuvent être ignorés par un recruteur même s'ils possèdent toutes les compétences nécessaires.

L'effet de halo

L'**effet de halo** se produit lorsqu'on se fait une impression générale d'une personne ou d'une situation en se fondant sur une seule de ses caractéristiques. Comme le stéréotype, cette erreur de perception, très courante dans la vie quotidienne, survient la plupart du temps à l'étape de l'organisation du processus de perception. Par exemple, le sourire agréable de celui qu'on rencontre pour la première fois peut

Effet de halo
Erreur de perception qui consiste à se faire une impression générale d'une personne ou d'une situation en se fondant sur une seule de ses caractéristiques

Le sourire agréable d'une personne qu'on rencontre pour la première fois laisse l'impression qu'elle est franche et chaleureuse. Mais est-ce toujours le cas?

laisser l'impression qu'il s'agit d'une personne chaleureuse et franche. Les conséquences de l'effet de halo sont identiques à celles du stéréotype : en généralisant, on omet de prendre en considération certaines caractéristiques individuelles.

L'effet de halo a des conséquences particulièrement importantes au moment des entrevues d'évaluation du rendement, car il peut empêcher le gestionnaire de juger objectivement le travail de ses subordonnés. Ainsi, on a tendance à croire que les travailleurs assidus sont intelligents et ont le sens des responsabilités, et que ceux qui s'absentent fréquemment fournissent un piètre rendement. Or, de telles croyances peuvent aussi bien être erronées qu'exactes. Le gestionnaire doit se méfier de l'effet de halo et fonder son jugement sur des faits objectifs.

La perception sélective

Perception sélective
Tendance d'une personne à privilégier une lecture de la réalité qui correspond à ses besoins, à ses attentes, à ses valeurs et à ses attitudes, et qui l'amène à ne voir que certains aspects d'une situation, d'une personne ou d'un point de vue

La **perception sélective** est la tendance à privilégier une lecture de la réalité qui correspond à ses besoins, à ses attentes, à ses valeurs et à ses attitudes. Elle amène à ne voir que certains aspects d'une situation, certaines caractéristiques d'une personne ou certains côtés d'un point de vue. Les effets de cette erreur de perception, particulièrement marqués à l'étape de l'attention et de la sélection, ont été mis en évidence par une étude classique menée auprès des cadres supérieurs d'une entreprise manufacturière[24]. Lorsqu'on a soumis à ces derniers un cas complexe de stratégie d'entreprise et qu'on leur a demandé de mettre le doigt sur le problème clé, la plupart ont évoqué des difficultés relevant de leur propre domaine d'intervention. Ainsi, ceux qui travaillaient à la commercialisation ont diagnostiqué des faiblesses aux ventes, et ceux qui travaillaient à la production, des problèmes sur les plans de la production et de l'organisation. Dans une situation réelle, ces divergences de points de vue auraient influé sur l'approche du comité de direction ; elles auraient également pu engendrer des difficultés si ces personnes avaient dû collaborer pour redresser la situation.

La projection

Projection
Fait d'attribuer à autrui des caractéristiques, des attentes, des besoins ou des convictions propres à soi

La **projection** est le fait d'attribuer à autrui des caractéristiques, des attentes, des besoins ou des convictions propres à soi. Elle se produit surtout à l'étape de l'interprétation du processus de perception. Une projection répandue parmi les cadres consiste à attribuer à leurs subordonnés des besoins semblables aux leurs. Les différences individuelles sont ainsi négligées. Supposons que vous recherchiez les responsabilités et la possibilité de vous réaliser dans votre travail et qu'on vous confie de nouvelles fonctions auprès d'un groupe de salariés dont les tâches vous semblent routinières et fastidieuses. Vous pourriez alors vous empresser d'enrichir le travail de ces derniers en y ajoutant des tâches qui, *selon vous*, sont plus motivantes et procurent une plus grande satisfaction professionnelle. Or, ce ne serait pas nécessairement une bonne décision. Lorsque vous projetez vos propres besoins sur vos subordonnés, vous perdez de vue leurs caractéristiques individuelles : au lieu de concevoir des tâches qui répondent autant que possible à leurs besoins, vous réfléchissez en fonction des vôtres. Ces salariés étaient peut-être relativement satisfaits et productifs lorsqu'ils exécutaient les tâches qui vous paraissaient si routinières et monotones. Pour ne pas se laisser aller à la projection, le gestionnaire doit à la fois bien se connaître et faire preuve d'empathie, c'est-à-dire savoir se mettre à la place d'autrui, ressentir ce qu'il ressent, s'identifier à lui.

L'effet de contraste

Au sujet de l'objet perçu, nous avons dit qu'on remarque plus vite un homme au milieu d'un groupe de femmes qu'au milieu d'autres hommes, et on le perçoit différemment. Le même phénomène est à l'œuvre lorsque, par exemple, une personne prend la parole à la suite d'un orateur particulièrement brillant ou qu'une autre passe une entrevue d'emploi après une série de candidats très médiocres. On aura tendance à sous-évaluer la personne qui prend la parole après un orateur particulièrement brillant et à surévaluer celle qui passe une entrevue d'emploi après une série de candidats très médiocres. Dans ce genre de situations où les caractéristiques d'un individu tranchent avec celles d'autres individus rencontrés un peu plus tôt et évalués nettement plus favorablement ou défavorablement, un **effet de contraste** peut se produire. Vous comprendrez sans doute qu'il fausse la perception et ne permet pas de porter un jugement objectif. Gestionnaires et salariés doivent être conscients de cet effet et se méfier de ses conséquences potentielles en milieu professionnel.

La prophétie qui se réalise

La dernière erreur de perception dont nous allons traiter est la **prophétie qui se réalise**, c'est-à-dire la propension à découvrir ou à susciter ce à quoi on s'attend chez quelqu'un ou dans une situation donnée. En psychologie, on utilise souvent le terme *effet Pygmalion*, du nom d'un roi légendaire de Chypre qui sculpta une si belle statue de la compagne idéale qu'il en tomba amoureux et obtint de Vénus qu'elle lui donne vie[25]. Son désir s'était réalisé! On parle aussi parfois de l'*effet Rosenthal*, du nom d'un des deux auteurs (Rosenthal et Jacobson) qui l'ont décrit ainsi:

> La prédiction faite par un individu A sur un individu B finit par se réaliser, que ce soit seulement dans l'esprit de A ou, résultant d'un processus subtil et parfois inattendu, par une modification du comportement réel de B sous la pression des attentes de A[26].

Cet effet se remarque souvent en milieu de travail, où il peut avoir des répercussions tantôt positives, tantôt négatives pour les gestionnaires. Supposons que vous estimez que vos subordonnés n'attendent pas grand-chose de leur emploi et cherchent plutôt à se réaliser à l'extérieur de leur travail. Vous concevez alors des tâches simples et bien structurées n'exigeant d'eux qu'un minimum d'engagement. Selon vous, comment réagiront-ils? Probablement en montrant le peu d'intérêt et d'engagement auquel vous vous attendiez. Voilà votre «prophétie» réalisée... Quant à la situation suivante, elle illustre les retombées positives que peut avoir la prophétie qui se réalise: des élèves présentés à leurs professeurs comme des personnes particulièrement douées obtiennent de meilleurs résultats aux tests que leurs camarades qui n'ont pas été présentés aussi positivement aux enseignants.

Un autre exemple très révélateur des effets positifs de la prophétie qui se réalise est celui des équipages de chars d'assaut israéliens. On avait informé des commandants de bataillons de chars d'assaut que, selon les résultats de tests, les soldats du premier

Effet de contraste
Tendance à se faire une fausse impression d'une personne lorsqu'on compare ses caractéristiques à celles d'une autre personne rencontrée un peu plus tôt et évaluée nettement plus favorablement ou défavorablement.

Prophétie qui se réalise
Propension à découvrir ou à susciter ce à quoi on s'attend chez quelqu'un ou dans une situation donnée

groupe possédaient des aptitudes exceptionnelles, tandis que ceux du second groupe étaient dans la moyenne. En réalité, les soldats avaient été répartis aléatoirement dans les deux groupes expérimentaux et étaient d'égale qualité. Par la suite, les commandants ont noté que les soldats présentés comme exceptionnels avaient fait meilleure figure que ceux qui avaient été présentés comme moyens. En fait, ils avaient accordé beaucoup plus d'attention et prodigué beaucoup plus d'éloges aux hommes envers lesquels ils nourrissaient de plus grandes attentes[27]. Tout cela montre que les professeurs et les gestionnaires doivent prendre cet effet en considération et adopter des approches positives et optimistes à l'égard des étudiants et des travailleurs.

DU CÔTÉ DE LA PRATIQUE

Soulever les attentes et obtenir une meilleure rétroaction

« Si vous voulez que vos amis vivent quelque chose de mieux que la réalité, allez-y et exagérez. Mais pas trop. »

Test de dégustation de vins : est-ce qu'un vin goûte meilleur si vous n'avez jamais entendu parler du vignoble ou si vous avez lu une critique positive à son sujet ? Comme vous vous y attendez peut-être, c'est le plus souvent lorsque vous avez lu une critique positive. La raison est liée à une relation bien étudiée en CO, celle entre la perception et les attentes. En fait, on perçoit les choses – le verre de vin, l'essai routier d'une nouvelle BMW ou un nouveau coéquipier – selon ce qu'on attend d'elles.

Est-ce que cela signifie qu'avant votre prochaine présentation devant la classe ou une équipe de direction vous devriez préparer vos auditeurs en annonçant à l'avance : « Vous allez aimer ce qui va suivre » ? Eh bien, peut-être. Mais faites tout de même preuve de prudence. La déception peut s'installer si le rehaussement

des attentes est exagéré. Pensez à un film ou un restaurant que vous auriez recommandé à un ami. Vous en avez vanté les mérites et vous avez hâte que votre ami vive la même expérience que vous. Par la suite, il vous dit : « C'était bien, mais sans plus. Je m'attendais à mieux. » Qu'est-ce qui s'est produit ? Le niveau trop élevé de vos attentes a créé une situation propice à la déception.

Dan Ariely, professeur de psychologie et d'économie comportementale, conseille d'être prudent lorsqu'on fait état de ses attentes. Si on surestime quelque chose dans l'espoir d'obtenir une rétroaction positive, il est possible qu'on obtienne une critique négative. Sa règle de base est qu'on peut faire part d'attentes élevées, sans toutefois trop exagérer. Il faut demeurer dans un registre où la réalité peut fournir les résultats escomptés. Il suggère de viser une exagération de 20 % des attentes positives. C'est une cible réaliste pour orienter la rétroaction du sujet percevant dans une direction positive.

Cette idée de rehausser les attentes dans le but d'obtenir une rétroaction positive est intéressante à vérifier dans la vie de tous les jours. Pourquoi ne pas l'essayer ? Voyez à quel point vous pouvez gérer les attentes de vos amis et de vos coéquipiers. Ce pourrait être une compétence qui vous servirait dans de nombreuses situations personnelles et professionnelles.

La perception, l'attribution et l'apprentissage social

L'une des façons par lesquelles la perception exerce une influence sur le comportement est l'**attribution**. Il s'agit d'un processus qui consiste à essayer de trouver des explications à un événement, d'en déterminer les causes. Il est normal que les gens cherchent à s'expliquer ce qu'ils observent et ce qui arrive. Comment réagissez-vous lorsque vous vous apercevez qu'un collègue de travail ou un étudiant de votre groupe n'obtient pas les résultats attendus ? Comment l'expliquez-vous ? Et, selon les explications trouvées, que faites-vous pour essayer d'améliorer la situation ?

Attribution
Processus par lequel un individu tente de trouver des explications à un événement, d'en déterminer les causes

L'importance de l'attribution

Par le processus d'attribution, les individus tentent : (1) de comprendre les causes d'un événement ; (2) de déterminer les responsabilités dans le déroulement et les suites de l'événement ; (3) d'évaluer les qualités personnelles des gens qui ont joué un rôle dans l'événement[28]. Ainsi, le comportement d'une personne peut être attribué soit à des facteurs *internes,* soit à des facteurs *externes.* Les premiers sont du ressort de l'individu : par exemple, Jean a un rendement médiocre parce qu'il est paresseux. Les seconds, eux, ne peuvent pas être maîtrisés par l'individu : le rendement de Jean n'est pas fameux parce que sa machine commence à se faire vieille. Trois facteurs influent sur le processus d'attribution, c'est-à-dire sur la détermination de l'origine externe ou interne d'un comportement : la spécificité, le consensus et l'uniformité.

La *spécificité* renvoie au fait que le comportement donné d'une personne se manifeste dans une situation bien particulière et pas dans d'autres circonstances. Si Jean fournit un piètre rendement quelle que soit la machine qu'il utilise, on parle d'un comportement non spécifique et on l'attribue à un facteur interne : manque d'aptitudes, efforts insuffisants, etc. Par contre, si le faible rendement de Jean est inhabituel et ne s'observe que lorsqu'il utilise une machine particulière, on parle d'un comportement spécifique et on l'attribue plutôt à un facteur externe : le mauvais état de la machine.

Le *consensus* correspond à la probabilité que toutes les personnes se trouvant dans une situation identique réagissent de la même façon. Si tous les ouvriers utilisant une machine comme celle de Jean fournissent un piètre rendement, il y a consensus, et on attribue la situation à un facteur externe. Par contre, si les collègues de Jean donnent un bon rendement, il n'y a pas de consensus, et on envisage une cause interne.

L'*uniformité* a trait à la constance du comportement d'un individu. Le comportement se manifeste-t-il chaque fois que la personne se trouve dans la même situation ? Si on constate que la baisse de rendement de Jean est momentanée, c'est-à-dire que l'uniformité est faible, on a tendance à y voir un incident isolé et on ne peut pas tirer de conclusion sur la véritable raison de son comportement. En effet, l'élément de fidélité, qui se traduit par une grande uniformité, est essentiel pour affirmer qu'un comportement est attribuable à des facteurs personnels ou conjoncturels. Toutefois, le fait que le rendement de Jean sur une machine donnée soit faible sur une période prolongée n'indique pas si le problème est attribuable à une insuffisance d'efforts ou de compétences, ou au mauvais état de la machine. C'est l'analyse des facteurs spécificité et consensus qui permettra de trouver des causes.

Les erreurs d'attribution

Erreur fondamentale d'attribution
Tendance à sous-estimer l'influence des facteurs externes et à surestimer celle des facteurs internes lorsqu'on évalue le comportement d'autrui

Outre les trois facteurs qu'on vient de voir, deux erreurs risquent de jouer un rôle dans la détermination de l'origine externe ou interne d'un comportement : l'*erreur fondamentale d'attribution* et l'*effet de complaisance*[29]. La **figure 4.5** présente quelques données d'une étude menée dans le secteur de la santé. Lorsqu'on a demandé à des cadres de déterminer les causes du faible rendement de leurs subordonnés, la plupart ont attribué celui-ci à des facteurs *internes* (manque de compétences et efforts insuffisants) plutôt qu'à un facteur *externe* (manque d'appui). C'est un exemple classique d'**erreur fondamentale d'attribution**, c'est-à-dire de tendance à sous-estimer l'influence des facteurs conjoncturels et à surestimer celle des facteurs personnels lorsqu'on évalue le comportement d'autrui.

FIGURE **4.5** **Les causes du mauvais rendement selon des cadres du secteur de la santé**

Causes les plus fréquentes du mauvais rendement	Nombre de cadres attribuant le mauvais rendement de leurs subordonnés à l'une des trois causes	Nombre de cadres attribuant leur propre mauvais rendement à l'une des trois causes
Manque d'aptitudes	7	1
Manque d'efforts	12	1
Manque de soutien	5	22

Effet de complaisance
Tendance à nier sa responsabilité personnelle en cas d'échec, mais à s'attribuer le mérite d'un succès

Par contre, lorsqu'on a invité les mêmes cadres à indiquer les causes de la faiblesse de leur propre rendement, une écrasante majorité a invoqué un manque de soutien organisationnel, c'est-à-dire un facteur conjoncturel et donc *externe*. Cette attitude relève de ce qu'on appelle l'**effet de complaisance**, c'est-à-dire de la tendance à nier sa responsabilité personnelle en cas d'échec, mais à s'attribuer le mérite d'un succès. Autrement dit, lorsqu'on cherche à comprendre les comportements d'autrui, on est porté à surestimer les facteurs internes (personnels) et à sous-estimer les facteurs externes (conjoncturels). Par contre, on attribue généralement ses propres réussites à des facteurs internes et ses propres échecs à des facteurs externes.

Pour saisir toute la portée du processus d'attribution en gestion, il faut se rappeler que les perceptions d'un individu influent sur ses réactions[30]. Supposons qu'un cadre attribue d'emblée le rendement médiocre de ses subordonnés à l'insuffisance de leurs efforts, donc à un facteur interne. Que fera-t-il ? Il cherchera à les motiver à améliorer leur rendement, sans songer à agir sur des facteurs externes (par exemple, en allégeant les contraintes inhérentes à leur travail et en leur offrant plus d'appui). Pour les organisations, de telles omissions se traduisent souvent par une perte substantielle de productivité.

Les différences interculturelles en matière d'attribution

Des recherches consacrées à l'effet de complaisance et à l'erreur fondamentale d'attribution dans d'autres cultures ont donné des résultats inattendus[31]. Ainsi, en Corée, on a découvert l'existence d'un phénomène opposé à l'effet de complaisance. Au lieu d'attribuer à des facteurs externes les échecs des groupes dont ils sont responsables, les gestionnaires coréens en assument l'entière responsabilité : « Je n'ai pas été un leader efficace. » En Inde, l'erreur fondamentale d'attribution, contrairement à celle qu'on observe en Amérique du Nord, consiste à surestimer les facteurs externes par rapport aux facteurs internes lorsqu'on cherche à expliquer les échecs d'autrui. Bien qu'on ne puisse pas encore expliquer exactement pourquoi, il est certain que les valeurs culturelles jouent un rôle important dans ces différences de perception. Notons enfin que, selon une étude menée aux États-Unis, les femmes sont moins enclines à l'effet de complaisance que les hommes[32].

Certaines cultures, comme celle des États-Unis, ont tendance à accorder trop d'importance aux facteurs internes au détriment des facteurs externes. Il peut en résulter des attributions défavorables aux travailleurs. Celles-ci peuvent entraîner, à leur tour, des sanctions, des évaluations de rendement négatives, des mutations et un recours exagéré à la formation ; alors qu'on pourrait chercher à combler les lacunes de l'organisation, comme le manque de soutien, on s'en remet à la formation[33]. Les subordonnés, quant à eux, subissent l'influence de leurs supérieurs et, à cause du phénomène de la *prophétie qui se réalise*, finissent par confirmer les erreurs d'attribution de ces derniers. Heureusement, les gestionnaires comme les salariés peuvent apprendre à mieux gérer les erreurs de perception et d'attribution. Voici quelques conseils à cet égard :

- Apprendre à bien se connaître.
- Veiller à obtenir de l'information de sources variées.
- Essayer d'adopter le point de vue des autres dans une situation donnée.
- Prendre conscience des différents schèmes.
- Prendre conscience des erreurs de perception.
- Surveiller sa gestion des impressions et celle d'autrui.
- Être à l'affût des erreurs d'attribution possibles[34].

L'attribution et l'apprentissage social

Selon la **théorie de l'apprentissage social**, le processus d'apprentissage se fonde sur l'interaction entre l'individu, le comportement des gens qui l'entourent et l'environnement. L'accent est mis sur le rôle de l'observation dans l'apprentissage et sur les processus de perception et d'attribution qui entrent dès lors en jeu. En effet, les individus réagissent selon les perceptions et les attributions qui constituent leur vision des conséquences d'un comportement, et non par rapport aux conséquences telles qu'elles se présentent objectivement. Cette théorie reconnaît que l'individu apprend en observant le comportement des gens et les conséquences qui en résultent pour eux ; il sera incité à imiter les autres si ces conséquences sont positives.

Théorie de l'apprentissage social
Théorie selon laquelle le processus d'apprentissage se fonde sur l'interaction entre l'individu, le comportement des gens qui l'entourent et l'environnement

La **figure 4.6**, qui illustre et explique le processus de l'apprentissage social, s'inspire des travaux d'Albert Bandura[35]. Selon ce schéma, l'individu se sert de l'*apprentissage vicariant*, ou *apprentissage par modèle*, pour acquérir un comportement en observant et en imitant autrui. Dans un contexte professionnel, le *modèle* peut être un gestionnaire, un collègue se comportant de la manière recherchée ou un travailleur plus âgé servant de *guide* ou de *parrain* à un ou à plusieurs collègues plus jeunes et moins expérimentés. Notons à cet égard que, selon certains, le manque de mentors pour les femmes gestionnaires explique la lenteur de leur progression professionnelle[36].

Les *processus symboliques* mentionnés à la figure 4.6 jouent également un rôle de premier plan dans l'apprentissage social. Les mots et les symboles employés par les gestionnaires et d'autres intervenants dans un milieu de travail peuvent faciliter la transmission de valeurs, de convictions et d'objectifs, et orienter ainsi le comportement individuel. Par exemple, le « pouce levé » d'un patron vous indique qu'il juge votre comportement approprié.

Parallèlement, la *maîtrise de soi* pèse énormément sur le comportement d'une personne. Élément clé de cette dernière, le *sentiment de compétence* correspond à la conviction qu'a l'individu d'être capable d'agir adéquatement dans une situation donnée. Il est étroitement lié aux notions de confiance en soi, de compétence et d'aptitudes[37].

Les gens qui ont un fort sentiment de compétence sont convaincus qu'ils possèdent les aptitudes nécessaires à l'accomplissement d'une tâche donnée, qu'ils peuvent fournir les efforts nécessaires et qu'aucun événement extérieur ne les empêchera d'atteindre le rendement souhaité[38]. En revanche, ceux qui n'ont pas ce sentiment de compétence croient fermement que, quels que soient les efforts qu'ils déploient, ils ne parviendront jamais au résultat escompté, et cela, à cause de facteurs extérieurs sur lesquels ils n'ont aucune possibilité d'agir. Si vous êtes du premier type, une mauvaise note à un examen vous stimulera à étudier davantage, à discuter avec le professeur, bref, à employer divers moyens pour faire mieux la prochaine fois.

FIGURE **4.6** Le schéma de l'apprentissage social

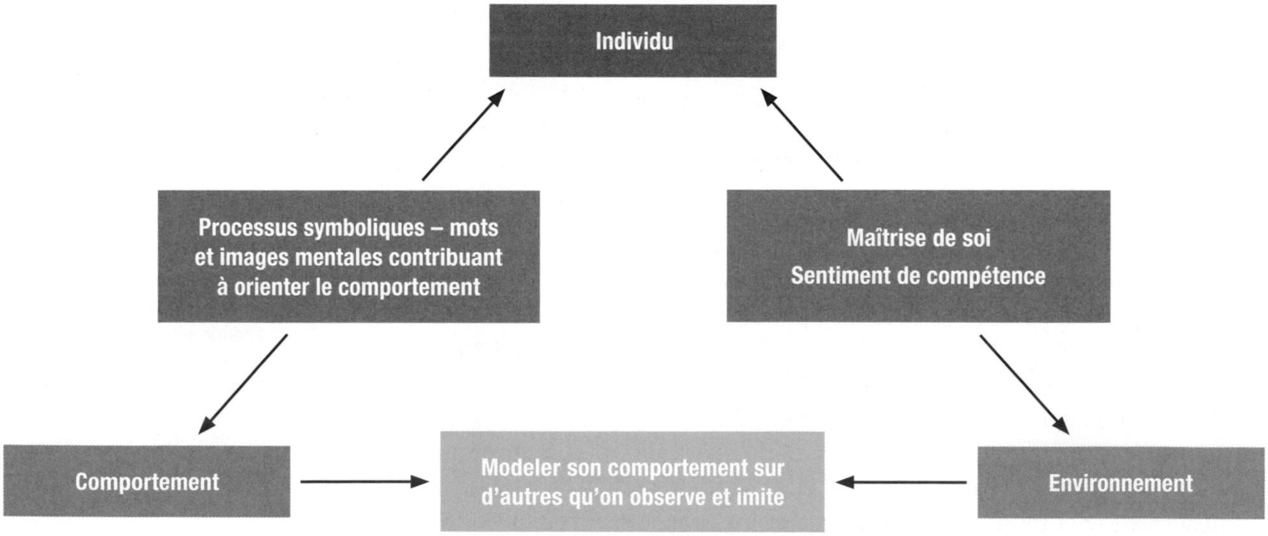

Si vous êtes du deuxième type, vous pourriez abandonner le cours ou cesser d'étudier. Bien entendu, même ceux qui possèdent un fort sentiment de compétence n'ont pas une emprise totale sur leur environnement.

Quatre moyens de «bâtir» son sentiment de compétence ou de l'améliorer

D'après les chercheurs, il y a, en général, quatre moyens de «bâtir» son sentiment de compétence ou de l'améliorer.

1. *L'acquisition d'une maîtrise par une approche sensorimotrice (énactive).* Il s'agit de gagner de la confiance en soi par des expériences positives. Plus on déploie d'efforts à la réalisation d'une tâche, pour ainsi dire, plus on acquiert de l'expérience et plus on se sent confiant dans sa capacité de l'exécuter.

2. *L'apprentissage vicariant.* Il s'agit de gagner de la confiance en soi en observant les autres. Si une personne accomplit une tâche efficacement et qu'on peut observer comment elle s'y prend, on devient de plus en plus confiant dans sa capacité à faire de même.

3. *La persuasion verbale.* Il s'agit de gagner de la confiance en soi grâce aux encouragements d'une autre personne qui nous assure qu'on est parfaitement capable d'accomplir une tâche. En entendant une autre personne louer ses efforts et les relier à sa réussite, on est plus motivé.

4. *La stimulation affective.* Il s'agit de gagner de la confiance en soi par une forte stimulation ou incitation à bien exécuter une tâche. La concentration des athlètes pendant une compétition importante et leur motivation à gagner en est un bon exemple.

L'apprentissage social et l'éthique

Étant donné l'importance de l'*apprentissage vicariant* ou *apprentissage par modèle* d'après la théorie de l'apprentissage social, il est possible d'influencer les autres en matière de comportements éthiques. Voici quelques conseils[39] :

- Reconnaissez les valeurs fondamentales, celles qui transcendent les religions, les divergences politiques et les expériences différenciées des hommes et des femmes, soit l'honnêteté, la responsabilité, le respect, le sens de l'équité et la compassion ; ces valeurs sont susceptibles de fonder des comportements éthiques.

- Reconnaissez les manifestations contraires à l'éthique et, du coup, aux valeurs citées ci-dessus : le mensonge, le manque de respect, les comportements irresponsables, les injustices et l'absence de compassion.

- Par vos attitudes et par des gestes concrets, tendez à devenir vous-même un modèle ou un mentor.

- Dans la même optique, de façon constante, suscitez la discussion, contribuez à l'articulation des discours, favorisez la communication et encouragez le dialogue au sujet des questions éthiques, et ce, en cherchant à créer dans l'environnement de travail des contextes favorables à ces interactions.

- Soyez un *catalyseur* et montrez votre force morale afin d'encourager les personnes travaillant au sein de votre organisation à affirmer elles aussi à voix haute ce qui, de leur point de vue, revêt une réelle importance.

- Montrez à quel point il est important que les personnes influentes et ayant un statut élevé se comportent de façon éthique en raison de leur pouvoir et de leur accès privilégié aux sphères de décision.

L'ÉTHIQUE EN CO

Opinions des travailleurs révélées par un sondage sur la conduite éthique en milieu de travail

Ces données sont issues d'un sondage sur la conduite éthique en milieu de travail, réalisé par la firme Deloitte et Touche aux États-Unis.

- Parmi les travailleurs interrogés, 42 % affirment que le comportement de leur chef de service a une forte incidence sur l'éthique en milieu de travail.

- Parmi les actes contraires à l'éthique que commettent les gestionnaires et les superviseurs, les plus courants sont les harcèlements verbal, sexuel et racial, l'usage inapproprié des biens de l'entreprise et le traitement préférentiel.

- La plupart des travailleurs considèrent qu'il est inacceptable de voler son employeur, de falsifier une note de frais, de s'attribuer le mérite des réalisations d'une autre personne et de falsifier la feuille de présence.

- La plupart des travailleurs considèrent qu'il est acceptable de demander à un collègue une faveur personnelle, de se faire porter malade alors qu'on ne l'est pas et d'utiliser le matériel informatique de l'entreprise à des fins personnelles.

- Les principales raisons d'un comportement contraire à l'éthique sont le manque d'intégrité personnelle (80 %) et l'insatisfaction professionnelle (60 %).

- Parmi les travailleurs interrogés, 91 % se disent susceptibles d'adopter une conduite éthique lorsqu'ils peuvent concilier leur vie professionnelle et leur vie privée ; 30 % déclarent qu'ils souffrent du déséquilibre entre ces deux sphères de leur vie.

Source : Information tirée de Deloitte LLP, « Leadership Counts : 2007 Deloitte & Touche USA Ethics & Workplace Survey Results », Kiplinger Resource Center, juin 2007, en ligne : kiplinger.com.

QUESTIONS

Une personne ne devrait-elle pas être responsable de ses raisonnements et de ses analyses éthiques ? Comment et pourquoi le code d'éthique des autres, notamment des gestionnaires, influence-t-il notre conduite en matière d'éthique ? Que peut-on faire pour renforcer la confiance des gens en leurs propres cadres éthiques, de façon que même une mauvaise gestion ne conduise pas à des pratiques contraires à l'éthique ?

L'apprentissage par renforcement

En comportement organisationnel, le terme **renforcement** a le sens particulier que lui ont donné les psychologues[40]. Il désigne l'attribution d'une conséquence à un comportement afin d'influer sur celui-ci. En recourant au renforcement, il est possible de modifier l'orientation, l'intensité et la persistance du comportement des individus. Pour mieux comprendre ce concept, rappelons brièvement les notions de conditionnement répondant et opérant. Nous verrons ensuite comment elles s'appliquent concrètement au champ du CO.

Renforcement
Attribution d'une conséquence à un comportement afin d'influer sur celui-ci

Le conditionnement répondant

Vous avez probablement déjà entendu parler des études du psychologue russe Ivan Pavlov sur le conditionnement. La notion de **conditionnement répondant** (ou **conditionnement classique**) que ce dernier a définie implique une forme d'apprentissage par association qui fait appel à la manipulation de stimuli pour agir sur le comportement. Ainsi, Pavlov a enseigné à des chiens à saliver au son d'une cloche : sachant que la vue de leur pâtée déclenchait naturellement le mécanisme de la salivation chez les chiens, il a fait sonner une cloche chaque fois qu'il les nourrissait, ce qui a amené les bêtes à saliver à la simple audition de l'instrument.

Conditionnement répondant (ou conditionnement classique)
Forme d'apprentissage par association qui fait appel à la manipulation de stimuli pour agir sur le comportement

Pour bien comprendre ce mécanisme, il importe de saisir la différence entre un stimulus et un stimulus conditionné. Un **stimulus** est un agent déclencheur (dans l'exemple des chiens, la pâtée qui leur est offerte) qui provoque une réaction (la salivation) et incite à une action. En associant un stimulus neutre (le son de la cloche) à un stimulus naturel (la nourriture) agissant déjà sur le comportement, on peut transformer le stimulus neutre en un stimulus conditionné déclenchant la même réaction que le stimulus naturel. Cette forme d'apprentissage par association est si répandue dans les organisations qu'on l'oublie souvent, jusqu'à ce qu'on découvre les problèmes considérables qui en découlent. Dans l'exemple de la **figure 4.7**, le sourire du contremaître, stimulus neutre au départ, devient un stimulus conditionné une fois que le travailleur l'a associé à ses critiques. L'employé a *appris* à se sentir nerveux et à serrer les dents lorsque le patron sourit.

Stimulus
Agent déclencheur qui provoque une réaction comportementale

FIGURE **4.7** **Le conditionnement répondant**

Conditionnement répondant	Stimulus	Comportement
Apprentissage par association de stimuli	Le patron sourit, puis émet des critiques à l'égard d'un subordonné. →	Le subordonné est nerveux et serre les dents.
	Plus tard, le patron sourit. →	Le subordonné est nerveux et serre les dents.

Le conditionnement opérant et la loi de l'effet

À la fois plus complexe et plus global que le simple conditionnement pavlovien, le **conditionnement opérant** (ou **conditionnement instrumental**, pour certains auteurs), proposé par le réputé psychologue B. F. Skinner, va bien au-delà du stimulus conditionné, qui déclenche une réaction[41]. En effet, il vise à influer sur le comportement d'autrui en manipulant ses conséquences. Le conditionnement opérant peut être envisagé comme l'apprentissage par renforcement. Dans un milieu professionnel, l'objectif est de s'appuyer sur les principes du renforcement pour renforcer systématiquement le comportement désirable et décourager le comportement indésirable[42].

Le conditionnement opérant apparaît par l'établissement du lien entre un comportement et ses conséquences. Dans l'exemple de la **figure 4.8**, le fait pour le subordonné de travailler plus longtemps est le comportement; les éloges du patron sont la conséquence. Selon les principes du conditionnement opérant, si le patron tient à ce que le comportement de son subordonné se répète, s'il veut que son subordonné fasse encore des heures supplémentaires, il doit agir sur les conséquences et, donc, continuer à lui faire des éloges.

FIGURE **4.8** **Le conditionnement opérant**

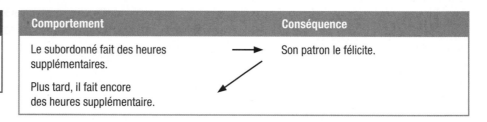

Conditionnement opérant	Comportement	Conséquence
Apprentissage par les conséquences du comportement	Le subordonné fait des heures supplémentaires. Plus tard, il fait encore des heures supplémentaire.	Son patron le félicite.

Le conditionnement opérant s'appuie sur ce qu'E. L. Thorndike a appelé la **loi de l'effet**[43], principe fort simple, mais ayant une portée considérable : un comportement suivi d'une conséquence agréable a de fortes chances de se répéter, tandis qu'un comportement suivi d'une conséquence désagréable ne se reproduira probablement pas. Les conclusions que le gestionnaire doit tirer de cette loi vont de soi : s'il veut obtenir la répétition d'un comportement, il doit faire en sorte que ses conséquences soient positives pour l'individu.

En vertu de la loi de l'effet, les conséquences qui peuvent renforcer le comportement d'une personne au travail sont les **récompenses extrinsèques**, soit des conséquences que l'individu juge positives et qui proviennent de quelqu'un d'autre[44]. Certaines de ces récompenses sont planifiées et ont des incidences budgétaires : augmentation de la rémunération et primes, par exemple. D'autres, les récompenses naturelles, ne coûtent que du temps et de l'énergie : félicitations, compliments ou expression de reconnaissance pour le travail accompli dans l'entreprise, par exemple.

Le renforcement systématique des comportements recherchés en milieu de travail et le non-renforcement ou la punition des comportements indésirables correspondent à la **modification du comportement organisationnel**. Cette dernière englobe quatre grandes stratégies : le renforcement positif, le renforcement négatif (ou l'évitement), la punition et l'extinction[45].

Le renforcement positif

B. F. Skinner et ses partisans défendent l'efficacité du **renforcement positif**, qui consiste à faire suivre le comportement souhaité de conséquences positives afin d'augmenter la probabilité de le voir se reproduire dans un contexte similaire. Supposons qu'au cours d'une réunion des vendeurs, le chef d'équipe hoche la tête en signe d'approbation lorsqu'une jeune femme soulève un point intéressant ; celle-ci en déduira qu'il apprécie ses suggestions constructives et continuera probablement à intervenir dans ce sens, comme il l'espérait. Sans ce signe d'approbation, la vendeuse ne serait probablement pas portée à émettre d'autres suggestions positives.

Pour qu'une récompense ait un effet renforçateur, son attribution doit entraîner une répétition du comportement souhaité. De plus, pour que la récompense devienne un renforçateur vraiment efficace, elle doit être accordée uniquement si le comportement désiré se manifeste. Ainsi, dans l'exemple de l'équipe des vendeurs, l'approbation du chef d'équipe découle des suggestions constructives de la jeune femme. Autrement dit, la récompense doit être tributaire du comportement recherché. Ce principe est connu sous le nom de la **loi du renforcement contingent**. De plus, selon la **loi du renforcement immédiat**, la récompense doit venir le plus rapidement possible après la manifestation du comportement souhaité[46]. Par conséquent, si le cadre décidait d'attendre l'entrevue annuelle d'évaluation du rendement pour féliciter sa jeune subordonnée de ses interventions au cours de la fameuse réunion, ses encouragements perdraient leur effet.

Les concepts généraux étant maintenant définis, il est temps de s'intéresser à deux questions importantes que soulève le recours à ce type de stratégies en gestion : (1) Que faire si le comportement manifesté se rapproche du comportement désiré sans être pleinement satisfaisant ? (2) Doit-on utiliser le renforcement positif à chaque manifestation du comportement recherché ? Ces deux questions concernent respectivement le façonnement et les programmes de renforcement positif.

Le façonnement

Si le comportement désiré est très précis et difficile à obtenir, on peut avoir recours à une série de renforcements positifs. Le **façonnement** consiste ainsi à obtenir un comportement donné par le renforcement positif d'approximations successives de ce comportement. Prenons un exemple pour l'illustrer.

Afin de pouvoir travailler sur de nouvelles machines à couler le métal, une équipe d'opérateurs de Ford Motor doit apprendre à maîtriser une série de tâches complexes pour que le métal coulé dans les moules ne comporte ni bulles, ni fissures, ni bavures[47]. Le remplissage des moules se fait en trois phases de complexité croissante. Des ouvriers instructeurs enseignent d'abord la première aux néophytes, puis les regardent travailler et les félicitent chaque fois qu'ils font une tâche correctement. Par la suite, à mesure que les apprentis gagnent en expérience, les instructeurs ne les félicitent plus que s'ils exécutent correctement toutes les tâches de la première étape. Celle-ci étant maîtrisée, on passe à l'étape suivante. Les instructeurs offrent alors leurs encouragements renforçateurs seulement à ceux qui maîtrisent, en plus de toutes les tâches de la première étape, l'une de celles de la deuxième. Peu à peu, l'équipe de travailleurs apprend ainsi à maîtriser les trois étapes, et chaque membre doit alors réussir une série complète de moulages impeccables pour recevoir des félicitations

Renforcement positif
Stratégie de modification du comportement qui consiste à faire suivre le comportement souhaité par des conséquences positives afin d'augmenter la probabilité de le voir se reproduire dans un contexte similaire

Loi du renforcement contingent
Principe du renforcement positif selon lequel la récompense doit être accordée uniquement s'il y a manifestation du comportement souhaité

Loi du renforcement immédiat
Principe du renforcement positif selon lequel la récompense doit être accordée le plus rapidement possible après la manifestation du comportement souhaité

Façonnement
Stratégie de renforcement qui consiste à obtenir un comportement donné par le renforcement positif d'approximations successives de ce comportement

(renforcement positif contingent et immédiat). En agissant de la sorte, les instructeurs façonnent progressivement le comportement des travailleurs pour obtenir le comportement désiré.

Les programmes de renforcement positif

Les programmes de renforcement positif peuvent miser soit sur le **renforcement continu**, où chaque manifestation du comportement souhaité est suivie d'une récompense, soit sur le **renforcement intermittent** (ou **renforcement partiel**), où les récompenses sont accordées de manière occasionnelle. Ces deux types de renforcements agissent différemment. En général, le renforcement continu amène plus rapidement le comportement souhaité ; c'était l'approche la plus appropriée au début de la formation des apprentis de l'exemple précédent. Cependant, il est très coûteux en récompenses. De plus, le comportement encouragé disparaît plus rapidement lorsque ces dernières cessent. Avec le renforcement intermittent, le comportement a tendance à durer plus longtemps lorsque les récompenses cessent ; on dit qu'il résiste mieux à l'*extinction*. C'est pourquoi, après les premiers succès des apprentis, les instructeurs sont passés du renforcement continu au renforcement intermittent.

Dans le cadre d'un programme de renforcement intermittent, l'attribution de la récompense peut être fonction du temps écoulé ou du nombre de fois où le comportement a été répété. De plus, la période ou le nombre de comportements sur lequel le programme est basé peut être fixe ou variable. Comme l'illustre la **figure 4.9**, on peut ainsi différencier quatre types de programmes de renforcement.

Dans un *programme à intervalles fixes*, après une période donnée, on accorde la récompense à la première apparition du comportement désiré, et de nouveau après le même délai. Dans un *programme à ratio fixe*, on accorde la récompense toutes les *n* fois qu'on observe le comportement désiré.

Dans un *programme à intervalles variables*, on récompense le comportement désiré à intervalles aléatoires, tandis que dans un *programme à ratio variable*, on donne la récompense selon une fréquence aléatoire d'apparition du comportement désiré. Ces deux derniers programmes, de type variable, fournissent généralement des résultats plus constants concernant le comportement désiré. Ainsi, une fois que les apprentis de Ford Motor ont maîtrisé une étape du moulage, les instructeurs poursuivent le renforcement avec un programme à ratio variable.

Prenons le cas d'une entreprise qui, aux prises avec un taux d'absentéisme élevé, décide d'adopter une stratégie de renforcement positif pour améliorer l'assiduité de son personnel. Elle instaure une prime semestrielle de 200 $ pour une assiduité parfaite, avec un supplément annuel de 500 $ pour les individus ayant une feuille de présence parfaite. Ces derniers peuvent en outre participer à une loterie : le tirage au sort donne lieu à un grand banquet, et les gagnants ont droit à un séjour pour deux, toutes dépenses payées, dans un centre de villégiature.

Si on examine la nature de ce programme de renforcement positif, on constate qu'il s'agit d'un programme à ratio fixe combiné à un programme à ratio variable. Le programme à ratio fixe récompense le comportement désiré (l'assiduité parfaite) selon sa fréquence : nombre de jours de présence au travail sur une période de 6 mois et de 12 mois. Pour chaque période au cours de laquelle un travailleur est parfaitement assidu, il reçoit une prime. Il s'agit donc bien d'un programme à ratio fixe. S'ajoute à cela un programme à ratio variable qui donne le droit de participer à une loterie. Pourquoi la loterie correspond-elle à un programme à ratio variable? Parce que le travailleur doit reproduire le comportement désiré – et donc ne jamais s'absenter pendant un an – un nombre indéterminé de fois avant de gagner un voyage. Adopter ce comportement – ne jamais s'absenter – afin de se qualifier pour le tirage, c'est un peu comme jouer avec une machine à sous: le joueur doit continuer à nourrir la machine – à conserver son assiduité parfaite – parce qu'il n'a aucune idée du moment où il touchera le gros lot, le fameux voyage[48].

FIGURE 4.9 **Quatre types de programmes de renforcement intermittent**

Intervalles	Ratio
Intervalles fixes	**Ratio fixe**
Recours au renforçateur à intervalles réguliers et prédéterminés *Exemples:* • Chèque de paie hebdomadaire ou mensuel • Examens trimestriels planifiés	Recours au renforçateur après un nombre fixe de répétitions du comportement souhaité *Exemples:* • Salaire à la pièce • Commission sur les ventes (montant fixe sur chaque dollar de vente)
Intervalles variables	**Ratio variable**
Recours au renforçateur à intervalles irréguliers et aléatoires *Exemples:* • Compliments occasionnels lors de visites imprévues du patron • Nombre indéterminé d'interrogations surprises au cours du trimestre	Recours au renforçateur après un nombre aléatoire de répétitions du comportement souhaité *Exemples:* • Contrôle de qualité d'un échantillon d'une gamme de produits pris au hasard, suivi de compliments pour une qualité totale • Commission sur les ventes (le nombre d'appels nécessaire pour obtenir une vente varie)
Renforcement fondé sur le temps	**Renforcement fondé sur le nombre de répétitions du comportement**

Le renforcement négatif

La deuxième stratégie de modification du comportement organisationnel est le **renforcement négatif** (ou **évitement**), qui consiste à faire suivre le comportement souhaité du retrait de conséquences négatives ou désagréables afin de favoriser la répétition de ce comportement dans des conditions similaires. On en trouve un exemple lorsqu'un gestionnaire ayant l'habitude de reprocher à l'un de ses subordonnés son manque d'assiduité s'abstient de toute critique le jour où celui-ci arrive à l'heure. Notons que cette approche repose sur deux conditions: (1) l'existence préalable de conséquences négatives (les critiques); (2) leur retrait dès que le comportement désiré se manifeste.

Renforcement négatif (ou évitement)
Stratégie de modification du comportement qui consiste à faire suivre un comportement du retrait de conséquences négatives ou désagréables afin de favoriser la répétition du comportement dans des conditions similaires

Richard Branson croit au renforcement positif

Sir Richard Branson, le fondateur bien connu du groupe Virgin, croit aux vertus du renforcement positif. « Vous devez sans cesse combler d'éloges ceux qui travaillent avec vous ou sous vos ordres, dit-il. Si vous arrosez une plante, elle fleurira. Sinon, elle s'étiolera et périra. » Il ajoute même : « C'est bien plus amusant de dénicher les qualités des gens. »

Le groupe Virgin est un conglomérat d'entreprises qui emploient des milliers de personnes partout dans le monde. Il possède même une entreprise spatiale, Virgin Galactic. C'est un groupe aux initiatives très créatives et ambitieuses, à l'image de Richard Branson lui-même. « J'aime apprendre sur des sujets que je connais peu », affirme ce dernier.

Cependant, si vous croisiez Richard Branson dans la rue, vous pourriez être surpris. Il est décontracté, souriant et drôle. Mais lorsqu'il s'agit d'affaires et de leadership, on considère qu'il est brillant. Son but est de faire de Virgin « la marque la plus respectée du monde entier ».

L'homme qui tient les rênes de la marque Virgin est, au dire des autres, flamboyant, qualité qu'il ne nie pas et qu'il considère comme un avantage commercial majeur assurant, à lui et à son entreprise, une bonne visibilité.

À propos du leadership, Richard Branson déclare : « Avoir une personnalité empathique est important… Vous ne pouvez pas être un bon leader si vous n'aimez pas les gens en général. Ce n'est qu'ainsi que vous les amenez à se dépasser. » Il affirme que son style s'est forgé au sein de sa famille, pendant son enfance. À 10 ans, sa mère l'inscrivait à une randonnée à vélo de 500 km pour lui tremper le caractère et l'aguerrir. À 16 ans, il lançait un magazine étudiant, et à 22 ans, le détaillant de disques Virgin. À son trentième anniversaire, le groupe Virgin progressait à toute vapeur.

Richard Branson prétend qu'il ne prendra jamais sa retraite. Devenu sir Branson après avoir été anobli, il continue de diriger Virgin, qui est pour lui un « mode de vie ». Mais il déclare aussi : « Durant la prochaine étape de ma vie, je veux utiliser mes compétences en affaires pour m'occuper des causes humanitaires partout dans le monde… La malaria tue quatre millions de personnes chaque année en Afrique. Le sida en tue davantage… Je ne veux pas gaspiller cette fabuleuse chance que j'ai eue. »

Sources : Information et citations tirées des sites web des entreprises du groupe et de The Entrepreneur's Hall of Fame, en ligne : theehalloffame.com ; « The Importance of Being Richard Branson », *Knowledge@Wharton*, University of Pennsylvania, 12 janvier 2005.

QUESTIONS

Richard Branson a certainement confiance en lui-même autant comme personne que comme leader. Dans quelle mesure son succès en affaires et ses talents de leader sont-ils attribuables à sa gestion des impressions concernant le public ? Est-ce quelque chose que tout un chacun pourrait aussi utiliser à son avantage ? Lorsqu'il dit « vous devez sans cesse combler d'éloges ceux qui travaillent sous vos ordres », donne-t-il un exemple de mise en pratique de la loi de l'effet ? Par ailleurs, Richard Branson semble maintenant rechercher plus qu'un succès personnel ; il veut laisser son empreinte dans les domaines social et humanitaire. S'agit-il d'une évolution naturelle chez les entrepreneurs et les cadres supérieurs connaissant le succès ?

On donne à cette stratégie le nom de *renforcement négatif* en raison de sa principale caractéristique : le retrait de conséquences négatives. On l'appelle également *évitement* parce que l'individu adopte le comportement désiré pour *éviter* une conséquence négative. Lorsqu'on se gare aux endroits autorisés et qu'on respecte les feux de circulation, on le fait pour *éviter* les contraventions.

La punition

La troisième stratégie de modification du comportement organisationnel fait appel à la punition, qui, contrairement aux renforcements positif et négatif, n'est pas destinée à affermir un comportement positif, mais à *décourager un comportement négatif ou indésirable*. La **punition** peut se décrire comme l'attribution de conséquences négatives ou le retrait de conséquences positives à la suite d'un comportement indésirable, et ce, afin de diminuer la probabilité que le comportement se répète dans des conditions similaires. Par exemple, lorsque le gérant d'un restaurant affecte un travailleur retardataire à une tâche désagréable, comme l'entretien des toilettes, il le punit en attribuant une conséquence négative au retard. Lorsqu'il fait une retenue sur le salaire du retardataire, il le punit en faisant disparaître une conséquence positive.

Des études confirment que la punition a de réels effets en gestion. Si elle est vraiment justifiée et infligée pour un rendement médiocre, elle peut entraîner une amélioration marquée du rendement sans incidence notable sur la satisfaction. En revanche, si elle est jugée arbitraire par les travailleurs, elle a un effet déplorable à la fois sur la satisfaction et sur le rendement[49]. La punition peut donc être infligée à bon ou à mauvais escient, et il incombe au gestionnaire de savoir quand et comment l'utiliser adéquatement. L'encadré ci-dessous donne des conseils en cette matière.

Un exemple de renforcement négatif : un gérant de restaurant qui a l'habitude de faire des reproches pour le manque d'assiduité s'abstient de toute critique le jour où un retardataire chronique arrive à l'heure.

Punition

Stratégie de modification du comportement qui consiste à attribuer des conséquences négatives ou à supprimer des conséquences positives à la suite d'un comportement indésirable, et ce, afin de diminuer la probabilité que le comportement se répète dans des conditions similaires

Comment utiliser adéquatement le renforcement positif et la punition

Renforcement positif

- Établir clairement les comportements organisationnels souhaités.
- Disposer d'une diversité de récompenses.
- Informer chacun de ce qui doit être fait pour obtenir des récompenses.
- Tenir compte des différences individuelles dans l'attribution de récompenses.
- Respecter la loi du renforcement immédiat et la loi du renforcement contingent.

Punition

- Expliquer à la personne en quoi son comportement est inadéquat.
- Expliquer à la personne en quoi son comportement est adéquat.
- S'assurer que la punition soit en concordance avec le comportement.
- Administrer la punition en privé.
- Respecter la loi du renforcement immédiat et la loi du renforcement contingent.

Par ailleurs, notons qu'un renforcement positif provenant d'une autre source peut neutraliser l'effet de la punition. Ainsi, le comportement qui vaut à un travailleur une sanction de son supérieur peut recevoir un renforcement positif de la part de ses collègues. Parfois, le travailleur accorde une telle valeur au soutien de ses pairs qu'il encaisse la punition sans changer quoi que ce soit à sa conduite. Par exemple, s'il est encouragé par les ricanements de ses collègues, il peut continuer à s'amuser aux dépens de nouveaux membres du personnel, malgré les remontrances répétées de son supérieur.

L'extinction

Extinction
Stratégie de modification du comportement qui consiste dans le retrait du renforçateur d'un comportement, ce qui a pour effet d'atténuer ou de faire disparaître ce dernier

La quatrième stratégie de modification du comportement organisationnel est l'**extinction**, c'est-à-dire le retrait du renforçateur d'un comportement, ce qui a pour effet d'atténuer ou de faire disparaître ce dernier. Voici un exemple. Jacques est souvent en retard, mais ses collègues le protègent en assumant ses tâches à sa place (renforcement positif). Un jour, le supérieur leur demande de cesser d'agir de la sorte (retrait des conséquences positives). Ce faisant, il recourt délibérément à l'extinction pour faire disparaître le comportement indésirable ou, du moins, pour diminuer sa fréquence.

Mentionnons que, même si cette stratégie peut effectivement atténuer ou diminuer la fréquence d'un comportement indésirable, celui-ci n'est pas *désappris* pour autant ; si on le renforce de nouveau, il réapparaîtra. Retenons donc que, si le renforcement positif cherche à établir et à maintenir un comportement professionnel souhaité, l'extinction vise à atténuer ou à éliminer un comportement jusque-là encouragé.

Résumé des stratégies de modification du comportement organisationnel

La **figure 4.10** résume les diverses stratégies de modification du comportement organisationnel. Toutes visent à orienter les comportements en milieu de travail vers des pratiques souhaitées par les gestionnaires. Qu'il soit positif ou négatif, le renforcement a pour but d'encourager les comportements désirables qui améliorent la qualité du travail. La punition, par l'attribution de conséquences négatives ou par le retrait de conséquences positives, vise à atténuer ou à faire disparaître un comportement franchement indésirable en milieu de travail. L'extinction vise également l'atténuation ou l'élimination d'un comportement non désiré, tel qu'un travail très insatisfaisant caractérisé par de nombreuses erreurs. L'extinction, consistant dans le retrait du renforçateur, est donc inopportune si le comportement adopté est adéquat, en l'occurrence si le travail est satisfaisant.

Le gestionnaire peut recourir à l'une ou à l'autre de ces quatre stratégies, ou encore à une combinaison de plusieurs d'entre elles.

Le renforcement : le pour et le contre

Le recours judicieux aux stratégies de modification du comportement peut faciliter la gestion des comportements humains en milieu de travail. Cependant, la popularité de ce type d'approches ne doit pas occulter les critiques émises à son égard[50]. Parmi celles-ci, on note des réserves d'ordre éthique sur le recours aux stratégies de renforcement à des fins de manipulation du comportement humain en milieu de travail. Pour certains, une utilisation systématique de ces approches véhicule une vision déshumanisante et humiliante des travailleurs, et risque de nuire à leur développement[51]. Dans le même ordre d'idées, d'autres dénoncent ce qu'ils considèrent comme un abus de pouvoir de la part des gestionnaires, lesquels profitent de leur position d'autorité et de leurs connaissances pour exercer une emprise sur le comportement de leurs subordonnés.

Il est vrai que la modification du comportement implique que le gestionnaire exerce une emprise sur le comportement du personnel, reconnaissent les défenseurs de ces stratégies. Mais cela est inhérent à son rôle et tout à fait légitime tant que ce pouvoir s'exerce de façon constructive, soutiennent-ils[52]. Selon les défenseurs de ces stratégies, l'important est de s'assurer que les stratégies de renforcement soient utilisées judicieusement et à bon escient.

FIGURE 4.10 **Des exemples des stratégies de modification du comportement organisationnel**

Antécédent déterminé par le gestionnaire (condition qui suscite le comportement)	Réaction comportementale du travailleur	Conséquences attribuées par le gestionnaire (selon le comportement)	Stratégies de modification du comportement organisationnel (type de conséquences)
« Travaillez mieux ! »	• Amélioration de la qualité de son travail	« Félicitations ! Je recommanderai qu'on vous donne une augmentation. »	Renforcement positif (attribution d'une conséquence positive)
	• Amélioration de la qualité de son travail	Cessation des critiques	Renforcement négatif (retrait d'une conséquence négative)
	• Travail très insatisfaisant	Critiques et réprimandes	Punition (attribution d'une conséquence négative)
	• Travail très insatisfaisant	Suppression des primes au mérite	Punition (retrait d'une conséquence positive)
	• Travail très insatisfaisant	Réaménagement physique de l'espace et restructuration des équipes : les aires ouvertes regroupant de bons amis de longue date généraient des pertes de temps et minaient le rendement	Extinction (retrait du renforçateur)

Guide de RÉVISION

RÉSUMÉ

Qu'est-ce que le processus de perception ?

- Chaque personne perçoit ce qui l'entoure en recevant de l'information de l'environnement, puis en la sélectionnant, en l'organisant, en l'interprétant et en la récupérant.

- La perception joue le rôle d'un filtre que doivent traverser les communications entre deux personnes.

- Comme ils ont tendance à percevoir les choses différemment, les individus peuvent interpréter différemment la même situation et y réagir différemment.

- Trois facteurs influent sur le processus de perception : l'agent perceptif (celui qui perçoit), le cadre de perception (le contexte) et l'objet perçu (la personne, la chose, l'événement).

- Les réactions au processus de perception sont de trois types : des impressions, des opinions et des actes.

Quelles sont les erreurs de perception les plus courantes ?

- Le *stéréotype* ou le *cliché* fait en sorte que tous les membres d'un groupe donné ou d'une catégorie de la population se voient attribuer des caractéristiques identiques, sans que soient prises en considération les différences individuelles qui existent entre eux.

- L'*effet de halo* se produit lorsqu'on se fait une impression générale d'une personne ou d'une situation en se fondant sur une seule de ses caractéristiques.

- La *perception sélective* est la tendance à privilégier une lecture de la réalité qui correspond à ses besoins, à ses attentes, à ses valeurs et à ses attitudes, et qui amène à ne voir que certains aspects d'une situation, d'une personne ou d'un point de vue.

- La *projection* consiste à attribuer à autrui des caractéristiques propres à soi.

- L'*effet de contraste* est la tendance à se faire une fausse impression d'une personne lorsqu'on compare ses caractéristiques à celles d'une autre personne rencontrée un peu plus tôt et évaluée nettement plus favorablement ou défavorablement.

- La *prophétie qui se réalise* est la propension à susciter ou à découvrir ce à quoi on s'attend chez quelqu'un ou dans une situation donnée.

Quels sont les liens entre les processus de perception, d'attribution et d'apprentissage social ?

- Le processus d'attribution est le processus par lequel une personne tente de comprendre le rôle des facteurs internes et externes dans le comportement des individus et dans les événements.

- Trois facteurs permettent d'attribuer l'origine d'un comportement ou d'une situation à des causes externes ou internes : la spécificité, le consensus et l'uniformité.

- Lorsqu'on attribue d'emblée le piètre rendement d'individus à des facteurs personnels, sans tenir compte de possibles causes externes, on commet une erreur fondamentale d'attribution.

- L'effet de complaisance se manifeste lorsqu'on attribue ses succès à des facteurs internes et ses échecs à des facteurs externes.

- La théorie de l'apprentissage social fait le lien entre les processus de perception et d'attribution en montrant que l'apprentissage est le fruit de l'interaction entre l'individu, le comportement des gens qui l'entourent et l'environnement.

Qu'est-ce qui caractérise l'apprentissage par renforcement ?

- La théorie du renforcement met l'accent sur l'influence que peut exercer sur le comportement d'autrui la manipulation des conséquences qui y sont associées.

- Le renforcement se fonde sur la loi de l'effet, selon laquelle un comportement suivi d'une conséquence agréable a de fortes chances de se répéter, tandis qu'un comportement suivi d'une conséquence désagréable ne se reproduira probablement pas.

- Le renforcement positif est une stratégie de modification du comportement qui consiste à faire suivre le comportement souhaité de conséquences positives afin d'augmenter la probabilité de le voir se reproduire dans un contexte similaire.

- Dans un programme de renforcement positif, la récompense ne doit être attribuée que si le comportement désiré se manifeste (loi du renforcement contingent) et elle doit venir le plus rapidement possible après la manifestation du comportement (loi du renforcement immédiat). La récompense peut être accordée de façon continue ou intermittente, selon les objectifs visés et les ressources disponibles.

- Le renforcement négatif (ou évitement) est une stratégie de modification du comportement qui consiste à faire suivre le comportement souhaité du retrait de conséquences négatives ou désagréables, ce qui a pour effet de favoriser la répétition du comportement dans des conditions similaires.

- La punition est une stratégie de modification du comportement qui consiste à attribuer des conséquences négatives ou à éliminer des conséquences positives à la suite d'un comportement indésirable, et ce, afin de diminuer la probabilité que le comportement se répète dans des conditions similaires.

- L'extinction est une stratégie de modification du comportement qui consiste dans le retrait du renforçateur d'un comportement, ce qui a pour effet d'atténuer ou de faire disparaître ce dernier.

MOTS CLÉS

EXERCICE DE RÉVISION

MaBiblio > MonLab > Exercices > Ch04 > Exercice de révision

Questions à choix multiple

1. La perception est un processus par lequel les gens _____ et interprètent l'information. **a)** génèrent **b)** reçoivent **c)** transmettent **d)** vérifient

2. Lorsqu'une personne ne saisit qu'une petite partie de l'information qui lui vient de l'extérieur, elle recourt à un processus portant le nom _____ **a)** d'interprétation. **b)** d'autoscénarisation. **c)** d'attribution. **d)** de filtrage sélectif.

3. L'effet de complaisance est une erreur d'attribution qui consiste à _____ **a)** s'en prendre à soi-même pour des problèmes dont on n'est pas responsable. **b)** blâmer l'environnement ou les autres pour des problèmes dont on est responsable. **c)** faire preuve de peu d'intelligence émotionnelle. **d)** avoir un faible sentiment de compétence.

4. L'erreur fondamentale d'attribution consiste à _____ **a)** surestimer l'influence des facteurs conjoncturels lorsqu'on évalue le comportement d'autrui. **b)** sous-estimer l'influence des facteurs personnels lorsqu'on évalue le comportement d'autrui. **c)** surestimer l'influence des facteurs personnels lorsqu'on évalue le comportement d'autrui. **d)** nier sa responsabilité personnelle en cas d'échec.

5. Si une nouvelle chef d'équipe change les tâches des personnes de son groupe de travail de telle sorte qu'elles répondent davantage à ses besoins qu'aux besoins de ses subordonnés, elle commet une erreur de perception appelée _____ **a)** effet de halo. **b)** stéréotype. **c)** perception sélective. **d)** projection.

6. Le recours à une façon particulière de s'habiller, à des manières ou à des gestes spécifiques ou encore à un vocabulaire spécial dans une entrevue avec un employeur potentiel est un exemple _____ **a)** de projection. **b)** de perception sélective. **c)** de gestion des impressions. **d)** d'effet de halo.

7. L'erreur de perception qu'on appelle _____ est associée à l'effet Pygmalion et consiste à découvrir ou à susciter dans une situation ce à quoi on s'attendait. **a)** sentiment de compétence **b)** projection **c)** prophétie qui se réalise **d)** effet de halo

8. Si un gestionnaire permet qu'une caractéristique d'une personne, par exemple son côté aimable, vienne fausser l'évaluation du rendement global de cette dernière, il commet une erreur de perception appelée _____ **a)** effet de halo. **b)** stéréotype. **c)** perception sélective. **d)** projection.

9. La prémisse qui sous-tend la théorie du renforcement est que _____ **a)** le comportement d'un individu est fonction de ses conséquences sur l'environnement. **b)** la motivation est engendrée par une attente positive. **c)** des besoins d'ordre supérieur stimulent l'assiduité au travail. **d)** les récompenses considérées comme injustes sont une source de démotivation.

10. La loi _____ stipule qu'un comportement qui aura des conséquences positives sera probablement répété, alors qu'un comportement qui aura des conséquences indésirables ne le sera probablement pas. **a)** du renforcement **b)** de la contingence **c)** de la fixation d'objectifs **d)** de l'effet

11. _____ est une stratégie de renforcement positif qui récompense les approximations successives d'un comportement souhaitable. **a)** L'extinction **b)** Le renforcement négatif **c)** Le façonnement **d)** La rémunération selon le mérite

12. La modification du comportement organisationnel repose, notamment, sur _____ **a)** le renforcement systématique des comportements souhaités. **b)** les récompenses non contingentes. **c)** les punitions non contingentes. **d)** l'extinction plutôt que sur le renforcement positif.

13. Le but du renforcement négatif en tant que technique de conditionnement opérant est de _____ **a)** punir un mauvais comportement. **b)** décourager un mauvais comportement. **c)** encourager un comportement souhaitable. **d)** compenser l'effet du façonnement.

14. La punition _____ **a)** peut parfois être neutralisée par un renforcement positif provenant d'une autre source. **b)** s'avère généralement la stratégie de modification du comportement organisationnel la plus efficace. **c)** est plus efficace si elle est infligée anonymement. **d)** ne devrait jamais être directement liée à sa cause.

15. Une caractéristique déterminante de la théorie de l'apprentissage social est qu'elle _____ **a)** reconnaît l'existence de l'apprentissage vicariant. **b)** ne se préoccupe pas des récompenses extrinsèques. **c)** ne se fonde que sur le recours au renforcement négatif. **d)** évite de s'intéresser au sentiment de compétence.

Questions à réponse brève

16. Dessinez un schéma présentant les étapes du processus de perception et commentez-le brièvement.

17. Choisissez deux erreurs de perception, définissez-les et expliquez pourquoi elles influent sur le processus de perception.

18. Comparez le conditionnement répondant et le conditionnement opérant en soulignant ce qui distingue ces deux approches.

19. Comparez le renforcement et l'apprentissage social en soulignant ce qui distingue ces deux approches.

Question à développement

20. L'une de vos amies vient d'être nommée chef d'une équipe de travail. C'est sa première affectation à un poste de leader. Récemment, elle a entendu parler de la théorie de l'attribution et elle aimerait que vous la lui expliquiez en détail, en vous concentrant sur son utilité et sur ses risques pour la gestion d'une équipe. Que lui direz-vous?

Le CO dans le feu de l'action

Pour ce chapitre, nous vous suggérons les compléments numériques suivants dans MonLab.

MaBiblio >
MonLab > Documents > Études de cas
> 6. Ça brasse à la succursale Sainte-Anne!

MonLab > Documents > Activités
> 4. Que valorisez-vous particulièrement dans un travail?
> 7. Signaux culturels
> 8. Les préjugés au quotidien
> 9. Comment percevons-nous les différences?
> 10. La rivière aux alligators
> 12. Les inconvénients des mesures disciplinaires
> 28. Mon meilleur patron II

MonLab > Documents > Autoévaluations
> 1. Les postulats d'un gestionnaire
> 17. L'influence des heuristiques sur le processus décisionnel

5

Les théories de la motivation

L'accomplissement exige des efforts.

Malgré leur grand talent, nombreux sont ceux qui ne parviennent pas à avoir du succès. C'est qu'ils ne sont tout simplement pas prêts à travailler suffisamment fort pour obtenir de bons résultats. Il est difficile d'arriver à quoi que ce soit si l'on n'a pas la volonté ferme de fournir les efforts requis. Ce chapitre traite d'une question essentielle en matière de gestion et de comportement organisationnel : qu'est-ce qui incite les membres d'une organisation à être hautement motivés à travailler ?

OBJECTIFS D'APPRENTISSAGE

Après l'étude de ce chapitre, vous devriez pouvoir :

- Définir le concept de motivation et distinguer les théories du contenu des théories des processus.
- Expliquer les postulats des différentes théories du contenu : théorie de la hiérarchie des besoins, théorie ERD, théorie des besoins acquis, théorie bifactorielle et théorie des quatre besoins humains.
- Saisir les fondements de la théorie de l'équité.
- Préciser les éléments clés de la théorie des attentes et ses applications.
- Expliquer les principes directeurs et les applications de la théorie de la fixation des objectifs.
- Décrire les éléments clés de la théorie de l'autodétermination et en présenter les applications.

PLAN DU CHAPITRE

La motivation
Les différentes théories de la motivation

Les théories du contenu
La théorie de la hiérarchie des besoins
La théorie ERD
La théorie des besoins acquis
La théorie bifactorielle
La théorie des quatre besoins humains

La théorie de l'équité
L'équité et les comparaisons sociales
Les prédictions relatives à la théorie de l'équité
La théorie de l'équité et la justice organisationnelle

La théorie des attentes
Les termes et les concepts propres à la théorie des attentes
Les prédictions relatives à la théorie des attentes
Les applications et les recherches relatives à la théorie des attentes

La théorie de la fixation des objectifs
Les éléments motivateurs des objectifs
Les principes directeurs de la fixation des objectifs
La fixation d'objectifs et la gestion par objectifs

La théorie de l'autodétermination
Les divers types de motivation
La théorie de l'évaluation cognitive
Les applications relatives à la théorie de l'autodétermination

Guide de révision

La reconnaissance des collègues, un levier de mobilisation

Chez PwC, fini l'époque où seuls les patrons pouvaient récompenser les efforts de leurs employés. Pour répondre aux besoins des jeunes (et des plus âgés), la firme d'experts- comptables a mis sur pied dès 2010 des programmes de bonification novateurs.

« Ce qui est assez génial, c'est que nous avons démocratisé cette reconnaissance. Elle ne vient pas seulement des supérieurs, mais aussi des pairs », explique Martin Bernier, associé et leader en certification au Québec.

C'est le cas notamment du programme Points Éloges, grâce auquel les collègues se récompensent entre eux. Ainsi, chaque employé de la firme dispose d'une enveloppe de points qu'il peut distribuer à ses pairs ou même à son supérieur pour souligner ses bons coups. « Ce programme a été mis sur pied pour offrir une reconnaissance plus immédiate que nos mesures de bonification annuelles », explique Martin Bernier.

Plutôt que d'atteindre le « paradis à la fin de ses jours », illustre Martin Bernier, il suffit d'un simple clic pour reconnaître le travail d'un collègue, qui reçoit par courriel des points échangeables contre différents produits, comme des chèques-cadeaux, des vêtements, des articles électroniques ou encore des forfaits au spa, au restaurant, au cinéma, etc.

Une mesure qui cadre bien avec le besoin de reconnaissance immédiat des jeunes, constate Marie-Claude Blanchard, chef de pratique du bureau de Montréal pour la rémunération chez Korn Ferry Hay Group. « Ils fonctionnent beaucoup dans l'instantanéité. Par exemple, quand ils jouent à des jeux vidéo, ils reçoivent des points supplémentaires, des vies, du temps, etc. C'est un peu le même principe, appliqué au travail. »

L'entreprise offre aussi des primes qui varient de 1 000 à 5 000 $ par l'intermédiaire de son programme Sous les projecteurs. Ces chèques sont remis de trois à cinq fois par an, et tout le monde peut soumettre sa candidature. Les suggestions sont ensuite analysées par un comité de membres de la direction et du service des ressources humaines.

Près de 10 % des 950 employés répartis dans les trois bureaux du Québec encaissent cette prime annuellement. Ainsi, l'organisation peut être au fait de bons comportements qui seraient passés sous l'écran radar autrement. Un excellent outil pour repérer et pour récompenser les employés les plus performants de l'équipe, même les plus discrets, ajoute Mme Blanchard.

Ces deux mesures, qui vont au-delà de l'aspect monétaire, mettent en vedette le travail des autres, et de ce fait même, l'esprit d'équipe.

Ces valeurs adhèrent aux besoins des jeunes, très nombreux dans le cabinet. En effet, PwC a publié en 2013 une étude conjointe avec l'University of Southern California et la London Business School pour sonder les besoins du personnel, selon leur âge. L'enquête, menée auprès de

> Ces programmes viennent donc encourager ces comportements déjà bien ancrés dans la culture de l'entreprise.

44 000 répondants, estimait qu'en 2016, 80 % des 184 000 employés, répartis dans 157 pays, appartenaient à la génération Y. [...]

L'étude a montré clairement que la conciliation travail-famille et la flexibilité des horaires arrivent en tête de liste des priorités de la génération Y. Mais le climat au travail compte aussi pour beaucoup, notamment la possibilité de travailler en équipe et de collaborer. Ces programmes viennent donc encourager ces comportements déjà bien ancrés dans la culture de l'entreprise, affirme Martin Bernier. « On est assez novateurs, c'est une adaptation naturelle à notre population qui est très jeune. Et cela fait aussi partie de nos valeurs. » [...]

Source : Anne-Marie Tremblay, « La reconnaissance des collègues, un levier de mobilisation », *Les Affaires*, 28 mai 2016, p. 15.

La motivation

Fable : Il était une fois un cheval qui broutait avec satisfaction au beau milieu d'un champ de carottes. La fermière, qui voulait lui faire tirer son chariot, tentait, en vain, de le faire approcher pour l'atteler. Elle eut l'idée de s'installer près du chariot avec une belle botte de carottes bien fraîches. Elle n'eut pas plus de succès ; le cheval continua de brouter dans le champ de carottes[1].

Vous vous demandez sûrement ce que viennent faire un cheval et un champ de carottes dans le comportement humain au sein des organisations. La réponse : la **motivation**. Cette dernière se définit comme l'ensemble des énergies qui sous-tendent l'orientation, l'intensité et la persistance des efforts qu'un individu consacre à son travail. Ici, l'*orientation* concerne le choix qu'effectue une personne placée devant plusieurs possibilités (par exemple, viser la qualité ou la quantité, ou les deux), l'*intensité* touche la quantité d'énergie déployée (par exemple, beaucoup ou peu) et la *persistance* se rapporte à la durée des efforts (par exemple, essayer d'atteindre un degré élevé de qualité sur le plan de la production ou abandonner si cela devient difficile à réaliser).

On agit souvent comme la fermière de la fable avec ses collègues et coéquipiers ainsi qu'avec ceux qu'on supervise et ceux qui nous supervisent : on aimerait que quelqu'un fasse quelque chose pour soi ou pour l'équipe ou l'organisation, et on utilise des incitatifs pour tenter de les « motiver » à agir. Bien souvent, toutefois, on n'a pas plus de succès que la fermière.

Motivation au travail
Ensemble des énergies qui sous-tendent l'orientation, l'intensité et la persistance des efforts qu'un individu consacre à son travail

Les différentes théories de la motivation

Plusieurs théories de la motivation ont été proposées à ce jour. On peut les classer, pour la plupart, en deux grandes catégories : les théories du contenu et les théories des processus[2]. Ces deux types de théories contribuent à la compréhension de la motivation au travail, mais aucune n'offre à elle seule une explication complète. Notre but, dans ce chapitre, est d'examiner ces diverses théories et de décrire leurs principales applications en matière de gestion. Dans le chapitre suivant, nous allons réunir tous ces éléments dans un modèle intégré de la motivation au travail.

Les **théories du contenu** ont surtout pour objet la compréhension des *besoins* des individus, c'est-à-dire des lacunes matérielles ou psychologiques qu'ils se sentent poussés à combler. Se fondant sur elles, les chercheurs tentent d'expliquer comment des besoins non comblés dans l'environnement professionnel peuvent amener les individus à adopter des comportements visant la satisfaction de ces importants besoins ou entraîner des comportements indésirables. Pour les tenants de ces théories, il incombe aux gestionnaires d'établir un milieu de travail qui réponde aux besoins individuels. Ce chapitre traite des cinq théories du contenu les plus connues, soit la *théorie de la hiérarchie des besoins* d'Abraham Maslow, la *théorie ERD* de Clayton Alderfer, la *théorie des besoins acquis* de David McClelland, la *théorie bifactorielle* de Frederick Herzberg et la *théorie des quatre besoins humains* de Paul Lawrence et Nitin Nohria.

Théories du contenu
Théories de la motivation qui portent sur la compréhension des besoins susceptibles d'influencer le comportement des individus

Les **théories des processus**, quant à elles, portent sur les processus cognitifs ou mentaux qui influencent le comportement. Tandis qu'une approche centrée sur le *contenu* jugera que la réalisation de soi est un besoin important à combler pour un individu, une approche centrée sur les *processus* ira plus loin et tentera de comprendre pourquoi un individu adopte tel comportement plutôt que tel autre dans sa quête de satisfaction de ce besoin. Dans ce chapitre, nous nous concentrons sur trois des principales théories des processus : la *théorie de l'équité*, de John Stacey Adams, la *théorie des attentes*, de Victor Vroom, et la *théorie de la fixation des objectifs*, d'Edwin Locke, Gary Latham et leurs collègues. Nous terminons notre étude des théories de la motivation par la *théorie de l'autodétermination*, d'Edward Deci et Richard Ryan, qui intègre à la fois la perspective du contenu et la perspective des processus.

À lire : *La vérité sur ce qui nous motive*

L'auteur Daniel Pink croit que le véritable levier – la volonté de travailler fort pour atteindre un objectif – provient de la motivation intrinsèque. Dans son livre *La vérité sur ce qui nous motive*, il établit le principe qu'on est bien plus motivés à faire des choses parce qu'elles nous plaisent qu'à les faire pour obtenir des récompenses extrinsèques. La plupart d'entre nous doivent travailler pour gagner leur vie, mais au-delà d'un seuil minimal de salaire et de sécurité d'emploi, c'est surtout la motivation intrinsèque qui entre en jeu. Cette « motivation qui vient de l'intérieur » est présente lorsqu'on a la possibilité de faire des choses qui sont importantes pour soi ; quand on cherche à atteindre des objectifs parce qu'on a envie de le faire et non parce qu'on nous dit de le faire.

Les employeurs peuvent miser sur cette motivation intrinsèque potentielle en laissant les travailleurs décider de la manière de faire leur travail et en leur donnant le temps d'imaginer des façons de mieux le faire.

Source : Daniel Pink, *La vérité sur ce qui nous motive*, Paris, Flammarion (collection Clés des champs), 2016, 256 pages.

Les théories du contenu

Comme nous l'avons indiqué en début de chapitre, les théories du contenu partent de l'hypothèse que la motivation de l'être humain résulte de son désir de satisfaire d'importants besoins. Leurs tenants cherchent *quoi* offrir aux gens pour les motiver ; ces théories traitent donc des moyens d'agir sur la motivation des individus en comblant les besoins qu'ils tentent de satisfaire. Chacune des théories du contenu présentées ci-dessous propose une vision légèrement différente des besoins que les gens cherchent à combler en milieu de travail.

La théorie de la hiérarchie des besoins

Abraham Maslow, l'un des premiers psychologues à avoir tenté d'élucider les aspects de la motivation humaine, a énoncé la célèbre **théorie de la hiérarchie des besoins**. Selon lui, les besoins humains sont organisés en fonction d'une hiérarchie à cinq paliers, les trois premiers, à la base, correspondant aux besoins les plus primaires que sont les besoins physiologiques, le besoin de sécurité et les besoins sociaux, et les deux derniers correspondant aux besoins d'ordre supérieur que sont le besoin d'estime et le besoin de réalisation de soi (**figure 5.1**)[3].

Maslow est parti du principe que les besoins les plus primaires, et les plus importants, devaient être satisfaits pour que les autres deviennent à leur tour des facteurs de motivation. En d'autres termes, l'être humain doit d'abord satisfaire ses besoins physiologiques, pour ensuite pouvoir chercher à combler son besoin de sécurité, puis ses besoins sociaux, et ainsi de suite.

FIGURE **5.1** **La hiérarchie des besoins selon Maslow**

Besoins d'ordre supérieur

Besoin de réalisation de soi

Besoin de se réaliser, de s'épanouir, de développer ses talents et de les mettre à profit de la manière la plus créative possible

Besoin d'estime

Besoin d'être reconnu, respecté et estimé, d'avoir du prestige ; besoin d'être fier de soi, de se sentir compétent et maître de sa destinée

Besoins d'ordre inférieur

Besoins sociaux

Besoin d'amour, d'affection ; besoin d'appartenance à un groupe et à une collectivité

Besoin de sécurité

Besoin de protection, de stabilité et de tranquillité au quotidien, sur le plan matériel comme dans les relations interpersonnelles

Besoins physiologiques

Besoins vitaux de l'être humain : boire, manger, dormir, etc.

La conception maslowienne de la motivation est assez répandue, notamment parce qu'elle est facile à comprendre et à mettre en pratique. Cependant, les recherches ne confirment pas l'existence d'une hiérarchie des besoins aussi stricte, avec une progression en cinq étapes. En fait, la hiérarchisation des besoins semble se révéler plus souple que ne le pensait Maslow. Ainsi, au fur et à mesure que les individus progressent dans la hiérarchie d'une entreprise, les **besoins d'ordre supérieur** (besoin d'estime et besoin de réalisation de soi) peuvent prendre plus d'importance que les **besoins d'ordre inférieur** (besoins physiologiques, besoin de sécurité et besoins sociaux)[4].

Selon d'autres recherches, les besoins varient également en fonction des étapes de la carrière professionnelle, de la taille de l'organisation et même de sa situation géographique[5]. De plus, les chercheurs n'ont trouvé aucune donnée probante indiquant qu'un besoin situé à un niveau donné de la hiérarchie de Maslow diminue

Besoins d'ordre supérieur
Dans la théorie de la hiérarchie des besoins de Maslow, besoin d'estime et besoin de réalisation de soi

Besoins d'ordre inférieur
Dans la théorie de la hiérarchie des besoins de Maslow, besoins physiologiques, besoin de sécurité et besoins sociaux

d'importance, aux yeux de l'individu, une fois qu'il est satisfait, au profit du besoin situé au niveau supérieur[6]. Enfin, les observations à l'origine de la théorie de la hiérarchie des besoins varient d'une culture à une autre. Par exemple, on constate que les besoins sociaux revêtent une plus grande importance dans les sociétés *collectivistes*, comme celle du Mexique, que dans les sociétés *individualistes*, comme celles des États-Unis et du Canada[7].

La théorie ERD

La **théorie ERD**, énoncée par le psychologue Clayton Alderfer, met également l'accent sur les besoins humains, mais elle diffère de celle de Maslow sur trois points fondamentaux[8].

1. Elle réduit les besoins humains à trois catégories :

   - les **besoins existentiels (E)**, ou le désir de bien-être physique et matériel ;

   - les **besoins relationnels (R)**, ou le désir de relations interpersonnelles satisfaisantes ;

   - les **besoins de développement (D)**, ou le désir de croissance et d'évolution.

2. Selon la théorie ERD, l'être humain peut chercher à satisfaire plus d'une catégorie de besoins à la fois.

3. Tandis que la théorie de Maslow suppose que l'individu progresse vers les niveaux supérieurs de la hiérarchie des besoins à mesure qu'il satisfait ses besoins d'ordre inférieur, la théorie ERD, elle, propose plutôt un principe de *frustration-régression*. Selon celui-ci, un besoin primaire, même comblé, peut reprendre de l'importance si l'individu ne parvient pas à satisfaire un besoin d'ordre supérieur. En vertu de ce principe, un individu continuellement frustré dans ses tentatives de satisfaire ses besoins de développement, par exemple, peut retrouver une source de motivation dans ses besoins relationnels ou existentiels.

Ce principe selon lequel il peut y avoir régression vers des besoins d'ordre inférieur, en particulier, apporte une contribution originale et intéressante au CO. Ce principe de frustration-régression peut expliquer pourquoi, dans de nombreux milieux de travail, le mécontentement des travailleurs concerne surtout les salaires, les avantages sociaux et les conditions de travail, éléments qui relèvent tous de besoins existentiels. Outre le fait que ces besoins ont une importance vitale, l'impossibilité pour les travailleurs de combler leurs besoins relationnels et leurs besoins de développement pourrait les amener à y trouver une source de motivation encore plus grande.

La théorie ERD offre donc au gestionnaire une approche plus souple de la compréhension des besoins humains que la très stricte hiérarchie des besoins formulée par Maslow.

La théorie des besoins acquis

La **théorie des besoins acquis** a pour origine une série d'expériences qu'a menées le psychologue David I. McClelland avec son équipe, à l'aide du test d'aperception thématique (TAT), afin d'évaluer les besoins humains[9]. Le TAT est une technique projective consistant à présenter des images à un sujet, puis à demander à ce dernier d'écrire une histoire associée à ce qu'il vient de voir.

À titre d'exemple, au cours d'une de ses expériences, McClelland a présenté à trois cadres supérieurs la photographie d'un homme assis à son bureau qui regardait des photos de famille. Le premier y a vu un ingénieur rêvant à une sortie en famille prévue pour le lendemain. Le deuxième a évoqué un concepteur réfléchissant à un nouveau gadget dont sa famille lui a donné l'idée. Le troisième a parlé d'un ingénieur concentré sur un problème de charge de rupture concernant le tablier d'un pont et certain de le résoudre, d'après son air confiant[10].

Quelle histoire cette photo évoque-t-elle pour vous ?

S'appuyant sur ces récits, McClelland a dégagé trois grands thèmes, correspondant chacun à un besoin sous-jacent, et dont l'analyse permet, selon lui, de mieux comprendre le comportement des individus. Ces trois besoins sont :

- le **besoin d'affiliation**, ou le désir d'établir et d'entretenir des relations chaleureuses avec autrui ;

- le **besoin de pouvoir**, ou le désir d'exercer son emprise sur les autres, d'influencer leur comportement ou d'en être responsable ;

- le **besoin d'accomplissement**, ou le désir de faire mieux et d'être plus efficace, de résoudre des problèmes ou de maîtriser des tâches complexes.

Selon McClelland, ces trois besoins s'acquièrent avec le temps et l'accumulation des expériences. Le chercheur incite les gestionnaires à apprendre à les déceler chez eux et chez les autres pour être en mesure de créer des milieux de travail qui y répondent adéquatement.

La théorie des besoins acquis s'avère très utile, car elle permet d'associer chaque besoin à un ensemble de préférences en matière de travail. Ainsi, les gens qui ont un fort *besoin d'accomplissement* apprécieront les responsabilités, les objectifs stimulants et la rétroaction. Ceux qui ont un grand *besoin d'affiliation* seront attirés par les relations interpersonnelles et les occasions de communiquer. Enfin, ceux chez qui le *besoin de pouvoir* est prépondérant voudront exercer de l'influence et rechercheront l'attention et la reconnaissance sociale.

En outre, si ces trois besoins sont véritablement de l'ordre de l'acquis, il est alors possible de cultiver ceux permettant de réussir dans tel ou tel type d'emplois. Par exemple, McClelland a découvert un lien entre le succès des cadres supérieurs et un profil combinant un besoin modéré ou élevé de pouvoir et un besoin plus faible d'affiliation. Le besoin de pouvoir des cadres supérieurs leur donne la volonté d'exercer une influence et d'avoir de l'ascendant sur les autres, tandis que leur besoin plus faible d'affiliation leur permet de prendre des décisions difficiles sans crainte de se rendre impopulaires[11].

Besoin d'affiliation
Dans la théorie des besoins acquis, désir d'établir et d'entretenir des relations chaleureuses avec autrui

Besoin de pouvoir
Dans la théorie des besoins acquis, désir d'exercer son emprise sur les autres, d'influencer leur comportement ou d'en être responsable

Besoin d'accomplissement
Dans la théorie des besoins acquis, désir de faire mieux et plus efficacement, de résoudre des problèmes ou de maîtriser des tâches complexes

La théorie bifactorielle

Frederick Herzberg a choisi une tout autre approche pour étudier les ressorts de la motivation : il a simplement demandé à des travailleurs à quels moments ils s'étaient sentis particulièrement heureux de leur emploi et à quels moments ils s'étaient sentis particulièrement mécontents[12]. Or, les réponses obtenues à ces deux questions différaient considérablement et ne s'appuyaient pas sur les mêmes éléments. Cette étude a permis à Herzberg et à ses collaborateurs d'élaborer la **théorie bifactorielle** (ou **théorie des deux facteurs**), qui distingue les facteurs de satisfaction professionnelle (facteurs moteurs) des facteurs pouvant prévenir l'insatisfaction professionnelle (facteurs d'hygiène) (**figure 5.2**).

Les **facteurs d'hygiène** (ou **facteurs d'ambiance**), qui déterminent le degré d'insatisfaction professionnelle, sont des facteurs relevant du *cadre de travail* ou de l'environnement de travail. Selon la théorie bifactorielle, l'amélioration de facteurs d'hygiène laissant à désirer et entraînant de l'insatisfaction au travail ne mène pas à la satisfaction, elle ne fait que pallier l'insatisfaction. Vous vous étonnerez peut-être de trouver la rémunération au nombre des facteurs d'hygiène, dans la figure 5.2 (colonne de gauche). C'est que, d'après ce qu'a découvert Herzberg, si un salaire de base insuffisant entraîne l'insatisfaction des travailleurs, une amélioration de la rétribution n'a pas nécessairement pour effet de satisfaire ou de motiver ces derniers.

Théorie bifactorielle (ou théorie des deux facteurs)
Théorie de la motivation élaborée par Frederick Herzberg qui distingue les facteurs de satisfaction professionnelle (facteurs moteurs) des facteurs pouvant prévenir l'insatisfaction professionnelle (facteurs d'hygiène)

Facteurs d'hygiène (ou facteurs d'ambiance)
Dans la théorie bifactorielle, facteurs associés au cadre de travail et déterminant le degré d'insatisfaction professionnelle

FIGURE **5.2** **Les facteurs qui déterminent les degrés de satisfaction et d'insatisfaction professionnelles selon la théorie bifactorielle de Herzberg**

Facteurs d'hygiène déterminant le degré d'insatisfaction en milieu de travail	Facteurs moteurs déterminant le degré de satisfaction en milieu de travail
• Politique d'entreprise	• Réalisation de soi
• Qualité de l'encadrement	• Reconnaissance
• Conditions de travail	• Travail proprement dit
• Salaire de base	• Responsabilités
• Relations avec les pairs	• Avancement
• Relations avec les subordonnés	• Épanouissement
• Statut professionnel	
• Sécurité d'emploi	

Élevée	Insatisfaction au travail	Faible	Satisfaction au travail	Élevée

Facteurs moteurs
Dans la théorie bifactorielle, facteurs associés à la nature même du travail et déterminant le degré de satisfaction professionnelle

Selon la théorie de Herzberg, pour augmenter la satisfaction des travailleurs, il faut intervenir sur un tout autre ensemble de facteurs : les **facteurs moteurs** (colonne de droite de la figure 5.2). Ces derniers relèvent de la *nature même du travail* ; ils concernent ce que les gens font dans leur emploi. La réalisation de soi, la reconnaissance, l'avancement professionnel et les responsabilités en sont des exemples. Les facteurs moteurs et la satisfaction professionnelle qu'ils engendrent influent sur la motivation et le rendement des travailleurs, dit Herzberg. Ainsi, lorsqu'ils sont peu présents, le faible degré de satisfaction professionnelle entraîne une diminution de la motivation et du rendement. En revanche, avec des facteurs moteurs très présents, le degré élevé de satisfaction professionnelle entraîne une augmentation de la motivation et du rendement.

La satisfaction et l'insatisfaction sont, dans le cadre de la théorie bifactorielle, deux concepts distincts. Il s'agit d'un principe clé et controversé de cette théorie. Ainsi, l'amélioration d'un facteur d'hygiène, tel que les conditions de travail, ne mène pas à la satisfaction ou à la motivation au travail, mais empêche simplement que ce facteur soit une source d'insatisfaction. Pour introduire des facteurs moteurs susceptibles d'accroître la satisfaction associée à un travail, Herzberg propose plutôt l'*enrichissement des tâches*, une notion que nous approfondirons au chapitre 6 en tant que stratégie de conception de poste, mais que résument bien ces mots de Herzberg : « Si vous voulez que les gens fassent du bon travail, donnez-leur un bon travail à faire[13]. »

La théorie bifactorielle est loin de faire l'unanimité chez les spécialistes du CO[14]. En raison de la difficulté d'en confirmer les conclusions par de nouvelles recherches, on lui reproche d'être captive de sa méthodologie ou d'avoir des résultats qui ne se vérifient que par l'application rigoureuse du protocole de recherche établi à l'origine par Herzberg. Il s'agit là d'une critique sérieuse, dans la mesure où la démarche scientifique préconisée pour l'étude du comportement organisationnel exige que les théories puissent se vérifier au moyen de diverses méthodes de recherche[15]. Malgré tout, la distinction entre facteurs d'hygiène et facteurs moteurs demeure une contribution utile à la compréhension du comportement organisationnel. Comme vous le verrez au prochain chapitre, dans lequel il sera question de stratégies de conception de poste, cette idée d'existence de deux types de facteurs, les uns relatifs au cadre de travail et les autres relatifs à la nature même du travail, revêt un intérêt pratique et apporte une certaine rigueur à la réflexion managériale.

La théorie des quatre besoins humains

On trouve un autre exemple de l'attention portée au lien entre besoins humains et motivation dans la **théorie des quatre besoins humains** ou désirs formulée par deux professeurs de Harvard, Paul Lawrence et Nitin Nohria. Leur théorie de la motivation met l'accent sur quatre besoins que les individus cherchent à satisfaire au travail et dans leur vie personnelle. Le **besoin d'acquérir** correspond au désir d'obtenir des gratifications matérielles ou psychologiques. Le **besoin d'établir des liens** réfère au désir d'entrer en relation avec d'autres personnes, individuellement et en groupes. Le **besoin de comprendre** est le désir de saisir les choses et d'acquérir un sentiment de maîtrise. Enfin, le **besoin de se défendre** fait référence au désir d'être protégé contre les menaces et d'obtenir justice[16].

La théorie des quatre besoins humains relie chacun de ceux-ci à des actions spécifiques que les organisations et les gestionnaires peuvent entreprendre pour les combler, obtenant ainsi une incidence positive sur la motivation. Comme l'illustre la **figure 5.3**, le besoin d'acquérir est satisfait par l'établissement de systèmes de récompenses qui distinguent clairement les travailleurs à rendement élevé des travailleurs à rendement faible ainsi que par l'octroi de récompenses en fonction du niveau de rendement. Le besoin d'établir des liens est comblé par la création d'une culture collaborative au sein de l'organisation ou de l'équipe de travail, ce qui favorise l'amitié et une identité

Théorie des quatre besoins humains
Théorie de la motivation élaborée par Paul Lawrence et Nitin Nohria qui met l'accent sur quatre désirs ou besoins que les individus cherchent à satisfaire : le besoin d'acquérir, le besoin d'établir des liens, le besoin de comprendre et le besoin de se défendre

Besoin d'acquérir
Dans la théorie des quatre besoins humains, désir d'obtenir des gratifications matérielles ou psychologiques

Besoin d'établir des liens
Dans la théorie des quatre besoins humains, désir d'entrer en relation avec d'autres personnes, individuellement et en groupes

Besoin de comprendre
Dans la théorie des quatre besoins humains, désir de saisir les choses et d'acquérir un sentiment de maîtrise

Besoin de se défendre
Dans la théorie des quatre besoins humains, désir d'être protégé contre les menaces et d'obtenir justice

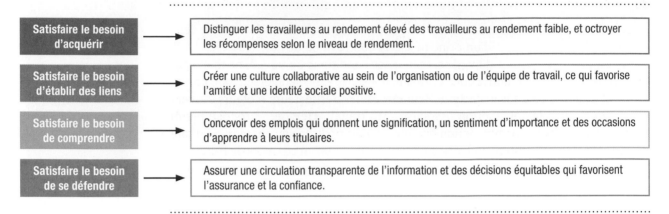

Satisfaire le besoin d'acquérir	→	Distinguer les travailleurs au rendement élevé des travailleurs au rendement faible, et octroyer les récompenses selon le niveau de rendement.
Satisfaire le besoin d'établir des liens	→	Créer une culture collaborative au sein de l'organisation ou de l'équipe de travail, ce qui favorise l'amitié et une identité sociale positive.
Satisfaire le besoin de comprendre	→	Concevoir des emplois qui donnent une signification, un sentiment d'importance et des occasions d'apprendre à leurs titulaires.
Satisfaire le besoin de se défendre	→	Assurer une circulation transparente de l'information et des décisions équitables qui favorisent l'assurance et la confiance.

DU CÔTÉ DE LA PRATIQUE

Ressources humaines : payante, la culture du « donnant-donnant »

« Si on veut que les employés donnent leur plein rendement, explique Laurie-Anne Foucault [directrice des ressources humaines chez Vigilant], il s'impose de leur permettre de travailler dans un environnement sain, propice à la productivité. » La directrice parle du « bien-être » des employés. Par exemple, des « espaces thèmes » ont été aménagés dans les locaux de l'entreprise technologique afin qu'ils – ou elles – puissent faire des siestes réparatrices, recevoir un massage, décanter. Des espaces sont également prévus pour des réunions inter-équipes. « Ça permet d'échanger des idées rapidement », note pour sa part Samuel Mas [responsable des projets techniques chez Vigilant].

Donner et recevoir

« Ça fait partie de la culture de l'entreprise et c'est comme ça depuis le tout début, précise Laurie-Anne Foucault. Nous tenons à ce qu'il y ait un véritable esprit d'équipe, un esprit de famille. » Elle fait allusion à la notion du « donnant-donnant », où l'employeur et l'employé sont appelés à s'investir, chacun de son côté, dans des projets communs. Cette culture s'accompagne de « bénéfices », pour les employés, qui se font rembourser partiellement les frais de garderie. « On paye le transport en commun et le BIXI et l'abonnement mensuel au gym », fait observer Samuel Mas.

Donner la bonne information

« La communication, on y tient. On veut éviter que nos employés travaillent en silos, insiste la responsable des ressources humaines. Tous les trimestres, on organise des rencontres obligatoires à l'intention de nos équipes de travail. On fait interagir les départements. » Il est beaucoup question, dans cette notion de communication, de donner la bonne information, et de trouver le bon contexte pour y arriver. « On croit à l'importance de créer des liens d'amitié, relève le responsable des projets techniques. Par exemple, on va faire du karting et prendre un verre, pour le plaisir de nous retrouver ensemble. » [...]

Source : Yvon Laprade, « Ressources humaines : payante, la culture du "donnant-donnant" », *La Presse Affaires*, 7 décembre 2016.

sociale positive. Le besoin de comprendre est satisfait par une conception des tâches qui donne du sens et de l'importance au travail effectué ainsi que par des occasions d'apprendre et d'améliorer ses propres compétences. Le besoin de se défendre est comblé par une transparence de l'information et des pratiques équitables qui favorisent l'assurance et la confiance, surtout en ce qui a trait aux récompenses et à la distribution des ressources.

Les quatre besoins humains à la base de la théorie de Lawrence et Nohria ont été examinés dans des études empiriques portant sur 685 travailleurs de grandes entreprises : les chercheurs ont constaté que leur satisfaction expliquait 60 % de la motivation ressentie par ces travailleurs dans leur organisation[17]. Et, ce qui est sans doute encore plus important, ils sont parvenus à cette conclusion : « Les employés de notre étude accordaient autant d'importance à la satisfaction de leurs quatre besoins par leur patron qu'aux politiques de l'organisation[18]. »

La théorie de l'équité

Que se passe-t-il quand vous recevez une note pour un travail ou un examen ? Comment interprétez-vous vos résultats et quelle incidence ont-ils sur votre motivation future dans le cours ? Voilà le type de questions auquel s'intéresse la première des théories des processus que nous abordons : la **théorie de l'équité**. D'après J. Stacy Adams, à qui on doit les travaux les plus intéressants sur l'application de cette théorie au monde du travail, lorsqu'une personne compare ce qu'elle reçoit pour son travail avec ce que d'autres reçoivent pour leur propre travail, toute iniquité qu'elle perçoit devient pour elle une source de motivation à rétablir l'équilibre[19].

L'équité et les comparaisons sociales

La théorie de l'équité se fonde sur le phénomène de la comparaison sociale. Réfléchissez de nouveau aux questions posées ci-dessus. Quand vous recevez une note, n'essayez-vous pas de savoir celles que les autres ont obtenues ? L'interprétation que vous faites de votre note ne dépend-elle pas, du moins en partie, de la comparaison avec celles des autres ? Selon la théorie de l'équité, vous réagirez différemment à la note obtenue selon que vous aurez ou non l'impression qu'elle est juste et équitable, et cela, après que vous aurez comparé votre résultat à ceux des autres.

Adams soutient que cette logique s'applique également à toute récompense qu'une personne peut recevoir dans un contexte de travail et à son incidence sur la motivation. Selon lui, la motivation est fonction de l'évaluation que fait un individu des récompenses qu'il a obtenues pour sa contribution, après comparaison avec les récompenses reçues par d'autres pour leur contribution. L'idée d'équité est au cœur de la comparaison. Il y a **perception d'iniquité** quand une personne estime qu'elle est trop ou pas assez récompensée pour son travail, compte tenu des récompenses que d'autres semblent avoir reçues pour le leur. Comme on peut s'y attendre, tout sentiment d'injustice ou toute perception d'iniquité engendre une tension, état d'esprit que la personne a tendance à vouloir éliminer.

Théorie de l'équité
Théorie de la motivation élaborée par J. Stacy Adams selon laquelle l'iniquité perçue par un individu qui compare ce qu'il reçoit pour son travail avec ce que d'autres reçoivent pour le leur devient une source de motivation ; l'individu tentera de redresser la situation afin d'éliminer la tension résultant de la perception d'une iniquité

Perception d'iniquité
Sentiment éprouvé par une personne qui, se comparant à d'autres, estime qu'elle est trop ou pas assez récompensée pour son travail

Les prédictions relatives à la théorie de l'équité

La comparaison, dans la perspective de l'équité, peut se résumer au moyen de l'équation suivante :

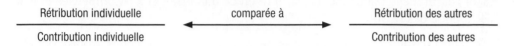

Rétribution individuelle	comparée à	Rétribution des autres
Contribution individuelle		Contribution des autres

La *perception d'une iniquité défavorable* décrit la situation de l'individu qui a l'impression d'avoir reçu moins que les autres, compte tenu de leurs contributions respectives. La *perception d'une iniquité favorable*, quant à elle, décrit l'impression d'avoir reçu plus que les autres, compte tenu de leurs contributions respectives. Dans les deux cas, l'individu sera tenté de retrouver un sentiment d'équité et adoptera probablement un ou plusieurs des comportements suivants :

- modification de sa contribution (selon le cas, par une diminution ou une amélioration de son rendement, par exemple) ;

- tentative de modification de sa rétribution (demande d'augmentation, par exemple) ;

- geste visant à mettre fin à la situation (démission, par exemple) ;

- modification des éléments de la comparaison (comparaison avec d'autres collègues de travail, par exemple) ;

- recherche d'une interprétation rationnelle de la situation (se convaincre que l'iniquité n'est que temporaire, par exemple) ;

- adoption de mesures visant à modifier la contribution ou la rétribution du sujet avec lequel il se compare (selon le cas, gestes ou actions visant à faire augmenter la charge de travail du collègue concerné ou à faire revoir à la baisse sa rétribution ; ou, au contraire, à faire alléger la tâche du collègue ou à augmenter sa rétribution, par exemple).

Les recherches en lien avec la théorie de l'équité montrent que les gens qui s'estiment trop payés (perception d'une iniquité favorable) augmentent la quantité ou la qualité de leur travail, tandis que ceux qui s'estiment insuffisamment payés ont la réaction inverse[20]. Évidemment, les études les plus concluantes à cet égard concernent la perception d'iniquités défavorables, ce qui laisse entendre que les gens s'en accommodent moins bien que des iniquités favorables. Cependant, il est important de noter que de tels résultats sont le fait de cultures individualistes, où les comparaisons dans les rapports sociaux se font surtout sur la base des intérêts *individuels*. Dans les cultures plus collectivistes, comme celles de nombreux pays d'Asie, on se préoccupe davantage d'égalité que d'équité, ce qui favorise la solidarité des groupes et l'harmonie des rapports sociaux[21].

La théorie de l'équité rappelle que la valeur d'une récompense sur le plan de la motivation est fonction de la façon dont l'individu interprète cette récompense dans un contexte de comparaison sociale. Les effets de la récompense sur la motivation dépendent ainsi non pas de l'intention du gestionnaire qui l'accorde, mais plutôt de la perception de la personne qui la reçoit. Il ne faut pas oublier que le phénomène de la comparaison intervient après l'attribution des récompenses, pour déterminer alors l'effet ultime sur la motivation. La séquence se présente donc comme suit :

Récompense reçue → Perception d'équité ou d'iniquité après comparaisons avec les autres → Effet de la récompense sur la motivation

Il se peut, par exemple, qu'une récompense attribuée par un chef d'équipe et censée être un important facteur de motivation n'ait pas l'effet escompté sur la personne qui la reçoit. Si elle n'est pas perçue comme juste et équitable par rapport à ce qu'ont obtenu les coéquipiers, elle peut engendrer des dynamiques négatives par rapport à l'équité et produire des résultats contraires à ceux que le chef d'équipe visait. Voici quelques conseils en matière de gestion de cette dynamique de l'équité :

- Admettez que les comparaisons et la recherche d'équité sont inévitables en milieu de travail.

- Lorsque vous accordez des récompenses, attendez-vous à ce qu'elles puissent susciter un sentiment d'iniquité.

- Expliquez clairement les raisons qui justifient l'attribution de toute récompense.

- Communiquez les éléments de l'évaluation du rendement qui justifient l'attribution d'une récompense.

- Faites connaître les critères de comparaison sur lesquels se fonde votre décision.

Dans une organisation qui assure une justice distributive, un homme qui porte plainte pour harcèlement sexuel contre une femme aura le sentiment que sa demande est traitée de la même façon qu'une plainte de même nature déposée par une femme contre un homme.

La théorie de l'équité et la justice organisationnelle

La théorie de l'équité prend en considération, notamment, le fait que l'individu a ou n'a pas l'impression d'avoir été traité de façon juste. En matière de comportement organisationnel, cette approche soulève la question de la **justice organisationnelle**, c'est-à-dire de l'appréciation de justice et d'équité que font les individus quant aux pratiques existant dans leur milieu de travail[22].

1. La **justice procédurale** assure qu'on respecte, dans tous les cas où elles s'appliquent, les règles et les procédures énumérées dans la politique de l'organisation. Cela signifie, par exemple, qu'en matière de harcèlement sexuel chaque plainte soumise à l'administration est entendue conformément aux procédures prévues dans de tels cas.

2. La **justice distributive** garantit le traitement équitable de tout être humain, au-delà de caractéristiques telles que l'âge, le sexe ou l'origine ethnoculturelle. Pour reprendre l'exemple du harcèlement sexuel, cela signifie qu'une plainte déposée par un homme contre une femme sera traitée avec la même diligence et le même intérêt que celle d'une femme contre un homme.

Justice organisationnelle
Appréciation de justice et d'équité que font les individus quant aux pratiques existant dans leur milieu de travail

Justice procédurale
Justice qui garantit le respect des règles et des procédures établies dans tous les cas où elles s'appliquent

Justice distributive
Justice qui garantit le traitement équitable de tout être humain

Justice interactionnelle
Justice qui garantit le traitement respectueux et digne des diverses personnes concernées par une décision

3. La **justice interactionnelle** fait en sorte que les personnes concernées par une décision soient traitées avec respect et dignité[23]. Toujours avec le même exemple, cela signifie notamment que toutes les parties, c'est-à-dire à la fois la personne accusée et celle qui a porté plainte, doivent avoir le sentiment d'avoir reçu des explications acceptables au sujet de la décision qui a été prise.

Justice commutative
Justice qui règle les échanges entre les parties concernées selon les principes de la transparence et de la rectitude

4. La **justice commutative** vise la transparence et la rectitude dans les échanges et les transactions entre les parties. Cela signifie, pour reprendre l'exemple du harcèlement sexuel, que toutes les personnes concernées ont accès à toutes les données et à toute l'information disponibles.

L'ÉTHIQUE EN CO

Une découverte qui entraîne un grand dilemme

Une employée soulève le rabat de la photocopieuse et trouve un document oublié. Ce dernier contient la liste des évaluations du rendement, des salaires et des primes de 80 de ses collègues. Elle se met à le lire.

Surprise ! Un individu qualifié de « paresseux » a un salaire plus élevé que d'autres employés considérés comme des « bosseurs ». Les nouveaux employés reçoivent des primes et des salaires largement plus élevés que les autres. Et comme si ce n'était pas suffisant, elle-même se situe vers le milieu de la liste et non en haut, comme elle s'y attendait. On lui verse un salaire beaucoup plus bas qu'à d'autres.

En parcourant les données, elle commence à se demander pourquoi elle travaille de longues heures sur son ordinateur, chez elle, les soirs et les fins de semaine, pour se rendre vraiment utile à son entreprise. Puis elle s'interroge : « Devrais-je diffuser cette information anonymement pour que tout le monde sache ce qui se passe ? Ou devrais-je plutôt donner ma démission et me trouver un autre emploi où on saura apprécier tous mes talents et mon travail acharné ? »

Finalement, elle décide tout simplement de démissionner, déclarant : « Je ne peux pas supporter cette injustice. » Elle décide également de ne pas divulguer l'information trouvée

à ses collègues du bureau, disant : « Je ne veux pas qu'ils soient aussi déprimés que moi. »

Source : Information concernant cette situation tirée de Jared Sandberg, « Why You May Regret Looking at Papers Left on the Office Copier », *Wall Street Journal*, 20 juin 2006, p. B1.

QUESTIONS

Que feriez-vous ? Appuieriez-vous sur le bouton « Imprimer » pour faire environ 80 copies que vous glisseriez dans la boîte aux lettres de tous les employés ou dont vous laisseriez quelques piles à des endroits stratégiques ? Ainsi, l'information serait rapidement diffusée grâce à la chaîne des potins. Est-ce éthique ? Par ailleurs, si vous ne divulguez pas ces renseignements, est-ce éthique de laisser les autres employés vaquer à leurs tâches quotidiennes dans l'ignorance des pratiques salariales inéquitables de leur entreprise ? En démissionnant sans divulguer les renseignements, l'employée a-t-elle commis une faute d'éthique ?

La théorie des attentes

Autre théorie des processus, la **théorie des attentes**, élaborée par Victor Vroom, explique que le comportement individuel est fonction de la valeur perçue de ses conséquences. En d'autres termes, avant d'adopter un comportement, l'individu soupèserait les conséquences potentielles des diverses options qui s'offrent à lui et choisirait celle dont il attend les récompenses ayant le plus de valeur à ses yeux. Son comportement résulterait donc d'un choix rationnel.

Les termes et les concepts propres à la théorie des attentes

Selon la théorie des attentes, comme le montre la **figure 5.4**, la motivation au travail d'un individu dépendrait de trois éléments.

1. Sa conviction que les efforts déployés permettront d'atteindre le rendement visé ; ce sont les *attentes*.

2. Sa conviction que la récompense sera proportionnelle au rendement atteint ; c'est l'*instrumentalité*.

3. La valeur qu'il accorde à la récompense qu'il croit pouvoir obtenir ; c'est la *valence*.

FIGURE **5.4** **Les concepts clés de la théorie des attentes et ses applications pour le gestionnaire**

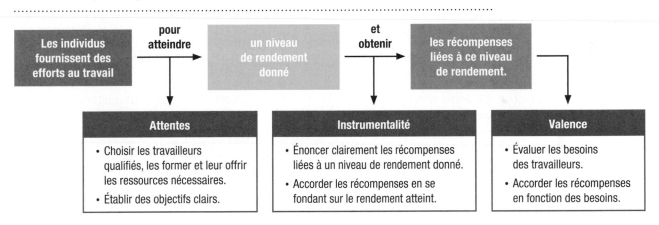

Ces trois concepts clés, sur lesquels repose la théorie des attentes, peuvent être définis comme suit[24].

- Les **attentes** sont la probabilité, aux yeux de l'individu, que les efforts investis dans l'exécution d'une tâche se traduisent par le niveau de rendement visé. Sur une échelle allant de 0 à 1, les attentes sont nulles (0) si l'individu croit qu'il ne pourra pas atteindre un rendement donné et elles sont égales à 1 s'il est absolument certain d'y parvenir.

- L'**instrumentalité** est la probabilité, aux yeux de l'individu, que le rendement atteint se traduise par une récompense proportionnelle, probabilité qui s'évalue également sur une échelle allant de 0 à 1. Strictement parlant, selon la façon dont

Théorie des attentes

Théorie de la motivation, élaborée par Victor Vroom, selon laquelle la motivation au travail résulte d'un calcul rationnel faisant intervenir la perception du lien entre les efforts déployés, le rendement atteint et la valeur de la récompense qui y est associée

Attentes

Dans la théorie des attentes, probabilité, aux yeux de l'individu, que les efforts investis dans l'exécution d'une tâche se traduisent par le niveau de rendement visé

Instrumentalité

Dans la théorie des attentes, probabilité, aux yeux de l'individu, que le rendement atteint se traduise par une récompense proportionnelle

Vroom aborde l'instrumentalité, cette mesure pourrait se situer entre −1 et +1. Toutefois, l'échelle de 0 à +1 répond logiquement à la définition qui est utilisée à des fins pédagogiques et qui fait référence à une probabilité.

- La **valence** est la valeur accordée par l'individu à chaque récompense possible, valeur qui se mesure sur une échelle allant de −1 (valeur très négative) à +1 (valeur très positive).

Les prédictions relatives à la théorie des attentes

Vroom exprime la relation entre la motivation (M), les attentes (A), l'instrumentalité (I) et la valence (V) par l'équation suivante : $M = A \times I \times V$. Cela signifie, en raison de l'effet multiplicateur, que dès que l'une ou l'autre de ces trois variables tend vers 0, la motivation est considérablement réduite. Pour que l'effet motivant d'une récompense se fasse vraiment sentir, les *attentes*, l'*instrumentalité* et la *valence* qui y sont rattachées doivent être positives et avoir une valeur élevée.

Supposons qu'un gestionnaire se demande si la perspective d'une augmentation au mérite pourrait motiver un subordonné. Selon la théorie des attentes, on peut prédire que la motivation à faire des efforts pour obtenir l'augmentation ne sera pas très forte dans les trois cas suivants.

1. Si les *attentes* sont faibles : le travailleur pense qu'il ne pourra pas atteindre le rendement souhaité en dépit des efforts fournis.

2. Si l'*instrumentalité* est faible : le travailleur n'est pas convaincu qu'une amélioration de son rendement se traduira par une augmentation au mérite qui soit proportionnelle.

3. Si la *valence* est faible : le travailleur n'accorde guère de valeur à l'augmentation au mérite.

Évidemment, en cas de combinaison de deux ou trois de ces circonstances, la motivation sera encore plus faible. Comme la motivation est le produit d'une multiplication, si l'une ou l'autre de ces variables est nulle (valeur de 0 dans l'équation de Vroom), le gestionnaire peut s'attendre à ce que la perspective d'une augmentation au mérite ait un effet nul sur la motivation de son subordonné.

Les applications et les recherches relatives à la théorie des attentes

La relation entre les diverses variables et le résultat visé exige du gestionnaire qu'il intervienne activement dans le milieu de travail afin de maximiser les attentes, l'instrumentalité et la valence, et cela, en respectant les objectifs de son organisation[25]. Pour agir sur les attentes, il doit choisir des travailleurs qualifiés, leur donner une formation adéquate, leur fournir ce dont ils ont besoin et leur fixer des objectifs de rendement précis. Pour agir sur l'instrumentalité, il doit établir clairement la relation entre rendement et récompense et faire preuve de cohérence lorsqu'il récompense les réussites en matière de rendement. Enfin, pour agir sur la valence, le gestionnaire doit chercher à déterminer les besoins les plus importants pour chacun et adapter les récompenses à ces besoins.

La théorie des attentes a fait l'objet de nombreuses recherches et de nombreux articles[26]. Quoiqu'elle ait été très bien accueillie, elle comporte certains aspects qui, comme l'effet multiplicateur, soulèvent encore des questions.

Par ailleurs, cette théorie a grandement contribué à expliquer certaines observations qui étaient d'abord apparues comme contre-intuitives dans des situations faisant l'objet d'une gestion interculturelle. Par exemple, un groupe de travailleurs mexicains à qui on avait accordé une augmentation de salaire ont réduit leur temps de travail. Pourquoi? Le surplus d'argent n'avait d'intérêt à leurs yeux que dans la mesure où il leur permettait de s'accorder quelques loisirs. Pour prendre un autre exemple, dans une entreprise américaine, la promotion d'un agent commercial japonais à un poste de direction a entraîné une baisse de son rendement. Pourquoi? Ses supérieurs n'avaient pas prévu que cette récompense le placerait dans une situation embarrassante à l'égard de ses collègues et l'éloignerait d'eux[27].

DILEMME : À CONSIDÉRER… OU À ÉVITER?

Payer plus que le salaire minimum sans y être obligé?

De plus en plus de travailleurs occupent des emplois au salaire minimum. Pour certains employeurs, les salaires ne sont que des coûts de production qu'ils cherchent à minimiser ou à contrôler, le raisonnement étant que plus petite est la masse salariale, meilleurs seront les profits.

La chaîne d'alimentation américaine Whole Foods adopte une approche différente. Pour cette entreprise, il s'agit surtout de concilier les intérêts des propriétaires-actionnaires, des clients et des employés en tant que parties prenantes. Bien que les intérêts de chacune des parties prenantes soient importants, l'objectif est de parvenir à un certain équilibre. Chez Whole Foods, on décrit ce concept comme du «capitalisme responsable», et l'une de ses caractéristiques est de payer les employés à un taux plus élevé que celui qu'exige la loi ou que dicte le marché. En ce moment, le salaire chez Whole Foods est d'environ 15 $ l'heure, montant auquel s'ajoutent des avantages sociaux. Même si ce n'est pas un salaire extraordinaire, c'est tout de même pas mal plus que le salaire horaire minimum et environ 3 $ de plus – sans compter les avantages – que ce que gagne le travailleur moyen chez Walmart, par exemple.

Ajoutons que, du côté de Seattle, en 2016, le salaire minimum est passé à 13 $ US – et même à 15 $ US dans certaines catégories d'emploi. L'Ontario, quant à elle, a pris la décision, en juin 2017, de porter le salaire horaire minimum à 15 $ au 1er janvier 2019, et ce, après un premier bond de 11,40 $ à 14 $ le 1er janvier 2018.

QUESTIONS

Walter Robb, codirecteur général de Whole Foods, croit que des salaires plus élevés que le salaire minimum et que ceux de la concurrence permettent de bénéficier d'une main-d'œuvre plus solide et plus engagée. En payant plus, on obtient des travailleurs loyaux, stables et courtois avec les clients. Qu'en pensez-vous? Est-ce que plus d'employeurs devraient adopter cette philosophie concernant le salaire horaire? Ou bien est-ce un exemple intéressant qui ne pourrait probablement pas s'appliquer à d'autres milieux?

La théorie de la fixation des objectifs

Il y a quelques années, un défenseur de l'équipe de football des Vikings du Minnesota a intercepté une passe ratée de l'équipe adverse pour aller porter le ballon avec un plaisir et une détermination manifestes… du mauvais côté du terrain! Ce joueur ne manquait pas de motivation, cela sautait aux yeux. Toutefois, il s'est montré incapable de canaliser son énergie vers l'objectif approprié, comme cela se produit trop souvent en milieu de travail. On peut atténuer ou résoudre ce genre de problèmes en définissant clairement les objectifs qu'on souhaite atteindre. On a souvent tendance à passer rapidement sur les objectifs. Or ils représentent un aspect important de la motivation. En l'absence d'objectifs clairs, les employés risquent de se sentir désorientés. Au contraire, si les objectifs sont correctement établis, les employés peuvent être grandement motivés à travailler à leur réalisation.

Les éléments motivateurs des objectifs

Fixation des objectifs
Processus d'élaboration, de négociation et de mise en forme des objectifs ou des cibles que le travailleur doit atteindre

La **fixation des objectifs** est le processus d'élaboration, de négociation et de mise en forme des objectifs ou des cibles que le travailleur doit atteindre[28]. Edwin Locke, Gary Latham et leurs collègues ont consacré de nombreuses années à la mise au point d'un modèle exhaustif établissant les liens entre les objectifs et le rendement. Selon eux, sans un but clair et stimulant, on n'accomplit pas grand-chose dans la vie[29]. Leur modèle, illustré à la **figure 5.5**, intègre certains éléments de la *théorie des attentes* pour mettre en lumière les répercussions potentielles de la fixation des objectifs sur le rendement, tout en tenant compte de certaines variables modératrices, telles que les capacités du travailleur et la complexité des tâches.

FIGURE 5.5 Le modèle de la fixation des objectifs de Locke et Latham

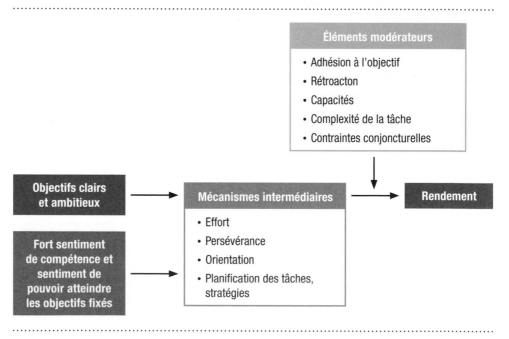

Les principes directeurs de la fixation des objectifs

Malgré certaines critiques, les préceptes fondamentaux de la théorie de la fixation des objectifs constituent, pour le gestionnaire, une source considérable d'information et de conseils sur la gestion des ressources humaines en milieu organisationnel[30]. Les principales implications des recherches relatives à la théorie de la fixation des objectifs sont mises en évidence dans l'encadré intitulé *Comment utiliser la fixation des objectifs à votre avantage* (p. 175) et peuvent se résumer comme suit[31].

1. *Des objectifs ambitieux sont plus susceptibles d'entraîner un rendement accru que des objectifs modestes.* Cependant, cette affirmation n'est plus valable si les objectifs sont perçus comme trop complexes ou impossibles à atteindre. Ainsi, un préposé aux services financiers fournira un meilleur rendement s'il a pour objectif de vendre six rentes par semaine que s'il doit en vendre trois. Par contre, si l'établissement bancaire lui fixe un objectif de 15 rentes hebdomadaires, il se peut qu'il le juge impossible à atteindre et que son rendement soit plus faible que si on lui avait donné un objectif réaliste.

2. *Des objectifs clairs sont plus susceptibles d'entraîner un rendement accru que des objectifs inexistants, vagues ou très généraux.* Trop souvent, on ne fixe aux travailleurs que des objectifs généraux, en les encourageant à donner le meilleur d'eux-mêmes. Les recherches prouvent que des objectifs plus précis, comme «nous nous attendons à ce que vous vendiez six rentes par semaine», sont plus stimulants et donnent de meilleurs résultats.

3. *La rétroaction sur le travail qu'ils ont accompli ou la connaissance de leurs résultats incitent les travailleurs à fournir un rendement accru en les amenant à se fixer des objectifs toujours plus élevés.* La rétroaction permet à l'individu de savoir où il se situe par rapport aux attentes de l'organisation. Vous-même, n'avez-vous pas hâte de savoir si vous avez réussi votre dernier examen?

4. *Les objectifs conduisent plus sûrement à un rendement accru si les travailleurs ont les compétences requises et s'ils se croient capables de les atteindre.* Un travailleur doit être non seulement capable d'atteindre les objectifs fixés, mais aussi convaincu de l'être. Le préposé aux services financiers de l'exemple précédent peut être capable de vendre six rentes par semaine et avoir confiance en son aptitude à atteindre ce but. Par contre, si on lui fixe un objectif de 15 rentes hebdomadaires, il pourra avoir l'impression de ne pas être à la hauteur et se décourager avant même d'avoir essayé.

5. *Les objectifs sont plus motivants si les travailleurs y adhèrent et s'engagent à les atteindre.* Cette adhésion et cet engagement s'obtiennent plus facilement si les travailleurs participent à l'élaboration des objectifs et s'ils sentent qu'ils en sont parties prenantes, que ce sont «leurs» objectifs. Cependant, des objectifs assignés par autrui peuvent être tout aussi efficaces dans la mesure où ils proviennent d'une personne en position d'autorité qui est respectée et dans la mesure où les subordonnés ont la capacité d'atteindre ces objectifs. En revanche, les recherches confirment que des objectifs assignés par autrui peuvent conduire à un mauvais rendement si on ne s'est pas assuré que le travailleur est capable de les atteindre, ou s'ils sont trop peu ou trop mal expliqués.

Objectifs ambitieux et rendement des unités opérationnelles

Bien qu'il ait été établi que des objectifs ambitieux améliorent le rendement, on en sait peu sur le type de gestionnaires qui fixera des objectifs ambitieux et sur le contexte dans lequel de tels objectifs ambitieux sont plus susceptibles d'améliorer le rendement. Pour clarifier ces questions, Craig Crossley, Cecily Cooper et Tara Wernsing ont mené une étude au cours de laquelle ils ont examiné l'incidence des objectifs ambitieux des unités opérationnelles sur le chiffre d'affaires de ces unités au sein d'une des plus importantes entreprises commerciales aux États-Unis.

En ce qui concerne le type de gestionnaires qui fixera des objectifs ambitieux, les chercheurs se sont d'abord intéressés à la proactivité des cadres supérieurs comme étant un facteur important dans l'établissement d'objectifs de travail et de vente ambitieux pour une unité opérationnelle. Pour ce qui est du contexte, les chercheurs ont posé comme hypothèse que la confiance accordée au cadre supérieur qui fixe les objectifs ambitieux serait importante pour l'acceptation des objectifs et l'engagement, ainsi que pour le rendement de l'unité opérationnelle.

Comme vous l'avez vu au chapitre 2, la personne proactive prend l'initiative d'améliorer les conditions de son environnement ou d'en créer de nouvelles. Les chercheurs ont émis l'hypothèse que des cadres supérieurs proactifs fixeront des objectifs plus ambitieux pour leurs unités et que ces objectifs plus ambitieux se traduiront par un meilleur rendement des unités. Ils ont aussi postulé que, pour

que les objectifs ambitieux entraînent un chiffre d'affaires élevé pour l'unité, il doit y régner une certaine confiance envers le gestionnaire qui fixe les objectifs. La confiance suppose d'accepter d'être vulnérable et de prendre des risques face à l'autre partie. On s'attend à ce que les superviseurs soient plus enclins à être engagés et à accepter les objectifs établis par un cadre supérieur en qui ils ont confiance. Par conséquent, ils seront plus susceptibles d'encourager les employés à appuyer les objectifs. Ainsi, des objectifs d'unité ambitieux entraîneraient un chiffre d'affaires plus élevé pour l'unité lorsque la confiance envers le cadre supérieur qui fixe les objectifs est élevée.

Afin de tester ces relations établies, une étude a été effectuée auprès de gestionnaires supérieurs (directeurs régionaux) et de leurs unités opérationnelles dans une grande entreprise de produits de consommation des États-Unis. Les superviseurs devaient évaluer leur confiance envers le directeur régional ainsi que la proactivité de ce dernier. La fixation, par les directeurs régionaux, d'objectifs plus élevés pour leurs unités en ce qui a trait aux ventes mensuelles en dollars traduisait le caractère ambitieux des objectifs. Le chiffre d'affaires des unités était évalué en ventes mensuelles en dollars pour chaque district.

Les résultats ont démontré que la proactivité du directeur régional était reliée de façon positive au chiffre de ventes des unités. De plus, les directeurs régionaux les plus proactifs avaient fixé des objectifs plus

ambitieux pour leurs unités, et ces objectifs plus ambitieux étaient reliés positivement au chiffre d'affaires des unités. Par conséquent, les gestionnaires proactifs obtiennent un chiffre d'affaires plus élevé pour leurs unités, car ils fixent des objectifs plus ambitieux à ces unités. Enfin, les objectifs ambitieux des unités étaient plus susceptibles d'entraîner un chiffre d'affaires élevé pour les unités lorsque la confiance envers le gestionnaire était élevée. Autrement dit, le degré de confiance envers les gestionnaires qui fixent des objectifs ambitieux doit être élevé pour que ces objectifs entraînent un chiffre d'affaires plus élevé pour les unités.

Les résultats de cette recherche indiquent que les gestionnaires proactifs sont plus susceptibles de fixer des objectifs ambitieux et que les objectifs ambitieux sont plus susceptibles d'entraîner un chiffre d'affaires élevé pour des unités opérationnelles lorsqu'il y a un degré de confiance élevé envers le gestionnaire qui fixe les objectifs.

Source : C. D. Crossley, C. D. Cooper et T. S. Wernsing, « Making Things Happen Through Challenging Goals : Leader Proactivity, Trust, and Business-unit Performance », *Journal of Applied Psychology*, vol. 99, 2013, p. 540-549, cité dans Gary Johns et Alan M. Saks, *Organizational Behavior : Understanding and Managing Life at Work*, 10e édition, Toronto, Pearson, 2017, p. 179. Reproduit avec la permission de Pearson Canada Inc.

Comment utiliser la fixation des objectifs à votre avantage

- *Fixez des objectifs ambitieux*: lorsqu'ils sont considérés comme réalistes et atteignables, les objectifs ambitieux incitent à un plus haut rendement que les objectifs facilement atteignables.

- *Formulez des objectifs précis*: ils mènent à un rendement plus élevé que des objectifs énoncés en termes vagues, du genre « faites de votre mieux ».

- *Informez les employés de leur progression vers l'atteinte des objectifs*: assurez-vous de leur indiquer où ils en sont par rapport à l'atteinte de leurs objectifs.

- *Renforcez l'acceptation des objectifs et l'engagement quant à leur atteinte*: les gens font plus d'efforts pour atteindre des objectifs qu'ils acceptent et dans lesquels ils croient ; ils résistent en général à ceux qu'on leur impose.

- *Clarifiez quels sont les objectifs prioritaires*: assurez-vous que les gens connaissent vos attentes quant aux objectifs à atteindre en premier.

- *Récompensez l'atteinte des objectifs*: ne laissez pas passer inaperçue l'atteinte des objectifs ; récompensez les employés qui mènent à bien leurs projets.

La fixation d'objectifs et la gestion par objectifs

Lorsqu'il est question de la fixation d'objectifs et de son effet éventuel sur la motivation des travailleurs, l'ensemble du processus de gestion est en cause. À l'étape de la *planification*, première phase du processus de gestion, sont déterminés les objectifs ; ces derniers sont au cœur de l'*organisation* et de la *direction ;* enfin, à l'étape du *contrôle*, l'évaluation des résultats se fait à la lumière des objectifs fixés. On peut difficilement traiter de l'intégration des objectifs à toutes ces fonctions de gestion sans évoquer le concept de **gestion par objectifs (GPO)**. La GPO est un mode de gestion qui repose essentiellement sur la fixation conjointe d'objectifs par le supérieur et le subordonné[32]. Gestionnaires et subordonnés élaborent ensemble des programmes et des objectifs de rendement en respectant les objectifs supérieurs des unités de travail et de l'organisation en général.

Gestion par objectifs (GPO)
Mode de gestion qui repose essentiellement sur la fixation conjointe d'objectifs par le supérieur et le subordonné

La **figure 5.6** (p. 176) illustre toutes les étapes de ce mode de gestion et montre bien sa cohérence avec la notion de fixation des objectifs et ses principes connexes. Vous remarquerez que les discussions entre cadre et subordonné ont lieu à toutes les étapes du processus, de l'étape initiale de la fixation des objectifs de rendement à celle de l'évaluation des résultats, ce qui permet au subordonné de participer activement à toutes les étapes du processus. L'implantation réussie d'une stratégie de GPO exige énormément de rigueur. En effet, en plus de laisser à ses subordonnés la latitude nécessaire à l'atteinte des objectifs, le gestionnaire doit soutenir activement leurs efforts.

En général, la GPO offre des possibilités intéressantes d'application de la théorie de la fixation des objectifs, mais son instauration et son maintien sont loin d'être aisés. Bien des organisations renoncent à cette approche à cause des nombreuses difficultés qui surgissent aux premiers stades de son implantation. Les principaux inconvénients de la GPO sont les suivants[33]:

FIGURE **5.6** Un schéma du processus de gestion par objectifs

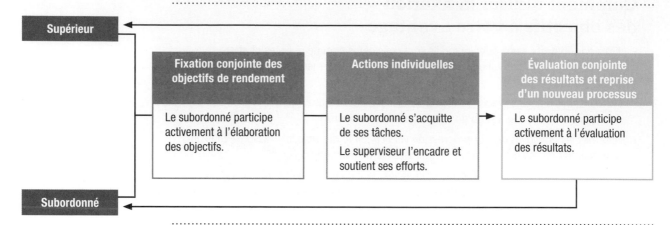

- Les tâches administratives et la paperasse qui y sont associées sont importantes.

- Les objectifs viennent plutôt du haut de la pyramide hiérarchique.

- Les objectifs sont simplistes, restreints à ce qui est observable et mesurable.

- La fixation d'objectifs individuels se fait au détriment d'objectifs collectifs.

Cependant, si ces difficultés sont prises en considération et bien gérées, la GPO apporte aussi de nombreux avantages ainsi qu'une compréhension des applications de la théorie de la fixation des objectifs.

La théorie de l'autodétermination

Théorie de l'autodétermination

Théorie qui s'appuie sur une approche multidimensionnelle de la motivation et selon laquelle le type de motivation est fonction du degré d'autodétermination dont dispose l'individu ; un degré élevé d'autodétermination est source, notamment, de bien-être, d'engagement et de rendement

Élaborée par Edward L. Deci et Richard M. Ryan, la **théorie de l'autodétermination** s'appuie sur une approche multidimensionnelle de la motivation[34]. Contrairement aux différentes théories décrites jusqu'à présent dans ce chapitre, elle ne se limite pas à la perspective du contenu ou à la perspective des processus dans ses explications du phénomène de la motivation, mais inclut les deux. Elle explique que le type de motivation est fonction du degré d'autodétermination dont dispose l'individu et qu'une motivation autodéterminée entraîne des conséquences individuelles positives : bien-être, engagement, rendement, etc.[35]. L'individu dont la motivation est autodéterminée a le sentiment d'être libre de ses choix, tandis que l'individu dont la motivation est contrôlée estime que ses comportements sont le fruit de pressions extérieures[36].

Les divers types de motivation

La théorie de l'autodétermination distingue quatre types de motivation – motivation intrinsèque, motivation identifiée, motivation introjectée et motivation extrinsèque –, eux-mêmes regroupés en deux grandes catégories – motivation autonome et motivation contrôlée –, en fonction du degré d'autodétermination ou de contrôle qu'a l'individu sur son propre comportement. Comme l'illustre la **figure 5.7**, ces différentes formes de motivation peuvent être représentées sur une échelle continue allant de la

motivation la plus autodéterminée (motivation intrinsèque) à la forme la moins autodéterminée (motivation extrinsèque) et jusqu'à l'absence ou au manque de motivation (amotivation).

FIGURE 5.7 Les différents types de motivation selon la théorie de l'autodétermination

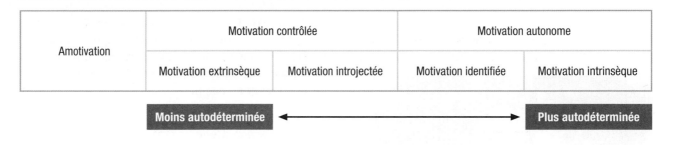

Amotivation	Motivation contrôlée		Motivation autonome	
	Motivation extrinsèque	Motivation introjectée	Motivation identifiée	Motivation intrinsèque

Moins autodéterminée ⟷ Plus autodéterminée

La motivation autonome peut prendre deux formes: la motivation intrinsèque et la
motivation identifiée.

- La *motivation intrinsèque* correspond au degré d'autodétermination le plus élevé.
  Ainsi, l'individu accomplit une tâche de son propre gré et non sous les pressions
  ou les menaces externes ni en vue d'obtenir une récompense. L'individu intrinsèquement motivé déploie des efforts essentiellement parce qu'il trouve son travail
  intéressant, qu'il éprouve du plaisir à l'accomplir et qu'il en tire de la satisfaction.
  Pour lui, l'accomplissement de la tâche est, en soi, source de motivation. On trouve
  souvent cette motivation intrinsèque chez les artistes concentrés et absorbés par
  leur œuvre. Par ailleurs, une éducatrice en service de garde peut être motivée par
  la profonde satisfaction et les émotions positives qu'elle ressent lorsqu'elle est avec
  «ses» enfants. Enfin, imaginez que vous vous inscrivez à un programme d'entraînement pour le simple plaisir de faire de l'exercice physique: il s'agit d'un autre
  exemple de motivation intrinsèque.

- Dans le cas de la *motivation identifiée*, l'individu a le sentiment que son comportement est en accord avec ses valeurs personnelles. L'employé déploie des efforts au
  travail parce qu'il y reconnaît son importance ou son utilité sociale. Son travail lui
  permet d'atteindre ses objectifs de vie. Par exemple, une préposée aux bénéficiaires
  accorde de l'importance à l'hygiène des personnes âgées, bien que cette tâche ne
  soit pas des plus agréables. Contribuer au bien-être des personnes âgées concorde
  avec ses valeurs. De plus, l'individu qui valorise la forme physique peut avoir une
  motivation identifiée le poussant à suivre son programme d'entraînement.

Par ailleurs, la théorie de l'autodétermination met en lumière deux formes de motivation contrôlée: la motivation extrinsèque et la motivation introjectée.

- La *motivation extrinsèque* représente la forme de motivation la moins autodéterminée. L'individu motivé extrinsèquement adopte un comportement qui lui
  permettra d'obtenir des récompenses ou d'éviter des conséquences désagréables.
  Son comportement répond à des demandes ou à des pressions de l'environnement.
  L'employé qui occupe son poste pour la sécurité financière qu'il lui apporte
  manifeste une motivation extrinsèque. En outre, l'employé qui déploie des efforts

considérables pour recevoir une prime ou pour ne pas être rétrogradé est motivé extrinsèquement ; tel est aussi le cas du pompier s'inscrivant à un programme d'entraînement parce que son employeur le lui impose.

- Dans le cas de la *motivation introjectée*, l'individu effectue une activité dans le but de satisfaire ses propres exigences ou d'éviter de se culpabiliser. Son comportement est considéré comme un moyen de protéger et de valoriser son estime de soi ou de maintenir sa réputation. L'individu ayant une motivation introjectée exerce des pressions sur lui-même ; il ne réagit pas à des pressions de l'environnement comme l'individu motivé extrinsèquement. Tel est le cas de l'employé qui veut être reconnu comme le meilleur de son équipe et qui travaille fort pour ne pas échouer et ne pas perdre sa réputation.

Finalement, à l'opposé de la motivation intrinsèque se trouve l'*amotivation*. Celle-ci correspond à l'absence de motivation, au fait d'adopter un comportement de façon automatique ou par habitude, sans en saisir la valeur ou l'utilité et sans éprouver d'intérêt. L'individu amotivé n'accorde aucune importance au comportement qu'il adopte ou à ses résultats. Ainsi, un employé peut exécuter certaines tâches tout en estimant que ses efforts sont vains et qu'il n'atteindra pas les objectifs de résultats fixés, puisque ceux-ci lui semblent trop élevés ou qu'il ne possède pas les compétences requises.

L'employé amotivé peut, par exemple, ne pas accorder d'importance à son travail parce qu'il a l'impression que, même s'il fait des efforts, les objectifs visés par l'entreprise sont irréalistes et ne peuvent être atteints.

La théorie de l'évaluation cognitive

Théorie de l'évaluation cognitive
Théorie selon laquelle le fait de récompenser extrinsèquement un individu pour un travail intrinsèquement satisfaisant réduit sa motivation

Intimement liée à la théorie de l'autodétermination, dont elle est issue, et découlant également des travaux de Edward L. Deci et Richard M. Ryan, la **théorie de l'évaluation cognitive** explique que le fait de récompenser extrinsèquement un individu pour un travail qu'il estime intrinsèquement satisfaisant réduit sa motivation. Avec une récompense extrinsèque à la clé, l'individu accomplit la tâche pour répondre à des exigences et obtenir la récompense plutôt que pour la satisfaction qu'il en tire. Accorder une prime à quelqu'un qui aime son travail ferait diminuer l'intérêt intrinsèque de cette personne pour la tâche. Ainsi, l'individu perdrait une partie de son contrôle sur son comportement. Tel pourrait être le cas d'un bénévole dans un organisme communautaire qui deviendrait employé salarié.

Plusieurs recherches appuient la théorie de l'évaluation cognitive. Toutefois, celle-ci ne fait pas l'unanimité, notamment en raison de la méthodologie utilisée dans les études et de l'interprétation qui est faite des données recueillies[37]. D'après cette théorie, une entreprise qui, pour motiver ses employés, accorderait des récompenses extrinsèques, telles que des augmentations de salaire liées au rendement, le ferait au détriment de l'intérêt et de la motivation intrinsèque de ces derniers. Le débat est ouvert.

La mobilisation a des effets concrets en entreprise

[...] Les employeurs de choix Aon se distinguent des autres entreprises non seulement par le degré de mobilisation de leurs employés, mais également par la mise en place d'un leadership efficace, la création d'une culture de performance et l'optimisation de leur marque employeur. Et, l'écart s'accroît entre eux et la moyenne des entreprises canadiennes. « Chez nos employeurs de choix du niveau platine, 80 % des employés se disent mobilisés, alors que la moyenne dans l'ensemble des entreprises canadiennes est de 65 % cette année et elle était de 70 % l'an dernier », indique Francine Tremblay, vice-présidente et associée, Talent, rémunération et rendement, pour Aon Hewitt, à Montréal. Ces employés mobilisés sont déterminés à rester en poste et sont prêts à se dépasser pour contribuer au succès de l'organisation. Seulement 7 % se disent démobilisés chez les employeurs de choix du niveau platine, contre 15 % dans la moyenne canadienne.

Des écarts sont observés également dans le leadership. « Par exemple, nos employeurs de choix de la catégorie platine sont meilleurs pour motiver leurs troupes lorsque vient le temps de fournir un effort additionnel pour contribuer au succès de l'entreprise, explique Francine Tremblay. Les dirigeants de ces entreprises se distinguent également particulièrement pour leur capacité à faire entrevoir positivement l'avenir à leurs employés. »

Les employeurs de choix du niveau platine ont aussi plus de succès quand ils mettent en place une culture de performance, particulièrement en ce qui a trait à l'offre de perspectives de carrière intéressantes. « Ils ont aussi une meilleure capacité à respecter leurs engagements, ce qui joue sur la notion de confiance, très importante lorsqu'il est question d'image de marque », souligne Francine Tremblay.

En rayonnant en tête de liste de ce programme, les employeurs de choix peuvent bien sûr s'attendre à une augmentation de l'intérêt que leur portent certains candidats. Encore plus tangibles, les efforts réalisés pour offrir un milieu de travail de haute qualité se répercutent sur les résultats de l'entreprise. Alors qu'on sait que le roulement élevé des employés est synonyme de coûts pour une organisation, les employeurs de choix Aon affichent un taux de 33 % inférieur à la moyenne des entreprises à l'échelle mondiale. « C'est important, parce que cela signifie que les gens veulent rester dans l'entreprise », affirme Francine Tremblay.

Les profits des opérations sont aussi 4 % plus élevés chez les employeurs de choix par rapport à la moyenne. « Nous croyons que plusieurs raisons peuvent motiver cette réalité, comme le fait que les entreprises leaders prennent plus de temps généralement pour expliquer à leurs employés leur vision et leurs objectifs qui se cachent derrière la notion de profitabilité, précise Mme Tremblay. Les employés sont donc davantage responsabilisés et impliqués dans l'atteinte des objectifs. Cela a un effet direct sur leur volonté à s'investir davantage dans leur travail. »

Enfin, les employeurs de choix ont un taux d'absentéisme 50 % moins élevé que la moyenne mondiale des employeurs. « Ce n'est pas qu'une question d'offrir de bons programmes pour ses employés, mais vraiment d'avoir à cœur leur santé et leur bien-être et que ce soit imbriqué dans la culture d'entreprise », soutient Mme Tremblay.

Source : Martine Letarte, « La mobilisation a des effets concrets en entreprise », *La Presse Affaires*, 7 décembre 2016.

QUESTION

À la lumière des diverses théories de la motivation présentées dans ce chapitre, quels enseignements peut-on tirer des pratiques des employeurs de choix ?

L'influence du supérieur et de l'organisation sur le bien-être des travailleurs

Le fait, pour un employé, d'être heureux ou malheureux au travail pourrait en partie être dû au style de gestion du supérieur hiérarchique, selon un article publié dans le *Journal of Business and Psychology*. Ce dernier, intitulé « The Impact of Organizational Factors on Psychological Needs and Their Relations with Well-Being », décrit deux études réalisées par les professeurs Nicolas Gillet, Évelyne Fouquereau, Paul Brunault et Philippe Colombat, du Département de psychologie de l'Université François-Rabelais de Tours, en France, et Jacques Forest, de l'École des sciences de la gestion de l'Université du Québec à Montréal. Ces spécialistes se sont intéressés à l'influence, sur le bien-être des employés, de leurs perceptions quant au soutien organisationnel offert et quant au style interpersonnel de leur supérieur.

Plus précisément, les chercheurs ont mené deux études, l'une auprès de 468 employés et l'autre auprès de 650 employés, provenant de petites, de moyennes et de grandes entreprises françaises. Ils ont soumis aux participants des questionnaires portant sur leur perception du style de gestion de leur supérieur et sur leur sentiment quant au soutien offert par leur organisation.

Leurs différentes hypothèses ont été confirmées :

- Plus les employés estiment que leur supérieur adopte un style de gestion favorisant leur autonomie, plus leurs besoins psychologiques de base, soit les besoins d'affiliation, de compétence et d'autonomie, sont comblés.

- Plus les employés estiment que leur supérieur leur accorde de la latitude et une certaine marge de manœuvre, plus ils sentent que leur opinion est sollicitée et considérée, moins la satisfaction de leurs besoins psychologiques de base est minée.

- Plus les employés estiment que le soutien organisationnel offert est solide, plus leurs besoins psychologiques de base sont comblés et moins la satisfaction de ces besoins est entamée.

- Plus les employés estiment que le soutien organisationnel offert est solide, plus leur sentiment de bien-être est fort.

- Le sentiment de bien-être des employés est plus fort lorsque leur supérieur crée un environnement de travail propice à leur autonomie, c'est-à-dire lorsqu'il leur accorde de la latitude et une certaine marge de manœuvre et qu'il sollicite leur opinion.

Les deux études ont donc démontré que le style de gestion perçu influe sur la satisfaction ou la frustration liée aux besoins psychologiques de base, soit les besoins d'affiliation, de compétence et d'autonomie des employés. Ainsi, les supérieurs qui ne semblent pas valoriser les contributions individuelles et exercent un contrôle excessif en utilisant les menaces pour motiver les travailleurs négligent les besoins de base que sont l'autonomie, la compétence et l'affiliation sociale. S'ensuivent des répercussions négatives sur le bien-être au travail ainsi que des conséquences pour l'entreprise, compte tenu de la baisse d'efficacité des employés. La satisfaction ou la frustration liée aux besoins de base joue un rôle primordial dans l'amélioration ou la dégradation du bien-être au travail.

Pour accroître le bien-être des employés, les pratiques de gestion devraient donc être orientées vers l'augmentation de la satisfaction de ces besoins psychologiques de base, par l'offre d'un éventail de choix notamment, et vers la diminution de la frustration liée à ces besoins. Selon les deux études, 25 % de la productivité d'un employé découle du bien-être qu'il ressent au travail. L'inefficacité d'un travailleur pourrait donc être causée par un supérieur trop autoritaire ou pas assez à l'écoute.

Source : D'après N. Gillet, E. Fouquereau, J. Forest, P. Brunault et P. Colombat, « The Impact of Organizational Factors on Psychological Needs and Their Relations with Well-Being », *Journal of Business and Psychology*, vol. 27, nᵒ 4, décembre 2012, p. 437-450.

Les applications relatives à la théorie de l'autodétermination

La théorie de l'autodétermination soutient que le type de motivation d'un individu est intimement lié aux occasions de s'autodéterminer qui lui sont offertes. Les besoins d'autonomie, de compétence et d'affiliation sous-tendent l'autodétermination. Ainsi, cette théorie explique que les individus sont motivés non seulement par une plus grande autonomie, mais aussi par un désir de devenir compétents et d'avoir des relations positives avec les autres.

Plus précisément, la théorie de l'autodétermination avance que tout individu a besoin de se sentir compétent, autonome et relié à ses pairs[38]. Les organisations qui prennent en compte la satisfaction de ces trois besoins psychologiques fondamentaux favorisent la motivation autonome et, par conséquent, le bien-être des personnes, leur engagement et leur développement personnel[39]. Au contraire, celles qui négligent la satisfaction de ces besoins font obstacle à la motivation autonome de leurs employés et nuisent à leur bien-être général et à leur rendement. Ajoutons que la recherche démontre que ces trois besoins psychologiques fondamentaux sont universels et innés[40].

Guide de RÉVISION

RÉSUMÉ

Qu'est-ce que la motivation ?

- La motivation au travail est l'ensemble des énergies qui sous-tendent l'orientation, l'intensité et la persistance des efforts qu'un individu consacre à son travail.

- Les théories du contenu, comme la théorie de la hiérarchie des besoins de Maslow, la théorie ERD d'Alderfer, la théorie des besoins acquis de McClelland, la théorie bifactorielle de Herzberg et la théorie des quatre besoins de Lawrence et Nohria, cherchent à déterminer les besoins qui influent sur le comportement des individus dans un milieu de travail donné.

- Les théories des processus, comme la théorie de l'équité d'Adams, la théorie des attentes de Vroom et la théorie de la fixation des objectifs de Locke et Latham, portent sur les processus cognitifs qui influent sur le comportement des individus en milieu de travail.

- La théorie de l'autodétermination intègre à la fois la perspective du contenu et la perspective des processus dans sa compréhension du phénomène de la motivation.

Quels sont les principaux postulats des théories du contenu en matière de motivation ?

- Selon la théorie de la hiérarchie des besoins, de Maslow, les besoins humains sont organisés en une hiérarchie comportant à la base les besoins d'ordre inférieur, c'est-à-dire les besoins physiologiques, le besoin de sécurité et les besoins sociaux, et, à son sommet, les besoins d'ordre supérieur, c'est-à-dire le besoin d'estime et le besoin de réalisation de soi.

- La théorie ERD, d'Alderfer, ramène les besoins humains à trois catégories : les besoins existentiels, les besoins relationnels et les besoins de développement. Elle soutient que l'individu peut chercher à satisfaire plus d'une catégorie de besoins à la fois.

- La théorie des besoins acquis, de McClelland, met l'accent sur le besoin d'accomplissement, le besoin d'affiliation et le besoin de pouvoir; trois besoins qui, selon cette théorie, s'acquièrent avec le temps et l'expérience.

- La théorie bifactorielle ou théorie des deux facteurs, de Herzberg, distingue les facteurs de satisfaction professionnelle, ou facteurs moteurs, comme les responsabilités, la reconnaissance et, plus généralement, la nature même du travail, des facteurs pouvant prévenir l'insatisfaction professionnelle, ou facteurs d'hygiène, comme le salaire, les conditions de travail et, plus généralement, le cadre de travail.

- La théorie de la motivation, formulée par Paul Lawrence et Nitin Nohria, met l'accent sur quatre besoins humains que les individus cherchent à satisfaire: le besoin d'acquérir, le besoin d'établir des liens, le besoin de comprendre et le besoin de se défendre. Ce modèle lie chacun de ces quatre besoins à des actions spécifiques que les organisations et les gestionnaires peuvent entreprendre pour les combler, obtenant ainsi une incidence positive sur la motivation.

Quels sont les fondements de la théorie de l'équité?

- La théorie de l'équité, d'Adams, se fonde sur le phénomène de la comparaison sociale et suggère que l'individu compare ce qu'il reçoit pour son travail avec ce que d'autres reçoivent pour le leur.

- Toute iniquité perçue par l'individu le motive à vouloir redresser la situation afin d'éliminer la tension que crée l'iniquité.

- La perception d'une iniquité défavorable décrit la situation d'un individu qui a l'impression d'avoir reçu moins que les autres pour son travail. Elle peut pousser la personne à réduire ses efforts ou à démissionner.

- Le concept de justice organisationnelle se rapporte à l'appréciation de justice et d'équité que font les individus quant aux pratiques existant dans leur milieu de travail. Il comporte quatre dimensions: la justice distributive, la justice procédurale, la justice interactionnelle et la justice commutative.

Quels sont les éléments clés de la théorie des attentes ?

- Selon la théorie des attentes, de Vroom, la motivation au travail d'un individu dépend de sa conviction que les efforts déployés permettront d'atteindre le rendement visé (les *attentes)*, de sa conviction que la récompense sera proportionnelle au rendement atteint (l'*instrumentalité*) et de la valeur qu'il accorde à la récompense qu'il croit pouvoir obtenir (la *valence*).

- Selon la théorie des attentes, la motivation (M) = les attentes (A) × l'instrumentalité (I) × la valence (V). Comme il s'agit d'une multiplication, les gestionnaires doivent intervenir pour maximiser chacun de ces facteurs s'ils veulent atteindre des degrés élevés de motivation.

Quels sont les principes directeurs de la théorie de la fixation des objectifs et ses principales applications ?

- La fixation des objectifs est le processus d'élaboration, de négociation et de mise en forme des objectifs ou des cibles que le travailleur doit atteindre.

- Selon les études, des objectifs ambitieux, clairs et qui permettent de faire une rétroaction sur les résultats incitent les travailleurs à fournir un rendement accru. En outre, les objectifs sont plus motivants si les travailleurs y adhèrent et s'engagent à les atteindre.

- Les capacités individuelles et la complexité de la tâche constituent des variables modératrices qui influencent les effets des objectifs sur le rendement.

- La gestion par objectifs (GPO) est un mode de gestion qui repose essentiellement sur un processus de fixation conjointe d'objectifs par le supérieur et le subordonné. Elle est l'application de la théorie de la fixation des objectifs aux pratiques de gestion quotidiennes et peut s'étendre à toute l'organisation.

Quels sont les fondements de la théorie de l'autodétermination et ses principales applications ?

- Selon la théorie de l'autodétermination, de Deci et Ryan, le type de motivation est fonction du degré d'autodétermination dont dispose l'individu.

- Selon cette théorie, une motivation autodéterminée entraîne des conséquences individuelles positives : bien-être, engagement, rendement, etc.

- La théorie de l'autodétermination distingue quatre types de motivation, eux-mêmes classés en deux grandes catégories, en fonction du degré d'autodétermination qu'a l'individu sur son propre comportement. D'une part, la motivation autonome peut prendre deux formes : la motivation intrinsèque et la motivation identifiée. D'autre part, la motivation contrôlée regroupe la motivation extrinsèque et la motivation introjectée.

- Suivant la théorie de l'évaluation cognitive, le fait de récompenser extrinsèquement un individu pour un travail qu'il estime intrinsèquement satisfaisant réduit sa motivation.

- Les organisations qui prennent en compte la satisfaction des trois besoins psychologiques fondamentaux que sont le besoin d'autonomie, le besoin de compétence et le besoin d'affiliation favorisent la motivation et le bien-être des gens, leur engagement et leur développement personnel.

MOTS CLÉS

EXERCICE DE RÉVISION

MaBiblio > MonLab > Exercices > Ch05 > Exercice de révision

Questions à choix multiple

1. Une théorie des processus porte, notamment, sur _____ **a)** la frustration-régression. **b)** les attentes relatives aux récompenses pouvant être obtenues à la suite de l'exécution d'une tâche. **c)** les besoins d'ordre inférieur. **d)** les facteurs d'hygiène.

2. Selon la théorie de la hiérarchie des besoins, de Maslow, le supérieur d'un employé manifestant un fort besoin de réalisation devrait chercher à le motiver à accomplir un excellent travail au sein de son équipe par _____ a) une prime liée au rendement du groupe. b) des félicitations et des marques de reconnaissance individuelles pour son travail. c) des interactions sociales nombreuses au sein de l'équipe. d) des objectifs de travail individuels stimulants.

3. Selon la théorie des besoins acquis, de McClelland, une personne ayant un grand besoin d'accomplissement _____ a) appréciera le statut que lui confère un poste de cadre supérieur. b) voudra exercer son emprise sur les autres et influencer leur comportement. c) sera attirée par le travail d'équipe et les responsabilités collectives. d) appréciera les objectifs stimulants, mais réalisables.

4. Dans la théorie ERD, d'Alderfer, les besoins _____ sont ceux qui se rapprochent le plus des besoins d'ordre supérieur (estime et réalisation de soi) définis par Maslow. a) existentiels b) relationnels c) de reconnaissance d) de développement

5. Selon la théorie bifactorielle, de Herzberg, la satisfaction professionnelle tend à s'accroître quand on améliore _____ a) les conditions de travail. b) le salaire de base. c) les relations entre les pairs. d) le degré des responsabilités associées au travail.

6. Selon la théorie bifactorielle, de Herzberg, on peut trouver les facteurs _____ dans l'environnement de travail. a) moteurs b) déterminant le degré de satisfaction professionnelle c) d'hygiène d) d'enrichissement des tâches

7. Selon la théorie des quatre besoins humains, le besoin de comprendre peut être satisfait par _____ a) la conception de tâches significatives et importantes. b) une circulation transparente de l'information. c) l'établissement d'un système de récompense juste et équitable. d) la création d'une culture organisationnelle valorisant la collaboration.

8. Selon la théorie de l'équité, _____ est une question essentielle. a) la comparaison sociale des contributions et des récompenses b) l'égalité des récompenses c) l'égalité des efforts d) la valeur absolue des récompenses

9. Un gestionnaire qui, d'un employé à un autre, applique de façon variable la politique sur les retards au travail viole les principes de la justice _____ **a)** interactionnelle. **b)** morale. **c)** distributive. **d)** procédurale.

10. Selon la théorie des attentes, lorsqu'une personne a des « attentes » très élevées et positives, cela signifie qu'elle _____ **a)** voit un lien entre le niveau d'effort déployé au travail et le niveau de rendement atteint. **b)** prise fortement les récompenses qu'on lui offre. **c)** voit un lien entre le rendement élevé et les récompenses proposées. **d)** pense que les récompenses sont équitables.

11. Dans la théorie des attentes, _____ correspond à la valeur accordée par l'individu à la récompense qu'il croit pouvoir obtenir. **a)** l'attente **b)** l'instrumentalité **c)** la motivation **d)** la valence

12. Quels types d'objectifs sont les plus susceptibles d'être motivants pour les travailleurs ? **a)** Les objectifs ambitieux **b)** Les objectifs faciles à atteindre **c)** Les objectifs très généraux **d)** Les objectifs qui exigent peu de rétroaction

13. La GPO privilégie _____ comme moyen d'obtenir l'adhésion et l'engagement des travailleurs à l'égard des objectifs fixés. **a)** l'autorité **b)** la fixation conjointe d'objectifs par le supérieur et le subordonné **c)** la rétroaction aléatoire **d)** les objectifs à caractère général

14. Selon la théorie de l'autodétermination, l'individu motivé par _____ adopte un comportement qui répond à des demandes ou à des pressions de l'environnement. **a)** la motivation extrinsèque **b)** la motivation introjectée **c)** la motivation intrinsèque **d)** la motivation identifiée

15. Selon la théorie de l'autodétermination, _____ correspond au degré d'autodétermination le plus élevé. **a)** la motivation extrinsèque **b)** l'amotivation **c)** la motivation identifiée **d)** la motivation intrinsèque

Questions à réponse brève

16. À quoi correspond le principe de frustration-régression dans la théorie ERD, d'Alderfer ?

17. Dans la perspective de la théorie bifactorielle, de Herzberg, comment peut-on accroître la motivation des travailleurs ?

18. Qu'est-ce qui distingue la justice distributive de la justice procédurale ?

19. Décrivez l'effet multiplicateur relatif à la théorie des attentes.

Question à développement

20. Au restaurant, vous surprenez le dialogue suivant à une table voisine :

– Je t'assure que, si tu rends tes travailleurs heureux, ils seront productifs.

– Je n'en suis pas si certain. Si je les rends heureux, ils seront peut-être plus assidus au travail, mais rien ne garantit qu'ils travailleront dur.

Avec laquelle de ces deux personnes êtes-vous d'accord ? Pourquoi ?

Le CO dans le feu de l'action

Pour ce chapitre, nous vous suggérons les compléments numériques suivants dans MonLab.

MaBiblio >

MonLab > Documents > Études de cas
>   4. Une conseillère pas comme les autres
>   5. C'est trop injuste !
> 20. Le cas de l'augmentation manquée

MonLab > Documents > Activités
>   4. Que valorisez-vous particulièrement dans un travail ?
> 11. Travail d'équipe et motivation
> 17. Augmentations de salaire annuelles

MonLab > Documents > Autoévaluations
>   7. Profil bifactoriel

La motivation, la conception de poste et les récompenses

L'adéquation entre la personne et le poste qu'elle occupe est parfois difficile à atteindre, mais une telle correspondance a une incidence indéniable sur la motivation et le rendement. Ce chapitre fait le lien entre les théories de la motivation traitées précédemment et trois processus stratégiques : la conception de poste, la mise en place de formules novatrices en matière d'aménagement du temps de travail et l'élaboration de systèmes de récompenses dans un contexte de gestion du rendement.

OBJECTIFS D'APPRENTISSAGE

Après l'étude de ce chapitre, vous devriez pouvoir :

- Décrire les diverses approches en matière de conception de poste et expliquer leurs effets sur la motivation et le rendement.

- Décrire diverses approches novatrices en matière d'aménagement du temps de travail.

- Expliquer le lien entre la motivation, le rendement et les récompenses.

- Discuter du processus de gestion du rendement, énumérer les principales méthodes d'évaluation du rendement et définir les erreurs courantes pouvant nuire à cette évaluation.

PLAN DU CHAPITRE

La motivation et la conception de poste
L'organisation scientifique du travail
L'élargissement des tâches et la rotation des postes
L'enrichissement des tâches
La théorie des caractéristiques de l'emploi

L'aménagement du temps de travail : des approches novatrices
La semaine de travail comprimée
L'horaire de travail variable
Le partage de poste
Le télétravail
Le travail à temps partiel

La motivation, les récompenses et le rendement
La proposition de valeur à l'employé et l'adéquation personne-poste-organisation
Un modèle intégré de la motivation au travail
La récompense intrinsèque et la récompense extrinsèque
La rémunération selon le rendement

La motivation et la gestion du rendement
Le processus de gestion du rendement
Les méthodes d'évaluation du rendement
Les erreurs courantes dans l'évaluation du rendement

Guide de révision

La clé est l'adéquation entre la personne et le poste qu'elle occupe.

Air Liquide mise sur la reconnaissance rapide pour fidéliser les Y

Attendre 10 ans avant d'avoir trois semaines de vacances? Très peu pour la génération Y. Air Liquide Canada l'a bien compris et a entrepris, en août 2015, de remettre ses conditions de travail au goût du jour.

«Nos politiques étaient conçues en fonction de l'ancienneté, alors que les nouveaux employés veulent une reconnaissance plus immédiate», explique Éric Gagnon, directeur de la rémunération globale. Le défi? Implanter des mesures qui stimulent la loyauté des recrues et des travailleurs d'expérience.

Avec plus d'une quarantaine de départs à la retraite chaque année, combinés à un taux de roulement élevé, l'entreprise qui compte 2 600 employés au Canada, dont 600 au Québec, n'avait d'autre choix que de renflouer ses rangs. Seulement au sein de la division industrielle, où travaillent 1 600 personnes et où la moyenne d'âge des employés est de 46 ans, environ 10% des postes sont à pourvoir chaque année, calcule Éric Gagnon. «On embauchait des jeunes pour remplacer les départs à la retraite, mais on a remarqué qu'ils ne restaient pas en poste plus de trois ans. On s'est donc demandé comment fidéliser ces recrues tout en tenant compte des besoins de nos travailleurs qui approchent de la retraite.» Les employés nés entre 1981 et 1995, associés à la génération Y, représentent 21% de l'effectif de l'entreprise. [...]

Air Liquide Canada a donc dépoussiéré ses programmes pour qu'ils soient attrayants pour tous. Par exemple, les employés ont droit à trois semaines de vacances dès la première année, en plus d'avoir accès à une banque de congés à leur entrée en poste. Les travailleurs peuvent aussi s'acheter cinq jours de repos supplémentaires. «C'est une mesure que nous avions mise en place lors de la crise économique de 2008 pour économiser des coûts, dit Éric Gagnon. Mais c'était tellement populaire que nous avons décidé de la conserver.»

Air Liquide Canada a aussi simplifié son régime de retraite. Auparavant, les cotisations augmentaient avec l'âge et les années de service. Maintenant, l'entreprise propose le même traitement à tous. Ceux qui le désirent peuvent investir un peu plus, puis recevoir une contribution supplémentaire de la part de l'entreprise. «Nous avons amélioré l'offre aux plus jeunes pour qu'elle se rapproche de ce qu'obtenaient les employés plus âgés, en veillant toutefois à ne pas réduire les avantages des plus âgés pour en donner aux plus jeunes», précise le directeur.

L'entreprise s'est aussi offert une cure de rajeunissement... informatique en adoptant les outils Google et Workday pour ses activités de ressources humaines.

«Avec 50 000 employés dans 80 pays, notre entreprise est l'une des plus grandes du monde à utiliser ces outils. Ils permettent de faciliter l'accès à l'information et de favoriser le travail à distance, en plus de rendre le travail plus intéressant!» Une façon de moderniser l'image de la multinationale, établie à Montréal depuis 110 ans, tout en facilitant la conciliation travail-vie personnelle chère à la génération Y.

> **Le défi? Implanter des mesures qui stimulent la loyauté des recrues et des travailleurs d'expérience.**

S'ajoute à cela toute une série de mesures personnalisées: remboursement des frais d'activités sportives, participation à des REER et des CELI collectifs, horaires flexibles, travail à distance ou à temps partiel, programme de préretraite, etc. Même le programme d'assurances collectives est modulable. «Nous offrons plus de choix de couvertures qui s'adaptent aux différentes réalités de la vie», précise-t-il. Ainsi, les primes coûtent moins cher aux parents en solo ou encore aux couples dont la progéniture a quitté le nid familial. [...]

Source: Anne-Marie Tremblay, « Air Liquide mise sur la reconnaissance rapide pour fidéliser les Y », *Les Affaires*, 12 mars 2016, p. 14.

La motivation et la conception de poste

Bien sûr, en raison du contexte ou de la nature du poste, il n'est pas toujours possible d'offrir autant de flexibilité que le fait Air Liquide en matière de conditions de travail et d'aménagement du temps de travail. Dans tous les cas, il demeure pertinent de viser un même objectif : parvenir à la meilleure adéquation possible entre le poste à pourvoir et la personne qui l'occupera, en recherchant celle qui sera le plus en mesure de le prendre en charge. Quand cette correspondance est réussie, les chances que la personne fasse preuve d'une grande motivation au travail et que son rendement soit élevé sont bien meilleures. L'équation suivante résume bien cette tendance de fond :

Personne + Adéquation au poste = Motivation et rendement

Conception de poste

Planification et description des tâches inhérentes à un poste, et détermination des conditions dans lesquelles celles-ci doivent être accomplies

Cet objectif peut être atteint, notamment, par une bonne conception de poste. La **conception de poste** correspond à la planification et à la description des tâches inhérentes à chaque poste ainsi qu'à la détermination des conditions dans lesquelles celles-ci doivent être accomplies[1]. Comme le montre la **figure 6.1**, les diverses approches en matière de conception de poste se distinguent par le degré de spécialisation des tâches et l'importance des facteurs moteurs associés au travail. Le poste le mieux conçu est évidemment celui qui répond le mieux aux exigences de rendement de l'organisation, tout en offrant la meilleure adéquation possible avec les besoins et les compétences de son titulaire, auquel il procure la plus grande satisfaction professionnelle possible.

FIGURE 6.1 Une échelle des stratégies relatives à la conception de poste

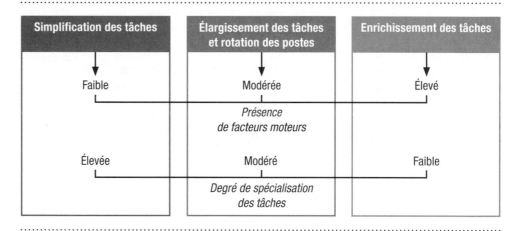

L'organisation scientifique du travail

On s'entend généralement pour dire que la recherche scientifique sur la conception des tâches a commencé au début du 20e siècle avec la publication de *The Principles of Scientific Management* de Frederick Taylor[2]. Cet ingénieur américain et ses contemporains tentaient de mettre au point des pratiques organisationnelles et de gestion qui permettent d'optimiser l'efficience des travailleurs et des équipements. Leur approche consistait à étudier dans le détail un travail donné, à le décomposer en ses éléments les plus simples, à déterminer la durée exacte et les gestes précis pour son exécution la plus efficace, puis à former les travailleurs à répéter ces gestes inlassablement. Les principes de l'organisation scientifique du travail définis par Taylor peuvent se résumer comme suit :

1. Pour chaque poste, mettre au point une « méthode scientifique » établissant les règles d'exécution des tâches, les outils requis et les conditions de travail les plus favorables.

2. Embaucher des employés possédant les compétences requises.

3. Former et motiver les travailleurs à accomplir leurs tâches, définies selon la méthode scientifique.

4. Afin d'aider les employés, planifier les tâches et faciliter leur exécution grâce aux principes scientifiques de la gestion.

Ces premières recherches préfiguraient les approches contemporaines du génie industriel, qui sont axées sur l'efficience et qui tentent de déterminer, pour chaque poste, les meilleurs procédés, les méthodes les plus efficaces, les circuits de production les plus appropriés, les meilleures normes de productivité ainsi que la meilleure interface travailleur-équipement.

De nos jours, le terme **simplification des tâches** décrit une approche de la conception de poste selon laquelle les procédés sont standardisés et les travailleurs, confinés dans des tâches normalisées, clairement définies et hautement spécialisées. La chaîne de montage qui progresse au rythme des machines en est l'exemple classique. À quelles fins recourt-on à la simplification des tâches ? La réponse habituelle est qu'on cherche à accroître l'efficience de la production en réduisant l'éventail des compétences requises pour effectuer un travail, en engageant une main-d'œuvre peu coûteuse, en limitant les besoins de formation et en privilégiant la répétitivité des tâches.

Pourtant, la nature même des postes ainsi conçus engendre des problèmes. On constate une baisse de qualité, des taux élevés d'absentéisme et de rotation du personnel ainsi que de fortes exigences salariales visant à compenser le peu d'attrait que présentent ces emplois. Aujourd'hui, ce genre de problèmes est partiellement résolu grâce aux innovations technologiques. Dans l'industrie de l'automobile, par exemple, de nombreuses tâches autrefois exécutées par des êtres humains sont maintenant confiées à des robots.

Simplification des tâches
Approche de la conception de poste selon laquelle les procédés sont standardisés et les travailleurs, confinés dans des tâches normalisées, clairement définies et hautement spécialisées

L'élargissement des tâches et la rotation des postes

Comme on vient de le voir, la stratégie de la simplification des tâches limite considérablement la variété des tâches des travailleurs. Or, si elle facilite la maîtrise des tâches, elle implique une répétitivité qui engendre de la monotonie et diminue la motivation. Sa remise en cause a donné lieu à un deuxième type d'approches qui, elles, visent à rendre les postes plus intéressants par une plus grande diversification des tâches à accomplir.

Lorsqu'on procède à l'**élargissement des tâches**, on augmente la diversité des tâches inhérentes à un poste en combinant des tâches (deux ou plus) auparavant attribuées à différents travailleurs. Appelée parfois « expansion horizontale des tâches », cette

Élargissement des tâches
Approche de la conception de poste selon laquelle on augmente la diversité des tâches en confiant au titulaire du poste un plus grand nombre de tâches, sans pour autant augmenter le degré de difficulté de celles-ci ni le niveau de responsabilité du poste

approche donne de l'*étendue* au poste dans la mesure où on confie à son titulaire un plus grand nombre de tâches, sans pour autant augmenter le degré de difficulté de celles-ci ni le niveau de responsabilité du poste.

Dans la **rotation des postes**, autre approche d'*expansion horizontale des tâches*, on accroît la diversité des tâches en changeant périodiquement les travailleurs de poste ; ici encore, le degré de difficulté et le niveau de responsabilité restent les mêmes. Le système de rotation des postes peut être organisé selon différentes grilles d'affectations : à l'heure, à la journée ou à la semaine. Cette approche présente un avantage notable sur le plan de la formation, puisqu'elle permet aux travailleurs de se familiariser avec diverses activités et d'augmenter ainsi tant leur polyvalence que leur mobilité au sein de l'organisation.

Pour augmenter votre satisfaction professionnelle, devenez votre propre patron

Voulez-vous être heureux au travail ? Si tel est le cas, vous devriez peut-être songer à devenir travailleur autonome. Un sondage du Pew Research Center dans le domaine des tendances sociales et démographiques a démontré que la motivation à travailler diffère quelque peu entre les travailleurs autonomes et les autres. Alors que 50 % des employés disent qu'ils travaillent parce qu'ils ont besoin d'argent, seulement 38 % des travailleurs autonomes font la même affirmation. Parmi ces derniers, 32 % disent travailler parce qu'ils le souhaitent ; seulement 19 % des employés disent la même chose. En ce qui concerne la satisfaction professionnelle, les résultats ont montré une tendance similaire : 39 % des travailleurs autonomes font état d'une « entière satisfaction », en comparaison avec 28 % des employés. Bien que les chercheurs du Pew Center aient constaté que les travailleurs autonomes sont plus satisfaits et moins enclins à travailler pour l'argent seulement, ils ont aussi remarqué que leur situation financière est moins bonne. Parmi les travailleurs autonomes, 40 % mentionnent avoir des problèmes financiers, comparativement à 30 % chez les employés.

L'enrichissement des tâches

Selon la théorie bifactorielle de Herzberg (voir le chapitre 5), il ne faut pas s'attendre à ce que des postes axés sur la simplification des tâches engendrent une forte motivation, pas même ceux qui sont axés sur l'élargissement des tâches ou sur la rotation des postes[3]. « Pourquoi, s'interroge Herzberg, un travailleur serait-il motivé par l'ajout d'une ou de deux tâches fastidieuses à celles qu'il effectuait déjà, ou par l'alternance de postes tous aussi insignifiants les uns que les autres ? » De préférence aux approches décrites précédemment, il propose une autre stratégie de conception de poste : l'enrichissement des tâches.

Selon Herzberg, l'**enrichissement des tâches** consiste en une amélioration du contenu du travail par l'ajout de *facteurs moteurs* comme la responsabilité, le sentiment d'accomplissement, la reconnaissance professionnelle et l'épanouissement personnel. Cette stratégie diffère considérablement de celles dont on vient de parler, car elle ajoute aux fonctions d'exécution des fonctions de planification, d'organisation et de contrôle traditionnellement attribuées à des cadres. Herzberg appelle « expansion verticale des tâches » la transformation de la nature d'un poste visant à donner de la *profondeur* à ce dernier. Les postes enrichis, affirme-t-il, aident l'individu à satisfaire ses besoins d'ordre supérieur et augmentent ainsi sa motivation à fournir un rendement supérieur. Ainsi, selon Herzberg, le gestionnaire qui souhaite enrichir les tâches des travailleurs devrait :

La motivation au travail passe par l'enrichissement des tâches, selon la théorie bifactorielle d'Herzberg. Pour le gestionnaire, cela implique notamment d'aider le travailleur à devenir un expert dans ses tâches et de lui donner de la rétroaction sur son rendement.

- permettre aux travailleurs de planifier eux-mêmes leurs tâches ;

- permettre aux travailleurs d'évaluer leurs résultats ;

- accorder plus d'autonomie aux travailleurs ;

- augmenter la complexité des tâches ;

- aider les travailleurs à devenir des experts dans leurs tâches respectives ;

- donner aux travailleurs de la rétroaction sur leur rendement ;

- responsabiliser les travailleurs à l'égard de leur rendement ;

- organiser le travail en unités formant un tout.

La théorie des caractéristiques de l'emploi

Les spécialistes du CO hésitent à voir dans l'enrichissement des tâches la panacée à tous les problèmes de satisfaction professionnelle et de rendement au sein des organisations. En effet, ils estiment qu'il faut prendre en considération les différences individuelles. Il faut se demander si l'enrichissement des tâches convient à tout le monde. L'approche diagnostique, élaborée par Richard Hackman et Greg Oldham, propose un modèle plus étendu et axé sur la contingence, qui permet de concevoir des postes stimulants pour les travailleurs[4]. Ce modèle offre d'énormes possibilités en matière de conception de poste personnalisée favorisant la motivation et le rendement.

Les caractéristiques fondamentales d'un emploi enrichi

Illustrée à la **figure 6.2** (p.196), la **théorie des caractéristiques de l'emploi** se fonde, comme son nom l'indique, sur cinq caractéristiques de l'emploi qui revêtent une importance particulière dans la conception de poste. Un poste sera considéré comme enrichi et source de motivation intrinsèque s'il possède, à un degré élevé, chacune des caractéristiques fondamentales suivantes :

- La *polyvalence*, c'est-à-dire la variété des tâches inhérentes au poste et la diversité des compétences et des talents requis.

- L'*intégralité de la tâche*, c'est-à-dire la possibilité pour le titulaire d'exécuter la totalité d'une opération, de la première à la dernière étape, avec un résultat perceptible.

- La *valeur de la tâche*, c'est-à-dire l'importance du poste, sa portée et son incidence sur l'organisation ou sur la société en général.

Théorie des caractéristiques de l'emploi

Théorie qui met en lumière cinq caractéristiques fondamentales d'un emploi enrichi, particulièrement importantes dans la conception de poste : la polyvalence, l'intégralité de la tâche, la valeur de la tâche, l'autonomie et la rétroaction

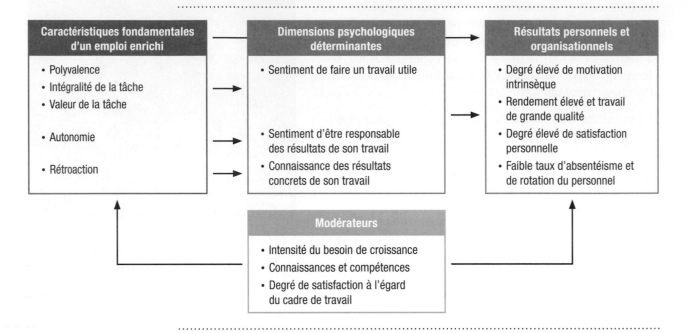

FIGURE **6.2** **La théorie des caractéristiques de l'emploi appliquée à l'enrichissement des tâches**

- L'*autonomie*, c'est-à-dire l'indépendance et la latitude accordées au titulaire du poste pour ce qui est de l'organisation de son travail et du choix des procédures.

- La *rétroaction*, c'est-à-dire le retour d'information suffisant, clair et direct fourni au titulaire du poste sur la qualité de son travail par l'accomplissement même de ses tâches[5].

Hackman et Oldham recommandent à quiconque désire implanter ce modèle de déterminer préalablement dans quelle mesure un poste possède ou non chacune de ces caractéristiques[6]. On pourra ensuite modifier systématiquement celles-ci de manière à enrichir le poste et à augmenter son potentiel de motivation. L'instrument de mesure mis au point par les deux chercheurs, le Job Diagnostic Survey (« évaluation diagnostique de poste »), permet de procéder à l'évaluation de chacune des caractéristiques fondamentales d'un emploi, puis d'établir l'**indice du potentiel de motivation (IPM)** indiquant dans quelle mesure un poste peut être stimulant pour son titulaire. L'IPM est le résultat d'une équation simple :

Indice du potentiel de motivation (IPM)
Indice qui permet de déterminer dans quelle mesure les caractéristiques fondamentales d'un emploi le rendent stimulant pour son titulaire

$$IPM = \frac{\text{Polyvalence} + \frac{\text{Intégralité}}{\text{de la tâche}} + \frac{\text{Valeur}}{\text{de la tâche}}}{3} \times \text{Autonomie} \times \text{Rétroaction}$$

Le sentiment d'autonomisation

On peut augmenter l'IPM d'un poste par l'extension et la combinaison des tâches, par l'instauration de circuits de rétroaction qui informeront mieux le travailleur sur la qualité de son travail, par l'établissement de relations directes avec la clientèle qui favoriseront cette rétroaction ainsi que par l'expansion verticale du poste, c'est-à-dire par l'ajout de responsabilités de planification et de contrôle. Une fois qu'on a enrichi les cinq caractéristiques fondamentales d'un emploi et augmenté autant que possible son IPM, le poste génère, chez son détenteur, un **sentiment d'autonomisation**, c'est-à-dire un sentiment d'accomplissement personnel et de réalisation d'un but engendré par une liberté d'action accrue permettant l'utilisation des talents et du savoir-faire personnels ; ce sentiment alimente le sentiment de compétence et d'engagement au travail[7]. La figure 6.2 met en lumière trois dimensions psychologiques qui ont des retombées positives sur la motivation intrinsèque, la satisfaction professionnelle et le rendement de l'individu : (1) le sentiment de faire un travail utile ; (2) le sentiment d'être responsable des résultats de son travail ; (3) la connaissance des résultats concrets de son travail.

Les variables modératrices

Selon la théorie des caractéristiques de l'emploi, les individus ne réagissent pas tous de la même manière à un poste auquel sont associées les cinq caractéristiques fondamentales citées plus haut. Contrairement à Herzberg, pour qui les emplois enrichis doivent nécessairement satisfaire tout le monde, Hackman et Oldham adoptent l'approche de la contingence et estiment qu'on doit concevoir les postes en visant la meilleure adéquation possible entre leurs caractéristiques fondamentales et les caractéristiques individuelles de leur titulaire : besoins, compétences, aptitudes, etc. Plus précisément, ils pensent que l'enrichissement des tâches donne de bons résultats uniquement dans la mesure où cette adéquation existe. Si un poste enrichi ne convient pas à son titulaire, les résultats obtenus ont moins de chances d'être positifs, et des problèmes risquent de se manifester.

La figure 6.2 met en lumière trois modérateurs liés aux différences individuelles et pouvant influer sur les préférences des gens quant à la conception de leur poste.

1. L'*intensité du besoin de croissance* se rapporte aux désirs d'autonomie, d'apprentissage et d'accomplissement en milieu de travail. On s'attend à ce que les individus ayant un fort besoin de croissance en milieu professionnel réagissent positivement s'ils sont affectés à un poste enrichi, alors que les individus ayant un faible besoin de croissance seront déstabilisés à un tel poste.

2. Les *connaissances* et les *compétences* agissent également comme modérateurs dans la mesure où on peut s'attendre à ce que les individus dont les compétences correspondent aux exigences d'un poste enrichi fournissent un bon rendement, alors que ceux qui n'ont pas les compétences requises ou ont l'impression de ne pas les avoir risquent d'éprouver des difficultés d'adaptation.

3. La *satisfaction du travailleur à l'égard de son cadre de travail*, troisième modérateur, porte sur le salaire, la qualité de l'encadrement, les relations avec les collègues, les conditions de travail. Les gens qui sont satisfaits de leur cadre de travail tendraient à favoriser davantage les projets d'enrichissement de poste et réussiraient mieux à accomplir des tâches enrichies que ceux qui sont insatisfaits.

Les résultats de la recherche

L'approche des caractéristiques de l'emploi a fait l'objet de multiples recherches dans les milieux de travail les plus divers : banques, cabinets dentaires, services correctionnels, entreprises de téléphonie, entreprises industrielles et organismes gouvernementaux. Les spécialistes considèrent généralement que, bien qu'elles soient encore imparfaites, la théorie des caractéristiques de l'emploi et son approche diagnostique sont effectivement des outils utiles dans la conception de poste[8]. En général, ils ont constaté que les cinq caractéristiques fondamentales d'un emploi enrichi ont un effet réel sur le rendement, mais que cette influence est sans commune mesure avec celle qu'elles exercent sur la satisfaction.

EN MATIÈRE DE LEADERSHIP

Gestion : laisser ses meilleurs éléments rayonner

Concurrence oblige, l'équipe des ressources humaines de la Financière des professionnels déploie beaucoup d'efforts pour que ses « meilleurs éléments » rayonnent au sein de l'entreprise. Des efforts et une ouverture d'esprit qui rapportent des dividendes, assure François Lavoie, premier vice-président Gestion de patrimoine à la Financière des professionnels, une société de gestion de patrimoine créée par et pour les professionnels.

Communication

« Il faut savoir écouter ses employés, fait valoir le premier vice-président. C'est exigeant et un défi constant. Mais c'est bénéfique, tant pour l'entreprise que pour les clients. »

François Lavoie croit à la « mobilisation » et à l'impact positif des décisions qui se prennent en équipe. « On fait participer notre monde, on crée des attentes et on tente d'y répondre », dit-il. Mais l'inverse est aussi vrai. « On invite nos employés à poser des questions au président pour avoir leur son de cloche ! » ajoute-t-il.

Partager la vision

Parce que les enjeux sont de taille, et les exigences des clients, toujours plus élevées, la Financière des professionnels « doit partager sa vision », son plan d'affaires, avec ses employés. « Nous faisons de la gestion de patrimoine et de la planification financière pour une clientèle de professionnels exigeants, explique François Lavoie. Il est essentiel de dire à nos employés où on s'en va, faire partager avec eux nos orientations. » Il ajoute que dans ce *business*, « rien n'est jamais acquis ».

François Lavoie, de la Financière des professionnels

Reconnaissance

Il n'y a pas que des actifs sous gestion à la Financière des professionnels. Il y a aussi de la matière grise. Des employés et des conseillers en placement qui s'efforcent d'obtenir les meilleurs rendements pour leurs professionnels clients (médecins spécialistes, chirurgiens-dentistes, pharmaciens-propriétaires, architectes, notaires). « Nous tenons à avoir des employés heureux et voilà pourquoi nous misons sur la reconnaissance, dit François Lavoie. Ça passe par la rémunération et par la communication », précise-t-il. Il souligne au passage que le taux de roulement est de « seulement 3 % », alors qu'il se situe autour de 10 % à 15 % dans l'industrie, et « parfois même bien au-delà de ce pourcentage ». […]

Source : Yvon Laprade, « Gestion : laisser ses meilleurs éléments rayonner », *La Presse Affaires*, 7 décembre 2016.

QUESTION

Quels sont les liens entre, d'une part, la philosophie animant le leadership au sein de la Financière des professionnels et, d'autre part, les caractéristiques et le potentiel de motivation d'un poste au sein de cette entreprise ?

De plus, les chercheurs insistent sur le rôle de l'*intensité du besoin de croissance* en tant que modérateur dans les relations entre la conception de poste et le rendement et dans les relations entre la conception de poste et la satisfaction professionnelle. Les caractéristiques fondamentales d'un emploi enrichi influent plus fortement sur le rendement des personnes ayant un grand besoin de croissance que sur celui des personnes ayant un faible besoin de croissance. Le constat est le même pour la satisfaction professionnelle. En outre, les études montrent clairement que l'enrichissement des tâches sera un échec si les exigences du poste enrichi dépassent les compétences de la personne ou ne concordent pas avec ses centres d'intérêt.

Votre perception des caractéristiques d'un nouveau cours peut être influencée par ce qu'elles sont objectivement, mais aussi par les commentaires d'étudiants ayant suivi ce cours. C'est la même chose au travail.

Enfin, ajoutons que la perception qu'ont les travailleurs des caractéristiques d'un emploi diffère souvent de l'évaluation qu'en fait un consultant ou un cadre. Le gestionnaire aurait tort de négliger cet aspect, car, en définitive, l'évaluation que fait le travailleur des caractéristiques fondamentales de son poste repose sur sa perception. C'est donc cette dernière qui détermine, en grande partie, les effets de l'enrichissement des tâches sur les résultats du travail.

Gerald Salancik et Jeffrey Pfeffer remettent en question l'idée selon laquelle les emplois possèdent des caractéristiques stables et objectives auxquelles les individus accorderaient une importance prévisible et invariable dans le temps[9]. Ils abordent plutôt la question de la conception de poste en s'appuyant sur la **théorie du traitement des données sociales**, selon laquelle les besoins individuels, la perception des tâches et les comportements qui en découlent se fondent sur des réalités socialement construites. Dans les organisations, les données sociales influent sur la perception qu'ont les individus de leur emploi ainsi que sur leur attitude à son égard. Cette influence s'observe tout aussi bien dans une salle de cours. Si plusieurs de vos amis critiquent un cours en affirmant qu'il est ennuyeux, qu'il exige trop de travail et que le professeur est incompétent, il se pourrait bien que vous considériez les principales caractéristiques du cours comme étant le professeur, le contenu et la charge de travail, et que vous ne les jugiez pas attirantes du tout. Cette appréciation influerait considérablement sur votre perception de l'enseignant et de son cours ainsi que sur votre attitude à leur égard, et ce, quelles que soient leurs caractéristiques objectives. Les recherches sur le traitement des données sociales semblent indiquer qu'en ce qui concerne la perception des tâches et l'attitude des travailleurs à leur égard, les données sociales ont autant d'importance que les caractéristiques fondamentales de l'emploi. En effet, la perception des caractéristiques d'un emploi peut être influencée par ce qu'elles sont objectivement, mais aussi par les données sociales, soit l'information et les commentaires provenant du milieu de travail.

Théorie du traitement des données sociales
Théorie selon laquelle les besoins individuels, la perception des tâches et les comportements qui en découlent se fondent sur des réalités socialement construites

L'enrichissement des tâches : des considérations d'ordres pratique et culturel

Le recours à l'enrichissement des tâches peut se révéler utile pour améliorer la conception de poste, mais cette approche soulève un certain nombre de problèmes. La recherche apporte les réponses suivantes à quatre questions fréquentes liées à l'enrichissement des tâches et à ses applications.

1. *Doit-on enrichir les postes de travail de tous les individus?* La réponse est non. Les différences individuelles étant ce qu'elles sont, les travailleurs ne désirent pas tous assumer davantage de responsabilités. Les plus susceptibles d'apprécier l'enrichissement des tâches sont ceux qui recherchent l'accomplissement personnel, manifestent une forte éthique professionnelle et veulent que leur travail réponde à leur besoin de croissance, un besoin d'ordre supérieur. L'enrichissement des tâches semble également avoir plus de chances de fournir des résultats positifs si les travailleurs sont satisfaits de leur cadre de travail et s'ils ont les compétences requises pour s'acquitter de leurs tâches enrichies. Ajoutons que les coûts, les contraintes techniques et l'opposition des groupes de travailleurs ou des syndicats peuvent compliquer son implantation[10].

2. *L'enrichissement des tâches peut-il s'appliquer aux équipes de travail?* Tout à fait. Les équipes semi-autonomes, dont il sera question au chapitre suivant, en sont un excellent exemple.

3. *Quelle est l'influence de la culture sur l'enrichissement des tâches?* L'influence de la culture est considérable, et il est essentiel d'en tenir compte à l'ère de la mondialisation. Des études menées en Belgique, en Israël, au Japon, aux Pays-Bas, aux États-Unis et en Allemagne montrent que chacun de ces pays présente des caractéristiques uniques quant à la perception du travail[11]. C'est en Belgique et au Japon que le travail est le plus fortement perçu comme un déterminant social, et en Allemagne qu'il l'est le moins. Dans tous ces pays, à l'exception de la Belgique, le travail est considéré comme un moyen de gagner de l'argent. Dans la plupart, toutefois, on estime que le travail comporte à la fois une dimension économique et une dimension sociale. Ces observations, ainsi que les constats sur certaines dimensions culturelles nationales comme la *distance hiérarchique* et la tendance à l'*individualisme* ou au *collectivisme*, montrent combien il est important d'adopter une approche fondée sur la contingence et d'accorder une attention particulière aux différences culturelles lorsqu'on envisage de recourir à l'enrichissement des tâches dans une organisation.

4. *Qu'en est-il de ceux qui ne veulent pas d'un emploi enrichi? Peut-on rendre leur travail plus motivant?* L'une des réponses se trouve dans la section suivante portant sur les approches novatrices en matière d'aménagement du temps de travail. Si le contenu du travail ne peut être changé, un réaménagement du contexte ou de l'environnement peut avoir un impact positif sur la motivation et le rendement.

L'aménagement du temps de travail : des approches novatrices

L'exemple d'Air Liquide, en début de chapitre, témoigne de l'intérêt grandissant que suscitent, dans différents secteurs, des formules novatrices en matière d'aménagement des horaires de travail. Les nouvelles approches visent surtout à réorganiser le modèle traditionnel de la semaine de 40 heures, où le travail se fait de 9 h à 17 h dans les locaux de l'organisation. Le but avoué de la plupart d'entre elles est d'influer positivement sur la satisfaction des travailleurs par la possibilité d'une conciliation des exigences de leur emploi avec celles de leur vie familiale et personnelle[12].

De plus en plus de gens réclament cet équilibre entre la vie professionnelle et la vie personnelle et cherchent des employeurs compréhensifs à l'égard des réalités familiales[13]. Les couples à deux revenus avec enfants, les étudiants à temps partiel, les travailleurs âgés (sur le point de prendre leur retraite) et les chefs de famille monoparentale comptent parmi ceux qui recherchent davantage des horaires de travail souples. En outre, tant les baby-boomers que les membres de la génération Y valorisent la flexibilité des horaires de travail et souhaitent pouvoir travailler à distance, du moins partiellement[14].

DU CÔTÉ DE LA PRATIQUE

L'étonnante journée de travail des enfants du numérique

[...] D'ici 2025, environ 76 % de la main-d'œuvre sera composée de « *Millennials* » [milléniaux ou membres de la génération Y]. Que peuvent faire les entreprises pour non seulement attirer, mais aussi intégrer, impliquer et retenir ces salariés? Dans *Henri IV*, de Shakespeare, Falstaff explique au roi que, pour être populaire auprès de ses sujets, il doit entrer dans « leur monde ». À cet égard, le monde dans lequel évoluent les « Y » ne ressemble guère à celui de leurs parents. Ils doivent par exemple affronter des milliers de diplômés pour décrocher un premier emploi. [...]

Des initiatives remarquables émergent de certains employeurs qui font l'effort de s'adapter aux attentes de cette génération non seulement en proposant une grande liberté d'horaires, mais aussi en supprimant les échelons hiérarchiques ou encore en organisant des vidéoconférences avec Skype en lieu et place des traditionnelles réunions chronophages.

Chez Loyco, par exemple, une entreprise située à Genève, les salariés ne connaissent aucune contrainte horaire. Très proche de ses employés, le coiffeur star italien Rossano Ferretti se targue d'avoir un roulement de personnel particulièrement faible par rapport à la moyenne du secteur de la coiffure. Son secret? « Je leur prépare une aventure de vie, confie-t-il. Un coiffeur originaire des Pouilles qui rêve d'exotisme peut se retrouver s'il le souhaite aux Maldives, à Shanghai ou à Paris. Si l'aventure lui déplaît, je m'arrange pour qu'il retrouve sa terre natale au plus vite. En toutes circonstances, les maîtres mots sont "flexibilité" et "écoute". À cet égard, tous mes collaborateurs ont accès à mon *mail* privé. En cas de problème, ils peuvent donc me joindre directement et ne doivent pas passer par différents intermédiaires, ce qui horizontalise bien évidemment la communication. »

Quant à Michael Page, une entreprise de recrutement, elle a revu toute sa philosophie il y a trois ans. « Nous avions un roulement de personnel important, se souvient Charles Franier, directeur exécutif de Michael Page à Genève-Lausanne. Une remise en question s'imposait. La direction a lancé des initiatives pour améliorer l'environnement de travail et réduire les départs, tels que les horaires flexibles, le télétravail, le temps partiel, mais aussi la promotion d'activités sportives. Nous avons enfin un réseau social interne, Yammer, l'équivalent de Facebook pour les entreprises. » Ces efforts ont porté leurs fruits : Michael Page occupe aujourd'hui le 4e rang des entreprises certifiées Top Employer en Suisse.

Source : Amanda Castillo, « L'étonnante journée de travail des "digital natives" », *Le Temps,* 1er décembre 2016 (modifié le 15 mai 2017).

La Suède introduit la journée de 6 heures

La Suède passe à la journée de travail de six heures. Objectif de cette mesure : accroître la productivité et octroyer plus de temps libre aux salariés dans le but de les rendre plus heureux.

Les entreprises de tout le pays ont déjà adopté cette nouvelle plage horaire, rapporte le site Alert Science. En Suède, c'est le centre Toyota, situé au cœur de Gothenburg, la seconde plus grande ville du pays, qui le premier a opéré ce changement il y a 13 ans. Résultat, cette entreprise déclare avoir le personnel le plus heureux couplé à un faible taux de rotation et assure avoir augmenté ses bénéfices durant cette période.

De son côté, Filimundus, une société située à Stockholm qui conçoit des applications, a adopté cette mesure l'année dernière. « Les huit heures de travail quotidiennes ne sont pas aussi efficaces qu'on peut le penser », explique Linus Felt, directeur général.

« Rester concentré sur une tâche spécifique pendant huit heures est un énorme défi. Pour le relever, nous faisons des pauses pour rendre le travail plus supportable. Mais en même temps, nous avons des difficultés à gérer notre vie privée en dehors du travail », détaille Linus Felt.

Selon lui, l'objectif de ce passage à six heures de travail est d'augmenter la motivation du personnel et de s'assurer que les salariés ont suffisamment d'énergie pour s'occuper de leur existence, ce qui peut être difficile lorsqu'on travaille huit heures par jour. Pour cela, les distractions au travail sont interdites et les réunions réduites au strict minimum afin d'optimiser au maximum le temps de travail.

....

Source : « La Suède introduit la journée de 6 heures », *CNEWS Matin*, 30 novembre 2016, en ligne : cnewsmatin.fr.

Au Québec, plus de 1,14 million de Québécois âgés de 25 ans ou plus, soit 33,1 % de la population active, ont un emploi atypique. Environ 31 % d'entre eux sont des travailleurs indépendants seuls, 23 % sont des salariés à temps partiel permanents, 22 % des salariés à temps plein mais temporaires, 15 % sont des travailleurs indépendants avec des employés, alors que 8,5 % sont des travailleurs à temps partiel et temporaires. Le phénomène touche aujourd'hui 35 % des femmes et 31 % des hommes[15].

La semaine de travail comprimée

Semaine de travail comprimée
Aménagement de l'horaire de travail consistant en une répartition des tâches hebdomadaires d'un emploi à temps plein sur moins de cinq jours complets

Le terme **semaine de travail comprimée** renvoie à tout aménagement de l'horaire de travail consistant en une répartition des tâches hebdomadaires d'un emploi à temps plein sur moins de cinq jours complets, l'aménagement le plus répandu étant une répartition sur quatre jours.

Cette formule comporte plusieurs avantages. Pour le travailleur, les plus importants sont sans doute les moments libres plus nombreux, les week-ends de trois jours, une journée au cours de la semaine pour s'occuper de ses affaires personnelles ainsi que les économies de temps et d'argent attribuables à une réduction des déplacements entre le bureau et le domicile. Pour l'organisation, les avantages espérés sont, notamment, l'amélioration du recrutement, la diminution du taux d'absentéisme et une hausse du niveau de motivation.

La formule peut aussi présenter certains inconvénients. Pour les travailleurs, il s'agit surtout d'une fatigue accrue en raison de la longueur des journées de travail et d'éventuelles difficultés à concilier la vie familiale avec le nouvel horaire professionnel. Pour l'organisation, il peut être plus complexe d'établir les divers horaires. De plus, une baisse éventuelle de la qualité du service ou un manque de constance peuvent être à l'origine de plaintes de la clientèle. Enfin, notons que certaines législations imposent la rémunération d'heures supplémentaires dès que la journée de travail excède huit heures, et que certains syndicats s'opposent à la semaine de travail comprimée.

En règle générale, les travailleurs qui sont les plus favorables à la semaine de travail comprimée sont ceux qui ont participé à la décision de l'implanter, ceux dont les postes sont *enrichis* par le nouvel aménagement du temps de travail et ceux qui ont d'importants *besoins d'ordre supérieur*, pour reprendre le terme de Maslow.

L'horaire de travail variable

Autre formule novatrice pour l'aménagement du temps de travail, l'**horaire de travail variable** est également appelé «horaire à la carte», «horaire libre», «horaire flexible» ou «horaire personnalisé». Il donne aux individus une certaine latitude quant à leur horaire de travail quotidien, leur permettant, notamment, de choisir à leur convenance leurs heures d'arrivée et de départ. La formule la plus courante exige des employés qu'ils travaillent durant les heures d'une *plage horaire commune* et qu'ils répartissent à leur gré les heures restantes dans les *plages horaires libres*. Ainsi, un travailleur peut décider de commencer très tôt pour partir de bonne heure, tandis qu'un collègue peut faire le contraire. Cette approche connaît un vif succès, car elle permet de structurer les activités professionnelles en tenant compte des besoins et des champs d'intérêt de chacun.

Horaire de travail variable
Aménagement du temps de travail consistant à laisser aux travailleurs une certaine latitude quant à leur horaire de travail quotidien, notamment leurs heures d'arrivée et de départ

L'horaire variable présente de nombreux avantages. Le cas échéant, il permet aux travailleurs d'adapter leur horaire à celui de leurs enfants, de s'occuper de parents âgés ou d'un proche malade, ou tout simplement d'aller plus commodément à la banque, chez le médecin ou chez le dentiste, et de perdre moins de temps dans les embouteillages. De plus, ses partisans affirment qu'accorder de

L'horaire variable offre de nombreux avantages aux travailleurs, qui peuvent moduler leurs heures de travail en fonction d'autres obligations: enfants, parent âgé ou malade, besoins domestiques, etc.

la latitude aux travailleurs quant à leur horaire de travail favorise les attitudes positives et accroît la satisfaction professionnelle. Pour l'organisation, les avantages de l'horaire variable sont des taux d'absentéisme et de retard réduits, un faible taux de rotation du personnel, un grand engagement des employés et un rendement accru[16].

Le partage de poste

Le **partage de poste** est une formule qui consiste à répartir la totalité des tâches d'un poste à temps plein entre deux travailleurs ou plus, selon des horaires convenus entre eux et avec l'employeur. La plupart du temps, les personnes travaillent par demi-journées, mais elles peuvent aussi se partager le poste selon une fréquence hebdomadaire ou mensuelle (une semaine ou un mois à tour de rôle). Pour les organisations, l'intérêt de ce type d'aménagement réside dans le fait qu'il leur permet de s'attacher des personnes talentueuses qu'elles ne pourraient conserver autrement. Ainsi, deux institutrices qualifiées qui ne peuvent travailler que des demi-journées, l'une parce qu'elle veut s'occuper de ses enfants, l'autre parce qu'elle étudie, peuvent, avec un poste partagé, prendre conjointement la charge d'une même classe. Certains titulaires d'un tel poste disent qu'ils sont moins fatigués et qu'ils arrivent toujours en forme au travail. Évidemment, il n'est pas toujours aisé de trouver deux personnes qui s'entendent assez bien pour se répartir les tâches.

Il ne faut pas confondre le *partage de poste* avec ce procédé plus controversé qu'on appelle le **partage du travail** (ou **travail partagé**), par lequel un employeur et son personnel s'entendent pour réduire le nombre d'heures de travail afin d'éviter des licenciements. Si l'organisation traverse une période difficile, les travailleurs peuvent accepter de réduire leur semaine de travail et leur salaire pour éviter la mise à pied de collègues.

Le télétravail

Les technologies de l'information et des communications ont donné naissance à une autre forme d'organisation du travail, le **télétravail**: grâce à elles, les individus travaillent chez eux, chez des clients ou dans un centre de télétravail, tout en demeurant en contact avec l'organisation. Cette pratique, parfois appelée «travail à distance», est de plus en plus répandue dans de nombreux secteurs[17]. Le télétravail séduit. Près de trois Canadiens sur quatre (73 %) affirment qu'ils changeraient d'emploi si un employeur leur offrait la possibilité de travailler de la maison, ce qu'il considérerait comme un avantage significatif[18].

Au Québec, on estime que la proportion de télétravailleurs varie entre 5 % et 8 %. Ce pourcentage atteint près de 20 % si on tient compte de toutes les personnes qui travaillent à domicile de façon occasionnelle[19]. Les plus récentes données de Statistique Canada montrent que les employés rémunérés travaillant au moins quelques heures à la maison chaque semaine constituaient 10 % de la population en 2000 et représentent aujourd'hui 11 % de la population[20]. En France, 17 % de la population active pratique le télétravail, de façon informelle la plupart du temps, d'après les statistiques et enquêtes de LBMG Worklabs. Par ailleurs, selon un sondage OpinionWay, pas moins de 76 % des salariés français souhaiteraient travailler à distance. Chez les jeunes diplômés, ce chiffre monte à 98 % d'après une étude de Deloitte. Les attentes sont fortes, en particulier dans les zones urbaines, où le besoin de limiter les transports et de revoir l'équilibre entre vie privée et vie professionnelle est immense[21].

Pour les télétravailleurs, plusieurs avantages sont liés à cet aménagement de travail particulier: augmentation du rendement, diminution des distractions, surveillance réduite et flexibilité des horaires. En outre, ils profitent d'une structure souple, du confort de leur domicile ou du choix d'un lieu qui convient à leur mode de vie. Pour l'organisation, les avantages du télétravail se traduisent souvent par une baisse des coûts, une productivité accrue, un degré élevé de satisfaction professionnelle du personnel ainsi qu'un recrutement facilité.

Cependant, le télétravail présente des inconvénients. Ainsi, les télétravailleurs se plaignent parfois de trop travailler et d'avoir de la difficulté à bien séparer vie professionnelle et vie personnelle[22]. De plus, ils peuvent se sentir isolés de leurs collègues, ils ont l'impression d'être moins bien informés sur ce qui se passe au bureau, ils s'identifient moins à leur équipe de travail et ils peuvent éprouver des difficultés techniques avec le réseau, ce qui constitue pourtant un aspect des plus cruciaux. Enfin, ils sont parfois interrompus au cours d'activités familiales. Selon un télétravailleur : «Vous devez non seulement faire preuve d'autodiscipline et manifester un sentiment de compétence par rapport à vos activités, mais aussi avoir un patron qui a suffisamment confiance en vous pour vous laisser la voie libre[23].» Pour l'organisation, les inconvénients du télétravail se manifesteront en général par des difficultés de coordination et de gestion ainsi qu'une baisse de la sécurité des données.

Le télétravail est très favorablement perçu par les Canadiens : 73 % disent qu'ils changeraient d'emploi si cet avantage leur était offert ailleurs.

Les employeurs permettant le télétravail s'attendent à ce qu'il favorise un meilleur équilibre entre le travail et la vie personnelle ainsi que la satisfaction professionnelle. Toutefois, certains s'inquiètent du fait que trop de télétravail pourrait bousculer les horaires et réduire les rencontres directes importantes avec les collègues. Ainsi, Marissa Mayer, ex-directrice générale de Yahoo!, était prête à faire face aux critiques lorsqu'elle a décidé, en 2013, de l'interdire. Selon son raisonnement, le travail à la maison portait atteinte à la culture collaborative de l'entreprise et à sa capacité d'innover[24].

En 2017, IBM fit de même. Pionnier du travail à distance, le géant informatique, surnommé Big Blue, a décidé d'en finir avec son populaire programme de mobilité de sa main-d'œuvre et de contraindre ses employés qui travaillent de la maison à revenir au bureau. (Cette politique d'abandon du télétravail a touché, dans un premier temps, les télétravailleurs américains – 40 % des salariés. Par la suite, elle s'est étendue à l'Europe.) Tout comme Yahoo!, IBM croit que le fait de travailler au bureau améliore la collaboration et accélère le rythme du travail. IBM rejoint ainsi Yahoo! de même que Google, Facebook et Apple, qui ne sont pas connues pour leur enthousiasme envers le télétravail.

Le travail à temps partiel

Le travail à temps partiel est un mode d'aménagement du temps de travail de plus en plus fréquent et de plus en plus controversé. L'individu qui a un **travail temporaire à temps partiel** travaille moins d'heures que celui qui a une semaine de travail normale et jouit d'un statut de *travailleur temporaire*. L'individu qui a un **travail permanent à temps partiel** travaille également moins d'heures que celui qui a une semaine normale de travail, mais jouit d'un statut de *travailleur permanent*.

Travail temporaire à temps partiel
Formule qui consiste, pour une personne ayant un statut de travailleur temporaire, à travailler moins d'heures que si elle faisait une semaine de travail normale

Travail permanent à temps partiel
Formule qui consiste, pour une personne ayant un statut de travailleur permanent, à travailler moins d'heures que si elle faisait une semaine de travail normale

La France se donne le droit à la déconnexion

Depuis le 1er janvier 2017, un nouveau droit a fait son apparition en France : la déconnexion. Une première mondiale, mais qui reste à négocier dans les entreprises.

C'est un courriel reçu d'un client, à minuit, auquel on répond depuis son sofa, par peur de perdre un contrat. Un SMS envoyé à un collègue, le week-end, en pleine promenade en forêt, pour s'assurer du bon suivi d'un dossier. Ou encore un coup de fil d'un dirigeant dont on n'ose pas faire fi, alors qu'on ouvre ses cadeaux de Noël. Armés de leurs téléphones intelligents ou ordinateurs, les salariés sont désormais 100 % connectés. À toute heure, au bureau, comme en déplacement, mais aussi au resto ou à la maison, ils peuvent enfiler leur casquette professionnelle.

« Cela remet en cause les formes traditionnelles d'organisation du travail, pointe Patrick Thiébart, du cabinet d'avocats Jeantet, spécialisé en droit social. La transition numérique joue directement sur les éléments constitutifs du contrat de travail que sont le lieu et le temps de travail, ainsi que le lien de subordination. » Conséquences ? Côté pile : davantage de liberté et d'autonomie pour les employés, notamment grâce au télétravail. Côté face : une possible augmentation de leur charge de travail et du sentiment d'urgence, avec, en toile de fond, un effritement de la frontière entre sphères professionnelle et privée. [...]

Avec les nouvelles technologies et le développement de toutes ces facilités de connexion, partout et à toute heure, de nouveaux maux ont envahi le monde du travail. Comme celui de la dépendance virant à l'obsession, que les Anglo-Saxons appellent « FOMO », pour *fear of missing out* (la « peur de rater quelque chose »). Et jusqu'à l'épuisement professionnel, qui serait une menace sérieuse pour 12 % de la population active, selon le cabinet d'expertise des risques professionnels Technologia. D'où l'idée de légiférer. [...]

D'après un sondage TNS Sofres présenté par l'Agence nationale pour l'amélioration des conditions de travail (Anact), un quart des salariés déclarent qu'il est difficile, voire très difficile, de concilier vie professionnelle et vie privée. Ils sont 45 % à travailler parfois ou souvent sur leur temps personnel. Cette proportion grimpe à 63 % pour les cadres et les chefs d'équipe. Mais à qui la faute ? « Les salariés qui se prétendent submergés par des tsunamis de courriels ne sont-ils pas d'abord les salariés qui le veulent bien ? » interroge le cabinet Jeantet. Ces mêmes salariés qu'il conviendrait de responsabiliser par un « devoir de déconnexion », tel que le proposait Bruno Mettling, l'ex-directeur des ressources humaines du groupe Orange, dans son rapport rendu au gouvernement en septembre 2015.

Prudence, répond le cabinet d'avocats, qui note que les choses ne sont pas si simples, notamment quand « le choix de répondre ou non aux courriels du soir n'en est pas un ». Peur du licenciement et du chômage, pression des primes ou de l'augmentation salariale, sentiment d'obligation professionnelle : plusieurs facteurs peuvent influer sur le comportement des salariés. [...]

La loi crée un droit pour les salariés, et un devoir pour les entreprises : celui de réguler l'outil numérique pour assurer le respect des temps de repos et de congés. Pour ce faire, la négociation de terrain est privilégiée. Les entreprises de plus de 50 salariés devront donc négocier, chaque année, les « modalités du plein exercice par le salarié de son droit à la déconnexion », mais aussi « la mise en place par l'entreprise de dispositifs de régulation de l'utilisation des outils numériques ». Cette négociation donnera lieu à un accord pouvant être valable plusieurs années ou, à défaut, à une charte élaborée par le seul employeur. [...]

Source : Amandine Cailhol, « Mails et textos priés de prendre congé », *Libération*, 29 décembre 2016.

Certains choisissent cet horaire volontairement. Travailler à temps partiel peut présenter des avantages pour ceux qui ont d'autres activités professionnelles ou qui, pour une raison ou pour une autre, préfèrent ne pas travailler 40 heures par semaine. Par exemple, des données récentes indiquent que de nombreux milléniaux optent pour divers emplois à la pige qui leur donnent de la flexibilité, tout en leur permettant d'obtenir des revenus satisfaisants[25]. Toutefois, ceux qui occupent deux emplois, dont au moins un à temps partiel, vivent un stress et une fatigue qui peuvent nuire à leur rendement dans l'un ou l'autre de ces emplois, voire dans les deux. Par ailleurs, l'un des principaux inconvénients est que les travailleurs à temps partiel n'ont souvent pas droit à certains avantages sociaux, comme l'assurance maladie complémentaire, l'assurance vie et la rente de retraite, et il arrive que leur salaire de base soit inférieur à celui de leurs collègues à temps plein. Néanmoins, les postes à temps partiel sont de plus en plus nombreux en raison de leurs nombreux avantages pour les organisations. En général, il est plus facile d'embaucher et de licencier des travailleurs temporaires à temps partiel en fonction des besoins de l'entreprise. De nombreuses organisations font donc appel à de tels travailleurs pour maintenir au plus bas les coûts de main-d'œuvre et pour mieux répondre aux pointes et aux creux du cycle économique. Un employeur peut également avoir recours à de tels travailleurs pour conserver une main-d'œuvre compétente, des personnes hautement qualifiées qui veulent continuer à progresser sur le plan professionnel sans pour autant occuper un emploi à temps plein.

Le nombre de travailleurs à temps partiel est en croissance, les employeurs tentant, dans une économie mondiale difficile, de demeurer flexibles tout en diminuant leurs coûts. C'est une nouvelle donne économique dans laquelle le travail permanent à temps partiel est devenu la réalité de nombreux chercheurs d'emploi[26].

La motivation, les récompenses et le rendement

La motivation au travail, telle qu'elle a été définie au chapitre précédent, traduit l'intensité et la persistance des efforts qu'une personne consacre à son travail. En d'autres mots, comme l'illustre la **figure 6.3** (p. 208), la motivation d'un travailleur détermine l'ampleur de l'effort qu'il fournit. Toutefois, comme la motivation relève essentiellement de l'individu, le rôle du gestionnaire se limite à créer un cadre de travail qui réponde aux besoins et aux objectifs de chacun. Le cadre de travail est plus ou moins motivant pour une personne donnée selon la disponibilité des récompenses et la valeur qu'elle leur attribue.

La proposition de valeur à l'employé et l'adéquation personne-poste-organisation

Le concept de **proposition de valeur à l'employé (PVE)** est probablement le meilleur point de départ de toute discussion sur le lien entre la motivation, les récompenses et le rendement. On peut le voir comme un échange de valeur : ce que l'organisation offre à l'employé en contrepartie de sa contribution au travail[27]. Cette contribution, soit la valeur offerte par l'employé, comprend des éléments comme l'effort, la loyauté,

Proposition de valeur à l'employé (PVE)
Offre de l'organisation à l'employé en contrepartie de sa contribution au travail

FIGURE **6.3** **Un modèle intégré de la motivation au travail**

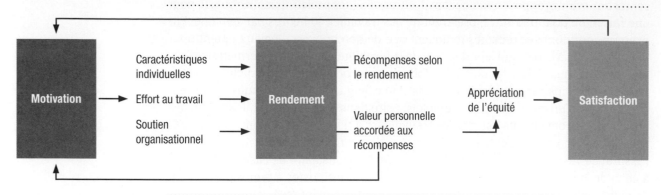

L'ÉTHIQUE EN CO

Le présentéisme peut nuire aux affaires

Votre réveil a été pénible, vous vous sentez encore plus mal que la veille. Malgré les reniflements, les éternuements et la toux, vous vous rendez au travail en espérant tenir jusqu'au soir. Voilà certes une intention louable, mais avez-vous pris en considération l'effet que votre « présentéisme », c'est-à-dire le fait de vous présenter malade au travail, est susceptible d'avoir sur vos collègues, sur la productivité de l'organisation et sur les clients ?

Brett Gorovsky, analyste chez CCH, société de services d'information pour les entreprises, soutient que les employés qui se présentent au travail malades « peuvent réduire le bénéfice net d'une entreprise ». Selon une enquête menée par CCH, 56 % des cadres dirigeants considèrent que ce comportement pose problème, ce qui représente une hausse de 17 % en 2 ans.

Aux États-Unis, le coût de la perte de productivité qui découle du présentéisme est estimé à 180 milliards de dollars par an. WebMD a fait état d'une étude qui tend à confirmer que la perte de productivité peut représenter des coûts supérieurs aux indemnités versées durant les congés de maladie autorisés. Toutefois, un fait demeure : plusieurs personnes se présentent malades au travail parce qu'elles y sont obligées si elles veulent être payées.

Source : Information tirée de « Coming Work Sick Afflicts Biz », *Economic Times Bangalore*, 28 janvier 2007, p. 14. En ligne : webmd.com.

QUESTIONS

Est-il éthique de se présenter au travail malade et de soumettre ainsi ses collègues à un risque de contagion ? Quant aux responsabilités de l'organisation sur le plan éthique, que dire des conditions salariales qui ne permettent pas aux employés de s'absenter quand ils ne se sentent pas en état de travailler ?

l'engagement, la créativité et les compétences. La valeur offerte par l'employeur comprend des aspects tels que le salaire, les avantages sociaux, un travail significatif, des horaires flexibles et des occasions de perfectionnement personnel. Cet échange de valeurs est fréquemment appelé le « contrat psychologique ».

Lorsque les éléments de la PVE sont en adéquation et que le contrat psychologique est équilibré, les bases de la motivation sont bien établies ; elles ne sont pas nécessairement parfaites, mais elles sont solides. La clé est que chaque partie perçoive l'échange de valeurs comme étant équitable et qu'elle obtienne de l'autre ce dont elle a besoin. Toute perception de déséquilibre est susceptible de générer des problèmes. Du point de vue de l'employé, la perception d'un manque de mesures incitatives de la part de l'employeur peut être la cause d'une motivation réduite et entraîner un faible rendement. Du point de vue de l'employeur, la perception d'une contribution insuffisante de l'employé peut engendrer une perte de confiance et d'engagement envers ce dernier et, par conséquent, une réduction des récompenses pour le travail effectué.

L'élément clé d'une bonne PVE est l'« adéquation ». L'**adéquation personne-poste** réfère à la mesure dans laquelle les aptitudes, intérêts et caractéristiques personnelles d'une personne correspondent bien aux exigences du poste. Quant à l'**adéquation personne-organisation**, elle réfère à la mesure dans laquelle les valeurs, intérêts et comportements d'une personne correspondent à la culture de l'organisation. Dans les deux cas, une inadéquation augmente la probabilité d'un déséquilibre qui se répercutera sur la PVE. L'importance de cette adéquation pour la PVE est illustrée de manière éclatante chez Zappos. Si une nouvelle recrue est malheureuse dans cette entreprise après avoir suivi la formation initiale, Zappos la paie pour qu'elle démissionne. Lors de la dernière vérification, cette indemnité de départ était de 4 000 $, et 2 % ou 3 % des nouvelles recrues en profitaient chaque année[28].

Adéquation personne-poste

Mesure dans laquelle les aptitudes, intérêts et caractéristiques personnelles d'une personne correspondent aux exigences du poste

Adéquation personne-organisation

Mesure dans laquelle les valeurs, intérêts et comportements d'une personne correspondent à la culture de l'organisation

Un modèle intégré de la motivation au travail

Ne serait-ce pas merveilleux si on arrivait tous à travailler d'une manière positive et inspirante, dans le cadre d'une excellente proposition de valeur et à un poste qui correspond parfaitement à ses caractéristiques personnelles ? C'est tout de même ce qu'arrivent à offrir à leurs employés un assez grand nombre d'organisations. Par leurs pratiques et grâce à leur personnel, celles-ci ont réussi à devenir d'excellents milieux de travail où les employés sont enthousiasmés et non rebutés par leurs tâches. Pour y parvenir, une organisation doit avoir une bonne compréhension des ressorts de la motivation, savoir tirer profit de la diversité et des différences individuelles, et savoir récompenser le bon travail de manière significative.

Les théories de la motivation, dont il a été question dans le chapitre précédent, et les diverses approches en matière de conception de poste, qui viennent tout juste d'être abordées, ont chacune soulevé, sous un angle particulier, la question des récompenses que les individus obtiennent grâce à leur travail et celle de l'influence de ces récompenses sur leur rendement. Il est maintenant temps d'examiner la façon dont ces différentes dimensions peuvent être rassemblées et prises en considération dans un processus de gestion du rendement.

La figure 6.3 (p. 208) schématise les principaux éléments d'un modèle intégré de la motivation au travail. Ce modèle reprend et relie trois notions fondamentales en CO : effort → rendement → récompenses. Le rendement et la satisfaction y sont des résultantes du travail distinctes, mais potentiellement interdépendantes. Les facteurs qui influent le plus directement sur le rendement sont les caractéristiques individuelles (compétences, expérience, etc.), le soutien organisationnel (ressources, techniques, etc.) et les efforts déployés au travail, variable sur laquelle la motivation agit directement. Quant à la satisfaction, elle découle de l'obtention de récompenses pour un travail accompli, récompenses perçues comme équitables et proportionnelles au rendement atteint.

Examinez de nouveau la figure 6.3 et déterminez de quelle façon les théories motivationnelles du contenu, des processus et du renforcement entrent en jeu. La théorie du renforcement met en lumière l'importance de récompenses qui sont proportionnelles au rendement atteint (*loi du renforcement contingent*) et qui suivent le plus rapidement possible le comportement à renforcer (*loi du renforcement immédiat*) pour avoir un effet renforçateur. La théorie de l'équité met en évidence l'enjeu que représentent les récompenses sur le plan de l'équité perçue. Si un individu perçoit les *récompenses* reçues comme équitables, sa motivation en sera accrue ; sinon, sa satisfaction et sa motivation en seront diminuées. À cet égard, le modèle intégré de la motivation au travail reprend donc les principes de la théorie de l'équité et met en avant le fait que l'individu compare ce qu'il reçoit pour son travail à ce que d'autres reçoivent pour le leur. En ce qui concerne les théories du contenu, elles constituent des guides utiles pour comprendre les besoins individuels qui donnent une valeur motivationnelle aux récompenses possibles. Elles aident le gestionnaire à saisir les caractéristiques de chacun de ses subordonnés et à discerner chez eux les besoins susceptibles de conférer un effet motivant à certaines récompenses plutôt qu'à d'autres. Enfin, le modèle intégré de la motivation au travail s'appuie sur la théorie des attentes, comme le démontre la place centrale qu'occupe l'enchaînement effort → rendement → récompenses.

La récompense intrinsèque et la récompense extrinsèque

Récompense intrinsèque
Sentiment de satisfaction éprouvé par l'individu qui découle directement de l'accomplissement du travail et du résultat obtenu

Les récompenses qu'un individu peut retirer de la réalisation de ses tâches peuvent être de nature intrinsèque ou extrinsèque. La **récompense intrinsèque** correspond au sentiment de satisfaction ou de plaisir éprouvé par l'individu qui découle directement de l'accomplissement du travail et du résultat obtenu. Elle ne repose pas sur un renforcement extérieur. C'est dans une large mesure à ce type de récompense que se rapporte la notion d'enrichissement des tâches, dont il a été question dans la première partie de ce chapitre. En effet, on peut s'attendre à ce qu'un poste comportant beaucoup de *facteurs moteurs*, au sens où les définit la théorie bifactorielle (voir le chapitre 5), ou présentant à un degré élevé les caractéristiques fondamentales d'un emploi, selon la théorie des caractéristiques de l'emploi, procure un sentiment de satisfaction à son titulaire. Le sentiment d'accomplissement qu'éprouve une personne après l'exécution d'une tâche difficile en constitue un excellent exemple. Pour considérer la chose sous un autre angle, citons Yves Chouinard, fondateur de Patagonia : « Il est facile d'aller travailler lorsqu'on vous paie pour faire ce que vous aimez[29]. »

La **récompense extrinsèque**, quant à elle, est une gratification ou un avantage attribué par une personne à une autre ou à un groupe pour un travail jugé satisfaisant. Le gestionnaire peut avoir recours, de façon judicieuse, à des récompenses extrinsèques, qu'il s'agisse simplement de félicitations sincères pour un travail bien fait ou d'une reconnaissance symbolique comme la désignation de l'employé du mois. La rémunération, incluant le salaire et les avantages sociaux, constitue une importante récompense extrinsèque, et ses effets sur la satisfaction, la motivation et le rendement dépendent de sa bonne gestion. Vous avez sans doute déjà entendu des personnes dire : « Je ferai ce qu'il faut pour garder cet emploi, compte tenu du salaire et des avantages sociaux, mais pas plus », ou « Pour le salaire que je reçois, sans même recevoir un "merci", cet emploi ne vaut guère les efforts que j'y déploie. »

Récompense extrinsèque
Gratification ou avantage attribué par une personne à une autre pour un travail jugé satisfaisant

DILEMME : À CONSIDÉRER... OU À ÉVITER ?

Payer les enfants pour leurs bonnes notes

Le rôle de gestionnaire a des aspects communs avec celui de parent, et dans les deux cas, l'attribution de récompenses n'est pas une mince affaire. Vous avez peut-être déjà entendu des parents dire qu'ils payaient leurs enfants pour les « A » qu'ils obtenaient. Peut-être le faites-vous ? Mais est-ce que payer pour les bonnes notes est la chose à faire ? Cela peut-il améliorer le contrôle du temps d'étude des enfants ?

Ceux qui sont pour le salaire aux bonnes notes diront probablement : « Cela conscientise l'enfant... et l'incite à étudier davantage ». « Cela les prépare au monde du travail, où la paie et le rendement vont de pair. » Ceux qui sont contre auront plutôt tendance à dire : « Si les enfants sont payés pour les "A" qu'ils obtiennent, ils vont étudier pour le gain financier et non pas pour apprendre. » Ou bien « Cela fait du tort à ceux qui travaillent fort, mais qui ne réussissent pas à obtenir des notes élevées. » Ou encore « S'il y a plus d'un enfant dans une famille, il est injuste qu'ils ne reçoivent pas tous une récompense. »

Les spécialistes en CO considéreraient cette situation comme un contraste entre les récompenses extrinsèques et intrinsèques. Ils s'inquiéteraient du fait que payer pour les bonnes notes (une récompense extrinsèque) élimine la valeur du stimulus de l'étude pour obtenir un sentiment d'accomplissement personnel

(une récompense intrinsèque). Ils mentionneraient aussi que vous devez vous assurer que la « paie » est vraiment proportionnelle aux notes si vous voulez obtenir le résultat prévu. S'il y a d'autres enfants dans la famille ou dans le voisinage, ils vous diraient de faire attention à la dynamique d'équité.

QUESTIONS
En tant que parent, paieriez-vous pour les bonnes notes, et pourquoi ? Allez un peu plus loin. Qu'est-ce que le rôle de parent peut vous enseigner sur la gestion des personnes au travail ?

La rémunération selon le rendement

La rémunération est une récompense extrinsèque importante, mais particulièrement complexe. Bien intégrée à une démarche de motivation au travail, elle peut contribuer à attirer et à retenir des travailleurs hautement compétents, à les combler et à les motiver à maintenir des rendements élevés. Cependant, en cas d'insatisfaction des travailleurs, elle peut aussi entraîner des effets négatifs sur la motivation et sur le rendement. Parmi les problèmes liés à une rémunération jugée inadéquate, mentionnons la manifestation d'une mauvaise attitude, les griefs, l'absentéisme, un taux élevé de rotation du personnel, l'absence de comportements de citoyenneté organisationnelle et même des problèmes de santé psychologique ou physique.

L'expert en gestion Edward Lawler a grandement contribué à la compréhension de la rémunération en tant que récompense extrinsèque. Ses recherches l'ont amené à la conclusion suivante : pour que la rémunération soit une source de motivation, les travailleurs doivent considérer qu'un rendement élevé est le moyen d'obtenir une rémunération importante[30]. Telle est l'essence même de la **rémunération selon le rendement**, d'après laquelle les individus qui fournissent le meilleur rendement sont les mieux rémunérés : on gagne davantage lorsqu'on produit plus et on gagne moins lorsqu'on produit moins. Les systèmes de rémunération selon le rendement pouvant être implantés par les organisations peuvent prendre diverses formes.

La rémunération au mérite

La **rémunération au mérite**, forme courante de rémunération selon le rendement, est un système de rémunération selon lequel le salaire et les augmentations sont directement liés à l'évaluation du rendement pour une période donnée.

La recherche confirme la logique et les avantages théoriques de la rémunération au mérite, mais elle indique également que son instauration n'est ni aussi facile ni aussi répandue qu'on pourrait le croire. Une étude réalisée par le Hudson Institute a montré qu'en matière de rémunération au mérite, il y a loin de la coupe aux lèvres. Quand on leur a demandé si les employés qui présentaient le meilleur rendement étaient les mieux rémunérés, 48 % des gestionnaires interrogés ont répondu par l'affirmative, tandis que seulement 31 % des répondants n'occupant pas un poste de gestionnaire étaient du même avis. Quand on a demandé à ces deux groupes si la dernière augmentation salariale des employés avait découlé de leur rendement, ils ont répondu par l'affirmative dans des proportions respectives de 46 % et de 29 %[31]. En fait, les répondants à différents sondages menés au cours des dernières années estiment ne pas avoir été rémunérés adéquatement pour le travail bien fait[32]. Un système de rémunération au mérite adéquatement conçu pourrait redresser la situation.

Rémunération selon le rendement

Système de rémunération selon lequel les individus qui fournissent le meilleur rendement sont les mieux rémunérés, et ceux dont le rendement est le plus faible sont les moins bien rémunérés

Rémunération au mérite

Système de rémunération selon lequel le salaire et les augmentations des travailleurs sont directement liés à l'évaluation de leur rendement pour une période donnée

Les employeurs, plus souvent que les employés, estiment que ces derniers reçoivent une rémunération proportionnelle à leur mérite.

Pour bien fonctionner, un système de rémunération au mérite doit s'appuyer sur une évaluation réaliste et objective du rendement des travailleurs et convaincre ces derniers qu'ils doivent fournir un rendement élevé pour obtenir une rémunération importante. De plus, l'ampleur de la récompense doit distinguer clairement des autres les travailleurs qui obtiennent de bons résultats. Enfin, les gestionnaires ne doivent pas confondre les augmentations au mérite et les augmentations automatiques, qui ne constituent qu'une indexation au coût de la vie.

Les systèmes de rémunération au mérite sont une tentative parmi d'autres pour améliorer l'incidence positive de la rémunération en tant que récompense d'un travail. Cependant, certains affirment qu'ils ne sont plus adaptés aux exigences des organisations d'aujourd'hui, car ils ne tiennent pas compte de l'interdépendance des tâches et des fonctions des travailleurs. De plus, comme on l'a dit, les systèmes d'évaluation du rendement et des récompenses doivent être conformes aux stratégies d'ensemble de l'organisation. Par conséquent, le système de rémunération d'une organisation à la recherche de travailleurs hautement qualifiés et pour lesquels la demande est très forte doit privilégier la stabilité de la main-d'œuvre plutôt que le seul rendement[33].

Les primes

Certains employeurs octroient des **primes** en espèces comme complément de salaire pour récompenser les individus dont le rendement est supérieur aux normes ou aux attentes de l'organisation. La prime devient de «l'argent en caisse», sans augmenter le salaire de base ou le taux de rémunération. Il s'agit d'une pratique relativement courante, en particulier pour le personnel de haute direction. Dans certains secteurs, les cadres supérieurs reçoivent des primes annuelles qui peuvent égaler jusqu'à 50 % de leur salaire de base, voire plus. Toutefois, on tente de plus en plus d'étendre cet avantage aux employés de tous les échelons, qu'ils occupent ou non un poste de gestionnaire. Par exemple, les employés d'Applebee's peuvent récolter des «Applebucks» (dollars Applebee's), de petites primes en espèces qui leur sont remises pour récompenser leur rendement et accroître leur loyauté envers l'entreprise[34].

Prime
Complément de salaire en espèces visant à récompenser les individus dont le rendement est supérieur aux normes ou aux attentes de l'organisation

Le partage des gains de productivité et le partage des profits

Le lien entre le rendement et la rémunération est également au cœur des **programmes de partage des gains de productivité**, qui permettent aux travailleurs de toucher un supplément de rémunération proportionnel aux gains de productivité de l'organisation. Ce type de rémunérations donne aux employés l'occasion de gagner davantage en recevant des parts de tout gain de productivité auquel ils ont contribué. Les régimes de participation des employés aux bénéfices sont censés engendrer un sentiment de responsabilité personnelle accru envers l'amélioration du rendement de l'entreprise et augmenter la motivation à travailler d'arrache-pied. Ils sont également censés favoriser la collaboration et le travail d'équipe, qui visent à accroître la productivité[35].

Programme de partage des gains de productivité
Système de rémunération qui accorde aux travailleurs un supplément de rémunération proportionnel aux gains de productivité de l'organisation

Bien qu'assez semblables, les **programmes de participation aux bénéfices** diffèrent des programmes de partage des gains de productivité sur certains points. Si, dans les deux cas, la rémunération des travailleurs est liée à une mesure de la performance de l'entreprise, les programmes de participation aux bénéfices ne récompensent pas sur la base des gains de productivité, mais en liant la rémunération aux profits de l'entreprise : plus les profits sont élevés, plus le montant à distribuer sous forme de participation aux bénéfices est élevé[36]. En revanche, une diminution des profits entraîne évidemment une diminution des revenus, puisque le montant à distribuer sous forme de participation aux bénéfices est plus faible. En fait, l'une des critiques qu'on fait à

Programme de participation aux bénéfices
Système de rémunération qui récompense les travailleurs en liant leur rémunération aux profits de l'organisation

cette approche est que l'augmentation ou la diminution des profits n'est pas toujours le résultat direct des efforts des employés. De nombreux autres facteurs, notamment une conjoncture économique difficile, peuvent entrer en ligne de compte. Dans de tels cas, on est en droit de se demander s'il est juste ou non que les employés gagnent moins en raison de circonstances sur lesquelles ils n'ont pas d'emprise.

DU CÔTÉ DE LA RECHERCHE

Amélioration de la « ligne de visée » dans les programmes de rémunération selon le rendement

De nombreuses organisations offrent un programme de rémunération selon le rendement qui, comme son nom l'indique, lie la rémunération des employés à leur rendement professionnel. Les programmes de rémunération selon le rendement individuel, comme les programmes de rémunération au mérite, sont plutôt simples. L'idée de base est d'offrir une récompense financière aux employés en fonction de leur rendement professionnel individuel.

Toutefois, de nombreux employés ne perçoivent pas de lien direct entre leur rendement professionnel et leur rémunération, ce qu'on appelle la « ligne de visée », et ne s'attendent pas à être récompensés selon leur rendement, ce qui a trait à l'instrumentalité, selon les termes de la théorie des attentes (voir le chapitre 5). On observe cette situation même dans les organisations qui prétendent mettre en œuvre un programme de rémunération au rendement individuel. La ligne de visée correspond au degré auquel un programme de rémunération selon le rendement permet aux employés d'établir un lien évident entre les comportements professionnels qu'ils peuvent adopter et ceux qui sont évalués et récompensés. Quant à l'attente de récompenses

liées au rendement (ou instrumentalité), elle correspond à la probabilité, selon les employés, que leur rendement soit récompensé par leur organisation. On comprend que l'absence d'une ligne de visée ou de croyance en la contingence d'une rémunération selon le rendement chez les employés puisse nuire grandement à l'efficacité d'un programme de rémunération selon le rendement individuel.

Il est donc essentiel de comprendre les conditions qui feront que les employés percevront un lien solide entre leur rendement et leur rémunération dans les programmes de rémunération selon le rendement. Or, il semble que le comportement de leur supérieur immédiat et les autres programmes de rémunération selon le rendement offerts par l'organisation constituent deux conditions qui pourraient être particulièrement importantes pour renforcer, chez les employés, la ligne de visée et l'attente de récompenses liées au rendement.

Bien que les programmes de rémunération selon le rendement soient conçus par les services des ressources humaines (RH), ce sont les supérieurs immédiats qui gèrent la rémunération selon le rendement des employés. Le comportement de ces gestionnaires

constitue donc la clé du succès de ces programmes. Un des types de comportements qui est particulièrement important est le leadership de contingence en matière de récompenses. Il consiste, pour les gestionnaires, à récompenser les employés qui ont atteint les objectifs convenus. Dans le leadership de contingence en matière de récompenses, les gestionnaires définissent clairement les objectifs et les attentes envers les employés ; ils peuvent ainsi mieux évaluer le rendement de chacun.

Une organisation qui utilise la participation aux bénéfices peut aussi améliorer l'efficacité des programmes de rémunération selon le rendement. Les programmes de participation aux bénéfices montrent aux employés que l'organisation se soucie du rendement de ses employés et qu'elle tient à le récompenser de plusieurs façons. De plus, la présence d'un programme de participation aux bénéfices renforce et soutient les programmes de rémunération selon le rendement individuel et l'engagement d'une organisation à récompenser le rendement de ses employés.

Pour évaluer le rôle du leadership de contingence en matière de récompenses et de participation aux bénéfices dans l'efficacité des programmes de rémunération selon le rendement individuel, Joo Hun Han, Kathryn Bartol et Seongsu Kim ont effectué une étude auprès de 45 entreprises coréennes de 8 secteurs d'activité différents. Dans chaque entreprise, les gestionnaires des RH, les salariés et leur supérieur immédiat ont répondu à un sondage.

Comme les chercheurs l'avaient prévu, les résultats ont indiqué que le lien entre le programme organisationnel de rémunération selon le rendement et la perception des employés concernant l'attente de récompenses liées au rendement était plus solide lorsque le gestionnaire adoptait un leadership de contingence en matière de récompenses et que l'organisation offrait un régime de participation aux bénéfices. De plus, on observait alors un lien positif entre l'attente de récompenses liées au rendement des employés et leur rendement professionnel. Autrement dit, la rémunération selon le rendement était plus susceptible de renforcer les perceptions d'attente de récompenses liées au rendement et le rendement professionnel lorsque le gestionnaire immédiat démontrait un leadership élevé de contingence en matière de récompenses et que l'organisation offrait un régime de participation aux bénéfices.

Les résultats de cette étude indiquent que les programmes de rémunération selon le rendement sont plus efficaces sur le plan de l'attente de récompenses liées au rendement et du rendement professionnel s'ils sont accompagnés d'un leadership de contingence en matière de récompenses de la part du gestionnaire immédiat et d'une participation aux bénéfices de l'organisation. Les organisations peuvent donc améliorer la motivation et le rendement professionnel des employés avec des programmes de rémunération selon le rendement, pourvu qu'ils soient accompagnés d'un leadership de contingence en matière de récompenses et d'une participation aux bénéfices.

Source : J. H. Han, K. M. Bartol et S. Kim, « Tightening Up the Performance-Pay Linkage : Roles of Contingent Reward Leadership and Profit-Sharing in the Cross-Level Influence of Individual Pay-for-performance », *Journal of Applied Psychology*, vol. 100, 2015, p. 417-430, cité dans Gary Johns et Alan M. Saks, *Organizational Behavior : Understanding and Managing Life at Work*, 10e édition, Toronto, Pearson, 2017, p. 207. Reproduit avec la permission de Pearson Canada Inc.

Les options d'achat d'actions et les régimes d'actionnariat des employés

Autre façon de lier la rémunération au rendement, le **programme d'options d'achat d'actions** destiné aux employés donne le droit à ces derniers, s'ils y adhèrent, d'acheter des actions à une date ultérieure, à un prix précisé à l'avance ou à un « prix de levée »[37]. Par son implantation, on espère que les employés auxquels on a octroyé de telles options d'achat seront fortement motivés et ne lésineront pas sur leurs efforts pour faire obtenir à l'entreprise de bons résultats, puisqu'ils peuvent faire des profits par l'achat d'actions dont le prix montera.

Parmi les autres formes de rémunération au rendement, on compte les **régimes d'actionnariat des employés**, par lesquels des sociétés de capitaux donnent à leurs salariés des actions de l'entreprise ou leur permettent d'en acquérir à un prix inférieur à celui du marché. Ces régimes d'intéressement se fondent sur la prémisse que les salariés actionnaires feront preuve d'une grande motivation au travail pour faire en sorte que l'entreprise obtienne de bons résultats, lesquels se traduiront par une hausse du cours des actions. En tant qu'actionnaires, les employés tirent profit de l'augmentation des bénéfices. En revanche, ces régimes n'échappent pas aux aléas inhérents à tout investissement boursier : le cours des actions peut monter, mais aussi descendre[38].

Programme d'options d'achat d'actions
Système de rémunération donnant aux employés qui y adhèrent le droit d'acheter ultérieurement des actions à un prix fixé à l'avance

Régime d'actionnariat des employés
Système de rémunération par lequel une société de capitaux donne à ses salariés des actions de l'entreprise ou leur permet d'en acquérir à un prix inférieur à celui du marché

Salaires somptueux des hauts dirigeants : des pratiques éthiques ?

[…] Les modèles de rémunération des hauts dirigeants comportent habituellement six éléments : un salaire de base, une prime, des actions à droit d'exercice restreint, un programme d'intéressement à long terme, des prestations de retraite et des options d'achat d'actions. Or, selon l'Institut sur la gouvernance d'organisations privées et publiques (IGOPP), c'est ce dernier élément qui pose le plus problème, d'autant plus qu'il compte aujourd'hui pour environ 25 % de la rémunération totale des grands administrateurs. […]

Évidemment, dans le cas des hauts dirigeants, cela n'est pas sans conséquence : la tentation est grande pour eux, et ils risquent de miser sur leur désir de voir la valeur de l'action augmenter à court terme en prenant des décisions qui ne sont pas bonnes pour la santé de l'entreprise à long terme. « Quand, chaque année, ces hauts dirigeants ont des options à exercer, leurs décisions d'affaires peuvent s'en trouver influencées », indique Yvan Allaire, professeur émérite à l'UQAM et président de l'IGOPP. Toujours selon l'IGOPP, un autre problème réside dans le fait que l'augmentation de la valeur d'une action n'est pas toujours liée au rôle de la haute direction : les mouvements à la hausse ou à la baisse de la Bourse sont souvent attribuables à des facteurs macroéconomiques, tendances sur lesquelles les PDG ont au fond bien peu de prise. […]

Aux États-Unis, la loi Dodd-Frank signée en 2010 par le président Obama représente un premier effort pour tenter de contrôler l'augmentation vertigineuse de la rémunération des hauts dirigeants. Elle a été adoptée entre autres pour limiter le plus possible les effets d'une autre crise économique comme celle de 2008, qui fut causée en grande partie par la cupidité, l'irresponsabilité et le manque de responsabilisation d'individus hauts placés. Cette loi prévoit que les actionnaires peuvent voter sur la rémunération accordée aux hauts dirigeants, un principe que l'on nomme Say on Pay.

Si les intentions derrière le Say on Pay semblent louables, il ne s'agit pas là d'une solution idéale aux yeux d'Yvan Allaire, surtout parce que les actions sont en majorité détenues par des investisseurs institutionnels, comme des fonds de placement ou des fonds de spéculation, qui ont tout à gagner à ce que le bénéfice par action augmente rapidement. « Et puis, c'est une usurpation du rôle du conseil d'administration, qui doit en principe balancer le pouvoir de la haute direction et s'assurer du bien-être à long terme de l'entreprise », lance-t-il. Pour leur part, Sylvie Berthelot et son collègue Michel Coulmont ont mis en lumière, dans leur étude « Impact of Say on Pay on Executive Compensation of Firms Listed on the Toronto Stock Exchange », présentée dans le *Journal of Business and Management*, que le Say on Pay ne montre pas de correspondance entre la rémunération des dirigeants et la performance de leur société et que cette pratique n'influence pas à la baisse les salaires des grands administrateurs.

La loi Dodd-Frank prévoit en outre que toutes les sociétés émettrices d'actions cotées en bourse divulguent non seulement leurs états financiers et les chiffres concernant quelques-uns des plus hauts dirigeants – comme c'est le cas au Canada –, mais surtout le ratio d'équité, c'est-à-dire le rapport entre la rémunération du plus haut dirigeant et celle de l'employé médian. […] On estime qu'au Canada, ce ratio serait en moyenne de 120, indique Sylvie Berthelot. Aux États-Unis, certains dirigeants d'entreprise atteindraient un ratio autour de 2000. Voilà un indice évident que la rémunération est très élevée. Bref, si le ratio d'équité était connu, le grand public serait en mesure de comparer rapidement et facilement le niveau de rémunération des chefs d'entreprise. »

La véritable solution, selon l'IGOPP, c'est que les conseils d'administration acceptent d'aller à contre-courant de ce qui se fait actuellement et se responsabilisent davantage. Qu'ils arrivent à baser la rémunération des hauts dirigeants certes sur des données quantitatives et pas seulement sur les cotes boursières, mais aussi sur des éléments qualitatifs, comme les valeurs et l'éthique de l'entreprise ainsi que le sentiment d'appartenance et d'équité ressenti par la majorité des membres de l'organisation.

Mais surtout, toujours selon l'IGOPP, il faudrait qu'on en arrive à éliminer les options d'achat comme mode de rémunération, une pratique au demeurant interdite dans certains pays. « Idéalement, les conseils d'administration arrêteraient également de se fier aux firmes de consultants en rémunération qui, au fond, ont tout à gagner à faire grimper la rémunération : elles sont payées par la direction pour se prononcer sur la rémunération de la direction », conclut monsieur Allaire.

Source : Marie-Hélène Lebœuf, « Salaires somptueux des hauts dirigeants : des pratiques éthiques ? », *Revue RH*, vol. 19, n° 3 (juin/juillet/août 2016), p. 34-37. Reproduction autorisée par l'Ordre des conseillers en ressources humaines agréés.

QUESTIONS

Que pensez-vous de la rémunération et des options d'achat qui sont accordées aux hauts dirigeants ? Sont-elles justifiées ?

La rémunération fondée sur les compétences

Autre système de rémunération novateur, la **rémunération fondée sur les compétences** est fonction de l'acquisition ou du perfectionnement d'habiletés liées au travail. Les travailleurs sont rémunérés selon la diversité et l'étendue de leurs compétences plutôt que selon leur affectation. Ainsi, ils sont payés pour les différentes compétences acquises et parce qu'ils acceptent de les mettre au service de l'organisation.

Rémunération fondée sur les compétences
Système de rémunération qui récompense les travailleurs pour l'acquisition ou le perfectionnement d'habiletés associées à leur travail

Ce système de rémunération peut comporter plusieurs avantages, parmi lesquels : (1) la formation interfonctionnelle des travailleurs, les uns apprenant à accomplir les tâches des autres ; (2) un besoin moindre de superviseurs, les travailleurs remplissant eux-mêmes certaines des fonctions de supervision ; (3) une attitude moins passive des travailleurs en matière de rémunération, du fait qu'ils savent ce qu'ils doivent accomplir pour recevoir une augmentation et qu'ils peuvent donc prendre les mesures appropriées. Du côté des inconvénients pour l'entreprise, notons le risque que l'augmentation des coûts (formation et salaire) ne soit pas absorbée par une productivité accrue, ainsi que la difficulté d'attribuer une valeur financière juste à chaque compétence[39].

La rémunération fondée sur les compétences encourage la polyvalence, les travailleurs étant incités à savoir accomplir les tâches des autres voire à remplir eux-mêmes certaines fonctions de supervision.

La motivation et la gestion du rendement

Si vous souhaitez être embauché par Procter & Gamble (P & G) et être récompensé par des promotions qui vous mèneront vers une carrière de haut dirigeant, assurez-vous de faire partie des meilleurs. Non seulement l'entreprise est-elle très sélective dans son embauche, mais elle fait aussi un suivi étroit du rendement de chaque gestionnaire, et ce, pour chacune des tâches qu'il ou elle doit effectuer. De plus, l'entreprise dispose toujours d'au moins trois candidats performants prêts à occuper tout poste qui se libère. En reliant ainsi le rendement à l'avancement professionnel, P & G a réussi à intégrer la motivation au travail à son modèle de gestion[40].

Des vacances autant que vous en voulez

Cela semble irréel ? Ce ne l'est pas. Netflix est exploitée selon ce que son directeur général, Reed Hastings, appelle une « culture de liberté et de responsabilité » et qu'il décrit ainsi :

> « Nous voulons des personnes responsables, qui sont motivées et disciplinées, et nous les récompensons avec la liberté. Le meilleur exemple est notre politique sur les vacances. C'est simple et facile à comprendre : nous n'avons pas une telle politique. Nous mettons l'accent sur ce que les gens accomplissent et non sur le nombre de jours travaillés. »

Hastings mentionne que l'entreprise utilisait avant un « programme standard de congés annuels », mais l'a mis de côté, considérant que c'était une « coutume de l'ère industrielle ». Selon sa logique, si les gens ne comptent pas leurs heures de travail, pourquoi leur employeur compterait-il leurs jours de vacances ? En ce qui le concerne, Hastings précise : « Je m'assure de prendre beaucoup de vacances pour montrer l'exemple. De plus, je mets ma créativité à l'œuvre pendant que je suis en vacances. »

Un sondage de la Society for Human Resource Management révèle que la politique du congé annuel illimité n'est pratiquée que par environ 1 % des employeurs, surtout de petites entreprises. Pour ces employeurs, l'un des principaux facteurs de succès est une culture axée sur un niveau élevé de confiance. Ainsi, Red Frog Events, un petit

organisateur d'événements, permet à ses 80 employés à temps plein de prendre des vacances quand ils le veulent. Selon le directeur des ressources humaines, l'entreprise n'a observé aucun abus. Selon un autre partisan de cette politique, Dov Seidman, directeur général de l'entreprise LRN, qui compte 300 employés : « Les gens sont beaucoup plus honnêtes et responsables lorsqu'on leur fait confiance. »

QUESTIONS

En vous fondant uniquement sur votre expérience, pensez-vous que cette approche des vacances fonctionnerait pour tous les employeurs ? Est-ce la prochaine tendance en matière d'incitatifs pour les employés ? Quelles en sont les limites, s'il y en a ? Est-ce que les théories de la motivation appuient cette pratique ou mettent plutôt en garde contre ses limites ? Pourquoi cette pratique n'est-elle pas la norme dans les entreprises dont la politique est axée sur la confiance envers les employés ?

L'approche adoptée par P & G peut être hautement motivante pour ceux qui sont prêts à travailler fort pour grimper les échelons et réussir une carrière de haut dirigeant. Cependant, il ne faut pas sous-estimer la difficulté de mettre en œuvre ce type de systèmes de récompenses fondés sur le rendement. Ils peuvent avoir des ratés ou même échouer lorsque le processus de gestion du rendement ou la mesure des résultats n'est pas respecté par toutes les parties concernées.

Le processus de gestion du rendement

Le fondement de tout système de gestion du rendement est la mesure du rendement, comme l'illustre la **figure 6.4**. Et pour mesurer correctement le rendement, les gestionnaires doivent avoir de bonnes réponses à apporter à deux questions : « pourquoi mesurer le rendement ? » et « quoi mesurer ? »

....

La question «pourquoi mesurer le rendement?» fait référence aux deux grands objectifs auxquels celle-ci répond. Premièrement, la mesure du rendement vise l'*évaluation proprement dite*. En elle-même, elle permet aux employés de savoir où ils se situent exactement par rapport à certains objectifs et à certaines normes. Elle sert de fondement à des décisions concernant l'attribution des récompenses ainsi qu'à l'administration générale des systèmes de gestion des ressources humaines de l'entreprise. Deuxièmement, la mesure du rendement vise la *rétroaction* et le *perfectionnement des compétences*. Elle doit, en effet, pouvoir donner un aperçu des forces et des faiblesses individuelles. Elle facilite ainsi l'application des décisions relatives à la formation continue, qui vise le perfectionnement des subordonnés; elle permet de bien planifier cette dernière et contribue à convaincre les travailleurs de son importance.

Par ailleurs, sachant que les individus agissent en fonction de ce qui est mesuré, la deuxième question, «quoi mesurer?» est elle aussi cruciale. Ainsi, dans le cadre du processus de gestion du rendement, les gestionnaires doivent s'assurer de mesurer les bons éléments et de le faire correctement. Par exemple, si le doyen veut que les professeurs de sa faculté soient d'excellents enseignants, il doit faire en sorte que l'enseignement soit mesuré de façon valide et les récompenses, liées aux résultats obtenus. Bien entendu, la définition d'un enseignement « excellent » et la mesure d'évaluation sont sujettes à controverse. C'est une des raisons pour lesquelles on parle souvent de l'importance de l'enseignement, mais qu'on récompense les professeurs pour leurs résultats de recherche, plus faciles à mesurer.

Il est primordial que toute mesure du rendement se fonde sur des critères clairs liés au travail, donne lieu à une évaluation exacte, permette de distinguer un rendement faible d'un rendement élevé et fournisse une information substantielle qui alimentera la rétroaction visant l'amélioration du rendement.

Mesure des résultats
Évaluation du rendement par rapport au produit effectif du travail

La **mesure des résultats** consiste en l'évaluation du rendement par rapport au produit effectif du travail. Par exemple, on peut fixer à un assembleur travaillant sur une chaîne de montage un objectif horaire de 15 moniteurs. Comme il est facile de calculer le nombre de moniteurs assemblés dans un temps donné, l'entreprise peut déterminer une *norme de quantité*. C'est alors l'aspect *quantitatif* du rendement, le nombre d'articles assemblés à l'heure, qui est évalué. Mais l'entreprise peut y ajouter une norme de qualité et décider d'évaluer l'ouvrier non plus seulement en fonction du nombre de moniteurs assemblés à l'heure, mais aussi en fonction du nombre de moniteurs passant avec succès l'*inspection de contrôle de la qualité*. Quantité et qualité deviennent alors deux critères essentiels. L'ouvrier ne peut privilégier l'un au détriment de l'autre. Par exemple, s'il réussit à monter 20 moniteurs à l'heure, mais que 10 d'entre eux seulement satisfont aux normes qualitatives, son rendement sera jugé insatisfaisant. Il en sera de même si tous les moniteurs qu'il assemble satisfont aux normes qualitatives, mais qu'il n'en monte que 10 à l'heure. La direction de l'entreprise peut également se préoccuper d'autres aspects du rendement. Dans notre exemple, elle pourrait évaluer l'assembleur non seulement sur la quantité et la qualité de sa production, mais aussi sur le temps d'arrêt de l'équipement utilisé pour l'assemblage des moniteurs ; elle s'assurerait ainsi qu'il assemble au rythme souhaité un produit qui satisfait aux normes et qu'il prend également soin de l'équipement.

Mesure des activités
Évaluation du rendement par rapport aux efforts ou aux moyens mis en œuvre dans le travail

La **mesure des activités**, quant à elle, consiste en l'évaluation du rendement par rapport aux efforts ou aux moyens mis en œuvre dans le travail. On recourt souvent à ce type de mesures lorsque l'évaluation des résultats est difficile ou lorsqu'on sait que certaines activités sont des prédicteurs valables du succès en matière de rendement.

La mesure des activités vise à évaluer les efforts et les moyens mis en œuvre dans le travail.

Ainsi, pour l'évaluation du rendement d'un représentant, le nombre de visites aux clients effectuées en une journée peut remplacer, ou compléter, le nombre de ventes réellement conclues. Dans le cas d'un chercheur, apprécier le résultat du travail peut se révéler extrêmement difficile. On évalue alors le travail sur la base des méthodes scientifiques utilisées pour résoudre les problèmes et sur la qualité des interactions avec les collègues.

Abandonner l'évaluation : le cas Adobe

Dans la foulée d'un changement organisationnel majeur vers l'infonuagique, Adobe a récemment aboli ses évaluations annuelles de performance, source de stress et de démotivation pour les employés, dans le but de développer son approche *check-in*. Au rythme d'un peu plus d'une rencontre par mois, l'entreprise voulait instaurer des discussions informelles de performance entre ses gestionnaires et ses employés sur une base continue plutôt que des échanges en début, puis en fin de cycle. Un des objectifs de cette approche consistait à faire en sorte que les employés se préoccupent davantage des moyens à prendre pour s'améliorer et se développer tout et mettant de côté leur classement ou la cote de performance qu'ils obtiendraient à la fin de l'année. Dans le cas des gestionnaires, on cherchait à ce qu'ils se limitent davantage à un rôle d'accompagnateur en soutenant leurs employés, en discutant en temps réel des objectifs à atteindre à court terme et en abordant la question des barrières et des enjeux qui empêchent leurs troupes de performer.

....

Source : Olivier Doucet, « L'abandon de l'évaluation annuelle de performance : mode passagère ou approche novatrice ? », reproduit avec la permission de *Gestion*, revue internationale de gestion, vol. 41, nᵒ 2 (été 2016), p. 38.

Les méthodes d'évaluation du rendement

Le processus formel d'évaluation du rendement permet de porter un jugement sur le travail accompli par les membres du personnel autant dans ses aspects quantitatifs que dans ses aspects qualitatifs, et de fournir une rétroaction sur laquelle ceux-ci pourront se fonder pour apporter des améliorations. Comme on peut s'y attendre, les méthodes d'évaluation sont nombreuses et variées. Chacune a ses points forts et ses lacunes, dont il est judicieux de tenir compte pour déterminer dans quelle situation elle se révélera la plus utile[41].

Les méthodes d'évaluation du rendement se divisent en deux grandes catégories : les méthodes comparatives (par exemple le *classement*, la *comparaison par paires* et la *distribution forcée*) et les méthodes de mesure absolue (par exemple l'*échelle d'évaluation graphique*, l'*évaluation par incidents critiques* et l'*échelle d'évaluation comportementale*). Les méthodes comparatives d'évaluation du rendement visent à déterminer le classement relatif de chaque individu par rapport à l'ensemble de l'effectif évalué. Autrement dit, elles peuvent établir que le rendement de Claire est supérieur à celui de Charles, qui est supérieur à ceux de Jacqueline et de Thomas. Elles peuvent indiquer qu'un travailleur réussit mieux qu'un autre sur tel ou tel aspect du rendement, mais *elles ne fournissent pas l'ordre de grandeur de cette réussite* et ne permettent pas de savoir si le meilleur travailleur est *suffisamment efficace dans l'absolu*. Il se pourrait bien, après tout, que Claire ne surpasse les autres que parce que ceux-ci sont vraiment inefficaces. En revanche, les méthodes de mesure absolue du rendement s'appuient sur des normes d'évaluation précises, préétablies. Par exemple, la ponctualité peut s'évaluer sur une échelle allant de *très ponctuel* à *jamais à l'heure*.

Les méthodes comparatives

Classement

Méthode comparative d'évaluation du rendement selon laquelle on classe les personnes évaluées de la meilleure à la moins bonne pour chacun des aspects du rendement visés par l'évaluation ou pour leur rendement global

Comparaison par paires

Méthode comparative d'évaluation du rendement selon laquelle on compare chaque travailleur à chacun de ses collègues évalués

Le **classement** est la méthode comparative la plus élémentaire. Il consiste à classer les personnes évaluées de la *meilleure* à la *moins bonne* pour chacun des aspects du rendement visés par l'évaluation ou pour leur rendement global. Ainsi, pour apprécier la qualité du travail de trois salariés, le gestionnaire compare les résultats, puis classe X en première place, Y en deuxième et Z en troisième. Bien que des plus simples, cette méthode peut devenir très difficile à gérer s'il y a beaucoup de travailleurs à évaluer.

La **comparaison par paires** consiste à comparer chaque travailleur à chacun de ses collègues évalués. Le nombre de fois où un individu obtient la meilleure note dans toutes les paires utilisées pour la comparaison détermine sa notation finale. Toutes les combinaisons possibles au sein du groupe de personnes évaluées sont prises en considération, comme l'illustre l'exemple qui suit (le nom du *meilleur* de chaque paire est en italique) :

Claire et Charles	*Charles* et Jacqueline	*Jacqueline* et Thomas
Claire et Jacqueline	*Charles* et Thomas	
Claire et Thomas		

Nombre de fois où Claire se classe le mieux	3
Nombre de fois où Charles se classe le mieux	2
Nombre de fois où Jacqueline se classe le mieux	1
Nombre de fois où Thomas se classe le mieux	0

Dans cet exemple, c'est Claire qui donne le meilleur rendement, suivie de Charles, puis de Jacqueline et, enfin, de Thomas, qui se classe en dernier. Lorsqu'il faut évaluer un grand nombre de personnes, la méthode de comparaison par paires peut se révéler encore plus fastidieuse à gérer que la méthode du classement.

Distribution forcée

Méthode comparative d'évaluation du rendement qui se fonde sur un nombre restreint de catégories d'appréciation (excellent, bon, acceptable, médiocre, insatisfaisant) dans lesquelles l'évaluateur doit placer une proportion donnée des personnes évaluées

La **distribution forcée** est une méthode comparative d'évaluation du rendement qui se fonde sur un nombre restreint de catégories d'appréciation (*excellent*, *bon*, *acceptable*, *médiocre*, *insatisfaisant*) dans lesquelles l'évaluateur doit placer une proportion donnée des personnes évaluées ; par exemple, 10 % dans la catégorie *excellent*, 20 % dans la catégorie *bon*, et ainsi de suite. L'évaluateur qui utilise cette méthode est *forcé* d'utiliser toutes les catégories, ce qui permet d'éviter que tous les travailleurs se retrouvent dans une ou deux d'entre elles. Évidemment, la méthode de la distribution forcée devient problématique si la plupart des personnes évaluées sont vraiment efficaces ou ont un rendement à peu près équivalent.

Les méthodes de mesure absolue

Échelle d'évaluation graphique

Méthode de mesure absolue qui permet d'évaluer le rendement selon divers critères qu'on estime liés à un rendement satisfaisant, à un poste donné ; l'appréciation relative à chacun des critères est indiquée sur une échelle

L'**échelle d'évaluation graphique** permet d'évaluer le rendement selon divers critères qu'on estime liés à un rendement satisfaisant, à un poste donné (quantité de travail, qualité du travail, coopération, esprit d'initiative, assiduité, etc.). Pour chacun des critères, le gestionnaire indique son appréciation sur une échelle allant, par exemple, d'*excellent* à *insatisfaisant*, comme dans la **figure 6.5**. Une note de 1 à 5, comme dans notre exemple, peut également être associée à chacun des niveaux d'appréciation pour l'obtention d'une indication numérique du rendement.

| Nom de l'employé: _____ | Superviseur: _____ |
| Service: _____ | Date: _____ |

Quantité de travail		Qualité de travail		Coopération	
1. Insatisfaisante	__	1. Insatisfaisante	__	1. Insatisfaisante	__
2. Passable	✔	2. Passable	__	2. Passable	✔
3. Bonne	__	3. Bonne	✔	3. Bonne	__
4. Très bonne	__	4. Très bonne	__	4. Très bonne	__
5. Excellente	__	5. Excellente	__	5. Excellente	__

| Nom de l'employé: _____ | Superviseur: _____ |
| Service: _____ | Date: _____ |

Quantité de travail		Qualité de travail		Coopération	
1. Insatisfaisante	__	1. Insatisfaisante	__	1. Insatisfaisante	__
2. Passable	__	2. Passable	__	2. Passable	__
3. Bonne	✔	3. Bonne	__	3. Bonne	__
4. Très bonne	__	4. Très bonne	✔	4. Très bonne	__
5. Excellente	__	5. Excellente	__	5. Excellente	✔

Outre sa simplicité d'utilisation, qui est son avantage premier, l'échelle d'évaluation graphique exige peu de temps et de ressources, et elle s'applique à une multitude de types d'emplois. Par contre, en raison de sa simplicité et de son caractère très général, ce genre d'échelle est difficile à associer étroitement à l'analyse de poste ou à des aspects particuliers d'un poste donné. On peut remédier à cet inconvénient en s'assurant, par une analyse rigoureuse du poste, que seules les dimensions s'appliquant au poste seront évaluées. Il y a donc un choix à faire: plus l'échelle est générale, plus elle s'applique à une multitude d'emplois; plus elle est étroitement associée à l'analyse d'un poste donné, moins elle peut servir de critère de comparaison entre les titulaires de postes différents.

L'**échelle d'évaluation comportementale** établit des liens entre des comportements précis et observables et un niveau donné de rendement. Elle est plus complexe et plus perfectionnée que l'échelle d'évaluation graphique. Ainsi, après avoir recensé une série de comportements observables dans un emploi donné, on construit une échelle avec différents comportements typiques servant de références et correspondant chacun à un niveau de rendement. La **figure 6.6** (p. 224) montre un exemple conçu pour évaluer le rendement d'un représentant du service à la clientèle. Comme vous pouvez le voir, chacun des comportements est décrit très précisément et placé dans

Échelle d'évaluation comportementale
Méthode de mesure absolue du rendement selon laquelle, après avoir recensé une série de comportements observables dans un emploi donné, on construit une échelle avec différents comportements typiques servant de références et correspondant chacun à un niveau de rendement

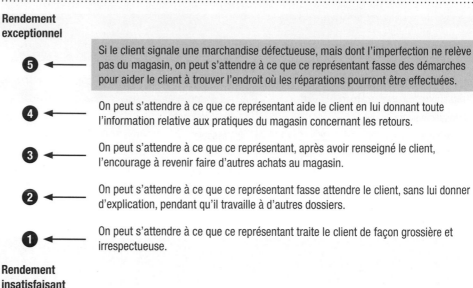

FIGURE **6.6** Une échelle d'évaluation comportementale : exemple d'évaluation du rendement d'un représentant du service à la clientèle

Rendement exceptionnel

5 ← Si le client signale une marchandise défectueuse, mais dont l'imperfection ne relève pas du magasin, on peut s'attendre à ce que ce représentant fasse des démarches pour aider le client à trouver l'endroit où les réparations pourront être effectuées.

4 ← On peut s'attendre à ce que ce représentant aide le client en lui donnant toute l'information relative aux pratiques du magasin concernant les retours.

3 ← On peut s'attendre à ce que ce représentant, après avoir renseigné le client, l'encourage à revenir faire d'autres achats au magasin.

2 ← On peut s'attendre à ce que ce représentant fasse attendre le client, sans lui donner d'explication, pendant qu'il travaille à d'autres dossiers.

1 ← On peut s'attendre à ce que ce représentant traite le client de façon grossière et irrespectueuse.

Rendement insatisfaisant

l'échelle selon la « note » qu'on lui a attribuée. Des échelles d'évaluation comportementale similaires permettent d'évaluer toutes les autres dimensions importantes du poste. Cette méthode détaillée et complexe exige du temps et des efforts. Elle permet néanmoins de répondre aux deux grands objectifs de la mesure du rendement, soit l'évaluation proprement dite et le perfectionnement des compétences[42].

Évaluation par incidents critiques

Méthode de mesure absolue du rendement selon laquelle on consigne dans un registre des incidents critiques liés au comportement du travailleur : succès ou échecs sortant de l'ordinaire et touchant diverses dimensions du rendement

L'**évaluation par incidents critiques** exige que des superviseurs consignent dans un registre des incidents critiques liés au comportement du travailleur : succès ou échecs sortant de l'ordinaire et touchant diverses dimensions du rendement. Ils remplissent généralement le registre quotidiennement ou hebdomadairement, en écrivant dans les rubriques prévues à cet effet. Cette approche donne d'excellents résultats pour ce qui est du perfectionnement des compétences. Cependant, comme elle s'appuie sur des données qualitatives plutôt que sur des données quantitatives, son utilisation comme outil d'évaluation est plus contestable. Pour remédier à cet inconvénient, on l'associe parfois à une ou à plusieurs autres méthodes.

La rétroaction à 360 degrés

Rétroaction à 360 degrés

Approche de l'évaluation du rendement qui ajoute à l'évaluation faite par les supérieurs, l'évaluation par les collègues et les subordonnés, l'évaluation par la clientèle ou par d'autres personnes avec qui le travailleur est en contact à l'extérieur de son unité de travail ainsi que l'autoévaluation

Afin d'être le mieux informées possible sur le rendement de leur personnel, de plus en plus d'organisations utilisent maintenant, en plus des évaluations effectuées par les supérieurs, les évaluations des collègues et des subordonnés, l'autoévaluation ainsi que l'évaluation par les clients ou par d'autres personnes avec qui le travailleur est en contact à l'extérieur de son unité de travail. Ce type d'évaluation élargie s'appelle la **rétroaction à 360 degrés**[43]. Il convient particulièrement bien aux jeunes organisations à structure horizontale, orientées vers le travail d'équipe et visant la gestion intégrale de la qualité et la haute performance. Dans de tels contextes, en effet, la diversification des sources est essentielle au processus d'évaluation du rendement. Par exemple, le subordonné peut s'autoévaluer, puis discuter avec son supérieur après que celui-ci a procédé à son évaluation et, le cas échéant, avec d'autres personnes l'ayant également évalué, dans une perspective à la fois d'évaluation et de perfectionnement des compétences.

Par ailleurs, les nouvelles technologies facilitent grandement la collecte et l'analyse des données fournies par diverses formes de rétroaction à 360 degrés ; elles permettent aussi d'obtenir une rétroaction continue plutôt que périodique. Accenture utilise le programme informatique nommé Performance Multiplier, qui permet aux utilisateurs de publier des projets, des objectifs et des mises à jour de statut pouvant être consultés par les autres. Le logiciel Rypple de Microsoft permet aussi aux utilisateurs de publier des questions d'évaluation de 140 caractères ou moins telles que « Qu'avez-vous pensé de ma présentation ? » ou « Qu'est-ce que j'aurais pu faire pour mieux animer la réunion ? » Les réponses anonymes sont compilées par le programme, et la rétroaction à 360 degrés est ensuite envoyée à la personne ayant posé la question[44].

Le sermon du patron, c'est ce qu'il y a de pire

Un sondage effectué par Development Dimensions International indique que les conversations difficiles avec le patron sont ce que les employés craignent le plus. Au chapitre des calamités, elles se classent avant le retour au travail après des vacances, et même avant les contraventions pour excès de vitesse ou les impôts. L'influence du comportement du patron – ses paroles comme ses gestes – sur la motivation est évidente. Près de 98 % de ceux qui travaillent pour leur « meilleur patron à vie » mentionnent qu'ils sont très motivés au travail, alors que ce n'est le cas que de 13 % de ceux qui travaillent pour leur « pire patron à vie ».

Les erreurs courantes dans l'évaluation du rendement

Pour être vraiment significatif, un système d'évaluation doit à la fois être *fiable*, c'est-à-dire donner des résultats constants et stables, et *valide*, c'est-à-dire évaluer réellement le rendement des employés en fonction des caractéristiques de leur poste. Or, un certain nombre d'erreurs peuvent saper la fiabilité ou la validité d'une évaluation[45]. Vous remarquerez la relation étroite qui existe entre les erreurs que nous allons maintenant décrire et les erreurs de perception étudiées au chapitre 4.

L'effet de halo. Ce type d'erreurs se produit si, en évaluant le rendement d'un subordonné, un gestionnaire lui attribue la même note pour divers aspects de son travail parce qu'il est obnubilé par la prépondérance de l'un d'eux. C'est ce qui arrive lorsqu'un représentant connu pour sa ténacité, et donc très bien noté pour son dynamisme, obtient des notes aussi élevées, mais imméritées, pour son sérieux, son tact et d'autres dimensions du rendement. Dans ce cas, l'évaluateur n'est pas parvenu à

Effet d'indulgence
Dans l'évaluation du rendement, erreur par laquelle l'évaluateur tend à accorder des notes exagérément élevées à la quasi-totalité des personnes évaluées

Effet de sévérité
Dans l'évaluation du rendement, erreur par laquelle l'évaluateur tend à accorder des notes exagérément faibles à la quasi-totalité des personnes évaluées

Effet de tendance centrale
Dans l'évaluation du rendement, erreur par laquelle l'évaluateur tend à accorder à toutes les personnes qu'il évalue des notes proches de la moyenne

Erreur de faible différenciation
Dans l'évaluation du rendement, erreur par laquelle l'évaluateur n'utilise qu'une petite partie de l'échelle d'évaluation; il est sous le coup de l'effet d'indulgence, de l'effet de sévérité ou de l'effet de tendance centrale

Effet de récence
Dans l'évaluation du rendement, erreur par laquelle l'évaluateur, obnubilé par des événements récents, occulte des faits antérieurs qu'il devrait pourtant prendre en considération

Effet des préjugés personnels
Dans l'évaluation du rendement, erreur par laquelle l'évaluateur laisse ses préjugés personnels touchant certaines caractéristiques sociodémographiques, comme l'origine ethnoculturelle, l'âge, le sexe, l'orientation sexuelle, l'identité de genre ou les handicaps, influer sur son évaluation

faire la distinction entre les points forts et les points faibles de la personne, le halo ayant contaminé son évaluation des autres dimensions. Cette erreur peut avoir des répercussions considérables si les diverses dimensions évaluées sont importantes et relativement indépendantes les unes des autres. Variante de l'effet de halo dans l'évaluation du rendement, l'*erreur du critère unique* survient lorsqu'on ne considère qu'une des dimensions importantes du rendement.

L'évaluation du rendement peut être faussée par plusieurs erreurs, dont les stéréotypes qu'entretiendrait le gestionnaire, par exemple, à l'égard d'une ethnie qui n'est pas la sienne.

L'effet d'indulgence et l'effet de sévérité. À l'image de certains enseignants qui accordent facilement d'excellentes notes, certains cadres sont portés à évaluer favorablement tous leurs subordonnés : c'est l'**effet d'indulgence**. À l'opposé, certains évaluateurs ont tendance à donner des notes faibles à tous les individus évalués : on parle alors d'**effet de sévérité**. Dans les deux cas, le problème tient à l'absence de distinction entre les travailleurs efficaces et ceux dont le rendement est insatisfaisant. L'effet d'indulgence peut se manifester lorsque des collègues s'évaluent les uns les autres, en particulier lorsqu'on leur demande de se communiquer les résultats : il est plus facile de justifier une note élevée qu'une note faible…

L'effet de tendance centrale. Erreur qui se manifeste lorsqu'un gestionnaire, par exemple, est porté à accorder à tous ses subordonnés une note proche de la moyenne, donnant ainsi l'impression erronée qu'aucun d'eux ne se distingue des autres d'une quelconque façon. Ici encore, l'évaluateur ne parvient pas à établir de distinction entre les individus en matière de rendement. Ce type d'erreurs, de même que l'effet d'indulgence ou l'effet de sévérité, est le fait d'évaluateurs sous le coup de l'**erreur de faible différenciation**, qui consiste à n'utiliser qu'une petite partie de l'échelle d'évaluation.

L'effet de récence. Erreur de l'évaluateur qui, obnubilé par des événements récents, occulte des faits antérieurs qu'il devrait pourtant prendre en considération. Ainsi, l'évaluateur qui note mal un subordonné au chapitre de la ponctualité simplement parce que ce dernier, bien que généralement à l'heure, est arrivé une heure en retard la veille est sous le coup de l'effet de récence.

L'effet des préjugés personnels. Erreur qui se fait sentir lorsqu'un évaluateur laisse ses préjugés personnels influencer ses évaluations. Ce serait le cas, par exemple, d'une personne qui, à cause de ses préjugés raciaux, surévaluerait des travailleurs blancs et sous-évaluerait des travailleurs de couleur. Les préjugés touchant certaines caractéristiques sociodémographiques, comme l'âge, le sexe, l'origine ethnoculturelle, l'orientation sexuelle, l'identité de genre ou les handicaps, peuvent contaminer le jugement de l'évaluateur.

Guide de RÉVISION

RÉSUMÉ

Quelles sont les diverses approches en matière de conception de poste et quels sont leurs effets sur la motivation et le rendement ?

- La conception de poste correspond à la planification et à la description des tâches inhérentes à un poste ainsi qu'à la détermination des conditions dans lesquelles celles-ci s'accomplissent.

- La simplification des tâches, ou organisation scientifique du travail, est une approche de la conception de poste selon laquelle les procédés sont standardisés et les travailleurs, confinés dans des tâches normalisées, clairement définies et hautement spécialisées.

- L'élargissement des tâches est une approche de la conception de poste selon laquelle on augmente la diversité des tâches en confiant au titulaire d'un poste un plus grand nombre de tâches, sans pour autant augmenter le degré de difficulté de celles-ci ni le niveau de responsabilité du poste.

- La rotation des postes est une approche de la conception de poste selon laquelle on augmente la diversité des tâches en changeant périodiquement les travailleurs de poste, sans pour autant augmenter le degré de difficulté des tâches ni le niveau de responsabilité du poste.

- L'enrichissement des tâches est une approche de la conception de poste selon laquelle on améliore le contenu du travail en ajoutant aux fonctions d'exécution des fonctions de planification et de contrôle traditionnellement attribuées à des cadres.

- La théorie des caractéristiques de l'emploi propose une approche diagnostique de l'enrichissement des tâches fondée sur cinq caractéristiques fondamentales que le poste doit posséder à un degré élevé : la polyvalence, l'intégralité de la tâche, la valeur de la tâche, l'autonomie et la rétroaction.

- La théorie des caractéristiques de l'emploi ne présume pas que tout travailleur désire un poste enrichi. Elle affirme que l'enrichissement des tâches donne de bons résultats uniquement dans le cas des travailleurs qui ont un besoin de croissance important, qui possèdent les connaissances et les compétences requises par le poste et qui sont satisfaits de leur cadre de travail.

Quelles sont les approches novatrices en matière d'aménagement du temps de travail?

- Avec la complexité accrue de la société, on voit apparaître de nouvelles formules d'aménagement du temps de travail visant à permettre aux travailleurs de concilier les exigences de leur vie personnelle et familiale avec leurs responsabilités et leur cheminement professionnels.

- La semaine de travail comprimée consiste en une répartition des tâches hebdomadaires d'un emploi à temps plein sur moins de cinq jours complets. L'aménagement le plus répandu est une répartition sur quatre jours.

- L'horaire de travail variable consiste à laisser aux travailleurs une certaine latitude quant à leur horaire quotidien, notamment quant à leurs heures d'arrivée et de départ.

- Le partage de poste est une formule qui consiste à répartir la totalité des tâches d'un poste à temps plein entre deux travailleurs ou plus, selon des conditions convenues entre eux et avec l'employeur.

- Le télétravail est un aménagement du travail qui permet aux individus d'exercer leurs activités professionnelles à distance, chez eux ou ailleurs, tout en restant reliés à l'organisation grâce aux technologies de l'information et des communications.

- Le travail à temps partiel est une formule qui consiste, pour une personne ayant un statut de travailleur temporaire ou permanent, à travailler moins d'heures que si elle faisait une semaine de travail normale.

Quel est le lien entre la motivation, le rendement et les récompenses?

- Ce que l'organisation offre à l'employé en contrepartie de sa contribution au travail correspond à la proposition de valeur à l'employé (PVE), couramment appelée « contrat psychologique ». Lorsque les éléments de la PVE sont en adéquation et que le contrat psychologique est équilibré, les bases de la motivation sont bien établies.

- L'adéquation personne-poste réfère à la mesure dans laquelle les aptitudes, intérêts et caractéristiques personnelles d'un employé correspondent bien aux exigences du poste. Quant à l'adéquation personne-organisation, elle réfère à la mesure dans laquelle les valeurs, intérêts et comportements d'une personne correspondent à la culture de l'organisation. Dans les deux cas, une mauvaise adéquation augmente la probabilité d'un déséquilibre qui se répercutera dans la PVE.

• Réunissant des éléments provenant des théories motivationnelles du contenu, des processus et du renforcement, le modèle intégré de la motivation met en relation l'effort, le rendement et les récompenses.

• Les récompenses qu'un individu peut retirer de la réalisation de ses tâches peuvent être de nature intrinsèque ou extrinsèque. Le sentiment d'accomplissement lié à l'exécution d'une tâche particulièrement difficile correspond à une récompense intrinsèque, tandis que l'augmentation salariale est un exemple de récompense extrinsèque.

• La rémunération selon le rendement peut prendre diverses formes, dont la rémunération au mérite, les primes, le partage des gains de productivité et la participation aux bénéfices, l'actionnariat des travailleurs et les options d'achat d'actions.

En quoi consiste le processus de gestion du rendement?

• La gestion du rendement est un processus qui implique la mesure du rendement et qui doit mener à la prise de décisions conséquentes en matière de ressources humaines.

• La mesure du rendement vise deux grands objectifs: l'évaluation proprement dite ainsi que le perfectionnement des compétences.

• L'évaluation du rendement peut s'appuyer sur la mesure des résultats du travail, c'est-à-dire l'évaluation du rendement par rapport au produit effectif du travail, ou sur la mesure des activités, c'est-à-dire des efforts ou des moyens mis en œuvre dans le travail.

• Le classement, la comparaison par paires et la distribution forcée sont des méthodes comparatives d'évaluation du rendement.

• L'échelle d'évaluation graphique, l'échelle d'évaluation comportementale et l'évaluation par incidents critiques sont des méthodes de mesure absolue du rendement.

- La rétroaction à 360 degrés est une évaluation à laquelle participent toutes les personnes avec lesquelles le travailleur est en contact dans son emploi (supérieurs, collègues, subordonnés, fournisseurs, clients, etc.) et qui comprend également une autoévaluation.

- Plusieurs erreurs peuvent fausser l'évaluation du rendement, notamment : l'effet de halo, l'effet d'indulgence, l'effet de sévérité, l'effet de tendance centrale, l'effet de récence et l'effet des préjugés personnels.

MOTS CLÉS

EXERCICE DE RÉVISION

MaBiblio > MonLab > Exercices
> Ch06 > Exercice de révision

Questions à choix multiple

1. La simplification des tâches est associée au concept _____ mis au point par Frederick Taylor. **a)** d'expansion verticale des tâches **b)** d'expansion horizontale des tâches **c)** d'organisation scientifique du travail **d)** de sentiment de compétence

2. _____ des tâches donne _____ à un poste par la combinaison de plusieurs tâches, sans augmentation de complexité. **a)** La rotation ; de la profondeur **b)** L'élargissement ; de la profondeur **c)** La simplification ; de l'étendue **d)** L'élargissement ; de l'étendue

3. Lorsqu'une gestionnaire modifie la nature d'un poste par une expansion verticale des tâches, elle _____ **a)** ajoute des tâches qui correspondent à une étape antérieure du flux de travaux. **b)** ajoute des tâches qui correspondent à une étape postérieure du flux de travaux. **c)** ajoute des responsabilités de planification et de contrôle. **d)** hausse les normes de rendement.

4. Selon la théorie des caractéristiques de l'emploi, le titulaire d'un poste sera plus motivé par un enrichissement de ses tâches _____ **a)** si on lui offre une option d'achat d'actions. **b)** s'il est soutenu par l'organisation. **c)** s'il bénéficie d'une expansion horizontale de ses tâches. **d)** s'il est satisfait de son cadre de travail.

5. Dans la théorie des caractéristiques de l'emploi, _____ correspond à l'indépendance et à la latitude accordées au titulaire du poste pour ce qui est de l'organisation de son travail et du choix des procédures. **a)** la polyvalence **b)** l'intégralité de la tâche **c)** la valeur de la tâche **d)** l'autonomie

6. Quelle caractéristique fondamentale de l'emploi est tout particulièrement présente lorsque le titulaire d'un poste a la possibilité d'exécuter la totalité d'une opération, par exemple le traitement d'une déclaration de sinistre depuis la réception de la demande jusqu'au règlement final, à la satisfaction du client ? _____ **a)** L'intégralité de la tâche. **b)** La valeur de la tâche. **c)** L'autonomie. **d)** La rétroaction.

7. Une semaine de travail à temps plein en quatre jours illustre un aménagement du temps de travail appelé _____ **a)** la semaine de travail comprimée. **b)** l'horaire de travail variable. **c)** le partage de poste. **d)** le travail permanent à temps partiel.

8. Selon le modèle intégré de la motivation au travail, qu'est-ce qui conditionne l'effort ? **a)** Les récompenses. **b)** Le soutien organisationnel. **c)** Les compétences. **d)** La motivation.

9. Le salaire est généralement considéré comme une récompense _____ , alors que le sentiment d'accomplissement que donne la réalisation d'une tâche difficile est un exemple de récompense _____ **a)** extrinsèque ; fondée sur les compétences. **b)** fondée sur les compétences ; intrinsèque. **c)** extrinsèque ; intrinsèque. **d)** absolue ; comparative.

10. Les programmes _____ offrent au travailleur qui améliore la productivité de l'organisation, en mettant par exemple au point une nouvelle méthode de travail, un supplément de rémunération proportionnel à cet apport. **a)** de participation aux bénéfices **b)** de partage des gains de productivité **c)** d'actionnariat des salariés **d)** de rémunération fondée sur les compétences

11. La mesure du rendement vise deux grands objectifs en matière de gestion des ressources humaines : l'évaluation proprement dite et _____ **a)** l'allocation de récompenses. **b)** le développement des compétences. **c)** l'application de mesures disciplinaires. **d)** la détermination des montants des primes.

12. L'évaluation par incidents critiques est une méthode d'évaluation du rendement _____ **a)** comparative. **b)** absolue. **c)** qui mesure les activités. **d)** au mérite.

13. Une méthode d'évaluation du rendement qui n'évalue pas le rendement en fonction des caractéristiques du poste _____ **a)** ne tient pas suffisamment compte des contingences. **b)** est faussée par l'effet d'indulgence. **c)** n'est pas valide. **d)** est faussée par l'effet de sévérité.

14. Quelle méthode utilise le superviseur qui consigne dans un registre les comportements du travailleur, plus précisément ses succès ou ses échecs relatifs à diverses dimensions du rendement? _____ **a)** La distribution forcée **b)** L'évaluation par incidents critiques **c)** La comparaison par paires **d)** L'échelle d'évaluation graphique

15. Un chef d'équipe qui évalue le rendement de tous les membres de l'équipe comme «moyen» commet très probablement une erreur d'évaluation causée par _____ **a)** l'effet des stéréotypes. **b)** l'effet de récence. **c)** l'effet de halo. **d)** l'effet de tendance centrale.

Questions à réponse brève

16. Comment procéderiez-vous pour enrichir des postes, c'est-à-dire pour leur donner de la profondeur?

17. Quel rôle joue le besoin de croissance du travailleur dans la théorie des caractéristiques de l'emploi?

18. Expliquez en quoi consiste la méthode d'évaluation du rendement appelée «rétroaction à 360 degrés».

19. Expliquez ce qui distingue l'effet de halo et l'effet de récence, deux erreurs courantes dans l'évaluation du rendement.

Question à développement

20. Choisissez une organisation étudiante de votre campus. Décrivez en détail comment les concepts et les idées du présent chapitre pourraient s'appliquer de différentes façons pour améliorer la motivation et le rendement de ses membres.

Le CO dans le feu de l'action

Pour ce chapitre, nous vous suggérons les compléments numériques suivants dans MonLab.

MaBiblio >

MonLab > Documents > Études de cas
> 5. C'est trop injuste !
> 7. Pizzeria Idéale
> 8. La société aérienne Maritime
> 9. La société Hovey & Beard

MonLab > Documents > Activités
> 3. Mon meilleur emploi
> 13. Le jeu de construction
> 14. Préférences en matière de conception de poste
> 15. Un emploi de rêve
> 16. La motivation par l'enrichissement des tâches
> 17. Augmentations de salaire annuelles
> 30. Évaluation d'un supérieur
> 31. Rétroaction à 360 degrés

MonLab > Documents > Autoévaluations
> 5. Vos valeurs personnelles
> 7. Profil bifactoriel
> 8. Êtes-vous *universel* ?

Les équipes et le travail d'équipe en milieu organisationnel

CHAPITRE 7
La nature
des équipes

CHAPITRE 8
Le travail d'équipe
et le rendement
des équipes

CHAPITRE 7

La nature des équipes

Les équipes dont les membres parviennent à fonctionner en synergie atteignent de hauts niveaux de rendement, de créativité et d'enthousiasme. Toutefois, on sait tous que le travail d'équipe comporte son lot de difficultés et que les groupes n'offrent pas toujours un rendement optimal. Toute personne qui vise une carrière fructueuse doit être préparée à travailler au sein d'équipes très variées. Ce chapitre devrait vous aider à comprendre les caractéristiques fondamentales et le fonctionnement des équipes en milieu de travail.

OBJECTIFS D'APPRENTISSAGE

Après l'étude de ce chapitre, vous devriez pouvoir :

- Expliquer les principales caractéristiques des équipes au sein des organisations.
- Décrire les effets bénéfiques et les effets néfastes des équipes sur les organisations.
- Définir les étapes de l'évolution d'une équipe.
- Discuter des fondements de l'efficacité d'une équipe.

PLAN DU CHAPITRE

Le but visé,
c'est la synergie.

Quatre champions québécois, une même vision de l'équipe parfaite !

Kim St-Pierre, Dave Morissette, Étienne Boulay et Francis Bouillon. Quatre champions québécois hors normes. Quatre expériences professionnelles distinctes. Pourtant, tous partagent la même vision de ce qu'est une équipe parfaite !

C'est ce qui est ressorti du panel auquel ils ont récemment participé, à l'occasion de l'événement Hors-Jeu du studio montréalais de jeux vidéo Ludia. Les quatre ont en effet réfléchi ensemble sur ce qui faisait que l'on connaissait du succès ou pas, en équipe, tant dans le domaine du sport que dans le cadre du travail. Et ils en sont arrivés à la conclusion que ce qui permettait à une équipe de voler de succès en succès tenait à trois caractéristiques. Oui, seulement trois caractéristiques.

Ce qu'ils ne savaient pas, c'était que ces trois caractéristiques-là correspondaient très exactement à celles qui définissent une « équipe réelle » – comprendre une équipe réellement efficace – selon Jon Katzenbach, un consultant américain en management devenu célèbre avec son best-seller *The Wisdom of Teams; Creating the High-Performance Organization*. Explication.

D'après M. Katzenbach, la première caractéristique d'une équipe réelle concerne le fait que chacun de ses membres est aussi engagé émotionnellement que les autres quant à l'atteinte des objectifs visés. C'est-à-dire que chacun a le cœur et la tête à ce qu'il fait, jour après jour. Et ce, sachant que ce qui importe vraiment n'est pas la performance individuelle, mais la performance collective.

« Igor Oulanov ne jouait pas bien depuis deux semaines, a raconté Dave Morissette. Nous nous demandions tous ce qui se passait, et les médias n'arrêtaient pas de le critiquer, mais il restait muet. Et puis, l'entraîneur Alain Vigneault est entré un jour dans le vestiaire, la larme à l'œil : "Les gars, faut le dire quand il y a quelque chose qui ne va pas", avait-il lancé. Le père d'Oulanov était mourant, et Igor ne l'avait confié à personne parce qu'il croyait que ça ne se faisait pas ! Le problème, c'est que dès qu'il y en a un qui n'a plus le cœur à l'ouvrage, c'est toute l'équipe qui en paye le prix. » [...]

La deuxième caractéristique d'une équipe réelle a trait au leadership partagé au sein du groupe, selon M. Katzenbach. C'est-à-dire que chacun est appelé à prendre les rênes de l'équipe en fonction de ses compétences et des circonstances, et non en fonction de sa position hiérarchique. Autrement dit, le *boss* n'est pas celui qui en a le titre, mais plutôt celui qui est le mieux placé pour permettre à l'équipe de surmonter la difficulté qui se présente.

« Il faut vouloir que l'équipe gagne et tout faire pour ça, a dit Kim St-Pierre. Je me souviens de la demi-finale de 2002 contre la Finlande, un match a priori facile pour nous, mais nous nous sommes retrouvées à être menées 3-2 à la fin de la deuxième période. C'était tellement inattendu qu'à la pause il régnait un silence de mort au vestiaire. Des filles se sont même mises à pleurnicher. Nous étions toutes paniquées, ne sachant pas comment renverser la vapeur. C'est alors qu'une fille s'est écriée "Emerald Lake !" pour nous mettre en tête une image de paysage à la fois beau et calme. Ça nous a apaisées, ça nous a

> ## Ce qui importe vraiment n'est pas la performance individuelle, mais la performance collective.

"regroundées". Comme par magie. Cette fille a fait preuve d'un incroyable leadership, même si elle n'était pas la *coach*. Résultat : nous l'avons emporté 7-3. » [...]

La dernière caractéristique d'une équipe réelle correspond à la responsabilisation de chacun, d'après M. Katzenbach. Ce qui signifie que chaque membre de l'équipe doit assumer la responsabilité de ses faits et gestes au travail. Cela, en sachant que les autres se feront un devoir de lui venir en aide en cas de pépin.

« C'est seulement lorsqu'on est tissé serré qu'on connaît le succès. Parce qu'on est alors responsable de soi, mais aussi des autres ; chacun sait qu'il a un rôle à jouer, et que ce rôle-là consiste notamment à permettre aux autres de jouer le leur », a dit Francis Bouillon. [...]

« La clé, c'est de se donner pour mission personnelle d'être meilleur grâce aux autres, et non pas d'être meilleur que les autres. Parce que c'est ce qui permet de réaliser le magique 1 + 1 = 3 !» a souligné Dave Morissette.

....

Source : Olivier Schmouker, « Quatre champions québécois, une même vision de l'équipe parfaite ! », *Les Affaires*, 13 août 2016, p. 12. Cet extrait a été reproduit aux termes d'une licence accordée par Copibec.

Les équipes en milieu organisationnel

Lorsque vous pensez au mot « équipe », il est probable que ce qui vous vient d'abord à l'esprit, ce sont diverses formations sportives : peut-être votre équipe universitaire ou de ligue professionnelle favorite.

> *Exemple : la NBA.* Les chercheurs ont constaté que plus les basketteurs jouent longtemps ensemble dans une même équipe, bonne ou mauvaise, plus ils gagnent de matchs. Comment expliquer ce phénomène ? D'après eux, par un « effet de travail en équipe », par le temps qu'ont eu les joueurs pour apprendre les mouvements de leurs coéquipiers et comprendre leur manière de jouer[1].

N'oublions pas que les équipes sont tout aussi importantes en milieu de travail. Le fait qu'une équipe réponde ou non aux attentes détermine la satisfaction des personnes qu'elle sert.

> *Exemple : le bloc opératoire d'un centre hospitalier.* Les chercheurs ont remarqué qu'on déplore moins de décès pour le même chirurgien cardiaque dans les hôpitaux où il réalise le plus grand nombre d'interventions. Pour quelle raison ? D'après eux, c'est parce que le médecin passe plus de temps avec les membres des équipes chirurgicales de ces établissements. Ils affirment que ce n'est pas seulement le savoir-faire du chirurgien qui compte, mais aussi « la compétence de l'équipe et du centre hospitalier[2] ».

Que nous apprennent ces exemples ? Alors que les personnes qui se pressent autour du comptoir d'un café ne forment qu'un simple « groupe », les équipes telles que celles dont il a été question dans les deux exemples ci-dessus sont censées faire plus. Appelons-les pour le moment « groupes + ». C'est ce facteur « + » qui distingue les équipes de basket gagnantes des équipes battues d'avance et les meilleures équipes chirurgicales de toutes les autres.

Les équipes et le travail d'équipe

Équipe
Groupe de personnes qui collaborent en mettant leurs habiletés respectives au service de la poursuite d'un but commun dont elles sont collectivement responsables

Travail d'équipe
Travail d'un groupe dont les membres se sentent collectivement responsables de l'atteinte d'un objectif commun

En CO, on appelle **équipe** un groupe de personnes qui collaborent en mettant leurs habiletés respectives au service de la poursuite d'un but commun dont elles sont collectivement responsables[3]. On assiste à un véritable **travail d'équipe** lorsque les membres acceptent leur responsabilité collective et l'assument en collaborant activement afin que leurs habiletés respectives soient utilisées de façon optimale et permettent à l'équipe d'atteindre l'objectif commun[4]. Bien sûr, pour que le travail d'équipe prenne tout son sens, il ne suffit pas de réunir des employés en un groupe, d'appeler ce groupe « équipe », de nommer une personne « chef », puis d'espérer que tous les membres accompliront ensemble un travail formidable[5]. Vous devez avant tout garder à l'esprit que la responsabilité de la constitution d'une équipe hautement performante ne relève pas seulement du chef d'équipe, de l'entraîneur ou du gestionnaire, mais bien de tous les membres de l'équipe. Si vous jetez un coup d'œil à l'encadré ci-contre, vous y trouverez une liste de plusieurs éléments essentiels à une équipe ainsi que le genre de contribution que tous doivent apporter pour aider leur équipe à atteindre un rendement élevé[6].

Ce que les membres des équipes doivent absolument faire

- Mettre en commun tous les talents personnels.
- Encourager et motiver les autres membres de l'équipe.
- Accepter toutes les suggestions.
- Écouter tous les points de vue.
- Communiquer l'information et les idées.
- Persuader les autres membres de collaborer.
- Résoudre les conflits par la négociation.
- Parvenir à un consensus.
- Respecter les engagements.
- Éviter toutes les paroles et les gestes qui dérangent.

Les différentes fonctions des équipes

En ce qui concerne les équipes au sein des organisations, la première chose à noter, c'est qu'elles réalisent, par leurs différentes fonctions, un grand nombre de tâches et qu'elles contribuent de nombreuses façons au rendement. En général, on peut les diviser en trois grandes catégories : les équipes chargées de faire des recommandations, les équipes chargées de diriger le travail et les équipes chargées de l'exécution[7].

1. *L'équipe qui fait des recommandations.* Constituée pour se pencher sur des problèmes précis et recommander des solutions, cette équipe doit généralement remettre son rapport à une date précise et se dissout une fois son mandat rempli. C'est donc une équipe provisoire – un groupe d'étude, un comité ad hoc, une équipe de projet, etc. – dont les membres doivent être capables : (1) d'apprendre rapidement à mettre en commun leurs talents ; (2) de travailler ensemble ; (3) d'accomplir la tâche qu'on leur confie ; (4) de formuler des recommandations que d'autres mettront en application.

La performance d'une équipe ne dépend pas seulement du chef ou du gestionnaire, mais bien de tous les membres de l'équipe.

2. *L'équipe qui dirige.* Composée de personnes qui assument des fonctions d'encadrement, cette équipe gère l'organisation et ses différentes composantes. L'équipe de direction, constituée d'un directeur général et de cadres supérieurs, en est un exemple. Les principaux mandats que se voit confier une équipe de direction touchent, notamment, la définition de la mission, des objectifs et des valeurs de l'organisation, la planification stratégique et la mise en œuvre de moyens pour amener le personnel à y adhérer[8].

3. *L'équipe qui exécute les tâches.* Il s'agit du groupe ou de l'unité de travail qui effectue régulièrement des tâches telles que la commercialisation ou la fabrication. Pour parvenir à une efficacité durable, ses membres doivent entretenir de bonnes relations à long terme, disposer de systèmes d'exploitation ou de systèmes technologiques bien conçus et bénéficier d'un soutien logistique externe adéquat.

Les organisations en tant que réseaux d'équipes

Lorsqu'est venu le moment de rationaliser un processus « de la commande à la livraison » coûteux et peu concurrentiel, Hewlett-Packard a confié ce travail à une équipe. En neuf mois seulement, cette dernière a raccourci la durée des opérations, amélioré le service et diminué les coûts. Comment a-t-elle réussi cet exploit ? La chef d'équipe, Julie Anderson, explique : « Nous avons procédé à une cure d'amaigrissement. Finis les superviseurs ! Finie la hiérarchie ! Finis les titres ! Finie la description des tâches !... » Un autre membre de l'équipe déclare : « Il est impossible qu'une seule personne ait la meilleure idée, ce n'est pas ainsi que cela fonctionne. La meilleure idée est générée par l'intelligence collective de l'équipe[9]. » Et ce n'est pas un exemple isolé. Partout, les entreprises tablent sur les équipes et le travail d'équipe pour améliorer leur rendement. Les mots clés sont « responsabilisation », « participation au leadership » et « engagement émotionnel ».

Équipe formelle
Équipe désignée officiellement pour assumer un rôle précis au sein d'une organisation

Les nombreuses **équipes formelles** qui existent au sein des organisations sont officiellement désignées pour y assumer un rôle précis ; l'unité de travail composée d'un cadre et d'un ou de plusieurs subordonnés en est un bon exemple. L'organisation met sur pied ces unités pour accomplir une tâche précise, qui suppose généralement la transformation de ressources en produits (rapports, décisions, biens ou services). L'équipe tout entière contribue au travail, mais la personne qui la dirige répond de ses réalisations et de ses résultats et assure la liaison, verticalement et horizontalement, avec le reste de l'organisation[10]. Certaines équipes formelles sont permanentes, d'autres, temporaires.

Les *équipes de travail permanentes* (ou *unités administratives*, dans la structure hiérarchique) correspondent souvent aux divers services qui figurent dans l'organigramme de l'organisation (par exemple, le service des études de marché ou le service du personnel), à ses divisions (par exemple, les diverses divisions chargées de ses différents produits) ou à ses équipes (par exemple, l'équipe d'assemblage d'un produit). Quelle que soit leur taille – certains services ou équipes se réduisent à deux ou trois personnes, tandis que certaines divisions comptent une centaine de travailleurs ou davantage –, les équipes de travail permanentes sont formées pour remplir une fonction précise dans la continuité ; leur existence ne sera interrompue ou modifiée que si l'organisation apporte des changements à sa structure.

Les *équipes de travail temporaires*, elles, sont créées pour résoudre un problème précis ou pour accomplir une tâche ponctuelle ; une fois leur objectif atteint ou leur tâche accomplie, elles sont dissoutes. Pensons aux innombrables comités ad hoc, spéciaux, provisoires ou intérimaires, aux groupes de réflexion, d'étude ou d'intervention, aux commissions, etc. : si temporaires soient-elles, ces équipes n'en demeurent pas moins des composantes importantes de bien des organisations[11].

On peut considérer que chaque organisation est un réseau d'équipes formelles interconnectées qui constituent le fondement de sa structure. Verticalement, le chef d'une équipe, tout en étant la cheville ouvrière de l'équipe qu'il dirige, est un simple membre de l'équipe au niveau immédiatement supérieur[12]. Horizontalement, le membre de l'équipe du service à la clientèle, par exemple, peut également être membre d'une équipe spéciale chargée d'étudier la mise au point d'un produit et le chef d'un comité devant étudier un cas de harcèlement sexuel.

Les organisations sont aussi formées de vastes réseaux de **groupes informels** qui fonctionnent dans l'ombre de la structure formelle et auxquels on n'impose aucun objectif ou rôle officiel. Comme le montre la **figure 7.1**, ces groupes non structurés se forment spontanément, au gré des relations personnelles ou en réponse à certains domaines d'intérêt communs, sans l'intervention ou sans l'appui officiel de l'organisation. Par exemple, les *groupes d'amis* sont constitués de personnes qui ont des affinités, qui sont portées à travailler ensemble et à se retrouver au moment de la pause, voire après le travail, pour partager leurs loisirs. Les *groupes d'intérêt* rapprochent des gens qui ont des champs d'intérêt communs, liés au travail (désir d'améliorer ses compétences en informatique, par exemple) ou d'ordre personnel (activités communautaires, récréatives, sportives, religieuses, etc.).

Groupe informel
Groupe qui se forme spontanément, au gré des relations personnelles ou en réponse à certains domaines d'intérêt communs, sans l'intervention ou sans l'appui officiel de l'organisation

FIGURE **7.1** **L'organisation vue sous l'angle d'un réseau interconnecté de groupes informels**

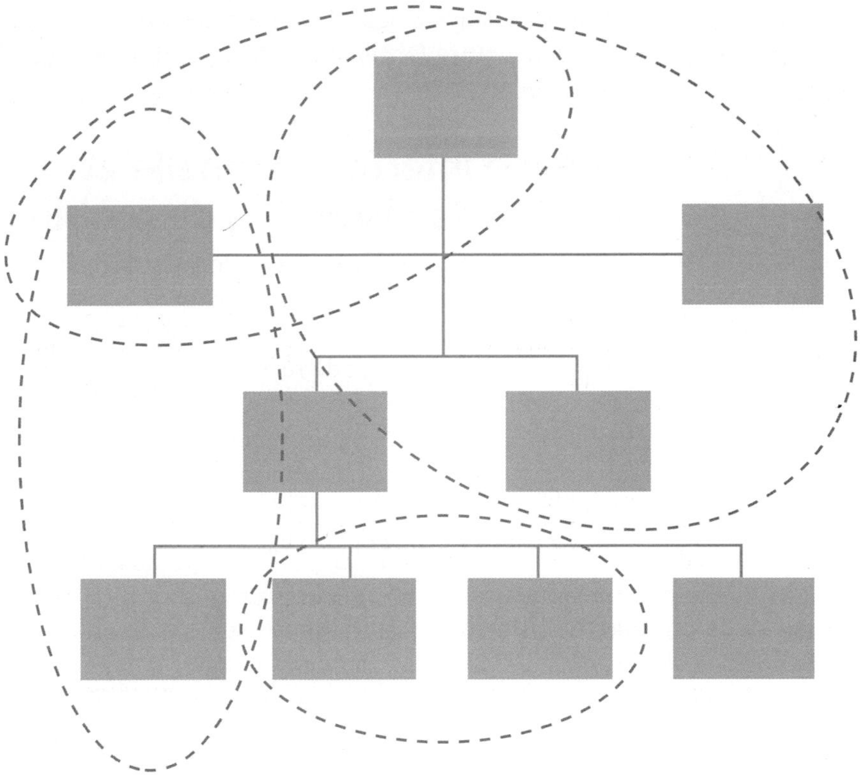

Bien que les groupes informels puissent être des lieux où les individus se plaignent, colportent des rumeurs et expriment leur désaccord avec les décisions prises au sein de l'entreprise, ils peuvent également s'avérer très utiles. Ils permettent parfois d'accélérer le travail, lorsque les membres s'entraident par des moyens qui court-circuitent la structure officielle. Ils peuvent aussi pourvoir à des besoins non satisfaits. Ainsi, en promouvant l'esprit de camaraderie et le travail d'équipe, ils peuvent combler les besoins sociaux de leurs membres; en promouvant le sentiment d'être important, notamment par des gratifications, ils peuvent combler leur besoin d'estime de soi.

Sociogramme
Diagramme des structures informelles et des liens sociaux existant au sein d'une organisation

Les équipes ne sont pas toujours productives

Un sondage réalisé par Microsoft auprès de 33 000 employés du monde entier a remis en question le travail en équipe et les gains de productivité qu'il permettrait d'obtenir. D'après les résultats obtenus, l'employé moyen pense que 69 % des réunions auxquelles il a participé ont été inefficaces. De plus, 32 % des employés se sont plaints d'un manque de communication et d'objectifs flous ; 31 % ont déclaré qu'ils avaient du mal à discerner les priorités ; 29 % ont désigné la procrastination comme faisant partie des problèmes.

Source : Information tirée de « Two Wasted Days at Work », CNNMoney.com, 16 mars 2005.

Équipe interfonctionnelle
Équipe au sein de laquelle sont réunis, pour travailler à une tâche commune, des employés occupant diverses fonctions dans l'organisation ou provenant de différentes unités de travail

Syndrome de la compartimentation
Ensemble de problèmes qui résultent d'un manque de communication et d'interactions entre les travailleurs des divers services et unités d'une organisation

Équipe de résolution de problèmes
Groupe de travailleurs qui se rencontrent sur une base temporaire pour trouver une solution à un problème particulier ou un moyen de saisir une occasion

Pour représenter les groupes informels, non structurés, et les réseaux relationnels actifs existant au sein d'une entreprise, on utilise un outil appelé **sociogramme**. On demande aux employés de nommer les collègues qui les aident le plus, qui communiquent régulièrement avec eux, qui les motivent ou, au contraire, qui les découragent.

Puis, pour analyser les résultats de cette enquête, on dessine les réseaux sociaux repérés et on les réunit par des lignes allant d'une personne à une autre selon la fréquence et le type de relations qu'elles entretiennent. On obtient ainsi une représentation graphique de la structure informelle de l'organisation qui permet de savoir comment une grande partie du travail s'effectue en réalité et qui communique régulièrement avec qui, en dehors des relations formelles illustrées par l'organigramme officiel. Le sociogramme se distingue souvent de façon très marquée de l'organigramme. Les gestionnaires peuvent utiliser les renseignements qu'il renferme pour mieux comprendre la dynamique de l'entreprise et même pour redessiner la structure formelle de l'équipe afin d'en améliorer le rendement.

L'équipe interfonctionnelle et l'équipe de résolution de problèmes

Une **équipe interfonctionnelle** est formée de membres provenant de différentes unités de travail ou occupant diverses fonctions ; elle constitue une réponse à une volonté d'intégration horizontale accrue et de relations horizontales plus efficaces. On s'attend à ce que ses membres abordent le travail de collaboration avec un mode de pensée intégratif qui s'ajoute à leurs compétences fonctionnelles. Avec ce genre d'équipe, on vise un meilleur rendement, obtenu grâce à une meilleure circulation de l'information et à une prise de décision plus rapide et plus avisée.

La création d'équipes interfonctionnelles permet, notamment, de contrer le **syndrome de la compartimentation**, c'est-à-dire l'ensemble de problèmes qui surviennent lorsque les travailleurs des divers services et unités d'une organisation se concentrent strictement sur *leurs* fonctions et limitent leurs interactions avec leurs collègues des autres unités. En ce sens, la division traditionnelle en services et en unités de travail, parce qu'elle crée des cloisons artificielles et isole les travailleurs dans des compartiments étanches, décourage plutôt qu'elle encourage l'intégration et la coordination efficace entre les différentes composantes de l'organisation. L'équipe interfonctionnelle est conçue pour décloisonner l'organisation du travail en constituant un forum au sein duquel les membres occupant diverses fonctions travaillent ensemble à une tâche commune[13].

On observe une tendance marquée des organisations contemporaines à recourir à des **équipes de résolution de problèmes** formées pour un temps limité et devant rechercher une solution à un problème donné ou un moyen de saisir une occasion. Ainsi, le président d'une société peut mettre sur pied un groupe de travail dont les membres, provenant de diverses unités, doivent étudier la possibilité d'implanter l'horaire de travail variable pour les salariés. Le directeur des ressources humaines peut former un comité qui lui suggérerait des changements à apporter à la politique touchant les avantages sociaux des employés. Enfin, une équipe de projet pourrait avoir pour mission d'élaborer et de mettre en place un nouveau système informatique à l'échelle de l'entreprise.

Le terme **équipe favorisant la participation des travailleurs** s'applique à une grande variété d'équipes dont les membres se réunissent régulièrement pour examiner ensemble des questions importantes relatives à leur milieu de travail. Les travailleurs peuvent discuter par exemple des moyens permettant d'améliorer la qualité des biens ou services offerts, de mieux satisfaire les clients, d'accroître la productivité ou d'améliorer la

Les équipes de type cercle de qualité étudient en petits comités des questions concernant leur milieu de travail : productivité, qualité de vie au travail ou autre sujet important.

qualité de vie au travail. Ce type d'équipes est censé tirer profit de tout le savoir-faire et de toute l'expérience de ses membres pour améliorer sans cesse le milieu de travail. Le **cercle de qualité** en est un exemple : il s'agit d'une petite équipe de personnes qui se réunissent périodiquement pour étudier et tenter de résoudre des problèmes relatifs à la qualité de leurs activités au sein de l'organisation et de leurs produits ou services[14].

L'équipe semi-autonome

Dans le chapitre précédent, nous avons traité de l'enrichissement des tâches et de ses répercussions sur la motivation et le rendement des individus. Nous allons maintenant exposer une forme d'enrichissement des tâches à l'échelle des équipes.

De plus en plus répandue, l'**équipe semi-autonome** est un autre type d'équipes de travail hautement participatives. Parfois aussi appelée « groupe autogéré », « équipe autonome », « groupe autodirigé » ou « équipe responsable », l'équipe semi-autonome correspond à un groupe de travailleurs habilités à prendre des décisions relatives à la planification, à l'organisation et à l'évaluation de leurs tâches quotidiennes[15]. En fait, l'équipe semi-autonome remplace l'équipe de travail traditionnelle dirigée par un superviseur. Elle s'en distingue par ses membres qui assument collectivement des tâches prises en charge jusqu'alors par un cadre de premier échelon. Comme le montre la **figure 7.2** (p. 246), les membres d'une équipe semi-autonome authentique disposent de la latitude voulue en matière, notamment, de planification du travail, de répartition des tâches, de formation, d'évaluation du rendement, de sélection des recrues et de contrôle de la qualité. De plus, ils sont collectivement responsables de l'ensemble des résultats en matière de rendement.

La plupart des équipes semi-autonomes comprennent de 5 à 15 membres. La taille de l'équipe doit être assez importante pour permettre une combinaison intéressante de compétences et de ressources, mais assez réduite pour permettre un fonctionnement efficace. Puisqu'une équipe semi-autonome dispose de la latitude pour décider elle-même de la cadence du travail et de la répartition des tâches, elle doit pouvoir compter sur la **polyvalence** de ses membres, formés à remplir une grande variété de fonctions. Dans une équipe semi-autonome, on s'attend à ce que chacun puisse

Équipe favorisant la participation des travailleurs
Groupe de travailleurs qui se rencontrent régulièrement pour se pencher sur des questions importantes concernant leur milieu de travail

Cercle de qualité
Groupe de travailleurs qui se rencontrent régulièrement pour trouver des moyens d'améliorer la qualité de leurs activités au sein de leur organisation et de leurs produits ou services

Équipe semi-autonome
Équipe de travail dont les membres sont habilités à prendre des décisions relatives à la planification, à l'organisation et à l'évaluation de leurs tâches quotidiennes

Polyvalence
Capacité des travailleurs à assumer une grande variété de fonctions et de tâches

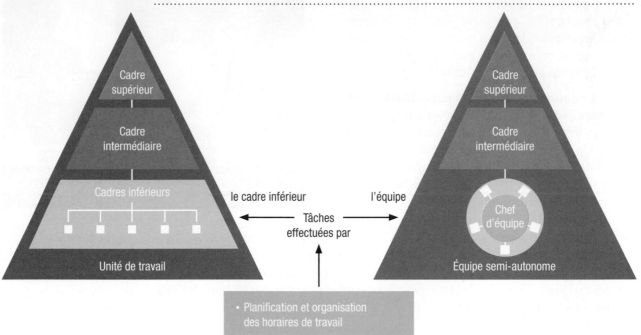

FIGURE **7.2** L'équipe semi-autonome et ses répercussions sur l'organisation et le personnel d'encadrement

accomplir plusieurs tâches et même, au besoin, l'ensemble des tâches dévolues à l'équipe. Idéalement, la rémunération fondée sur les compétences est privilégiée : plus les compétences sont étendues, plus le salaire de base est élevé.

Les avantages qu'on peut attendre des équipes semi-autonomes sont nombreux : amélioration de la qualité des produits ou services offerts, plus grande souplesse dans la production, réponse plus rapide aux changements, diminution de l'absentéisme et de la rotation du personnel, satisfaction professionnelle accrue et amélioration de la qualité de vie professionnelle. Comme tous les changements organisationnels, le virage vers l'autonomisation des équipes de travail peut présenter des difficultés. Pour les personnes habituées à une organisation du travail traditionnelle, ce nouvel aménagement ne va pas nécessairement de soi. Il peut être difficile, pour certains membres, de s'adapter aux nouvelles responsabilités dévolues à l'équipe. En outre, les hauts dirigeants doivent apprendre à gérer sans la présence de cadres de premier niveau. En effet, comme vous pouvez le voir à la figure 7.2, l'équipe semi-autonome assume la plupart des fonctions traditionnelles du cadre de premier échelon ; par conséquent, ce dernier devient inutile et disparaît.

Étant donné ce qui précède, bien des gestionnaires s'interrogent : *faut-il faire de tous les groupes de travail des équipes semi-autonomes ?* La réponse est non. Les équipes semi-autonomes ne conviennent probablement pas à toutes les organisations, ni à tous les cadres de travail, ni à tous les individus. Elles ont un énorme potentiel, mais elles exigent des conditions particulières et un soutien organisationnel approprié. À tout le moins, les principes fondateurs de toute équipe semi-autonome – *autonomisation*, *participation* et *engagement* des travailleurs – doivent correspondre aux valeurs et à la culture de l'organisation.

FAVI

FAVI est une entreprise française spécialisée dans les boîtes de vitesses d'automobiles, les compteurs d'eau et les siphons en cuivre. Guidés par des représentations positives de l'être humain («l'homme est bon»), ses 400 employés sont regroupés par petites usines de 10 à 40 personnes et gèrent eux-mêmes leur travail pour le compte d'un seul client par usine (Fiat ou Renault, notamment) ou pour effectuer des tâches dites transversales (maintenance, par exemple). Depuis près de 30 ans, ses initiatives en matière de diminution des paliers hiérarchiques, d'abolition des primes individuelles et, surtout, de prise de décision partagée avec les salariés en font une entreprise très rentable dans un secteur très concurrentiel.

Source: Édith Luc, « Le leadership partagé : Du mythe des grands leaders à l'intelligence collective », reproduit avec la permission de *Gestion*, revue internationale de gestion, vol. 41, nº 3 (automne 2016), p. 36.

L'équipe virtuelle

Auparavant, le travail d'équipe se limitait, dans son concept et ses applications, aux situations où les coéquipiers pouvaient se rencontrer en personne. Cette contrainte n'est plus qu'un souvenir. Les organisations d'aujourd'hui comptent de plus en plus d'**équipes virtuelles** dont les membres se réunissent et collaborent à un même projet malgré la distance qui les sépare, grâce aux technologies de l'information et des communications (TIC)[16]. Travaillant dans le cyberespace et libérés des contraintes associées à la distance physique, les membres des équipes virtuelles, tout comme les membres des équipes traditionnelles, peuvent partager de l'information, prendre des décisions et accomplir leurs tâches en collaboration.

Équipe virtuelle
Équipe dont les membres se réunissent et travaillent ensemble à distance, grâce aux technologies de l'information et des communications (TIC)

L'encadré de la p. 248 met en lumière les principales conditions de succès des équipes virtuelles. À plusieurs égards, ces conditions reflètent les fondements d'un travail d'équipe efficace dans des contextes traditionnels où les membres sont présents physiquement[17]. Comme pour les équipes de travail traditionnelles, l'efficacité des équipes virtuelles dépend d'une bonne sélection des membres, des efforts et de la contribution de ceux-ci ainsi que du soutien organisationnel.

Les organisations comptent de plus en plus d'équipes virtuelles, dont les membres se réunissent et collaborent à un même projet malgré la distance qui les sépare.

Conditions de succès des équipes virtuelles

- Choisir des membres d'équipe autonomes et ayant l'esprit d'initiative.
- Choisir des membres d'équipe à l'attitude positive et prêts à s'investir.
- Choisir des membres d'équipe connus pour leur volonté de travailler sans relâche afin d'atteindre les objectifs fixés.
- Commencer les réunions par une entrée en matière à caractère personnel pour permettre aux membres d'échanger et, ainsi, de personnaliser le processus.
- Attribuer à chacun des membres des objectifs et des rôles précis afin que chacun puisse travailler de façon autonome tout en sachant ce que les autres ont à faire.
- Demander régulièrement aux membres leur avis sur le fonctionnement de l'équipe et sur la façon éventuelle de l'améliorer.
- Transmettre régulièrement aux membres des données sur les réalisations de l'équipe.

Les équipes virtuelles peuvent se révéler très profitables pour l'organisation. En plus d'utiliser la puissance des outils informatiques pour maximiser l'efficacité de la collecte des données et du processus décisionnel, elles offrent un excellent rapport coût-efficacité et accélèrent le travail des équipes dont les membres ne peuvent pas facilement se réunir en personne[18]. En outre, les discussions entre les membres d'équipes virtuelles et l'information communiquée peuvent être enregistrées et constituent donc des archives accessibles à tout moment.

Évidemment, avec la médiation de l'ordinateur, la dynamique de l'équipe virtuelle risque d'être un peu différente de celle de l'équipe dont les membres travaillent coude à coude. Si la technologie permet de triompher des distances et rend possible la communication entre des coéquipiers virtuels, ces derniers risquent, en revanche, de n'avoir que très peu de contacts personnels. Cela a le mérite de réduire au minimum l'influence des considérations affectives dans les interactions et la prise de décision, lesquelles se fonderont davantage sur des faits et des données objectives. Cependant, les décisions prises dans un contexte social aussi pauvre ne seront pas nécessairement les plus judicieuses. Les équipes virtuelles peuvent pâtir du manque de rapports humains et d'échanges directs entre leurs membres. Si cela est possible, le gestionnaire peut combiner le travail en collaboration directe avec le travail en équipe virtuelle afin de bénéficier de leurs avantages respectifs et d'optimiser les résultats.

Abandonner les réunions en personne

«Je ne pourrai pas survivre à une autre réunion», dites-vous? Eh bien, pourquoi ne pas simplement vous connecter virtuellement avec les personnes concernées et voir comment ça se déroule? Si vous travaillez pour une entreprise en technologie, vous procédez probablement déjà de cette façon. La question qu'on doit se poser : pourquoi plus d'organisations n'abandonnent-elles pas les réunions traditionnelles en personne pour des réunions en ligne?

«Lorsque vous fonctionnez selon l'horaire du fabricant, les réunions sont un vrai désastre», mentionne Paul Graham, ingénieur informatique. Les réunions traditionnelles ne sont tout simplement pas compatibles avec la créativité et les horaires flexibles nécessaires à la production de logiciels. Certaines entreprises telles que Facebook, Dropbox et Square essaient de limiter le temps passé dans des réunions traditionnelles. L'expérience d'un ancien ingénieur de Microsoft leur donnerait raison. Il explique que sa semaine de 40 heures comportait souvent de 20 à 30 heures de réunions où «il se passait trop peu de choses». Il a quitté Microsoft pour se joindre à GitHub, une jeune entreprise qui conçoit des logiciels et favorise le travail en équipe virtuelle.

L'un des avantages des réunions virtuelles est que la tendance aux discussions dominées par les gestionnaires est réduite. En ligne, les gens portent moins attention aux titres et aux statuts. Le pouvoir tend à être réparti parmi tous les membres et se dirige naturellement vers ceux qui détiennent l'information, l'expertise et les connaissances.

Lorsque les réunions en personne sont inévitables, certaines entreprises essaient d'en limiter la durée et d'en stimuler la productivité. Chez la spécialiste des TI Grouper, une autre jeune entreprise, les réunions ne dépassent pas 10 minutes – et tout le monde reste debout : interdiction de s'asseoir.

QUESTIONS

Cette discussion est issue de ce qu'on observe dans l'industrie des technologies, où des gens hautement qualifiés – souvent des ingénieurs – travaillent à des projets complexes. L'approche qui consiste à éliminer les réunions en personne pourrait-elle fonctionner dans d'autres types d'organisations? Indiquez les deux ou trois facteurs qui, selon vous, sont essentiels pour la réussite du travail en équipe virtuelle. Consultez des articles scientifiques pour vérifier s'ils appuient vos observations. Finalement, que les gens se réunissent physiquement dans la même salle fait-il vraiment une différence? L'une ou l'autre de ces approches, travail en équipe virtuelle ou réunions traditionnelles, est-elle bonne pour tout le monde?

L'équipe : ses effets bénéfiques et ses effets néfastes sur l'organisation

Il ne fait pas de doute que les équipes sont importantes pour les organisations et qu'elles sont largement répandues. Elles mènent à bien des tâches essentielles et aident leurs membres à tirer satisfaction de leur travail. Cependant, l'expérience personnelle indique qu'elles connaissent aussi des difficultés pouvant les ralentir dans leur travail. Toutes les équipes ne sont pas hautement efficaces, tous les membres n'en sont pas toujours satisfaits. Vous connaissez peut-être l'adage *Le chameau, c'est un cheval dessiné par une commission d'experts* ou le proverbe *Trop de cuisiniers gâtent la sauce.* Ils soulèvent une question importante : quels sont les critères d'une équipe efficace[19] ?

Les critères d'une équipe efficace

Les équipes de quelque forme ou type que ce soit, tout comme les individus, devraient être tenues responsables de leur rendement. Pour saisir cette notion, on doit avant tout comprendre ce qu'est une équipe efficace et connaître les critères qui définissent cette efficacité.

Équipe efficace
Équipe caractérisée par son rendement élevé, la satisfaction professionnelle de ses membres et sa viabilité

Pour les spécialistes du comportement organisationnel, l'**équipe efficace** se caractérise par son rendement élevé, la satisfaction professionnelle de ses membres et sa viabilité. En matière de *rendement*, une équipe efficace atteint ses objectifs sur les plans quantitatif et qualitatif, tout en respectant les échéances. Pour une équipe de travail permanente affectée à la fabrication d'un bien, cela se traduira par la réalisation des objectifs quotidiens de production ; pour un groupe temporaire chargé d'élaborer une nouvelle pratique organisationnelle, cela se traduira par le respect du calendrier prévu pour la soumission du projet au chef de la direction.

En matière de *satisfaction professionnelle*, l'équipe efficace se distingue par ses membres qui valorisent leur contribution et leurs expériences professionnelles. Celles-ci répondent à des besoins personnels importants pour eux. Ils sont satisfaits de leurs tâches, de leurs réalisations et de leurs relations interpersonnelles.

Concernant la *viabilité*, les membres d'une équipe efficace ont la volonté de continuer à travailler ensemble ou, le cas échéant, envisagent avec plaisir la perspective de travailler de nouveau ensemble s'ils en ont l'occasion. L'équipe qui réunit ces caractéristiques présente un potentiel de rendement à long terme considérable.

L'équipe efficace se caractérise par son rendement élevé, la satisfaction professionnelle de ses membres et sa viabilité.

Synergie
Phénomène de coordination des énergies qui fait que le tout dépasse la somme des parties

La synergie et les effets bénéfiques de l'équipe

Les équipes efficaces aident l'organisation à accomplir des tâches particulièrement importantes, notamment grâce à leur potentiel de **synergie**, phénomène de coordination des énergies qui fait que le tout dépasse la somme des parties. Lorsqu'il y a synergie, l'équipe obtient des résultats supérieurs à ceux qu'aurait donnés la simple addition des forces et des ressources individuelles de ses membres. Dans le contexte de profonds bouleversements que nous connaissons actuellement, la synergie est cruciale pour toute organisation qui veut rester concurrentielle et atteindre des objectifs de haut rendement à long terme.

Les équipes peuvent aider les organisations sur plusieurs plans :

- Elles ont un effet positif sur les individus.

- Elles peuvent encourager la créativité.

- Elles peuvent prendre de meilleures décisions.

- Elles peuvent favoriser l'engagement des travailleurs à l'égard des décisions qui sont prises.

- Elles facilitent l'encadrement des membres.

- Elles peuvent remédier aux inconvénients liés à la grande taille d'une organisation.

Plus précisément, en matière de rendement, les équipes présentent trois avantages par rapport aux travailleurs isolés[20] :

1. En l'absence de spécialiste, devant un problème ou une tâche sortant de l'ordinaire, les équipes tendent à faire preuve d'un meilleur jugement que l'individu moyen seul.

2. Lorsque les problèmes à résoudre sont complexes et exigent une répartition des tâches et un partage de l'information, elles réussissent généralement mieux que les individus.

3. Comme elles ont tendance à prendre des décisions plus risquées, elles sont souvent plus inventives et innovatrices que les individus.

L'équipe est également un milieu propice à l'apprentissage ainsi qu'au partage des connaissances et des compétences. Sa vaste réserve d'expériences et les apprentissages qu'on y fait aident à résoudre les problèmes les plus exceptionnels ou les plus rares. L'équipe peut, en outre, se révéler particulièrement utile pour soutenir une recrue, le temps qu'elle se familiarise avec ses tâches. Si ses membres s'entraident et s'épaulent dans l'acquisition et le perfectionnement des compétences requises par le travail, l'équipe peut même combler les lacunes des programmes de formation de l'organisation.

L'équipe peut également répondre à divers besoins de ses membres. Elle offre un cadre irremplaçable d'interactions sociales. Elle sécurise ses membres en leur fournissant aide et conseils techniques pour l'accomplissement de leurs tâches. Dans les moments de tension et de stress, elle peut apporter un soutien sur le plan affectif. Enfin, en s'investissant dans les objectifs et les activités de leur équipe, les travailleurs peuvent combler des besoins d'estime de soi et de réalisation de soi.

La facilitation sociale

Autre phénomène à prendre en considération dans l'analyse des effets de l'équipe, la **facilitation sociale** est l'influence qu'exerce sur le comportement d'une personne la simple présence d'autres personnes[21]. Dans une équipe, elle peut avoir un effet stimulant ou débilitant sur la contribution qu'un membre apporte au rendement. D'après la théorie de la facilitation sociale, le fait de travailler en présence d'autres personnes aiguiserait les émotions ou soulèverait un certain enthousiasme qui stimule le comportement et permet d'améliorer le rendement. La facilitation sociale aurait un effet positif et inciterait la personne à fournir un effort supplémentaire lorsqu'elle peut s'acquitter avec compétence des tâches qui lui ont été assignées. C'est ainsi le cas lorsqu'un membre de l'équipe accepte avec enthousiasme une tâche qu'il sait pouvoir accomplir efficacement, par exemple préparer une présentation PowerPoint que l'équipe doit faire. Par ailleurs, l'effet de la facilitation sociale peut être négatif si la personne n'a pas les compétences nécessaires pour exécuter le genre de travail

Facilitation sociale
Influence qu'exerce sur le comportement d'une personne la simple présence d'autres personnes

qu'on lui demande de faire ou si elle n'a pas l'habitude de l'effectuer. En effet, le membre de l'équipe concerné peut se retirer si on lui demande de faire un travail pour lequel il ne se sent pas compétent, tel que faire une présentation devant une classe ou un vaste auditoire.

La paresse sociale et les effets néfastes de l'équipe

En dépit de leur potentiel de rendement considérable, les équipes peuvent connaître certains problèmes. Ainsi, la **paresse sociale** (ou **effet Ringelmann**) se manifeste par une diminution du rendement des individus, ceux-ci étant portés à fournir moins d'efforts en situation de travail collectif qu'en situation de travail individuel[22]. L'agronome français qui a donné son nom à ce phénomène l'a observé en demandant à des sujets de tirer de toutes leurs forces sur une corde, d'abord seuls, puis en équipe[23]. Il a découvert que la *traction* (productivité) *moyenne* diminuait sensiblement chaque fois que des personnes additionnelles s'attelaient à la tâche. Selon lui, deux raisons pourraient expliquer la tendance des gens à déployer moins d'efforts en équipe qu'individuellement : (1) leur propre contribution est moins évidente dans le contexte d'un travail d'équipe ; (2) ils préfèrent laisser aux autres la charge du travail.

Vous avez probablement rencontré des cas de paresse sociale dans vos équipes, au travail ou à l'université, et vous vous êtes sûrement demandé comment résoudre ce problème. Il vous est peut-être aussi arrivé de vous abandonner à la paresse sociale dans certaines circonstances. Au lieu de céder à la paresse sociale et d'essuyer les pertes de rendement qu'elle engendre, on peut la prévenir et souvent renverser la vapeur. Pour ce faire, le chef d'équipe a intérêt à restreindre la taille du groupe et à

En situation de travail d'équipe, chaque membre fournira un moins bon rendement que s'il devait s'acquitter seul d'une tâche.

redéfinir les rôles de chacun afin que les *passagers clandestins* soient démasqués et que la pression exercée par les pairs se fasse plus sentir. Il devrait aussi responsabiliser davantage les individus en énonçant avec clarté et précision les attentes en matière de rendement ou offrir des récompenses en fonction des contributions individuelles au rendement[24].

D'autres problèmes que les équipes peuvent éprouver sont les conflits de personnalités et les différences dans le style de travail, qui peuvent éveiller l'hostilité, perturber les relations et entraver les résultats collectifs. En outre, les membres d'une équipe peuvent parfois renoncer à participer activement parce qu'ils ne comprennent pas bien les tâches qui leur ont été assignées ou parce que les objectifs provoquent des tiraillements ou des visions antagonistes. Des ordres du jour flous ou des problèmes mal définis peuvent également fatiguer et démotiver lorsque les équipes travaillent trop longtemps sur un faux problème et obtiennent peu de résultats. Le manque de motivation, mais aussi d'autres priorités ou des échéances trop serrées peuvent expliquer pourquoi tous ne sont pas toujours disposés à collaborer à un travail d'équipe. Finalement, le faible enthousiasme de certains peut aussi découler de perceptions négatives relativement à l'organisation de l'équipe et à son évolution. Ces difficultés comptent parmi celles qui peuvent transformer les avantages associés au travail d'équipe en frustration et en échec.

Les caractéristiques des membres, les interactions et la méthode d'évaluation influent sur la paresse sociale

Pourquoi des personnes réfrènent-elles leurs efforts ou réduisent-elles leur contribution quand elles travaillent au sein d'une équipe? Cette question, posée par Kenneth H. Price, David A. Harrison et Joanne H. Gavin, renvoie à la théorie de la paresse sociale. Les trois chercheurs, constatant que cette théorie se fonde sur des observations effectuées le plus souvent en laboratoire, ont conçu un protocole de recherche qui leur a permis d'étudier des équipes interagissant dans un milieu «naturel», en l'occurrence des étudiants travaillant à un projet de session au sein de petites équipes de travail. Leur recherche leur a notamment permis de vérifier une série d'hypothèses concernant la relation entre la paresse sociale et (1) l'évaluation individuelle de chaque membre; (2) le sentiment d'inutilité concernant la contribution personnelle; (3) la perception d'équité dans les processus de groupe.

Price et ses collègues ont étudié 144 équipes composées au total de 515 étudiants inscrits à 13 cours des différents cycles universitaires. Les participants ont répondu à un questionnaire avant le début du travail d'équipe et à la fin de la session. Dans l'une des sections du questionnaire final, ils devaient indiquer dans quelle mesure les autres membres de l'équipe avaient «fait preuve de paresse en n'effectuant pas leur part des tâches, en laissant les autres faire le travail, en bâclant les choses ou en n'étant pas libres quand on leur demandait de l'aide». Autrement dit, dans quelle mesure les autres membres avaient fait montre de paresse sociale.

L'analyse des résultats a permis de découvrir que la paresse sociale était moindre lorsque les étudiants percevaient de l'équité dans les processus de groupe. Ils ont, en outre, pu établir une relation positive entre le sentiment d'inutilité en matière de contribution personnelle et la paresse sociale. Toutefois, ce lien s'affaiblit lorsque la méthode d'évaluation permet de reconnaître les contributions individuelles. Par ailleurs, les compétences associées aux tâches diminueraient le sentiment d'inutilité. Les résultats de l'étude ont, de plus, fait ressortir un lien entre ce sentiment et la présence de différences entre les membres du groupe sur le plan relationnel. Ils indiquent enfin que la présence de ces différences relationnelles a un effet négatif sur la perception d'équité dans les processus de groupe.

Les chercheurs considèrent que leur étude est la première à montrer une relation entre le processus décisionnel, la justice organisationnelle et la paresse sociale au sein des équipes. Ils soulignent également que la mise en lumière du lien entre les différences sur le plan relationnel et le sentiment d'inutilité en matière de contributions individuelles, ainsi qu'entre ces différences et la perception d'équité dans les processus de groupe, sont à prendre en compte dans la gestion de la diversité au sein des équipes.

Source: Voir notamment Leland P. Bradford, *Group Development*, 2e éd., San Francisco, Jossey-Bass, 1997.

La paresse sociale est plus courante que vous le pensez

1. *Étude en psychologie sociale.* Un agronome français, Maximilien Ringelmann, a demandé à un groupe de personnes de tirer sur une corde de toutes leurs forces, d'abord seules, puis ensemble. Les résultats ont montré qu'elles avaient tendance à mettre moins d'effort lorsqu'elles tiraient en groupe. Cette «paresse sociale» témoigne d'une tendance au relâchement lorsqu'on travaille en équipe.

2. *Bureau du professeur.* Un étudiant vient parler à son professeur du rendement de son équipe pour le dernier travail effectué. Celle-ci se composait de quatre personnes, mais seulement deux d'entre elles ont accompli presque tout le travail. Les deux autres, souvent absentes, ne se sont montrées qu'avant la présentation en bonne et due forme. L'étudiant veut prouver que son équipe était désavantagée, car les deux «passagers clandestins» avaient réduit sa capacité de rendement.

3. *Appel du chef de service.* «Jean, j'ai vraiment besoin de vous pour participer à ce comité. Acceptez-vous? J'attends votre réponse demain.» Jean se dit: «Je suis surchargé, mais je ne peux pas dire non au patron. Je vais lui répondre que j'accepte, mais je préviendrai les membres du comité de mes limites. Je veux bien participer activement aux discussions et faire part aux autres de mes idées et points de vue, mais je ne veux pas être le chef de ce comité ni me porter volontaire pour un quelconque travail supplémentaire.» Si certains pensent que c'est une bonne excuse pour ne pas trop en faire tout en faisant plaisir au patron, Jean, quant à lui, estime qu'il est honnête.

Source: Information tirée de Ken Gordon, «Tressel's Way Transforms OSU into "Model Program"», *Columbus Dispatch*, 5 janvier 2007, p. A1, A4.

QUESTIONS

Que vous parliez de «paresse sociale», de «passager clandestin» ou de «loi du moindre effort», le problème reste le même. De quel droit certaines personnes décident-elles de se comporter en parasites alors que les autres accomplissent tout le travail? Est-ce éthique? Chaque membre d'une équipe a-t-il l'obligation morale de contribuer comme les autres? Quant à Jean, le fait de dire honnêtement aux autres membres du comité quelles sont ses limites pourrait-il l'absoudre? Ferait-il preuve de paresse sociale, tout en se mettant en valeur devant son chef de service? Serait-il plus éthique de sa part de refuser de participer au comité?

Les étapes de l'évolution d'une équipe

Il ne fait aucun doute que le cheminement d'une équipe vers l'efficacité est souvent difficile et parsemé d'embûches. Il faut garder à l'esprit que toute équipe, qu'il s'agisse d'une unité de travail, d'un groupe de réflexion, d'une équipe virtuelle ou encore d'une équipe semi-autonome, a un cycle de vie qui comporte plusieurs étapes[25]. Selon l'étape que leur équipe traverse, le chef et les membres peuvent rencontrer des difficultés particulières qui les rendent moins efficaces. La **figure 7.3** décrit les cinq étapes de l'évolution d'une équipe: la constitution, le tumulte, la cohésion, le rendement et la dissolution[26].

FIGURE **7.3** Les cinq étapes de l'évolution d'une équipe

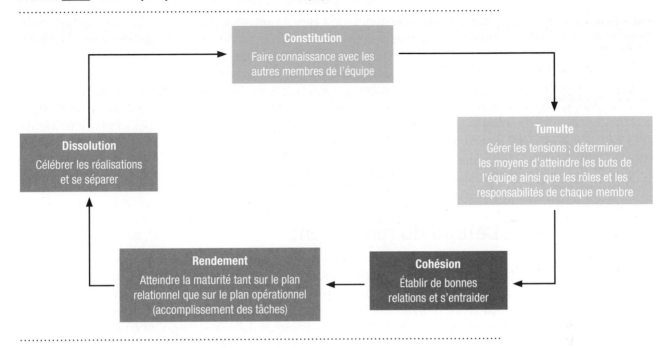

L'étape de la constitution

À l'**étape de la constitution**, les principales difficultés qu'éprouve l'équipe sont liées à l'intégration de ses membres. Durant cette période, chacun commence à s'identifier à d'autres membres et à l'équipe elle-même et se pose un certain nombre de questions. Il se demande *ce que l'équipe peut lui offrir, ce qu'on attend de lui* et *s'il pourra satisfaire ses besoins tout en contribuant aux réalisations collectives*. Les membres cherchent à mieux se connaître, à déterminer plus clairement les comportements acceptés ou attendus et à préciser la raison d'être de l'équipe de même que ses règles de fonctionnement.

L'étape du tumulte

L'**étape du tumulte** est une période riche en émotions et en tensions pour les membres de l'équipe. Ceux-ci vivent souvent une certaine hostilité, qui déclenche des conflits internes et entraîne des modifications de tous ordres. Ils défendent leurs idées et leurs opinions, les opposent à celles des autres et entrent en compétition pour s'imposer au sein de l'équipe ; des *clans* ou des *alliances* peuvent ainsi se former. Parfois irréalistes ou prématurées, les exigences venant de l'extérieur peuvent susciter des tensions intestines difficiles à supporter. Au cours de l'étape du tumulte, les attentes envers chacun tendent à se préciser, et l'attention des membres se tourne vers les obstacles qui gênent la réalisation des objectifs de l'équipe. On commence à mieux comprendre et à mieux accepter le style de chacun, on s'efforce de trouver les meilleurs moyens d'atteindre les buts collectifs tout en satisfaisant ses besoins individuels.

Étape de la constitution
Première étape de l'évolution d'une équipe au cours de laquelle chacun des membres commence à s'identifier à d'autres membres et à l'équipe elle-même, et se pose un certain nombre de questions sur son intégration à l'équipe

Étape du tumulte
Deuxième étape de l'évolution d'une équipe qui est riche en émotions et en tensions pour ses membres

L'étape de la cohésion

Étape de la cohésion
Troisième étape de l'évolution d'une équipe au cours de laquelle les membres commencent réellement à se souder et à coordonner leurs contributions individuelles

L'**étape de la cohésion**, parfois appelée « étape de l'intégration initiale », est la période où l'équipe commence à se cimenter et à coordonner les contributions de ses membres. Les conflits de la phase précédente disparaissent au profit d'un équilibre des forces précaire mais réel. Comme ils aiment ce début d'harmonie, les membres s'efforcent de maintenir cet équilibre positif. La consolidation des bonnes relations peut même prendre le pas sur l'atteinte des objectifs et l'accomplissement des tâches. Pendant cette période de rapprochement, les membres de l'équipe peuvent être tentés de décourager les critiques, les opinions minoritaires ainsi que les positions qui s'écartent de l'orientation commune. Certains peuvent à tort entretenir l'illusion que l'équipe a déjà atteint sa pleine maturité, or il est essentiel de comprendre que l'étape de la cohésion n'est que le tremplin vers l'étape suivante.

L'étape du rendement

Étape du rendement
Quatrième étape de l'évolution d'une équipe au cours de laquelle l'équipe atteint la maturité et devient bien organisée et opérationnelle

L'**étape du rendement**, aussi appelée « étape de l'intégration totale », survient lorsque l'équipe atteint la maturité. Désormais bien organisée et opérationnelle, l'équipe peut s'acquitter de tâches complexes et gérer les désaccords avec créativité. Sa structure est stable ; ses membres, généralement satisfaits, sont stimulés par les objectifs qu'ils poursuivent de concert. À cette étape, le défi consiste pour l'équipe à s'améliorer continuellement, tant sur le plan des relations que sur celui des résultats. Au fil du temps, elle doit continuer à saisir les occasions et à relever les défis ; à cette fin, ses membres doivent s'adapter aux changements. Généralement, l'équipe qui parvient à l'étape du rendement obtient une excellente note au regard des 10 critères par lesquels une équipe arrivée à maturité se distingue (**figure 7.4**).

FIGURE **7.4** **Les 10 critères d'évaluation de la maturité d'une équipe**

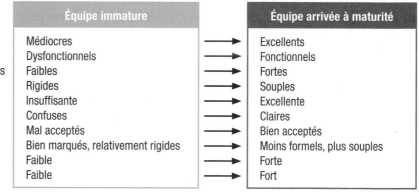

	Équipe immature	Équipe arrivée à maturité
1. Mécanismes de rétroaction	Médiocres	Excellents
2. Modes de prises de décision	Dysfonctionnels	Fonctionnels
3. Cohésion de l'équipe et loyauté des membres	Faibles	Fortes
4. Procédures	Rigides	Souples
5. Utilisation des ressources individuelles	Insuffisante	Excellente
6. Communications	Confuses	Claires
7. Objectifs	Mal acceptés	Bien acceptés
8. Rapports hiérarchiques	Bien marqués, relativement rigides	Moins formels, plus souples
9. Participation au leadership	Faible	Forte
10. Respect des opinions minoritaires	Faible	Fort

L'étape de la dissolution

Étape de la dissolution
Dernière étape de l'évolution d'une équipe au cours de laquelle l'équipe, ayant rempli son rôle ou accompli ses tâches, se dissout

Le cas échéant, une équipe totalement intégrée est capable de se dissoudre le moment venu, c'est-à-dire lorsqu'elle a rempli son rôle ou accompli ses tâches. L'**étape de la dissolution** est particulièrement importante pour les équipes temporaires, qui poussent comme des champignons dans les organisations d'aujourd'hui : équipes de travail, comités ad hoc, équipes de projet, etc. Les membres de ces groupes doivent pouvoir se réunir rapidement, accomplir leur mission dans des délais serrés, puis se séparer pour se regrouper de nouveau, au besoin. Un excellent test de la viabilité à long terme d'une équipe consiste à juger de la promptitude de ses membres à se séparer une fois le travail fini et à collaborer à de nouveaux projets.

Les fondements de l'efficacité d'une équipe

Les gestionnaires et les consultants soulignent souvent l'importance que «les bons voyageurs occupent les bons sièges dans le même autobus et qu'ils roulent tous dans la même direction[27]». Ces paroles pleines de sagesse confirment les résultats des chercheurs en CO. Le modèle de système ouvert illustré à la **figure 7.5** met en évidence la façon dont les équipes, au même titre que les organisations, atteignent l'efficacité en interagissant avec leur environnement pour transformer les intrants (facteurs de production) en extrants (produits)[28]. Comme le montre ce schéma, l'efficacité d'une équipe dépend à la fois des intrants, «les bons voyageurs occupent les bons sièges dans le même autobus», et des processus, «ils roulent tous dans la même direction»[29]. Pour vous souvenir de ce que signifie et implique cette figure, mémorisez l'équation suivante:

Efficacité de l'équipe =
Qualité des intrants × (Avantages associés aux processus − Inconvénients associés aux processus)

FIGURE **7.5** L'équipe en tant que système ouvert qui transforme des intrants en extrants

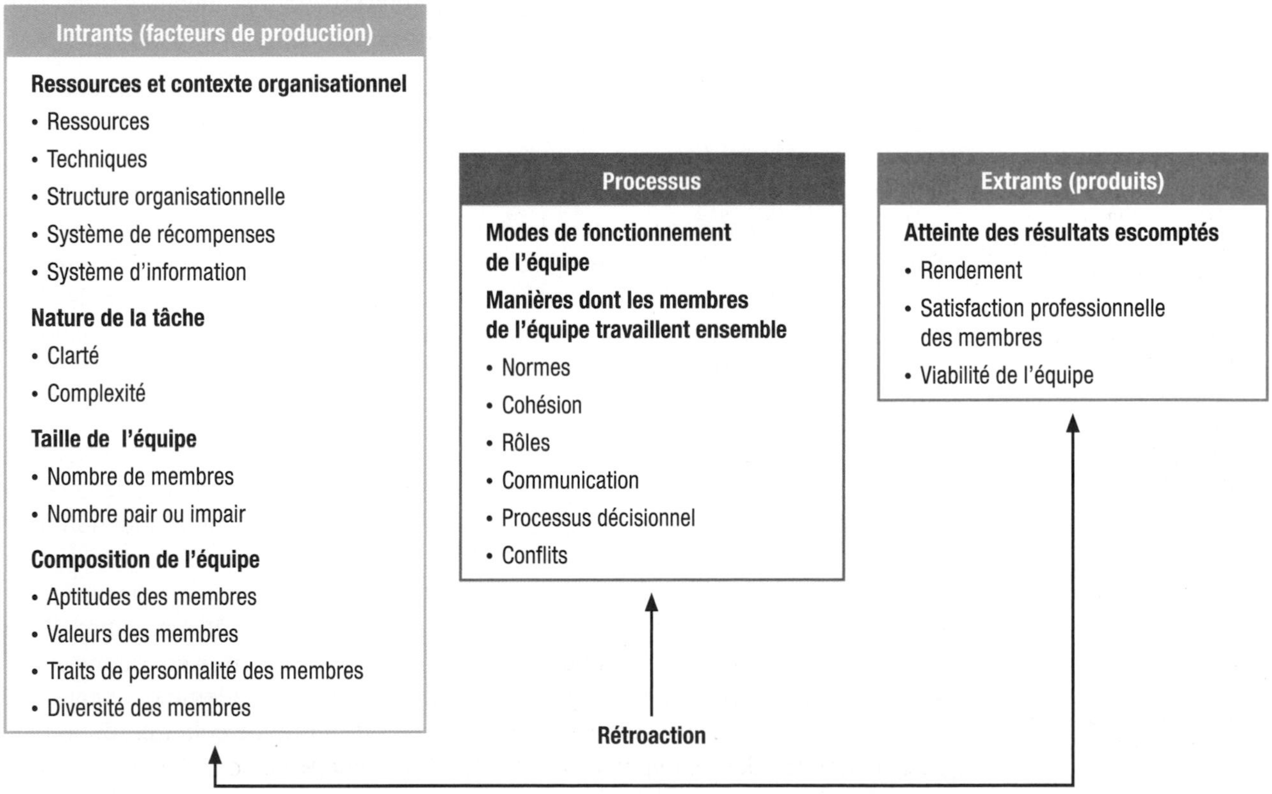

Intrants (facteurs de production)

Ressources et contexte organisationnel
- Ressources
- Techniques
- Structure organisationnelle
- Système de récompenses
- Système d'information

Nature de la tâche
- Clarté
- Complexité

Taille de l'équipe
- Nombre de membres
- Nombre pair ou impair

Composition de l'équipe
- Aptitudes des membres
- Valeurs des membres
- Traits de personnalité des membres
- Diversité des membres

Processus

Modes de fonctionnement de l'équipe

Manières dont les membres de l'équipe travaillent ensemble
- Normes
- Cohésion
- Rôles
- Communication
- Processus décisionnel
- Conflits

Extrants (produits)

Atteinte des résultats escomptés
- Rendement
- Satisfaction professionnelle des membres
- Viabilité de l'équipe

Rétroaction

Partant de cette équation relative à l'efficacité de l'équipe, nous allons maintenant parler de la qualité des intrants (ou variables d'entrée) et nous traiterons au chapitre suivant de la question des processus. Parmi les principaux processus qui seront vus au prochain chapitre, notons la cohésion, la communication et le processus décisionnel. Nous commençons par les intrants, car ils établissent la fondation sur laquelle se bâtit le rendement de l'équipe. Ce sont eux qui préparent toutes les actions. Et plus l'assise qu'ils constituent est solide, meilleures sont les chances que l'équipe fasse preuve d'une efficacité durable. Les principaux intrants sont les ressources de l'équipe et le contexte organisationnel, la nature de la tâche, la taille de l'équipe et sa composition.

Des intrants de qualité consistent, notamment, en des objectifs réalistes, un système de récompenses bien conçu, des ressources adéquates et des techniques de pointe.

Les ressources de l'équipe et le contexte organisationnel

Des intrants de qualité consistent, notamment, en des objectifs réalistes, un système de récompenses bien conçu, des ressources adéquates et des techniques de pointe. Ils sont essentiels à un fonctionnement d'équipe efficace. Le rendement d'une équipe a ceci en commun avec celui d'un individu qu'il peut pâtir d'objectifs confus, trop timides ou imposés arbitrairement. Les objectifs et les récompenses trop axés sur les résultats individuels, au détriment des résultats de l'équipe, peuvent également avoir un effet négatif. Par contre, des ressources financières suffisantes, des locaux agréables, des méthodes de travail et des procédures adéquates ainsi que des techniques de pointe favoriseront l'atteinte d'un rendement élevé.

L'attention actuellement accordée à l'architecture des bureaux et au rôle qu'elle joue dans le travail d'une équipe montre clairement l'importance du milieu dans lequel l'équipe évolue. Autrement dit, loger une équipe dans un environnement de travail adéquat peut alimenter le travail d'équipe. Chez SEI Investments, par exemple, les employés travaillent dans de grandes aires ouvertes, sans modules ou cloisons. Chacun a ses propres meubles et appareils d'éclairage, qui sont fixés sur des roues. On peut facilement brancher et débrancher les ordinateurs et autres appareils électroniques grâce à des faisceaux électriques courant le long des poutres du plafond. Ainsi, les équipes de projet peuvent aisément se rassembler ou se dissoudre, et les employés peuvent se réunir au gré des fluctuations du travail de la journée[30].

En ce qui concerne les techniques, elles donnent aux individus les moyens d'accomplir leur travail et doivent être soigneusement sélectionnées en fonction de la tâche à accomplir. La nature des techniques utilisées dans les circuits de production peut influer sur la façon dont les membres d'une équipe interagissent dans l'exécution de leurs tâches. Faire partie d'une équipe qui fabrique des produits sur mesure pour répondre aux demandes de clients particuliers est une chose ; être membre d'une équipe chargée d'une section d'une chaîne de montage automatisée en est une autre. Les techniques employées dans le premier cas entraîneront évidemment beaucoup plus d'interactions ; il s'ensuivra probablement une plus grande cohésion et un plus grand sentiment d'appartenance des membres de l'équipe.

Le travail avec des objectifs et des récompenses d'équipe est-il bénéfique ?

Pour répondre à cette question, les professeurs Jean Weidmann, Mario Konishi et François Gonin ont sondé des travailleurs au sein de deux organisations différentes : une entreprise du secteur hôtelier (réception, restaurant, direction) et une entreprise du secteur des communications (centres d'appels et vente en magasin). La première, fondée il y a plus de 40 ans, utilise des objectifs d'équipe depuis presque le début ; la seconde, fondée il y a 15 ans, a établi un système d'objectifs et de récompenses d'équipe il y a 2 ans. Plus particulièrement, dans cette étude, 71 personnes ont été interrogées : 25 du groupe hôtelier et 46 de l'entreprise du secteur des communications. Spécifions que, dans ces deux organisations, la satisfaction du client se trouve au cœur des objectifs d'équipe. Par ailleurs, d'autres objectifs sont propres à chaque équipe : durée des communications téléphoniques pour les centres d'appels, nombre de cartes de fidélité vendues à la réception dans les hôtels, chiffre d'affaires de chaque magasin…

Pour seulement 48 % des personnes interrogées, le travail avec des objectifs et des récompenses d'équipe permet d'accroître la performance. Il ne change rien pour 30 % d'entre elles et diminue même la performance de 17 % de celles-ci. Les résultats sont donc mitigés et ne démontrent pas un effet notable sur la performance. Le travail collectif pourrait donc donner de bons résultats, mais pas dans tous les contextes et avec toutes les personnes. En effet, dans certaines situations, un système d'objectifs et de récompenses d'équipe peut être source de stimulation grâce à une coordination des forces des membres et à un savoir-faire partagé. Selon les postes, la culture organisationnelle et l'ancienneté de l'instauration de ce système ont aussi pour avantages d'inciter à en faire plus afin de ne pas décevoir les coéquipiers et de réduire la pression au travail, car la responsabilité est partagée. En revanche, l'analyse des résultats des entrevues indique que le système collectif peut avoir des effets néfastes, notamment le phénomène du « passager gratuit ». Les professeurs concluent de leur étude que le travail avec des objectifs et des récompenses d'équipe est bénéfique, mais à certaines conditions : une équipe soudée, un gestionnaire qui s'assure de l'équité au sein de l'équipe, une bonne communication, la reconnaissance individuelle et des objectifs clairement définis, mesurables, réalistes et ambitieux.

Source : Jean Weidmann, Mario Konishi et François Gonin, « Le travail avec des objectifs et des récompenses de groupe est-il bénéfique ? », reproduit avec la permission de *Gestion*, revue internationale de gestion, vol. 41, nº 4 (hiver 2017), p. 32-35.

La nature de la tâche de l'équipe

La nature de la tâche est une autre variable importante dans la mesure où des tâches différentes signifient pour les équipes des exigences différentes. Lorsque les tâches sont claires et bien définies, il est plus facile pour les membres de l'équipe de savoir ce qu'ils doivent chercher à accomplir et de collaborer dans ce but. Lorsque les tâches sont complexes, l'efficacité est plus difficilement atteignable[31]. Les membres de l'équipe doivent alors échanger un grand nombre de renseignements et interagir énormément dans des conditions quelque peu incertaines. Ils doivent pleinement mobiliser leurs talents et utiliser à bon escient les ressources dont ils disposent pour atteindre les résultats souhaités. Toutefois, la réussite d'une tâche complexe est une source de grande satisfaction.

On peut analyser la nature de la tâche sur le plan des exigences techniques et sociales. Les *exigences d'ordre technique* des tâches d'une équipe ont trait, notamment, à leur caractère routinier, à leur degré de difficulté et à la quantité d'information requise.

Les *exigences d'ordre social*, elles, concernent les relations interpersonnelles, l'investissement personnel, les désaccords concernant les buts et les moyens à employer ainsi que d'autres questions du même type. Les tâches les plus exigeantes sur le plan technique nécessitent des solutions à la pièce et un important traitement de l'information. Par ailleurs, les tâches les plus exigeantes sur le plan social entraînent, pour les membres de l'équipe, des difficultés à s'entendre sur les objectifs et sur les méthodes.

La taille de l'équipe

La taille d'une équipe, c'est-à-dire le nombre de membres qui la constituent, influe également sur son efficacité. Plus l'équipe est grande, plus il y a de monde pour se répartir le travail et accomplir les tâches requises, ce qui peut accroître le rendement et la satisfaction des membres. Cependant, certaines limites s'imposent. En effet, si la taille d'une équipe s'accroît trop, des difficultés de communication et de coordination apparaissent, étant donné le nombre important de relations qui doivent être maintenues. Or, ces difficultés vont souvent de pair avec une baisse de la satisfaction professionnelle, une plus grande rotation du personnel ainsi qu'une augmentation de l'absentéisme et de la paresse sociale. De simples questions d'organisation, comme le choix du lieu et de l'heure d'une réunion, peuvent prendre des proportions démesurées et nuire au rendement dans le cas d'équipes de trop grande taille[32].

On estime que la taille idéale des équipes créatives et de résolution de problèmes serait d'environ cinq à sept membres. Dans une équipe plus petite, les membres risquent d'avoir du mal à se répartir adéquatement les responsabilités ; à plus de sept,

De cinq à sept personnes : ce serait la taille idéale des équipes qui doivent résoudre des problèmes ou qui sont appelées à créer.

ils peuvent trouver difficile de s'exprimer et d'apporter leur contribution ou de nouvelles idées. En outre, on constate souvent, dans les grandes équipes, une tendance des membres à tomber sous l'emprise des plus dominateurs ainsi qu'une tendance à se morceler en clans et en sous-équipes[33]. Le fondateur et PDG d'Amazon, Jeff Bezos, croit beaucoup au travail d'équipe. Au moment de déterminer la taille d'une équipe chargée de la mise au point d'un produit, il applique une règle simple : aucune équipe ne doit comporter plus de membres que deux pizzas peuvent en rassasier[34].

Par ailleurs, les équipes qui comptent un nombre impair de membres peuvent plus facilement recourir aux votes et utiliser la règle de la majorité pour venir à bout des désaccords. S'il faut agir rapidement, cette forme de gestion des conflits est des plus utiles. Le gestionnaire peut donc avoir avantage à constituer une équipe comptant un nombre impair de membres. Par contre, si les décisions à prendre exigent une réflexion approfondie et si on vise le consensus – comme c'est le cas dans les équipes devant résoudre des problèmes complexes (les jurys, par exemple) –, une équipe comptant un nombre pair de membres peut se révéler plus efficace. Le nombre pair de membres exige de ces derniers qu'ils confrontent leurs points de vue et désaccords plutôt que de simplement recourir à un vote et à la règle de la majorité[35].

Jeff Bezos, chef de la direction d'Amazon, marque des points avec ses « équipes à deux pizzas »

Jeff Bezos, fondateur et chef de la direction d'Amazon, est considéré comme l'un des grands hommes d'affaires des États-Unis et un visionnaire en matière de technologie. C'est aussi un fervent partisan du travail d'équipe. Lorsqu'il a dû décider de la taille des équipes chargées de la mise au point des produits, il a inventé une règle très simple : « Si deux pizzas ne sont pas suffisantes pour nourrir une équipe, c'est qu'elle est trop grande. »

Jeff Bezos a élaboré le plan d'affaires d'Amazon au volant de sa voiture. Il a fondé son entreprise dans son garage, et même lorsque ses actions de cette dernière ont atteint la valeur de 500 millions de dollars, il conduisait toujours une Honda et vivait dans un petit appartement du centre de Seattle. Il est évident que Jeff Bezos a une personnalité unique et un sens des affaires hors du commun. Le but qu'il s'était fixé pour Amazon consistait à « créer l'entreprise la plus axée sur la clientèle du monde entier, celle qui permet de trouver et d'acheter en ligne tout ce qu'on veut ».

Si vous vous rendez sur le site d'Amazon.ca et cliquez sur le bouton « Offres éclair », vous saisissez sa vision. Vous arrivez en effet sur une page comportant des offres spéciales très diverses, accessibles pendant une heure seulement, allant de l'outil électrique à la paire de chaussures. De telles innovations en ligne ne sont pas le fruit du hasard. Elles font partie intégrante de la philosophie de gestion que Bezos a instillée dans son entreprise. Le bouton « nos bonnes affaires » n'est que l'une des nombreuses innovations couronnées de succès des « équipes à deux pizzas ». Ces dernières, qualifiées « d'agiles moteurs d'innovation », sont en général formées de cinq à sept membres et ont pour mission de transformer les nouvelles idées en produits commercialisables.

Ne vous attendez pas à voir en Jeff Bezos le chef de direction type. Il vient encore travailler en jean et en chemise de travail. Un ami de la famille les décrit, lui et sa femme, comme des « personnages colorés ».

Pour Jeff Bezos, les petites équipes d'Amazon sont un moyen de lutter contre la bureaucratie et de décentraliser une entreprise qui, pourtant, s'agrandit et devient de plus en plus complexe. Il est aussi partisan des décisions fondées sur des faits. Il affirme qu'elles « aident à faire fi de la hiérarchie. Le plus jeune employé de l'entreprise peut réfuter les décisions de l'employé le plus chevronné et remporter la victoire si ses jugements sont fondés sur des faits ».

Source : Information et citations tirées de Robert D. Hof, « Amazon's Risky Bet », *Businessweek*, 13 novembre 2006, p. 52 ; Jon Neale, « Jeff Bezos », *BusinessWings*, 16 février 2007 ; en ligne : businesswings.co.uk ; Alan Deutschman, « Inside the Mind of Jeff Bezos », *Fast Company*, août 2004 ; en ligne : fastcompany.com.

QUESTIONS

En tant que chef d'équipe, avez-vous besoin de tout contrôler ou savez-vous déléguer sans trop de difficulté ? Votre approche du leadership est-elle plutôt formelle ou informelle ? Comment réagissez-vous si une personne ayant moins d'expérience que vous réfute l'une de vos décisions ?

La composition de l'équipe

Composition de l'équipe
Ensemble des compétences, des traits de personnalité et des expériences que les membres apportent à l'équipe

« Si vous voulez qu'une équipe fonctionne bien, vous devez tout d'abord bien choisir ses membres. » C'est un conseil qu'on vous donnera souvent. Il ne fait aucun doute que l'une des variables d'entrée les plus importantes est la **composition de l'équipe**. C'est, dans les faits, l'ensemble des compétences, des traits de personnalité et des expériences que les membres apportent à l'équipe. La règle d'or qui préside à la composition d'une équipe, c'est de choisir des individus dont les talents et les champs d'intérêt sont parfaitement en phase avec la tâche à accomplir et qui, par leurs caractéristiques personnelles, pourront vraisemblablement bien fonctionner les uns avec les autres.

DU CÔTÉ DE LA PRATIQUE

Enlevez vos écouteurs pour montrer votre esprit d'équipe

Lorsque vous portez des écouteurs au travail pour écouter de la musique, faites-vous fi de l'esprit d'équipe ? C'est une question qui se pose de plus en plus. Peut-être est-ce un truc de la génération Y. Peut-être est-ce l'influence de la technologie dans la vie de tous les jours. Les écouteurs sont aussi répandus dans certains bureaux que dans la rue. Mais une personne qui porte des écouteurs communique – volontairement ou pas – un message qui ressemble à : « Ne me dérangez pas ! »

Situation : Antoine a commencé un nouvel emploi où il travaille dans un bureau à aire ouverte. Il vient d'obtenir son diplôme et apprécie beaucoup ses nouvelles responsabilités. Amateur de musique, il porte ses écouteurs lorsqu'il travaille à son poste de travail. Hier, une collègue plus âgée est passée et lui a donné un conseil. « Tu devrais enlever tes écouteurs au bureau, lui a-t-elle dit. Ce n'est pas comme ça que ça fonctionne ici. Les gens commencent à dire que tu n'as pas un bon esprit d'équipe. »

Antoine fait face à une culture d'équipe qui semble ne pas apprécier ses écouteurs. Il n'y a pas de politique les interdisant, mais le « conseil » de sa collègue indique qu'il fait preuve d'un peu trop d'individualisme.

Même si les équipes sont composées d'individus, le CO reconnaît que les différences et préférences individuelles peuvent nuire à la dynamique des équipes. C'est le genre de situation qui dérange les leaders et fait réfléchir les chercheurs. En fait, une situation comme celle d'Antoine est gérable. Il s'agit de mettre au point des normes qui assurent la cohésion et le leadership d'équipe dans des conditions de diversité. Les jeunes ont grandi avec des écouteurs dans les oreilles. Il ne devrait pas être trop difficile de les intégrer au travail.

Mentionnons d'emblée que, pour obtenir du succès, une équipe doit regrouper des membres qui possèdent les talents et les compétences requis pour résoudre les problèmes auxquels elle doit faire face. Les talents et les compétences sont une condition nécessaire à l'atteinte d'un rendement élevé. Bien qu'ils ne suffisent pas à eux seuls, leur déficience ou leur carence est difficile à surmonter et peut compromettre l'obtention des résultats escomptés. N'oublions pas, toutefois, que le talent naturel ne garantit pas à lui seul le succès de l'équipe. Vous avez sûrement vu des équipes dont les membres possédaient beaucoup de compétences, mais accomplissaient très peu de travail de concert. L'une des causes probables de cette difficulté à travailler en équipe réside dans les problèmes relationnels que peuvent créer les caractéristiques des membres, notamment sur les plans des besoins, des traits de personnalité, de l'expérience ou de l'âge.

Les besoins des membres ont aussi leur importance. La **théorie des besoins relationnels (FIRO-B)**, de *Fundamental Interpersonal Relations Orientation – Business*, de William Schutz, met en lumière les différences dans la façon dont les gens entrent en rapport les uns avec les autres selon, d'une part, leur besoin d'exprimer des sentiments liés à l'appartenance, au pouvoir et à l'affection et, d'autre part, leur besoin de se voir témoigner de tels sentiments[36]. La théorie de Schutz prédit que les équipes dont les membres sont compatibles sur ces aspects ont plus de chances d'être efficaces que les autres. Les symptômes d'incompatibilité comprennent, notamment, le repli sur soi, les manifestations d'hostilité, les luttes de pouvoir et l'emprise exercée par quelques individus sur l'ensemble de l'équipe. Le chercheur résume ainsi les répercussions de sa théorie des besoins relationnels sur la gestion : « Si nous pouvons, dès le départ, constituer une équipe de personnes capables de travailler ensemble harmonieusement, nous aurons de fortes chances d'éviter les situations qui déclenchent un gaspillage d'énergie dans des conflits interpersonnels[37]. »

Le *statut*, c'est-à-dire le rang, le prestige ou la position relative d'un individu donné au sein d'une équipe, constitue une autre dimension de la composition de l'équipe. Il dépend de plusieurs facteurs : l'âge, l'ancienneté, la fonction, le degré de scolarité, le rendement, la position acquise dans d'autres équipes, etc. Si la position d'une personne dans une équipe correspond à celle qu'elle occupe à l'extérieur de l'équipe, on dit qu'il y a **concordance de statut**. Dans le cas contraire, c'est-à-dire s'il y a *discordance* entre le statut d'un individu dans l'équipe et celui qu'il a à l'extérieur, on peut s'attendre à des problèmes. Pensez par exemple aux équipes intergénérationnelles, de plus en plus courantes aujourd'hui. Un tout jeune diplômé à qui on demande de diriger une équipe de projet sur les médias sociaux constituée de travailleurs plus âgés et plus expérimentés que lui peut éprouver des difficultés.

La diversité et le rendement de l'équipe

La diversité dans la composition des équipes, sur le plan des valeurs, des traits de personnalité, des expériences, des caractéristiques sociodémographiques et culturelles des membres, est une variable importante. Elle peut autant poser problème qu'ouvrir des possibilités[38].

Dans les **équipes homogènes**, où tous les membres ont sensiblement le même profil (âge, sexe, antécédents ethnoculturels, formation, expérience professionnelle, etc.), le travail d'équipe n'entraîne pas de difficultés. Dans un tel contexte, la collaboration est facile et les membres en tirent satisfaction. Malgré tout, les chercheurs mettent en garde contre les risques de l'homogénéité qui, malgré les apparences, n'est pas toujours un atout. Même si les membres d'une équipe homogène ont du plaisir à travailler ensemble dans l'harmonie, les recherches démontrent qu'une telle équipe peut manquer d'efficacité si elle doit accomplir certaines tâches complexes exigeant une grande diversité de talents, de compétences, d'expériences et d'approches[39].

Théorie des besoins relationnels (FIRO-B)
Théorie qui met en lumière les différences dans la façon dont les gens entrent en rapport les uns avec les autres selon leurs besoins d'exprimer des sentiments liés à l'appartenance, au pouvoir et à l'affection, et de se voir témoigner de tels sentiments

Concordance de statut
Situation dans laquelle la position d'une personne au sein d'une équipe correspond à celle qu'elle occupe à l'extérieur de l'équipe

Équipe homogène
Équipe dont les membres ont sensiblement le même profil

Équipe hétérogène
Équipe dont les membres
ont des profils divers

En revanche, les **équipes hétérogènes** peuvent compter sur la diversité des profils de leurs membres pour maîtriser des tâches complexes. Cette diversité peut, par ailleurs, devenir une source de difficultés, notamment lorsqu'il s'agit de s'entendre sur la nature d'un problème et les moyens de le régler, de communiquer l'information et de gérer les désaccords. À court terme, les obstacles de cet ordre peuvent être assez importants. Mais si – et c'est un gros « si » – les membres apprennent à bien travailler ensemble, leur diversité peut devenir un facteur de succès[40].

**Problématique
diversité-consensus**
Phénomène par lequel
une grande diversité au sein
d'une équipe tend à rendre
la collaboration plus difficile,
bien qu'elle augmente la
somme d'aptitudes et de
compétences disponibles pour
la résolution des problèmes

Les enjeux rattachés à la diversité de l'équipe et à ses effets sur le fonctionnement et sur les résultats se manifestent plus particulièrement aux premières étapes de l'évolution de l'équipe. On appelle **problématique diversité-consensus** le phénomène par lequel, dans une équipe, une grande diversité tend à rendre la collaboration plus difficile, bien qu'elle augmente la somme d'aptitudes et de compétences disponibles pour la résolution des problèmes[41]. Cette problématique peut peser davantage durant les étapes critiques du tumulte et de la cohésion comme l'illustre la **figure 7.6**. L'hétérogénéité peut être à l'origine de tiraillements interpersonnels et de conflits et engendrer des problèmes. Pour être efficace, l'équipe doit tabler sur la diversité sans se laisser envahir par les inconvénients que celle-ci présente sur le plan des processus[42].

FIGURE **7.6** **La relation entre l'évolution de l'équipe et le rendement, selon la diversité des membres**

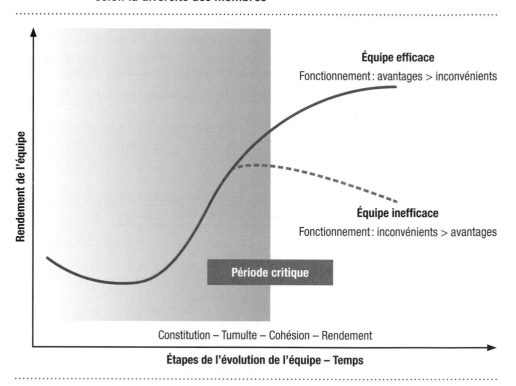

Pendant que l'équipe essaie de se sortir de la problématique diversité-consensus, sa croissance peut ralentir. De plus, la consolidation des relations, la mise en commun de l'information et la résolution de problèmes peuvent accuser un certain retard[43]. Il arrive que certaines équipes en soient à tel point paralysées qu'elles ne parviennent plus à surmonter les problèmes qui surviennent dans leurs modes de fonctionnement ou processus. Cependant, une fois qu'elles sont venues à bout de ces difficultés, les équipes diversifiées sortent de la période critique illustrée dans la figure 7.6, se révèlent efficaces et peuvent même souvent devenir plus performantes que des équipes moins diversifiées. Les recherches montrent également que les équipes les plus créatives sont formées de membres expérimentés et de novices[44]. Les premiers ont de l'expérience et des relations, alors que les deuxièmes apportent leur talent et des idées nouvelles.

Le lien entre la diversité et le rendement est clairement démontré par les recherches sur l'**intelligence collective**, c'est-à-dire sur la capacité d'une équipe à bien s'acquitter d'un vaste éventail de tâches[45]. Selon les recherches, il n'existerait qu'un très faible lien entre l'intelligence collective d'une équipe et l'intelligence individuelle des membres qui la forment, que cette intelligence soit moyenne ou supérieure. Cependant, il y aurait un lien étroit entre l'intelligence collective et deux variables rattachées aux processus : les sensibilités sociales au sein de l'équipe et l'absence de communication entre quelques membres de l'équipe voulant établir leur domination sur les autres. Enfin, les chercheurs ont pu associer l'intelligence collective à la diversité des membres en matière de genre, plus particulièrement à la proportion de femmes au sein de l'équipe. Ils ont également relié cette découverte aux processus en mettant en évidence, dans leurs études, les meilleurs résultats des femmes par rapport à ceux des hommes sur le plan de la sensibilité sociale.

Intelligence collective
Capacité d'une équipe à bien s'acquitter d'un vaste éventail de tâches

Le travail en équipe interculturelle se taille une place dans les entreprises sans bureau fixe

Automattic Inc. compte 123 employés répartis dans 26 pays, 94 villes et 28 États américains. Où est le siège social ? En fait, il n'est nulle part et partout à la fois. Dans cette entreprise de services web, chacun travaille chez soi. Le terme « entreprise sans bureau fixe » s'applique à un nombre croissant d'employeurs. Avec le clavardage, Skype et d'autres technologies – y compris le téléphone –, les gens peuvent facilement travailler en équipe, peu importe l'heure et la distance. Ajoutez les avancées des médias sociaux et l'infonuagique, et le tour est joué. L'absence de bureau peut constituer un véritable avantage pour les équipes interculturelles, les réunions et le travail en équipe virtuelle étant la norme. Inutile de planifier des déplacements : en quelques clics, l'équipe est réunie et prête à se mettre au travail.

Guide de RÉVISION

RÉSUMÉ

Quelles sont les principales caractéristiques des équipes en milieu organisationnel?

- Une équipe est un groupe de personnes qui collaborent en mettant leurs habiletés au service de la poursuite d'un but commun dont elles sont collectivement responsables.

- Les équipes travaillant au sein des organisations remplissent des fonctions différentes: certaines dirigent, d'autres font des recommandations, d'autres exécutent les tâches.

- Les organisations sont constituées d'équipes formelles, officiellement désignées pour y assumer un rôle précis, ainsi que de groupes informels qui se créent spontanément par le fait de relations particulières, mais ne font pas partie de la structure formelle.

- On peut considérer qu'une organisation est un réseau d'équipes permanentes interconnectées, comme les services ou les divisions, ainsi que d'équipes provisoires, comme les comités ad hoc et les équipes de réflexion.

- Habituellement, les membres des équipes semi-autonomes planifient, exécutent et évaluent leur propre travail. Ils se forment et s'évaluent les uns les autres et se partagent les tâches et les responsabilités.

- Les équipes virtuelles, dont les membres se réunissent et travaillent ensemble à distance grâce aux technologies de l'information et des communications, sont de plus en plus répandues et soulèvent des questions de gestion particulières.

Quels sont les effets bénéfiques et les effets néfastes des équipes sur les organisations?

- Une équipe efficace se caractérise par son rendement élevé, la satisfaction professionnelle de ses membres et sa viabilité, c'est-à-dire sa capacité à produire des résultats probants à long terme.

- Une équipe parvient à la synergie lorsque ses réalisations collectives dépassent la somme des réalisations qu'aurait pu accomplir chacun de ses membres.

- L'équipe aide ses membres à satisfaire des besoins importants en les soutenant dans leur travail et en favorisant les interactions sociales.

- Le rendement d'une équipe peut pâtir du phénomène de la paresse sociale, qui se manifeste lorsque l'un des membres relâche ses efforts et laisse les autres faire le travail.

- Lorsque les individus voient leur comportement positivement ou négativement influencé par la présence d'autres personnes, notamment les membres de leur équipe, on assiste au phénomène appelé «facilitation sociale».

Quelles sont les étapes de l'évolution d'une équipe?

- Toute équipe traverse, au cours de son existence, cinq étapes dont chacune comporte des défis particuliers pour le leader et les autres membres.

- À l'étape de la constitution, chacun des membres commence à s'identifier à d'autres membres et à l'équipe elle-même et se pose des questions sur son intégration à l'équipe.

- À l'étape du tumulte, l'équipe vit des difficultés liées à la gestion des attentes individuelles et aux questions de statut. Des conflits peuvent émerger relativement aux tâches à accomplir et au mode de fonctionnement de l'équipe.

- À l'étape de la cohésion (ou étape de l'intégration initiale), les membres de l'équipe commencent à réellement se souder et à coordonner leurs efforts.

- À l'étape du rendement (ou étape de l'intégration totale), l'équipe est bien organisée et opérationnelle. Ayant atteint la maturité, elle peut accomplir des tâches complexes.

- À l'étape de la dissolution, l'équipe, ayant rempli son rôle ou accompli ses tâches, doit gérer le processus de démantèlement.

Quels sont les fondements de l'efficacité d'une équipe?

- En tant que systèmes ouverts, les équipes doivent interagir avec leur environnement pour obtenir les intrants (facteurs de production) qu'elles transformeront en extrants (produits).

- L'équation qui résume l'efficacité d'une équipe selon le modèle du système ouvert est la suivante: Efficacité = Qualité des intrants × (Avantages associés aux processus − Inconvénients associés aux processus).

- Les intrants, tels que les ressources et le contexte organisationnel, la nature de la tâche, la taille et la composition de l'équipe, sont déterminants dans le fonctionnement de l'équipe, dans son efficacité à produire les résultats attendus.

MOTS CLÉS

Cercle de qualité	p. 245	Équipe interfonctionnelle	p. 244	Polyvalence	p. 245
Composition de l'équipe	p. 262	Équipe semi-autonome	p. 245	Problématique	
Concordance de statut	p. 263	Équipe virtuelle	p. 247	diversité-consensus	p. 264
Équipe	p. 240	Étape de la cohésion	p. 256	Sociogramme	p. 244
Équipe de résolution		Étape de la constitution	p. 255	Syndrome de	
de problèmes	p. 244	Étape de la dissolution	p. 256	la compartimentation	p. 244
Équipe efficace	p. 250	Étape du rendement	p. 256	Synergie	p. 250
Équipe favorisant		Étape du tumulte	p. 255	Théorie des besoins	
la participation		Facilitation sociale	p. 251	relationnels (FIRO-B)	p. 263
des travailleurs	p. 245	Groupe informel	p. 243	Travail d'équipe	p. 240
Équipe formelle	p. 242	Intelligence collective	p. 265		
Équipe hétérogène	p. 264	Paresse sociale			
Équipe homogène	p. 263	(ou effet Ringelmann)	p. 252		

EXERCICE DE RÉVISION

MaBiblio > MonLab > Exercices
> Ch07 > Exercice de révision

Questions à choix multiple

1. La théorie des besoins relationnels (FIRO-B) se penche sur _____ au sein d'une équipe. **a)** la compatibilité des membres **b)** la paresse sociale **c)** la prédominance de certains membres **d)** le conformisme

2. Dans l'évolution d'une équipe, c'est à l'étape _____ que ses membres commencent véritablement à constituer une entité organisée. **a)** du tumulte **b)** de la cohésion **c)** du rendement **d)** de l'intégration totale

3. Une équipe efficace se caractérise par un rendement élevé, la satisfaction professionnelle de ses membres et _____ **a)** la coordination. **b)** l'harmonie. **c)** la créativité. **d)** la viabilité.

4. La nature des tâches, le système de récompenses et la taille de l'équipe sont des _____ qui jouent un rôle majeur dans l'efficacité de l'équipe. **a)** processus **b)** éléments de la dynamique de l'équipe **c)** intrants **d)** renforçateurs

5. Pour l'équipe de résolution de problèmes, la taille idéale est de _____ **a)** 3 ou 4 personnes, au maximum. **b)** 5 à 7 personnes. **c)** 8 à 10 personnes. **d)** 12 ou 13 personnes.

6. À l'étape _____, le membre se pose un certain nombre de questions telles que : «Serai-je à même de contribuer aux réalisations collectives, tout en comblant mes besoins?» **a)** de la constitution **b)** de la cohésion **c)** du rendement **d)** du tumulte

7. L'équipe semi-autonome _____ **a)** exige moins de polyvalence de la part de chacun de ses membres. **b)** assume en grande partie les fonctions du cadre de premier échelon. **c)** dépend largement de la formation extérieure pour maintenir les compétences requises par ses tâches. **d)** fait augmenter les frais généraux de l'organisation en ajoutant un niveau d'encadrement.

8. Laquelle de ces affirmations sur l'équipe semi-autonome est exacte ? **a)** L'équipe semi-autonome peut améliorer le rendement, mais pas la satisfaction professionnelle. **b)** L'équipe semi-autonome devrait avoir un pouvoir décisionnel restreint. **c)** L'équipe semi-autonome devrait fonctionner sans responsable. **d)** L'équipe semi-autonome devrait laisser ses membres planifier et évaluer leur propre travail.

9. Lorsqu'une équipe peut réaliser collectivement plus que la somme de ce que chacun de ses membres est capable de réaliser individuellement, on parle de _____ **a)** leadership partagé. **b)** consensus. **c)** viabilité de l'équipe. **d)** synergie.

10. La motivation des membres d'une équipe tend à s'accroître et les conflits tendent à se résoudre plus facilement au cours de l'étape _____ , qui marque l'évolution de l'équipe. **a)** de la constitution **b)** du tumulte **c)** de la cohésion **d)** de la dissolution

11. Pour ce qui est du comportement humain au sein d'un groupe, à quoi correspond l'effet Ringelmann ? **a)** À la tendance des équipes à prendre des décisions risquées **b)** À la paresse sociale **c)** À la facilitation sociale **d)** À la satisfaction des besoins sociaux des membres

12. Les membres d'un groupe de projet multiculturel doivent être conscients que _____ pourrait, au départ, ralentir l'avancement des objectifs de l'équipe. **a)** la synergie **b)** la pensée de groupe **c)** la problématique diversité-consensus **d)** la dynamique intergroupe

13. L'une des stratégies recommandées pour faire face au phénomène de la paresse sociale se manifestant au sein d'un groupe consiste à _____ **a)** mettre le problème de côté. **b)** demander à un membre du groupe d'exercer des pressions sur la personne qui pose problème pour qu'elle travaille plus. **c)** offrir à la personne qui pose problème des récompenses supplémentaires afin qu'elle se sente coupable. **d)** renforcer la responsabilité individuelle en rendant significative la contribution de chacun au travail collectif.

14. On dit qu'il y a _____ lorsqu'une personne occupant un poste prestigieux dans l'organisation, tel que celui de vice-président, est un simple membre au sein d'un groupe d'étude dont on a confié la présidence à un superviseur occupant

une position hiérarchique inférieure dans l'organisation. **a)** une insuffisance de rôle **b)** une surcharge de rôle **c)** une discordance de statut **d)** une problématique diversité-consensus

15. L'équation de l'efficacité d'une équipe se lit comme suit : _____ × (Avantages associés aux processus – Inconvénients associés aux processus). **a)** Nature du milieu de travail **b)** Nature du travail **c)** Qualité des intrants **d)** Récompenses offertes

Questions à réponse brève

16. Que peuvent apporter les équipes à l'organisation ?

17. Quels types d'équipes formelles rencontre-t-on dans les organisations contemporaines ?

18. En général, qu'attend-on des membres d'une équipe semi-autonome ?

19. Expliquez ce qu'est la problématique diversité-consensus.

Question à développement

20. En naviguant dans Internet, vous trouvez ce message dans votre forum de discussion favori :

J'ai besoin d'aide ! Mon entreprise vient de m'affecter à la direction d'une équipe de conception de produits. La directrice de mon service attend beaucoup de cette équipe… et de moi. Mais depuis l'obtention de mon diplôme, il y a quatre ans, j'ai toujours travaillé à titre d'ingénieur concepteur. Je n'ai jamais encadré ni géré qui que ce soit, encore moins toute une équipe. Et la pression est forte ! La directrice me répète sans cesse qu'elle est convaincue que je vais mettre sur pied une équipe hautement efficace. Y a-t-il un internaute qui pourrait me donner des conseils et m'aider à relever ce défi ? J'ai besoin de vous ! Signé : Galahad

En bon citoyen du cyberespace, vous décidez de répondre à cet internaute en détresse. Qu'allez-vous lui suggérer ?

Le CO dans le feu de l'action

Pour ce chapitre, nous vous suggérons les compléments numériques suivants dans MonLab.

MaBiblio >

MonLab > Documents > Études de cas
> 9. La société Hovey & Beard
> 10. Un membre oublié
> 11. Marc Perrot
> 13. Le cas de la nouvelle cage

MonLab > Documents > Activités
> 18. Double appartenance
> 19. Travœufs pratiques
> 34. Incursion dans l'inconnu

MonLab > Documents > Autoévaluations
> 9. L'efficacité d'une équipe

Le travail d'équipe et le rendement des équipes

Les équipes, ça vaut la peine qu'on y travaille.

Pour qu'une équipe, virtuelle ou traditionnelle, fasse du bon travail et réalise des exploits, ses membres ne doivent jamais perdre de vue l'esprit d'équipe et les processus collectifs. Le rendement collectif ne doit pas être laissé au hasard. Il est vrai que la constitution d'une équipe peut demander beaucoup d'efforts, mais cela en vaut la peine. Les possibilités qu'offrent les équipes et le travail d'équipe sont trop belles pour qu'on les laisse filer. Ce chapitre traite ainsi d'aspects essentiels de la réussite des organisations aujourd'hui : la présence, en leur sein, d'équipes motivées et le travail d'équipe qui assure le succès.

OBJECTIFS D'APPRENTISSAGE

Après l'étude de ce chapitre, vous devriez pouvoir :

- Expliquer ce qui caractérise les équipes hautement performantes et en quoi consiste le processus de consolidation d'équipe.
- Décrire les modes de fonctionnement d'une équipe efficace.
- Discuter de la communication au sein des équipes.
- Distinguer les différents modes de prise de décision au sein d'une équipe.

PLAN DU CHAPITRE

Les équipes hautement performantes
Les caractéristiques des équipes hautement performantes
Le processus de consolidation d'équipe
Les diverses approches en matière de consolidation d'équipe

Les modes de fonctionnement d'une équipe efficace
L'intégration des recrues
Les rôles au sein de l'équipe et leur dynamique
Le leadership lié aux tâches et le leadership lié aux relations
Les normes de l'équipe
La cohésion de l'équipe
La dynamique interéquipe

La communication au sein des équipes
Les réseaux de communication
La proxémie et l'usage de l'espace
Les technologies de la communication

Le processus décisionnel au sein des équipes
Les différents modes de prise de décision
Les avantages et les inconvénients de la prise de décision collective
La pensée de groupe, ses symptômes et les moyens d'y faire face
Les techniques d'aide à la prise de décision collective

Guide de révision

Aires ouvertes et aquariums géants chez Crakmedia

On s'attend à tout dans les locaux d'une entreprise spécialisée en marketing web. À tout, mais peut-être pas à deux aquariums géants peuplés de poissons tropicaux. C'est pourtant ce que l'on trouve bien en évidence chez Crakmedia. Des aquariums d'une longueur de 11 pieds séparent deux grandes salles de réunion d'un espace de relaxation fort apprécié du personnel.

C'est un employé, passionné des poissons, qui s'occupe de l'entretien des aquariums, dont l'installation n'a pas été facile. « Les aquariums étaient trop gros pour l'ascenseur, se remémore en souriant Claudia Martel, adjointe à la direction. Nous avons fait venir une grue pour les monter à l'extérieur jusqu'aux fenêtres du 5e étage, et nous les avons fait entrer par là ! »

Pour Crakmedia, le déménagement dans les locaux du quartier Saint-Roch était devenu vital. Elle a connu une poussée de croissance au cours des quatre années précédentes, et l'effectif a grimpé à un fort rythme, passant de 12 à plus de 100 employés. Ce dernier pourrait même franchir le cap des 200 d'ici 2 ans. Les anciens bureaux étaient devenus trop étroits.

En collaboration avec la firme d'architectes Parka, Crakmedia profite du déménagement au 410, boulevard Charest Est pour revoir complètement l'organisation des espaces de travail. Elle fait la part belle aux aires ouvertes.

Seules quelques salles de réunion fermées subsistent, pour des rencontres exigeant davantage de confidentialité, notamment en comptabilité ou en ressources humaines. Et tout le monde a vue sur la ville.

Les bureaux sont attitrés, et les équipes sont stratégiquement réparties dans les aires ouvertes afin de faciliter le travail d'équipe. Cela évite les pertes de temps et permet aux employés de mieux se connaître.

« Nos clients sont presque tous à l'étranger, et nous les recevons très rarement, précise Claudia Martel. Nos locaux ont donc été réalisés d'abord et avant tout pour nos employés et pour adopter une organisation du travail productive, qui réponde à leurs attentes. Il s'agissait aussi de façonner notre image et d'être attractifs pour la jeune génération de travailleurs. »

> Les équipes sont stratégiquement réparties dans les aires ouvertes afin de faciliter le travail d'équipe.

Les employés sont âgés en moyenne de 31 ans. Selon Mme Martel, l'environnement de travail est crucial pour séduire les jeunes travailleurs, peut-être même plus que la rémunération.

S'ajoutent donc aux lieux de travail des espaces de vie, dont une grande cuisine commune et un espace récréatif avec divans, télévision et consoles de jeu.

Source : Jean-François Venne, « Aires ouvertes et aquariums géants chez Crakmedia », *Les Affaires*, 30 avril 2016, p. 28.

Les équipes hautement performantes

Êtes-vous un utilisateur de l'iPad, de la Kindle Fire, du Samsung Galaxy ou du Google Nexus? Vous êtes-vous déjà demandé pourquoi les entreprises qui fabriquent ces produits proposent sans cesse des modèles innovateurs et très tendance?

À maints égards, l'histoire des téléphones intelligents et des tablettes a commencé il y a bien des années avec Apple, son cofondateur Steve Jobs, le premier ordinateur Macintosh et une équipe très spéciale. Le Mac était l'idée originale de Steve Jobs. Pour le créer, il a constitué une équipe de gens performants, tous enthousiasmés et motivés par ce projet ambitieux. Ils ont travaillé jour et nuit avec acharnement, à l'écart de la bureaucratie d'Apple. Ils alliaient l'ardeur de la jeunesse à une expertise poussée et un engagement total dans la poursuite de l'objectif extrêmement motivant qui était de changer le monde par l'informatique. Les résultats, on les connaît: la fabrication en un temps record d'un ordinateur qui allait devenir une référence dans le domaine de la technologie informatique ainsi qu'un nouvel archétype de l'équipe hautement performante[1].

Les équipes très performantes recherchent l'excellence en établissant des plans d'action, en mesurant leurs résultats et en se concentrant sur la résolution des conflits.

De nos jours, on ne compte plus les acteurs dans l'industrie des appareils électroniques, qui est très concurrentielle. Par contre, il est clair que tous ces acteurs appliquent dorénavant leur propre variante du modèle original d'Apple et cherchent eux aussi à attirer des équipes hautement performantes et talentueuses dans le but d'innover. Cependant, alors que certaines de ces équipes sont bel et bien dynamiques et efficaces, de nombreuses autres, prévient le professeur J. Richard Hackman, génèrent un sous-rendement et n'atteignent pas leur plein potentiel. Comme il le dit, elles ne «fonctionnent» tout simplement pas[2]. La question qu'on doit se poser est donc: «Qu'est-ce qui caractérise les équipes hautement performantes?»

Les caractéristiques des équipes hautement performantes

Il est facile de s'entendre sur les compétences en leadership nécessaires à une équipe comme celles qui figurent dans l'encadré de la page 276. Et il est tout à fait approprié de mettre en tête de liste une orientation de travail claire et ambitieuse[3]. Ici encore, l'évocation des débuts de Macintosh est inspirante. Après avoir aperçu ce qu'on lui avait décrit comme la «machine susceptible de changer le monde», Steven Levy du magazine *Wired* avait écrit: «J'ai aussi rencontré les gens qui ont créé cette machine. Ils ont l'air sonnés, presque étourdis par trois années de travail intense. Mais dans leurs yeux rougis et noyés de Visine brille une étincelle. Ils m'ont dit que leur Macintosh allait modifier le cours de l'univers. C'est leur dirigeant, Steven P. Jobs, qui l'affirme. Jobs décrit d'ailleurs ce nouvel ordinateur comme "diablement extraordinaire"[4].»

À la base de toute équipe hautement performante, on trouve des membres qui partagent des objectifs communs et qui sont prêts à travailler sans relâche pour les atteindre. En effet, le critère essentiel pour former une équipe très performante est que les membres se sentent «collectivement responsables» de leur cheminement vers ce que Hackman appelle «une orientation convaincante». Y parvenir n'est pas toujours facile. Trop souvent, les membres de l'équipe ne s'entendent pas sur les objectifs à atteindre et n'ont pas la même compréhension de ce qui doit être accompli[5].

Alors qu'une vision commune et partagée apporte à une équipe une orientation générale, l'engagement à atteindre des résultats ciblés, clairs et précis donne à cette vision une réelle signification. Les équipes hautement performantes savent transformer une orientation générale en objectifs de rendement spécifiques. Elles recherchent l'excellence en établissant des plans d'action, en mesurant les résultats et en recueillant des données sur leur rendement. Elles se concentrent sur la résolution des problèmes et des conflits.

Évidemment, le talent est essentiel. Une équipe hautement performante possède la bonne combinaison de compétences techniques, conceptuelles (liées à la résolution de problèmes et à la prise de décision) et humaines. Elle s'appuie également sur des valeurs fondamentales partagées qui orientent les attitudes et les comportements de ses membres vers une direction commune. Ces valeurs servent de système de contrôle interne et peuvent remplacer la plupart des directives qui, autrement, viendraient d'un supérieur.

Créer une équipe gagnante : le leadership d'équipe

- Établir une orientation de travail claire et ambitieuse.
- Fixer des objectifs et des attentes explicites.
- Définir des normes élevées.
- Créer un sentiment d'urgence.
- S'assurer que les membres de l'équipe ont les compétences nécessaires.
- Se poser en modèle de comportements positifs.
- Communiquer rapidement les progrès réalisés en matière de rendement.
- Diffuser tous les renseignements utiles.
- Aider les membres à mettre en commun les renseignements utiles.
- Donner des rétroactions constructives.

Au chapitre précédent, nous avons parlé d'*intelligence collective*, c'est-à-dire de la capacité d'une équipe à bien s'acquitter d'un vaste éventail de tâches. Cette notion traduit bien ce que nous entendons par «équipe hautement performante». Ce n'est pas l'équipe qui fait ses preuves une seule fois, mais plutôt celle qui démontre ses capacités encore et encore, par les différentes tâches qu'elle accomplit au fil du temps. Les chercheurs affirment que l'intelligence collective est plus élevée dans les équipes dont les processus ne sont pas dominés par un seul membre ou par un petit nombre de personnes. Ils déclarent qu'elle est également associée aux équipes comptant plus de femmes dans leurs rangs, ce qu'ils lient à la plus grande sensibilité sociale qu'elles manifestent au cours du processus collectif[6].

Le travail d'équipe pousse les voitures de la NASCAR dans la voie rapide

En quoi un groupe d'individus se distingue-t-il d'une équipe très efficace ? Avant tout, par la façon dont les membres travaillent les uns avec les autres pour atteindre des objectifs communs.

Une équipe de ravitaillement travaillant sur un circuit de course de la NASCAR en constitue un bon exemple. Lorsqu'une voiture doit s'arrêter à un poste de ravitaillement, les membres de l'équipe doivent accomplir à toute vitesse une multitude de tâches, sans accrocs et à l'unisson. Une seconde perdue ou gagnée peut être déterminante pour la victoire du pilote. Les membres de l'équipe doivent être bien formés et bien entraînés pour être efficaces le jour de la course. « Vous ne pouvez pas gagner une course avec un arrêt de 12 secondes, mais vous pouvez la perdre avec un arrêt de 18 secondes », déclare Trent Cherry, chef d'une équipe de ravitaillement.

Les membres de l'équipe de ravitaillement sont formés à l'exécution de manœuvres compliquées pendant les changements de pneus : le réglage du moteur, le ravitaillement en carburant et les divers ajustements à faire dans une voie de ravitaillement encombrée. Chacun d'eux est expert dans une tâche, mais il sait exactement comment celle-ci s'intègre à toutes les autres qu'il faut exécuter dans les quelques secondes que dure un arrêt au poste de ravitaillement.

Les rôles sont définis dans le détail et se combinent dans une chorégraphie bien orchestrée qui doit permettre à l'équipe de faire son travail sans anicroche. Les diverses tâches sont hautement spécialisées et interdépendantes. Si celui qui pose le cric est en retard, par exemple, celui qui doit changer le pneu ne peut l'enlever.

Les équipes de ravitaillement de la NASCAR ne se contentent pas de se réunir le jour de la course et d'improviser. Leurs membres sont soigneusement choisis selon leurs compétences et leur attitude, et s'entraînent avec acharnement. Les chefs d'équipe n'hésitent pas à apporter des changements lorsque les choses ne fonctionnent pas bien. Ils doivent s'assurer que, le jour de la course, tout le monde est en forme et prêt à apporter sa contribution à l'équipe. « Je ne veux pas avoir sept étoiles, dit Trent Cherry, je veux sept gars qui travaillent en équipe. »

Source : Information et citations tirées d'Allen St. John, « Racing's Fastest Pit Crew », *The Wall Street Journal*, 9 mai 2008, p. W4 ; voir aussi « High Octane Business Training », BizEd, juillet-août 2008, p. 72.

QUESTIONS

Encouragez-vous le travail en équipe ou adoptez-vous, en tant que leader, des pratiques qui pourraient entraver la dynamique d'équipe ? Trouvez-vous des moyens d'apporter des changements positifs, même lorsque tout fonctionne bien ? Restez-vous ouvert aux suggestions de changements des membres de l'équipe ?

Le processus de consolidation d'équipe

Il ne suffit pas de regrouper des travailleurs pour que ceux-ci effectuent un véritable travail d'équipe ; y parvenir exige beaucoup d'efforts, tant des membres du groupe que de leur leader. Dans le domaine sportif, par exemple, les entraîneurs et les gérants qui forment une nouvelle équipe travaillent très fort, en début de saison, pour instaurer une collaboration harmonieuse et efficace. Pourtant, cela n'empêche pas les équipes, même les plus expérimentées, de connaître des problèmes au fur et à mesure que la saison avance : certains joueurs relâchent leurs efforts, ce qui mécontente les autres ; certains connaissent des baisses de rendement et sont critiqués par les autres ; il y a des échanges de joueurs, voulus ou non, avec d'autres équipes.

Même les équipes de classe mondiale traversent de mauvaises passes. Les athlètes les plus talentueux peuvent perdre leur motivation, se quereller avec leurs coéquipiers et ne plus guère contribuer au succès de leur équipe. Lorsque cela arrive, il est primordial que propriétaires, gérants, entraîneurs et joueurs fassent le point, cernent les problèmes et prennent les mesures qui s'imposent pour restaurer la collaboration requise à l'atteinte des résultats de haute performance[7].

Les équipes de travail éprouvent des difficultés semblables. Celles qui sont nouvellement constituées doivent relever les défis qui attendent tout groupe aux premières étapes de son évolution. Même celles qui sont parvenues à maturité vivent, à un moment ou à un autre, des problèmes liés au manque de collaboration. Quand cela se produit ou, mieux, pour éviter que cela se produise, il peut être judicieux d'entamer un processus systématique de **consolidation d'équipe** (*team building*, parfois traduit par « harmonisation fonctionnelle d'une équipe » ou « renforcement de l'esprit d'équipe »). Cela consiste en une série d'actions planifiées visant à recueillir et à analyser des données sur le fonctionnement d'une équipe, puis à amorcer des changements pour faciliter la collaboration entre les membres et améliorer l'efficacité opérationnelle de l'équipe[8].

La **figure 8.1** illustre les étapes du renforcement de l'esprit d'équipe, de la consolidation d'équipe. Bien qu'il soit tentant de décréter que ce processus devrait être élaboré par des consultants ou des experts extérieurs, il faut le considérer, dans les faits, comme une composante incontournable des compétences de tout gestionnaire ou chef d'équipe.

Consolidation d'équipe
Série d'actions planifiées visant à recueillir et à analyser des données sur le fonctionnement d'une équipe, puis à amorcer des changements pour faciliter la collaboration entre les membres et améliorer l'efficacité opérationnelle de l'équipe

FIGURE **8.1**   Le processus de consolidation d'équipe

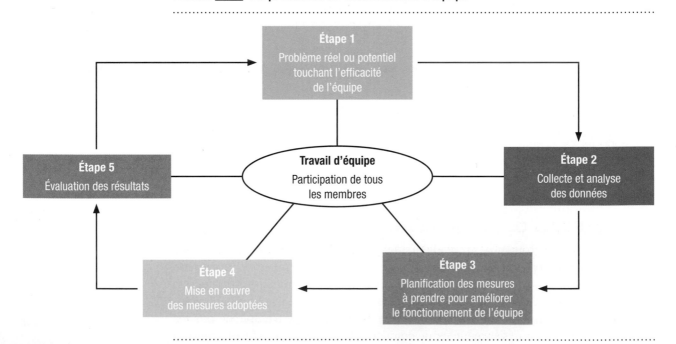

Le processus de consolidation d'équipe commence lorsqu'on observe l'existence d'un problème d'efficacité collective, réel ou potentiel. Alertés, tous les membres travaillent alors ensemble à la collecte des données relatives au problème. Quelle que soit la méthode utilisée – sondage par questionnaire, entrevues, groupe nominal ou toute autre méthode appropriée –, l'objectif est de répondre à des questions cruciales comme : « Quel est notre degré d'efficacité dans l'exécution de nos tâches ? » « Dans quelle mesure sommes-nous individuellement satisfaits de notre équipe et de nos méthodes de travail ? » Une fois qu'ils ont analysé les réponses à ces questions, les membres de l'équipe doivent planifier et mettre en œuvre des mesures d'amélioration de la situation. Il est nécessaire que tous participent pleinement et activement à l'évaluation des activités du groupe et aux décisions concernant les mesures à adopter pour améliorer son fonctionnement.

Le camp d'entraînement où on apprend à travailler en équipe

Imaginez des joueurs de poker autour d'une table. Des gens qui s'amusent à parier ? Non, ce sont des entrepreneurs en herbe qui, sous la direction de James Barlow, directeur du leadership entrepreneurial de l'Université Tufts, apprivoisent la prise de risque en équipe. Travailler ensemble pour faire un casse-tête ? Voilà un autre exercice de résolution de problème en équipe. Il s'agit d'un camp d'entraînement pour entrepreneurs, une formation qui leur permet de prendre du recul par rapport à leur jeune entreprise et de réévaluer leurs orientations dans le contexte du travail d'équipe. Selon l'un des participants : « Pouvoir s'immerger ainsi dans ces notions pendant cinq jours et de manière intensive avec les membres de son équipe est vraiment précieux. »

Les diverses approches en matière de consolidation d'équipe

On peut chercher à consolider une équipe de plusieurs manières. Ainsi, par une belle journée d'automne, une équipe d'employés d'American Electric Power (AEP) s'est rendue dans une base de plein air. On leur a donné à résoudre différents problèmes, notamment faire sortir six d'entre eux d'un labyrinthe en forme de toile d'araignée et fait de sangles de caoutchouc tendues à un mètre du sol. Lorsque ses collègues l'ont soulevée pour l'aider à franchir un obstacle, Judy Gallo s'est sentie embarrassée, mais l'animateur a expliqué aux membres de l'équipe que cet exercice était la représentation d'un problème qu'il leur fallait résoudre ensemble au bureau. La toile d'araignée symbolisait une contrainte de rendement comme celles auxquelles ils pouvaient se heurter au travail, par exemple des politiques administratives rigides ou des ressources financières restreintes. Après s'être applaudis pour l'exploit qui consistait à sortir du labyrinthe, les membres de l'équipe de Judy ont dû sauter ensemble par-dessus des troncs d'arbres et passer dans des cerceaux en se tenant par la main. Comme l'explique l'un des animateurs de plein air travaillant auprès des équipes : « Nous mettons nos clients dans des situations de ce genre pour essayer de faire ressortir les caractéristiques d'une bonne équipe[9]. »

L'exemple ci-dessus illustre l'*approche par l'expérience en plein air*, qui est de plus en plus utilisée, seule ou en association avec d'autres, pour la consolidation d'équipe. Elle consiste à mettre les membres du groupe dans diverses situations physiquement difficiles dont ils ne peuvent venir à bout que grâce à un travail d'équipe. On suppose qu'en collaborant pour surmonter les obstacles les membres de l'équipe acquerront de la confiance en eux-mêmes, apprendront à reconnaître leurs compétences respectives et à s'investir davantage dans le travail d'équipe.

Dans l'*approche de la retraite*, le processus de consolidation d'équipe se déroule en une ou plusieurs journées de réflexion organisées par la direction à l'extérieur des locaux de l'entreprise. Durant la retraite, les coéquipiers se consacrent intensivement à des

tâches d'évaluation et de planification de leurs activités. Ils commencent par une analyse du fonctionnement de l'équipe, reposant souvent sur des données recueillies par sondages, par entrevues ou autrement. Les retraites consacrées à la consolidation d'équipe se déroulent habituellement avec l'aide d'un consultant faisant partie du personnel de l'organisation ou recruté à l'extérieur. Assez répandues, ces retraites offrent des occasions uniques de faire une réflexion profonde sur les activités et les réalisations du groupe ainsi que sur ses orientations futures.

Un processus extrême de consolidation d'équipe : les participants du Tough Mudder doivent s'entraider s'ils veulent arriver à traverser la vingtaine de kilomètres jalonnés d'obstacles : boue, eau glacée, mur... Votre employeur ne devrait pas vous en demander autant !

Enfin, l'*approche de l'amélioration continue* exige qu'un individu (gestionnaire, chef d'équipe ou leader du groupe) ou plusieurs (l'ensemble du groupe, par exemple) prennent la responsabilité de veiller régulièrement au renforcement de l'esprit et du travail d'équipe, à la consolidation d'équipe. Pour ce faire, ils peuvent organiser des réunions périodiques ou des retraites *autogérées* plus officielles. Dans les deux cas, ils s'engagent à assurer un suivi attentif du cheminement et des réalisations du groupe, et à apporter les changements quotidiens qui garantiront son efficacité.

Les modes de fonctionnement d'une équipe efficace

La consolidation d'équipe doit être une préoccupation constante du chef comme des membres d'une équipe. Elle permet de renforcer les processus par lesquels les membres « travaillent ensemble » au sein de l'équipe, ce qu'on appelle la **dynamique d'équipe**. On peut la définir comme l'ensemble des phénomènes psychosociaux qui influent sur les relations personnelles et professionnelles existant entre les membres d'une équipe[10]. Le fait qu'on confie de plus en plus de responsabilités à des équipes et que de plus en plus de cadres inférieurs doivent renoncer à leur rôle traditionnel de superviseur pour endosser celui de chef d'équipe intensifie certains problèmes de fonctionnement. Ainsi, les chefs d'équipe et les coéquipiers doivent apprendre à aplanir les difficultés d'intégration des recrues, à régler les désaccords concernant les objectifs et les responsabilités, à gérer les disputes et les retards liés au processus décisionnel et à résoudre les tensions et les conflits interpersonnels. Comme la

Dynamique d'équipe
Ensemble des phénomènes psychosociaux qui influent sur les relations personnelles et professionnelles existant entre les membres d'une équipe

dynamique d'équipe est de nature complexe, on peut dire que la consolidation d'équipe est un travail qui n'est jamais terminé. En effet, il survient constamment de nouvelles difficultés qui exigent des efforts supplémentaires de leadership pour améliorer le fonctionnement de l'équipe.

L'intégration des recrues

Qu'il s'agisse de créer une équipe ou d'ajouter une ou plusieurs personnes à une équipe déjà constituée, l'intégration des nouveaux membres se fait rarement sans problème. Souvent, les difficultés émergent quand la recrue, en proie à la nervosité et à l'embarras inhérents à l'arrivée dans un nouveau milieu social et professionnel, tente de comprendre ce qu'on attend d'elle. Généralement, ses préoccupations concernent un ou plusieurs des aspects suivants.

- *La participation :* « Est-ce qu'on me laissera participer aux décisions et aux activités du groupe ? »

- *Les objectifs :* « Est-ce que j'adhère aux mêmes objectifs que mes coéquipiers ? »

- *L'influence :* « Est-ce que j'arriverai à influer sur le cours des événements ? »

- *Les relations :* « Arrivera-t-on à se rapprocher ? Jusqu'à quel point ? »

- *Le fonctionnement :* « Sera-t-on perturbé par des conflits ? »

Edgar H. Schein, universitaire et conférencier de renommée internationale, note que certaines recrues peuvent tenter de résoudre les problèmes liés à leur intégration en adoptant des comportements égoïstes qui risquent d'entraver le fonctionnement de l'équipe[11]. Il dresse trois profils comportementaux typiques dans de telles situations.

1. *Le batailleur.* Ayant du mal à déterminer son rôle au sein de son nouveau groupe, le batailleur peut se montrer agressif ou rejeter toute autorité. Ce type de personnes cherche une réponse à la question suivante : « Qui suis-je dans ce groupe ? » La meilleure réaction de l'équipe est de lui permettre de présenter ses compétences et ses domaines d'intérêt, puis de discuter de la façon dont ces qualités peuvent profiter à l'équipe.

2. *Le gentil collaborateur.* Manquant d'assurance, recherchant l'intimité et craignant les relations de pouvoir, le gentil collaborateur se montre des plus attentionnés à l'égard de ses collègues, se comporte de façon très dépendante et cherche à s'intégrer à des clans. Ce type de personnes a besoin d'être rassuré et de se savoir apprécié. Il doit savoir que l'équipe est prête à l'accepter. La meilleure réaction de cette dernière est de le soutenir et de l'encourager, tout en l'incitant à participer avec plus de confiance aux activités et aux discussions communes.

3. *Le calculateur.* Le calculateur s'inquiète de la satisfaction de ses besoins personnels au sein du groupe. Il peut se montrer passif, centré sur soi ou même obstiné alors qu'il s'évertue à résoudre la dichotomie entre ses objectifs individuels et les orientations collectives. La meilleure réaction de l'équipe est de s'engager dans une discussion afin de clarifier les objectifs et les attentes du groupe ainsi que le rôle que doit jouer chaque membre à cet égard.

Les rôles au sein de l'équipe et leur dynamique

Rôle
Ensemble des attentes associées à un poste ou à une fonction au sein d'une équipe

Dans une équipe, les membres, nouveaux ou anciens, ont besoin de savoir ce qu'on attend d'eux et ce qu'ils peuvent attendre des autres. Le **rôle** désigne l'ensemble des attentes associées à un poste ou à une fonction au sein d'une équipe. Les équipes tendent à mieux performer lorsque les attentes relatives aux tâches et aux responsabilités de chacun des membres sont explicites et réalistes. Si les rôles respectifs ne sont pas clairement établis ou s'ils sont conflictuels, il peut en résulter des problèmes sur le plan de la dynamique d'équipe et de son efficacité. Les équipes de travail font parfois face à des difficultés liées à des lacunes dans la définition ou la gestion des rôles de leurs membres.

Ambiguïté de rôle
Situation dans laquelle une personne a des incertitudes quant à ce qu'on attend d'elle

Si un travailleur n'est pas certain du rôle qui lui revient, il y a **ambiguïté de rôle**. Pour être efficaces, les individus ont besoin de savoir ce qu'on attend d'eux. Les ambiguïtés de rôle peuvent donner à certains l'impression que leurs efforts sont gaspillés ou que leurs coéquipiers ne les apprécient pas à leur juste valeur. Précisons que les équipes bien établies ne sont pas à l'abri de ce genre de malentendus, principalement à cause de l'incapacité de leurs membres à exprimer clairement leurs attentes et à rester à l'écoute les uns des autres.

Il y a surcharge de rôle si les attentes à l'égard d'une personne sont trop élevées et qu'elle se sent submergée par la charge de travail. L'insatisfaction et le stress affecteront son rendement.

Le fait d'être trop exigeant ou pas assez peut aussi créer des problèmes. Si les attentes à l'égard d'une personne sont trop élevées et qu'elle se sent submergée par la charge de travail, on dit qu'il y a **surcharge de rôle**. Si, au contraire, les attentes à son égard sont trop faibles et que la personne se sent sous-utilisée, on parle d'**insuffisance de rôle**. Une personne qui est dans l'une ou l'autre de ces situations peut éprouver du stress et de l'insatisfaction professionnelle affectant son rendement.

Surcharge de rôle
Situation dans laquelle les attentes à l'égard d'une personne sont trop élevées, si bien que celle-ci se sent submergée par la charge de travail

Insuffisance de rôle
Situation dans laquelle les attentes à l'égard d'une personne sont trop faibles, si bien que celle-ci se sent sous-utilisée

Conflit de rôle
Situation dans laquelle une personne ne parvient pas à répondre aux attentes liées à son rôle parce qu'elles sont contradictoires ou incompatibles

Un **conflit de rôle** peut survenir lorsqu'une personne ne parvient pas à répondre aux attentes du reste de l'équipe. Elle comprend ce qu'elle doit faire, mais pour l'une ou l'autre des raisons qui seront examinées ici, elle n'y arrive pas. Les tensions qui résultent de cette situation peuvent altérer sa satisfaction professionnelle, son rendement et ses relations avec les autres membres du groupe. Les quatre formes les plus courantes de conflits de rôle sont les suivantes.

1. *Le conflit de rôle créé par un seul émetteur.* Dans cette situation, une personne est aux prises avec des attentes contradictoires exprimées par une autre personne. C'est le cas, par exemple, si votre chef d'équipe vous dit : « Vous devez rédiger ce rapport immédiatement, mais j'ai besoin de vous tout de suite pour m'aider à préparer cette présentation en PowerPoint. »

2. *Le conflit de rôle créé par plusieurs émetteurs.* Dans cette situation, une personne est aux prises avec des attentes contradictoires et incompatibles exprimées par différentes personnes. C'est le cas, par exemple, si votre chef d'équipe déclare : « Votre travail est de critiquer nos décisions afin de nous aider à faire moins d'erreurs » et que votre coéquipier s'exclame : « Vous vous montrez toujours négatif. Si vous émettiez une remarque plus positive, pour une fois ? »

3. *Le conflit entre la personne et le rôle qu'elle doit tenir.* Dans cette situation, une personne vit un conflit entre, d'une part, ses valeurs et ses besoins et, d'autre part, les attentes liées à son rôle. C'est le cas, par exemple, si les membres de votre équipe s'entendent pour affirmer : «On ne nous a pas retourné suffisamment de questionnaires. Chacun d'entre nous devrait en remplir cinq de plus et les ajouter à l'ensemble des données.» Or vous vous dites en votre for intérieur : «Je ne pense pas que ce soit correct.»

4. *Le conflit entre les divers rôles d'une même personne.* Dans cette situation, une personne vit un conflit parce que les attentes rattachées à ses divers rôles sont incompatibles. Il peut y avoir conflit entre les exigences de sa vie professionnelle et celles de sa vie familiale. C'est le cas, par exemple, si votre chef d'équipe vous dit : «N'oubliez pas la mégaréunion prévue jeudi soir», alors que vous vous rappelez intérieurement : «Ma fille a son premier match de soccer dans la ligue junior au même moment…»

DILEMME : À CONSIDÉRER… OU À ÉVITER ?

Un programme de récompenses géré par les coéquipiers

Imaginez la situation. En guise de prime annuelle, un groupe de 15 collègues reçoit un portefeuille de 1 200 options d'achat d'actions à se partager. La seule règle est qu'une personne ne peut s'attribuer d'options à elle-même. L'idée de base est que les coéquipiers sont ceux qui se connaissent le mieux et savent qui sont ceux qui méritent une augmentation ou une récompense. En fait, ils peuvent remarquer des éléments qui échappent aux gestionnaires et, ainsi, faire en sorte que soient récompensées des personnes qui, autrement, seraient oubliées. «Les employés savent qui contribue le plus ou qui est la personne vers laquelle on se tourne lorsqu'on a un problème technique», dit Denise Rousseau, professeure de management.

Une jeune entreprise, Coffee & Power de San Francisco, a mis cela en pratique. L'idée vient de son cofondateur, l'entrepreneur Philip Rosedale. Il part du principe que les travailleurs devraient pouvoir investir dans leurs collègues et les récompenser pour leur rendement et leurs contributions. Becky Neil, employée en marketing de l'entreprise, dit que l'approche lui «permet de récompenser des gens que la direction pourrait oublier».

Personne ne sait qui donne les options à qui, mais un rapport sans noms indiquant les octrois d'options les plus élevés et les plus bas est publié. Mme Neil précise qu'elle a trouvé «stressant» d'attendre de savoir ce que les autres lui avaient octroyé et si son autoévaluation correspondait aux évaluations de ses collègues. «On ne sait pas toujours ce que les autres pensent de nous», dit-elle.

QUESTIONS

Dans cet exemple, la théorie appuie-t-elle la pratique ? Quelle est votre première réaction vis-à-vis de cette approche des récompenses : positive, négative ou mitigée ? Dans quels types de situations cette pratique fonctionnerait-elle le mieux ? Quand devrait-on tout bonnement l'éviter ? Ce programme de Coffee & Power pourrait-il être adapté au contexte d'une autre organisation ?

La technique appelée **négociation des rôles** peut aider à améliorer la gestion de la dynamique des rôles. Ce processus consiste à réunir les membres de l'équipe afin qu'ils discutent des attentes que chacun entretient vis-à-vis des autres, qu'ils clarifient ces attentes et qu'ils se mettent tous d'accord à leur sujet. Ce type de négociation peut commencer, par exemple, par cette demande écrite de l'un des membres du groupe : « Si vous étiez prêts à faire ce qui suit, vous pourriez m'aider à améliorer mon rendement au sein de l'équipe. » Dans sa liste de requêtes pourrait se trouver la suivante, indiquant un conflit entre ses rôles professionnel et familial : « Respectez ma décision quand je dis que je ne peux pas participer à des réunions certains soirs de la semaine à cause de mes obligations familiales. » Ou encore cette autre, évoquant une surcharge de rôle : « Arrêtez d'exiger tant de détails alors que nous travaillons dur avec des délais très serrés. » Enfin, pourrait s'y trouver cette dernière demande exprimant une ambiguïté de rôle : « Essayez de vous libérer lorsque j'ai besoin de vous parler pour clarifier les objectifs et les attentes. »

Le leadership lié aux tâches et le leadership lié aux relations

Selon les recherches en psychologie sociale, pour parvenir à un rendement élevé et soutenu en équipe, il faut satisfaire deux types de besoins : (1) les besoins relatifs aux tâches à accomplir ; (2) les besoins relatifs à l'entretien de bonnes relations[12]. Si la personne officiellement responsable de l'équipe doit veiller à la satisfaction de ces deux types de besoins, chaque membre doit également y contribuer. Le partage des responsabilités visant la contribution de tous les membres à la satisfaction des besoins du groupe en matière de tâches et de relations harmonieuses, appelé **leadership partagé**, est une condition de la viabilité de toute équipe hautement performante.

La **figure 8.2** énumère les diverses activités par lesquelles s'exerce le leadership. Les **activités de leadership liées aux tâches** contribuent directement à l'accomplissement de tâches importantes incombant au groupe. Elles consistent, par exemple, à susciter des discussions et des réflexions, à fournir de l'information, à en recueillir, à clarifier ce qui est dit et à résumer le contenu des discussions[13]. L'équipe qui néglige ou qui bâcle ces activités aura du mal à atteindre ses objectifs. En revanche, dans une équipe efficace, tous les membres s'attellent à l'accomplissement de ces activités importantes de leadership liées aux tâches autant que cela est nécessaire.

Les **activités de leadership liées aux relations**, quant à elles, servent à entretenir les relations collectives et interpersonnelles. Elles permettent à l'équipe de maintenir sa cohésion et sa vitalité en tant qu'entité sociale en évolution. Comme le montre la figure 8.2, un membre du groupe participe au leadership lié aux relations lorsqu'il stimule la participation des autres, souligne leur contribution, s'efforce d'harmoniser les différences individuelles ou donne son accord à la ligne de conduite qui rallie la plupart des autres membres. Si l'équipe néglige ou bâcle ces activités, ses membres ne tarderont pas à se montrer insatisfaits les uns des autres et déçus de leur participation au groupe ; il pourra en résulter des conflits émotionnels qui risquent de drainer l'énergie requise par les tâches. Dans une équipe efficace, en revanche, les membres participent aux activités liées aux relations, renforcent ainsi leurs liens et arrivent à bien collaborer à long terme.

FIGURE **8.2** Le leadership dans la dynamique d'équipe

En plus d'aider le groupe à satisfaire ses besoins liés à l'accomplissement des tâches et à l'entretien de relations harmonieuses, les membres partagent la responsabilité d'éviter les **comportements perturbateurs**, c'est-à-dire les comportements qui nuisent au fonctionnement collectif. Se montrer ouvertement agressif ou manquer de respect envers les autres membres, se mettre en retrait et refuser de coopérer, flâner quand il y a du travail à faire, se servir du groupe comme d'une tribune ou d'un confessionnal, trop parler de sujets sans importance et s'acharner à attirer vers soi l'attention ou à chercher la reconnaissance sont quelques exemples de comportements perturbateurs au sein d'une équipe. L'*incivilité* ou le *comportement antisocial* des membres peuvent grandement entraver la dynamique de l'équipe et faire baisser son rendement. Les recherches montrent que les personnes qui subissent un leadership sévère ou qui sont victimes d'exclusion sociale ou de rumeurs préjudiciables finissent souvent par moins travailler, avoir un rendement plus faible, être en retard ou absentes plus régulièrement et se désengager graduellement[14].

Comportement perturbateur
Comportement qui nuit au fonctionnement de l'équipe

Les normes de l'équipe

Les enjeux liés à l'intégration des recrues, aux dynamiques de rôles ainsi qu'aux exigences en matière de leadership lié aux tâches et aux relations, qui viennent d'être abordées, sont étroitement liés à ce que les membres d'une équipe attendent les uns des autres et d'eux-mêmes, ce qui nous amène au concept de norme. Les **normes** d'une équipe expriment ses idées ou ses opinions sur la façon dont ses membres devraient se conduire. On peut les considérer comme les *règles de conduite* ou les *critères de comportement* que se donnent les membres d'une équipe[15]. Les normes sont utiles à plusieurs égards. Elles contribuent à clarifier les attentes inhérentes à l'appartenance à un groupe donné. Elles permettent aux membres d'adapter leur comportement en conséquence et de prévoir celui des autres. Si l'un des membres enfreint l'une des normes du groupe, les autres auront généralement des réactions visant à le «ramener à l'ordre»: critiques ouvertes, réprimandes, ostracisme ou même expulsion.

Norme
Règle de conduite ou critère de comportement que se donnent les membres d'une équipe

Les types de normes d'équipe

Une des normes fondamentales, quel que soit le contexte, est évidemment la **norme de rendement**, qui décrit l'attente du groupe quant à l'intensité des efforts que ses membres doivent déployer et quant à la quantité et à la qualité du travail à accomplir. Dans certaines équipes, la norme de rendement est élevée et positive. Les membres savent bien qu'ils doivent travailler très fort et qu'ils doivent atteindre un

Norme de rendement
Attente du groupe quant à l'intensité des efforts que ses membres doivent déployer et quant à la quantité et à la qualité du travail à accomplir

Quand un travailleur manque d'ardeur, ce sont bien souvent ses coéquipiers qui le ramènent à l'ordre.

objectif de rendement élevé. Si l'un d'eux relâche son ardeur au travail, il sera ramené à l'ordre par ses coéquipiers et peut-être expulsé au bout d'un certain temps. En revanche, au sein d'autres équipes, la norme de rendement est faible et négative. Les membres sont livrés à eux-mêmes, qu'ils travaillent fort ou non ; les coéquipiers ne s'en préoccupent guère.

Cependant, d'autres normes ont leur importance dans le fonctionnement quotidien d'une équipe. Ainsi, pour assurer l'efficacité du travail d'un comité ou d'un groupe de projet, on adoptera des normes touchant notamment la présence aux réunions, la ponctualité, la préparation, l'expression des critiques et la façon de se comporter entre les membres. En outre, les équipes peuvent adopter des normes sur la façon de se comporter avec les supérieurs, les collègues et les clients ainsi que des normes relatives à la probité et à l'éthique. Voici quelques exemples de normes collectives qui montrent bien les effets favorables ou néfastes qu'elles peuvent avoir sur le fonctionnement et le rendement d'une équipe ou d'une organisation, selon qu'elles sont positives ou négatives[16].

- *Les normes en matière d'éthique :* « Nous nous efforçons de prendre des décisions éthiques et nous nous attendons à ce que les autres en fassent autant » (norme positive) ; « N'ayez pas peur de gonfler votre compte de frais, car tout le monde le fait ici » (norme négative).

- *Les normes en matière de fierté personnelle et organisationnelle :* « Ici, nous avons l'habitude de défendre l'organisation contre les accusations injustes » (norme positive) ; « Ici, ils essaient toujours de profiter de nous » (norme négative).

- *Les normes en matière de réalisations :* « Dans notre équipe, personne ne ménage ses efforts » (norme positive) ; « Dans notre équipe, inutile de se défoncer, personne ne le fait » (norme négative).

- *Les normes en matière de soutien et d'assistance mutuelle :* « Dans notre comité, les gens prêtent une oreille attentive aux idées et aux opinions des autres » (norme positive) ; « Dans notre comité, c'est chacun pour soi et sauve-qui-peut » (norme négative).

- *Les normes en matière d'amélioration et de changement :* « Dans notre service, les gens cherchent continuellement des moyens d'améliorer nos façons de faire » (norme positive) ; « Inutile de se casser la tête : dans notre service, les gens tiennent à leurs bonnes vieilles méthodes, même si elles sont dépassées depuis des lustres » (norme négative).

Comment influencer les normes d'une équipe

Les responsables d'une équipe ou les gestionnaires peuvent prendre plusieurs mesures pour aider leur équipe à se fixer et à suivre des normes positives qui contribuent à l'atteinte d'un rendement élevé, tout en apportant une satisfaction à tous. D'abord, il faut toujours *jouer un rôle de modèle positif*. En d'autres mots, il faut se poser en exemple quant au suivi de la norme en question, dans ses comportements de tous les jours. Il est ensuite utile d'organiser des réunions dont l'ordre du jour prévoit un moment pour *discuter des objectifs de l'équipe* et *des normes à adopter* collectivement afin de pouvoir les atteindre plus facilement. Les normes sont trop importantes pour qu'on les laisse au hasard. On a même tout intérêt à en discuter directement, dès l'étape initiale de la constitution de l'équipe.

D'une grande importance également : choisir des membres qui voudront et pourront toujours *être à la hauteur des attentes*. On doit, en outre, s'assurer qu'on sera capable *de les former et de les soutenir*, puis *de les récompenser et de renforcer positivement les comportements souhaitables*. Enfin, il faut se rappeler l'importance d'un processus de consolidation d'équipe et *tenir régulièrement des réunions pour discuter du rendement collectif et planifier des améliorations*. Il s'agit d'une approche globale favorisant, chez les membres de l'équipe, l'adoption de normes d'équipe positives : choisir les membres appropriés, les soutenir, leur offrir du renforcement positif lorsqu'ils ont réussi, puis procéder à des évaluations périodiques permettant de constater les progrès réalisés et d'apporter les correctifs qui s'imposent.

L'ÉTHIQUE EN CO

Des tricheurs parmi les futurs MBA

Selon une étude rendue publique par le professeur Donald McCabe, de l'Université Rutgers, 56 % des étudiants inscrits à un programme de MBA et ayant participé à l'enquête ont déclaré avoir déjà triché en copiant, en téléchargeant des dissertations sur le web ou d'autres façons. Le professeur estime que ce pourcentage est peut-être même plus élevé en réalité, car certains étudiants ont pu taire la vérité, de peur que leur identité ne soit découverte.

Dans une autre étude, le professeur Tim West et ses collègues de l'Université de l'Arkansas ont interrogé des étudiants qui avaient triché en obtenant en ligne les réponses à un examen de comptabilité. À une question portant sur les motifs de leur acte, les jeunes gens ont donné des réponses variées. Certains ont dit ne pas être certains que ce qu'ils avaient fait était une forme de tricherie. D'autres ont reproché au professeur d'avoir imposé un examen dont les réponses étaient sur le web. D'autres encore, enfin, ont rationalisé leur geste en affirmant que «tout le monde triche» et que «c'est ainsi que ça fonctionne dans le milieu des affaires». Le président de Berkshire Hathaway, Warren Buffett, relève le danger associé à la mentalité «tout le monde le fait, fais-le donc». Quant à lui, le professeur Alma Acevedo de l'Université de Puerto Rico (campus Rio Piedras) réfère au sophisme de la «majorité qui a nécessairement raison».

Source : «MBA Students "Cheat the Most"», *Financial Times*, 21 septembre 2006, p. 1 ; Romy Drucker, «The Devil Made Me Do It», *Businessweek*, 24 juillet 2006, p. 10 ; Karen Richardson, «Buffet Advises on Scandals : Avoid Temptations», *Wall Street Journal*, 10 octobre 2006, p. A9.

QUESTIONS
Pensez-vous que c'est vraiment de cette façon que les choses se passent dans le milieu des affaires ? Est-il acceptable d'adopter un comportement simplement parce que «tout le monde agit ainsi» ? Avez-vous souvent ce genre de raisonnement ?

La cohésion de l'équipe

Cohésion

Intensité du désir des
membres d'une équipe
d'y appartenir et force de
leur motivation à y maintenir
une participation active

La **cohésion** d'une équipe correspond à l'intensité du désir de ses membres d'y appartenir et à la force de leur motivation à y maintenir une participation active[17]. On pourrait qualifier la cohésion de «facteur de bien-être», car, grâce à elle, les membres acquièrent un sentiment d'appartenance, s'identifient volontiers à l'équipe et s'efforcent de garder de bonnes relations entre eux. Le sentiment de cohésion peut permettre de satisfaire certains besoins individuels en favorisant la loyauté, la sécurité et l'estime de soi chez les membres. Et comme les équipes soudées constituent une source de satisfaction personnelle, leurs membres ont tendance à s'engager plus énergiquement dans les activités du groupe ; ils s'absentent moins souvent et risquent moins de quitter le groupe. En outre, ils sont plus susceptibles d'être contents lorsque l'équipe enregistre un succès et d'être tristes si elle connaît des échecs.

La cohésion de l'équipe et le respect des normes

**Règle de la conformité
aux normes**

Règle selon laquelle plus
une équipe ou un groupe
est cohésif, plus les membres
en respectent les normes

Si les équipes dont la cohésion est très forte présentent de nombreux avantages pour leurs membres, elles n'en présentent pas nécessairement pour l'organisation. L'équipe soudée sera-t-elle également une équipe hautement performante ? Tout dépend des normes auxquelles est associée cette cohésion. La **figure 8.3** illustre l'incidence qu'a sur le rendement une règle fondamentale de la dynamique d'équipe : la **règle de la conformité aux normes**. Suivant cette dernière, plus la cohésion de l'équipe est forte, plus ses membres en respectent les normes.

FIGURE 8.3 **L'incidence de la cohésion et du respect des normes sur le rendement d'une équipe**

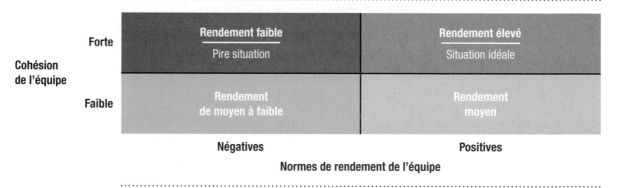

Selon la règle de la conformité aux normes, les situations suivantes peuvent se présenter dans une équipe dont la cohésion est forte.

- *Si les normes de rendement sont positives,* le fait que les membres s'y conforment aura un effet favorable sur leur efficacité dans l'exécution de leurs tâches et sur leur satisfaction professionnelle. C'est une situation idéale pour les membres de l'équipe et l'organisation.

- *Si les normes de rendement sont négatives,* comme le montre la figure 8.3, il s'agit de la pire des situations pour l'organisation. La forte cohésion entraîne, chez les membres de l'équipe, un sentiment de loyauté envers l'équipe et une forte satisfaction, mais le fait que les membres se conforment à une norme de rendement négative aura un effet néfaste sur l'organisation. On peut ainsi s'attendre à un rendement faible de la part d'une équipe très motivée à respecter des normes qui vont à l'encontre des objectifs et des intérêts de l'organisation.

Entre ces deux extrêmes, le gestionnaire peut rencontrer des situations intermédiaires où un manque de cohésion fera en sorte que les membres de l'équipe n'auront pas tous tendance à se conformer aux normes collectives. Dans la mesure où la norme collective en matière de rendement, positive ou négative, perd alors une partie de son influence, on peut généralement s'attendre à ce que le rendement de l'équipe soit moyen ou faible.

Comment influencer la cohésion d'une équipe

Comment peut-on s'attaquer au scénario le plus défavorable ou aux scénarios conduisant à un rendement moyen dans les situations précédemment décrites? Pour répondre à cette question, analysons les facteurs qui influent sur la cohésion d'une équipe. La cohésion tend à être élevée lorsque les équipes sont homogènes, c'est-à-dire lorsque les membres ont à peu près le même âge, la même origine ethnoculturelle, les mêmes besoins et la même attitude. Elle tend aussi à être élevée dans les équipes de petite taille, dans les équipes où les membres s'entendent sur des objectifs communs et doivent interagir fréquemment pour s'acquitter de leurs tâches. Enfin, elle tend à s'accroître lorsque les groupes sont physiquement isolés des autres employés de l'organisation et lorsqu'ils partagent ensemble l'expérience d'une réussite ou d'une crise.

La **figure 8.4** contient quelques stratégies qui permettent de renforcer ou d'affaiblir la cohésion d'une équipe en agissant sur diverses cibles: les objectifs de l'équipe, sa composition, les interactions entre les membres, la taille de l'équipe, la dimension compétitive des activités, le système de récompenses, l'emplacement et la durée de vie de l'équipe. Lorsque les normes de l'équipe sont positives, mais que sa cohésion est faible, on doit prendre des mesures pour renforcer la cohésion et la conformité aux normes. Lorsque les normes sont négatives et que la cohésion est forte, on devrait probablement faire exactement le contraire. En effet, si les efforts visant le changement des normes échouent, il peut s'avérer nécessaire d'affaiblir la cohésion pour réduire la conformité aux normes négatives.

FIGURE **8.4** **Des stratégies pour affaiblir ou renforcer la cohésion d'une équipe**

Pour affaiblir la cohésion	Cibles	Pour renforcer la cohésion
Susciter des désaccords	Objectifs de l'équipe	Renforcer l'adhésion
La rendre plus hétérogène	Composition de l'équipe	La rendre plus homogène
Les restreindre	Interactions au sein de l'équipe	Les accroître
L'augmenter	Taille de l'équipe	La réduire
La stimuler au sein de l'équipe	Compétition	L'orienter vers d'autres équipes
La lier aux résultats individuels	Attribution des récompenses	La lier aux résultats de l'équipe
Rapprocher l'équipe des autres équipes de l'organisation	Emplacement	Isoler l'équipe des autres équipes de l'organisation
L'abréger: démanteler l'équipe	Durée de vie de l'équipe	L'allonger: maintenir l'équipe en fonction

Les répercussions des clivages démographiques sur la gestion des équipes dans les organisations

Alors que leurs membres ont un profil de plus en plus diversifié, les organisations comptent de plus en plus sur le travail d'équipe. Selon Dora Lau et Keith Murnighan, ces tendances soulèvent d'importantes questions de recherche. Les deux chercheurs affirment que de profonds clivages surviennent au sein d'une équipe lorsque sa diversité démographique favorise la formation de sous-groupes dont les membres se ressemblent ou s'identifient fortement les uns aux autres. Par exemple, des sous-groupes peuvent se constituer sur la base de différences d'âge, de sexe, d'origine ethnoculturelle ou de statut professionnel. Quand les clivages sont importants, les membres ont tendance à s'identifier plus à leur sous-groupe qu'au groupe dans son ensemble. Dora Lau et Keith Murnighan soutiennent que ce phénomène a des incidences sur les conflits et les relations de pouvoir au sein du groupe ainsi que sur le rendement de celui-ci.

Parmi un ensemble d'étudiants provenant de 10 classes d'un cours universitaire en comportement organisationnel, les chercheurs ont désigné au hasard des gens pour former des groupes sur la base du sexe et de l'origine ethnoculturelle, et ce, afin de créer différents degrés de clivage. La tâche de ces groupes consistait à résoudre une étude de cas. Une fois le travail terminé, les participants devaient répondre à un questionnaire portant sur le processus décisionnel du groupe et sur les résultats obtenus. Comme les chercheurs s'y attendaient, il est apparu que les membres de groupes caractérisés par des clivages importants évaluaient plus favorablement les membres de leur sous-groupe, comparativement à l'évaluation faite par les membres de groupes dans lesquels les clivages étaient moindres. Toutefois, ces derniers ont connu moins de conflits, ont ressenti une plus grande sécurité psychologique et ont éprouvé plus de satisfaction. La recherche a aussi montré qu'une meilleure communication, au-delà des clivages, influait positivement sur les résultats dans les groupes caractérisés par des clivages peu marqués, mais pas dans les autres.

Source : Dora C. Lau et J. Keith Murnighan, « Interactions Within Groups and Subgroups : The Effects of Demographic Faultlines », *Academy of Management Journal*, vol. 48, 2005, p. 645-659 ; « Demographic Diversity and Faultlines : The Compositional Dynamics of Organizational Groups », *Academy of Management Review*, vol. 23, 1998, p. 325-340.

Clivages importants

Les membres s'identifient plus au sous-groupe qu'au groupe

- Plus de conflits
- Sentiment de sécurité moindre
- Satisfaction moindre

Clivages peu importants

Les membres s'identifient plus au groupe qu'au sous-groupe

- Moins de conflits
- Sentiment de sécurité plus grand
- Satisfaction plus grande

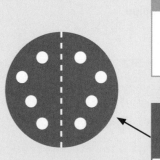

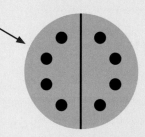

La dynamique interéquipe

Idéalement, l'organisation fonctionne comme un système *coopératif* dont les diverses équipes s'épaulent. En réalité, la rivalité et les problèmes interéquipes sont monnaie courante dans la plupart des organisations et ont des répercussions qui peuvent être positives ou négatives, tant pour l'organisation que pour les équipes elles-mêmes. Il est donc important d'observer ce qui se passe non seulement au sein d'une équipe, mais aussi entre plusieurs équipes. On entend par **dynamique interéquipe** l'ensemble des phénomènes relationnels qui se produisent entre deux équipes ou plus.

Dynamique interéquipe
Ensemble des phénomènes relationnels se produisant entre deux équipes ou plus

Ainsi, une dynamique de rivalité interéquipe peut se révéler bénéfique dans la mesure où l'esprit de compétition peut stimuler chaque équipe en cause et l'amener à fournir davantage d'efforts, à se concentrer sur des tâches clés et à resserrer les rangs. Il peut en découler une plus grande loyauté envers l'équipe et une plus grande satisfaction à y appartenir ainsi qu'une créativité accrue dans la résolution de problème. Les organisations recourent souvent à des stratégies misant sur la compétition entre leurs unités pour accroître la motivation de l'ensemble de leur personnel. Cependant, la rivalité entre deux équipes peut également se révéler néfaste. Par exemple, une équipe de production et une équipe de vente en compétition peuvent devenir hostiles l'une envers l'autre, avoir de mauvaises relations et peu de communication. Elles consacreront plus d'énergie à leurs conflits qu'à leur travail[18].

Les organisations et leurs gestionnaires déploient des efforts considérables pour éviter les aspects négatifs de la dynamique interéquipe et favoriser ses aspects positifs. Ainsi, des équipes qui entretiennent une compétition malsaine peuvent être réorientées vers un *adversaire* ou un *objectif commun*. On peut également les amener à des *négociations directes* ou leur fournir de la *formation axée sur le travail en collaboration*. En outre, des *séances de consolidation interéquipes* favorisant les échanges et la collaboration entre les différentes équipes peuvent être organisées. Enfin, pour créer un climat de collaboration, les gestionnaires doivent éviter à tout prix le recours à un système de récompenses « tout ou rien », où une équipe ne gagne que si une autre perd, ou à un système de récompenses axé sur le rendement des équipes prises individuellement. Ils doivent plutôt attribuer les récompenses selon l'apport de chaque équipe à l'ensemble de l'organisation ou selon l'aide apportée aux autres équipes. Enfin, notons que l'augmentation des *interactions entre les équipes* tend à favoriser la coopération.

La communication au sein des équipes

Au chapitre 13, nous traiterons de nombreuses questions relatives à la communication. Dans le présent chapitre, nous nous attachons surtout à la communication au sein des équipes, plus particulièrement à leurs réseaux de communication, à l'utilisation de l'espace dans lequel ont lieu les interactions entre les membres ainsi qu'aux technologies de la communication favorisant la collaboration entre coéquipiers. Il est entendu que chacun des membres d'une équipe devrait posséder de solides aptitudes de base en matière de collaboration et de communication. Toutefois, l'équipe doit aussi pouvoir répondre à des questions comme celles-ci : Quels réseaux de communication sont utilisés au sein de l'équipe et pourquoi ? Dans quelle mesure l'espace influe-t-il sur la communication entre les membres ? L'équipe fait-elle bon usage des technologies de la communication dont elle dispose ?

Les réseaux de communication

Les interactions entre coéquipiers prennent généralement la forme de l'un ou l'autre des modèles suivants : équipe interactive, équipe d'action parallèle ou équipe de neutralisation. La **figure 8.5** décrit ces trois modèles d'interaction courants dans les organisations contemporaines et les réseaux de communication qui y sont associés[19].

FIGURE 8.5 Trois modèles d'interaction et de réseaux de communication au sein des équipes

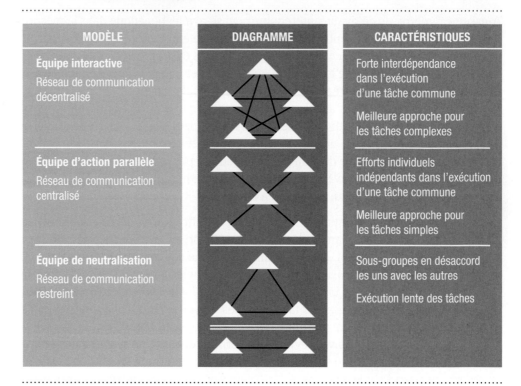

MODÈLE	DIAGRAMME	CARACTÉRISTIQUES
Équipe interactive Réseau de communication décentralisé		Forte interdépendance dans l'exécution d'une tâche commune Meilleure approche pour les tâches complexes
Équipe d'action parallèle Réseau de communication centralisé		Efforts individuels indépendants dans l'exécution d'une tâche commune Meilleure approche pour les tâches simples
Équipe de neutralisation Réseau de communication restreint		Sous-groupes en désaccord les uns avec les autres Exécution lente des tâches

L'un des obstacles les plus courants au fonctionnement des équipes et à leur succès : l'utilisation du modèle d'interaction inapproprié par leurs membres. Prenons l'exemple d'une équipe d'étudiants travaillant à un projet dont les membres pensent qu'ils doivent tous être présents pour la moindre tâche ; en d'autres mots, personne n'y travaille jamais de façon autonome, et tout doit se faire en groupe. Pour être efficace et atteindre un rendement élevé, une équipe devrait adapter son modèle d'interaction à la tâche qui lui a été assignée. Idéalement, elle devrait changer de modèle d'interaction selon les exigences de la tâche et adopter un modèle puis l'autre au fil du temps.

Réseau de communication décentralisé
Réseau de communication dans lequel la circulation et le partage de l'information s'effectuent par communication directe entre tous les membres de l'équipe

La figure 8.5 présente les liens établis entre les trois modèles d'interaction décrits et les trois réseaux de communication qu'on peut observer au sein d'une équipe. Lorsque la tâche exige une forte interaction entre les membres de l'équipe, le **réseau de communication décentralisé** est celui qui est le plus approprié. Également appelé « réseau en étoile » ou « réseau de communication tous azimuts », il favorise les communications entre tous les membres de l'équipe et la mise en commun des renseignements. L'information circule librement tout le temps, sans qu'une personne agisse comme point de contrôle central[20]. Les réseaux de communication décentralisés sont les plus profitables lorsque les tâches sont complexes et que le travail est non routinier, comme dans le cas de tâches entourées d'incertitude et exigeant un degré élevé de créativité. Les membres des équipes interactives correspondant à ce type de réseaux tirent habituellement une grande satisfaction de leur travail.

Lorsque les tâches permettent un travail plus autonome de la part des membres de l'équipe, le **réseau de communication centralisé** est le plus adapté. Également appelé « réseau radial » en raison des rayons du schéma, il fonctionne à l'aide d'un mécanisme central par lequel un coordonnateur, souvent le chef (officiel ou non) du groupe, recueille et distribue l'information. Les membres de ce type d'équipes travaillent de façon indépendante sur les tâches qui leur sont assignées, alors que le coordonnateur distribue les tâches et tient tout le monde au courant de leur progression. Le travail est divisé entre les membres, et les réalisations de chacun d'eux sont réunies pour créer le produit final. Le réseau de communication centralisé convient aux équipes dont les tâches sont routinières et faciles à répartir. Habituellement, dans les équipes d'action parallèle utilisant ce type de réseaux, c'est le coordonnateur qui retire le plus de satisfaction professionnelle lorsque le tout fonctionne efficacement.

Une équipe de neutralisation se forme lorsque des sous-groupes se constituent en son sein en raison de désaccords sur certaines questions, par exemple sur la façon d'atteindre certains objectifs, ou en raison de conflits émotionnels, comme des conflits de personnalité. Se crée alors un **réseau de communication restreint** dans lequel les sous-groupes campent sur leurs positions respectives, contestent mutuellement leurs points de vue et entretiennent des relations antagonistes. Le manque de communication qui en résulte pose souvent problème. Toutefois, il y a des situations où un tel réseau peut s'avérer utile. On peut ainsi former des équipes de neutralisation pour stimuler les conflits et les critiques, et par là même la créativité, ou pour vérifier le bien-fondé de décisions qu'on s'apprête à mettre en œuvre.

Réseau de communication centralisé
Réseau de communication dans lequel le coordonnateur du groupe centralise l'information

Réseau de communication restreint
Réseau de communication dans lequel les sous-groupes en présence sont en désaccord et campent sur leurs positions respectives, ce qui limite la circulation et la communication de l'information

La proxémie et l'usage de l'espace

Un aspect important mais souvent négligé de la communication est la **proxémie**, c'est-à-dire l'utilisation de l'espace dans lequel ont lieu les interactions entre les personnes[21]. On sait, par exemple, que l'architecture d'un bureau ou d'une aire de travail a une influence marquée sur les comportements de communication. Il va donc de soi que la communication au sein d'une équipe peut s'améliorer grâce à la disposition adéquate de l'espace physique dans lequel celle-ci évolue. Pour ce faire, on peut rapprocher les chaises et les bureaux ou choisir des espaces de réunion qui facilitent la communication. Une petite salle de travail à la bibliothèque, par exemple, peut s'avérer un meilleur choix qu'une cafétéria bruyante pour tenir une réunion.

Proxémie
Utilisation de l'espace dans lequel ont lieu les interactions entre les employés

Certains architectes et consultants se spécialisent dans la conception ergonomique des lieux qui favorise la communication et le travail d'équipe. Lorsqu'elle a fait construire ses installations de San Jose, en Californie, l'entreprise Sun Microsystems y a fait aménager des

Plusieurs grandes entreprises misent sur les aires de travail ouvertes dans le but de favoriser la communication entre les employés.

espaces publics afin de favoriser la communication entre les employés de différents services. Un grand nombre d'aires de réunion n'avaient pas de cloisons ou avaient des cloisons de verre[22]. Au siège social de Google, souvent appelé « Googleplex », on a construit des bureaux en forme de tentes en acrylique qui, tout en étant transparentes, donnent le sentiment de disposer d'un espace personnel[23].

Ne pas faire fi de l'éléphant dans la salle

C'est ce qu'on appelle l'« agression passive » : ne pas exprimer à un ami ou à un collègue un désaccord avec lui pour ensuite faire volte-face et l'attaquer par courriel. Le courriel, par son caractère impersonnel, semble alors offrir un moyen plus facile de soulever une question conflictuelle que la confrontation directe. Toutefois, il peut en résulter une mauvaise résolution de problème, une perte de créativité et une mauvaise dynamique interpersonnelle et d'équipe.

Un prix à payer trop élevé pour Paul English, chef de la technologie du site de voyages Kayak.com. Les choses allaient trop vite dans son entreprise en pleine croissance, et il ne pouvait se permettre que des membres de l'équipe évitent de régler leurs différends avec franchise. L'espace de travail à aire ouverte n'aidait pas non plus, car il était plus difficile d'exprimer ses désaccords et d'en

discuter. Selon le gestionnaire, « il est fréquent que des collègues de travail aient des problèmes qu'ils ne peuvent résoudre, car ils ne peuvent pas en parler ».

Paul English a donc décidé d'accorder à ses employés un espace où ils peuvent se parler franchement afin de régler leurs désaccords. Il a acheté un éléphant en peluche, l'a nommé Annabelle et l'a placé bien en évidence dans une salle de conférence à cloisons vitrées où les gens peuvent aller pour se parler « dans le blanc des yeux ». Paul English croit que cela envoie un message positif : il y a bel et bien un « éléphant dans la salle », mais contrairement à ce que veut le dicton, on n'en fait pas fi. Lorsqu'on va dans cette pièce, on dit tout ce qu'on a à dire et on s'attend à une transparence complète.

Le travail en équipe n'est pas toujours facile, mais il arrive qu'une simple

solution structurelle comme cette « salle de l'éléphant » facilite la résolution constructive des conflits. Les connaissances en CO permettent de mieux gérer les motivations, les émotions et les relations interpersonnelles. Elles rappellent aussi que, parfois, la meilleure façon de gérer une situation difficile est tout simplement de donner aux gens la possibilité de faire ce qu'il faut.

Les technologies de la communication

À l'ère de Facebook, de Twitter et de Skype, il ne semble plus nécessaire de souligner que les équipes ont maintenant accès à de nombreuses technologies utiles qui facilitent la communication et réduisent le besoin de se trouver face à face. On vit et travaille à l'ère des gazouillis, des textos, des courriels, des discussions en ligne, des clavardages vidéo, des visioconférences, etc. On peut être en réseautage social 24 heures sur 24, 7 jours sur 7, tant que le cœur nous en dit. Il n'y a aucune raison pour que les membres d'une équipe ne tirent pas le même profit de ces technologies.

La technologie permet aux équipes d'utiliser les **réseaux de communication virtuels**, qui donnent à leurs membres la possibilité de communiquer par voie électronique tout le temps ou presque. Dans le travail d'équipe virtuel, la technologie joue le rôle que remplit le «coordonnateur» dans un réseau de communication centralisé ou le rôle d'un «répartiteur électronique» omniprésent reliant les membres d'un réseau décentralisé chaque fois qu'ils en ont besoin. Les progrès enregistrés dans le domaine des médias sociaux font constamment évoluer les possibilités. General Electric, par exemple, a mis sur pied une escouade de micromessages appelée «Tweet Squad» pour enseigner aux employés l'utilisation des réseaux sociaux en vue d'améliorer la collaboration interne. L'assureur MetLife a son propre réseau social, Connect Metlife, inspiré de Facebook et visant à faciliter la collaboration[24].

Réseau de communication virtuel
Réseau de communication donnant aux membres d'une équipe la possibilité de communiquer par voie électronique tout le temps ou presque

Dans le travail d'équipe virtuel, la technologie joue le rôle que remplit le « coordonnateur » dans un réseau de communication centralisé.

Comme nous l'expliquions au chapitre précédent, il est évident qu'il faut prendre certaines mesures pour que les équipes virtuelles soient aussi efficaces que possible et que les technologies de la communication soient utilisées de façon optimale. Par exemple, on peut adopter des stratégies de consolidation d'équipe en ligne afin que les membres fassent connaissance, apprennent quels sont leurs objectifs et arrivent à les circonscrire, et acquièrent un sentiment de cohésion[25].

Le processus décisionnel au sein des équipes

L'une des activités les plus importantes dans une équipe est la **prise de décision** (ou **processus décisionnel**), qui conduit à choisir entre plusieurs lignes de conduite. Nous traiterons ce sujet plus en détail au chapitre 12. Cependant, dans la mesure où le bien-fondé et l'à-propos des décisions et des processus qui y mènent peuvent avoir un effet notable sur l'efficacité d'une équipe, il convient de l'aborder dès maintenant.

Prise de décision (ou processus décisionnel)
Processus qui consiste à choisir, parmi plusieurs lignes de conduite possibles, un plan d'action visant à régler un problème ou à saisir une occasion

Les différents modes de prise de décision

Repensez aux nombreuses équipes dont vous avez fait ou dont vous faites encore partie. Comment les principales décisions se prenaient-elles ou se prennent-elles? Souvent, le processus est plus complexe qu'il en a l'air. Edgar H. Schein a beaucoup travaillé à l'analyse et à l'amélioration des processus décisionnels dans les équipes[26]. Il a observé que ces dernières parviennent à leurs décisions en utilisant l'un ou l'autre des six modes présentés à la **figure 8.6** (p. 296). Edgar Schein n'écarte aucune de ces méthodes, mais montre plutôt que chacune a ses avantages et ses inconvénients.

1. *La décision par absence de réaction.* Avec ce mode de prise de décision, les idées se succèdent sans provoquer de véritable discussion. Lorsque l'équipe finit par en accepter une, toutes les autres sont par le fait même abandonnées ou rejetées, non pas au terme d'une analyse critique, mais par simple manque de réaction. C'est en général à leurs débuts que les équipes recourent à cette méthode, lorsque les nouveaux membres cherchent leur identité et ne se font pas encore suffisamment

confiance. Cette méthode est également courante dans les équipes dont les normes de rendement sont négatives et dont les membres ne s'engagent pas assez pour s'intéresser à ce qui se passe. Lorsque les décisions se prennent par absence de réaction, il y a de fortes chances que l'équipe prenne une mauvaise direction ou, tout au moins, une direction qui n'est pas la meilleure.

FIGURE 8.6 Les six modes de prise de décision des équipes

2. *La décision selon la règle de l'autorité.* Avec ce mode de prise de décision, le président du comité, le gestionnaire ou le leader de l'équipe prend la décision au nom de tous les membres, avec ou sans discussion. Ce mode décisionnel a le mérite d'être expéditif. Quant au bien-fondé de la décision prise, il dépend de la qualité de l'information dont dispose le décideur et de l'acceptation de cette façon de faire par l'équipe. Lorsque les décisions sont prises selon cette méthode par une personne qui manque d'expertise ou qui n'a pas l'assentiment des autres membres, des problèmes sont à prévoir.

3. *La décision selon la règle de la minorité.* Avec ce mode de prise de décision, deux ou trois personnes parviennent à dominer l'équipe et à l'amener à la décision qu'elles favorisent. En général, il s'agit pour elles de lancer une suggestion, puis de forcer l'accord des autres membres par des déclarations du genre : « Personne n'a d'objections ?... Alors on passe au point suivant ! » Si une telle pression ou intimidation peut conduire l'équipe à prendre une certaine direction, les membres ne s'empressent pas de suivre cette dernière, de s'investir pour permettre le succès. Dans ces circonstances, lorsque les difficultés surviennent, l'inertie et la résistance sont courantes.

4. *La décision selon la règle de la majorité.* Ce mode de décision est l'un des plus courants, surtout s'il y a des signes avant-coureurs de désaccords paraissant irréconciliables. On procède généralement par un vote en bonne et due forme pour connaître l'opinion majoritaire des membres. Les équipes recourent souvent à cette méthode, inspirée du système démocratique, sans avoir conscience des

problèmes qu'elle peut engendrer. Un vote peut en effet faire naître des clans de gagnants et de perdants, surtout si le résultat est serré. La minorité des perdants, qui peut se sentir oubliée, négligée ou injustement traitée, risque de ne pas faire preuve de beaucoup d'enthousiasme dans l'application de la décision des gagnants. Leur frustration peut persister et nuire à l'efficacité du groupe, plus particulièrement s'ils deviennent plus préoccupés de gagner le prochain vote que de faire ce qui est le mieux pour l'équipe.

5. *La décision par consensus.* Le **consensus** se définit comme une décision de groupe obtenue à la suite de discussions ; la solution choisie reçoit l'appui de la plupart des membres, les autres acceptant de s'y rallier. Lorsqu'on parvient à une telle décision, même ceux qui s'opposaient à la position choisie savent qu'ils ont été écoutés et qu'ils ont eu l'occasion d'influer sur le cours des événements. Le consensus n'exige pas qu'on atteigne l'unanimité sur une question. En revanche, il exige que tout membre dissident ait la certitude raisonnable d'avoir pu s'exprimer et d'avoir été écouté[27]. En raison du processus complexe menant à l'atteinte d'un consensus et du temps qu'il requiert, cette méthode de prise de décision peut paraître inefficace. Cependant, elle a le pouvoir d'inciter tous les membres à s'engager fortement afin que la décision prise donne les meilleurs résultats possible pour l'équipe.

6. *La décision à l'unanimité.* L'unanimité est probablement la conclusion idéale d'un processus décisionnel, puisque tous les membres de l'équipe sont alors entièrement d'accord avec la décision prise. C'est un mode de décision collective *parfaitement logique* et *logiquement parfait*, mais qu'il n'est pas toujours facile de suivre dans la pratique, en milieu professionnel. La difficulté de gérer le fonctionnement de l'équipe jusqu'à ce qu'elle parvienne au consensus ou à l'unanimité explique que les équipes prennent parfois leurs décisions selon les règles de l'autorité, de la majorité ou même de la minorité[28].

Les avantages et les inconvénients de la prise de décision collective

Tout comme dans le cas des réseaux de communication, les équipes les plus efficaces ne se limitent pas, en tout temps et en toutes circonstances, à un seul des modes de prise de décision décrits. Elles préfèrent plutôt s'adapter aux circonstances, changer de méthode selon le contexte et la nature du problème, choisir chaque fois celle qui convient le mieux. En tant que professeurs, par exemple, nous ne nous plaindrons probablement pas si la directrice du département prend la décision, selon la règle d'autorité, d'organiser une réception pour accueillir les nouveaux étudiants en début d'année scolaire ou demande aux membres du corps professoral de voter une nouvelle politique sur les voyages. Cependant, nous serons prêts à critiquer cette méthode de prise de décision si elle concerne l'embauche d'un nouvel enseignant, car nous croyons que cette décision doit se prendre par consensus.

La directrice du département de cet exemple, comme tout chef d'équipe, doit utiliser la méthode de prise de décision qui convient le mieux au problème ou à la situation du moment, ce qui ne va pas sans une bonne compréhension des avantages et des inconvénients de la décision collective[29].

Voici les principaux avantages de la prise de décision collective, par consensus ou à l'unanimité.

- *La quantité d'information.* L'équipe dispose d'une plus grande somme de connaissances et d'expertise pour résoudre le problème.

- *La diversité des options.* L'équipe explore un plus grand nombre de voies, ce qui évite l'étroitesse de vues.

- *La compréhension et le consentement.* Les membres de l'équipe comprennent et acceptent mieux la décision retenue.

- *L'engagement.* Les membres de l'équipe se sentent plus engagés relativement à la décision et sont donc plus motivés à contribuer à sa mise en œuvre.

Cela dit, la prise de décision collective comporte également des inconvénients, notamment les suivants.

- *La pression des pairs.* Les membres peuvent se sentir obligés d'acquiescer à ce que l'équipe semble souhaiter.

- *La prédominance d'une minorité.* Un individu ou un clan peut imposer ses vues à l'équipe ou la manipuler pour l'amener à la décision qu'il favorise.

- *Le temps requis.* La participation d'un grand nombre de personnes aux discussions ralentit le processus décisionnel ; les décisions collectives exigent généralement plus de temps que les décisions individuelles.

Quelques lignes directrices pour parvenir à un consensus

Le consensus est un très bon mode de prise de décision, mais il est difficile à atteindre, particulièrement lorsque des décisions difficiles doivent être prises. Voici quelques conseils sur les comportements que les membres d'un groupe peuvent adopter pour parvenir à un consensus.

1. N'argumentez pas aveuglément. Tenez compte des réactions de vos collègues à vos points de vue.

2. Soyez ouvert et flexible, mais ne changez pas d'idée simplement pour parvenir plus vite à un accord.

3. Ne cherchez pas à masquer ou à éviter les conflits en soumettant la décision au vote, en la marchandant ou en tirant à pile ou face.

4. Essayez d'amener chacun à prendre part au processus décisionnel.

5. Laissez les désaccords se manifester. Faites en sorte que les nouveaux renseignements, les idées neuves et les opinions dissidentes fassent l'objet de discussions.

6. N'envisagez pas la prise de décision comme une compétition aboutissant forcément à une opposition entre gagnants et perdants. Cherchez des solutions qui conviennent à tous.

7. Discutez de toutes les hypothèses, écoutez avec attention et favorisez la participation de tous les membres du groupe au processus décisionnel.

Salaires : les employés veulent avoir voix au chapitre

Il est rare de parler de son salaire et de la valeur de son travail entre collègues. Pourtant, ce silence engendre souvent des non-dits et des tensions au sein d'une organisation. Percolab, une firme spécialisée dans l'accompagnement des entreprises dans leur processus de transformation et d'innovation, a expérimenté une nouvelle approche de rémunération pour faire tomber les tabous touchant ces questions, tout en accordant un pouvoir d'agir à ses associés.

En décembre 2015, la PME de Montréal a aboli les salaires fixes pour laisser ses équipes, sur chacun de leur projet, déterminer la manière dont ils seront payés. À chaque nouveau mandat, les employés concernés discutent et négocient entre eux pour indiquer dans une entente la répartition du budget ou la façon dont leur travail sera rétribué : tarif forfaitaire, pourcentage sur les revenus ou tarif horaire.

« Avoir une conversation explicite sur l'argent, ça nous permet de repérer les tensions », dit Elizabeth Hunt, associée chez Percolab. Bref, finies les conversations de couloir ou les rumeurs qui exacerbent les frustrations relatives aux salaires.

Pour Samantha Slade, cofondatrice de Percolab, ce modèle réunit les avantages d'être salarié et ceux d'être travailleur autonome, soit ceux d'avoir une stabilité et une certaine sécurité d'emploi, tout en ayant la liberté et le pouvoir de choisir et de négocier ses mandats. […]

Pour structurer la discussion, l'entreprise a adapté pour la rémunération un protocole de décision intégrée d'autogestion. Lorsqu'un membre de l'équipe émet une proposition au cours d'une discussion, chaque autre membre est invité à se prononcer, à commenter ou à demander des clarifications ; puis, la personne qui a lancé l'idée la retouche à l'aune de ce qui a été exprimé. La prise de décision ne se fait pas par consensus, mais par consentement. « On dépersonnalise la proposition, explique Samantha Slade. On se demande si la proposition créerait un risque ou nous ferait reculer. Si la réponse est non, ça suffit. La décision est assez bonne. »

Selon elle, les travailleurs de Percolab ont ainsi développé leur capacité à prendre part, de manière constructive, à une conversation difficile sans chercher à gagner. « Les gens commencent à être plus clairs sur ce qui est pour eux non négociable et sur quoi ils sont prêts à lâcher prise », souligne-t-elle. […]

Chez Percolab, la transparence est devenue un mot d'ordre. La somme versée à un associé est dévoilée par défaut aux personnes qui collaborent au même projet, mais toutes celles qui travaillent dans l'entreprise peuvent aussi connaître cette information. La PME utilise un système en ligne où tous les membres du personnel entrent les données relatives à leur mandat, dont celles de la facturation et de la répartition du budget.

« Personne n'a accès à plus d'informations que les autres, précise Mᵐᵉ Slade. Donc, on a tous une vue d'ensemble de nos finances. » Elizabeth Hunt apprécie cette transparence : « Je trouve que ça égalise beaucoup les dynamiques de pouvoir », observe-t-elle.

Aux yeux de Samantha Slade, leur nouvelle façon de faire a incité les associés à s'engager davantage dans leur travail et à consacrer des efforts supplémentaires au développement des affaires. Elle affirme que les revenus de l'organisation ont augmenté de 20 % depuis le début de l'expérience, avec près de 200 contrats réalisés dans la dernière année. […]

Source : Étienne Plamondon Émond, « Et si vous déterminiez votre salaire ? », *Les Affaires*, 24 septembre 2016, p. 28.

La pensée de groupe, ses symptômes et les moyens d'y faire face

Le psychologue social Irving Janis a constaté un problème potentiel majeur dans la prise de décision collective : la **pensée de groupe**, c'est-à-dire la tendance, chez les membres de groupes à la cohésion très forte, à perdre tout sens critique[30]. Selon lui, la cohésion d'une équipe exige un degré élevé de conformisme, de sorte que ses membres finissent par être peu disposés à critiquer les idées et les suggestions des autres. Le désir de préserver l'harmonie au sein du groupe et d'éviter les différends les pousse à privilégier l'obtention d'accords au détriment de l'analyse critique, ce qui peut donner lieu à des décisions peu judicieuses.

Pensée de groupe
Tendance, chez les membres de groupes à la cohésion très forte, à perdre tout sens critique

La cohésion très forte d'un groupe peut l'amener à perdre tout sens critique, estime le psychologue Irving Janis. C'est un des facteurs qui expliqueraient le manque de préparation de l'armée américaine à Pearl Harbor, en 1941, et son entrée dans la Seconde Guerre mondiale.

Sur le plan historique, Janis estime que la pensée de groupe n'est pas étrangère au désastre qu'ont entraîné le manque de préparation des forces armées américaines à Pearl Harbor, en 1941, et l'entrée des États-Unis dans la Seconde Guerre mondiale. On a également lié ce phénomène à certaines décisions du gouvernement américain durant la guerre du Viêtnam, aux événements qui ont conduit à l'explosion des navettes spatiales Challenger et Columbia, et plus récemment aux erreurs commises par les services des renseignements américains concernant la présence d'armes de destruction massive en Irak. En vous remémorant vos propres expériences, vous trouverez probablement d'autres exemples d'équipes bien intentionnées qui ont fini par faire de mauvais choix.

Tout chef ou membre d'une équipe devrait rester à l'affût des symptômes suivants, courants dans les équipes sujettes à la pensée de groupe[31].

- *L'illusion d'invulnérabilité.* Les membres pensent être à l'abri de toute critique et de toute attaque.

- *La rationalisation des données désagréables ou contradictoires.* Les membres refusent d'accepter les données contradictoires ou d'examiner attentivement les diverses possibilités.

- *La croyance en la moralité inhérente au groupe.* Les membres pensent que la décision qui a été prise est la bonne et qu'elle ne peut faire l'objet d'aucune critique venant de l'extérieur.

- *La perception des adversaires comme étant faibles, méchants et stupides.* Les membres refusent d'avoir une vision réaliste des autres groupes.

- *Les pressions directes sur les déviants afin de les obliger à se conformer aux désirs du groupe.* Les membres refusent de tolérer quiconque laisse entendre que l'équipe pourrait avoir tort.

- *L'autocensure.* Les membres refusent de communiquer leurs préoccupations à l'ensemble de l'équipe.

- *L'illusion d'unanimité.* Les membres acceptent prématurément un consensus, sans en vérifier le bien-fondé.

- *La protection.* Les membres protègent l'équipe des idées dérangeantes ou des points de vue de personnes extérieures.

La pensée de groupe constitue indéniablement une menace sérieuse pour la qualité de la prise de décision collective. Les leaders et les membres des groupes doivent en guetter les signes précurseurs et, surtout, prendre des mesures préventives pour s'en prémunir[32]. L'encadré ci-dessous présente un certain nombre de mesures qui permettent d'éviter la pensée de groupe, ou tout au moins d'en réduire la fréquence. Ainsi, le président Kennedy préférait s'absenter de certaines discussions stratégiques de son cabinet à l'époque de l'épisode des missiles cubains. Il voulait ainsi que les membres de son cabinet donnent libre cours à leurs critiques, sans se demander ce que le président souhaiterait entendre et sans être tentés de lui donner implicitement raison. Selon certaines sources, cette précaution aurait facilité les discussions et l'ensemble du processus décisionnel qui ont permis de résoudre cette crise.

Mesures à prendre pour éviter la pensée de groupe

- Confiez à chaque membre de l'équipe un rôle d'évaluateur critique.
- Assurez-vous que le leader ne montre pas de partialité en faveur d'une position.
- Créez des sous-groupes qui travaillent à un même problème.
- Demandez aux membres de consulter des personnes extérieures et de faire part à l'équipe de l'avis de ces dernières.
- Invitez des experts à observer et à commenter le fonctionnement de l'équipe.
- À chaque séance de travail, demandez à l'un des membres de l'équipe de jouer « l'avocat du diable ».
- Quand un consensus semble se dégager, tenez une « réunion de la dernière chance ».

Les techniques d'aide à la prise de décision collective

Que peut-on faire pour améliorer la prise de décision des équipes qui connaissent des difficultés? La prise de décision n'est pas entravée que par la pensée de groupe et le désir de s'entendre à la hâte. Une équipe peut prendre de mauvaises décisions lorsque ses réunions de travail sont mal structurées ou mal dirigées. En outre, certaines décisions peuvent s'enliser ou mal tourner lorsque les tâches sont complexes, que l'information est douteuse, qu'il y a un besoin de créativité, que le temps manque, que des voix « fortes » sont dominantes ou que les débats deviennent émotifs et personnels. Dans certains cas, il peut s'avérer judicieux de recourir à des techniques d'aide à la prise de décision collective[33].

Le remue-méninges

Remue-méninges
Technique d'aide à la prise de décision collective fondée sur la libre expression du plus grand nombre possible d'idées, sans critiques immédiates

Au cours d'une séance de **remue-méninges**, on invite tous les membres de l'équipe à émettre le plus d'idées et de suggestions possible, rapidement et sans se censurer. Toutefois, la professeure Leigh Thompson indique que la prudence est de mise, car le remue-méninges ne se déroule pas toujours comme prévu. Elle recommande de planifier une période de « réflexion individuelle » avant la séance de remue-méninges, de ne pratiquer le remue-méninges qu'en petit groupe et de s'assurer que les règles sont claires et bien respectées[34].

Cette méthode éprouvée repose sur quatre règles essentielles que vous connaissez peut-être déjà.

1. *L'absence de critiques.* Les membres doivent s'abstenir de commenter ou de critiquer les idées émises tant que le processus n'est pas terminé.

2. *L'absence de censure.* Comme le remue-méninges repose sur l'imagination et la créativité, chaque membre de l'équipe doit se sentir libre d'émettre les idées les plus radicales ou les plus étranges.

3. *La multiplicité des idées.* On cherche à obtenir le plus grand nombre possible d'idées en tablant sur le fait que l'une d'entre elles se démarquera.

4. *La réflexion en escalade.* On encourage chacun à reprendre les idées des autres et à les améliorer en les poussant plus loin ou en les combinant.

La prise de décision collective peut faire appel à plusieurs techniques, dont celle du groupe nominal, qui permet à tous d'émettre leurs idées, indépendamment les uns des autres.

Cette technique de mise en commun des facultés créatrices des membres d'une équipe favorise l'enthousiasme et l'engagement de tous ainsi qu'une circulation des idées fort utile à la résolution des problèmes.

La technique du groupe nominal

Technique du groupe nominal
Technique d'aide à la prise de décision collective qui, s'appuyant sur des règles précises, permet à tous les membres de l'équipe, de façon indépendante les uns des autres, d'émettre leurs idées, pour les faire émerger et les hiérarchiser

Toute équipe traverse des périodes durant lesquelles les opinions des membres divergent à tel point que les discussions libres débouchent sur des désaccords et des conflits. En outre, la taille de l'équipe peut rendre difficile la gestion des séances de remue-méninges et de discussions libres. Dans de tels cas, le gestionnaire peut judicieusement avoir recours à la **technique du groupe nominal**[35]. Cette technique d'aide à la prise de décision collective permet à tous les membres de l'équipe d'émettre leurs idées, face à face ou virtuellement, indépendamment les uns des autres. Ainsi, chaque individu répond individuellement et par écrit à une *question nominale*, par exemple : « Que devrait-on faire pour améliorer la productivité de notre équipe ? » Il s'agit de noter le plus grand nombre possible d'idées et de suggestions. Puis, on fait un tour de table pour que chaque membre de l'équipe fasse connaître ses réponses, qu'on consigne au fur et à mesure sur de grandes feuilles de papier ou, électroniquement, dans une base de données. Aucune critique n'est permise, mais l'animateur autorise les questions de clarification. Un nouveau tour de table permet également aux participants de préciser leurs idées, s'il y a lieu. Là encore, les critiques ne sont pas permises, l'objectif n'étant que de s'assurer que tous comprennent les tenants et les aboutissants de ce qui est suggéré. Enfin, à la suite d'un vote, on dresse une liste hiérarchisée des meilleures réponses à la question nominale. Cette technique permet d'évaluer les idées sans que les problèmes d'inhibition, de conflits et de distorsion pouvant surgir au cours de discussions libres interfèrent.

La technique Delphi

Cette troisième approche de la prise de décision collective, conçue par Olaf Helmer et utilisée par la Rand Corporation, a évolué et s'avère maintenant particulièrement utile lorsque les membres d'une équipe ont du mal à se rencontrer. La **technique Delphi** repose sur une série de questionnaires distribués à un groupe de décideurs. Dans sa version virtuelle, on envoie aux participants un premier questionnaire électronique énonçant le problème. Un coordonnateur synthétise les réponses reçues, puis transmet son résumé analytique accompagné d'un questionnaire de suivi aux participants. Ces derniers répondent. Et le processus se répète jusqu'à ce qu'un consensus émerge et qu'on parvienne à une décision claire.

Cette méthode a l'avantage d'aider les équipes dont les membres peuvent difficilement se rencontrer en personne. Cependant, certains lui reprochent de ne pas permettre aux participants d'expliquer ni de justifier leurs positions.

Technique Delphi
Technique d'aide à la prise de décision collective qui repose sur une série de questionnaires distribués à de nombreux décideurs et qui vise à faire émerger un consensus

Guide de RÉVISION

RÉSUMÉ

Qu'est-ce qui caractérise les équipes hautement performantes et comment peuvent-elles être mises en place ?

- L'équipe hautement performante se caractérise par des valeurs fondamentales solides, des objectifs de rendement précis et une bonne combinaison de compétences ; de plus, elle fait preuve de créativité.

- La consolidation d'équipe est une démarche faite en collaboration qui vise l'amélioration des processus de l'équipe et de son rendement.

- Le processus de consolidation d'équipe consiste en une série d'actions planifiées visant à recueillir et à analyser des données sur le fonctionnement d'une équipe, puis à amorcer des changements pour faciliter la collaboration entre les membres et améliorer l'efficacité opérationnelle de l'équipe.

- La consolidation d'équipe est un processus participatif qui repose sur l'engagement de tous les coéquipiers dans la recherche de solutions aux problèmes et dans l'application des mesures adoptées.

Comment améliorer les modes de fonctionnement d'une équipe ?

- Qu'il s'agisse de former une équipe ou d'ajouter une ou plusieurs personnes à une équipe déjà constituée, l'intégration des nouveaux membres pose souvent problème.

- Un coéquipier peut connaître des problèmes de rôle s'il doit faire face à des attentes ambiguës, contradictoires, trop exigeantes ou trop peu exigeantes.

- Le leadership partagé se définit comme la responsabilité collective, partagée entre tous les membres, quant à la satisfaction des besoins de leur équipe en matière de tâches et de relations harmonieuses. Les membres partagent également la responsabilité d'éviter les comportements perturbateurs, c'est-à-dire les comportements qui nuisent au fonctionnement collectif.

- Les activités de leadership liées aux tâches consistent, notamment, à susciter des discussions, à résumer leur contenu et à participer à l'élaboration du plan de travail de l'équipe. Quant aux activités de leadership liées aux relations, elles consistent, notamment, à stimuler la participation, à souligner la contribution de tel ou tel coéquipier et à entretenir les liens sociaux qui forment le tissu de l'équipe.

- Les normes d'une équipe constituent les règles de conduite ou les critères de comportement que se fixent ses membres; la cohésion d'une équipe correspond à l'intensité du désir de ses membres d'y appartenir et à la force de leur motivation à y maintenir une participation active.

- Les membres d'une équipe dont la cohésion est très forte sont heureux d'appartenir au groupe et se montrent très loyaux à son égard; en outre, ils ont tendance à se conformer à ses normes.

- La situation idéale, pour une organisation et les membres de l'équipe, est d'avoir une équipe dont la cohésion est très forte et qui a adopté des normes positives. La pire situation pour l'organisation est d'être aux prises avec une équipe dont la cohésion est très forte, mais qui a adopté des normes négatives.

- La dynamique interéquipe correspond à l'ensemble des phénomènes relationnels qui se produisent entre deux équipes ou plus, qui collaborent ou qui entrent en compétition les unes contre les autres.

Comment améliorer la communication au sein d'une équipe?

- Selon les exigences des tâches à accomplir, les contraintes et les circonstances, les équipes en milieu organisationnel travaillent selon différents modèles d'interaction et de réseau de communication, et recourent à différents modes de prise de décision.

- Les équipes interactives utilisent un réseau de communication décentralisé. C'est le modèle qui convient le mieux aux tâches complexes et non routinières.

- Les équipes d'action parallèle utilisent un réseau de communication centralisé. C'est le modèle qui convient le mieux aux tâches simples, qu'on peut aisément uniformiser ou diviser.

- Les équipes de neutralisation utilisent un réseau de communication restreint. C'est le modèle qui apparaît souvent en cas de désaccord entre des sous-groupes.

- Un choix éclairé en matière de proxémie, c'est-à-dire d'utilisation de l'espace, peut aider une équipe à améliorer la communication entre ses membres.

- Les technologies de l'information et de la communication, allant des messages instantanés aux groupes de discussion sur vidéo et aux visioconférences, contribuent à l'amélioration de la communication entre les membres d'une équipe lorsqu'elles sont bien utilisées.

Comment les décisions se prennent-elles dans une équipe ?

- Une équipe peut prendre une décision par absence de réaction, selon la règle de l'autorité, selon la règle de la majorité, selon la règle de la minorité, par consensus ou à l'unanimité.

- Les principaux avantages de la prise de décision collective sont la quantité d'information réunie, la diversité des options, une meilleure compréhension de la décision et un engagement plus marqué des membres à l'égard de la décision.

- Les principaux inconvénients de la prise de décision collective sont la pression des pairs pour que tous adhèrent à l'opinion générale, la prédominance d'une minorité et le temps requis.

- La pensée de groupe est la tendance, chez les membres de groupes dont la cohésion est très forte, à perdre tout sens critique.

- Il existe plusieurs techniques d'aide à la prise de décision collective, notamment le remue-méninges, la technique du groupe nominal et la technique Delphi.

MOTS CLÉS

EXERCICE DE RÉVISION

MaBiblio > MonLab > Exercices
> Ch08 > Exercice de révision

Questions à choix multiple

1. L'une des principales caractéristiques d'une véritable équipe est _____
   a) sa grande taille. **b)** sa composition homogène. **c)** sa protection contre toute influence externe. **d)** le sentiment de responsabilité collective éprouvé par ses membres.

2. Fondamentalement, le processus de consolidation d'équipe peut se définir comme un processus participatif axé sur la collecte de données et _____
   a) sur les solutions à apporter aux problèmes cernés. **b)** sur le leader.
   c) dysfonctionnel. **d)** sur le court terme.

3. Le coéquipier qui fait face à un dilemme éthique lié à un conflit entre ses propres valeurs et les attentes de son équipe vit ce qu'on appelle _____ **a)** le conflit entre la personne et le rôle qu'elle doit tenir. **b)** le conflit de rôle créé par un seul émetteur. **c)** le conflit de rôle créé par plusieurs émetteurs. **d)** le conflit entre les divers rôles d'une même personne.

4. Le commentaire «Dans notre équipe, personne ne ménage ses efforts» est un exemple de norme _____ **a)** en matière de soutien et d'assistance mutuelle. **b)** en matière de réalisations. **c)** en matière de fierté organisationnelle. **d)** en matière d'amélioration personnelle.

5. Les équipes dont la cohésion est très forte sont généralement portées à _____ **a)** être néfastes pour l'organisation. **b)** être bénéfiques pour leurs membres. **c)** accroître la paresse sociale de leurs membres. **d)** présenter un fort taux de rotation de leurs membres.

6. Un bon moyen pour renforcer la cohésion d'une équipe consiste à _____ . **a)** augmenter sa taille. **b)** accroître la diversité de ses membres. **c)** l'isoler des autres équipes de l'organisation. **d)** diminuer les exigences en matière de rendement.

7. Un coéquipier qui résume bien le contenu des discussions, suggère de nouvelles solutions et clarifie les propositions des autres assume ce qu'on appelle des activités _____ **a)** prescrites. **b)** perturbatrices. **c)** de leadership liées aux tâches. **d)** de leadership liées aux relations.

8. Se montrer agressif, faire des blagues déplacées, trop parler de sujets sans importance au cours d'une réunion, voilà autant d'exemples _____ **a)** de comportements perturbateurs. **b)** d'activités de leadership liées aux relations. **c)** d'activités de leadership liées aux tâches. **d)** de dynamique des rôles.

9. Si vous entendiez un employé d'une banque locale affirmer «ici, nous avons l'habitude de défendre la banque contre les accusations injustes», vous pourriez présumer que les employés de cet établissement ont adopté de solides normes en matière _____ **a)** de soutien et d'assistance mutuelle. **b)** de fierté personnelle et organisationnelle. **c)** d'éthique. **d)** d'amélioration et de changement.

10. Lorsqu'on sait que la cohésion d'une équipe de travail est très forte, on peut s'attendre à _____ a) un rendement très élevé. b) un degré élevé de satisfaction parmi ses membres. c) des normes positives en matière de réalisations. d) une concordance de statut.

11. Lorsque deux équipes entrent en compétition, on peut s'attendre à _____ au sein de chacune d'elles. a) une plus grande cohésion b) une plus forte contestation des directives du leader c) une diminution de l'attention et de l'énergie consacrées aux tâches d) une augmentation des conflits

12. Une équipe d'action parallèle utilise un réseau de communication _____ a) interactif. b) décentralisé. c) centralisé. d) restreint.

13. Un problème complexe sera traité plus efficacement par une équipe utilisant un réseau de communication _____ a) décentralisé. b) centralisé. c) électronique. d) restreint.

14. Laquelle des stratégies suivantes est recommandée pour éviter la pensée de groupe? a) S'assurer que le leader exprime clairement ses opinions. b) Placer le groupe à l'abri de toute influence extérieure. c) À chaque séance de travail, demander à l'un des membres du groupe de jouer l'avocat du diable. d) Éviter que des sous-groupes travaillent à un même problème.

15. Lorsque l'application d'une décision requiert un engagement élevé de la part des membres, il vaut mieux que cette décision se prenne _____ a) selon la règle de l'autorité. b) selon la règle de la majorité. c) par consensus. d) selon la règle de la minorité.

Questions à réponse brève

16. En quoi consiste le processus de consolidation d'équipe? Quelles en sont les principales étapes?

17. Comment le responsable d'une équipe peut-il contribuer à l'adoption de normes collectives positives?

18. Comment la cohésion d'une équipe et le respect de ses normes influent-ils sur son rendement?

19. Quels sont les effets bénéfiques et néfastes de la compétition entre deux ou plusieurs équipes au sein de l'organisation?

Question à développement

20. Depuis quelque temps, Alejandro Puron, leader actuel d'un groupe de travail de son organisation sur la diversité, est placé devant un dilemme. L'un des membres soutient que l'équipe devrait toujours parvenir à des recommandations unanimes, «sinon, dit-il, nous n'aurons pas de véritable consensus». Alejandro, lui, estime que l'unanimité, bien que souhaitable, n'est pas toujours nécessaire pour obtenir un consensus. Pour trancher la question, il fait appel à vous, qui êtes consultant en gestion et spécialiste des équipes en milieu organisationnel. Qu'allez-vous lui dire? Justifiez votre réponse.

Le CO dans le feu de l'action

Pour ce chapitre, nous vous suggérons les compléments numériques suivants dans MonLab.

MaBiblio >

MonLab > Documents > Études de cas
> 8. La société aérienne Maritime
> 12. À toute vitesse en équipe
> 13. Le cas de la nouvelle cage

MonLab > Documents > Activités
> 11. Travail d'équipe et motivation
> 19. Travœufs pratiques
> 20. Consolidation d'équipe: la chasse aux trésors
> 21. Dynamique d'une équipe de travail
> 22. Détermination des normes d'équipe
> 23. La culture d'une équipe de travail
> 24. La chaise vide
> 32. Analyse et négociation de rôle
> 34. Incursion dans l'inconnu

MonLab > Documents > Autoévaluations
> 9. L'efficacité d'une équipe
> 17. L'influence des heuristiques sur le processus décisionnel

Les processus sociaux et d'influence en milieu organisationnel

PARTIE 4

CHAPITRE

Le pouvoir et le jeu politique

Le pouvoir et le jeu politique sont monnaie courante dans les organisations. Pour réussir, on doit savoir comment obtenir du pouvoir et comment l'exercer adéquatement. Toutefois, les mots « pouvoir » et « jeu politique » ont généralement une connotation négative. Pour quelle raison ces concepts sont-ils si mal vus et comment peut-on surmonter cette image négative ?

OBJECTIFS D'APPRENTISSAGE

Après l'étude de ce chapitre, vous devriez pouvoir :

- Discuter du pouvoir en milieu organisationnel.
- Distinguer les diverses sources de pouvoir et d'influence au sein d'une organisation.
- Expliquer comment les personnes peuvent réagir à l'exercice du pouvoir et de l'influence.
- Définir ce qu'est le jeu politique en milieu organisationnel.
- Expliquer comment les personnes peuvent naviguer dans l'univers politique des organisations.

PLAN DU CHAPITRE

Le pouvoir en milieu organisationnel
Le pouvoir et son importance
Le pouvoir et la dépendance
L'impuissance et ses effets néfastes
Le pouvoir en tant que ressource expansible

Les sources de pouvoir et d'influence au sein d'une organisation
Le pouvoir lié au poste
Le pouvoir personnel
Le pouvoir de l'information
Le pouvoir des relations

Les réactions à l'exercice du pouvoir et de l'influence
La conformité
La résistance
Le pouvoir et la corruption

Le jeu politique en milieu organisationnel
Le jeu politique en milieu organisationnel : deux perspectives
Pourquoi le jeu politique en milieu organisationnel ?
Le jeu politique et la défense des intérêts personnels
Le jeu politique et l'éthique
Le climat politique

Naviguer dans l'univers politique organisationnel
Renforcer les assises de son pouvoir
Améliorer ses compétences politiques
Bâtir un réseau de relations

Guide de révision

Influer sur
le cours des choses
tout en poursuivant
ses propres objectifs.

Une éthique infaillible

[...] L'exercice du pouvoir consiste essentiellement à rendre les autres perméables à l'influence qu'on souhaite avoir sur eux, c'est-à-dire les amener à adopter les comportements souhaités. Trois conditions doivent être réunies pour que le pouvoir d'un individu se transforme en influence. Tout d'abord, l'objectif visé par l'exercice du pouvoir doit être commun, c'est-à-dire que tous doivent avoir intérêt à ce qu'il soit atteint, bien que la nature de cet intérêt puisse varier d'une personne à l'autre sans toutefois devenir antagonique. Ensuite, l'objectif visé doit être clair : tous doivent savoir pour quelle raison précise on cherche à orienter leurs actions. Enfin, l'objectif doit être connu de tous, et chacun doit avoir la possibilité d'apporter sa contribution. Ce sont là les trois « C » préalables à l'exercice transparent et authentique du pouvoir : l'objectif visé doit être commun, clair et connu.

Quant aux moyens d'exercer le pouvoir, ils relèvent d'un ensemble de comportements qui devraient toujours conserver leur caractère éthique. Bien sûr, ce n'est pas le cas de la personne machiavélique, pour qui l'exercice du pouvoir n'a qu'un seul but : maximiser ses gains et minimiser ses pertes, même si cela s'avère incompatible avec les enjeux collectifs. Si c'est le cas, un tel individu n'hésite pas à commettre des actions contraires aux préceptes de la moralité conventionnelle. Il use de manipulation pour arriver à ses fins et dissimule ses véritables intentions. Jamais les objectifs autour desquels il tente de rallier les autres ne sont clairs, connus et communs, bien qu'il les présente ainsi. Il recourt au mensonge et à la duperie sans le moindre scrupule. S'il est démasqué, il perd toute crédibilité, et sa réputation est flétrie à tout jamais ; il le sait, et c'est pourquoi il tente par tous les moyens et en tout temps de paraître honnête, intègre, voire naïf, afin de ne pas éveiller les soupçons. Pour lui, le pouvoir n'est pas un moyen mais bien une fin en soi.

Le fin stratège, au contraire, utilise les leviers de pouvoir qu'il a à sa disposition pour démontrer en quoi cette collaboration est bénéfique pour les membres qui l'entretiennent. Son comportement s'appuie sur une éthique infaillible, ce qui contribue à consolider sa crédibilité. Sa réputation le précède, et les gens cherchent à collaborer avec lui afin de réaliser des projets auxquels ils seront fiers d'avoir participé. Cette description semble trop idéale – voire idéaliste – pour être vraie ? Regardez autour de vous, au sein de votre propre organisation : vous trouverez sûrement des hommes et des femmes qui, souvent sans vraiment s'en rendre compte, cultivent les alliances et ont beaucoup de pouvoir et d'influence. Ce sont des stratèges qui font bon usage du pouvoir. [...]

> Le comportement du stratège s'appuie sur une éthique infaillible, ce qui contribue à consolider sa crédibilité.

Source : Pierre Lainey, « Comment accroître son pouvoir organisationnel ? », reproduit avec la permission de *Gestion*, revue internationale de gestion, vol. 41, n° 1 (printemps 2016), p. 101.

Le pouvoir en milieu organisationnel

Le pouvoir et le jeu politique sont parmi les concepts les plus importants du comportement organisationnel, quoique les moins bien compris. Que ressentez-vous lorsque vous entendez les mots « pouvoir » et « jeu politique » ? Voulez-vous acquérir du pouvoir ?

Si vous dites que vous ne voulez pas de pouvoir, vous risquez de laisser passer des occasions en or. Sans pouvoir et sans influence, vous serez moins efficace dans une organisation. Saviez-vous que l'ordinateur moderne a été inventé par Xerox en 1975 ? Pourtant, on n'associe pas le nom Xerox aux ordinateurs. Les ingénieurs qui l'ont conçu ont été incapables de convaincre les dirigeants de l'entreprise d'adopter leur innovation, car ceux-ci considéraient Xerox comme une « entreprise liée au papier ». Comme on le sait, Xerox a présenté sa nouveauté à Steve Jobs d'Apple, qui l'a commercialisée avec beaucoup de succès.

La morale de cette histoire est que si vous souhaitez accomplir quelque chose, vous devez être en mesure d'influencer les autres. Et pour influencer les autres, vous devez posséder un certain pouvoir et bien comprendre le jeu politique. Toutefois, l'utilisation du pouvoir et du jeu politique peut différer de l'idée que s'en font de nombreuses personnes. Vous verrez, dans ce chapitre, que l'essentiel est de bâtir votre propre sphère de pouvoir, tout en augmentant le pouvoir de ceux qui vous entourent.

Le pouvoir et son importance

> *Le concept fondamental en sciences sociales est celui de Pouvoir, au même titre que l'Énergie constitue le concept fondamental en physique.*
>
> *Bertrand Russell*

Pouvoir
Capacité d'amener autrui à faire ce qu'on lui demande ou capacité d'influer sur le cours des événements

Le **pouvoir** est la capacité d'amener autrui à faire ce qu'on lui demande ou la capacité d'influer sur le cours des événements. Dans les organisations, il est souvent associé au contrôle des ressources dont les autres ont besoin, comme l'argent, l'information, les décisions, les tâches et ainsi de suite.

La plupart des gens pensent que le pouvoir émane de la position hiérarchique, que les dirigeants, en raison des postes d'autorité qu'ils occupent, possèdent tous les pouvoirs. Ce n'est pas toujours le cas. Vous avez sans doute connu une directrice qui n'était pas très efficace parce que personne ne l'écoutait ou un enseignant qui n'avait aucun contrôle sur sa salle de classe. Lorsque les personnes ne se soumettent pas à l'autorité de la personne responsable, cette dernière ne détient pas vraiment de pouvoir. Autrement dit, le pouvoir n'est pas un absolu. Il doit être *accordé* par d'autres qui acceptent d'être influencés.

Pouvoir social
Capacité d'influencer autrui dans le cadre d'une relation sociale

Force
Pouvoir opérationnel qui s'exerce contre la volonté d'autrui

C'est pour cette raison que le pouvoir le plus étudié dans les organisations est le **pouvoir social**. Cette expression reconnaît que le pouvoir provient de la capacité d'influencer autrui dans le cadre d'une relation sociale. Le pouvoir social diffère de la **force**, qui réfère au pouvoir opérationnel qui s'exerce contre la volonté de l'autre. Le pouvoir social est *acquis* par l'entremise de relations et, s'il n'est pas utilisé adéquatement, il peut être perdu. Les adolescents anéantissent le pouvoir de leurs parents lorsqu'ils ne leur obéissent pas. De la même façon, les employés anéantissent le pouvoir de leurs dirigeants lorsqu'ils agissent de manière irrespectueuse envers eux ou lorsqu'ils transmettent des commentaires négatifs à leur égard à d'autres membres de l'organisation.

Le pouvoir et la dépendance

Le pouvoir est indissociable de la dépendance. Pour comprendre le pouvoir, il faut donc comprendre la nature de la dépendance. La **dépendance** est la situation dans laquelle se trouve une personne ou un groupe qui compte sur une autre personne ou sur un autre groupe pour obtenir ce qu'elle ou ce qu'il veut[1]. Ainsi, une personne aura du pouvoir sur vous tant et aussi longtemps que vous dépendrez d'elle et des ressources qu'elle détient pour atteindre certains des objectifs que vous vous êtes fixés. Dès que vous ne serez plus dépendant d'elle, elle n'aura plus de pouvoir sur vous. À l'inverse, si vous êtes incapable de vous détacher du pouvoir qu'a cette personne, vous n'aurez pas vraiment le choix de vous y conformer.

La plupart du temps, dans les organisations, la dépendance est associée au **contrôle** de l'accès à des éléments dont d'autres personnes ont besoin, comme l'information, les ressources et la prise de décision[2]. Pour cette raison, les principaux détenteurs du pouvoir au sein des organisations sont habituellement ceux qui possèdent des compétences importantes (par exemple les cadres influents, les meilleurs vendeurs, les techniciens compétents). Le pouvoir est aussi associé aux principales prises de décision, notamment celles qui concernent les budgets, les horaires, les évaluations de rendement ou la stratégie organisationnelle.

Dépendance
Situation d'une personne ou d'un groupe qui compte sur une autre personne ou un autre groupe pour obtenir ce qu'elle ou ce qu'il veut

Contrôle
Autorité ou capacité d'exercer une influence contraignante ou dominatrice sur quelqu'un ou quelque chose

Comme le pouvoir est fondé sur la dépendance, celui qui veut du pouvoir doit gérer les dépendances. Pour ce faire, il doit accroître la dépendance des autres envers lui, tout en réduisant sa dépendance envers les autres. Il augmente la dépendance des autres envers lui en démontrant ses compétences et en se rendant indispensable. Les personnes hautement compétentes sont très convoitées. Elles sont considérées comme étant irremplaçables, et les organisations consacrent beaucoup d'efforts à les garder.

Réduire sa dépendance envers les autres permet d'accroître son pouvoir. Plus on est autonome et en mesure de s'adapter (même si cela signifie déménager !), plus on augmente la maîtrise de sa vie professionnelle.

Une cadre, par exemple, peut réduire sa dépendance envers son employeur en augmentant son employabilité. Cela signifie que si elle perd son emploi aujourd'hui, elle en retrouvera un autre rapidement. Les personnes réduisent leur dépendance en demeurant ouvertes à toutes les possibilités ; ainsi, elles sont prêtes à déménager, au besoin, pour occuper un nouvel emploi. En général, on a un emploi pour assurer sa subsistance. Autrement dit, on *dépend* de son employeur. Cela dit, on réduit cette dépendance en ne vivant pas au-dessus de ses moyens et en ayant des réserves. En augmentant la maîtrise de sa vie – et son pouvoir –, on réduit du coup le pouvoir qu'a sur soi l'employeur. Permettre à quelqu'un ou à quelque chose d'avoir du pouvoir sur soi ou non est une décision qui revient à chacun. Et choisir d'éliminer une dépendance n'est pas aisé. Cela peut signifier changer d'emploi, quitter une organisation ou dénoncer. Toutefois, si on permet aux autres d'abuser de leur pouvoir, on est complice de leur comportement immoral et inapproprié.

L'impuissance et ses effets néfastes

Impuissance
Manque d'autonomie
ou de contrôle par rapport
à soi-même ou à son milieu

Un des plus importants problèmes associés au pouvoir et à la dépendance est la perception d'impuissance. L'**impuissance** réfère à un manque d'autonomie ou de contrôle par rapport à soi-même ou à son milieu[3]. Elle se produit lorsque le déséquilibre du pouvoir fait en sorte que les personnes pensent qu'elles n'ont pas le choix de faire ce que les autres demandent. Lorsque vous vous sentez impuissant, vous considérez que vous avez peu le contrôle de vous-mêmes et de vos processus de travail. La recherche a démontré que les personnes qui se sentent impuissantes se trahissent par leur langage corporel. Par exemple, elles se replient sur elles-mêmes en courbant le dos, se tiennent à l'écart ou font des gestes de la main moins énergiques[4].

Le langage corporel des personnes qui se sentent impuissantes les trahit : elles se replient sur elles-mêmes en courbant le dos, se tiennent à l'écart et font des gestes de la main peu énergiques.

L'impuissance a des effets invalidants au sein des organisations. La perception d'impuissance crée des spirales de détresse et d'aliénation. Prenez quelques minutes pour revivre en pensée une situation dans laquelle vous vous êtes senti impuissant. Comment vous sentez-vous ? Frustré ? Anxieux ? Fâché ? Effrayé ? Rancunier ? Isolé ? Ce sont toutes des émotions destructrices dans une relation ou dans une organisation. À l'inverse, lorsqu'une personne sent qu'elle a du pouvoir, elle considère le pouvoir de façon positive. Elle se sent dynamique, investie, intéressée et comblée par son travail.

Les personnes qui se sentent impuissantes essaient souvent de gagner un certain sentiment de contrôle d'elles-mêmes et de leur milieu de travail. Mais les conséquences peuvent être très dommageables pour les organisations (par exemple absentéisme, retard, vol, vandalisme, grief, travail bâclé et comportement improductif)[5]. Par conséquent, contrairement à ce qu'on pense généralement, le problème des organisations *n'est pas le pouvoir, mais*

Anéantir le pouvoir d'un autre : le cas du dénonciateur

Vous pourriez vous retrouver dans une situation où votre patron — ou une personne ayant du pouvoir sur vous — vous demande de faire une chose contraire à l'éthique. Le feriez-vous ? Les dénonciateurs ont dû se poser cette question. En ce qui les concerne, la recherche montre qu'ils subiront moins de représailles s'ils ont plus de pouvoir. Et ils obtiennent ce pouvoir grâce à la légitimité perçue de leur geste ou à leur influence personnelle.

Afin de savoir si vous possédez ces sources de pouvoir, posez-vous les questions suivantes : Les autres penseront-ils que mon geste est légitime ou plutôt que j'agis dans mon propre intérêt ? Les autres me feront-ils confiance ? M'appuieront-ils ? Est-ce que ma parole est importante ? Est-ce que ma preuve est concluante, démontrant que le coupable est conscient de ses méfaits ? Si vous répondez par l'affirmative, c'est que les assises de votre pouvoir sont solides, ce qui vous permettrait, le cas échéant, de prendre la décision de déclencher l'alerte.

Se tourner vers la science pour mieux persuader

Scénario 1. Les hôteliers veulent laver moins de serviettes. Que doivent-ils faire pour que leurs clients les réutilisent davantage ? La science de la persuasion indique qu'il vaut mieux présenter la requête en l'associant à une norme sociale. Des chercheurs ont constaté que les clients réutilisaient 33 % plus leurs serviettes lorsqu'on leur remettait une carte mentionnant « 75 % des clients de cette chambre réutilisent leurs serviettes ». Pour influencer : renforcer la demande en l'associant à une norme sociale.

Scénario 2. Les serveurs de restaurant veulent maximiser leurs pourboires. Que peuvent-ils faire pour que plus de clients laissent un pourboire ? La science de la persuasion indique qu'il vaut mieux créer un sentiment de réciprocité dans la relation serveur-client. Des chercheurs ont constaté que le pourboire augmentait lorsque les serveurs offraient un bonbon aux clients en leur présentant la note. Pour influencer : créer un sentiment de réciprocité.

Scénario 3. Une jeune cadre présente une proposition à la haute direction. Que peut-elle faire pour accroître les chances que sa proposition soit approuvée ? La science de la persuasion indique qu'il vaut mieux mettre l'accent sur ce qui sera perdu si la proposition est refusée. Des chercheurs ont démontré que les cadres présentant des propositions en TI avaient plus de succès lorsqu'ils associaient un refus du projet à une perte potentielle de 500 000 $ que lorsqu'ils l'associaient à un gain potentiel de 500 000 $. Pour influencer : présenter une proposition en tenant compte des conséquences négatives.

QUESTIONS

Influencer est difficile dans n'importe quel environnement. Vous devez penser à la façon dont les autres vont réagir. Les scénarios précédents sont des exemples de persuasion réussie tirés du livre *Yes ! 50 Scientifically Proven Ways to Be Persuasive* de Noah J. Goldstein, Steve J. Martin et Robert B. Cialdini (Free Press, 2009). Faites une autoévaluation de votre succès dans des situations d'influence : dans quelle mesure la persuasion fait-elle partie de vos compétences ? Qu'en est-il des autres avec qui vous travaillez ? Maîtrisent-ils la science de la persuasion ? Et si la persuasion est si importante, pourquoi ne passe-t-on pas plus de temps à s'exercer pour bien la maîtriser ?

---

l'impuissance. Cela signifie que, pour obtenir et exercer le pouvoir de façon responsable, il faut travailler à *accroître* le pouvoir du plus grand nombre, plutôt qu'à restreindre le pouvoir à quelques personnes.

Le pouvoir en tant que ressource expansible

L'idée que le pouvoir social puisse être une ressource expansible est à la base de la tendance vers l'habilitation du personnel qu'on observe dans les organisations depuis quelques décennies. L'**habilitation** est le processus par lequel le gestionnaire accorde un pouvoir décisionnel accru aux membres de son personnel, leur permettant ainsi de prendre les décisions qui les concernent directement et qui ont des répercussions sur leur travail. Soulignons que la notion d'habilitation, utilisée dans la perspective du

Habilitation
Processus par lequel le gestionnaire accorde un pouvoir décisionnel accru aux membres de son personnel, leur permettant ainsi de prendre les décisions qui les concernent directement et qui ont des répercussions sur leur travail

gestionnaire qui octroie de plus grands pouvoirs aux membres de son personnel, se distingue du concept d'*autonomisation*, employé lorsqu'on se place du point de vue des travailleurs qui acquièrent la maîtrise des moyens leur permettant d'utiliser leurs talents et leur savoir-faire pour jouir d'une plus grande liberté d'action. Aujourd'hui plus que jamais, les organisations tournées vers l'innovation s'attendent non seulement à ce que les cadres sachent déléguer du pouvoir à leurs subordonnés, mais aussi à ce qu'ils se sentent à l'aise lorsqu'ils le font. Au lieu de considérer le pouvoir comme une chasse gardée des échelons supérieurs de la pyramide hiérarchique traditionnelle, ils doivent le voir comme une ressource qui peut et doit être partagée avec des travailleurs évoluant dans des structures plus horizontales et plus collégiales. Lorsque les gestionnaires accordent du pouvoir aux autres, ils se donnent par le fait même du pouvoir en obtenant une main-d'œuvre plus dévouée et plus motivée.

Plus que jamais, les organisations qui souhaitent innover s'attendent à ce que les cadres sachent déléguer du pouvoir à leurs subordonnés.

Bien que de nombreuses entreprises soient favorables à l'habilitation du personnel, elles ne trouvent pas toujours facile de mettre le concept en pratique. Les membres de l'organisation doivent modifier leur conception du pouvoir selon laquelle il s'agit d'un jeu à somme nulle. Un **jeu à somme nulle** (ou **situation gagnant-perdant**) signifie que le gain d'une personne équivaut à la perte d'une autre personne. Il représente la croyance selon laquelle «pour que je gagne du pouvoir, tu dois en perdre». Si vous considérez le pouvoir comme étant un jeu à somme nulle, vous perdrez du pouvoir à long terme.

Si vous augmentez votre pouvoir alors que les autres perdent le leur, il se produit un déséquilibre du pouvoir. Lorsque ce déséquilibre devient important, il déclenche des forces qui feront en sorte de rétablir l'équilibre. C'est ce qu'on appelle la **loi d'airain de la responsabilité**. Un exemple de ces forces est l'action des groupes de lobbying, qui font passer des lois pour réduire ou retirer du pouvoir aux organisations.

L'idée qu'un pouvoir doive faire face à un contre-pouvoir est aussi décrite par la **théorie de la réactance psychologique**, qui stipule que les personnes se rebellent contre les contraintes et les efforts visant à contrôler leur comportement. La réaction varie selon les personnes ; certains rejetteront avec force cette domination dans le but de conserver leur autonomie, parfois même sans être conscients qu'ils le font[6] !

Par conséquent, la perspective de l'habilitation du personnel modifie la conception répandue du pouvoir, qui n'est plus le «pouvoir sur» les autres, mais plutôt le «pouvoir avec» les autres[7]. Selon cette conception, plus vous accordez de pouvoir aux autres, plus ils vous en accordent en retour (de la même façon que si vous traitez les personnes avec respect, elles vous respecteront). Il en résulte donc que la façon la plus durable d'obtenir et d'exercer le pouvoir est d'accroître le pouvoir positif autour de soi.

Jeu à somme nulle (ou situation gagnant-perdant)
Situation selon laquelle le gain de pouvoir d'une personne équivaut à la perte de pouvoir d'une autre personne

Loi d'airain de la responsabilité
Principe selon lequel un déséquilibre important du pouvoir déclenche des forces qui font en sorte de rétablir l'équilibre

Théorie de la réactance psychologique
Théorie selon laquelle les personnes se rebellent contre les contraintes et les efforts visant à contrôler leur comportement

Les sources de pouvoir et d'influence au sein d'une organisation

Il y a plus de 50 ans, John French et Bertram Raven ont formulé une typologie de cinq sources de pouvoir qui est encore utilisée aujourd'hui[8]. Ces sources de pouvoir sont classées en deux grandes catégories: le pouvoir lié au poste et le pouvoir personnel. Le **pouvoir lié au poste** découle de la hiérarchie officielle ou de l'autorité conférée à une personne en raison du poste qu'elle occupe ou du rôle qu'elle assume. Le **pouvoir personnel** émane de la personne elle-même et ne dépend pas du poste qu'elle occupe; il est généré par sa relation avec les autres.

On peut facilement dire si le pouvoir détenu par une personne est lié à son poste ou s'il est personnel. Lorsqu'une personne quitte son poste, son pouvoir personnel la suit. Vous est-il arrivé de ressentir un grand vide après le départ d'un bon patron ou d'une enseignante? C'est parce qu'il ou elle avait beaucoup de pouvoir personnel. Toutefois, dans le cas du pouvoir lié au poste, le pouvoir demeure avec le poste. Par exemple, lorsqu'un président des États-Unis termine son mandat, il perd l'important pouvoir d'information découlant de ses réunions quotidiennes sur la sécurité nationale. Ces réunions sont liées au poste occupé et se poursuivront désormais avec le nouveau président.

Le pouvoir lié au poste

Le pouvoir lié au poste revêt trois formes principales: le *pouvoir légitime*, le *pouvoir de récompense* et le *pouvoir de coercition*.

Le pouvoir légitime

Le **pouvoir légitime** découle de l'autorité hiérarchique. Plus précisément, il correspond à la capacité qu'a le gestionnaire d'influencer le comportement de ses subordonnés en s'appuyant sur leur conviction que le patron a le *droit de commander*. Par exemple, le patron peut avoir l'autorité nécessaire pour approuver ou rejeter certaines requêtes de ses subordonnés: mutations, achats d'équipement, congés, heures supplémentaires, etc. Le pouvoir légitime est donc une forme unique de pouvoir dont dispose le gestionnaire du fait que ses subordonnés trouvent légitime qu'il commande en tant que titulaire d'un poste de gestion. Si cette légitimité disparaît, l'autorité n'est plus acceptée.

Les gestionnaires qui se fient uniquement au pouvoir légitime n'exercent pas leur influence bien longtemps. C'est l'erreur que commettent bien des gestionnaires débutants, qui croient qu'il suffit d'être «le patron», mais qui découvrent que les autres ne sont pas toujours enclins à les suivre.

Se fondant sur le principe d'acceptation de l'autorité, Chester Barnard appelle **zone d'indifférence** la zone à l'intérieur de laquelle les subordonnés consentent à obéir aux directives. Celle-ci correspond donc à l'éventail des demandes des supérieurs auxquelles un subordonné accepte de se conformer sans jugement ni critiques[9]. À l'intérieur de cette zone, les directives sont suivies sans discussion. En dehors de cette zone, elles ne sont pas considérées comme légitimes et, selon les cas, seront suivies ou non. La **figure 9.1** (p. 322) illustre la relation entre la zone d'indifférence et le contrat psychologique.

Pouvoir lié au poste
Pouvoir qui découle de la hiérarchie officielle ou de l'autorité conférée à une personne en raison du poste qu'elle occupe ou du rôle qu'elle assume

Pouvoir personnel
Pouvoir propre à la personne et généré par sa relation avec les autres

Pouvoir légitime
Capacité qu'a un gestionnaire d'influer sur le comportement de ses subordonnés en s'appuyant sur l'autorité hiérarchique qu'il détient

Zone d'indifférence
Éventail des demandes de ses supérieurs auxquelles un subordonné accepte de se conformer sans jugement ni critiques

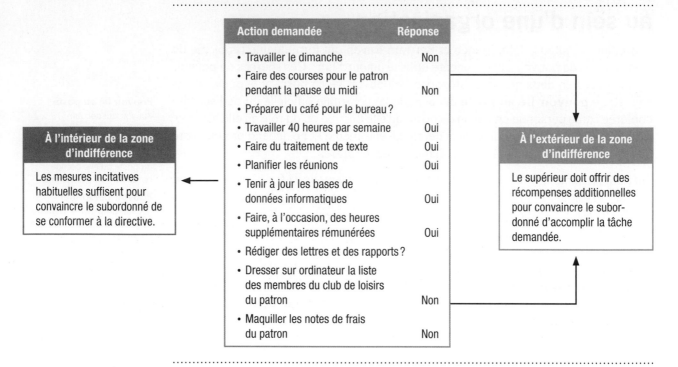

Action demandée	Réponse
• Travailler le dimanche	Non
• Faire des courses pour le patron pendant la pause du midi	Non
• Préparer du café pour le bureau ?	
• Travailler 40 heures par semaine	Oui
• Faire du traitement de texte	Oui
• Planifier les réunions	Oui
• Tenir à jour les bases de données informatiques	Oui
• Faire, à l'occasion, des heures supplémentaires rémunérées	Oui
• Rédiger des lettres et des rapports ?	
• Dresser sur ordinateur la liste des membres du club de loisirs du patron	Non
• Maquiller les notes de frais du patron	Non

À l'intérieur de la zone d'indifférence

Les mesures incitatives habituelles suffisent pour convaincre le subordonné de se conformer à la directive.

À l'extérieur de la zone d'indifférence

Le supérieur doit offrir des récompenses additionnelles pour convaincre le subordonné d'accomplir la tâche demandée.

Comme posséder une autorité officielle peut créer une distance hiérarchique qui isole les gestionnaires des employés, on observe, dans les organisations qui ont tendance à ne compter que sur le pouvoir légitime, l'existence d'une pensée hiérarchique. La **pensée hiérarchique** est une mentalité émanant d'un système hiérarchique qui crée une situation de supériorité chez les gestionnaires (c'est-à-dire «les supérieurs») et d'infériorité chez les employés (c'est-à-dire «les subordonnés»). La pensée hiérarchique constitue un problème, car elle mine le sens des responsabilités et l'initiative chez les employés, ce qui peut paralyser une organisation qui doit être flexible et évolutive pour survivre[10].

Pensée hiérarchique
Mentalité émanant d'un système hiérarchique selon laquelle les gestionnaires sont supérieurs et les subordonnés, inférieurs

Le pouvoir de récompense

Pouvoir de récompense
Capacité qu'a un individu d'influer sur le comportement d'autrui en lui offrant des récompenses ou en mettant fin à une situation désagréable

Le **pouvoir de récompense**, quant à lui, est la capacité qu'a un individu d'influer sur le comportement d'autrui en lui offrant des récompenses valorisées ou en mettant fin à une situation désagréable. Ainsi, le gestionnaire peut influer sur le comportement de ses subordonnés en leur offrant des récompenses – primes, promotions, compliments, enrichissement des tâches, etc. – ou en retirant des punitions – réprimandes, mesures disciplinaires, etc. Pour être efficaces, les récompenses doivent être perçues comme étant équitables. Le recours au pouvoir de récompense peut poser problème si les récompenses ne correspondent pas aux attentes. De plus, bien que l'octroi de récompenses puisse sembler éthique, tel n'est pas toujours le cas. Des gestionnaires sans scrupules peuvent recourir aux récompenses d'une manière contraire à l'éthique.

Les problèmes éthiques posés par les récompenses

Les mesures incitatives influencent fortement les employés. Les principales questions d'éthique soulevées par les systèmes de primes liées au rendement ont trait à la liberté d'action, à la légitimité et à la moralité. La liberté d'action renvoie à l'emprise qu'on pourrait vouloir exercer sur un individu par un contrôle des conséquences associées à son comportement. En termes plus simples, choisissez-vous d'adopter un comportement pour obtenir la prime qui y est associée? Par exemple, on demande souvent aux préposés au télémarketing de lire un texte contenant des allégations mensongères. S'ils lisent le texte tel quel, ils reçoivent une prime. S'ils y apportent des changements, ils n'en reçoivent pas. Cela encourage ces employés à agir d'une façon qu'on peut considérer comme contraire à l'éthique.

En outre, les primes sont considérées comme éthiques uniquement dans la mesure où une raison légitime les justifie et où elles n'ont pas d'incidence sur la moralité de la personne qui les reçoit. Par exemple, la prime du chef de la direction d'une entreprise peut dépendre de la croissance à court terme du prix de l'action de cette entreprise. Dans ce cas, elle peut être considérée comme illégitime si c'est la seule raison pour laquelle elle est offerte, la croissance du prix de l'action n'étant pas le seul objectif à atteindre pour l'entreprise. Plus la prime proposée pour la croissance du prix de l'action est importante, plus il y a de probabilités que le chef de la direction manipule les chiffres. Par exemple, si la prime proposée atteint des dizaines de millions de dollars, le chef de la direction pourra être tenté de privilégier des gains à court terme (comme la réduction des investissements en recherche et développement), aux dépens de profits à long terme. La prime pourra alors être considérée comme contraire à l'éthique, car elle pourra inciter le chef de la direction à remettre en question sa moralité.

Source: D'après Ruth W. Grant, « Ethics and Incentives: A Political Approach », *The American Political Science Review*, vol. 100, n° 1, 2006, p. 29-40.

QUESTIONS

Que feriez-vous si vous étiez un préposé au télémarketing auquel on donne à lire un texte comprenant des allégations qui, à votre connaissance, sont fausses? Et si votre patron vous offrait une prime pour chaque occasion où vous lisez ce texte et pour chaque vente que vous réalisez grâce aux renseignements qu'il renferme? Seriez-vous tenté de lire le texte et de réaliser la vente pour recevoir la prime?

Le pouvoir de coercition

S'il peut passer par la récompense, le pouvoir peut aussi s'exercer par la sanction. Par exemple, le gestionnaire peut menacer un subordonné de suspendre son augmentation salariale, de le muter, de le rétrograder ou de recommander son renvoi s'il ne se conforme pas à ses ordres. Cette capacité qu'a un individu d'influer sur le comportement d'autrui en lui refusant les récompenses qu'il convoite ou en le punissant s'appelle le **pouvoir de coercition**. Bien que le pouvoir de coercition soit parfois nécessaire pour corriger des problèmes de rendement ou de comportement, il peut réduire la force et la qualité des relations s'il n'est pas utilisé avec soin et modérément. Pour cette raison, les organisations ont souvent des politiques de gestion du personnel qui protègent les employés des abus et du pouvoir de coercition. Ainsi, l'étendue et l'importance de ce pouvoir varient, notamment, selon les organisations

Pouvoir de coercition
Capacité qu'a un individu d'influer sur le comportement d'autrui en lui refusant les récompenses qu'il convoite ou en le punissant

et selon le statut des personnes. Entre autres, la présence de syndicats et la politique organisationnelle en matière de gestion des ressources humaines peuvent encadrer son usage de manière très stricte et en réduire grandement la portée.

Le pouvoir personnel

Le pouvoir personnel émane de l'individu et de ses qualités personnelles, notamment de sa réputation, de son charme, de son charisme et de sa valeur perçue[11]. Comme ce pouvoir est propre à la personne et n'est pas lié au poste occupé, chaque membre de l'organisation peut le posséder, pas seulement ceux qui occupent des postes de gestion ou assument des rôles officiels. Le pouvoir personnel repose essentiellement sur l'*expertise* et la valeur de *référence*.

Même si une cuisine est remplie de talents, c'est le chef qui, de par ses connaissances, est le véritable détenteur du pouvoir d'expertise.

Pouvoir d'expertise
Capacité qu'a un individu d'influer sur le comportement d'autrui grâce aux connaissances, à l'expérience et au jugement qui lui sont propres et dont d'autres, qui ne les possèdent pas, ont besoin

Pouvoir de référence
Capacité qu'a un individu d'influer sur le comportement d'autrui parce que celui-ci veut s'identifier à lui, comme source de pouvoir

Le pouvoir d'expertise

Par **pouvoir d'expertise**, on entend la capacité qu'a un individu d'influer sur le comportement d'autrui grâce aux connaissances, à l'expérience et au jugement qui lui sont propres et dont d'autres, qui ne les possèdent pas, ont besoin. Le pouvoir d'expertise est souvent déterminé par le dossier de rendement de la personne au fil du temps et les autres sources d'information disponibles. Il dépend en grande partie de l'importance du secteur d'expertise. Les personnes possédant une expertise de la machine à vapeur ont peu de pouvoir d'expertise de nos jours, comparativement à celles qui sont expertes en biotechnologie. Le pouvoir d'expertise est un pouvoir relatif et non absolu. Par exemple, si vous êtes le meilleur cuisinier d'une cuisine, vous aurez un pouvoir d'expertise jusqu'au moment où arrivera un véritable chef. Ensuite, ce dernier détiendra le pouvoir d'expertise.

Le pouvoir de référence

Le **pouvoir de référence** est la capacité qu'a un individu d'influer sur le comportement d'autrui parce que celui-ci veut s'identifier à lui, comme source de pouvoir. L'identification provient d'un sentiment d'identité avec une autre personne, et elle est basée sur la volonté d'être associé à une autre personne ou de faire partie d'un groupe[12]. L'identification est une source du pouvoir de référence, car les personnes désirent se comporter, penser et être perçues de façon très semblable à l'agent d'influence. Les personnes détenant un pouvoir de référence sont respectées par les autres. Même si le pouvoir de référence est une source précieuse de pouvoir pour tout un chacun, il peut varier. Pour conserver leur pouvoir de référence, les personnes qui le possèdent vivent constamment sous la pression de maintenir leur image exemplaire et de correspondre aux attentes des autres.

Le pouvoir de l'information

Pouvoir de l'information
Forme de pouvoir qui résulte de l'accès à l'information et de la mainmise qu'on a sur elle

Le **pouvoir de l'information** est une autre forme de pouvoir qui joue un rôle important dans les organisations. Il peut être lié au poste ou être personnel. Le pouvoir de l'information résulte de l'accès à l'information et de la mainmise qu'on a sur elle[13]. Il peut provenir du poste qu'occupe une personne au sein de l'organisation, par exemple l'information que détient un gestionnaire du fait d'être dans la chaîne hiérarchique. Il peut aussi provenir des réseaux informels d'une personne, qui est alors «dans le secret des dieux», par exemple les relations personnelles avec d'autres personnes ayant accès à l'information. Les personnes qui ont le pouvoir de l'information peuvent l'utiliser à leur guise. Certaines le protégeront alors que d'autres le partageront afin de construire des relations plus personnelles et des réseaux plus importants dans l'organisation.

Le pouvoir de l'information vient toutefois avec une mise en garde. Les personnes qui détiennent un tel pouvoir doivent s'assurer de ne pas dévoiler de l'information confidentielle. Enfreindre la confidentialité et la confiance peut entraîner la perte de relations, ce qui peut nuire à toutes les formes de pouvoir qu'une personne peut détenir au sein d'une organisation.

DU CÔTÉ DE LA PRATIQUE

Flirter et bavarder pour réussir

Vous avez sûrement remarqué un peu de flirt et de bavardage amical au travail. Comment avez-vous réagi? Et, surtout, vous êtes-vous dit qu'il y avait un but derrière tout ça? Il n'est pas question de relations amoureuses ici, mais plutôt d'une personne qui réussit à obtenir une chose liée au travail de la part d'une autre personne qui contrôle cette chose. Le petit flirt rapide ou le bavardage amical est une tentative de rendre une relation de travail un peu plus personnelle et d'obtenir un traitement favorable.

Il faut exercer beaucoup d'influence personnelle pour faire avancer les choses dans les lieux de travail collaboratifs. De ce fait, l'influence officielle, qui va de haut en bas, perd de son importance au profit de celle qui s'exerce entre collègues et qui, elle, se déplace horizontalement, de bas en haut et de manière informelle. Dans ce contexte, le flirt et le bavardage peuvent être considérés comme une stratégie d'influence. Mais est-ce une bonne stratégie?

Quelles en sont les limites? Doit-on en vouloir au collègue qui se montre doué en la matière?

La recherche d'Arthur Brief et ses collègues, chercheurs en comportement organisationnel, pourrait mettre un frein à toute envie de flirter. Bien que 50,6 % des femmes diplômées des écoles commerciales interrogées dans leur étude ont dit avoir flirté pour obtenir de l'avancement, celles qui n'avaient pas flirté obtenaient des salaires plus élevés et avaient été promues plus souvent que les autres. La coauteure Suzanne Chan-Serafin affirme: «Au travail, lorsque les femmes utilisent leur pouvoir de séduction, elles sont considérées comme étant plus féminines, donc "moins égales". La recherche a démontré que la séduction est vraiment une source de pouvoir à court terme.»

Mais le monde du CO est compliqué et subtil. Une étude sur le flirt lors de négociations a fait valoir son côté positif. La professeure Laura Kay et ses collègues ont constaté que le «charme féminin» fonctionnait bien lors de négociations, pourvu qu'il demeure à l'intérieur de certaines limites. Selon eux, la clé est d'éviter le flirt sexuel. «[...] flirtez en conservant votre propre personnalité. Soyez vrai. Amusez-vous.»

Est-il temps d'augmenter les bourses d'études en CO dans ce domaine? Pourquoi l'accent est-il mis sur les femmes? Qu'en est-il des hommes qui flirtent pour avoir de l'avancement? À quel moment le flirt franchit-il les limites pour devenir du harcèlement sexuel? Soyez à l'affût du flirt au bureau: il peut être plus révélateur que vous ne le pensez.

Le pouvoir des relations

De nos jours, dans la société interconnectée et les organisations axées sur la connaissance, le pouvoir des relations, provenant des réseaux et des liens établis avec d'autres personnes, est de plus en plus crucial. Le **pouvoir des relations** est la capacité d'être à même de compter sur ses liens et ses réseaux, à l'intérieur comme à l'extérieur de l'organisation, pour accomplir ses tâches et atteindre ses objectifs[14]. C'est une autre forme de pouvoir qui recoupe le pouvoir lié au poste et le pouvoir personnel. Les deux formes que peut prendre le pouvoir des relations sont le *pouvoir d'association* et les *alliances réciproques*.

Le pouvoir d'association

Le **pouvoir d'association** provient de la relation établie avec une personne puissante dont les autres dépendent. Les personnes détiennent un pouvoir d'association lorsqu'elles connaissent des individus occupant des postes clés ou qu'elles ont des réseaux de relations influentes pouvant les mettre en contact avec d'autres personnes influentes. C'est le pouvoir d'association que l'on décrit si on dit « Ce n'est pas tant *ce que* vous connaissez que *qui* vous connaissez ». Le pouvoir d'association est important, car beaucoup de choses peuvent être accomplies grâce aux relations et aux réseaux. Le pouvoir d'association peut vous aider à contourner la bureaucratie, à obtenir des commandites et des promotions, et vous donner accès à des postes et des ressources pour atteindre vos objectifs.

Les alliances réciproques

Les **alliances réciproques** décrivent une forme de pouvoir basée sur les relations réciproques avec autrui. La réciprocité est ce concept qui veut qu'une personne à qui on rend service se sent obligée de faire quelque chose en retour. Par exemple, si un ami fait un détour pour vous conduire à la maison et que vous lui dites « Je t'en dois une », vous reconnaissez le fait que vous lui serez redevable jusqu'à ce que vous puissiez lui rendre la pareille. Cette obligation de réciprocité relie les personnes au sein de réseaux de relations.

Une personne à qui on rend service se sent obligée de faire quelque chose en retour : c'est le concept de la réciprocité.

Les réseauteurs efficaces reconnaissent que la réciprocité et les alliances réciproques constituent d'excellents moyens d'établir des réseaux solides dans les organisations. La recherche a montré que les cadres qui se classent constamment parmi les 20 % des dirigeants de leur entreprise présentant le meilleur rendement et la plus grande satisfaction au travail ont bâti de solides réseaux constitués de relations d'excellente qualité dans divers secteurs et à tous les échelons de la hiérarchie de l'entreprise. De tels réseaux se caractérisent par un échange de ressources et de soutien, y compris l'accès à l'information, l'expertise, les pratiques exemplaires, le mentorat, la rétroaction constructive et le soutien politique[15].

Pouvoir des relations
Forme de pouvoir provenant de la capacité d'être à même de compter sur ses liens et ses réseaux, à l'intérieur comme à l'extérieur de l'organisation, pour accomplir ses tâches et atteindre ses objectifs

Pouvoir d'association
Forme de pouvoir provenant de la relation établie avec une personne puissante dont les autres dépendent

Alliances réciproques
Forme de pouvoir provenant de relations avec les autres établies grâce à la réciprocité (soit un échange de pouvoir ou de faveurs favorisant les gains mutuels lors d'opérations organisationnelles)

Lorsqu'il est question de réseautage...

Les gestionnaires les plus performants ont des réseaux qui leur donnent accès à des personnes qui :

- peuvent leur offrir de nouveaux renseignements ou de l'expertise ;
- détiennent un pouvoir officiel ;
- sont des leaders informels puissants ;
- leur donnent de la rétroaction constructive ;
- remettent leurs décisions en question et les poussent à être meilleurs.

Les réactions à l'exercice du pouvoir et de l'influence

Le pouvoir est relationnel. Pour déterminer si vous avez du pouvoir, vous devez observer comment les autres réagissent à vos tentatives de les influencer. Si les personnes ne se plient pas à vos demandes, c'est que vous n'avez pas de pouvoir. Cela signifie que, pour comprendre le pouvoir, vous devez tenir compte de la réaction des autres à vos demandes et à votre influence.

La conformité

Au cours des premières recherches scientifiques sur le pouvoir et l'influence, Herbert Kelman a déterminé les trois niveaux de conformité qu'une personne peut adopter en réaction à la tentative d'influence de la part d'une autre personne : *soumission, identification,* et *intériorisation.*

Il y a soumission lorsqu'une personne répond aux demandes d'autrui non par conviction, mais plutôt en raison des récompenses qui s'ensuivront ou des punitions qu'elle évitera.

Soumission

Il y a **soumission** lorsqu'une personne se conforme à la volonté d'autrui en raison des effets positifs ou négatifs qui en découlent. Lorsqu'une personne se soumet aux demandes d'autrui, elle ne se plie pas par conviction, mais plutôt en raison des récompenses qui s'ensuivront ou des punitions qu'elle évitera. Si vous suivez un cours obligatoire sur un sujet qui ne vous intéresse pas ou que vous étudiez seulement parce que vous devez le faire, vous vous soumettez. Dans ce cas, la motivation est essentiellement extrinsèque ; vous vous conformez en vue d'obtenir une récompense particulière ou d'éviter une punition qui serait associée à la non-conformité.

Comme la soumission est associée à une forme extrinsèque de motivation, on fournit un effort minimal pour accomplir l'action demandée, un effort proportionnel à la récompense ou à la punition. C'est pour cette raison que ce n'est pas une stratégie d'influence très efficace à long terme. De plus, elle requiert une surveillance de la part

Soumission
Réaction à l'exercice du pouvoir qui consiste à se conformer à la volonté d'autrui, non pas par conviction, mais plutôt en raison des récompenses qui s'ensuivront ou des punitions qui seront évitées

de la direction. Par exemple, si les employés ne sont pas véritablement engagés envers l'objectif organisationnel d'offrir un excellent service à la clientèle, ils travailleront moins lorsque leur superviseur ne surveillera pas leur comportement.

Adhésion

Il y a **adhésion** lorsqu'une personne se conforme à la volonté d'autrui, non pas par devoir ou par obligation, mais par conviction; elle y adhère parce qu'elle est d'accord avec l'action demandée et fait preuve d'initiative et de persistance dans son accomplissement. Kelman distingue deux formes d'adhésion dans la réponse aux tentatives d'influence : *identification* et *intériorisation*.

Il y a **identification** lorsqu'une personne se conforme à la volonté d'une autre personne parce qu'elle veut maintenir une relation positive avec elle[16]. Les étudiants qui deviennent membres d'une association étudiante acceptent l'influence de leurs pairs parce qu'ils s'identifient à l'organisation et veulent faire partie du groupe.

Il y a **intériorisation** lorsqu'une personne se conforme à la volonté d'autrui parce que la demande est en accord avec son système de valeurs, avec ses convictions. Par exemple, les membres d'organisations religieuses obéissent aux ordres de l'Église, car ils croient profondément aux principes et à la philosophie qui y sont prônés.

FIGURE 9.2 **Les réactions à l'exercice du pouvoir**

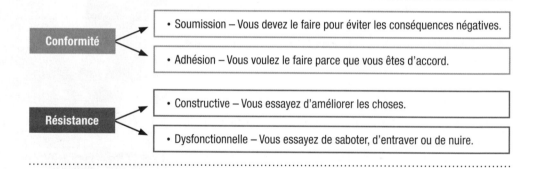

Conformité
- Soumission – Vous devez le faire pour éviter les conséquences négatives.
- Adhésion – Vous voulez le faire parce que vous êtes d'accord.

Résistance
- Constructive – Vous essayez d'améliorer les choses.
- Dysfonctionnelle – Vous essayez de saboter, d'entraver ou de nuire.

La résistance

En réaction à l'exercice du pouvoir, les personnes peuvent se conformer, mais elles peuvent aussi résister. Lorsqu'elles résistent, elles disent non, donnent des excuses, gagnent du temps et contestent même la demande. Les personnes utilisent deux principaux types de stratégies de résistance lorsqu'elles perçoivent la demande de leur superviseur comme étant irréaliste : la résistance constructive et la résistance dysfonctionnelle[17].

Résistance constructive

La **résistance constructive** est caractérisée par une dissidence réfléchie visant à défier de manière constructive l'agent d'influence afin que ce dernier revoie sa position. Les personnes utilisant la résistance constructive suggèrent d'autres actions, tout en expliquant leur non-conformité. Elles agissent ainsi dans l'espoir d'amorcer un dialogue pour essayer de trouver une solution plus appropriée à un problème[18].

Résistance dysfonctionnelle

La **résistance dysfonctionnelle** implique de faire fi de la demande de l'agent d'influence ou de l'écarter[19]. Les employés qui utilisent la résistance dysfonctionnelle essaient, de manière plutôt passive, de nuire au gestionnaire ou de le discréditer en perturbant le travail (par exemple en ne tenant pas compte de ses demandes, en faisant des efforts sans conviction ou simplement en refusant de se conformer en disant non).

Les études sur la résistance dysfonctionnelle démontrent que les employés ont plus tendance à émettre un refus lorsque leurs superviseurs sont offensants, mais cela peut aussi dépendre de leur personnalité. Les employés consciencieux sont davantage portés à utiliser la résistance constructive, alors qu'à l'opposé les employés moins consciencieux ont plus tendance à utiliser la résistance dysfonctionnelle[20]. De plus, les employés qui ont recours à la résistance constructive sont plus susceptibles de recevoir des évaluations positives sur leur rendement de la part des gestionnaires, alors qu'à l'inverse, les employés utilisant la résistance dysfonctionnelle risquent davantage de recevoir des évaluations négatives sur leur rendement de la part de leurs gestionnaires[21].

Le pouvoir et la corruption

On a tous entendu l'expression « Le pouvoir tend à corrompre et le pouvoir absolu corrompt absolument ». Mais pourquoi ? Qu'est-ce qui fait que des personnes qui détiennent du pouvoir en viennent à perdre leur bon sens et à commettre des actes répréhensibles qui peuvent leur causer du tort ou nuire aux autres ?

Le succès, parfois, aveugle et corrompt certains dirigeants qui finissent par abuser du respect et de l'admiration qu'on leur témoigne : c'est ce qu'on appelle le syndrome de Bethsabée.

Dean Ludwig et Clinton Longenecker appellent ce problème le **syndrome de Bethsabée**[22], un nom inspiré du récit biblique du roi David, dirigeant respecté et admiré qui, aveuglé par ses succès, est entraîné dans une spirale de décisions immorales. En fait, il se sent si privilégié et devient si imbu de lui-même qu'il s'approprie la femme d'un autre homme, Bethsabée, tout en essayant de dissimuler son geste par la supercherie et le meurtre. Cela décrit ce qui arrive à des hommes ou à des femmes intelligents et intègres qui, alors qu'ils semblent tout avoir – et même s'ils savent que ce qu'ils font est mal –, adoptent un comportement immoral et égoïste, croyant faussement qu'ils ont le pouvoir de tout dissimuler.

La leçon à tirer du syndrome de Bethsabée est que le pouvoir, si on n'y est pas préparé, peut entraîner la corruption, ce qui peut avoir des effets dévastateurs. Afin d'éviter le syndrome de Bethsabée, il faut se préparer au succès. Le succès peut rendre suffisant. Les personnes qui y accèdent peuvent se sentir invulnérables et devenir égocentriques, ce qui leur fait perdre le sens des réalités. Le pouvoir peut avoir un effet enivrant qui entraîne le désir d'en posséder toujours plus.

Bref, celui qui sait bien gérer le pouvoir reste humble, s'entoure de personnes capables de le remettre en question, de l'aider à rester les deux pieds sur terre, de conserver le sens des réalités. Être en position de pouvoir signifie aussi agir de façon responsable relativement au pouvoir des autres.

Corruption, célébrité et pédophilie

C'est un tableau plutôt sinistre. Plus de 200 cas d'agressions sexuelles s'étalant sur un demi-siècle et des victimes âgées d'aussi peu que huit ans. Les agressions ont eu lieu dans des studios de télévision ainsi que dans des hôpitaux, des résidences pour handicapés mentaux et autres établissements de soins pour personnes vulnérables. À l'hôpital Stoke Mandeville, lieu de 24 agressions à lui seul, l'agresseur a pu conserver un logement et un bureau, et circuler sans problème en tant que portier honoraire après avoir amassé des millions en dons pour l'unité des blessures médullaires.

Qui était ce monstre? Et quelle sorte de société a permis une telle chose?

Il s'agit de Jimmy Savile, un des animateurs de télévision les plus connus de Grande-Bretagne, admiré pour ses mises en scène loufoques et son côté abordable de «gars ordinaire». On lui vouait un culte d'autant plus grand qu'il consacrait beaucoup de temps à des œuvres de charité. Fait chevalier par le pape Jean-Paul II et la reine Elizabeth II, il était intouchable. Comme l'a dit un policier, «Ça se résumait ainsi: veut-on vraiment s'en prendre à cet homme, saint Jimmy, qui fait toutes ces collectes de fonds et qui connaît toutes ces personnes»? Même si ses «activités» étaient un secret de Polichinelle pour bon nombre de ses collaborateurs, et même si Jimmy Savile lui-même avait avoué son penchant pour les très jeunes filles dans son livre, il a échappé au système judiciaire. Il est décédé à l'âge de 84 ans sans jamais avoir fait face à une seule accusation.

C'est l'histoire d'un homme devenu une *star* nationale qui se cachait au vu et au su de tous, et d'une société qui a permis que des choses horribles se produisent. Les victimes de Savile ne pouvaient pas parler, tandis que les journalistes, les policiers et les employés de la télévision qui savaient ce qui se passait ont *choisi* de ne pas parler.

QUESTIONS

«Cette sordide affaire, a dit un enquêteur, a démontré les véritables conséquences de ce qui arrive lorsque la vulnérabilité se heurte au pouvoir.» Que peut-on faire pour être moins soumis à l'influence corruptrice du pouvoir? Comment pouvez-vous vous responsabiliser afin de dénoncer les méfaits dont vous êtes témoin? On sait aujourd'hui que c'est la culture dysfonctionnelle et hautement hiérarchisée de la BBC, caractérisée par des factions rivales, une mauvaise communication et la déresponsabilisation, qui a permis de dissimuler le scandale. Que peut-on faire pour prévenir un tel climat politique au sein d'une organisation? Que feriez-vous si vous travailliez dans une telle organisation?

Le jeu politique en milieu organisationnel

Toute étude du pouvoir et de l'influence conduit inévitablement à parler de *politique*. Pour plusieurs personnes, ce mot évoque les tractations, faveurs et relations personnelles bien placées. Cette vision est peut-être attribuable au *Prince* de Machiavel, œuvre à laquelle nous avons fait référence au chapitre 2. Dans ce classique du 16e siècle, l'auteur, tout en expliquant comment obtenir et garder le pouvoir par le jeu politique, finit par décrire la politique comme un ramassis de pratiques douteuses, sinon carrément malhonnêtes, visant un résultat fort discutable. Dans le contexte des organisations, il est important d'adopter un point de vue plus large sur le jeu politique[23].

Le jeu politique en milieu organisationnel : deux perspectives

On peut analyser le **jeu politique en milieu organisationnel** selon deux perspectives très différentes.

La première perspective, s'appuyant sur la philosophie de Machiavel, associe le jeu politique à la *promotion d'intérêts personnels* et au *recours à des moyens peu scrupuleux*. Dans cette optique, le jeu politique en milieu organisationnel consisterait à exercer le pouvoir pour parvenir à des fins que l'organisation désapprouve ou pour obtenir des résultats qu'elle approuve, mais par des moyens qu'elle réprouve. On considérera donc qu'un gestionnaire se livre au jeu politique quand il privilégie ses propres objectifs, qu'il utilise des méthodes que l'organisation interdit ou qu'il outrepasse les limites de la légitimité.

> **Jeu politique en milieu organisationnel**
> Selon deux perspectives : (1) Exercice du pouvoir pour parvenir à des fins que l'organisation désapprouve ou pour obtenir des résultats qu'elle approuve, mais par des moyens qu'elle réprouve ; (2) Art d'élaborer des compromis originaux pour concilier des intérêts rivaux

La deuxième perspective définit le jeu politique comme une fonction rendue nécessaire par les divergences d'intérêts personnels entre les intervenants. Le jeu politique en milieu organisationnel devient ici un art d'élaboration de compromis originaux visant à concilier des intérêts rivaux. Dans cette optique, l'entreprise n'est plus seulement le lieu où on accomplit une tâche ou qui rassemble des personnes ayant un but commun : c'est un milieu où on doit tenir compte des intérêts de ces personnes, des intervenants et de la société, intérêts qui ne concordent pas forcément.

On assiste au côté sombre du jeu politique lorsque le gestionnaire privilégie ses propres objectifs, utilise des méthodes que l'organisation interdit ou outrepasse les limites de la légitimité.

Dans une société hétérogène, les personnes ne s'entendent pas toujours. Aux intérêts particuliers de quels membres la priorité devrait-elle donc être accordée ? Quelles personnes devraient faire primer l'intérêt collectif sur leurs préoccupations personnelles ? Le jeu politique découle tout simplement de la nécessité, pour les membres d'une société ou d'un groupe donné, d'éviter les conflits et de parvenir à des compromis permettant de vivre ensemble.

Il en va de même dans les organisations. Si les personnes se rassemblent, travaillent ensemble et se côtoient toute la journée, c'est en définitive parce qu'elles y trouvent personnellement leur compte. De plus, il ne faut pas oublier que les objectifs de l'organisation et les moyens acceptables de les atteindre sont décidés par les personnes les plus puissantes et les plus influentes, au terme d'une négociation avec les autres membres. Le jeu politique au sein des organisations peut donc aussi être envisagé comme une manière d'exercer le pouvoir en vue de déterminer, selon des critères socialement acceptables, tant les fins qu'elles poursuivent que les moyens à prendre pour concilier les intérêts personnels et ceux de la collectivité.

Pourquoi le jeu politique en milieu organisationnel ?

Le jeu politique est inévitable en milieu organisationnel. Tout simplement parce que, dans les organisations, des systèmes formels tout autant que des systèmes informels sont présents[24]. Les **systèmes formels** qu'on y trouve indiquent ce qui doit être fait et de quelle façon on doit coordonner et structurer les processus. Ils représentent le côté « rationnel » des organisations, celui qui contrôle les comportements et réduit l'incertitude. Toutefois, ce ne sont pas tous les comportements en milieu organisationnel qui peuvent être prescrits ; les **systèmes informels** permettent donc de combler ces vides. Les systèmes informels constituent des modèles d'activité et de relations qui émergent au gré des activités quotidiennes alors que des personnes et des groupes travaillent pour atteindre des objectifs. Ils peuvent facilement être modifiés et surgissent au fil des relations personnelles. Par exemple lorsqu'un vendeur utilise sa relation personnelle avec le ou la responsable de l'exploitation en vue d'accélérer la commande d'un client, il a recours à un système informel.

Ainsi, le jeu politique en milieu organisationnel réfère aux efforts que consacrent les membres de l'organisation à l'obtention des ressources et à l'atteinte des objectifs souhaités par l'entremise de systèmes et de structures informels. Le jeu politique représente la façon dont les personnes évoluent dans les organisations, comment elles obtiennent du pouvoir et l'utilisent, et comment elles atteignent leurs objectifs (pour le meilleur et pour le pire) en adoptant des comportements autres que ceux qui leur sont prescrits.

Le jeu politique et la défense des intérêts personnels

Tout comme le pouvoir, le jeu politique en milieu organisationnel n'est ni bon ni mauvais en soi. Tout dépend de la manière de l'utiliser. Il est positif lorsqu'il fait avancer les intérêts de l'organisation et qu'il ne nuit pas volontairement aux personnes. Il est négatif lorsque des personnes ne travaillent que dans leurs propres intérêts en nuisant aux autres et à l'organisation.

Il est question de **jeu politique intéressé** lorsque des personnes cherchent à s'approprier pour leur propre avantage des résultats qui, autrement, auraient été ambigus. Ce qui rend le tout plus compliqué, c'est que tout le monde ne s'entend pas sur l'intérêt le plus important. Le jeu politique intéressé est celui qui avantage, protège ou améliore certains intérêts personnels sans tenir compte du bien-être des collègues ou de l'organisation dans son ensemble[25]. Il comprend les activités politiques illégitimes, telles que la rémunération et les promotions basées sur le favoritisme, le processus du bouc émissaire, les manœuvres déloyales et l'utilisation d'information et de coalitions comme outil politique pour se rehausser ou pour nuire aux autres.

Système formel
Système organisationnel qui détermine ce qui doit être fait et comment les processus de travail doivent être coordonnés et structurés

Système informel
Modèle d'activité et de relations qui émerge au gré des activités quotidiennes alors que des personnes et des groupes travaillent pour atteindre des objectifs

Jeu politique intéressé
Jeu politique qui se manifeste lorsque des personnes travaillent de façon à s'approprier, pour leur propre avantage, des résultats qui, autrement, seraient ambigus, sans se préoccuper des collègues ou de l'organisation

Le jeu politique et l'éthique

Comme le jeu politique relève du système informel et émane d'une initiative personnelle échappant à des prescriptions socialement établies, il doit s'appuyer sur des préceptes éthiques. Comme nous l'avons mentionné précédemment, le jeu politique en milieu organisationnel n'est ni bon ni mauvais en soi. Un comportement politique qui respecte les critères éthiques est positif. Les études sur l'éthique liée au pouvoir et au jeu politique ont permis d'élaborer le modèle intégré d'analyse du comportement politique représenté à la **figure 9.3** (p. 334). D'après ce modèle, conçu par Cavanagh, Moberg et Velasquez, un comportement est conforme à l'éthique s'il répond aux critères suivants[26] :

- Il engendre «le plus grand bien pour le plus grand nombre»; autrement dit, il optimise la satisfaction des intérêts des diverses parties prenantes, tant à l'intérieur qu'à l'extérieur de l'organisation (*point de vue utilitariste*).

- Il respecte les droits de toutes les parties, notamment les droits de la personne : droit à la liberté de consentement, droit de parole et de conscience; droit au respect de la vie privée et droit à un procès équitable (*point de vue moraliste*).

- Il respecte les règles et les procédures organisationnelles dans tous les cas où elles s'appliquent, selon les principes de la justice procédurale, et garantit à toutes les personnes un traitement juste et équitable, selon les principes de la justice distributive (*point de vue de la justice sociale*).

Toutefois, un comportement qui ne respecte pas tous ces critères n'est pas nécessairement contraire à l'éthique. Il peut en effet se justifier d'un point de vue éthique dans des situations particulières où interviennent des *facteurs transcendants* pouvant se manifester ainsi :

- *Il y a conflit entre divers critères.* Ainsi, il peut y avoir conflit entre le critère de l'utilitarisme et celui des droits. Le comportement adopté va dans le sens des intérêts du plus grand nombre, mais au détriment des droits d'une des parties impliquées. Par exemple un gestionnaire met l'un des membres de son personnel sur table d'écoute, brimant ainsi ses droits, parce que c'est la seule façon qu'il a de prouver que ce dernier se livre à des pratiques frauduleuses préjudiciables à l'organisation et, le cas échéant, à des tiers. Dans un tel contexte, le caractère *éthique* ou *non éthique* de la conduite dépend de l'importance relative accordée à chacun de ces critères.

Un comportement est conforme à l'éthique s'il optimise la satisfaction du plus grand nombre, respecte les droits de tous et leur garantit un traitement juste et équitable.

- *Il y a conflit au sein d'un même critère.* Ainsi, les intérêts de deux groupes peuvent être en opposition et leur satisfaction, très difficile, sinon impossible. Par exemple, un gestionnaire met en place un programme de rationalisation qui améliore la rentabilité financière de l'entreprise et le rendement des investissements des actionnaires. Cependant, ce programme suppose d'importantes compressions de personnel, ainsi qu'une détérioration des conditions d'emploi et une surcharge de travail pour ceux qui demeurent en poste. Dans un tel contexte, c'est la prédominance accordée aux intérêts des uns ou des autres qui détermine le caractère *éthique* de la prise de décision.

- *L'incapacité d'adhérer à un de ces critères.* Il en est ainsi lorsque le comportement s'appuie sur des données erronées ou incomplètes. Par exemple, un gestionnaire approuve des modifications dans la fabrication de certains produits, sans connaître les effets néfastes qu'auront à long terme les nouveaux matériaux sur l'environnement. Une personne ne peut pas être tenue responsable de conséquences pour lesquelles elle n'avait pas d'information.

Adopter et maintenir un comportement éthique peut exiger d'importants sacrifices personnels. Cela suppose de renoncer aux rationalisations habituelles pour justifier des entorses à l'éthique : (1) ce comportement n'est pas vraiment illégal, il peut donc être considéré comme moralement acceptable ; (2) ce comportement va, somme toute, dans le sens des intérêts de l'organisation ; (3) ce comportement n'aura pas de conséquences puisqu'il ne sera sans doute jamais découvert, et encore moins révélé au grand jour ; (4) ce comportement est une preuve de loyauté envers le patron ou l'organisation, ou une preuve du désir de servir les intérêts à court terme des actionnaires. Bien qu'elles soient séduisantes *a priori*, de telles rationalisations doivent être soumises à un examen scrupuleux, sinon il y a risque de basculer du côté le plus discutable et le plus sordide du jeu politique.

FIGURE 9.3 **Un modèle intégré d'analyse du comportement politique au sein des organisations**

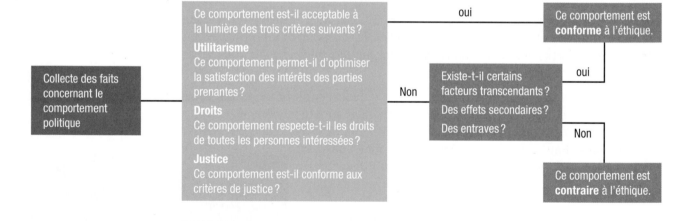

Le climat politique

Climat politique

Perception qu'ont les membres d'une organisation concernant le jeu politique qui s'y déroule

Le **climat politique** réfère à la perception qu'ont les membres d'une organisation du jeu politique qui s'y déroule. Il indique si les personnes d'une organisation travaillent conformément aux politiques et procédures officielles ou si elles les contournent pour effectuer leurs tâches[27]. Lorsque les personnes contournent les politiques et les procédures officielles, le climat est perçu comme étant plus politique. Un climat moins politique implique des activités plus directes et plus claires, ce qui laisse moins de place à l'interprétation et à l'examen des comportements se déroulant dans les coulisses.

Systèmes informels et contournements

Comme le jeu politique se manifeste dans les systèmes informels et par leur entremise, des climats politiques organisationnels émergent dans la mesure où les personnes pratiquent des **contournements**. Il est question de contournements lorsque les personnes enfreignent les règles dans le but d'accomplir une tâche ou d'atteindre un objectif parce que la méthode ou le processus conventionnel ne produit pas le résultat escompté[28]. Les contournements peuvent se manifester sous diverses formes : demander de l'aide à des personnes influentes de son réseau, exploiter les failles d'un système ou utiliser ses relations pour avoir accès à de l'information utile ou pour influencer des décisions.

La nature des contournements et les raisons pour lesquelles ils se manifestent influent sur la façon dont le climat politique est perçu. Les contournements qui avantagent une personne ou une unité de travail au détriment des autres peuvent engendrer des comportements similaires, alimentant ainsi des climats politiques dysfonctionnels. Toutefois, lorsque les contournements sont utilisés dans l'intérêt de l'organisation, comme lorsqu'une faille dans une politique est utilisée pour rendre le processus plus efficace ou pour contribuer à un nouveau service novateur, ils contribuent à l'avancement de l'organisation. Dans ce cas, ils ont un but fonctionnel[29].

Contournement
Situation où les personnes enfreignent les règles dans le but d'accomplir une tâche ou d'atteindre un objectif parce que la méthode ou le processus conventionnel ne produit pas le résultat escompté

Relations et perceptions

Deux personnes appartenant à un même groupe de travail peuvent percevoir le climat politique de façon très différente. La différence de perception s'explique par le statut et le pouvoir de chacune dans le système politique. Pour une personne au courant de tout et ayant de multiples relations, le climat politique sera probablement perçu comme étant très positif. Pour la personne n'ayant pas les mêmes avantages, le climat politique pourra être perçu comme étant très négatif.

Les individus qui ont des relations avec des personnes en position de pouvoir voient le climat politique comme étant un élément crucial et important pour leur avancement professionnel. Ceux qui sont en « dehors du cercle » et qui n'ont pas accès au pouvoir et au statut organisationnels ont une perception beaucoup plus négative du jeu politique en milieu organisationnel. De leur point de vue, le jeu politique est une récompense pour les employés qui utilisent des tactiques manipulatrices en s'attribuant, par exemple, le mérite du bon travail des autres ou en utilisant des relations pour créer un avantage déloyal. Les individus qui ont une perception négative du jeu politique en milieu organisationnel vivent souvent plus de tension et de stress, sont moins satisfaits de leur emploi et moins engagés au sein de l'organisation, ce qui résulte en un roulement de personnel accru[30].

Naviguer dans l'univers politique organisationnel

Le pouvoir et le jeu politique font partie des réalités de toutes les organisations. Pour atteindre ses objectifs dans l'univers organisationnel, il faut donc apprendre à gérer avec succès ces forces en présence. Ceux qui jonglent malhabilement avec le jeu politique en milieu organisationnel sont défavorisés sur le plan des augmentations de salaire et des promotions, et peuvent même éprouver de la difficulté à conserver leur emploi.

Pour bien naviguer dans la sphère du pouvoir et du jeu politique, il faut apprendre à gérer son attitude et son comportement. Les personnes apolitiques ou cyniques vis-à-vis du pouvoir risquent de ne pas obtenir de promotion et d'être tenues à l'écart des décisions et des activités importantes de l'organisation. Celles qui utilisent trop le jeu politique ou qui abusent de leur pouvoir peuvent être perçues comme étant machiavéliques ou égocentriques. Au bout du compte, ces personnes peuvent perdre leur crédibilité et leur influence. Par conséquent, recourir de façon modérée aux comportements politiques prudents aide à la survie. On y arrive en saisissant comment renforcer les assises de son pouvoir, améliorer ses compétences politiques et bâtir des réseaux solides et efficaces.

Renforcer les assises de son pouvoir

Assises du pouvoir
Sources de pouvoir que les personnes acquièrent et utilisent au sein des organisations

Pour être capable de gérer le pouvoir et de maîtriser le jeu politique, vous devez renforcer les assises de votre pouvoir, qu'il soit personnel, lié à votre poste, à l'information que vous détenez ou à vos relations. Les **assises du pouvoir** sont les sources de pouvoir (poste, qualités personnelles, information ou relations) que les personnes acquièrent et utilisent au sein des organisations. Comme on peut le voir à la **figure 9.4**, ces sources de pouvoir peuvent aider à naviguer dans le climat politique d'une organisation. Les personnes n'ayant pas établi de solides assises de pouvoir sont plus susceptibles d'être impuissantes. Un manque de pouvoir limite la capacité d'exercer une véritable influence. Les personnes ayant du pouvoir sont plus en mesure de faire avancer d'importants projets et d'avoir accès à des ressources importantes. Elles peuvent aussi mieux se protéger contre d'autres personnes ayant du pouvoir. Par conséquent, les assises de votre pouvoir doivent être mises en place avant que vous en ayez besoin. Si vous tentez de les établir seulement au moment où vous en avez besoin, il est probablement trop tard.

FIGURE 9.4 **Renforcer les assises de son pouvoir**

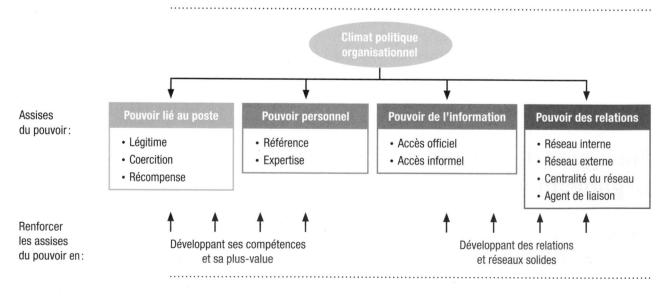

PARTIE 4 / Les processus sociaux et d'influence en milieu organisationnel

Il y a deux principales façons de renforcer les assises de son pouvoir en milieu organisationnel. La première est d'améliorer ses compétences et de devenir une plus-value pour l'organisation. Vous renforcez ainsi votre pouvoir personnel et celui lié à votre poste en démontrant votre capacité à atteindre un rendement élevé et à acquérir des compétences difficiles à remplacer. Avec des compétences élevées et une plus-value, une personne se rend indispensable. Elle augmente la dépendance des autres envers elle. L'objectif, pour les personnes, est d'accroître leur **non-substituabilité** en rendant leur travail plus essentiel, pertinent, visible et central pour le rendement de l'organisation.

La deuxième façon de renforcer les assises de son pouvoir est de consolider ses pouvoirs de l'information et des relations. Pour y parvenir, vous devez bâtir des liens et des réseaux. Le pouvoir de l'information provient de l'accès officiel à l'information (par exemple les réunions, groupes de travail, courriels, documents sur les politiques), de l'accès informel à l'information (par exemple le bouche-à-oreille, les discussions de couloirs) et des occasions de transmettre cette information à d'autres personnes (par exemple en annonçant aux autres un changement organisationnel)[31]. Les personnes qui misent sur le pouvoir de l'information consacrent beaucoup de temps à établir des relations qui leur permettent d'« être au courant ». Elles peuvent ensuite utiliser l'information recueillie de différentes façons (positives ou négatives), par exemple en racontant aux autres la « véritable » histoire, en retenant de l'information, en filtrant les communications et même en divulguant volontairement certains renseignements importants en fonction de leurs objectifs.

Le pouvoir des relations provient des réseaux internes et externes, et du fait d'être au centre d'un réseau. Les trois scénarios de relations et de réseaux présentés à la **figure 9.5** montrent comment vous pouvez développer votre pouvoir des relations en vous rapprochant des autres pour obtenir des conseils, créer des amitiés, nouer des alliances ou des collaborations, recueillir et transmettre de l'information et améliorer votre accès à des possibilités de carrière.

FIGURE **9.5** **Trois scénarios de relations et de réseaux dans les organisations**

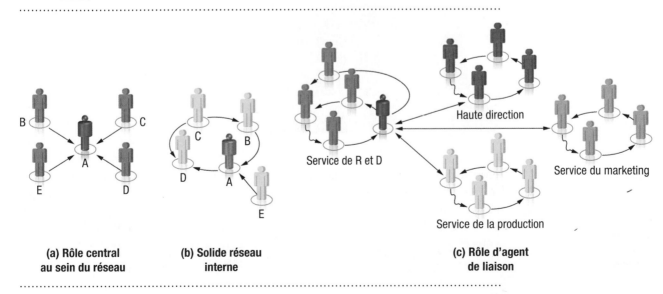

(a) **Rôle central au sein du réseau**

(b) **Solide réseau interne**

(c) **Rôle d'agent de liaison**

Améliorer ses compétences politiques

En ce qui concerne le jeu politique en milieu organisationnel, les apparences sont trompeuses. Pensez à ces jeux de stéréogrammes : au départ, vous ne voyez que des motifs abstraits, puis lorsque vous fixez intensément ces motifs, une image en trois dimensions apparaît. Les personnes qui maîtrisent bien le jeu politique ont ce type de visions. Elles sont capables d'interpréter des situations politiques afin de découvrir les véritables motivations et les relations qui les sous-tendent. Elles possèdent ce qu'on appelle le **sens politique**, une aptitude à interpréter les milieux politiques et à y exercer une influence efficace.

Un autre terme pour le sens politique est la **compétence politique**, définie comme étant la capacité à comprendre les autres et à les influencer de telle sorte que ses objectifs personnels ou organisationnels soient rehaussés[32]. Les personnes qui ont des compétences politiques élevées savent interpréter et comprendre les autres et les faire agir comme elles le souhaitent. Elles misent sur leurs relations pour se joindre aux autres dans la poursuite d'objectifs communs. Elles adaptent leur comportement à la situation, mais avec authenticité et sincérité, afin de créer un climat empreint de confiance et de crédibilité et non de soupçons ou de mépris.

Pour améliorer vos compétences politiques, vous devez apprendre à interpréter les situations, accroître votre conscience de soi et des autres, négocier avec les autres plutôt que de les remettre en question et formuler les messages de façon à ce que les autres écoutent (par exemple en mettant l'accent sur les intérêts de l'organisation plutôt que sur votre propre intérêt). Une des meilleures façons d'améliorer ces compétences est d'observer ceux qui les possèdent et d'apprendre d'eux. Il est aussi

Les connaissances, même si elles sont recherchées, ne suffisent pas. Vous avez aussi besoin d'un capital social pour avancer.

utile de trouver un mentor ou un parrain qui peut vous offrir une rétroaction constructive et vous aider à interpréter l'environnement politique et à y réagir de façon adéquate.

Bâtir un réseau de relations

Ce que vous connaissez ne suffit pas. Vous avez aussi besoin de relations, d'un capital social, pour avancer. Comme nous l'avons défini au chapitre 1, le *capital social* correspond à l'ensemble des relations et des réseaux sur lesquels une personne peut s'appuyer pour mener à bien ses tâches[33]. Il diffère du **capital humain**, qui réfère aux connaissances, compétences et atouts intellectuels que les employés apportent au travail. Alors que le capital humain représente *ce que* vous connaissez, le capital social représente *qui* vous connaissez. Être intelligent ou avoir d'excellentes idées et de l'information ne suffit pas ; ce n'est avantageux que si vous êtes capable de communiquer vos idées et de les mettre en œuvre. Comprendre cela, c'est comprendre l'importance du capital social.

Sens politique
Aptitude à interpréter les milieux politiques et à y exercer une influence efficace

Compétence politique
Capacité d'utiliser la connaissance des autres pour les influencer et les faire agir d'une façon donnée

Capital humain
Connaissances, compétences et atouts intellectuels que les employés apportent au travail

Le réseautage aide les personnes à trouver de meilleurs emplois et à remporter plus de succès sur le plan professionnel. Si vous avez de multiples liens au sein de plusieurs réseaux, vous avez plus de chances d'avoir accès à des ressources et d'influencer les autres. La recherche a montré que, dans de nombreuses situations, comme trouver un emploi ou obtenir de l'avancement, il vaut mieux avoir quelques vagues « connaissances », plutôt que de solides liens d'« amitié ». Les personnes ont accès à de plus nombreuses possibilités d'emplois lorsqu'elles comptent sur leurs vagues connaissances[34]. C'est une bonne nouvelle, car les liens d'amitié sont plus exigeants à maintenir et requièrent plus de temps que les relations plus distantes.

DU CÔTÉ DE LA RECHERCHE

Le pouvoir des adjointes administratives dans les organisations

Les adjointes administratives possèdent plus de pouvoir qu'on le pense! C'est ce qui ressort d'une recherche portant sur les adjointes administratives d'un milieu universitaire publiée récemment par H. Cenk Sozen dans *Personnel Review*. Les adjointes administratives possèdent des assises de pouvoir uniques en raison de la position centrale qu'elles occupent dans les réseaux organisationnels. Cela leur permet de contrôler la circulation de l'information et d'utiliser le pouvoir à leur avantage. Les résultats démontrent que les adjointes administratives occupent une place de choix dans la centralité des réseaux et dans la centralité d'« intermédiarité ». Elles sont un lien essentiel entre les services et les personnes (elles jouent un rôle d'agent de liaison).

Fait intéressant, dans de nombreux cas, les adjointes administratives avaient une centralité de réseau plus élevée que celle de leur patron. La clé est donc la façon dont elles utilisent leur pouvoir. (Et ce n'est pas toujours joli.) Les adjointes administratives peuvent devenir des cerbères : elles choisissent le type d'information qu'elles diffusent et peuvent en ralentir ou en accélérer la diffusion.

Cela veut dire qu'il vaut toujours mieux de demeurer dans les bonnes grâces de son adjointe administrative (ou de l'adjointe administrative de son patron). Comme l'expliquait un enseignant : « Dans notre département, personne ne veut avoir une mauvaise relation avec elle. Elle peut décider de ne pas communiquer des renseignements essentiels... [ou]

donner à notre président de mauvais renseignements sur mes activités afin de créer une impression négative à mon égard. »

Source : D'après H. C. Sozen, « Social Networks and Power in Organizations : A Research on the Roles and Positions of Junior Level Secretaries in an Organizational Network », *Personnel Review*, n° 41, 2012, p. 487-512.

Haute centralité de réseau → Pouvoir d'agent de liaison de l'adjointe administrative ← Haute centralité d'« intermédiarité »

Agent de liaison
Personne qui établit des liens entre les vides structurels d'un réseau, offrant ainsi un accès plus vaste aux ressources, à l'information et aux possibilités

Vide structurel
Absence de lien entre des personnes et des groupes au sein d'un réseau social

Une autre façon de s'avantager soi-même et d'avantager son organisation est d'agir comme **agent de liaison**, c'est-à-dire en comblant les **vides structurels** qui existent entre les personnes et les groupes n'ayant pas de lien au sein des réseaux[35]. En créant des ponts entre des acteurs qui n'étaient pas liés au départ, les agents de liaison disposent d'un accès plus vaste à l'information, aux ressources et aux possibilités. Avec l'établissement de ces ponts, ils bénéficient d'un bassin diversifié d'opinions et d'idées, lesquelles se révèlent cruciales pour la créativité. Le réseautage est essentiel au haut rendement des individus et à celui des organisations.

Les réseaux les plus bénéfiques sont constitués des relations qu'une personne établit lors des activités quotidiennes liées au travail, lors d'événements professionnels ainsi que dans des alliances réciproques. Les très bons réseauteurs savent qu'une demande de faveur constitue une occasion à saisir. Si vous rendez service à quelqu'un, il se sentira obligé de vous rendre la pareille. Les personnes qui progressent professionnellement sont toujours prêtes à saisir les occasions, améliorent continuellement leurs compétences et aptitudes, et bâtissent des relations afin d'obtenir elles-mêmes du succès et d'amener leur organisation à en obtenir.

Guide de RÉVISION

RÉSUMÉ

Qu'est-ce que le pouvoir et l'influence en milieu organisationnel ?

- Le pouvoir est la capacité d'amener autrui à faire ce qu'on lui demande ou la capacité d'influer sur le cours des événements.

- En matière de gestion du pouvoir, la clé du succès est d'être capable de gérer les dépendances, celles des autres envers soi ou celles qu'on a envers les autres, afin d'obtenir ce qu'on veut.

- Les personnes qui dépendent grandement des autres se sentent fréquemment impuissantes. Ce n'est donc pas le pouvoir, mais bien l'impuissance qui a des effets invalidants dans les relations et les organisations.

- La perspective de l'habilitation du personnel modifie la compréhension du pouvoir en le transformant d'un *pouvoir sur* les autres en un *pouvoir avec* les autres.

Quelles sont les principales sources de pouvoir et d'influence au sein d'une organisation ?

- Le pouvoir lié au poste provient de la hiérarchie ou de l'autorité conférée à une personne par le poste qu'elle occupe ou le rôle qu'elle assume ; il revêt trois formes principales : le *pouvoir légitime*, le *pouvoir de récompense* et le *pouvoir de coercition*.

- Le pouvoir personnel émane de la personne elle-même et est généré dans les relations avec les autres ; il émane de l'expertise et de la valeur de référence.

- Le pouvoir de l'information peut être personnel ou lié au poste ; il provient de l'accès à de l'information qui est importante pour d'autres.

- Le pouvoir des relations est la capacité d'être à même de compter sur des liens et des réseaux, à l'intérieur comme à l'extérieur de l'organisation, pour accomplir ses tâches et atteindre ses objectifs ; il comprend le *pouvoir d'association* et les *alliances réciproques*.

Comment les personnes réagissent-elles à l'exercice du pouvoir et à l'influence ?

- Lorsque les personnes se plient à la volonté d'autrui, c'est donc qu'elles s'y conforment. La *soumission*, l'*identification* et l'*intériorisation* correspondent aux trois niveaux de conformité.

- Les personnes peuvent aussi résister au pouvoir. La recherche distingue deux types de stratégies de résistance utilisées par les personnes qui perçoivent une demande de leur superviseur comme étant irréaliste : la *résistance constructive* et la *résistance dysfonctionnelle*.

- Le pouvoir peut corrompre les personnes qui le détiennent. Le syndrome de Bethsabée décrit la situation de personnes qui, ayant beaucoup de succès, abusent de leur pouvoir.

- Pour maîtriser l'exercice du pouvoir, il faut être capable de se gérer soi-même en exerçant le pouvoir de manière responsable et en agissant de manière responsable envers le pouvoir des autres.

Qu'entend-on par « jeu politique » en milieu organisationnel ?

- Selon la perspective adoptée, le jeu politique en milieu organisationnel peut être vu comme : (1) l'exercice du pouvoir pour parvenir à des fins que l'organisation désapprouve ou pour obtenir des résultats qu'elle approuve, mais par des moyens qu'elle réprouve ; (2) l'art d'élaborer des compromis originaux pour concilier des intérêts rivaux.

- Le jeu politique réfère aux efforts que consacrent les membres de l'organisation pour obtenir des ressources et atteindre leurs objectifs par l'entremise des systèmes et structures informels.

- Les comportements politiques sont positifs lorsqu'ils servent les intérêts de l'organisation sans nuire volontairement aux personnes. Ils sont négatifs lorsqu'ils incitent des personnes à avoir des comportements intéressés qui nuisent aux autres et à l'organisation.

- Un comportement est conforme à l'éthique s'il optimise la satisfaction du plus grand nombre, respecte les droits de tous et leur garantit un traitement juste et équitable.

- Le climat politique d'une organisation représente la perception qu'ont ses membres du jeu politique qui s'y déroule. Lorsque les personnes ont une perception négative du jeu politique, elles subissent plus de stress professionnel et ont moins de satisfaction professionnelle, ce qui entraîne un roulement de personnel accru.

Comment les personnes peuvent-elles naviguer dans l'univers politique des organisations?

- Adopter de façon modérée et prudente des comportements politiques aide à la survie. On y arrive en saisissant comment renforcer les assises de son pouvoir, améliorer ses compétences politiques et bâtir des réseaux solides et efficaces.

- Les assises du pouvoir sont les sources de pouvoir qu'acquièrent et utilisent les personnes au sein des organisations. Elles permettent de faire avancer les grands projets, d'avoir accès à des ressources cruciales et de protéger ces ressources lorsqu'elles sont menacées par d'autres personnes ayant du pouvoir.

- Les deux principales façons de renforcer les assises de son pouvoir au sein d'une organisation sont d'améliorer des compétences et d'établir des réseaux.

- Les personnes qui ont de solides compétences politiques ont la capacité d'interpréter et de comprendre les autres, et d'agir en conséquence de manière à exercer une réelle influence.

MOTS CLÉS

MaBiblio > MonLab > Exercices > Ch09 > Exercice de révision

EXERCICE DE RÉVISION

Questions à choix multiple

1. Le pouvoir social diffère de _____, qui est le pouvoir opérationnel contre la volonté d'une autre personne. **a)** l'impuissance **b)** la force **c)** la dépendance **d)** le jeu à somme nulle

2. L'idée que le pouvoir social puisse être une ressource expansible est à la base de la tendance vers _____ **a)** la pensée hiérarchique. **b)** le jeu politique. **c)** le pouvoir personnel. **d)** l'habilitation.

3. _____ stipule que si vous n'utilisez pas le pouvoir de façon adéquate, les autres feront en sorte de vous l'enlever. **a)** L'habilitation **b)** La théorie instrumentale **c)** La loi d'airain de la responsabilité **d)** Le pouvoir de coercition

4. Le pouvoir légitime est une forme de pouvoir _____ **a)** lié au poste. **b)** personnel. **c)** des relations. **d)** de l'information.

5. L'éventail des demandes des supérieurs auxquelles un subordonné accepte de se conformer sans jugements ni critiques s'appelle _____ **a)** un jeu à somme nulle. **b)** l'impuissance. **c)** le savoir-faire politique. **d)** la zone d'indifférence.

6. _____ est la capacité qu'a un individu d'influer sur le comportement d'autrui en lui refusant les récompenses qu'il convoite ou en le punissant. **a)** Le pouvoir de récompense **b)** Le pouvoir légitime **c)** Le pouvoir de coercition **d)** Le pouvoir de référence

7. Dans la société interconnectée et les organisations axées sur les connaissances d'aujourd'hui, _____ devient de plus en plus important. **a)** le pouvoir des relations **b)** le pouvoir de coercition **c)** le pouvoir de référence **d)** le contrôle

8. Le pouvoir émanant de personnes influentes que vous connaissez s'appelle _____ **a)** le capital humain. **b)** le pouvoir d'association. **c)** le pouvoir de référence. **d)** le pouvoir interpersonnel.

9. Lorsque des personnes se plient aux demandes d'une autre personne, car elles désirent obtenir une récompense ou éviter d'être punies, elles font preuve _____ **a)** d'adhésion. **b)** d'intériorisation. **c)** de soumission. **d)** de résistance.

10. _____ est une forme passive de résistance qui implique la non-conformité. **a)** La résistance constructive **b)** La résistance dysfonctionnelle **c)** La résistance contrôlée **d)** La résistance diligente

11. Le jeu politique en milieu organisationnel se manifeste dans _____ d'une organisation. **a)** les structures hiérarchiques **b)** les limites **c)** les systèmes officiels **d)** les systèmes informels

12. Il est question _____ lorsque les personnes ne suivent pas le système officiel pour accomplir une tâche ou atteindre un objectif. **a)** de contournement **b)** d'assise du pouvoir **c)** de réseau **d)** de climat politique

13. Les personnes qui possèdent _____ savent comment interpréter les milieux politiques et y répondre de manière efficace. **a)** des perceptions de politiques organisationnelles **b)** des réseaux **c)** un sens politique **d)** des assises de pouvoir

14. Le réseautage permet le développement _____ au sein des organisations. **a)** du capital humain **b)** du capital social **c)** des systèmes informels **d)** du savoir-faire politique

15. _____ aident les personnes à avoir de l'influence dans le milieu organisationnel et offrent une protection contre les personnes puissantes. **a)** Les aptitudes sociales **b)** Les climats politiques **c)** Les systèmes formels **d)** Les assises du pouvoir

Questions à réponse brève

16. Que veut-on dire lorsqu'on affirme que le pouvoir est basé sur les dépendances ?

17. Pour quelle raison l'impuissance est-elle un problème dans le milieu organisationnel ?

18. Comment peut-on dire si le pouvoir d'une personne est personnel ou lié au poste ?

19. À quoi servent les jeux politiques en milieu organisationnel ?

Question à développement

20. Cristos vient d'obtenir son premier emploi après l'obtention de son diplôme universitaire. Il est très enthousiaste, mais aussi très nerveux. Il a entendu dire que l'organisation pour laquelle il travaillera est un environnement hautement politique et qu'il devra être sur ses gardes. Quel conseil lui donneriez-vous quant à la meilleure façon de se comporter en matière de pouvoir et de jeu politique dans ce milieu organisationnel ?

Le CO dans le feu de l'action

Pour ce chapitre, nous vous suggérons les compléments numériques suivants dans MonLab.

MaBiblio >

MonLab > Documents > Études de cas
> 14. Analyse du comportement politique
> 15. Un nouveau vice-recteur pour l'Université du Midwest

MonLab > Documents > Activités
> 42. Les cercles du pouvoir

MonLab > Documents > Autoévaluations
> 13. Votre propension à la délégation
> 14. Votre degré de machiavélisme
> 15. Votre profil de pouvoir

Le processus de leadership

Bien qu'on envisage souvent le leadership uniquement sous l'angle du comportement des leaders, il provient en fait des interactions et des relations entre les personnes. Considérer le leadership comme un processus permet de réaliser qu'il émane à la fois des actions des leaders et de celles des subordonnés qui travaillent tous ensemble dans un contexte organisationnel. Il s'agit d'une cocréation.

OBJECTIFS D'APPRENTISSAGE

Après l'étude de ce chapitre, vous devriez pouvoir :

- Décrire le processus de leadership et expliquer les fondements des théories implicites du leadership.
- Décrire le processus de subordination et expliquer les fondements des théories implicites de la subordination.
- Expliquer les postulats des théories portant sur les relations leader-subordonnés.
- Discuter des diverses approches en matière de leadership collectif.

PLAN DU CHAPITRE

Le leadership
émane des relations
entre les personnes.

Une division canadienne d'une pharmaceutique internationale

En 2008, cette organisation allait devoir faire face à une importante diminution de ses revenus. Les brevets de ses produits d'origine arrivaient à échéance et ses concurrents allaient donc pouvoir mettre eux-mêmes ces produits sur le marché sous des appellations génériques. La prise de décision dans cette entreprise multinationale, dont le siège social se trouve en Europe, repose surtout sur le principe de la cascade hiérarchique, très verticale, voire autocratique, selon lequel les présidents des différentes divisions font exécuter les décisions prises au siège social. Dans ce contexte économique difficile, le président de la division canadienne a envisagé de s'y prendre autrement. Il a donc décidé de s'appuyer sur le leadership de tout son personnel, d'abord celui de son équipe rapprochée, puis celui d'autres membres de sa filiale nationale. Il a fait faire une analyse du leadership d'équipe au sein de son organisation, puis toute son équipe a reçu une formation en matière de leadership partagé. Des outils spécifiques ont été adoptés. Toutes les informations ont été mises en commun, toutes les solutions possibles ont été envisagées, et les décisions, même les plus difficiles, ont été prises par l'ensemble du personnel. Un accompagnement a permis à tous les gens impliqués de prendre autrement des décisions et de les exécuter de façon solidaire. Forts de leur nouvelle compétence collective, les membres de l'équipe de direction ont par la suite diffusé ces apprentissages auprès de chacune de leurs équipes. Depuis 2008, sur un total de neuf divisions, seule la filiale canadienne a connu une performance financière positive année après année. Selon l'équipe de direction de cette filiale, un tel succès est attribuable à cette nouvelle façon de travailler en leadership partagé.

> **Le président a donc décidé de s'appuyer sur le leadership de tout son personnel.**

Source: Édith Luc, « Le leadership partagé: Du mythe des grands leaders à l'intelligence collective », reproduit avec la permission de *Gestion*, revue internationale de gestion, vol. 41, n° 3 (automne 2016), p. 36-37.

Le leadership

Lorsqu'on pense au leadership, on a surtout en tête les leaders. Cependant, les leaders ne sont qu'un élément du leadership. Les autres éléments essentiels sont les subordonnés, les relations entre le leader et ses subordonnés, et le contexte. Le leadership émane de l'interaction de tous ces éléments. C'est pour cette raison que le leadership doit être considéré comme un processus.

Le processus de leadership, illustré à la **figure 10.1** (p. 350), est une cocréation résultant des leaders et des subordonnés qui agissent conjointement dans un contexte donné. Le **leadership** émerge lorsque des comportements de leadership (par exemple influencer) sont combinés à des comportements de subordination (par exemple s'en remettre à l'agent d'influence). Il représente une relation d'influence entre deux ou plusieurs personnes qui dépendent l'une de l'autre en vue de l'atteinte d'objectifs communs[1]. Par conséquent, le leadership n'est pas seulement le résultat des actions posées par le leader. Il découle aussi des actions posées par les subordonnés qui acceptent les tentatives d'influence du leader ou qui s'en détournent.

Leadership
Processus d'influence qui émerge lorsque des comportements de leadership (par exemple influencer) sont combinés à des comportements de subordination (par exemple s'en remettre à la source d'influence); processus permettant de soutenir les efforts individuels et collectifs en vue de l'atteinte d'objectifs communs

FIGURE **10.1** Le processus de leadership

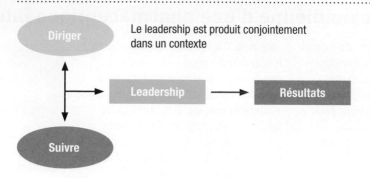

Pour que certains puissent diriger, d'autres doivent accepter d'être dirigés. On pourrait presque affirmer que le leadership ne se manifeste que dans les comportements des subordonnés. Même si une personne occupe un poste de leadership, elle ne sera pas vraiment un leader si personne ne suit sa direction. Elle peut être un gestionnaire sans nécessairement être un leader. Par exemple, si les élèves d'une classe sont turbulents et ne respectent pas l'enseignant, ils ne s'en remettent pas à l'enseignant, et ce dernier n'est pas un leader. L'enseignant peut essayer d'utiliser le pouvoir lié à son poste pour gérer la situation, mais il agit alors comme un gestionnaire et non comme un leader.

L'influence du leadership peut être attribuée à une personne (un leader) ou répartie dans un groupe (leadership collectif). Ainsi, certaines équipes sont composées d'un leader de projet dont tous les autres membres de l'équipe suivent la direction. D'autres équipes sont plus autonomes ; les membres de l'équipe partagent la fonction de leadership et les responsabilités. Auparavant, le leadership était presque exclusivement du ressort des dirigeants officiels. Il en est autrement de nos jours : le leadership est beaucoup plus réparti au sein des organisations dans lesquelles chacun doit jouer son rôle.

Le leadership formel et le leadership informel

Les processus de leadership se manifestent à la fois à l'intérieur et à l'extérieur des rôles et des postes formels. Lorsque le leadership est exercé par des personnes nommées ou élues à un poste qui leur confère une autorité officielle au sein de l'organisation, il est question de **leadership formel**. Les gestionnaires, enseignants, ministres, politiciens et présidents d'associations étudiantes sont tous des leaders formels. Le leadership peut aussi être exercé par des personnes dont l'ascendant tient à des compétences particulières leur permettant de répondre aux besoins de leurs collègues, ou encore à des traits de caractère bien particuliers qui font en sorte que leurs collègues veulent s'identifier à elles et les imiter. Il est alors question de **leadership informel**[2]. Les leaders informels peuvent être des leaders d'opinion ou des agents de changement.

Alors que dans une situation de leadership formel, l'influence circule de haut en bas, quand le leadership est informel, elle circule dans toutes les directions : vers le haut, le bas, horizontalement et même à l'extérieur de l'organisation. Le leadership

Leadership formel
Leadership exercé par des personnes nommées ou élues à un poste qui leur confère une autorité officielle au sein d'une organisation

Leadership informel
Leadership exercé par des personnes dont l'ascendant tient à des compétences particulières leur permettant de répondre aux besoins de leurs collègues, ou à des traits de caractère particuliers qui incitent leurs collègues à s'identifier à elles et à les imiter

informel permet de reconnaître l'importance du leadership ascendant (ou leadership vers le haut). Il est question de **leadership ascendant** lorsque des personnes agissent comme des leaders en influençant des personnes de niveaux hiérarchiques supérieurs au leur. Ce concept de leadership ascendant est souvent oublié dans les discussions sur le leadership en milieu organisationnel, mais il est indispensable au changement et à l'efficacité organisationnels.

Leadership ascendant
Leadership exercé par des personnes dans leur relation avec des personnes de niveaux hiérarchiques supérieurs au leur

La clé du leadership efficace, qu'il soit formel ou informel, est la subordination volontaire, comme l'illustre la **figure 10.2**. La subordination volontaire signifie que les subordonnés suivent le leader parce qu'ils le *veulent* et non parce qu'ils le doivent. On peut établir un lien avec la notion de pouvoir étudiée dans le chapitre précédent. Lorsqu'un leader agit dans un contexte de subordination volontaire, les subordonnés le suivent en fonction d'une motivation intrinsèque (ils adhèrent), et son pouvoir est personnel. Cela est différent de l'approche fondée sur la soumission, que peut avoir tendance à adopter le gestionnaire qui n'est pas un leader : ses subordonnés le suivent en fonction d'une motivation extrinsèque, et son pouvoir est uniquement lié à son poste. Le gestionnaire qui est un leader efficace possède *à la fois* le pouvoir lié à son poste et le pouvoir personnel. Quant au leader informel, qui n'occupe pas un poste de gestionnaire officiel, il ne détient qu'un pouvoir personnel.

FIGURE 10.2 **Le rôle de la subordination volontaire dans le processus de leadership**

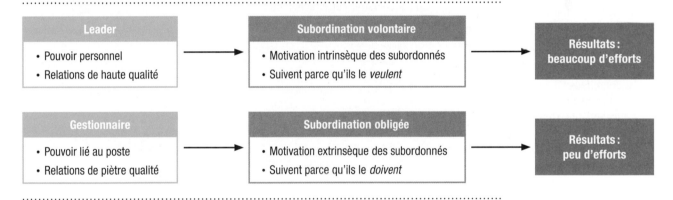

La construction sociale du leadership

Dans l'approche de la **construction sociale**, le comportement des individus se « construit » au fil des situations vécues, selon les contextes, les actions et les interactions avec les autres. Ce processus subit deux influences, celle des idées préconçues qu'entretiennent les individus relativement à la façon dont ils devraient agir et celle de la nature de la situation dans laquelle ils se trouvent.

Appliquée au leadership, cette approche permet de le comprendre comme un processus qui émane d'une construction sociale. La **construction sociale du leadership** signifie que le leadership, lui aussi, se « construit » au fil des interactions sociales entre les individus concernés, selon le contexte. Pour cette raison, on ne peut l'isoler de son contexte. Chaque situation de leadership est unique ; chacune possède sa propre dynamique, ses variables et ses acteurs. Aucune solution universelle n'existe donc en matière de leadership.

Construction sociale
Processus par lequel le comportement des individus se « construit » au fil des situations qu'ils vivent, selon les contextes, les actions et les interactions avec les autres

Construction sociale du leadership
Processus par lequel le leadership se « construit » au fil des interactions sociales entre les individus concernés, selon le contexte

Leadership participatif et paix

Lors d'une étude inusitée sur le comportement organisationnel interculturel, Gretchen Spreitzer a analysé le lien entre les pratiques de leadership en entreprise et les indicateurs de paix au sein des nations. Des recherches antérieures avaient démontré que les sociétés pacifiques se caractérisent par : (1) une prise de décision ouverte et égalitaire ; (2) des processus de contrôle social qui limitent l'utilisation du pouvoir de coercition. Ces deux caractéristiques sont propres aux systèmes participatifs qui habilitent les individus dans la collectivité. La chercheuse a donc fait l'hypothèse que les entreprises peuvent adopter un processus décisionnel ouvert et égalitaire en misant sur le leadership participatif et l'habilitation.

La chercheuse a aussi montré l'importance de facteurs culturels transcendants. Deux facteurs culturels lui ont semblé pertinents : l'orientation vers le long terme et la faible distance hiérarchique. Par la suite, elle a déterminé des indicateurs pour mesurer la paix. Deux principaux indicateurs ont été retenus : (1) le degré de corruption ; (2) l'intensité des conflits. Pour ce qui est de ce dernier critère, une

mesure combinant l'instabilité politique, les conflits armés, l'agitation sociale et les différends internationaux a été retenue. Bien qu'elle ait trouvé une base de données sur le leadership qui mesurait le leadership participatif, elle a élaboré les mesures d'habilitation en se basant sur une autre étude apparemment sans lien. Deux éléments lui semblaient pertinents : la liberté de décision que disaient posséder les répondants et le degré de conformité aux ordres qu'ils considéraient devoir adopter vis-à-vis leur patron, qu'ils soient ou non d'accord avec ces ordres.

On peut illustrer cette recherche par le schéma qui suit.

Comme on peut s'y attendre, les résultats de cette recherche exploratoire ont confirmé la plupart des hypothèses de départ, mais pas toutes. Le leadership participatif est lié à moins de corruption et à moins de conflits, tout comme l'orientation à long terme de la culture. En ce qui concerne l'habilitation, les résultats sont mitigés. La liberté de décision est liée à moins de corruption et de conflits, mais la variable de la conformité n'est liée qu'à plus de conflits.

Source : Gretchen Spreitzer, « Giving Peace a Chance : Organizational Leadership, Empowerment, and Peace », *Journal of Organizational Behavior*, nᵒ 28, 2007, p. 1077-1095.

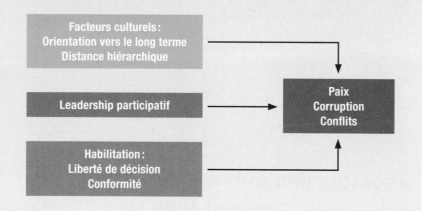

L'approche de la construction sociale considère le leadership comme étant défini socialement. Elle reconnaît que les leaders et les subordonnés sont des êtres relationnels qui se « construisent » – ou définissent leur identité – les uns par rapport aux autres dans des contextes relationnels dynamiques en évolution[3]. Autrement dit, que vous soyez un leader ou un subordonné dépend de la nature des interactions que vous avez avec les autres. Pour cette raison, la communication et les interactions quotidiennes entre les individus sont des éléments clés de l'approche constructiviste du leadership.

La construction identitaire dans le processus de leadership

Le modèle de la **construction identitaire dans le processus de leadership** de DeRue et Ashford s'appuie sur l'approche de la construction sociale. Ce modèle montre comment les personnes négocient leur identité de leader ou de subordonné[4]. Comme l'illustre la **figure 10.3**, le processus de construction identitaire met en jeu des personnes qui revendiquent une identité (de leader ou de subordonné) et d'autres personnes qui acceptent de leur attribuer cette identité. La **revendication de l'identité** se définit comme l'ensemble des actions entreprises par une personne pour affirmer son identité de leader ou de subordonné. L'**attribution de l'identité** se définit comme l'ensemble des actions entreprises par une personne pour accorder une identité de leader ou de subordonné à une autre personne[5].

On assiste à un processus de construction identitaire chaque fois qu'un nouveau groupe est formé. Lorsqu'il n'y a pas de leader désigné, les membres d'un groupe négocient qui seront les leaders et les subordonnés. Par exemple, certaines personnes diront « Je suis prêt à prendre le rôle de leader » ou « Le leadership n'est pas mon fort, alors je préfère suivre ». La situation peut aussi être implicite, certaines personnes exerçant naturellement plus d'influence et prenant en charge l'organisation des tâches, et d'autres s'en remettant aux décisions des premiers et se concentrant sur l'accomplissement des tâches.

Construction identitaire dans le processus de leadership
Processus par lequel les personnes négocient leur identité de leader ou de subordonné

Revendication de l'identité
Dans le processus de leadership, ensemble d'actions entreprises par une personne pour affirmer son identité de leader ou de subordonné

Attribution de l'identité
Dans le processus de leadership, ensemble d'actions entreprises par une personne pour accorder une identité de leader ou de subordonné à une autre personne

FIGURE **10.3** **La construction identitaire dans le processus de leadership selon DeRue et Ashford**

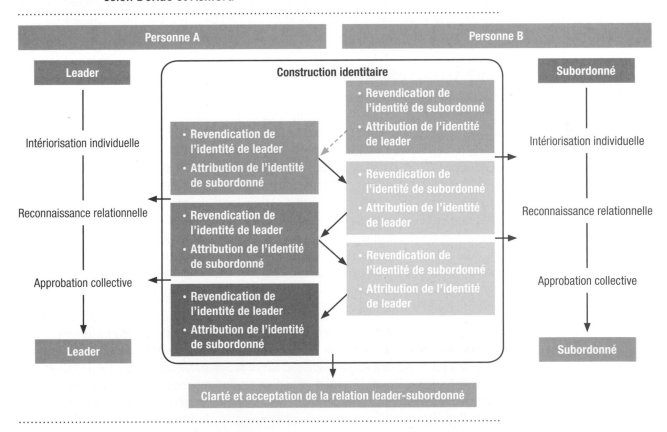

Ce processus se déroule même lorsqu'il y a un leader désigné. Toutefois, dans ces cas, le processus peut être plus subtil, comme lorsque les gens choisissent de ne pas suivre le leader désigné (c'est-à-dire lorsqu'ils n'accordent pas à la personne l'identité de leader qu'elle revendique). Dans les groupes, on voit souvent l'apparition de normes informelles en lien avec les attributions et les revendications d'identité de leader ou de subordonné ; elles se manifestent par l'appui ou la résistance aux revendications de chacun.

La construction de l'identité de leader a des répercussions importantes, surtout pour les personnes dont le degré de **motivation à diriger** est élevé[6]. Bien que ces personnes souhaitent diriger, leurs efforts seront vains si les autres ne leur attribuent pas une identité de leader. Cela permet de comprendre pourquoi au contraire certaines personnes héritent du rôle de leader même si elles ne le veulent pas. Ces « leaders naturels » se voient attribuer par les autres une identité de leader même s'ils ne souhaitent pas revendiquer cette identité.

Dans le processus de leadership, la construction de l'identité permet de mieux comprendre l'importance de la subordination. Contrairement à l'opinion reçue, qui décrit les subordonnés comme étant des spectateurs passifs des leaders, la construction de l'identité démontre que les subordonnés jouent un rôle important dans le leadership : (a) en acceptant les revendications de leadership ; (b) en revendiquant les rôles de subordonnés. Lorsque ces revendications et attributions ne sont pas harmonisées – par exemple, lorsque les subordonnés refusent les revendications de leadership ou n'acceptent pas leur propre rôle de subordonné –, il se produit des conflits, et on observe un manque de légitimité. À moins que les problèmes ne soient réglés, les gens ne pourront négocier des identités compatibles. Dans ces cas, les conflits l'emporteront, et le processus de leadership s'effondrera.

Les théories implicites du leadership

Un des facteurs qui influent sur la possibilité que les revendications de leadership soient accordées repose sur ces « théories implicites » que tous entretiennent au sujet du leadership. Les **théories implicites du leadership** font référence aux idées préconçues qu'on a concernant les attributs des leaders ou les caractéristiques du leadership[7]. Elles peuvent varier grandement selon l'expérience et la compréhension que chacun a du leadership. Par exemple, certaines personnes croient que les leaders sont charismatiques ; elles recherchent alors des traits et des comportements charismatiques chez ceux qui revendiquent le statut de leader. D'autres croient que les leaders sont directs et manifestent une attitude assertive ; ils accordent donc le statut de leader à ceux qui prennent les choses en main. D'autres encore croient que les leaders sont confiants et prévenants ; ils attribuent donc une identité de leader à ceux qui ont des idées novatrices et intéressantes, et qui mettent les autres à contribution dans la réalisation de leurs projets.

En s'appuyant ainsi sur des théories implicites du leadership qui traduisent des catégories cognitives, on étiquette certaines des personnes autour de soi comme étant des « leaders » ou des « non-leaders ». Nous avons parlé au chapitre 4 de la perception, de l'attribution et de la catégorisation cognitive, une forme de raccourci mental qui aide à simplifier la compréhension du monde en attribuant des étiquettes à des stimuli qu'on reçoit. Souvenez-vous, par exemple, de votre première journée dans la

---

Motivation à diriger
Désir d'assumer les rôles et les responsabilités d'un leader et d'être formé en conséquence

Théorie implicite du leadership
Ensemble d'idées préconçues qu'a un individu concernant les attributs des leaders ou les caractéristiques du leadership et qui traduisent la structure et le contenu des « catégories cognitives » qu'il utilise pour distinguer les leaders parmi les personnes qui l'entourent

salle de classe. En regardant autour de vous, sans vous en rendre compte, vous étiez probablement en train d'évaluer mentalement votre enseignant et vos camarades. C'est le processus de catégorisation cognitive. On y recourt spontanément chaque fois qu'on classe les personnes qu'on rencontre par catégories, d'après des indices visuels évidents (l'âge, l'origine ethnique, le sexe, l'apparence) ou d'après des rôles sociaux (leader, subordonné). Agir de la sorte aide à traiter l'information et à l'utiliser rapidement et facilement.

La représentation mentale que chacun se fait du leader idéal est ce qu'on appelle un **prototype du leader**. Chaque individu a tendance à s'engager dans un processus de catégorisation en deux étapes[8]. Tout d'abord, il se réfère aux prototypes pertinents, comme ceux de la **figure 10.4**, puis compare la personne cible au prototype choisi. Ensuite, il classe la personne cible dans la catégorie des «leaders» ou dans celle des «non-leaders», selon les traits qui correspondent à son prototype.

Prototype du leader
Représentation mentale du leader idéal

FIGURE **10.4** **Les prototypes issus des théories implicites du leadership**

Prototype	Description
Sensibilité	Personne sympathique, sensible, empathique, compréhensive
Dévouement	Personne dévouée, disciplinée, bien préparée, acharnée au travail
Tyrannie	Personne autoritaire, assoiffée de pouvoir, arriviste, manipulatrice
Charisme	Personne charismatique, stimulante, engagée, dynamique
Charme	Personne séduisante, ayant de la classe, bien habillée, élancée
Intelligence	Personne intelligente, perspicace, bien renseignée, avisée
Force	Personne forte, hardie, courageuse, vigoureuse

Source: Adapté de L. R. Offermann, John K. Jr. Kennedy et P. W. Wirtz, «Implicit Leadership Theories: Content, Structure and Generalizability», *The Leadership Quarterly*, vol. 5, 1994, p. 43-58.

Pensez, par exemple, à une personne que vous considérez comme un leader formidable. Faites la liste des attributs qui, selon vous, font d'elle un leader. Les images qui vous viennent en tête constituent votre théorie implicite du leadership. Les caractéristiques que vous avez énumérées constituent votre prototype du leader efficace. Regardez maintenant la figure 10.4. Les attributs de votre liste s'y trouvent-ils? Il y a de bonnes chances que ce soit le cas. La liste de la figure 10.4 constitue un instrument de mesure des théories implicites du leadership issu des recherches menées par Lynn Offermann et ses collègues[9].

En échantillonnant des individus d'après les théories implicites les concernant, les chercheurs ont relevé sept facteurs prédominants, positifs et négatifs, dans les images que les gens se forgent des leaders: sensibilité, dévouement, tyrannie, charisme, charme, intelligence, force. D'après les prototypes positifs recueillis, on constate que les gens se forment une image positive des leaders et qu'ils leur attribuent de grandes qualités. Cependant, d'après les prototypes négatifs recueillis, on observe que les gens reconnaissent également que les leaders qui occupent une position de pouvoir peuvent en faire un mauvais usage et se révéler autoritaires, dominateurs et manipulateurs.

Ces facteurs ayant été dégagés à partir d'un échantillon d'Américains, on peut s'attendre à trouver des différences dans les prototypes d'autres pays ou d'autres cultures. Par exemple, le prototype d'un chef d'entreprise du Japon sera celui d'une personne responsable, instruite, digne de confiance, intelligente et disciplinée, alors qu'aux États-Unis le chef d'entreprise idéal sera décrit comme une personne déterminée, persévérante, zélée, visant un but précis et sachant bien s'exprimer.

DU CÔTÉ DE LA PRATIQUE

Développer son charisme en communiquant mieux

La prochaine fois que vous ferez une présentation, vérifiez qui vous écoute vraiment. Mieux encore, essayez de voir qui semble prêt à accepter ce que vous dites ou proposez et à agir en conséquence. C'est une des façons de se voir accorder une revendication de leadership : faire des demandes et les présenter de façon à ce que les autres répondent positivement. Il s'agit bien de transformer vos auditeurs en subordonnés.

Certains diront que cette aptitude est associée au charisme qu'on a ou qu'on n'a pas dès la naissance. Cependant, des théories récentes en CO laissent entendre que ce n'est pas aussi simple que cela. On peut considérer le charisme comme une aptitude à persuader et à motiver les autres de façon inspirante. Comment y arrive-t-on? En termes simples, en laissant tomber les phrases ternes du type « Il faut rentabiliser ce processus » pour adopter un langage plus émotif, du genre « Lorsque nous aurons mis tout cela en pratique, nous aurons l'impression d'avoir mis la rondelle dans le filet! »

Le professeur John Antonakis de l'Université de Lausanne, en Suisse, croit que tout le monde peut arriver à acquérir des aptitudes de communication charismatique. « Certaines personnes sont naturellement plus talentueuses que d'autres, mais en pratique, tout le monde peut s'améliorer », explique-t-il. Il offre d'ailleurs un programme de formation à cet effet. Dans l'un des groupes ayant suivi son cours, les dirigeants d'entreprise ont haussé leur évaluation en matière de leadership de 60 %.

Parmi les techniques de leadership charismatique qu'enseigne John Antonakis, celles qui ont trait à la communication verbale peuvent se résumer ainsi : utiliser des métaphores et raconter des histoires, poser des questions rhétoriques, prendre une position morale et établir des objectifs élevés. D'autres techniques sont liées à la communication non verbale : utiliser des modulations de la voix, des gestes et des expressions faciales qui accentuent le message.

En CO, on reconnaît que tous les gestionnaires ne sont pas de bons leaders même s'ils le devraient. Plutôt que de mettre le leadership charismatique sur un piédestal, il est préférable d'apprendre certaines techniques de communication charismatique pour réussir. Mettre ces techniques en pratique en les utilisant dans la conversation courante est une bonne façon d'être perçu comme un leader par les autres.

La subordination

Jusqu'à tout récemment, la subordination n'avait pas vraiment été étudiée dans la recherche sur le leadership. On a tendance à être obnubilé par les leaders et à déprécier les subordonnés. Pensez au nombre de fois où on vous a dit qu'il était important d'être un leader efficace. Maintenant, pensez au nombre de fois où on vous a dit qu'il était important d'être un subordonné efficace – cela vous est-il même déjà arrivé ? Si vous êtes comme la plupart des gens, vous avez probablement reçu de la reconnaissance et des récompenses pour votre leadership, mais vous avez rarement été encouragé ou récompensé pour avoir été un bon subordonné.

Qu'est-ce que la subordination ?

La **subordination** correspond à la capacité ou à la volonté de s'en remettre à un leader. C'est un processus par lequel des personnes choisissent comment elles s'engageront dans leurs relations avec leurs leaders afin de cocréer le leadership et les résultats qui en découlent. Cette cocréation peut prendre de nombreuses formes. Elle peut être largement dominée par le leader, avec des subordonnés passifs qui se conforment ou se soumettent. Mais elle peut aussi prendre la forme d'un partenariat dans lequel le leader et les subordonnés travaillent conjointement pour créer ensemble les résultats du leadership.

Subordination
Processus par lequel des personnes choisissent comment elles s'engageront dans leurs relations avec leur leader afin de cocréer le leadership et les résultats qui en découlent

L'engouement généralisé pour les leaders au détriment des subordonnés s'explique par le **mirage du leadership**, un phénomène qui consiste à attribuer tous les résultats organisationnels – bons ou mauvais – aux faits et gestes des leaders[10]. Le mirage du leadership reflète les préjugés et le besoin de leaders forts ; on le voit à l'œuvre dans les mythes et les histoires qui mettent en vedette de grands leaders héroïques qui sont soit glorifiés, soit diabolisés. On le constate aussi dans les récits religieux, les contes pour enfants et dans les actualités, quand il est question des dirigeants politiques et des leaders du monde des affaires.

Mirage du leadership
Phénomène qui consiste à attribuer tous les résultats organisationnels – bons ou mauvais – aux faits et gestes des leaders

Le problème du mirage du leadership est qu'il a un corollaire : la sous-estimation de la subordination[11]. Cela signifie que, bien qu'on glorifie (ou diabolise) les leaders, on ignore presque entièrement les subordonnés. Le romancier russe Léon Tolstoï le déplorait pour ce qui concerne l'histoire de la Révolution française. D'après lui, cette révolution était l'aboutissement du « spectacle de l'extraordinaire mouvement de millions d'hommes » qui avait agité toute l'Europe pendant plusieurs décennies, mais les historiens... n'ont présenté que « les actions et les discours de quelques dizaines d'hommes dans un des édifices de la ville de Paris », et n'ont retenu que la biographie détaillée et les actions d'un seul homme à qui tout serait attribuable : Napoléon. Afin de surmonter le problème du mirage du leadership, il est important de mieux comprendre le rôle de la subordination dans le processus du leadership.

La France s'est construite grâce au sacrifice de millions d'hommes, alors que l'histoire glorifie essentiellement les actions d'un seul, Napoléon, déplorait le romancier russe Léon Tolstoï. Un exemple du mirage du leadership.

La construction sociale de la subordination

La recherche sur le leadership s'intéresse depuis longtemps aux subordonnés, mais surtout sous l'angle de la perception qu'ils ont de leurs leaders. La question qu'il faut maintenant se poser est la suivante : Comment les subordonnés voient-ils leur rôle ? Et comment les leaders voient-ils le rôle des subordonnés ? La recherche offre de nouvelles perspectives sur ces questions.

Une des premières études à s'intéresser au point de vue des subordonnés est celle de Melissa Carsten et ses collègues. Ces derniers ont exploré la subordination sous l'angle de la construction sociale. Grâce à cette approche, ils ont constaté que les subordonnés ont tendance à se comporter de manières différentes selon leurs croyances, mais aussi selon les contextes. Les individus qui ont un *esprit de subordination passif* voient leur rôle dans une optique classique de subordination : ils sont passifs et respectueux, et ils se soumettent à l'autorité du leader. Au contraire, les individus qui ont un *esprit de subordination proactif* estiment que leur rôle est d'exprimer leurs opinions, de prendre des initiatives et de remettre en question le leader de façon constructive. Il n'est pas surprenant de constater que l'esprit de subordination proactif est le propre de personnes au « fort potentiel », c'est-à-dire d'employés qui, grâce à leurs aptitudes, ont toutes les chances d'être promus aux postes de leadership les plus élevés de leur organisation.

Comme la construction sociale dépend du contexte, les individus ne peuvent pas toujours agir conformément à leur esprit de subordination, notamment lorsqu'ils évoluent dans un milieu de travail qui n'est pas favorable à cet esprit. Ainsi, des personnes à l'esprit de subordination proactif signalent qu'elles ne peuvent pas se montrer proactives dans un milieu de travail bureaucratique ou autoritaire, car, dans ce genre de milieu, on les empêche de prendre des initiatives ou d'exprimer leurs opinions. Elles s'y sentent muselées et sont incapables de réaliser leur plein potentiel (**figure 10.5**). Toutefois, dans un milieu de travail habilitant qui leur accorde beaucoup d'autonomie, elles travaillent de concert avec les leaders pour atteindre des objectifs collectifs. En revanche, les personnes à l'esprit de subordination passif disent ne pas se sentir à leur place dans un milieu de travail habilitant où on les encourage à exprimer leurs idées et à donner leur avis, car elles ont naturellement plus tendance à suivre des directives qu'à exercer un quelconque pouvoir. Lorsque, à la demande du leader, elles doivent adopter un comportement proactif, elles ne sont pas du tout à l'aise. Cette dissonance entre ce qu'elles sont et ce qu'on leur demande de faire engendre chez elles beaucoup

FIGURE **10.5** La subordination selon le contexte

	Milieu de travail autoritaire	Milieu de travail habilitant
Esprit de subordination passif	Les subordonnés passifs agissent comme des subordonnés obéissants traditionnels.	Les subordonnés passifs sont mal à l'aise et éprouvent du stress.
Esprit de subordination proactif	Les subordonnés proactifs agissent de façon passive, mais cela crée de la discorde et de l'insatisfaction.	Les subordonnés proactifs agissent comme des partenaires constructifs pour coproduire le leadership.

Les Y veulent dévoiler leur salaire

Le secret qui entoure la rémunération est une tradition qui se maintient sur le marché du travail. Dans certains milieux, les employés qui dévoilent leur salaire risquent le congédiement. Les gestionnaires leur expliquent que la confidentialité est nécessaire, car elle contribue à éviter les conflits et à diminuer l'insatisfaction chez les employés. Mais, comme bien d'autres choses, les travailleurs de la génération Y remettent cette pratique en cause – et secouent par le fait même le monde du travail.

Brian Bader, un jeune homme de 25 ans, a accepté un travail de technicien chez Apple. Lors de sa séance d'orientation, on lui a dit qu'il ne pouvait disculer de son salaire avec ses collègues. Évidemment, cela a piqué sa curiosité ; il a donc entrepris de sonder ses nouveaux collègues à

propos de leur salaire. Il a ainsi appris qu'il était deux fois plus productif que l'employé de son groupe qui affichait le pire rendement, mais qu'il n'était payé que 20 % de plus que cet employé. Brian a alors décidé de quitter son emploi : « Cela m'a irrité. Si je fais le double du travail, pourquoi ne suis-je pas payé le double ? » a-t-il demandé.

Dans le monde des réseaux sociaux d'aujourd'hui, avec des sites comme Glassdoor, Facebook et Twitter, il est beaucoup plus difficile pour les employeurs de maintenir la confidentialité des renseignements sur le salaire. L'information, c'est le pouvoir. Plusieurs personnes – surtout les jeunes employés – utilisent leur pouvoir pour s'exprimer contre de telles politiques. En plus du secret entourant le salaire, le système

d'ancienneté et l'évaluation annuelle du rendement sont deux autres principes sacro-saints dans l'univers du travail que les milléniaux remettent en question. Pour les gens de cette génération, des réponses telles que « parce que je l'ai dit » ou « parce que nous avons toujours fait ça comme ça » ne sont pas suffisantes. Lorsqu'ils sont insatisfaits, ils passent à l'action, soit en utilisant le pouvoir de l'information, soit en démissionnant, comme l'a montré Brian Bader.

QUESTIONS

Les entreprises devraient-elles raisonnablement s'attendre à ce que leurs employés ne dévoilent pas leur salaire ? Si ne pas divulguer les renseignements sur le salaire est une politique de l'entreprise, l'employé est-il obligé de respecter cette politique ? Quelle est la portée de cette obligation ? En 2013, Edward Snowden a enfreint la politique de la National Security Agency (NSA) des États-Unis parce qu'il n'était pas d'accord avec la politique gouvernementale en matière de surveillance téléphonique et électronique. En quoi son geste se compare-t-il à celui de Brian Bader, qui a enfreint la politique d'entreprise d'Apple en divulguant les renseignements sur son salaire ?

de stress et de mécontentement (figure 10.5). En fait, les personnes à l'esprit de subordination passif se sentent davantage dans leur élément dans un milieu de travail autoritaire où elles reçoivent des directives fermes de leurs leaders.

Bien que la recherche sur la subordination n'en soit qu'à ses débuts, on peut d'ores et déjà affirmer que, de la même façon qu'une personne doit avoir un travail adapté à ce qu'elle est, elle doit avoir un esprit de subordination adapté au contexte. Dans une situation contraire, elle finira par éprouver un profond sentiment de décalage par rapport à son travail. Ce sentiment finira par nuire au fonctionnement du service, car cette personne ne sera pas satisfaite ou sera très stressée, ce qui peut la conduire à un grave épuisement professionnel.

La perception qu'ont les subordonnés de leur rôle

La recherche en CO s'est aussi intéressée aux croyances des subordonnés sous l'angle de la perception qu'ils ont de leur rôle. La **perception qu'a le subordonné de son rôle** désigne les croyances du subordonné quant à la manière dont il devrait interagir et dialoguer avec son leader pour répondre aux besoins de son unité de travail[12]. Elle reflète la façon dont le subordonné envisage son rôle, ses tâches et l'approche à adopter pour les assumer efficacement.

Les recherches démontrent que les subordonnés qui ont une **attitude de subordination fondée sur la distance hiérarchique** acceptent les inégalités de pouvoir et d'autorité et croient qu'il revient aux leaders de prendre les décisions et de déterminer les orientations de travail[13]. Ces personnes manifestent un faible sentiment de compétence, ce qui signifie qu'elles ont moins confiance en leurs capacités à accomplir leurs tâches par elles-mêmes et qu'elles font preuve d'une plus grande obéissance envers leurs leaders. Elles dépendent des leaders en ce qui a trait à la structure et à la direction de leur travail, et elles les suivent sans même poser de questions. Ces subordonnés affirment travailler dans des contextes caractérisés par une distance hiérarchique marquée et une faible autonomie professionnelle. C'est peut-être parce que ces contextes les attirent ou parce que les gens manifestant une attitude de subordination proactive ont moins tendance à rester dans ces milieux de travail.

D'autres subordonnés ont une perception très différente de leur rôle : ils ont une **attitude de subordination proactive**. Ceux qui manifestent une telle attitude abordent leur rôle sous l'angle d'un partenariat avec les leaders en vue d'atteindre des objectifs communs[14]. Ces subordonnés manifestent une personnalité proactive et un fort sentiment de compétence. Ils croient que les subordonnés sont des collaborateurs importants dans le processus de leadership et qu'un solide rôle de subordonné (par exemple donner son opinion) est nécessaire pour accomplir la mission organisationnelle. Les subordonnés proactifs ont tendance à travailler dans des environnements qui appuient et renforcent leurs croyances à l'égard de la subordination et qui se caractérisent par une distance hiérarchique peu marquée, une autonomie supérieure et un soutien plus élevé de la part des superviseurs. Ces caractéristiques de leur milieu de travail sont importantes parce que les subordonnés proactifs ont besoin d'un environnement qui soutient le rôle de subordination tel qu'ils le perçoivent. Ils doivent avoir confiance en leurs leaders et savoir qu'on ne considérera pas qu'ils outrepassent les limites.

L'élément le moins clair est ce que les gestionnaires souhaitent des subordonnés. Il semble que les gestionnaires veuillent recevoir des opinions, pourvu qu'elles soient constructives. Toutefois, les résultats des recherches concernant l'obéissance sont très mitigés ; ils indiquent que les gestionnaires sont ambivalents quant à son caractère positif ou négatif, et cela, peu importe que

Perception qu'a le subordonné de son rôle
Croyance du subordonné quant à la manière dont il devrait interagir et dialoguer avec son leader pour répondre aux besoins de son unité de travail

Attitude de subordination fondée sur la distance hiérarchique
Attitude du subordonné qui, à des degrés divers, accepte les inégalités de statut et de pouvoir entre les leaders et les subordonnés au sein de l'organisation

Attitude de subordination proactive
Attitude d'une personne qui, dans un contexte de subordination, croit qu'elle doit collaborer avec les leaders, agir de façon utile et efficace en vue d'atteindre des objectifs communs

Les subordonnés proactifs considèrent qu'ils jouent un rôle important, que le leader a besoin de leur opinion et de leur travail pour accomplir la mission d'entreprise.

l'obéissance provienne de subordonnés ayant une attitude fondée sur la distance hiérarchique ou de subordonnés ayant une attitude proactive. On ne sait donc pas exactement quel rôle joue l'obéissance dans la subordination. Les gestionnaires recherchent-ils l'obéissance? Est-ce que seuls certains gestionnaires la souhaitent ou s'ils veulent seulement certains types d'obéissance? Il s'avère que bien qu'on ait passé des décennies à étudier ce que les subordonnés voulaient des leaders, on en sait encore très peu sur ce que les leaders souhaitent, sur le plan des comportements et des rôles, de la part de leurs subordonnés. Des recherches sont en cours pour mieux cerner le point de vue du gestionnaire dans le processus de leadership.

DILEMME : À CONSIDÉRER... OU À ÉVITER ?

Obéir au patron par devoir ou non?

Laboratoire de l'Université Yale, 1963

Le psychologue Stanley Milgram a mené une expérience visant à établir jusqu'à quel point les gens sont prêts à obéir aux ordres émis par une figure d'autorité tout en sachant que, ce faisant, ils mettent en danger la vie d'une personne. Les responsables de l'expérience ont fait croire aux sujets que l'étude consistait à évaluer les effets de la punition sur l'apprentissage, ce qui n'était pas le cas. Les sujets devaient jouer le rôle de professeurs. Un élève, en fait un collègue de Milgram, était attaché à une chaise dans une pièce voisine, une électrode fixée au poignet. Un chercheur, autre collègue de Milgram, portait la blouse blanche du scientifique. D'un ton impassible ou sévère, ce dernier ordonnait au professeur de lire à l'élève une liste de paires de mots. Le professeur devait ensuite relire le premier mot d'une paire ainsi que quatre autres termes afin que l'élève lui désigne lequel des quatre derniers termes était apparié au premier dans la liste initiale. Pour répondre, l'élève devait appuyer sur un bouton qui faisait clignoter un voyant sur le tableau de commande placé devant le professeur. Le professeur avait reçu l'instruction d'administrer une décharge électrique à l'élève en cas de réponse erronée et d'augmenter l'intensité des décharges à chaque mauvaise réponse. Il manipulait les interrupteurs censés envoyer des décharges de 15 à 450 volts; ces chiffres étaient clairement indiqués sur le tableau de commande. En réalité, l'élève ne recevait aucune décharge électrique; il jouait la comédie, commettant volontairement de nombreuses erreurs et réagissant de plus en plus vivement aux décharges en fonction de leur intensité supposée. Si le professeur (en fait, le véritable sujet de l'expérience) refusait d'administrer une décharge, le chercheur recourait successivement à quatre exhortations pour le convaincre de se conformer à la consigne:
(1) «Continuez, je vous prie»;
(2) «Pour les besoins de l'expérience, vous devez continuer»; (3) «Il est absolument indispensable que vous continuiez»; (4) «Vous n'avez pas le choix, vous devez continuer». Si le professeur maintenait son refus après la quatrième exhortation, l'expérience prenait fin. En tout, 26 sujets, soit 65% de l'échantillon, ont poursuivi l'expérience jusqu'à son terme, acceptant ainsi d'administrer des décharges maximales à l'élève. Les 14 autres sujets ont cessé d'obéir à des stades intermédiaires divers, mais aucun n'a arrêté avant une décharge de 300 volts, stade auquel l'élève se cognait la tête contre les murs en signe de souffrance...

Restaurant McDonald's, 2004

Une personne se présentant comme un policier appelle pour parler au gérant adjoint d'un restaurant McDonald's. Cet «agent Scott» dit enquêter sur un vol effectué par une employée. Prétendant avoir la direction sur l'autre ligne, il demande au gérant adjoint d'amener une employée à l'arrière et de l'interroger pendant qu'il est en ligne. Le gérant adjoint s'exécute et suit les instructions de l'«agent» pendant plus de trois heures, au terme desquelles l'employée de 18 ans est nue et exécute des sauts avec écart. Le canular n'a été découvert que lorsque le gérant adjoint a appelé son patron pour vérifier la véracité de cette enquête. Le faux agent Scott a été arrêté, et on a appris qu'il avait fait des appels similaires dans plus de 70 restaurants McDonald's.

Les gestionnaires sont censés prendre des décisions et les autres sont censés s'y conformer. N'est-ce pas la sagesse populaire? Toutefois, ces incidents démontrent que même si on a tendance à obéir à ceux qui semblent être des figures d'autorité, ce n'est pas toujours la chose à faire.

Parfois, il vaut mieux désobéir au patron ou à toute autre figure d'autorité qui demande de faire une chose inusitée, incorrecte ou carrément suspecte. De plus, si on vous demande de faire quelque chose de mal, mais que vous le faites malgré tout, vous aurez votre part de blâme. «Je suivais simplement les ordres» n'est pas une excuse.

QUESTIONS

Si l'obéissance n'est pas toujours le bon choix, comment savoir s'il est judicieux de désobéir? Pouvez-vous donner des exemples de situations, tirés de votre expérience personnelle, où il valait mieux ne pas faire ce qu'on vous demandait? Dans une telle situation, comment était évalué votre comportement par la suite? Que dit la littérature au sujet des raisons d'obéir et des méthodes permettant de s'assurer que l'obéissance est justifiée dans certaines situations? Qu'en est-il du prix à payer pour la désobéissance? Est-il possible d'éduquer et de former les gens à devenir de meilleurs subordonnés, soit des gens qui ne suivent pas toujours les ordres et qui, parfois, les remettent en question?

Les théories implicites de la subordination

Théorie implicite de la subordination
Ensemble d'idées préconçues que les leaders ont concernant les comportements et les caractéristiques prototypiques et contreprototypiques des subordonnés

Un des champs d'études du CO qui permet de comprendre le point de vue du gestionnaire est celui des **théories implicites de la subordination**[15]. La recherche sur ces théories utilise l'approche décrite précédemment dans la recherche sur les théories implicites du leadership, mais en l'inversant, c'est-à-dire en demandant aux *leaders* (aux gestionnaires) de décrire les caractéristiques associées aux *subordonnés* (par exemple subordonnés efficaces, subordonnés inefficaces). Les données sont ensuite analysées pour cerner les caractéristiques prototypiques et contreprototypiques des subordonnés.

À la manière des mesures élaborées pour les théories implicites du leadership, Thomas Sy a élaboré un instrument de mesure des théories implicites de la subordination. S'appuyant sur des idées issues des théories implicites, il a recensé les comportements prototypiques des subordonnés tels qu'ils sont perçus par les leaders. Après avoir constitué un échantillon de gestionnaires, le chercheur leur a demandé de recenser les caractéristiques des subordonnés efficaces et inefficaces. Il a ensuite analysé leurs réponses pour déterminer si des catégories de prototypes s'en dégageaient. Comme le montre la **figure 10.6**, il a construit une échelle comportant 18 éléments divisés en deux groupes: les prototypes de subordination et les contreprototypes de subordination. Les premiers englobent des caractéristiques telles que l'application, l'enthousiasme et le civisme, associées aux subordonnés qui jouent adéquatement leur rôle. Les seconds englobent des comportements tels que la soumission, l'insubordination et l'incompétence, associés aux subordonnés inefficaces[16]. De ces contreprototypes, il semble que l'incompétence soit celui qui ait le plus d'incidence. Autrement dit, les leaders considèrent l'incompétence comme étant le facteur déterminant d'une subordination inefficace.

Prototype et contreprototype	Catégorie	Description
Prototype	Application	Personne laborieuse, productive, d'un dévouement exceptionnel
Prototype	Enthousiasme	Personne enthousiaste, sociable, heureuse
Prototype	Civisme	Personne loyale, digne de confiance, membre d'équipe efficace
Contreprototype	Soumission	Personne influençable, qui suit les tendances et qui est réservée
Contreprototype	Insubordination	Personne arrogante, impolie, colérique
Contreprototype	Incompétence	Personne ignorante, lente, inexpérimentée

Source : Adapté de T. Sy, « What Do You Think of Followers ? Examining the Content, Structure and Consequences of Implicit Followership Theories », *Organizational Behavior and Human Decision Processes*, vol. 113, nº 2, 2010, p. 73-84.

Ces recherches ont des conséquences pratiques importantes. Par exemple, si les leaders ont leurs propres théories implicites de la subordination et établissent des prototypes de leurs subalternes, ils doivent être influencés par ces prototypes quand ils jugent leurs subalternes et interagissent avec eux. N'oubliez pas que le processus de catégorisation est spontané et automatique, c'est-à-dire que les leaders évaluent très rapidement leurs subordonnés. Ils jugeront alors positivement ceux qui entrent dans leurs catégories de prototypes et négativement ceux qui entrent dans leurs catégories de contreprototypes. Il se peut également que leurs théories implicites de la subordination les prédisposent à vivre certaines expériences socioémotionnelles. Par exemple, les leaders ayant une perception plutôt prototypique des subordonnés pourraient adopter une attitude affective plus positive envers les membres de leur équipe, tandis que les leaders ayant une perception plutôt contreprototypique pourraient avoir une attitude plus négative.

La ligne est mince entre le comportement de subordination proactif et celui qui est perçu comme de l'insubordination par certains leaders...

En outre, les résultats des recherches sur les prototypes et contreprototypes sont intéressants, car ils pourraient expliquer pourquoi on ne sait pas exactement ce que les gestionnaires attendent de leurs subordonnés. Ce que les gestionnaires considèrent comme de l'insubordination et de l'incompétence peut être vu comme des manifestations d'attitude de subordination proactive par les subordonnés. La ligne est mince entre ces comportements de subordination proactifs et ceux que les leaders ne sont pas prêts à accepter ou incapables d'accepter efficacement. Bien que plus d'études soient nécessaires, il semble pratiquement certain qu'un des facteurs influençant la façon dont les gestionnaires considèrent et acceptent les comportements des subordonnés proactifs est la qualité de la relation entre le gestionnaire et le subordonné.

Les relations leader-subordonnés

Les études sur le leadership démontrant l'importance de la nature des relations leader-subordonnés sont parmi celles qui ont obtenu les résultats les plus solides. Lorsque ces relations vont bien, les résultats sont positifs. À l'inverse, lorsque ces relations sont mauvaises, les résultats négatifs peuvent même être destructeurs.

La théorie des échanges leader-membres

Théorie des échanges leader-membres (ou théorie LMX)
Théorie du leadership qui se concentre sur la qualité des relations entre le leader et ses subordonnés

Selon la **théorie des échanges leader-membres** (ou **théorie LMX**, de l'anglais *leader-member exchange*), un leader ne noue pas les mêmes relations avec chacun de ses subordonnés[17]. Certaines de ces relations sont des « partenariats » de haute qualité (LMX élevés), caractérisés par une influence, une confiance, un respect et une loyauté mutuels. Il s'ensuit, pour le subordonné, des tâches plus stimulantes, une attention particulière du leader, un soutien accru de sa part et une communication plus ouverte et plus honnête. D'autres relations sont d'une qualité moindre (LMX faibles) et s'apparentent plus aux relations traditionnelles entre supérieur et subordonné. Elles se caractérisent par des rapports formels où le supérieur supervise et encadre, tandis que le subordonné obéit (ou parfois manifeste de la résistance). Dans ce type de relations, les interactions, la confiance et le soutien sont faibles.

Ces différences sur le plan des relations avec le leader sont importantes du point de vue des subordonnés, car elles influent fortement sur les résultats de leur travail. La recherche montre que des relations de grande qualité entre le leader et ses subordonnés sont associées à une plus grande satisfaction de ces derniers, à un meilleur rendement, à un plus faible roulement de la main-d'œuvre et à un engagement professionnel et organisationnel accru. Par contre, des relations de moindre qualité entre le leader et ses subordonnés sont associées à un rendement réduit et à des attitudes négatives au travail. Au pire, ces relations leader-subordonnés négatives peuvent être hostiles et conduire à des abus ou à du sabotage[18].

C'est humain: les patrons ne se lient pas de la même façon avec tous leurs subordonnés, dont le rendement est néanmoins influencé par le degré de confiance, de respect ou d'ouverture de la relation avec leur supérieur.

Les implications de la théorie des échanges leader-membres sont très claires. Les mauvaises relations sont contreproductives pour les personnes et les organisations, alors que les bonnes relations apportent de nombreux avantages. Si la relation avec votre patron est mauvaise, vous pouvez vous attendre à ce qu'elle ait une incidence négative sur votre travail et possiblement sur votre carrière. Dans les organisations, les mauvaises relations créent des climats négatifs et un moral à la baisse. Elles drainent les organisations de l'énergie nécessaire pour atteindre un bon rendement, s'adapter et s'épanouir.

La théorie des échanges sociaux

Afin d'éviter ces problèmes, il est important de travailler à établir des relations de meilleure qualité dans toute l'organisation. Mais la question qui se pose est comment y parvenir?

La **théorie des échanges sociaux** aide à expliquer la dynamique sociale qui sous-tend l'établissement des relations. Selon cette théorie, les relations se tissent au moyen d'échanges, soit de réactions liées aux récompenses découlant de certains comportements. On échange chaque fois qu'on parle à une personne ou qu'on fait quelque chose pour elle; ces actions peuvent être récompensées ou non. Les relations s'établissent lorsque les échanges sont mutuellement récompensés ou renforcés. Lorsque les échanges sont unilatéraux ou non satisfaisants, les relations en pâtissent; elles tendent alors à se détériorer.

La **norme de réciprocité** se trouve au cœur des échanges sociaux. Selon cette norme, lorsqu'une personne rend service à une autre, celle-ci est redevable envers la première jusqu'à ce qu'elle lui ait rendu la pareille[19]. C'est la situation dans laquelle vous êtes lorsque quelqu'un vous fait une faveur et que, selon le lien qui vous unit à cette personne, vous vous sentez obligé de lui rendre un service en retour. Si la relation est étroite (par exemple s'il s'agit d'un membre de votre famille), vous ne vous sentirez pas obligé de rendre la pareille immédiatement parce que vous savez que vous pourrez le faire ultérieurement. Si l'échange se produit avec quelqu'un que vous ne connaissez pas aussi bien (par exemple un étudiant de votre classe), vous vous empresserez de lui remettre ce qu'il vous a donné, car comme tout le monde le souhaiterait vous voudrez être considéré par lui comme une personne fiable.

Cette norme de réciprocité comporte trois éléments[20]. L'**équivalence** est la mesure selon laquelle ce qui est redonné est sensiblement de même valeur que ce qui a été reçu (exactement la même chose ou quelque chose de différent). L'**immédiateté** fait référence à la *période de réciprocité*, soit la vitesse à laquelle la dette est acquittée (immédiatement ou dans une durée de temps indéterminée). L'**intérêt** représente le motif qui pousse la personne à faire l'échange. Il peut s'agir de son propre intérêt, d'un intérêt mutuel ou de l'intérêt de l'autre (préoccupation véritable pour l'autre personne).

Comme l'illustre la **figure 10.7**, la façon dont ces éléments interagissent varie selon la qualité des relations leader-subordonnés. Au début d'une relation, ou dans une relation de qualité inférieure, la réciprocité suppose une forte équivalence (on veut ravoir ce qu'on a donné), une immédiateté élevée (on s'attend à ce que l'autre nous renvoie l'ascenseur sans tarder) et des échanges fondés sur l'intérêt personnel (on se préoccupe avant tout de soi). À mesure que la relation évolue et que la confiance s'établit, l'équivalence diminue (on ne s'attend pas nécessairement à recevoir la même chose), la période de réciprocité augmente (on est moins préoccupé par la dette – on peut la «garder en banque» pour le moment où on en aura besoin), et l'intérêt des échanges devient mutuel (plutôt que personnel) ou même axé sur l'autre.

Théorie des échanges sociaux
Théorie du leadership qui décrit comment les relations émergent et évoluent dans des processus d'échanges et de réciprocité

Norme de réciprocité
Dans la théorie des échanges sociaux, norme qui stipule que, lorsqu'une personne rend service à une autre personne, cette dernière est redevable envers la première jusqu'à ce qu'elle lui ait rendu la pareille

Équivalence
Dans la théorie des échanges sociaux, mesure selon laquelle ce qui est redonné est sensiblement de même valeur que ce qui a été reçu

Immédiateté
Dans la théorie des échanges sociaux, vitesse à laquelle la dette est acquittée

Intérêt
Dans la théorie des échanges sociaux, motif qui pousse une personne à faire un échange

FIGURE **10.7** La réciprocité et la qualité des relations leader-subordonnés

Confiance
Dans la théorie des échanges sociaux, croyance que l'autre veut et peut s'acquitter de sa dette

Comme il est basé sur la confiance, ce processus est social et non économique. La **confiance** correspond à la croyance que l'autre veut et peut s'acquitter de sa dette. Les échanges économiques sont évidemment dépourvus de confiance. C'est la raison pour laquelle on conclut des contrats qui créent un recours légal advenant que l'une des parties ne respecte pas ses obligations. Dans les échanges sociaux, la confiance est l'élément fondamental dans le déroulement des échanges. Si une personne montre qu'elle n'est pas digne de confiance, l'autre personne mettra fin à l'échange, et la relation se détériorera.

Par conséquent, si vous voulez bâtir des relations efficaces, vous devez porter attention aux processus de réciprocité et d'échange social. Vous devez vous assurer que lorsque vous procédez à des échanges, vous le faites sur la base de la réciprocité et que ces échanges sont satisfaisants et gratifiants pour toutes les parties concernées.

Vos collègues pourront tolérer quelques écarts de votre part... si vous avez en banque suffisamment de crédit idiosyncrasique qui stimule leur patience !

Crédit idiosyncrasique
Capacité d'enfreindre les normes établies avec d'autres personnes en fonction d'un capital permettant de couvrir son infraction

La théorie du leadership par le crédit idiosyncrasique

Une autre façon de considérer la nature des échanges qui sous-tendent l'établissement de relations est la théorie du leadership par le crédit idiosyncrasique élaborée par le psychologue social Edwin Hollander dans les années 1950[21]. Le **crédit idiosyncrasique** représente la capacité d'enfreindre les normes établies avec d'autres personnes en fonction d'un capital permettant de couvrir l'infraction. Si une personne a suffisamment de crédit, les autres peuvent accepter son idiosyncrasie (le fait qu'elle dévie des normes convenues), pourvu que l'infraction ne dépasse pas le montant de son crédit. Si elle n'a pas suffisamment de crédit, l'infraction créera un déficit. Lorsque le déficit devient trop important, ou s'il dure trop longtemps, le compte devient « en faillite », et les déviations ne sont plus tolérées, ce qui entraîne une détérioration des relations.

Le crédit idiosyncrasique est une façon amusante et simple de considérer certains concepts importants dont il faut tenir compte dans l'établissement de relations. L'essentiel est de savoir gérer son solde. Si vous dépensez votre crédit en agissant de manière idiosyncrasique (c'est-à-dire en déviant des normes convenues), vous devrez alors cesser de dépenser et commencer à accumuler. Si votre compte est bien garni et que les relations sont fantastiques, vous pouvez vous permettre d'utiliser une partie de votre crédit en agissant de manière excentrique ou en prenant des mesures qui pourraient être impopulaires. Les autres vous soutiendront tant que vous ne serez pas en déficit.

Leadership collectif
Leadership vu comme un phénomène social qui se construit au gré des interactions, plutôt que comme un ensemble de caractéristiques particulières des personnes et de leurs comportements

Le leadership collectif

Les interactions relationnelles sont à la base du leadership, et les approches relationnelles ont permis de comprendre que le leadership est mieux décrit comme un processus collectif qu'un trait ou un comportement individuel. Le **leadership collectif** envisage le leadership comme un phénomène social qui se construit au gré des interactions entre les personnes, plutôt que comme un ensemble de caractéristiques particulières des personnes et de leurs comportements. Il préconise de modifier la perspective en mettant l'accent sur les activités partagées et les processus interactifs entre les acteurs concernés plutôt que sur les traits personnels et les comportements des leaders.

Le leadership distribué

Un des premiers domaines de recherche à reconnaître le leadership en tant que processus collectif a été celui du **leadership distribué**, qui se distingue du leadership «concentré». Cette notion de répartition du leadership repose grandement sur la théorie des systèmes et processus, et elle situe le leadership dans les relations et les interactions entre de nombreux acteurs et dans les situations où ils interviennent[22].

Leadership distribué
Leadership envisagé sous l'angle d'un phénomène de groupe et qui s'appuie sur une variété d'expertises provenant de nombreuses personnes plutôt que sur l'expertise limitée d'une poignée de leaders

EN MATIÈRE DE LEADERSHIP

L'humilité : l'une des caractéristiques du leader de demain

Contrairement au leader héroïque des années 1980, le leader de demain sait qu'il ne pourra pas relever seul tous les défis auxquels il sera confronté. Deborah Ancona, directrice du centre de leadership du Massachusetts Institute of Technology, aux États-Unis, parle de «leader incomplet». Ce leader sait que, dans un monde numérique où tout est interrelié, son influence sera limitée et qu'il ne sera plus le seul à détenir les réponses. Linda Hill, professeure à la Harvard Business School, utilise l'expression «leading from behind» (le «leadership en retrait», si on veut) pour décrire un leader qui se met non pas à l'avant, mais plutôt à l'arrière de ses troupes, son rôle ne consistant pas à diriger, mais bien à créer un contexte où chacun pourra jouer un rôle de

Deborah Ancona, du MIT

leadership, prendre sa place et réaliser des projets. Auteur du blogue «Rethinking Leadership» pour la revue *Forbes*, le professeur Karl Moore, de l'Université McGill, prédit que le leader de demain aura un côté introverti. «L'introverti ne cherche pas à être le centre de l'attention et sait mieux écouter les autres», explique-t-il. Cela ne signifie pas pour autant qu'il ne se mettra jamais en avant. «Il portera son chapeau d'extraverti pour apparaître en public, mais il redeviendra introverti en rentrant au bureau.» Le leader de demain ne demandera pas qu'on nourrisse son ego, ajoute Karl Moore. Il voudra apprendre des autres, notamment auprès des plus jeunes que lui. Le mentorat inversé fera partie des pratiques courantes. De cette façon, le leadership dans l'organisation de demain sera mieux

distribué. «Il y a un leader au sommet, mais il y en a partout dans l'organisation et même à l'extérieur, ajoute Mme Ancona. Ils collaborent pour relever un défi, que celui-ci soit lié à l'organisation ou à tout leur secteur d'activité.» Le leader de demain ne contrôlera pas l'organisation : il contribuera à lui donner forme.

Source : Suzanne Dansereau, «Les dix caractéristiques du leader de demain», reproduit avec la permission de *Gestion*, revue internationale de gestion, vol. 41, n° 1 (printemps 2016), p. 71.

Le leadership distribué repose sur trois grandes prémisses. Tout d'abord, le leadership émerge d'un groupe ou d'un réseau de personnes en interaction, c'est-à-dire qu'il est cocréé lors d'interactions entre les personnes. Ensuite, le leadership distribué n'est pas clairement délimité. Il émerge dans certains contextes et, par conséquent, il est soumis à des influences locales et historiques. Enfin, le leadership distribué s'appuie sur une variété d'expertises provenant de nombreuses personnes plutôt que sur l'expertise limitée d'une poignée de leaders. Il constitue ainsi une forme de leadership plus démocratique et plus inclusive que celle des modèles hiérarchiques[23].

EN MATIÈRE DE LEADERSHIP

Quand le triumvirat de Google a fait place à une nouvelle structure de leadership

En 2011, la nouvelle en a surpris plus d'un: Eric Schmidt cédait sa place à Larry Page à la tête de Google. En 2001, le conseil d'administration avait demandé à Schmidt de se joindre à l'entreprise afin d'offrir une «supervision d'un adulte» aux fondateurs Larry Page et Sergey Brin, qui étaient alors âgés de 27 ans. Pendant 10 ans, la structure de gestion de Google a été constituée d'un triumvirat, Page, Brin et Schmidt se partageant le rôle. Pour certains, c'était comme les trois pistes d'un cirque; les cofondateurs, Larry Page et Sergey Brin géraient l'entreprise en coulisses, alors que Schmidt en était le visage public. Les trois avaient donc décidé qu'il revenait maintenant à Page de prendre les rênes.

«Au cours des 10 dernières années, nous avons tous les trois pris part à la prise de décision. Cette approche en triumvirat possède de véritables avantages sur le plan du discernement, et nous continuerons à discuter à trois des décisions importantes. Mais nous avons aussi convenu de préciser nos rôles individuels afin que la responsabilité et les obligations au sommet de l'entreprise soient claires», avait précisé Eric Schmidt.

L'objectif était de simplifier la structure de gestion et d'accélérer la prise de décision. «Larry prendra la direction du développement des produits et de la stratégie technologique, qui sont ses plus grandes forces... et il sera en charge de l'exploitation quotidienne en tant que chef de la direction de Google», avait expliqué Schmidt.

Sergey Brin, autre cofondateur, allait dorénavant mettre l'accent sur les projets stratégiques et les nouveaux produits, et Schmidt serait directeur général et s'occuperait des transactions, des partenariats, des clients et des relations gouvernementales. Comme le blogue officiel de Google le mentionnait à l'époque: «Nous sommes persuadés que cette direction servira bien Google et nos utilisateurs dans l'avenir.»

La question qui se pose maintenant: est-ce que la structure de leadership mise en place après le triumvirat fonctionne?

QUESTIONS
Pensez-vous que les modèles de coleadership sont efficaces? Fonctionneraient-ils pour vous? Seriez-vous capable de travailler efficacement au sein d'une structure de coleadership? Expliquez pourquoi.

De ce point de vue, c'est un leadership qu'on peut observer dans les activités quotidiennes et dans les interactions entre collègues au sein d'une organisation. Plutôt que d'émaner d'une construction hiérarchique, ce type de leadership se manifeste dans les actions simples et multiples qui se produisent quotidiennement au sein d'une organisation.

Ces actions entrent en interaction avec les efforts de changement à grande échelle venant de la direction ; les deux peuvent alors se renforcer mutuellement afin de produire du renouveau et de la flexibilité dans l'organisation. Dans cette vision, le leadership consiste donc à apprendre ensemble et à construire un sens et un savoir de manière collaborative et collective. Par contre, pour que cela se produise, les leaders formels doivent accepter d'abandonner un peu d'autorité et de contrôle, et favoriser la consultation et le consensus, plutôt que les ordres et la force[24].

Le coleadership

Une autre forme de leadership collectif est le **coleadership**. Il désigne la situation où les principaux rôles de leadership au sommet sont structurés de façon que le pouvoir de diriger n'est pas entre les mains d'une seule personne pouvant agir unilatéralement[25]. Le coleadership est pratiqué entre autres dans les organisations professionnelles (par exemple les cabinets d'avocats avec partenariat d'associés) et dans le domaine des arts (par exemple, dans les organisations dirigées par un directeur artistique et un directeur administratif). En outre, le coleadership a été utilisé dans certaines entreprises connues et importantes (par exemple, Google et Goldman Sachs).

Le coleadership permet de surmonter des problèmes liés aux limitations d'une seule personne ou aux abus de pouvoir et d'autorité. Il est de plus en plus répandu parce que les défis auxquels les organisations doivent faire face sont souvent trop complexes pour une seule personne. Le coleadership permet aux organisations de tirer profit des forces complémentaires et diversifiées de plusieurs personnes. On appelle parfois cette forme de leadership une « constellation », soit un leadership collectif au sein duquel les dirigeants occupent des rôles qui sont à la fois *spécialisés* (chacun s'occupe d'un secteur d'expertise particulier), *distincts* (on évite les chevauchements qui créeraient de la confusion) et *complémentaires* (le groupe couvre la totalité des domaines de leadership nécessaires)[26].

Coleadership
Répartition des principaux rôles de leadership au sommet de telle sorte que le pouvoir de diriger n'est pas entre les mains d'une seule personne pouvant agir unilatéralement

Leadership partagé
Processus dynamique et interactif d'influence entre les membres d'un groupe se guidant mutuellement vers l'atteinte de leurs objectifs communs ou de ceux de l'organisation

Le leadership partagé

Le **leadership partagé** désigne un processus dynamique et interactif d'influence entre les membres d'un groupe se guidant mutuellement vers l'atteinte de leurs objectifs communs ou de ceux de l'organisation, ou des deux[27]. Il suppose à la fois une influence horizontale entre pairs et une influence verticale ascendante ou descendante. Ce qui distingue essentiellement le leadership partagé des modèles traditionnels de leadership, c'est que l'influence va au-delà de la simple autorité d'un supérieur désigné ou élu sur des subalternes. Le leadership n'est pas centralisé entre les mains de la personne qui joue le rôle du supérieur, mais plutôt largement partagé entre un ensemble d'individus. Ainsi, le leadership vertical

Dans les milieux professionnels où on observe un leadership partagé, l'influence pour la prise de décision ne se retrouve pas entre les mains d'une seule personne.

correspond au leadership formel, tandis que le leadership partagé correspond au leadership distribué qui émerge de la dynamique d'équipe. Le principal objectif des approches de leadership partagé est de trouver d'autres sources de leadership qui auront une incidence positive sur le rendement organisationnel.

En ce qui concerne le leadership partagé, il peut s'exercer de l'extérieur ou de l'intérieur de l'équipe. S'il s'exerce de l'intérieur, il peut soit être attribué à une seule personne, soit être assumé à tour de rôle par les membres de l'équipe ou encore être partagé avec souplesse selon les besoins et l'évolution de l'équipe. En revanche, lorsqu'il s'exerce de l'extérieur, il peut être confié soit à une personne officiellement désignée, soit à un individu qui n'est pas membre de l'équipe et qui agit plutôt à titre de *coordonnateur* ou de *facilitateur*. Les tâches de ce dernier diffèrent passablement de celles du superviseur traditionnel : elles consistent principalement à fournir à l'équipe les ressources dont elle a besoin et à faire le lien avec les autres composantes de l'organisation, mais sans les prérogatives associées à l'autorité hiérarchique.

Les Innus d'Essipit

Habituellement, le leadership partagé commence à la tête des organisations. Dans ce cas-ci, au contraire, ce sont les initiatives de trois jeunes Innus qui ont permis de changer les choses. En mobilisant à la fois le leadership de chacun des membres de la communauté et celui, plus formel, du conseil de bande, cette Première Nation de la Côte-Nord a réussi à se transformer complètement sur une période de 30 ans. Elle est ainsi devenue plus éduquée et financièrement autonome tout en parvenant à s'affranchir de plusieurs problèmes sociaux. Qui plus est, ses membres ont convenu ensemble de développer activement le leadership de la relève, non seulement au sein de leur propre groupe, mais aussi dans les autres communautés innues de la région.

....

Source : Édith Luc, « Le leadership partagé : Du mythe des grands leaders à l'intelligence collective », reproduit avec la permission de *Gestion*, revue internationale de gestion, vol. 41, n° 3 (automne 2016), p. 37.

Au-delà de la contribution de chacun, le rendement d'une équipe dépend en grande partie des conditions propices qu'on parvient à mettre en place et à maintenir. Dans cette optique, il est important de tenir compte des conditions décrites ci-dessous.

Selon la théorie, le succès du leadership partagé et le bon rendement de l'équipe résident dans la mise en place et le maintien de conditions propices. Bien qu'un large éventail de caractéristiques puissent être nécessaires pour la réussite d'un travail donné, cinq d'entre elles semblent incontournables : des efforts efficacement déployés vers un but ; des ressources adéquates ; les compétences et la motivation ; un climat de collaboration ; l'amélioration continue et l'adaptation au changement[28].

1. *Des efforts efficacement déployés vers un but.* Il s'agit avant tout de coordonner les efforts tant à l'intérieur qu'à l'extérieur de l'équipe. C'est aux leaders, qu'ils fassent partie de l'équipe ou pas, que revient en général ce rôle crucial. La chose est plus difficile qu'il n'y paraît, car il faut tour à tour coordonner les efforts

individuels avec ceux de l'équipe, puis ceux de l'équipe avec ceux de l'organisation et parfois même avec ceux d'une entité plus large. Dans ce contexte, la présence d'éléments rassembleurs, tels qu'une vision et des buts communs, constitue un facteur important.

2. *Des ressources adéquates.* Les équipes comptent sur leurs leaders pour leur procurer l'équipement et les ressources nécessaires à l'atteinte des buts visés. Comme il a été mentionné précédemment, cette responsabilité échoit souvent à un facilitateur externe. L'allocation des ressources suppose presque toujours des négociations à l'intérieur comme à l'extérieur de l'équipe, et c'est au facilitateur que revient la tâche de négocier avec les instances externes concernées.

3. *Les compétences et la motivation.* Les membres d'une équipe doivent aussi s'appuyer sur des connaissances, des compétences et des capacités concrètes, de même que sur une solide dose de motivation pour accomplir collectivement leurs tâches. L'une des façons, pour un leader, d'accroître l'efficacité et le rendement collectif consiste à intervenir sur le plan de la composition de l'équipe. Cette stratégie est fréquemment employée au moment de la création d'équipes ponctuelles, telles que des groupes d'étude, et parfois pour la formation d'équipes d'étudiants.

4. *Un climat de collaboration.* On cherchera généralement à renforcer le plus possible la cohésion, la confiance entre individus et la coopération au sein d'une équipe. Il arrive que ces atouts fassent partie intégrante de la dynamique interpersonnelle existant entre les membres, mais le leader, qu'il fasse partie de l'équipe ou pas, peut aussi contribuer à l'instauration d'un tel climat en donnant l'exemple et en encourageant les interactions qui vont dans le bon sens. Il peut, en outre, chercher à raffermir la confiance de l'équipe en sa propre efficacité et en ses capacités collectives.

5. *L'amélioration continue et l'adaptation au changement.* Une équipe qui réussit est une équipe capable de s'adapter aux changements. Les leaders sont appelés à jouer un rôle important à cet égard, qu'ils fassent partie de l'équipe ou pas. Le perfectionnement continu peut passer par des mécanismes traditionnels. Quoi qu'il en soit, les équipes s'aperçoivent souvent que l'absence d'amélioration continue conduit à une détérioration de leur rendement.

Dans les conditions qui viennent d'être décrites, les équipes prendront en charge jusqu'aux activités de leadership les plus essentielles, avec ou sans l'intervention minimale d'un leader externe, voire en l'absence d'un leader interne. Les activités de leadership que les coéquipiers assument eux-mêmes peuvent être considérées comme des substituts partiels du leadership hiérarchique, même si elles sont encouragées par un coordonnateur.

Soulignons que, dans la pratique, le leadership partagé se combine fréquemment avec le leadership hiérarchique. Comme pour les autres formes de leadership présentées précédemment, l'importance à accorder respectivement au leadership partagé et au leadership hiérarchique, en tenant compte de leur complémentarité, dépend de divers facteurs situationnels. La contribution particulière des approches en matière de leadership partagé est d'élargir la notion de leadership pour considérer la participation de tous les membres d'une équipe, tout en maintenant l'attention sur les conditions favorisant l'efficacité de l'équipe.

Guide de RÉVISION

RÉSUMÉ

Qu'est-ce que le leadership ?

- Le leadership est un processus d'influence englobant des comportements de direction et de subordination adoptés par des personnes travaillant en collaboration en vue d'atteindre des objectifs communs.

- Le leadership formel est exercé par des personnes nommées ou élues à un poste qui leur confère une autorité officielle au sein de l'organisation ; le leadership informel est exercé par des personnes dont l'ascendant tient à des compétences particulières leur permettant de répondre aux besoins de leurs collègues ou à des traits de caractère particuliers qui incitent leurs collègues à s'identifier à elles et à les imiter.

- Le leadership émane d'un processus de construction identitaire, c'est-à-dire un processus par lequel les personnes négocient leur identité de leader ou de subordonné.

- Les théories implicites du leadership font référence à l'ensemble des idées préconçues que chaque individu entretient concernant les attributs des leaders (traits personnels et comportements).

- Les principaux prototypes des leaders regroupent les caractéristiques que sont la sensibilité, le dévouement, la tyrannie, le charisme, le charme, l'intelligence et la force. Ce sont les attributs positifs et négatifs des leaders.

Qu'est-ce que la subordination ?

- La subordination correspond au processus par lequel des personnes choisissent comment elles s'engageront dans leurs relations avec leurs leaders afin de cocréer le leadership et les résultats qui en découlent.

- Le mirage du leadership correspond à un phénomène par lequel on attribue tous les résultats organisationnels, bons ou mauvais, aux faits et gestes des leaders ; son corollaire est la sous-estimation de la subordination.

- Selon les théories de la construction sociale de la subordination, il existe un esprit de subordination passif et un esprit de subordination proactif. Le premier incite les individus à adopter un rôle classique de subordination :

ils sont soumis, passifs et respectueux. Le second incite les individus à exprimer leurs opinions, à être entreprenant et à remettre en question leur leader de façon constructive.

- Les subordonnés qui ont une attitude de subordination fondée sur la distance hiérarchique acceptent que le pouvoir ne soit pas réparti également au sein de l'organisation, alors que ceux qui manifestent une attitude de subordination proactive croient qu'ils doivent collaborer, agir de façon utile et efficace en vue d'atteindre des objectifs communs.

- Les théories implicites de la subordination font référence à l'ensemble des idées préconçues que les leaders ont concernant les comportements et les caractéristiques prototypiques et contreprototypiques des subordonnés.

- Les principaux prototypes des subordonnés regroupent l'application, l'enthousiasme et le civisme. Les principaux contreprototypes regroupent la soumission, l'insubordination et l'incompétence.

Quelles sont les théories portant sur les relations entre leaders et subordonnés ?

- La théorie des échanges leader-membres montre qu'un leader ne noue pas les mêmes relations avec chacun de ses subordonnés, selon le niveau de confiance, de respect et de loyauté qui existe dans la relation.

- La qualité des relations leader-membres est importante, car elle est liée au leadership et aux résultats du travail. Des relations de grande qualité entre le leader et ses subordonnés sont associées à une plus grande satisfaction des subordonnés, à une meilleure productivité, à un plus faible roulement de la main-d'œuvre et à un engagement professionnel et organisationnel accru.

- Selon la théorie des échanges sociaux, les relations se tissent au moyen d'échanges basés sur la norme de réciprocité (lorsqu'une personne rend service à une autre, la deuxième est redevable envers la première jusqu'à ce qu'elle lui ait rendu la pareille).

- La réciprocité est déterminée en fonction de trois éléments : l'équivalence (ce qui est donné est sensiblement de même valeur que ce qui a été reçu), l'immédiateté (la vitesse avec laquelle la dette est acquittée) et l'intérêt (le motif pour lequel la personne fait l'échange).

- Le crédit idiosyncrasique représente la capacité d'enfreindre les normes établies avec d'autres personnes en fonction du capital dont on dispose pour couvrir l'infraction ; une personne peut ainsi se permettre des idiosyncrasies (des déviations aux normes) dans la mesure où l'infraction ne dépasse pas le montant du crédit qu'elle possède.

Quelles sont les principales approches en matière de leadership collectif ?

- Le leadership collectif envisage le leadership comme un phénomène social qui se construit au gré des interactions, plutôt que comme un ensemble de caractéristiques particulières des personnes et de leurs comportements.

- Le leadership distribué envisage le leadership comme un phénomène qui repose sur une variété d'expertises provenant de nombreux leaders plutôt que sur l'expertise limitée d'une poignée de leaders.

- Le coleadership correspond à une répartition des principaux rôles de leadership au sommet de telle sorte que le pouvoir de diriger n'est pas entre les mains d'une seule personne qui pourrait agir unilatéralement.

- Le leadership partagé désigne un processus dynamique et interactif d'influence entre les membres d'un groupe se guidant mutuellement vers l'atteinte de leurs objectifs communs ou de ceux de l'organisation, ou des deux.

- Le leadership partagé suppose à la fois une influence horizontale entre pairs et une influence verticale ascendante ou descendante. Le principal objectif des approches de leadership partagé est de trouver d'autres sources de leadership qui auront une incidence positive sur le rendement organisationnel.

MOTS CLÉS

EXERCICE DE RÉVISION

MaBiblio > MonLab > Exercices
> Ch10 > Exercice de révision

Questions à choix multiple

1. Le leadership est un processus supposant _____ **a)** direction et subordination. **b)** report et obéissance. **c)** gestion et supervision. **d)** influence et résistance.

2. Le prototype du leadership _____ **a)** sert avant tout à sélectionner et à former les leaders. **b)** est une liste des traits de personnalité requis pour devenir un leader. **c)** est une représentation mentale du leader idéal. **d)** est une liste des aptitudes requises pour devenir un leader.

3. Un type de leadership dont on ne discute pas souvent est le leadership
_____ **a)** en personne. **b)** descendant. **c)** hiérarchique. **d)** ascendant.

4. _____ se produit par des processus de revendication et d'attribution.
a) La subordination **b)** La construction de l'identité de leadership **c)** La théorie
implicite **d)** Le statut

5. Les gens utilisent _____ pour décider s'ils doivent accorder une
revendication de leadership. **a)** les théories implicites **b)** les constructions
sociales **c)** le leadership collectif **d)** les échanges sociaux

6. _____ représente un choix sur la façon de s'engager avec les leaders
pour produire le leadership. **a)** Une théorie implicite **b)** La subordination
c) Le leadership informel **d)** La réciprocité

7. La soumission, l'insubordination et l'incompétence représentent _____
de la subordination. **a)** des prototypes **b)** des contreprototypes **c)** des
constructions sociales **d)** une dissonance

8. Les personnes qui émettent leurs opinions possèdent _____ **a)** une
faible orientation de rétroaction. **b)** une théorie de leadership prototypique.
c) une attitude de subordination proactive. **d)** une distance hiérarchique marquée.

9. La théorie selon laquelle les leaders établissent des relations différentes avec
chacun de leurs subordonnés porte le nom de _____ **a)** théorie des
échanges leader-membres. **b)** théorie du leadership charismatique. **c)** théorie du
leadership transactionnel. **d)** théorie centrée sur les subordonnés.

10. L'obligation créée lorsque quelqu'un vous rend service est _____ **a)** une
orientation de rétroaction. **b)** la norme de réciprocité. **c)** une théorie implicite de
subordination. **d)** le leadership partagé.

11. La règle de base pour savoir si vous pouvez enfreindre les normes au sein d'une
relation est de ne pas dépasser _____ **a)** votre crédit idiosyncrasique.
b) vos révélations relationnelles. **c)** vos faibles échanges leader-membres.
d) votre niveau de réciprocité.

12. _____ envisage le leadership comme un phénomène social qui se construit au gré d'interactions, plutôt que comme un ensemble de caractéristiques particulières des personnes et de leurs comportements. **a)** La construction de l'identité de leadership **b)** Le leadership collectif **c)** La théorie des échanges leader-membres **d)** La théorie des échanges sociaux

13. Le leadership partagé _____ **a)** met l'accent sur les relations hiérarchiques. **b)** ne peut pas être combiné au leadership vertical traditionnel. **c)** remplace le leadership vertical. **d)** est un processus dynamique et interactif d'influence.

14. Lorsque les rôles de leadership au sommet sont répartis entre plusieurs personnes, on l'appelle _____ **a)** leadership collectif. **b)** leadership distribué. **c)** coleadership. **d)** leadership partagé.

15. La soumission est un exemple de _____ **a)** distance hiérarchique marquée. **b)** prototype de subordination. **c)** contreprototype de subordination. **d)** orientation constructive.

Questions à réponse brève

16. Qu'est-ce que cela signifie lorsqu'on dit que le leadership est socialement construit?

17. Comment les subordonnés voient-ils leur rôle dans le leadership?

18. Comment la norme de réciprocité fonctionne-t-elle dans l'élaboration de relations?

19. Pour quelle raison les chercheurs parlent-ils de leadership collectif?

Question à développement

20. Votre colocataire est président de l'association étudiante et il a des problèmes à se faire écouter des autres. Chaque soir, il se plaint que ses collègues membres du comité de direction de l'association sont horribles, qu'ils sont paresseux et qu'ils ne veulent rien faire. Vous désirez vraiment l'aider à résoudre son problème. Comment allez-vous vous y prendre?

Le CO dans le feu de l'action

Pour ce chapitre, nous vous suggérons les compléments numériques suivants dans MonLab.

MaBiblio >

MonLab > Documents > Études de cas
> 13. Le cas de la nouvelle cage
> 15. Un nouveau vice-recteur pour l'Université du Midwest
> 17. Jean Durant

MonLab > Documents > Activités
> 25. Entrevue avec un dirigeant
> 27. Leadership et participation au processus décisionnel

MonLab > Documents > Autoévaluations
> 2. Le gestionnaire du 21e siècle
> 4. Votre indice de préparation à la mondialisation
> 13. Votre propension à la délégation

Les traits et les styles de comportement du leader

Lorsque les leaders sont efficaces, les gens qu'ils influencent ont tendance à se sentir bien et à être plus productifs. À l'opposé, lorsque les leaders ne sont pas efficaces, les employés et le rendement en souffrent. Le présent chapitre expose les raisons pour lesquelles certains leaders connaissent plus de succès que d'autres et cerne les défis que doivent relever les leaders dans des contextes organisationnels en évolution constante.

Les leaders font avancer les choses.

OBJECTIFS D'APPRENTISSAGE

Après l'étude de ce chapitre, vous devriez pouvoir :

- Expliquer les fondements des théories des traits personnels et des théories des comportements en matière de leadership.
- Expliquer ce qu'est l'approche situationnelle en matière de leadership.
- Décrire les théories du leadership charismatique et du leadership transformateur.
- Discuter de la perspective du leadership de complexité.
- Décrire les nouvelles approches en matière de leadership, notamment le leadership au service des autres, le leadership habilitant, le leadership authentique et le leadership éthique.

PLAN DU CHAPITRE

Les traits et les comportements du leader
Les théories des traits personnels du leader
Les théories des comportements du leader
Le leadership est-il inné ou acquis ?

Les théories du leadership situationnel
La théorie de la contingence de Fiedler
La théorie du cheminement critique de House
La théorie du leadership situationnel de Hersey et Blanchard
Les limites des théories du leadership situationnel

Le leadership charismatique et le leadership transformateur
Le leadership charismatique
Le leadership transformateur
Les limites du leadership héroïque

La perspective du leadership de complexité
Les environnements complexes d'aujourd'hui
La théorie du leadership de complexité
Les enjeux du leadership de complexité

De nouvelles approches en matière de leadership
Le leadership au service des autres
Le leadership habilitant
Le leadership authentique
Le leadership éthique

Guide de révision

Le leader multidimensionnel

[…] Le nécessaire équilibre travail-famille est devenu un enjeu important pour la génération X. Le leader de demain, lui, sera encore plus multi-dimensionnel. En effet, «comment embrasser la complexité de notre monde et d'une organisation, saisir la multitude des points de vue et des opinions et bien comprendre des environnements qui sont souvent multifacettes et multiculturels tout en étant soi-même un leader doté de peu de relief?» demande Robert Bonneau, président de la firme Décarie, recherche de cadres. Un bon bagage d'expériences et de parcours variés devient extrêmement profitable dans ce contexte. Roger Duguay, président de la firme de chasseurs de têtes Boyden, à Montréal, croit que la richesse d'un candidat à un poste de leadership vient autant de sa vie personnelle que de ses expériences de travail, qu'il entrevoit plus variées que par le passé. Il prédit que le leader de demain saura nourrir «autant sa tête que son corps et son esprit». Chez Google, l'ingénieur Chade-Meng Tan a récemment mis en œuvre un programme de méditation avec l'appui de la haute direction. Et il jure que cela augmente la créativité et la productivité. Selon lui, l'état de pleine conscience qu'on atteint en méditant augmente le quotient d'intelligence émotionnelle et éclaire l'esprit. S'ensuit alors une plus grande capacité d'attention, c'est-à-dire la base des grandes habiletés cognitives et émotionnelles, écrit-il. La méditation permet d'observer des situations avec plus de détachement et confère une plus grande maîtrise de soi. Méditatif, le leader de demain? En tout cas, il devra savoir gérer son énergie, car le monde «VICA» [volatile, incertain, complexe et ambigu] qui nous attend lui en fera voir de toutes les couleurs! […]

> Le leader de demain devra savoir gérer son énergie, car le monde volatile, incertain, complexe et ambigu qui nous attend lui en fera voir de toutes les couleurs!

Source: Suzanne Dansereau, «Les dix caractéristiques du leader de demain», reproduit avec la permission de *Gestion*, revue internationale de gestion, vol. 41 n° 1 (printemps 2016), p. 72.

Les traits et les comportements du leader

Vous avez tous rencontré différents types de leaders. Certains sont axés sur les tâches à accomplir et sont autoritaires. D'autres inspirent les gens autour d'eux et les motivent. D'autres encore n'interviennent pas du tout et affichent une attitude de laisser-faire ou un style passif alors que la situation demanderait un solide leadership.

Ces caractéristiques représentent les traits et les styles comportementaux des leaders. Les approches des traits personnels et des comportements en matière de leadership aident à comprendre comment les caractéristiques des leaders sont associées à leur efficacité. La prémisse est qu'on peut se faire une idée de l'efficacité des styles de leadership en étudiant comment les subordonnés perçoivent les différents types de leaders et comment ils y réagissent.

Tous ceux qui ont travaillé au sein d'organisations savent que les gestionnaires jouent un rôle crucial dans la création du climat qui règne au travail. Lorsqu'un gestionnaire favorise un climat propice et motivant, le travail devient significatif, et les employés sont heureux de s'y rendre chaque matin. Mais lorsque le gestionnaire est mauvais, le moral s'effondre, et les employés n'ont plus l'énergie nécessaire pour être productifs au travail ou dans leur vie. Les recherches ont révélé ce qui fait que certains gestionnaires sont plus efficaces que d'autres. Dans le présent chapitre, nous partons de cette connaissance pour comprendre comment devenir des gestionnaires et des leaders plus efficaces au travail.

Les théories des traits personnels du leader

Depuis plus d'un siècle, les chercheurs ont essayé de déterminer les principaux attributs qui distinguent les leaders des non-leaders, leur hypothèse étant que tous les leaders présentent certaines caractéristiques identiques, chacune étant importante, quelle que soit la situation. Selon les **théories des traits personnels du leader**, ce sont principalement des attributs personnels qui permettent de distinguer les leaders des non-leaders, les premiers devant posséder les « dispositions nécessaires[1] », et de prédire leurs succès ou les résultats organisationnels. Vieille de plus d'un siècle, la *théorie des grands personnages* a été la première tentative d'étude du leadership. Axée sur les différences entre les leaders et les non-leaders, elle part de la question suivante : Quels sont les traits personnels qui distinguent les grands personnages de la masse ? En quoi, par exemple, Catherine la Grande différait-elle de ses sujets ? Par la suite, d'autres recherches ont porté sur les différences entre les leaders et les non-leaders ainsi que sur la prédiction des résultats selon les traits personnels. On supposait qu'en cernant les attributs du leader, il serait possible de sélectionner des personnes pour occuper des postes de leadership en fonction de leurs traits de leadership. Or, pour diverses raisons, notamment des problèmes de théorisation et de mesure des traits, aucune de ces études n'a donné de résultats concluants.

Les chercheurs en ont donc conclu que les traits personnels n'étaient pas étroitement liés au leadership. Ils en sont venus à cette conclusion, car ils ont oublié les variables situationnelles et médiatrices, comme la communication ou les comportements interpersonnels, qui peuvent expliquer comment les traits personnels du leader sont liés aux résultats[2]. En revanche, les chercheurs voulaient obtenir des corrélations significatives entre les traits personnels et les résultats de leadership, comme le rendement de groupe ou l'avancement du leader. N'ayant pas trouvé de relations solides, ils en ont conclu que les traits personnels n'étaient pas un déterminant significatif du leadership ou de son efficacité.

Est-ce que des traits personnels particuliers distinguaient Catherine la Grande, impératrice de Russie, de ses sujets ?

Comme les premières études n'avaient pas démontré de corrélation significative, l'approche des traits personnels a été délaissée. Toutefois, au cours des dernières années, cette approche a connu un regain de popularité quand des chercheurs en management ont élaboré de nouvelles mesures et de nouvelles méthodes d'analyse permettant de mieux évaluer la relation entre les traits de caractère d'un gestionnaire et son efficacité comme leader.

Certains chercheurs utilisent les traits de personnalité du modèle à cinq facteurs (voir chapitre 2) afin de tenter de prédire l'émergence d'un leader (c'est-à-dire la personne qui sera reconnue comme étant le leader d'un groupe) et l'efficacité d'un leader (c'est-à-dire à quel point le leader tient bien son rôle). Les résultats ont démontré un lien faible, mais tout de même important, avec quatre des cinq traits de personnalité :

l'extraversion, l'application, la stabilité émotionnelle et l'ouverture à l'expérience[3]. Cela signifie que ces traits de personnalité semblent un peu plus présents chez les leaders efficaces que chez les leaders non efficaces et les non-leaders.

D'autres chercheurs se fondent sur la psychologie évolutionniste pour déterminer les facteurs génétiques associés au leadership qui ont évolué grâce à la sélection naturelle. Pour ces chercheurs, la tendance au leadership ou à la subordination serait la conséquence de la sélection naturelle qui a fait en sorte que certains traits personnels et certains comportements ont été conservés parce qu'ils ont permis à nos ancêtres de résoudre les problèmes d'adaptation auxquels ils faisaient face[4]. Selon la théorie de la psychologie évolutionniste, la tendance à se soumettre aux autres pourrait être enracinée chez certains, car nos ancêtres ont aussi appris que, dans certaines situations, il valait mieux obéir à un contrôle central.

DU CÔTÉ DE LA RECHERCHE

Narcissisme et leadership

Le narcissisme est un trait de personnalité qui décrit les gens ayant un fort sentiment de suffisance, nécessitant une admiration excessive, ayant le sentiment d'avoir tous les droits, manquant d'empathie et ayant tendance à exploiter et à manipuler les autres et à faire preuve d'arrogance. Pendant des années, on a postulé que le narcissisme était un facteur important de la réussite d'un leader. En fait, plusieurs études ont fait état de relations positives entre le narcissisme et le leadership, alors que d'autres études ont constaté des relations négatives entre les deux. Il y a donc divergence de vues entre les chercheurs quant à l'incidence du narcissisme sur le leadership et quant à la génération d'un apport positif ou négatif des leaders narcissiques dans les organisations.

Plusieurs raisons expliquent ces divergences, certaines recherches s'intéressant à la prédiction d'émergence du leadership (si une personne est considérée comme un leader par

les autres) et d'autres s'intéressant plutôt à l'efficacité du leadership, ainsi qu'à la source de l'évaluation du leadership (c'est-à-dire l'autoévaluation du leader comparativement aux évaluations d'observateurs).

Afin d'évaluer la relation entre narcissisme et leadership et de mieux comprendre les divergences entre les chercheurs, Emily Grijalva et ses collègues ont étudié les recherches antérieures sur le narcissisme et le leadership. Leur méta-analyse regroupait aussi les résultats des études antérieures. Leurs travaux donnent une image plus précise du lien entre narcissisme et leadership.

Premièrement, les chercheurs ont comparé les résultats des études qui prédisaient l'émergence du leadership à ceux des études qui portaient sur l'efficacité du leadership. Ils s'attendaient à ce que le narcissisme soit relié de façon positive à l'émergence du leadership, mais de façon négative à l'efficacité du leadership. Ils ont constaté que, bien que le narcissisme

soit effectivement relié positivement à l'émergence du leadership, il n'est pas relié de façon importante à son efficacité. La relation narcissisme-leadership est donc plus forte pour l'émergence du leadership que pour l'efficacité de celui-ci.

Deuxièmement, ils ont comparé les sources des évaluations de l'efficacité du leadership (autoévaluation faite par le leader comparativement à évaluation faite par des observateurs). Les résultats ont indiqué que la relation entre le narcissisme et l'efficacité du leadership était plus forte lorsque l'évaluation de l'efficacité était effectuée par le leader lui-même plutôt que par des observateurs (soit un superviseur, soit un collègue ou un subordonné).

Troisièmement, les chercheurs se sont aussi demandé si l'effet du narcissisme sur l'émergence du leadership pouvait être dû à l'extraversion, un trait de personnalité qui recoupe le narcissisme et est aussi associé au leadership. Comme prévu, ils ont pu établir une corrélation positive entre l'extraversion et l'émergence du leadership. De plus, lorsque le narcissisme et l'extraversion étaient tous deux utilisés pour prédire l'émergence du leadership, le narcissisme n'était plus un indicateur important. Autrement dit, lorsqu'on tient compte de l'extraversion, les narcissiques ne sont pas plus susceptibles d'émerger en tant que leaders. En fait, les narcissiques émergent comme leaders parce qu'ils sont plus extravertis.

Une quatrième explication possible des résultats divergents quant à l'incidence du narcissisme sur l'efficacité du leadership était la possibilité que la relation soit curvilinéaire plutôt que linéaire. Les chercheurs ont donc vérifié l'hypothèse selon laquelle un degré modéré de narcissisme serait lié à l'efficacité du leadership, alors que des degrés élevés ou infimes seraient associés à un dysfonctionnement du leadership. Leurs résultats ont effectivement prouvé l'existence d'une relation curvilinéaire entre le narcissisme et l'efficacité du leadership, la forme de cette relation étant un U inversé. Autrement dit, le narcissisme contribue à l'efficacité du leadership jusqu'à un certain point; après ce point, il devient défavorable à son efficacité. De plus, contrairement à la relation linéaire qui existe entre le narcissisme et l'émergence du leadership, cette relation ne peut pas s'expliquer par l'extraversion.

Les résultats de cette étude aident à préciser quand, pourquoi et comment le narcissisme influe sur le leadership. Ils démontrent en particulier que l'effet du narcissisme sur le leadership dépend du type de leadership analysé (émergence comparée à efficacité), et que les narcissiques sont plus susceptibles d'émerger comme leaders, mais uniquement parce qu'ils sont plus extravertis. Enfin, les leaders sont plus efficaces lorsqu'ils possèdent des niveaux modérés ou moyens de narcissisme plutôt que des niveaux très élevés ou très bas. Cela signifie que, bien que des personnes très narcissiques soient plus susceptibles d'être choisies pour des postes de leadership, leur degré élevé de narcissisme peut aussi nuire à leur efficacité en tant que leader.

Source : E. Grijalva, P. D. Harms, D. A. Newman, B. H. Gaddis et R. C. Fraley, « Narcissism and Leadership : A Meta-analytic Review of Linear and Nonlinear Relationship », *Personnel Psychology*, vol. 68, 2015, p. 1-47, cité dans Gary Johns et Alan M. Saks, *Organizational Behavior : Understanding and Managing Life at Work*, 10ᵉ édition, Toronto, Pearson, 2017, p. 323. Reproduit avec la permission de Pearson Canada Inc.

Les théories des comportements du leader

Comment savoir si un leader possède un certain trait personnel, tel que l'intelligence, l'extraversion ou la capacité de persuasion ? Il suffit de prêter attention à ses *comportements*. En effet, lorsque l'approche initiale des traits personnels n'a pas produit de résultats significatifs, les chercheurs, sans surprise, ont commencé à évaluer d'autres types de caractéristiques des leaders, comme leurs actions et leurs comportements.

Comme les théories des traits personnels, les **théories des comportements du leader** reposent sur le postulat que le leader a un effet déterminant sur le rendement et sur les autres résultats de son organisation. Toutefois, au lieu de s'intéresser aux traits personnels du leader, ces théories mettent l'accent sur ses comportements. Deux programmes de recherche bien connus, celui de l'Université du Michigan et celui de l'Université d'État de l'Ohio, ouvrent des pistes de réflexion très intéressantes sur les comportements associés au leadership.

Théories des comportements du leader
Théories du leadership selon lesquelles ce sont principalement les comportements du leader qui permettent de prédire le rendement et les autres résultats organisationnels

Les études de l'Université du Michigan

À la fin des années 1940, des chercheurs de l'Université du Michigan ont lancé un programme de recherche sur les comportements associés au leadership. Leur objectif était de

Selon les théories des comportements du leader, les actions du gestionnaire ont un effet déterminant sur le rendement des membres de l'organisation.

La méthode ReGain^{MC} : pour mieux se connaître et se voir à travers les personnages d'Hergé

S'inspirant des célèbres personnages de la bande dessinée *Les aventures de Tintin*, Renée Rivest, diplômée en relations industrielles ainsi qu'en psychoéducation et consultante en management depuis 1993, a conçu une typologie originale des personnalités. Selon elle, chacun intègre en lui-même les différents personnages d'Hergé, mais évidemment dans des proportions variables.

Les personnes à dominance Tintin sont des êtres de vision qui cherchent à rester intègres, fidèles à leurs valeurs et à leurs idéaux ; elles adoptent un leadership de sens. Les « grands » Milou, quant à eux, cherchent à jouer le mieux possible leur rôle, prennent le temps d'analyser une situation et fondent leur réflexion sur des faits ; un leadership stratégique les caractérise. Énergiques et dynamiques, s'affirmant de façon authentique et spontanée, exigeantes envers elles-mêmes et les autres et fidèles à ceux qu'elles estiment, les personnes à dominance Haddock privilégient un leadership d'action. Quant aux dominants Tournesol, leurs principales caractéristiques, soit l'innovation, la solitude,

l'autonomie et le caractère passionné, les poussent vers un leadership d'expertise et de créativité. Enfin, les « forts » Dupond et Dupont, empathiques et animés par le désir d'établir des relations harmonieuses et dépourvues de conflits, favorisent un leadership relationnel.

La méthode ReGain^{MC}, issue de cette typologie, s'avère un outil non menaçant et amusant qui permet aux personnes de se voir et de voir les autres à travers les personnages d'Hergé et d'accéder ainsi à une meilleure connaissance d'elles-mêmes. Sur le plan collectif, cette méthode permet aux dirigeants de mobiliser chaque membre de leur équipe et d'utiliser au mieux ses aptitudes ; en outre, elle permet d'équilibrer les forces au sein d'une équipe de travail, dans le respect des différences.

Au-delà des personnages, l'important, selon Renée Rivest, c'est d'accepter de devenir son Hergé (maître de soi) et de demeurer « observateur » de ce qui se passe en soi et autour de soi. C'est devenir conscient de ses réactions et de ses attitudes afin de proposer des choix de dialogue et de

collaboration au service d'un projet commun. De plus, les interventions menées auprès de clientèles canadienne, allemande, belge, française, italienne, espagnole, africaine et suisse ont clairement montré le caractère universel de l'approche ReGain^{MC}.

Note : Attention, c'est du sérieux ! Recevoir l'autorisation de Moulinsart SA d'utiliser l'œuvre d'Hergé est déjà un tour de force, et n'enseigne pas la méthode ReGain^{MC} qui veut. Par-delà le côté ludique, cette dernière met en scène des dynamiques humaines, donc de la complexité. C'est pourquoi seules les personnes accréditées par ReGain^{MC} groupe-conseil peuvent diffuser la méthode.

QUESTION

Quels sont les avantages, pour un dirigeant, de savoir à quels personnages d'Hergé les membres de son équipe peuvent l'associer ou à quels personnages il associe lui-même ses coéquipiers ?

dégager les comportements les plus susceptibles d'être à l'origine d'un rendement efficace. Après avoir interrogé des groupes hautement performants et des groupes peu performants dans diverses organisations, ils ont conclu que les comportements des leaders se répartissaient en deux grandes catégories : les *comportements axés sur les travailleurs* et les *comportements axés sur la production*.

Les dirigeants axés sur les travailleurs accordent une grande importance au bien-être de leurs subordonnés, tandis que les dirigeants axés sur la production se préoccupent davantage de l'exécution du travail. Les recherches ont permis d'établir que les groupes de travail des dirigeants axés sur les travailleurs obtiennent généralement de meilleurs résultats que ceux des dirigeants axés sur la production[5].

On considère alors que les deux types de comportements appartiennent à une même échelle et se situent à chacune de ses extrémités. Notons qu'on les désigne parfois sous les termes plus généraux de *comportements axés sur les relations* et de *comportements axés sur la tâche*.

Les études de l'Université d'État de l'Ohio

Presque à la même époque que les études menées à l'Université du Michigan, un important programme de recherche sur le leadership voit le jour à l'Université d'État de l'Ohio. Les chercheurs distribuent, dans des établissements industriels et militaires, un questionnaire visant à mesurer les perceptions des subordonnés concernant les comportements de leadership de leurs supérieurs. Ils peuvent ainsi dégager deux dimensions semblables à celles qui ont été mises en évidence par le programme de recherche de l'Université du Michigan : le **leadership axé sur la considération pour autrui** et le **leadership axé sur la structuration des activités**[6].

Comme le dirigeant axé sur les travailleurs, le leader qui a beaucoup de considération pour autrui est très sensible à ce que ressentent ses subordonnés et s'efforce de les satisfaire. Par contre, le leader qui privilégie la structuration des activités veille plutôt à préciser les exigences liées à la tâche et à clarifier les divers aspects du travail, s'apparentant en cela au leader axé sur la production. On parle parfois de ces deux styles de leadership comme du *leadership socioémotif* et du *leadership axé sur la tâche*.

Les chercheurs de l'Université d'État de l'Ohio ont d'abord pensé que les subordonnés des leaders axés sur la considération pour autrui et privilégiant la dimension socioémotive se distingueraient par une satisfaction professionnelle plus élevée et un meilleur rendement. Puis, des études ultérieures ont cependant établi que les leaders doivent à la fois avoir de la considération pour autrui et se soucier de la structuration de la tâche. La grille du leadership présentée ci-dessous rend compte de l'importance de ces deux dimensions.

La grille du leadership de Blake et Mouton

Conçue par Robert Blake et Jane Mouton[7], la **grille du leadership** (**figure 11.1**, p. 386) est l'une des applications les plus connues des modèles comportementaux. Pour l'utiliser, on commence par déterminer l'intérêt que le gestionnaire porte à l'élément humain, d'une part, et à la tâche, d'autre part. Puis, on inscrit les résultats obtenus dans la grille, dont l'axe des abscisses (intérêt envers la tâche) et l'axe des ordonnées (intérêt envers autrui) comportent chacun neuf graduations. La grille

Leadership axé sur la considération pour autrui
Style de leadership dans lequel le dirigeant, axé sur les travailleurs, est très sensible à ce que ressentent ses subordonnés et s'efforce de les satisfaire

Leadership axé sur la structuration des activités
Style de leadership dans lequel le dirigeant, axé sur la tâche, cherche surtout à en préciser les exigences et à clarifier les divers aspects du travail

Grille du leadership de Blake et Mouton
Modèle comportemental du leadership, conçu par Robert Blake et Jane Mouton, qui permet d'évaluer le leader par rapport à son orientation envers les personnes et envers les tâches, et de le situer dans une grille dont l'axe des abscisses (intérêt envers la tâche) et l'axe des ordonnées (intérêt envers autrui) comportent chacun neuf graduations

permet de voir, par exemple, que le gestionnaire qui obtient 1.9 (1 pour l'intérêt envers la tâche et 9 pour l'intérêt envers autrui) se caractérise par un style « social ». Un résultat de 1.1 dénote un style relâché ou « laisser-faire ». Une note de 9.1 correspond à un style « autocrate » strictement axé sur la tâche, alors qu'une note de 5.5 témoigne d'un style « compromis ». Enfin, le gestionnaire qui obtient 9.9 accorde beaucoup d'importance aux deux dimensions et adopte un style « intégrateur » ; dans la perspective du modèle de Blake et Mouton, il s'agit du style idéal.

FIGURE **11.1** **La grille du leadership de Blake et Mouton**

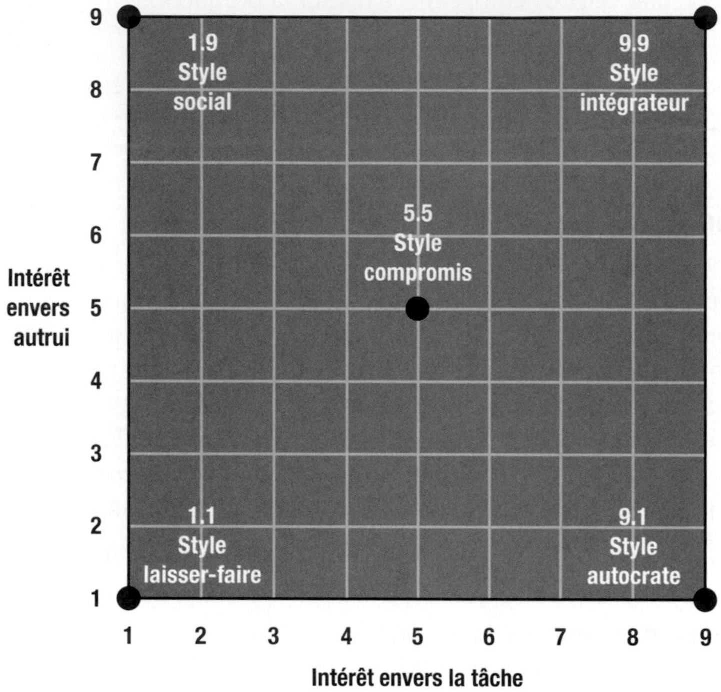

Source : Robert R. Blake et Jane S. Mouton, *The New Managerial Grid*, Houston, Gulf Publishing Company, 1991, p. 29.

Le leadership est-il inné ou acquis ?

L'accent mis sur les traits personnels et les comportements soulève une autre question concernant le leadership. Le leadership est-il limité à ceux qui sont *nés* avec des aptitudes de leader ou est-ce que n'importe qui peut *devenir* un leader ? C'est ce qu'on appelle le dilemme « inné/acquis » en matière de leadership. Le point de vue « inné » correspond aux théories des traits personnels, qui stipulent que les leaders qui sont dotés de certains traits sont des leaders naturels. Le point de vue « acquis » correspond aux approches comportementales qui prétendent que le leadership est associé à des comportements (c'est-à-dire que si vous vous comportez comme un leader, alors vous êtes un leader). Le point de vue « acquis » suppose que tout le monde peut devenir un leader par la formation et le perfectionnement.

Qu'en pensez-vous? Êtes-vous d'avis que tout le monde peut devenir un leader? Ou pensez-vous au contraire que seuls les gens qui possèdent certains traits particuliers peuvent devenir des leaders? Si le point de vue «inné» est vrai, les organisations devraient mettre l'accent sur la *sélection* et choisir les candidats à un poste de gestion en fonction de traits et d'aptitudes de leadership. Par ailleurs, si le point de vue «acquis» est vrai, elles devraient plutôt mettre l'accent sur le *perfectionnement* en formant les membres de leur personnel à adopter des comportements de leadership.

La solution à ce dilemme «inné/acquis» est devenue plus accessible depuis la série d'études menées par Richard Arvey et ses collègues sur des échantillons de jumeaux fraternels et identiques du registre des jumeaux du Minnesota. En examinant dans quelle mesure le leadership est inné (c'est-à-dire déterminé par la génétique) et dans quelle mesure il est acquis (c'est-à-dire déterminé par l'environnement), les chercheurs ont constaté qu'environ 30% de l'écart dans le rôle occupé par les jumeaux pouvait être attribué aux facteurs génétiques. Cela signifie qu'environ 70% relève de l'acquis[8]. Ces résultats signifient également que tout le monde ne peut pas être un leader. Pour en être un, il faut posséder un minimum de compétences et d'aptitudes de base en matière de leadership. Autrement dit, tout comme pour devenir un musicien ou un athlète de renom, le leadership exige un certain talent, et certaines personnes l'ont plus que d'autres.

Pour devenir un athlète de renom, tel que l'exceptionnel sprinter jamaïcain Usain Bolt, il faut du talent à la base. C'est la même chose pour le leadership: certaines personnes l'ont plus que d'autres.

Les théories du leadership situationnel

Le simple bon sens permet de dire que ce ne sont pas tous les traits ou les comportements des leaders qui sont reliés de façon positive et en tout temps à leur efficacité. L'efficacité du comportement d'un leader dépendra plutôt de la situation dans laquelle il se trouve. Lors de la première journée de cours, qu'attendez-vous de votre professeur? Voulez-vous qu'il adopte un comportement axé sur la considération pour ses étudiants ou un comportement axé sur la structuration des tâches? La plupart des étudiants souhaitent un comportement axé surtout sur la structuration des activités. Si votre professeur arrive en classe, qu'il est gentil et amical (c'est-à-dire qu'il manifeste des comportements de considération), mais qu'il ne distribue pas de plan de cours (c'est-à-dire qu'il ne manifeste pas de comportements de structuration des activités), votre réaction ne sera probablement pas favorable. Autrement dit, certaines situations requièrent certains types de comportements.

C'est la prémisse sur laquelle reposent les théories du leadership situationnel. Les **théories du leadership situationnel** stipulent que ce sont les caractéristiques situationnelles qui, associées aux traits et aux comportements du leader, permettent de prédire les résultats d'un leadership donné. Les traits ou les comportements du leader auront un effet plus marqué sur l'efficacité du leadership s'ils correspondent à la situation dans laquelle ils s'exercent. Dans les situations nécessitant davantage de direction et de structure, un comportement axé sur les tâches sera plus efficace et souhaité. Dans des situations nécessitant davantage de soutien et de considération, un comportement axé sur les relations sera plus efficace.

Théories du leadership situationnel

Théories du leadership selon lesquelles ce sont les caractéristiques situationnelles qui, associées aux traits et aux comportements du leader, permettent de prédire les résultats d'un leadership donné

La théorie de la contingence de Fiedler

Au milieu des années 1960, les travaux de Fred Fiedler ont marqué l'avènement de « l'ère situationnelle »[9]. Selon ce spécialiste, l'efficacité d'un groupe repose sur l'adéquation entre le style du leader, associé à un trait personnel, et les exigences de la situation. Fiedler s'intéresse particulièrement à la **maîtrise situationnelle**, c'est-à-dire à la marge de manœuvre dont jouit le leader pour influer sur les comportements des membres de son groupe. Selon le chercheur, les résultats des actions et des décisions de ces membres sont fonction de l'adéquation entre le style du leader et la maîtrise situationnelle dont il dispose.

Pour évaluer le style de leadership d'une personne donnée, Fiedler utilise le **questionnaire du collègue le moins apprécié** (**CMA**; voir l'autoévaluation n° 10, dans MonLab). Les répondants doivent décrire la personne avec laquelle leurs relations professionnelles ont été les plus difficiles – le collègue qu'ils ont le moins apprécié – en la situant sur divers axes dont les extrémités correspondent à des adjectifs contraires.

On a ainsi, parmi les divers axes de qualificatifs :

Inamical _____ _____ _____ _____ _____ _____ _____ _____ Amical
            1   2   3   4   5   6   7   8

Déplaisant _____ _____ _____ _____ _____ _____ _____ _____ Plaisant
            1   2   3   4   5   6   7   8

Selon Fiedler, les leaders dont l'indice CMA est le plus élevé, c'est-à-dire ceux qui décrivent en des termes très positifs le collègue qu'ils apprécient pourtant le moins, pratiquent un style de leadership axé sur les relations, tandis que ceux dont l'indice CMA est faible pratiquent un style de leadership axé sur la tâche. Fiedler estime que cette propension à privilégier l'une ou l'autre de ces dimensions (la tâche ou les relations) est un trait personnel qui, selon le degré de maîtrise situationnelle dont jouit le leader, s'avérera bénéfique ou non.

Comme l'illustre la **figure 11.2**, selon cette théorie, les leaders axés sur la tâche obtiennent de meilleurs résultats lorsque leur maîtrise situationnelle est forte ou faible, et les leaders axés sur les relations, lorsque leur maîtrise situationnelle est moyenne. Comme on le voit également dans cette figure, Fiedler détermine trois degrés de maîtrise situationnelle – élevé, moyen, faible – selon la combinaison des trois variables suivantes :

- les *relations entre le leader et les membres du groupe* (bonnes ou médiocres), c'est-à-dire le soutien que les membres du groupe apportent au leader ;

- la *structure de la tâche* (forte ou faible), soit la rigueur et la précision des objectifs, des procédures et des directives associées à la tâche du groupe que dirige le leader ;

- le *pouvoir hiérarchique* (fort ou faible), autrement dit l'autorité que possède le leader par la position qu'il occupe dans la structure hiérarchique ainsi que le pouvoir d'attribuer des récompenses et des punitions que lui confère son poste.

Maîtrise situationnelle

Marge de manœuvre dont jouit le leader pour influer sur les comportements des membres de son groupe et déterminer les résultats des actions et des décisions de ces membres

Questionnaire du collègue le moins apprécié (CMA)

Instrument de mesure qui permet de déterminer, avec une description du collègue le moins apprécié, si le répondant a un style de leadership axé sur les relations ou sur la tâche

MaBiblio
> MonLab > Documents
> Autoévaluations

FIGURE 11.2 Les prédictions du modèle de la contingence de Fiedler

FIGURE **11.2** Les prédictions du modèle de la contingence de Fiedler

	Maîtrise situationnelle élevée			Maîtrise situationnelle moyenne				Maîtrise situationnelle faible
Relations entre le leader et les membres du groupe	Bonnes	Bonnes	Bonnes	Bonnes	Médiocres	Médiocres	Médiocres	Médiocres
Structure de la tâche	Forte	Forte	Faible	Faible	Forte	Forte	Faible	Faible
Pouvoir hiérarchique	Fort	Faible	Fort	Faible	Fort	Faible	Fort	Faible
	1	2	3	4	5	6	7	8

Le leader axé sur la tâche est plus efficace

Le leader axé sur les relations est plus efficace

Prenons d'abord l'exemple du cadre qui supervise une équipe chargée de fabriquer des pièces pour des ordinateurs personnels. Il est à la tête d'un groupe dont la tâche est très structurée et il jouit du plein appui de ses subordonnés ainsi que du pouvoir de les engager ou de les licencier et de leur accorder des augmentations. Ce cadre bénéficie donc d'une maîtrise situationnelle élevée et se trouve dans la situation 1 de la figure 11.2. S'il se trouvait dans les situations 2 ou 3, son degré de maîtrise situationnelle serait moindre, mais resterait élevé. Dans les situations où le degré de maîtrise situationnelle est élevé, le leader axé sur la tâche maximiserait l'efficacité de son groupe en adoptant un comportement directif.

Considérons maintenant le cas du directeur d'un département universitaire : la plupart des membres du département bénéficient de la permanence d'emploi et apprécient grandement leur leader. Ce directeur se trouve dans la situation 4 de la figure 11.2, qui correspond à une maîtrise situationnelle moyenne : relations harmonieuses entre le leader et les membres du groupe, tâche peu structurée et pouvoir hiérarchique faible. Pour être pleinement efficace dans cette situation, le leader devrait accorder la priorité aux relations, éviter les comportements directifs et manifester beaucoup de considération à l'égard des membres du département.

Enfin, prenons l'exemple du président d'un conseil étudiant constitué de bénévoles, au pouvoir hiérarchique très faible. Supposons que les membres du conseil soient insatisfaits de son travail et que leur tâche soit peu structurée. Par exemple, ils doivent organiser un «Carrefour de l'emploi» pour faciliter les relations entre les futurs diplômés et les employeurs éventuels. Le dirigeant du groupe se trouve dans la situation 8 de la figure 11.2 : sa maîtrise situationnelle est très faible. Ici, le leader le plus efficace serait donc celui qui accorde la priorité à la tâche et qui adopte un comportement directif pour maintenir la cohésion du groupe et concentrer les efforts sur cette tâche floue. En fait, une telle situation exige ce style de leadership.

L'évaluation et les applications

Remontant aux années 1960, le modèle de la contingence de Fiedler suscite des réactions tantôt favorables, tantôt défavorables. Ses détracteurs s'interrogent surtout sur ce que l'indice CMA mesure véritablement. Certains observateurs doutent aussi de la validité de l'interprétation avancée par Fiedler selon laquelle les comportements des leaders varient selon le degré de maîtrise qu'ils peuvent exercer dans une situation donnée. Enfin, selon quelques études, les prédictions les plus exactes de cette théorie sont celles qui correspondent aux situations 1, 8, 4 et 5 (voir la figure 11.2), les résultats étant moins probants dans les autres situations[10].

Programme de formation «adéquation leader-situation»
Programme de formation visant à apprendre aux leaders à analyser la situation dans laquelle ils se trouvent afin d'harmoniser leur indice CMA et leur maîtrise situationnelle

Pour ce qui est des applications de sa théorie, Fiedler a mis au point le **programme de formation «adéquation leader-situation»**, auquel ont eu recours certaines organisations, notamment Sears. Les leaders y apprennent à analyser la situation dans laquelle ils se trouvent afin d'harmoniser leur indice CMA et leur maîtrise situationnelle. Comme on l'a vu dans la figure 11.2, le degré de maîtrise situationnelle se mesure selon trois variables : les relations entre le leader et les membres de son groupe, la structure de la tâche et le pouvoir hiérarchique du leader. Dans ce programme de formation, les leaders apprennent comment, lorsque la situation dans laquelle ils se trouvent et leur indice CMA ne concordent pas, ils peuvent arranger les choses en modifiant les variables de la maîtrise situationnelle. Notons que l'adéquation entre la situation et l'indice CMA des leaders peut également s'obtenir par le processus de sélection ou d'affectation : par exemple, on affectera les leaders dont l'indice CMA est élevé à des postes présentant un degré de maîtrise situationnelle moyen[11].

Comme sa théorie de la contingence, le programme de formation « adéquation leader-situation » de Fiedler a fait l'objet de nombreuses études destinées à vérifier son efficacité. Bien qu'elles ne soient pas unanimes, plus d'une douzaine de ces études indiquent une amélioration des résultats du groupe après que le leader a suivi le programme de formation[12].

En conclusion, bien que plusieurs questions sur la théorie de la contingence de Fiedler restent à élucider, notamment la véritable signification de l'indice CMA, ce modèle et le programme de formation « adéquation leader-situation » qui en est issu semblent assez solides[13]. Ils se révèlent particulièrement intéressants pour la réflexion qu'ils suscitent à propos des variables situationnelles et de leur influence sur l'efficacité de tel ou tel style de leadership.

La théorie du cheminement critique de House

En s'appuyant sur les travaux de plusieurs de ses prédécesseurs, Robert House a élaboré une autre théorie bien connue du leadership situationnel[14]. Ainsi, sa théorie du cheminement critique se fonde sur la théorie des attentes étudiée au chapitre 5. Le terme « cheminement critique » fait référence à l'influence du leader sur les perceptions qu'ont ses subordonnés de leurs objectifs professionnels et personnels ainsi que des liens ou chemins entre ces deux catégories d'objectifs.

Selon la **théorie du cheminement critique** de House, la fonction clé du leader consiste à adapter ses comportements aux caractéristiques de situations données, notamment celles qu'on trouve en milieu de travail, de manière à en combler les manques. House croit que les subordonnés apprécient encore plus leur leader s'il est en mesure de remédier aux carences du milieu professionnel. Par exemple, le dirigeant peut dissiper l'ambiguïté des descriptions de poste ou montrer qu'un bon rendement se traduira par une augmentation de salaire. Le rendement devrait ainsi s'améliorer à mesure que les *chemins* qui mènent des efforts aux résultats (attentes) et des résultats à des récompenses (instrumentalité) qui sont valorisées (valence) deviennent plus clairs.

La **figure 11.3** résume la théorie de House. Elle présente quatre styles de leadership : le *leadership directif*, le *leadership de soutien*, le *leadership orienté vers les objectifs* et le *leadership participatif*. Elle montre aussi deux catégories de variables situationnelles ou modératrices : les *caractéristiques des subordonnés* et les *caractéristiques du milieu de travail*. Le dirigeant doit adapter ses comportements de manière à compenser les facteurs situationnels déficients afin d'accroître la satisfaction de ses subordonnés, d'être mieux accepté par eux et de les inciter à fournir un meilleur rendement. Avant de plonger dans les dynamiques du modèle de House, il faut en comprendre chacune des composantes.

Théorie du cheminement critique
Théorie du leadership selon laquelle la fonction clé du leader consiste à adapter ses comportements aux caractéristiques d'une situation donnée de manière à en combler les manques

FIGURE 11.3 **Un résumé des principales relations établies par House dans sa théorie du cheminement critique**

Styles de leadership (variables indépendantes)

- Leadership directif
- Leadership de soutien
- Leadership orienté vers les objectifs
- Leadership participatif

Résultats (variables dépendantes)

- Satisfaction professionnelle des subordonnés
- Rendement (individuel et d'équipe)
- Acceptation du leader par les subordonnés
- Motivation des subordonnés

Variables situationnelles (variables modératrices)

Caractéristiques des subordonnés

- Penchant pour l'autoritarisme
- Orientation interne ou externe
- Aptitudes

Caractéristiques du mileu de travail

- Nature des tâches des subordonnés
- Système hiérarchique officiel
- Groupe de travail

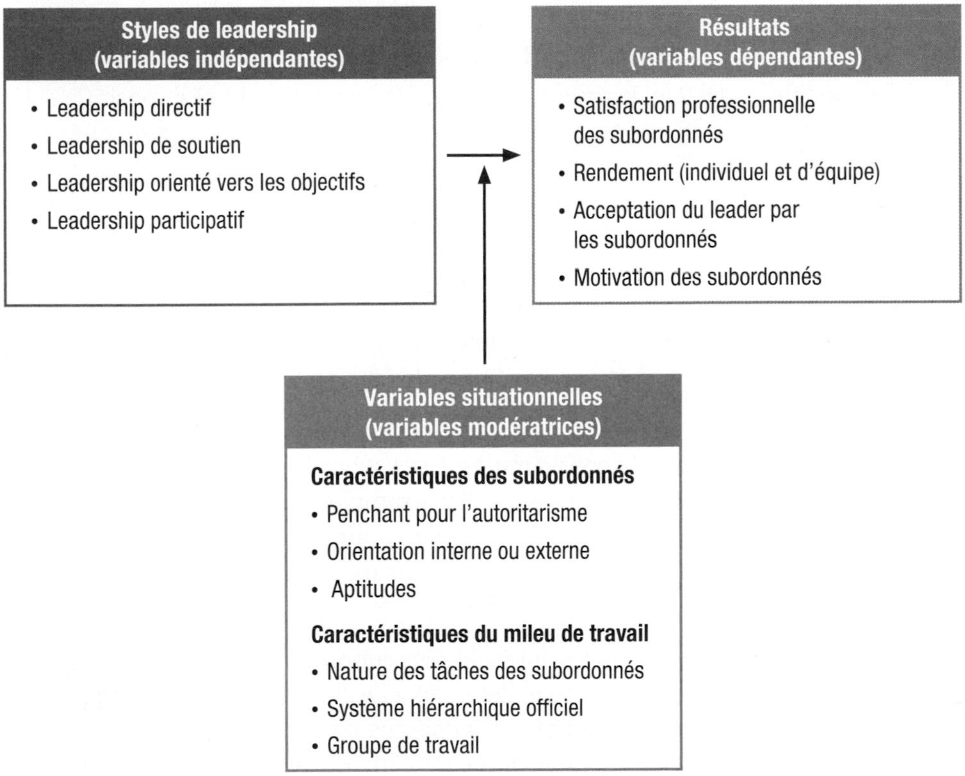

Définissons donc d'abord les quatre styles de leadership sur lesquels s'appuie cette théorie.

Leadership directif
Style de leadership qui consiste à expliquer de manière très détaillée aux subordonnés les tâches qu'ils doivent accomplir ainsi que la manière dont ils doivent procéder

Leadership de soutien
Style de leadership qui accorde la priorité aux besoins et au bien-être des subordonnés et qui favorise l'instauration et le maintien d'un climat de travail amical

Leadership orienté vers les objectifs
Style de leadership qui met l'accent sur la fixation d'objectifs stimulants et sur l'obtention d'un rendement élevé, et qui repose sur une confiance inébranlable en la capacité des membres du groupe à atteindre les résultats visés, si ambitieux soient-ils

Leadership participatif
Style de leadership axé sur la consultation, dans lequel le dirigeant invite les subordonnés à lui faire part de leurs suggestions et en tient compte dans ses prises de décision

1. Le **leadership directif** consiste à expliquer de façon très détaillée aux subordonnés les tâches qu'ils doivent accomplir ainsi que la manière dont ils doivent procéder, ce qui revient sensiblement à la structuration des activités.

2. Le **leadership de soutien** accorde la priorité aux besoins et au bien-être des subordonnés et favorise l'instauration et le maintien d'un climat de travail amical, ce qui revient sensiblement à adopter des comportements empreints de considération pour autrui.

3. Le **leadership orienté vers les objectifs** met l'accent sur la fixation d'objectifs stimulants et sur l'obtention d'un rendement élevé. Il repose sur une confiance inébranlable en la capacité des membres du groupe à atteindre les résultats visés, si ambitieux soient-ils.

4. Le **leadership participatif** est axé sur la consultation. Le dirigeant invite les subordonnés à lui faire part de leurs suggestions et en tient compte dans ses prises de décision.

En ce qui a trait aux caractéristiques des subordonnés, le modèle de House accorde de l'importance à la tendance à l'*autoritarisme* (étroitesse d'esprit, rigidité), à l'*orientation interne ou externe* (lieu de contrôle) et aux *aptitudes*. Concernant le milieu de travail, la théorie étudie les variables suivantes : la *nature des tâches des subordonnés* (structure des tâches), le *système hiérarchique officiel* et le *groupe de travail*.

Les prédictions de la théorie du cheminement critique

Selon le modèle de House, le *leadership directif* devrait avoir un effet positif sur les subordonnés si les tâches sont floues et un effet négatif si, au contraire, elles sont extrêmement précises. Dans le premier cas, le comportement directif du leader pallie le peu de structuration des tâches, tandis que, dans le deuxième cas, les subordonnés perçoivent le comportement directif comme une entrave. La théorie du cheminement critique prédit également que, si les tâches ne sont pas clairement structurées, le leader aura avantage à se montrer encore plus directif à l'égard de subordonnés étroits d'esprit et ayant un fort penchant pour l'autoritarisme.

Le *leadership de soutien* augmenterait la satisfaction des travailleurs auxquels incombent des tâches très répétitives et perçues comme désagréables, stressantes ou peu gratifiantes. En manifestant de la considération à ses subordonnés, le leader compense la difficulté de leurs conditions de travail. Par exemple, le travail sur une chaîne de montage automobile traditionnelle passe souvent pour être très répétitif, voire désagréable et frustrant ; en manifestant son soutien aux membres de son groupe, le superviseur peut rendre leur travail plus agréable.

Le *leadership axé sur les objectifs* devrait inciter les subordonnés à fournir un meilleur rendement et leur donner confiance en leur capacité d'atteindre des objectifs ambitieux. En ce qui concerne les subordonnés chargés de tâches mal définies (floues), mais variées (non répétitives), ce style de leadership devrait raffermir leur conviction que des efforts soutenus les mèneront aux résultats souhaités.

Le *leadership participatif* accroîtrait la satisfaction des subordonnés dont les tâches sont variées et qui disposent d'assez de latitude pour y mettre une touche personnelle. Par exemple, dans un projet de recherche complexe et difficile, ce style de leadership inciterait les membres disposant d'une certaine marge de manœuvre à trouver leurs propres solutions aux divers problèmes. Il entraînerait aussi une satisfaction élevée chez les subordonnés affectés à des tâches répétitives, mais qui se montrent conciliants et ouverts d'esprit. Dans un groupe de travailleurs qui serrent des boulons du matin au soir, par exemple, ceux qui n'ont pas de penchant pour l'autoritarisme apprécieront un leader qui les laisse apporter une touche personnelle à leur travail pour rompre la monotonie.

L'évaluation et les applications

La théorie du cheminement critique de House remonte à plusieurs années. En général, les premières recherches confirmaient sa validité ainsi que les prédictions précédemment évoquées[15]. Cependant, dernièrement, des spécialistes renommés ont conclu de leurs évaluations que plusieurs de ses dimensions n'avaient pas fait l'objet de vérifications adéquates; par ailleurs, cette théorie a peu été étudiée récemment[16]. House a lui-même revu sa théorie du

Dans un groupe de travailleurs affectés à des tâches répétitives, ceux qui n'apprécient pas l'autoritarisme réagiront mieux à un leader qui les laisse apporter une touche personnelle à leur travail pour rompre la monotonie.

cheminement critique et l'a élargie pour en faire une théorie du leadership de l'unité de travail. L'analyse détaillée de cette dernière nous ferait sortir de notre propos. Mentionnons simplement que cette nouvelle théorie repose sur une liste de comportements du leader plus étoffée que celle de la théorie du cheminement critique et qu'elle prend en considération à la fois certaines dimensions des théories traditionnelles du leadership et certaines dimensions des nouvelles perspectives en matière de leadership[17]. Reste à voir l'intérêt qu'elle suscitera parmi les chercheurs.

En ce qui concerne les applications, les résultats des recherches portant sur la théorie initiale du cheminement critique sont assez probants pour permettre d'avancer deux conclusions. Premièrement, une formation appropriée peut effectivement permettre au leader d'adapter ses comportements en fonction des caractéristiques de la situation dans laquelle il se trouve. Deuxièmement, comme on l'a vu dans le programme de formation «adéquation leader-situation», le leader peut apprendre à évaluer la situation et à en modifier certaines variables.

La théorie du leadership situationnel de Hersey et Blanchard

À l'instar des autres théories situationnelles, celle de Paul Hersey et Kenneth Blanchard repose sur l'hypothèse selon laquelle il n'existe pas de recette miracle en matière de leadership[18]. La variable clé étudiée par ces auteurs est la maturité des subordonnés, c'est-à-dire leur capacité et leur volonté d'exécuter les tâches qui leur sont assignées. Pour Hersey et Blanchard, le leadership situationnel exige du leader qu'il adapte ses comportements, qu'ils soient axés sur la tâche (par exemple, orienter et guider les subordonnés dans leur travail) ou sur les relations (par exemple, leur offrir du soutien socioémotif), en fonction du degré de maturité des subordonnés.

La théorie de Hersey et Blanchard dégage quatre styles de leadership reposant chacun sur une combinaison particulière de comportements de leadership axés sur la tâche et de comportements de leadership axés sur les relations :

- *Le leadership autocratique convient mieux aux subordonnés dont le degré de maturité est faible.* Il consiste à préciser les rôles des travailleurs qui ne peuvent ni ne veulent prendre de responsabilités. En éliminant toute ambiguïté quant à la tâche à effectuer, on fait disparaître tout sentiment d'insécurité.

- *Le leadership de persuasion convient mieux aux subordonnés dont le degré de maturité est de faible à moyen.* Il permet à la fois d'orienter dans leur tâche les travailleurs qui souhaitent assumer des responsabilités sans avoir toutes les aptitudes nécessaires pour le faire, et de leur offrir le soutien nécessaire. Afin de maintenir l'enthousiasme, il faut ajouter aux directives des explications et des renforcements.

- *Le leadership de participation convient mieux aux subordonnés dont le degré de maturité est de moyen à élevé.* Il donne de bons résultats avec des subordonnés qui ont toutes les aptitudes requises pour prendre des responsabilités, mais qui ne souhaitent pas le faire. Ceux-ci ont besoin de soutien et de considération pour être vraiment motivés. En les invitant à prendre part aux décisions, le leader stimule leur volonté de s'investir dans leur travail.

- *Le leadership de délégation convient bien aux subordonnés dont le degré de maturité est élevé.* Il consiste à procurer un minimum d'encadrement et de soutien concernant la tâche à effectuer. Il permet donc aux subordonnés compétents et déterminés d'assumer la responsabilité du travail à accomplir.

Cette théorie du leadership situationnel exige du leader qu'il acquière la capacité d'évaluer avec justesse les exigences de la situation, puis qu'il choisisse et adopte le style de leadership approprié. Elle accorde une place importante aux subordonnés et à ce qu'ils éprouvent à l'égard des tâches à accomplir. Elle postule que, pour être efficace, le leader doit rester attentif à l'évolution de la maturité de ses subordonnés et modifier son comportement en conséquence.

Bien qu'elle soit connue de longue date et fasse partie intégrante de programmes de formation implantés dans de nombreuses organisations, l'approche du leadership situationnel de Hersey et Blanchard a fait l'objet de peu d'études scientifiques[19].

Les limites des théories du leadership situationnel

Bien que les théories du leadership situationnel mettent l'accent sur l'importance, pour les gestionnaires, de faire correspondre leur style à la situation, elles ne décrivent pas exactement comment y parvenir. Le problème est que les lignes directrices des théories situationnelles sont vastes et, par conséquent, elles donnent peu d'information. Au travail, les gestionnaires font face à des situations de leadership qui sont complexes et dynamiques, et chaque situation est unique en son genre. On ne peut pas donner aux gestionnaires un « coffre à outils magique » qui leur permettrait de

On ne peut pas donner aux gestionnaires un « coffre à outils magique » qui leur permettrait de gérer toutes les situations.

gérer toutes les situations. Les leaders doivent donc non seulement comprendre les concepts de base, mais aussi être capables d'adapter leur style aux exigences d'une situation en particulier.

DILEMME : À CONSIDÉRER… OU À ÉVITER ?

Ne rien faire, la stratégie du nouveau gestionnaire

Ne rien faire ? Vraiment ? Cela semble complètement à l'opposé du rôle des leaders. Après tout, ils ont travaillé très fort pour obtenir leur promotion. Ne devraient-ils pas montrer à tout le monde qu'ils sont encore les meilleures personnes de l'équipe ?

Keith Murnighan, de l'Université Northwestern, a passé beaucoup de temps à étudier les leaders et les personnes au travail. C'est lui qui préconise l'approche « ne rien faire » en matière de leadership. Mais cela ne signifie pas de ne pas se présenter au travail ou de ne pas être au courant de ce qui se passe. Ce qu'il veut dire, c'est de ne pas essayer de faire le travail des autres à leur place ou de continuer à faire les tâches auxquelles vous excelliez avant d'obtenir la promotion. Les leaders doivent comprendre que leur tâche est d'aider les autres à faire du bon travail, non pas de faire ce travail à leur place. Ils doivent aussi comprendre qu'aujourd'hui, le leadership consiste surtout à encadrer une équipe de

joueurs talentueux : ils ont besoin d'une stratégie, de soutien, d'encouragement et de rappels pour demeurer concentrés. Les équipes à qui on donne tout cela ont toutes les chances d'obtenir d'excellents résultats.

Dans son livre *Do Nothing: How to Stop Overmanaging and Become a Great Leader* (Portfolio, 2012), Murnighan décrit la microgestion – ou la surgestion – comme l'une des erreurs les plus répandues et les plus coûteuses des leaders. Cela consiste essentiellement à ne pas faire confiance aux autres dans l'utilisation de leurs talents et à les diriger dans les moindres détails de leur travail. Murnighan explique qu'il s'agit d'une tendance humaine naturelle, liée en partie à la volonté d'être en contrôle. Il affirme aussi qu'un bon leader reconnaît cette tendance et qu'il s'en tiendra éloigné. « À mesure que vous grimpez les échelons, explique l'auteur, vous vous rappelez ce qui vous a fait réussir et vous êtes porté à penser qu'il faut continuer à agir

de la même façon. Toutefois, au fur et à mesure que vos responsabilités augmentent, vous devriez en faire moins. »

En fait, les leaders ont besoin de temps pour adopter une vue d'ensemble et mettre en place des ressources et des systèmes de soutien. Ils ont aussi besoin de temps pour écouter leurs subalternes et apprendre d'eux afin d'améliorer les choses. Selon Murnighan, tout le monde veut des leaders qui sont prêts à dire « Tu es en première ligne, pas moi. Je veux donc que tu me fasses part de tes idées pour que j'élabore une stratégie. » S'ils essaient de tout faire, les leaders n'auront pas le temps de se consacrer à ces tâches importantes. Mais s'ils ne « font rien » – c'est-à-dire rien que quelqu'un d'autre puisse faire –, ils auront le temps et l'énergie de s'occuper des tâches pour lesquelles ils sont payés et qu'ils doivent effectuer pour appuyer leurs équipes.

QUESTIONS

Croyez-vous en cette notion de « ne rien faire » ? Murnighan est-il sur la bonne voie ou est-ce que son conseil pourrait induire les leaders en erreur en leur faisant penser qu'ils n'ont pas à être responsables ? Qu'est-ce qui sépare la bonne gestion de la surgestion ? Est-ce que cette ligne de séparation dépend de la nature du travail effectué, des compétences au sein de l'équipe de travail ou du secteur d'activité ? Autrement dit, est-ce que « ne rien faire » est une prescription universelle pour le leadership ou plutôt un rappel utile que les leaders doivent agir soigneusement tout en s'assurant qu'ils font ce qu'ils doivent faire ?

La frustration engendrée par ces limites a entraîné ce que certains ont appelé la « période sombre » de la recherche sur le leadership. Cette période (les années 1970 et les années 1980) s'est caractérisée par un certain désenchantement et une critique selon laquelle la recherche sur le leadership avait révélé très peu de choses[20]. Pour faire face à ces critiques, les chercheurs ont décidé d'adopter un autre point de vue. Plutôt que de mettre l'accent sur les contextes de leadership, ils sont revenus à une perspective qui met l'accent sur les leaders. Il en a résulté des approches qui traitent du *leadership charismatique* et du *leadership transformateur*.

Le leadership charismatique et le leadership transformateur

Le leadership charismatique

Vous connaissez tous le leadership charismatique. Vous avez été témoin des répercussions, bonnes ou mauvaises, que les leaders charismatiques peuvent avoir sur ceux qui les entourent. Mais qu'est-ce que le charisme exactement et comment agit-il dans le processus du leadership ?

Le charisme

Charisme
Qualité ou ascendant particulier qui permet à une personne d'influencer les autres

Le **charisme** est une qualité personnelle ou un ascendant particulier qui permet à une personne d'influencer les autres. On l'associe souvent au magnétisme ou au charme. Le leader charismatique suscite l'enthousiasme et l'engagement chez ceux qui le suivent. Par exemple, John F. Kennedy, Oprah Winfrey et Nelson Mandela sont souvent décrits comme étant des leaders charismatiques.

Le charisme trouve ses racines dans le christianisme. La première acception du terme fait référence à l'ensemble des dons particuliers octroyés par la grâce divine à un individu, à son sacrifice personnel et à son dévouement à l'égard d'une mission ou d'une tâche spirituelle, ce qui le distingue des gens ordinaires[21]. Des personnes se laissent entraîner par des leaders charismatiques en raison d'un sentiment d'adhésion et de confiance envers eux et leur message. Mère Teresa et Gandhi étaient capables de rassembler des foules de gens qui les suivaient en raison de leur abnégation et du dévouement à leur mission. Leur vocation interpellait ces gens, comblait leurs besoins et leurs espoirs.

L'ancien président des États-Unis, Barack Obama, pouvait certainement être qualifié de leader charismatique, sachant trouver les mots pour toucher les foules.

Bien que le charisme soit souvent considéré comme un trait personnel, il est préférable de le décrire comme un processus relationnel mettant en jeu un leader, des subordonnés (dans le monde du travail) et une situation. Katherine Klein et Robert House décrivent le charisme comme étant « un feu » produit par trois éléments : une « étincelle », c'est-à-dire un leader possédant des qualités charismatiques ; une « matière inflammable », c'est-à-dire des gens qui suivent parce qu'ils sont ouverts ou sensibles au charisme ; de l'« oxygène », c'est-à-dire un environnement, comme une crise ou une situation d'agitation parmi ceux qui suivent, qui appelle le charisme[22]. Par exemple, Martin

Luther King était un leader aux qualités charismatiques (un grand communicateur), qui comblait les besoins de partisans affamés de changement (les militants pour l'égalité), dans une période de grande agitation sociale (le mouvement pour les droits civiques des Noirs).

Les traits et comportements charismatiques

Les aptitudes de communication sont ce qui distingue le plus le leader charismatique des autres. Ce type de leader sait toucher profondément sur le plan émotionnel ceux qui le suivent. Il utilise des métaphores et des symboles pour transmettre sa vision d'une façon qui captive ces personnes et intensifie leur sentiment d'identification. Sa vision peut offrir des promesses qui semblent impossibles à réaliser autrement. Pour plusieurs électeurs des États-Unis, c'est ce qui était attrayant dans la plateforme électorale de Barack Obama en 2008 : «Un changement auquel nous pouvons croire» et le fameux «*Yes We Can*». Le leader charismatique utilise souvent des comportements non conventionnels pour démontrer ses qualités exceptionnelles. Richard Branson, fondateur de Virgin Group, a été décrit à maintes reprises comme étant un leader charismatique, et sa traversée record de l'océan Pacifique en montgolfière se qualifie certainement comme comportement non conventionnel et exceptionnel.

Les conséquences du charisme

Pour que le charisme donne des résultats positifs, il doit être utilisé dans une perspective de **pouvoir charismatique désintéressé**, c'est-à-dire un pouvoir exercé dans le sens des intérêts de la collectivité et non dans le sens d'intérêts personnels. Lorsqu'il est exercé pour des intérêts personnels ou dans une perspective de **pouvoir charismatique égocentrique**, il peut avoir des conséquences destructrices.

Les leaders exerçant leur pouvoir de façon égocentrique dominent leurs subordonnés et les maintiennent dans un état de faiblesse et de dépendance. Par exemple, de nombreux dictateurs oppriment leur peuple en ne permettant pas l'accès à l'instruction ou à des emplois significatifs. Dans les organisations, les leaders exerçant leur pouvoir charismatique de façon égocentrique réduisent le pouvoir de leurs subordonnés en centralisant la prise de décision, en limitant l'information et en faisant tout ce qu'ils peuvent pour avoir l'air plus importants que les autres[23].

Les résultats des recherches indiquent que le charisme n'est pas un attribut bénéfique pour la plupart des chefs de direction[24]. En effet, les études portant sur le charisme des chefs de direction ont démontré que le rendement financier dépend du rendement antérieur, et non pas du charisme des chefs. Bien que les personnes charismatiques soient souvent capables de persuader les conseils d'administration de leur accorder une rémunération plus élevée, il n'y a pas de preuves démontrant que ces chefs de direction améliorent le rendement financier de leur entreprise. Une exception : les situations de gestion de crise ou de changement. Par exemple, le charisme de Steve Jobs a été essentiel dans le redressement d'Apple Computer à la fin des années 1990.

Pouvoir charismatique désintéressé
Pouvoir charismatique exercé dans le sens des intérêts de la collectivité plutôt que pour des intérêts personnels

Pouvoir charismatique égocentrique
Pouvoir charismatique exercé dans le sens d'intérêts personnels plutôt que pour les intérêts de la collectivité

Les caractéristiques du leader charismatique

- Vision novatrice et inspirante
- Attrait émotionnel des valeurs
- Communication expressive pour décrire sa vision
- Comportement non conventionnel
- Risque personnel et abnégation pour réaliser sa vision
- Attentes élevées
- Confiance et optimisme

Les dangers du leadership charismatique

Le charisme est une force puissante qui peut aussi être dangereuse. Comme les leaders charismatiques suscitent des émotions fortes chez leurs subordonnés, ils peuvent engendrer des comportements radicaux, parfois malgré eux. Cela est dû au fait que, souvent, les subordonnés éprouvent le besoin psychologique de s'identifier à une figure de héros pour se démarquer, se sentir motivés ou en sécurité[25]. Il peut arriver alors que les subordonnés perçoivent chez le leader une demande qui n'en est pas une. Par exemple, dans le film *La société des poètes disparus,* Robin Williams joue le rôle d'un enseignant charismatique, John Keating, qui pousse les étudiants d'un pensionnat conservateur et aristocratique du Vermont à vivre pleinement leur vie. Toutefois, le charisme de Keating devient incontrôlable lorsqu'un de ses étudiants, Neil Perry, interprète le message de son professeur comme un appel à se rebeller contre ses parents. Lorsque cela ne réussit pas, Neil est tellement désemparé qu'il se suicide.

Certains enseignants charismatiques peuvent avoir un ascendant très fort sur leurs étudiants, pour le meilleur et pour le pire.

Les subordonnés accordant un statut de héros au leader charismatique peuvent aussi vivre de l'incrédulité et de la frustration lorsque celui-ci ne répond pas à leurs attentes. Et les leaders mis ainsi sur un piédestal et dont on attend un comportement de superhéros répondent rarement à ces attentes : ils sont humains.

Distance hiérarchique
Degré d'acceptation des différences de statut et de pouvoir entre les subordonnés et le leader

Un leader charismatique peut essayer de régler ces problèmes en réduisant la distance hiérarchique. La **distance hiérarchique** est le degré d'acceptation des différences de statut et de pouvoir entre les subordonnés et le leader[26]. Lorsque la distance hiérarchique est grande, les subordonnés sont réticents à s'exprimer ou à remettre en cause les points de vue ou les positions du leader, car ils croient que ce dernier sait tout. Le leader peut faire face à ce problème en habilitant ses subordonnés pour qu'ils pensent de façon critique et en les encourageant à s'exprimer lorsqu'ils ont des préoccupations. Il peut aussi leur attribuer du mérite pour les succès obtenus, leur signifiant ainsi que ce sont les actions conjointes de tous qui ont mené aux succès, non pas uniquement les siennes.

Le leadership transformateur

La théorie du leadership transformateur de Burns

La théorie du leadership transformateur est une autre approche qui a aidé à sortir de la période sombre des études sur le leadership. Tout a débuté en 1978 avec la publication d'un livre du politologue James MacGregor Burns qui analysait les styles de leadership des grands dirigeants politiques[27]. L'approche de Burns s'intéressait au leadership sur les plans du pouvoir, du but et des relations[28]. L'élément essentiel de cette analyse était la différence entre les leaders et les manipulateurs.

Manipulateur
Personne utilisant le pouvoir pour faire avancer ses propres intérêts sans tenir compte des besoins des subordonnés

Selon Burns, les leaders tiennent compte des objectifs, des motivations, des besoins et des sentiments de ceux qui les suivent et utilisent le pouvoir pour faire le bien. Les **manipulateurs**, quant à eux, sont égocentriques et machiavéliques. Ils utilisent le pouvoir pour faire avancer leurs propres intérêts, sans tenir compte des besoins de ceux qui les suivent. Alors que les leaders s'élèvent et entraînent ceux à leur suite dans ce mouvement ascendant, les manipulateurs gagnent du pouvoir *aux dépens* de ceux à leur suite, incitant ces derniers à adopter des comportements qu'ils n'adopteraient pas autrement. Selon l'opinion de Burns, les manipulateurs ne sont pas des leaders.

Lors de son analyse, Burns a observé différents styles et approches adoptés par les leaders. Certains utilisaient un style de leadership transactionnel, par lequel ils mettaient l'accent sur l'échange de biens importants contre d'autres biens, des faveurs, etc. (ces échanges pouvant être économiques, politiques ou sociaux, par exemple de l'argent contre des biens ou du soutien contre des votes). Dans ce cas, l'échange était purement utilitaire. Il n'y avait aucune attente au-delà de cet échange. D'autres leaders – ceux qui intéressaient davantage Burns – utilisaient ce qu'il appelait un style de leadership transformateur. Ces leaders transformateurs nouaient avec ceux qu'ils entraînaient derrière eux des relations inspirantes, qui transformaient favorablement et les leaders et ceux qu'ils entraînaient. Cette transformation élevait le comportement humain et renforçait les aspirations morales des deux parties. Selon la théorie du leadership transformateur de Burns, cette transformation était fondée sur le fait que les leaders et ceux qui les suivaient atteignaient alors des niveaux plus élevés d'objectif moral, tout en cherchant à atteindre des objectifs communs.

L'élément clé de la théorie de Burns est le fondement moral sur lequel repose le leadership transformateur[29]. Un leader transformateur est une personne qui, bien qu'elle ait été interpellée au départ par une quête de reconnaissance individuelle, opte au bout du compte pour le bien commun en étant à l'écoute des aspirations et des besoins de ceux qui la suivent. Selon la théorie de Burns, la transformation est un accomplissement moral, car le résultat rehausse le comportement humain. Toujours selon Burns, Mao et Gandhi étaient des leaders transformateurs exemplaires. Plutôt que d'exploiter leur pouvoir, ils sont demeurés à l'écoute d'aspirations et d'objectifs plus élevés[30]. Hitler, par contre, n'était pas un leader selon Burns, mais plutôt un manipulateur qui a utilisé son pouvoir à des fins égoïstes et destructrices.

La théorie du leadership transformateur de Bass

Bernard Bass s'est inspiré de la théorie de Burns sur le leadership politique pour élaborer une théorie du leadership en milieu organisationnel. Il a appelé son approche « rendement au-delà des attentes ». Alors que Burns mettait l'accent sur la transformation comme un moyen d'atteindre un but moral et des valeurs plus élevées, Bass mettait l'accent sur la transformation, mais dans le contexte du rendement organisationnel. Selon sa théorie, la transformation se produit lorsque les subordonnés sont incités à mettre de côté leurs intérêts personnels pour favoriser les intérêts de l'organisation. Autrement dit, ils acceptent que le but soit l'atteinte d'objectifs de travail pragmatiques pour le bien de l'organisation[31].

Bass distingue ainsi le leadership transactionnel du leadership transformateur. Le **leadership transactionnel** repose sur les intérêts personnels ainsi que sur les échanges nécessaires entre le leader et ses subordonnés pour atteindre au jour le jour le rendement convenu. Comme le démontre la **figure 11.4** (p. 400), les échanges se caractérisent, de la part du leader, par l'un ou l'autre des quatre comportements suivants :

Leadership transactionnel

Style de leadership qui repose sur les échanges nécessaires que doivent avoir le dirigeant et ses subordonnés pour satisfaire leurs intérêts personnels et atteindre le rendement convenu

1. *L'attribution de récompenses en fonction du rendement.* Quand les travailleurs atteignent les objectifs fixés, le leader leur accorde les récompenses correspondantes.

2. *La gestion par exceptions active.* Le leader cherche à détecter les écarts par rapport aux règles et aux normes et il adopte les mesures correctives qui s'imposent.

3. *La gestion par exceptions passive.* Le leader intervient uniquement si des problèmes surviennent.

4. *Le laisser-faire.* Le leader n'assume pas ses responsabilités et évite de prendre des décisions.

En revanche, le **leadership transformateur** va au-delà du rendement habituel ou quotidien. Pour Bass, il se manifeste lorsque le leader : (1) amène ses subordonnés à élargir leurs horizons, à mieux comprendre les objectifs et la mission du groupe et à se les approprier ; (2) incite ses subordonnés à voir au-delà de leur propre intérêt pour considérer celui d'autrui.

Leadership transformateur
Style de leadership par lequel le dirigeant : (1) amène ses subordonnés à élargir leurs horizons, à mieux comprendre les objectifs et la mission du groupe et à se les approprier ; (2) incite ses subordonnés à voir au-delà de leur propre intérêt pour considérer celui d'autrui

FIGURE **11.4** **Principales différences entre le leadership transformateur et le leadership transactionnel**

Leadership transformateur	Leadership transactionnel
Charisme : Le leader rallie les autres autour d'une vision et leur transmet de la fierté, du respect, de la confiance et la conviction d'accomplir une mission importante.	**Attribution de récompenses en fonction du rendement** : Quand les travailleurs atteignent les objectifs fixés, le leader leur accorde les récompenses correspondantes.
Inspiration : Le leader insuffle du courage, recourt aux symboles pour renforcer et focaliser les efforts de tous, et exprime des objectifs importants en termes simples.	**Gestion par exceptions active** : Le leader cherche à détecter les écarts par rapport aux règles et aux normes et il adopte les mesures correctives qui s'imposent.
Stimulation intellectuelle : Le leader fait appel à l'intelligence et à la créativité des subordonnés dans la résolution des problèmes.	**Gestion par exceptions passive** : Le leader intervient uniquement lorsque des problèmes surviennent.
Reconnaissance individuelle : Le leader accorde à chacun une attention particulière et traite chaque individu comme un être unique.	**Laisser-faire** : Le leader n'assume pas ses responsabilités et évite de prendre des décisions.

Le leadership transformateur se fonde sur quatre dimensions : le charisme, l'inspiration, la stimulation intellectuelle et la reconnaissance individuelle.

1. Grâce à son *charisme*, le leader rallie les autres autour d'une vision et leur transmet de la fierté, du respect, de la confiance et la conviction d'accomplir une mission importante.

2. En tant que source d'*inspiration*, le leader insuffle du courage, recourt aux symboles pour renforcer et focaliser les efforts de tous, et exprime des objectifs importants en termes simples.

400 **PARTIE 4** / Les processus sociaux et d'influence en milieu organisationnel

3. En misant sur la *stimulation intellectuelle*, le leader fait appel à l'intelligence et à la créativité des subordonnés dans la résolution des problèmes.

4. Par la *reconnaissance individuelle*, le leader accorde à chacun une attention particulière et traite chaque individu comme un être unique.

Les recherches sur la théorie du leadership transformateur de Bass

La théorie du leadership transformateur de Bass est une des principales théories de la recherche sur le leadership organisationnel. Pour faire progresser ses travaux, Bass a commencé par concevoir un outil de mesure connu sous le nom de Questionnaire multifactoriel sur le leadership (QML). Cet outil évalue les styles de leadership transactionnel et transformateur[32]. Des centaines d'études ont utilisé le QML pour évaluer les styles transactionnel et transformateur de leaders de diverses organisations selon la perception de leurs subordonnés. Les résultats des recherches appuient grandement la prémisse de Bass selon laquelle le leadership transformateur (plus que le leadership transactionnel) est associé à une motivation et à un rendement accrus de la part des subordonnés, et que les leaders efficaces utilisent une combinaison des deux styles de leadership.

Les méta-analyses démontrent qu'un leadership transformateur, combiné à un leadership transactionnel, est relié à l'efficacité du leadership, surtout lorsque les évaluations sont faites par les subordonnés (par exemple, la satisfaction des subordonnés). Une raison probable est que le leadership transformateur est hautement lié à la confiance. Autrement dit, la relation entre les leaders transformateurs et les résultats est probablement due en grande partie à la confiance que les subordonnés ont envers les leaders transformateurs[33].

Une critique de l'approche de Bass est qu'en mettant l'accent sur le rendement organisationnel comme but ultime, le chercheur a perdu les valeurs morales sous-jacentes sur lesquelles la théorie de Burns repose : la fidélité du leader envers ceux qui le suivent et sa motivation à élever la société. Par ailleurs, la théorie de Bass repose sur la fidélité du leader envers l'organisation et le rendement. Certains affirment que l'approche de Bass devient ainsi vulnérable aux problèmes de narcissisme et d'exploitation, le leader pouvant interpréter le changement de préoccupation, de l'intérêt personnel à l'intérêt de l'organisation, comme le fait que ses désirs ont préséance sur ceux des autres[34]. Certains ont aussi fait valoir qu'il est moralement discutable de demander aux subordonnés de mettre leurs intérêts personnels de côté pour le bien de l'organisation.

Les limites du leadership héroïque

Les approches du leadership charismatique et du leadership transformateur ont été essentielles pour revitaliser les études sur le leadership après la période sombre évoquée plus haut; c'est pour cette raison qu'elles occupent une place importante dans la théorie et la pratique du leadership. Toutefois, l'importance accrue accordée aux approches du leadership héroïque en est peut-être un des effets secondaires. Les **approches du leadership héroïque** envisagent le leadership comme résultant des agissements de grands leaders qui inspirent et motivent les autres à accomplir des

Approches du leadership héroïque
Approches du leadership selon lesquelles le leadership résulte des agissements de grands leaders qui inspirent et motivent les autres à accomplir des choses extraordinaires

Le combat de Nelson Mandela contre l'apartheid en Afrique du Sud a inspiré et motivé un peuple entier: on peut parler d'un leadership héroïque.

choses extraordinaires. Ces approches présentent les leaders comme des chevaliers blancs ou des sauveurs, et ceux à leur suite comme des êtres faibles et passifs qui mettent toute leur confiance et leurs espoirs en un leader dont ils suivent aveuglément la direction[35].

Ce faisant, les approches du leadership héroïque négligent l'importance des leaders réels, qui, chaque jour, exercent leur influence au sein d'organisations. Ces approches passent aussi à côté de l'importance du processus du leadership et du rôle important des subordonnés dans ce processus. Elles surestiment en outre l'influence du leader et sous-estiment l'importance du contexte et du moment. Afin de tenir compte de ces facteurs, entre autres, de nouvelles approches ont vu le jour dans la recherche sur le leadership, telles que la théorie du leadership de complexité.

La perspective du leadership de complexité

La perspective du leadership de complexité s'inspire de la science de la complexité pour apporter un point de vue plus dynamique et contextuel sur le leadership[36]. La science de la complexité émane de domaines tels que la biologie, la physique, les mathématiques, l'économie et la météorologie. C'est l'étude des **systèmes adaptatifs complexes**, c'est-à-dire des systèmes qui s'adaptent et qui évoluent au cours d'un processus d'interaction avec des milieux dynamiques[37].

Système adaptatif complexe
Système qui s'adapte et qui évolue au cours d'un processus d'interaction avec des milieux dynamiques

Contrairement aux systèmes organisationnels bureaucratiques, les systèmes adaptatifs complexes ne sont pas coordonnés ou contrôlés de manière centralisée, c'est pourquoi ils offrent une perspective intéressante sur le comportement organisationnel. La coordination émane du système lui-même, se manifestant par la dynamique interactive et l'émergence des composants du système[38]. Nombreux sont ceux qui commencent à considérer les systèmes adaptatifs complexes comme étant des outils particulièrement utiles pour expliquer de nombreux phénomènes se produisant dans les mondes physique et économique, notamment les phénomènes météorologiques (par exemple, les ouragans ou les tornades), les fourmilières, les bancs de poissons, les colonies d'abeilles, l'économie et les marchés.

Les systèmes adaptatifs complexes permettent de réfléchir à la manière dont les organisations pourraient devenir plus adaptatives, plutôt que bureaucratiques. Ils mettent l'accent sur le fait que l'augmentation de la capacité des organisations à s'adapter pour survivre devrait constituer un de leurs objectifs importants et un critère pour juger de l'efficacité du leadership exercé.

Les environnements complexes d'aujourd'hui

L'intérêt porté à l'approche du leadership de complexité augmente, car les environnements dans lesquels les organisations évoluent aujourd'hui sont entièrement différents de ceux de l'ère industrielle, durant laquelle ont été élaborées les premières théories de la gestion[39]. Au cours de cette ère, les gestionnaires essayaient entre autres de déterminer comment répartir des travailleurs semi-qualifiés sur des chaînes de montage en usine. Pour y parvenir, ils se sont tournés vers la **bureaucratie**, ce qui leur a permis d'avoir recours, avec succès, à la hiérarchie et au contrôle pour obtenir les résultats escomptés[40].

De nos jours, ces approches ne fonctionnent plus. Les gestionnaires n'ont plus le contrôle de l'information, et les employés ont moins le réflexe de simplement obtempérer ou de faire strictement ce qu'on leur demande. Ils sont prêts à s'engager dans leur travail et à être traités comme des partenaires actifs dans le processus de leadership. De plus, les problèmes sont maintenant trop complexes pour être résolus par une seule personne. Ils requièrent des équipes et une intelligence collective plutôt que la seule intelligence individuelle d'un leader au sommet.

Comme on le voit dans la **figure 11.5**, ces changements exigent l'élaboration d'hypothèses entièrement différentes concernant ce que les leaders doivent faire pour être efficaces. Le milieu du travail s'éloigne graduellement d'un monde hiérarchique pour entrer dans un monde qui repose beaucoup plus sur la connectivité. Dans ce nouveau monde hautement connecté, les leaders doivent se fier davantage au pouvoir personnel qu'au pouvoir lié au poste, et les organisations doivent s'assurer que l'influence et la circulation de l'information sont à la fois ascendantes et descendantes. La subordination devient alors plus proactive que passive, et la responsabilité du leadership, répartie dans l'ensemble de l'organisation. Il n'est plus question de la seule responsabilité des leaders (c'est-à-dire une responsabilisation au sommet), mais bien de la responsabilité collective (c'est-à-dire une responsabilisation partagée).

Bureaucratie
Structure organisationnelle caractérisée par la division du travail, la précision des titres, la spécialisation des tâches et les relations d'autorité clairement définies pour assurer l'efficacité et le contrôle des activités

FIGURE 11.5 **Principales différences entre les hypothèses du modèle bureaucratique et du modèle de la complexité**

Hypothèses du modèle bureaucratique	Hypothèses du modèle de la complexité
Environnements stables, contrôlables	Environnements dynamiques, incontrôlables
Systèmes organisationnels hiérarchiques utilisant un contrôle centralisé	Systèmes d'auto-organisation sans contrôle centralisé
Coordination assurée par la hiérarchie, les règles officielles, les règlements	Coordination assurée par les interactions dans le système et des règles simples
Changement linéaire, prévisible	Changement non linéaire, imprévisible
Efficacité et fiabilité valorisées	Adaptabilité et réactivité valorisées
Direction établie par quelques leaders	Direction établie par plusieurs membres de façon participative
Les leaders sont les experts et détiennent l'autorité	Les leaders sont des animateurs-formateurs, des entraîneurs

Les principales différences entre les hypothèses du modèle de la complexité et celles du modèle bureaucratique sont présentées à la figure 11.5[41]. La différence la plus importante est probablement celle qui concerne la nature du contrôle. Alors qu'à l'ère industrielle, les gestionnaires avaient la possibilité de contrôler les événements, dans le monde interconnecté d'aujourd'hui, les choses se produisent de façon inattendue sans que quiconque puisse les arrêter. De nos jours, les gestionnaires travaillent dans des milieux où on leur demande de juger promptement des situations et de réagir avec rapidité et créativité. De plus, ils ne peuvent pas résoudre des problèmes complexes à eux seuls. Ils doivent donc permettre à leur organisation d'affronter la complexité en faisant preuve d'une grande adaptabilité.

La théorie du leadership de complexité

Les leaders d'aujourd'hui renforcent l'adaptabilité en favorisant l'innovation, la flexibilité et l'apprentissage. Ces caractéristiques sont essentielles pour survivre dans des environnements complexes (en évolution constante). Cela étant dit, la plupart des organisations sont encore des bureaucraties : elles restent dotées de systèmes organisationnels hiérarchiques, et elles ont toujours besoin d'efficience et de contrôle. La clé du succès est donc de combiner efficacement les structures organisationnelles bureaucratiques et les systèmes adaptatifs complexes[42].

Selon la théorie du leadership de complexité, on peut y parvenir en prenant connaissance de trois types de systèmes de leadership dans les organisations[43]. Le premier, le **leadership administratif**, met l'accent sur le gain d'efficacité qui vise à répondre aux besoins financiers et aux objectifs de rendement de l'organisation. L'objectif du leadership administratif est de favoriser les résultats de l'entreprise au moyen d'outils tels que les politiques, la planification stratégique, la répartition des ressources, les budgets et les échéanciers. Ce leadership se manifeste dans des rôles officiels (par exemple, le système administratif) et est surtout réservé aux gestionnaires.

Le **leadership entrepreneurial** est la force émergente ascendante qui favorise l'innovation, l'apprentissage et le changement dans les organisations. Cette forme de leadership peut être subtile, comme lorsque des employés trouvent de nouvelles façons de travailler au quotidien et que ces changements se propagent dans le système. Il peut aussi être plus conscient, comme lorsque les leaders entrepreneuriaux agissent comme des « intrapreneurs », soit des gens qui travaillent à créer et à promouvoir activement de nouvelles idées et innovations au sein de l'organisation. Ces types de leaders entrepreneuriaux sont souvent très proactifs, animés d'une motivation intrinsèque et ils sont pragmatiques dans le développement de produits ou de services novateurs.

Les forces descendantes et ascendantes ne sont toutefois pas suffisantes. Elles doivent agir en complémentarité pour que l'ensemble du système soit adaptatif. Par conséquent, le leadership de complexité ajoute une troisième fonction qu'on appelle le « leadership d'adaptation ». Le **leadership d'adaptation** s'exerce dans l'interface qui est commune aux systèmes administratif et entrepreneurial[44]. Sa tâche est de favoriser les conditions propices à son émergence productive en aidant à générer de nouvelles idées et en facilitant leur mise en œuvre par le système administratif officiel afin de produire des résultats (par exemple, l'innovation). Ce leadership y parvient en soutenant des idées provenant du système entrepreneurial, en fournissant

Leadership administratif
Style de leadership qui se manifeste dans les rôles officiels de gestion et qui met l'accent sur la coordination et le contrôle afin d'améliorer les résultats de l'entreprise

Leadership entrepreneurial
Style de leadership qui stimule l'innovation, l'adaptabilité et le changement

Leadership d'adaptation
Style de leadership flexible qui s'exerce dans l'interface commune aux systèmes administratif et entrepreneurial et qui favorise les conditions propices à son émergence

les ressources nécessaires et en favorisant la diffusion des innovations dans le système administratif officiel pour accroître l'agilité de l'entreprise.

Les résultats de la recherche soutiennent les modèles du leadership de complexité. Ils confirment l'émergence et l'importance d'un leadership d'adaptation dans les organisations. Toutefois, ce que la recherche démontre également, c'est la forte prédominance d'un leadership bureaucratique étouffant au sein des organisations. Cela s'expliquerait par le fait que les théories traditionnelles du leadership ont modelé les gestionnaires et les membres des organisations par des approches axées sur le contrôle, lesquelles réagissent à la complexité par l'ordre et la stabilité. Or, des résultats récents démontrent que les approches

Le manque de souplesse et de dynamisme des approches hiérarchiques traditionnelles peuvent dorénavant être dommageables à la santé des organisations.

traditionnelles hiérarchiques ne sont pas seulement inefficaces dans les environnements complexes : elles peuvent aussi être dommageables à la santé organisationnelle lorsqu'elles entravent la dynamique adaptative nécessaire pour répondre aux environnements complexes.

Les enjeux du leadership de complexité

Comme le leadership de complexité est une nouvelle approche, plus d'études seront nécessaires. Les premiers résultats des recherches y sont favorables, mais il faut mieux comprendre comment ces processus agissent au sein des organisations, surtout en ce qui a trait au système adaptatif. La théorie des systèmes complexes est un domaine vaste et technique ; elle doit donc être traduite pour les leaders d'entreprise. Elle représente également un changement de paradigme auquel beaucoup auront du mal à s'adapter. Bien que les résultats des recherches démontrent que les leaders qui utilisent les approches de complexité réussissent à améliorer les résultats de l'entreprise et sa capacité d'adaptation, ces approches sont si différentes des vues traditionnelles que certaines personnes peuvent ne pas être considérées comme des leaders parce qu'elles ne sont pas aussi autoritaires et contrôlantes que le veut la pensée prédominante au sujet du leadership. Toutefois, à mesure que la transition entre un monde hiérarchique et un monde complexe se poursuivra, le leadership de complexité ne sera pas seulement plus reconnu, il deviendra aussi de plus en plus atttendu.

De nouvelles approches en matière de leadership

Le leadership au service des autres

La notion de **leadership au service des autres**, élaborée par Robert K. Greenleaf, se fonde sur l'idée que le but premier de toute entreprise devrait être d'exercer une influence positive sur ses salariés ainsi que sur sa collectivité. Dans un essai écrit en 1970 sur le leadership au service des autres, Greenleaf affirmait : « Le leader au service des autres est *d'abord* au service des autres… Cela commence par le désir inné qu'a la personne de servir, *d'abord et avant tout*. Par la suite, la personne fait des choix conscients qui la mènent à aspirer à diriger[45]. »

Leadership au service des autres
Style de leadership par lequel le dirigeant se met au service des autres

La principale caractéristique du leadership au service des autres, comme le décrit Greenleaf, est de « dépasser ses intérêts personnels ». Comparé aux autres styles de leadership, tel le leadership transformateur défini par Bass pour lequel la fidélité première est à l'organisation, le leadership au service des autres met l'accent sur la façon dont l'organisation peut créer des occasions permettant aux subordonnés de poursuivre leur développement professionnel. Il s'agit d'une approche axée sur la personne qui vise à bâtir des relations sûres et solides au sein des organisations. Les leaders utilisent le pouvoir non pas pour leur intérêt personnel, mais bien pour la croissance des employés, la survie de l'organisation et la responsabilité envers la collectivité[46].

Le leader au service des autres demeure attentif à des valeurs spirituelles fondamentales. En respectant ces valeurs, il sert les autres, que ce soit ses collègues, son organisation ou la société. Aux yeux du leader au service des autres, sa responsabilité est d'accroître l'autonomie de ses subordonnés et de les encourager à penser par eux-mêmes. Cet accent mis sur les subordonnés se combine à un style de leadership qui accorde la priorité à l'humilité et au fait de demeurer soi-même ainsi qu'aux convictions morales dans l'exercice du pouvoir. Les leaders au service des autres y parviennent en habilitant les gens et en leur permettant de se développer, en demeurant intègres, en acceptant les gens tels qu'ils sont, et en étant des intendants qui travaillent pour le bien de la collectivité[47].

Les caractéristiques du leader au service des autres

1. **Habilitation**: Il favorise une attitude proactive, empreinte de confiance en soi, chez ses subordonnés.

2. **Responsabilisation**: Il fait preuve de confiance envers ses subordonnés en leur donnant des responsabilités et en les tenant responsables des résultats obtenus; il leur permet d'exercer un contrôle sur leurs activités et s'assure qu'ils sachent ce qu'on attend d'eux.

3. **Position de recul**: Il donne la priorité à l'intérêt des autres, il leur apporte le soutien voulu et il leur accorde le crédit pour les résultats atteints.

4. **Humilité**: Il a la capacité de mettre ses propres réalisations et talents dans une juste perspective et demeure modeste.

5. **Authenticité**: Il est honnête envers lui-même, il adhère à un code moral et il fait passer la personne avant son rôle professionnel.

6. **Courage**: Il ose prendre des risques et essayer de nouvelles approches, il remet en question les modes conventionnels de travail et il s'appuie sur ses valeurs et ses convictions pour diriger ses actions.

7. **Pardon**: Il est capable de comprendre et d'éprouver les sentiments des autres, il oublie les méfaits perçus et il ne garde pas de rancune dans d'autres situations.

8. **Intendance**: Il démontre son sens du devoir envers l'institution et envers le bien commun, ce qui va au-delà de son intérêt personnel.

Le leadership habilitant

Le leadership habilitant se rapproche du leadership au service des autres par l'accent qu'il met sur la reconnaissance des subordonnés et sur leur croissance. Bien qu'il n'ait pas été élaboré comme une théorie de leadership éthique, il se conforme à la prémisse principale de l'éthique du leadership selon laquelle les employés doivent être traités avec dignité et respect.

Le leadership habilitant est à l'opposé du style de **leadership autocratique**, qui décrit un leader qui dicte les politiques et procédures, prend toutes les décisions concernant les objectifs à atteindre, et dirige et contrôle toutes les activités sans participation significative de ses subordonnés. Le **leadership habilitant** met plutôt l'accent sur la transmission de la signification du travail, l'acceptation de la participation à la prise de décision, l'élimination des contraintes bureaucratiques et l'établissement d'un sentiment de confiance envers l'atteinte d'un rendement élevé[48]. Le leadership habilitant insiste sur l'importance, pour les leaders, de déléguer l'autorité et, pour les employés, d'assumer davantage de responsabilités. Il prétend que les organisations qui communiquent le savoir et l'information et permettent aux employés de prendre des responsabilités et de s'autocontrôler sont récompensées par une main-d'œuvre plus dévouée et motivée intrinsèquement.

Les résultats des recherches démontrent que le leadership habilitant est relié à une augmentation de la créativité des employés et, dans une certaine mesure, à l'augmentation du rendement[49]. Certains estiment que le leadership habilitant est plus approprié pour les subordonnés qui possèdent un niveau de maturité élevé (par exemple, la capacité et l'expérience). Fait intéressant, par contre, les résultats des recherches ont aussi démontré le contraire. En effet, une étude effectuée auprès des représentants commerciaux a montré que, contrairement aux hypothèses émises, le leadership habilitant était plus avantageux pour les subordonnés ayant un *faible* niveau de connaissance sur le produit et le secteur d'activité et *peu* d'expérience, plutôt que l'inverse. En ce qui concerne les subordonnés ayant un niveau élevé de connaissance et d'expérience, le leadership habilitant ne semble pas offrir d'avantages. Il se peut que les personnes ayant de l'expérience aient peu à gagner des efforts d'habilitation d'un leader.

Le leadership authentique

Le leadership authentique est essentiellement conforme à la prescription de Socrate : «Connais-toi toi-même[50].» En effet, le leader possède une somme d'éléments formant son expérience personnelle (valeurs, pensées, émotions, croyances), et il agit en accord avec sa vraie personnalité et ses convictions profondes en exprimant ce qu'il pense et croit vraiment. Personne en ce monde n'est parfaitement authentique, mais l'authenticité demeure un idéal vers lequel tendre. Cette qualité traduit le libre arbitre de l'être authentique ou profond qui s'exprime au quotidien. En outre, l'authenticité est à la base de toutes les autres dimensions susceptibles d'être utilisées pour définir le leadership, quelle que soit la théorie proposée.

Leadership autocratique
Style de leadership qui consiste à dicter des politiques et procédures, à prendre les décisions individuellement et à diriger et contrôler toutes les activités sans consultation des subordonnés

Leadership habilitant
Style de leadership qui favorise le partage de pouvoir avec les employés en transmettant la signification du travail, en accordant de l'autonomie, en exprimant de la confiance envers les capacités des employés et en éliminant les entraves à l'atteinte d'un bon rendement

Le «Connais-toi toi-même» de Socrate résume la base du comportement du leader authentique, qui agit en accord avec sa vraie personnalité et ses convictions profondes.

Leadership habilitant et créativité des nouveaux employés

Les organisations sont de plus en plus soucieuses de combler leur besoin de créativité (c'est-à-dire l'afflux de nouvelles idées visant à créer, à améliorer ou à modifier leurs produits, services, pratiques et procédures), car c'est ce qui leur permet de demeurer innovantes et concurrentielles et de survivre à long terme. On suppose souvent que les nouvelles recrues apporteront du nouveau dans l'organisation, mais il n'est pas garanti qu'elles feront preuve de créativité. Cela soulève deux questions importantes : Comment encourager la créativité chez les nouveaux employés ? Comment les leaders peuvent-ils favoriser cette créativité ?

T. Brad Harris et ses collègues ont émis l'hypothèse que le leadership habilitant pouvait avoir une incidence sur la créativité des nouveaux employés et ils ont mené deux études en vue de l'analyser. Le leadership habilitant met l'accent sur le partage du pouvoir et l'octroi d'une certaine autonomie aux employés dans le but d'activer des réactions de motivation intrinsèque. Les chercheurs ont donc postulé que le leadership habilitant stimulerait la motivation intrinsèque des nouveaux employés à apprendre par eux-mêmes leurs nouvelles tâches et à s'engager de façon créative à améliorer l'organisation.

La première étude prenait pour sujets les nouveaux employés de deux coentreprises de haute technologie de Shanghai, en Chine. Ces employés occupaient une variété d'emplois dans des domaines tels que l'ingénierie des technologies de l'information, la programmation informatique et le développement de nouveaux produits. Les résultats ont indiqué que le leadership habilitant était positivement relié au rendement créatif des nouveaux employés, qui étaient évalués par leurs gestionnaires. De plus, le leadership habilitant était plus fortement relié à la créativité lorsque les nouveaux employés percevaient un degré élevé de soutien organisationnel pour la créativité, soutien qui existe quand une organisation encourage, récompense et reconnaît le comportement créatif.

La deuxième étude portait sur les nouveaux employés d'une entreprise de construction navale de Shanghai occupant divers postes tels qu'ingénieurs de fabrication, technologues, techniciens en production et concepteurs. Ici encore, le leadership habilitant a été positivement relié au rendement créatif des nouveaux employés en fonction de l'évaluation des gestionnaires et des collègues de travail. La relation entre le leadership habilitant et la créativité était plus forte lorsque la confiance envers les leaders était élevée. De plus, la relation entre le leadership habilitant et la créativité des nouveaux employés a été expliquée par une augmentation de l'engagement envers le processus créatif (soit l'investissement que met une personne à déterminer les problèmes potentiels, à chercher des renseignements pertinents et à générer des approches différentes ou nouvelles de ces problèmes). Autrement dit, le leadership habilitant a entraîné un engagement supérieur envers le processus créatif, et cet engagement a, à son tour, entraîné une créativité supérieure chez les nouveaux employés. Les auteurs ont aussi constaté que le leadership habilitant était relié de façon positive aux conséquences de la socialisation telles que la clarté des rôles, l'attachement à l'organisation et l'exécution des tâches.

Les résultats de ces deux études indiquent que le leadership habilitant joue un rôle essentiel, car il permet de prévoir et de favoriser la créativité des nouveaux employés. Par ailleurs, les effets positifs du leadership habilitant sur la créativité des nouveaux employés sont supérieurs lorsqu'il y a un degré élevé de soutien organisationnel en faveur de la créativité et un degré élevé de confiance des nouveaux employés envers leur leader. Ces études démontrent également que le leadership habilitant a des effets positifs sur la socialisation des nouveaux employés. Par conséquent, préparer et encourager les leaders à habiliter les nouveaux employés est bénéfique à la fois pour les nouveaux employés et pour les organisations.

Source : T. B. Harris, N. Li, W. R. Boswell, X. Zhang et Z. Xie, « Getting What's New from Newcomers : Empowering Leadership, Creativity and Adjustment in the Socialization Context », *Personnel Psychology*, vol. 67, nº 3, 2014, p. 567-604, cité dans Gary Johns et Alan M. Saks, *Organizational Behavior : Understanding and Managing Life at Work*, 10e édition, Toronto, Pearson, 2017, p. 338. Reproduit avec la permission de Pearson Canada Inc.

Les personnes très authentiques, soutient-on, jouissent d'une estime de soi très élevée, ou du moins d'une estime vraie, stable et cohérente, par opposition à une estime fragile et largement dépendante du regard d'autrui. Le leader authentique entretient des rapports sincères avec ceux qu'il dirige, tout comme avec ses collaborateurs, et il fait preuve de transparence, d'ouverture et de confiance[51]. Tous ces traits font appel au bien-être psychologique en tant que valeur fondamentale au sein de la psychologie positive[52]. Par exemple, on considère que Nelson Mandela était un leader authentique.

En psychologie positive, l'accent est mis sur les dispositions suivantes :

- le *sentiment de compétence*, soit la confiance que l'individu place dans sa capacité à accomplir une tâche déterminée, tel qu'il a été défini au chapitre 2 ;

- l'**optimisme**, soit l'attente d'un résultat positif ;

- l'**espoir**, c'est-à-dire la tendance à envisager diverses voies pour atteindre ce qu'on désire ;

- la **résilience**, cette capacité à retomber sur ses pieds et à continuer d'aller de l'avant après un échec.

Quand l'un de ces facteurs est en hausse, les autres tendent à augmenter aussi. Dès lors, il devient très important pour un leader de manifester ces attitudes, susceptibles d'influencer positivement ses subordonnés.

L'aspect le plus important du leadership authentique est peut-être l'idée qu'être un leader commence par soi et par l'opinion qu'on se fait de ce qu'est la direction d'autres personnes.

Optimisme
Attente d'un résultat positif

Espoir
Tendance à envisager diverses voies pour atteindre ce qu'on désire

Résilience
Capacité à retomber sur ses pieds et à continuer d'aller de l'avant après un échec

Le leadership éthique

Les enjeux de morale et d'éthique qui émergent des contextes de leadership actuels se trouvent au cœur même du leadership. De plus, les contextes de leadership actuels sont propices aux défis d'ordre moral. Certains leaders peuvent être séduits par le pouvoir, et la pression de produire des résultats peut inciter ceux d'entre eux qui sont axés sur l'atteinte des objectifs à tricher pour éviter les échecs. La nature hiérarchique des relations entre gestionnaires et subordonnés peut faire en sorte que les subordonnés aient peur de parler, et le manque de freins et de contrepoids peut entraîner des résultats dévastateurs[53].

Efficacité à tout prix ou bien-être des employés ? Le leader confronté à la pression peut se trouver devant un dilemme... La sagesse doit primer : quand le rythme de travail est effréné, les employés ont d'autant plus besoin de pauses.

Pour résoudre ces problèmes, les chercheurs se sont penchés plus à fond sur l'éthique du leadership. L'**éthique du leadership** est l'étude des problèmes d'éthique et des défis propres ou inhérents aux processus, aux pratiques et aux résultats liés au leadership ou à la subordination[54]. Elle s'intéresse à l'utilisation éthique du pouvoir et aux conséquences morales du leadership (par exemple la justice, l'équité ou la liberté). En parallèle à l'étude de l'éthique et de façon plus générale, l'éthique du leadership examine ce qui est vrai ou faux, bon ou mal, vertueux ou mauvais ainsi que tout ce qui relève des devoirs, des obligations, des droits, de la justice et de l'équité en matière de relations de leadership et de comportements des leaders et des subordonnés.

Éthique du leadership
Étude des problèmes d'éthique et des défis propres ou inhérents aux processus, aux pratiques et aux résultats liés au leadership ou à la subordination

Le leadership selon Rémi Tremblay : règle numéro un, être conscient !

Les premières années que j'ai passées à titre de patron, je ne me connaissais pas bien. J'étais peu conscient du fait que mes gestes ne coïncidaient pas avec mes valeurs. Je consacrais peu de temps à évaluer l'impact de mes décisions sur mon environnement et j'en reconnaissais rarement les conséquences.

Avec la réussite, j'obtenais la preuve de nos bons choix… Pourtant, j'étais inconscient des impacts collatéraux de mes décisions. J'étais obnubilé par la croissance et par notre objectif de devenir numéro UN. Le jour où nous avons atteint ce but, j'ai eu une réaction tout à fait inattendue. J'ai eu l'impression de frapper un mur. J'aurais dû avoir envie de fêter, de célébrer l'atteinte de cet objectif si cher à mes yeux. Comme une prise de conscience, ce choc m'a permis de voir les conséquences de nos choix : l'insécurité et le choc des valeurs engendrés par les fusions, le stress résultant de la pression sur les ventes et la rentabilité, ma présence trop rare auprès de ma famille, les coûts environnementaux du non-recyclage (nous avions d'autres enjeux plus importants), etc. Je devenais enfin conscient et totalement responsable des retombées de mes décisions. Ce réveil a été douloureux.

Pourtant, pendant toutes ces années « d'inconscience », j'étais passionné, et je me croyais heureux. Je comprends aujourd'hui ce que mon père voulait dire lorsqu'il affirmait : « Heureux les creux. » Aujourd'hui, j'ai adapté cette expression : « Heureux les inconscients, car ils ne comprennent pas ce qu'ils font. »

J'ai donc pu plaider l'inconscience… et me pardonner. Cependant, on ne peut se permettre d'être inconscient qu'une seule fois. La conscience éveillée, on ne peut plus reculer. Nous héritons donc d'une responsabilité accrue. Ainsi, pour poursuivre ma carrière de leader, je devais être conscient et continuer d'éveiller encore et encore cette conscience.

Je comprends aujourd'hui que la conscience est un choix que je n'avais pas fait avant, car je n'étais pas prêt à troquer des gains à court terme ni à freiner l'atteinte de mon projet. Cela m'aurait pourtant évité de souffrir et de tomber dans la culpabilité au réveil, cela m'aurait permis de rester cohérent face à moi-même et d'éviter bien des dégâts. À ma grande surprise, grâce à cette nouvelle lucidité, la croissance s'est avérée encore plus grande et plus durable.

J'ai également compris que je devais m'entourer de personnes plus conscientes que moi, car la fougue et le rythme qui me caractérisent me pousseraient encore à agir trop vite sans mesurer les impacts de mes choix. Aujourd'hui, la conscience est devenue un critère de sélection pour nos employés et une exigence pour la délégation du pouvoir.

J'ai longtemps pensé qu'il fallait des leaders visionnaires, compétents, brillants, de grands guerriers pour développer nos marchés… Mais je sais maintenant que nous avons avant tout besoin de leaders conscients, qui visent le bien commun et qui sont capables de prévoir les conséquences de leurs choix en termes de bonheur et de souffrance pour le plus grand nombre. C'est le type de leaders qu'on doit élire et soutenir. [...]

Source : Rémi Tremblay, « Règle numéro un : être conscient ! », *Premium*, n° 17, novembre 2012, p. 82.

QUESTIONS
Selon vous, votre degré de conscience est-il élevé ? À l'instar de Rémi Tremblay, croyez-vous que la conscience soit une caractéristique essentielle pour tout dirigeant qui évolue dans les organisations d'aujourd'hui ?

La création de valeur partagée

Dans les milieux organisationnels, un des défis en matière d'éthique du leadership est le mode de socialisation des gens d'affaires. Presque tous les hommes et les femmes d'affaires ont été endoctrinés par le dicton de Milton Friedman voulant que « l'unique responsabilité sociale de l'entreprise [soit] d'accroître ses profits »[55]. C'est ce qu'on appelle le **but lucratif**, et il alimente la croyance selon laquelle le seul objectif d'une entreprise est de faire de l'argent.

Le but lucratif est sérieusement remis en cause dans l'environnement d'aujourd'hui. Des leaders tels que John Mackey, chef de la direction de Whole Foods, et Michael Porter, professeur à l'Université Harvard, offrent des points de vue différents, fondés sur un capitalisme conscient et la création d'une valeur partagée. Ces points de vue, élaborés par des esprits préoccupés par l'atteinte d'objectifs concrets, prétendent que le problème n'est pas le profit en tant que tel, mais plutôt la recherche du profit à n'importe quel prix. Afin d'éclairer cet enjeu, certains, dans de récents débats sur le rôle du profit dans les affaires, ont défendu le **point de vue de la valeur partagée**, selon lequel les organisations devraient générer une valeur économique tout en créant une valeur pour la société en répondant aux besoins et aux défis sociétaux[56]. Ce point de vue de la valeur partagée met donc l'accent à la fois sur le profit des entreprises et sur le gain de la société.

Cette vision plus moderne avance que les entreprises doivent lier leur succès au progrès social. Par ce principe, elle règle le problème qui est au cœur du débat sur l'éthique du leadership : Quels intérêts sont les plus importants, ceux de la personne (ou de l'entreprise) ou ceux de la collectivité (c'est-à-dire le « bien commun »)? Du point de vue de la valeur partagée, les deux sont tout aussi importants.

But lucratif
But d'une entreprise qui est de faire de l'argent, basé sur le point de vue de Milton Friedman

Point de vue de la valeur partagée
Point de vue selon lequel les organisations devraient créer une valeur économique tout en créant une valeur pour la société

La théorie du leadership éthique

Le leadership éthique repose sur une approche normative qui met l'accent sur la compréhension du comportement des leaders éthiques. Une approche normative suppose ou prescrit une norme ou un standard. La théorie du leadership éthique préconise que les leaders soient des modèles en matière de comportement – par exemple en étant honnêtes, ouverts et fiables –, motivés par l'altruisme, c'est-à-dire qu'ils soient eux-mêmes altruistes et préoccupés par les autres (par exemple qu'ils traitent leurs employés équitablement et avec considération). Les leaders éthiques doivent : (1) indiquer aux subordonnés ce qui est éthique, leur permettre de poser des questions à ce sujet et leur donner une rétroaction sur ces questions ; (2) établir des normes d'éthique claires et s'assurer que les subordonnés se conforment à ces normes en récompensant les conduites éthiques et en punissant ceux qui ne respectent pas les normes ; (3) tenir compte des principes éthiques lors de la prise de décision et s'assurer que les subordonnés respectent et suivent le même processus[57].

La théorie du leadership éthique préconise que les leaders soient des modèles en matière de comportement : honnêtes, altruistes, ouverts et fiables.

Les leaders éthiques créent un climat éthique en permettant aux subordonnés de se faire entendre et en s'assurant que les processus sont équitables. Le **climat éthique** représente la perception qu'ont les employés de leur milieu de travail, caractérisé par

Climat éthique
Milieu de travail caractérisé par des valeurs, normes, attitudes, sentiments et comportements éthiques, tel qu'il est perçu par les employés

des valeurs, normes, attitudes, sentiments et comportements éthiques[58]. Les leaders éthiques favorisent l'émergence d'un tel climat en créant une sensibilisation et une préoccupation par rapport à la morale, en rehaussant le raisonnement moral, en précisant les valeurs morales et en encourageant la responsabilité morale. Ils évaluent les conséquences de leurs décisions et font des choix fondés sur des principes équitables qui peuvent être respectés et imités par les autres[59].

La recherche démontre que le leadership éthique est lié à des niveaux plus élevés de rendement et de comportement novateur de la part des subordonnés. Elle démontre aussi une incidence mitigée du leadership éthique sur la mauvaise conduite, les comportements contraires à l'éthique et l'intimidation au travail de la part des subordonnés. Malgré cela, la théorie du leadership éthique est limitée, car elle met surtout l'accent sur les responsabilités des leaders en matière d'éthique. Pour que le leadership éthique s'installe véritablement dans les organisations, il doit être la responsabilité des leaders et des subordonnés.

Pour conclure sur le leadership éthique, comparons-le aux deux formes rapprochées de leadership que sont le leadership authentique et le leadership transformateur (**figure 11.6**). L'un des principaux points communs à toutes ces formes de leadership, c'est la fonction de modèle qui est au cœur de la théorie de l'apprentissage social. Il est aussi à noter que toutes incluent l'altruisme, ou l'intérêt pour autrui, et l'intégrité. Les leaders exercent une influence sur les autres en faisant appel à des valeurs transcendantes. Concernant les différences, le leader authentique se démarque par l'accent qu'il met sur l'authenticité et la conscience de soi. Le leader éthique a comme particularité sa préoccupation morale. Enfin, comme nous l'avons vu précédemment, le leader transformateur se caractérise par l'importance qu'il accorde aux valeurs, à la vision et à la stimulation intellectuelle.

FIGURE **11.6** Une comparaison entre le leadership éthique et deux autres types de leadership, soit l'authentique et le transformateur

	Principales similitudes avec le leadership éthique	Principales différences par rapport au leadership éthique
Leadership authentique	• Intérêt pour autrui (altruisme) • Prise de décision éthique • Intégrité • Rôle de modèle	• Leader éthique : accent mis sur la gestion morale (plus transactionnelle) et la conscience de l'autre • Leader authentique : accent mis sur l'authenticité et la conscience de soi
Leadership transformateur	• Intérêt pour autrui (altruisme) • Prise de décision éthique • Intégrité • Rôle de modèle	• Leader éthique : accent mis sur les normes éthiques et la gestion morale (plus transactionnelle) • Leader transformateur : accent mis sur la vision, les valeurs et la stimulation intellectuelle

Source : Michael E. Brown et Linda K. Treviño, « Ethical Leadership : A Review and Future Directions », *The Leadership Quarterly*, vol. 17, n° 6, décembre 2006, p. 598. Reproduction autorisée par Elsevier par l'entremise de Copyright Clearance Center.

Lutter contre le leadership contraire à l'éthique au travail

En 2013, un rapport publié par l'Institute of Leadership & Management révélait que les pratiques contraires à l'éthique étaient fréquentes dans les milieux de travail au Royaume-Uni. En effet, plus des trois cinquièmes (63 %) des gestionnaires du Royaume-Uni ont affirmé qu'on a déjà attendu d'eux un comportement contraire à l'éthique au travail. Parmi ces gestionnaires, 9 % ont mentionné qu'on leur avait demandé d'enfreindre la loi à un moment de leur carrière. De plus, 1 gestionnaire sur 10 a dit avoir quitté un emploi parce qu'il n'était pas prêt à faire ce qu'on lui demandait de faire.

Il semblerait donc que les mesures prises par les organisations pour contrer le leadership contraire à l'éthique soient inefficaces. Plus de 90 % des répondants ont indiqué que leur organisation avait un énoncé de valeurs, alors que 43 % ont dit avoir subi des pressions afin d'enfreindre ces règles. Pire encore, 12 % des gestionnaires ont affirmé que le comportement des employés au travail était très éloigné des valeurs de l'entreprise. En outre, plus du quart des répondants se sont dits inquiets pour leur carrière s'ils dénonçaient une violation à l'éthique, cette crainte étant plus élevée chez les gestionnaires que chez les directeurs.

Les chercheurs recommandent aux entreprises d'adopter des politiques claires pour inciter leurs employés à signaler toute infraction ou violation à l'éthique. Ils insistent aussi sur l'importance d'un leadership éthique au sommet. Étant donné l'ampleur du problème, pensez-vous que cela peut être efficace? Il semble que les énoncés de valeurs ne soient pas suffisants pour enrayer les problèmes liés au leadership contraire à l'éthique au travail.

QUESTIONS

On sait qu'il existe des problèmes d'éthique au sein des organisations et qu'une grande part de ces problèmes provient du fait que les gestionnaires demandent aux employés d'avoir un comportement contraire à l'éthique. Que peut-on faire pour enrayer ce problème? Les énoncés de valeurs et les programmes encourageant la dénonciation ne semblent pas efficaces. Que feriez-vous pour concevoir un milieu de travail plus éthique? Quels sont, d'après vous, les facteurs structurels qui permettraient de favoriser un leadership plus éthique? Comment traiteriez-vous les cas de violation à l'éthique dans votre milieu de travail?

Guide de RÉVISION

RÉSUMÉ

Quels sont les fondements des théories des traits personnels et des théories des comportements en matière de leadership ?

- Selon les théories des traits personnels du leader, ce sont principalement des attributs personnels qui permettent de distinguer les leaders des autres et de prédire le succès d'un leader ou les résultats de son organisation.

- L'approche des traits personnels a dénoté des liens faibles, mais importants entre le leadership et quatre traits de personnalité du modèle à cinq facteurs, soit l'extraversion, l'application, la stabilité émotionnelle et l'ouverture à l'expérience.

- Comme les théories des traits personnels, les théories des comportements du leader reposent sur l'hypothèse que le leader a une influence déterminante sur les résultats de son organisation. Cependant, leurs tenants considèrent que ce sont principalement les comportements du leader qui permettent de prédire ses succès ou les résultats de son organisation.

- Les comportements des leaders sont au cœur des études de l'Université du Michigan et de l'Université d'État de l'Ohio ainsi que de la grille du leadership de Blake et Mouton.

- La majorité des comportements de leader peuvent être regroupés en deux grandes catégories : les comportements axés sur les relations et les comportements axés sur les tâches.

Que sont les théories du leadership situationnel ?

- Selon les théories du leadership situationnel, ce sont les caractéristiques situationnelles qui, associées aux traits et aux comportements du leader, permettent de prédire les résultats d'un leadership donné.

- Les traits personnels ou les comportements du leader ont un effet d'autant plus marqué qu'ils correspondent aux exigences de la situation dans laquelle se trouve le leader.

- Les principales théories du leadership situationnel sont la théorie de la contingence de Fiedler, la théorie du cheminement critique de House et la théorie du leadership situationnel de Hersey et Blanchard.

- Selon le modèle de la contingence de Fiedler, l'efficacité du leader dépend de l'adéquation entre son style de leadership et la maîtrise situationnelle dont il dispose.

- Selon la théorie du cheminement critique de House, les résultats d'un style de leadership sont fonction de certaines caractéristiques des subordonnés (autoritarisme, orientation interne ou externe, aptitudes) et de certaines caractéristiques du milieu de travail (nature des tâches des subordonnés, système hiérarchique officiel, groupe de travail).

- Pour Hersey et Blanchard, le leadership situationnel exige du leader qu'il adapte ses comportements au degré de maturité des subordonnés.

Que sont les théories du leadership charismatique et du leadership transformateur ?

- Les leaders charismatiques sont vus comme étant des gens exceptionnels dotés de caractéristiques et de capacités extraordinaires qui les distinguent des autres.

- La recherche sur le leadership charismatique au sein des organisations suggère que le charisme n'est pas un attribut bénéfique pour la plupart des chefs de direction, et il est particulièrement dangereux dans le cas des personnes égocentriques qui utilisent leur pouvoir charismatique surtout à des fins personnelles.

- L'élément clé de la théorie de Burns est le fondement moral sur lequel repose le leadership transformateur. Selon cette théorie, la transformation est un accomplissement moral lorsqu'elle rehausse le comportement humain ainsi que les aspirations des leaders et des subordonnés, ce qui a pour effet de « transformer » les deux.

- Bass a adapté la théorie de Burns afin de mettre l'accent sur le rendement organisationnel. Selon sa théorie, la transformation incite les gens à mettre de côté leurs intérêts personnels pour favoriser l'intérêt organisationnel.

- Selon Bass, les principales dimensions sur lesquelles se fonde le leadership transformateur sont le charisme, l'inspiration, la stimulation intellectuelle et la reconnaissance individuelle. Le leadership transactionnel, lui, se caractérise par l'un ou l'autre des comportements suivants : l'attribution de récompenses en fonction du rendement, la gestion par exceptions active, la gestion par exceptions passive et le laisser-faire. Le leadership transformateur a une portée plus grande que le leadership charismatique ; il intègre le charisme comme une dimension parmi d'autres du leadership.

Qu'est-ce que la perspective du leadership de complexité ?

- La perspective du leadership de complexité se fonde sur la science de la complexité et décrit le leadership dans le contexte des systèmes adaptatifs complexes.

- L'approche du leadership de complexité se distingue des approches de leadership traditionnelles, qui sont basées sur des principes organisationnels bureaucratiques ; elle met l'accent sur l'émergence et l'adaptabilité plutôt que sur la hiérarchie et le contrôle.

- Une contribution importante de la théorie de la complexité est l'émergence, qui correspond aux processus par lesquels un ordre de plus haut niveau est issu des interactions d'agents exerçant leurs activités au sein du système.

- La théorie du leadership de complexité décrit trois styles de leadership dans les organisations : le leadership administratif, le leadership entrepreneurial et le leadership d'adaptation. Ces formes de leadership doivent agir en complémentarité afin de créer une émergence productive et une adaptabilité dans les organisations.

Quelles sont les nouvelles approches en matière de leadership et pourquoi revêtent-elles une importance particulière dans les organisations contemporaines?

- Les leaders au service des autres utilisent le pouvoir non pas pour leur intérêt personnel, mais bien pour la croissance des employés, la survie de l'organisation et la responsabilité envers la collectivité.

- Le leadership habilitant favorise le partage de pouvoir avec les employés en leur transmettant la signification du travail, en leur accordant de l'autonomie et en éliminant les contraintes bureaucratiques.

- Le leadership authentique est celui qu'exerce le leader qui possède une somme d'éléments formant son expérience personnelle et qui agit en accord avec sa vraie personnalité et ses convictions profondes, en exprimant ce qu'il pense et croit vraiment. L'authenticité est à la base de toutes les autres dimensions susceptibles d'être utilisées pour définir le leadership.

- L'éthique du leadership est l'étude des problèmes d'éthique et des défis propres ou inhérents aux processus, aux pratiques et aux résultats liés au leadership ou à la subordination.

- Dans les organisations, le plus grand défi vis-à-vis de l'éthique provient de la pression d'obtenir des résultats (par exemple, des profits) à tout prix (par exemple, au prix de dommages individuels ou sociétaux) et la tension entre l'intérêt personnel et le «bien commun».

- Le leadership éthique a comme particularité sa préoccupation morale.

- Le leadership éthique repose sur une approche normative qui stipule que le leader devrait être un modèle de comportement en matière d'éthique et devrait créer un climat éthique en appliquant des normes éthiques élevées.

MOTS CLÉS

EXERCICE DE RÉVISION

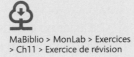

MaBiblio > MonLab > Exercices
> Ch11 > Exercice de révision

Questions à choix multiple

1. Selon _____, le leader a un effet déterminant sur les résultats de son organisation. **a)** les théories des traits personnels et des comportements du leader **b)** la théorie de l'attribution **c)** les théories du leadership situationnel **d)** la théorie du cheminement critique

2. Les théories des comportements du leader regroupent les comportements de leadership en deux grandes catégories : _____ **a)** l'habilitation et la motivation. **b)** la direction et le contrôle. **c)** ceux qui sont liés à la capacité de guider et de motiver. **d)** ceux qui sont axés sur les relations et ceux qui sont axés sur les tâches.

3. D'après la grille du leadership de Blake et Mouton, les leaders les plus efficaces sont ceux qui sont _____ **a)** fortement orientés vers la tâche et fortement orientés vers autrui. **b)** fortement orientés vers la tâche et faiblement orientés vers autrui. **c)** faiblement orientés vers la tâche et fortement orientés vers autrui. **d)** à mi-chemin entre les deux orientations.

4. Selon _____, l'efficacité du comportement de leader est fonction de la situation. **a)** les théories des traits du leader **b)** les théories des comportements du leader **c)** les théories du leadership situationnel **d)** les théories transactionnelles

5. Le point de vue « inné » en matière de leadership signifie que les leaders devraient être _____ **a)** développés. **b)** sélectionnés. **c)** formés. **d)** transformés.

6. La recherche a démontré que le charisme est _____ pour la plupart des chefs de direction. **a)** un neutralisant **b)** un substitut **c)** bénéfique **d)** non bénéfique

7. Afin d'éviter les dangers du charisme, les leaders doivent réduire _____ **a)** les transactions. **b)** les comportements axés sur les tâches. **c)** la distance hiérarchique. **d)** les réseaux.

8. Le leadership transformateur _____ **a)** est semblable au leadership transactionnel. **b)** est particulièrement utile lorsqu'il est associé au leadership transactionnel. **c)** n'est aucunement lié au leadership charismatique. **d)** est étudié depuis plus d'un siècle.

9. Bass a modifié la théorie de Burns afin de mettre l'accent sur les intérêts _____, plutôt que sur un but moral et des valeurs plus élevées. **a)** organisationnels **b)** des subordonnés **c)** sociétaux **d)** collectifs

10. Le leadership authentique _____ **a)** est un mode de leadership facile à exercer. **b)** est la forme la plus courante de leadership. **c)** signifie que le leader agit selon sa vraie nature. **d)** choisit comme point de mire la connaissance d'autrui.

11. Les approches du leadership de complexité sont une solution de rechange aux principes organisationnels _____ **a)** systémiques. **b)** politiques. **c)** transformateurs. **d)** bureaucratiques.

12. La principale contribution que la complexité offre au leadership est la compréhension _____ **a)** de l'émergence. **b)** du leadership administratif. **c)** du leadership entrepreneurial. **d)** de l'habilitation.

13. La théorie du leadership éthique est une théorie _____ du leadership. **a)** transformatrice **b)** transactionnelle **c)** normative **d)** de complexité

14. Lorsque les leaders créent une sensibilisation et une préoccupation morales, rehaussent le raisonnement moral et encouragent la responsabilité morale, ils créent plus de _____ **a)** leadership transformateur. **b)** climats éthiques. **c)** climats habilitants. **d)** authenticité.

15. _____ sont à l'écoute des valeurs spirituelles et considèrent que leur responsabilité est d'être des intendants pour le bien de la collectivité. **a)** Les leaders au service des autres **b)** Les leaders transformateurs **c)** Les leaders autoritaires **d)** Les leaders habilitants

Questions à réponse brève

16. Quel lien peut-on établir entre les théories du leadership situationnel et les théories des comportements du leader?

17. Quelle est la différence entre le leadership transactionnel et le leadership transformateur?

18. Pourquoi les approches de la complexité en matière de leadership ont-elles été élaborées?

19. Quels sont les défis reliés à l'éthique du leadership?

Question à développement

20. Jonathan sait qu'il possède un style charismatique de leadership. Lorsqu'il parle, les autres l'écoutent, et lorsqu'il dirige, les autres sont passionnés et veulent le suivre. Bien qu'il ait profité de ce style et de ses effets sur les autres, il sait qu'il y a des risques associés au leadership charismatique. Quels sont ces risques, et comment peut-il les éviter?

Le CO dans le feu de l'action

Pour ce chapitre, nous vous suggérons les compléments numériques suivants dans MonLab.

MaBiblio >
MonLab > Documents > Études de cas
> 13. Le cas de la nouvelle cage
> 15. Un nouveau vice-recteur pour l'Université du Midwest
> 16. Zappos soigne sa clientèle
> 17. Jean Durant

MonLab > Documents > Activités
> 1. Mon meilleur patron I
> 26. Inventaire des compétences en leadership
> 28. Mon meilleur patron II

MonLab > Documents > Autoévaluations
> 2. Le gestionnaire du 21e siècle
> 10. Le questionnaire du collègue le moins apprécié
> 11. Votre style de leadership
> 12. Leadership transactionnel et leadership transformateur
> 13. Votre propension à la délégation

12

Le processus décisionnel et la créativité

Jour après jour, les gestionnaires sont appelés à prendre des décisions qui ont, pour un grand nombre d'entre elles, des répercussions sur leur vie et le bien-être des autres. Toutefois, ils ne prennent pas toujours de bonnes décisions et ils ont parfois du mal à choisir la méthode de prise de décision appropriée. Ce chapitre porte sur les multiples aspects du processus décisionnel en milieu organisationnel.

Prendre les bonnes décisions, telle est la clé de la réussite.

OBJECTIFS D'APPRENTISSAGE

Après l'étude de ce chapitre, vous devriez pouvoir :

- Expliquer les fondements du processus décisionnel en milieu organisationnel.
- Décrire et distinguer les divers modèles décisionnels.
- Expliquer l'influence des heuristiques et de certaines erreurs fréquentes dans le processus décisionnel.
- Expliquer le rôle de la créativité dans le processus décisionnel et en préciser les déterminants.

PLAN DU CHAPITRE

Intégrer l'éthique dans la prise de décision : une question de confiance

Les consommateurs, les communautés environnantes, les partenaires et les actionnaires de l'organisation peuvent faire les frais des décisions qui affectent, par exemple, la sécurité et la qualité des produits et services, la qualité de l'environnement et les marchés financiers. L'organisation, ses dirigeants et ses employés sont affectés à leur tour lorsque la crise éclate : perte de confiance, pertes financières, poursuites judiciaires, départ d'employés clés, perte de motivation et même parfois disparition de l'organisation, comme ce fut le cas pour Enron.

Pensons aux diverses décisions successives qui, chez Volkswagen, ont mené à la crise que traverse actuellement l'entreprise : la décision de ses dirigeants de prendre d'assaut le marché nord-américain, malgré le fait que les voitures ne répondaient pas aux normes antipollution américaines plus sévères, pour se positionner comme leader mondial en ventes d'automobiles ; celle de fixer des objectifs de vente trop ambitieux ne tenant pas compte du délai nécessaire pour adapter correctement les voitures aux normes américaines ; puis, finalement, celles ayant mené à l'installation de mécanismes permettant de présenter faussement les émissions polluantes des voitures afin d'atteindre ces objectifs.

La confiance est étroitement corrélée avec la perception que l'organisation se soucie des conséquences de ses actions sur autrui et qu'il existe une certaine concordance entre les valeurs véhiculées par les décisions de ses représentants et les nôtres, telle l'honnêteté. La légitimité provient de la perception que les actions d'une entité sont souhaitables et appropriées : elle est donc le reflet d'une cohérence entre les comportements de l'entité légitimée et les croyances, normes et valeurs partagées d'un certain groupe social. Ces deux notions sont donc étroitement liées entre elles ainsi qu'à la prise de décision au sein de l'organisation.

Si les répercussions négatives peuvent parfois être attribuées à des individus qui décident consciemment de privilégier leur bien-être ou le rendement à court terme de leur organisation au détriment d'autres personnes, elles sont aussi souvent causées par une prise de décision inadéquate, où diverses considérations éthiques n'ont pas suffisamment été observées. En ces temps où les attentes envers les organisations atteignent de nouveaux sommets, l'intégration systématique de l'éthique dans la prise de décision à tous les niveaux de l'organisation devient un élément incontournable de la gestion des risques de l'entreprise.

L'organisation qui désire conserver sa légitimité et la confiance de ses partenaires doit donc s'assurer concrètement que tous ses employés — et particulièrement ses dirigeants et ses gestionnaires — tiennent compte des attentes des parties prenantes, attentes souvent décrites en termes de normes sociales et de valeurs ainsi que des intérêts et du bien-être d'autrui dans leurs décisions. Il ne suffit pas d'édicter des règles à ce sujet dans un code de conduite ou de déclarer publiquement que les valeurs de l'organisation en tiennent compte. C'est dans les décisions quotidiennes que se vit l'éthique. Ce sont les choix effectués devant des problèmes opérationnels pratiques et les orientations stratégiques qui font foi des valeurs auxquelles l'organisation a accordé sa priorité absolue et de l'importance qu'elle accorde au fait de ne pas nuire indûment à autrui. C'est l'organisation elle-même qui déterminera s'il est souhaitable de maintenir la confiance à son égard ou non.

> **C'est dans les décisions quotidiennes que se vit l'éthique.**

Source : Diane Girard, « Intégrer l'éthique à la prise de décision : une question de confiance », reproduit avec la permission de *Gestion*, revue internationale de gestion, vol. 41, n° 4 (hiver 2017), p. 24-28.

Le processus décisionnel en milieu organisationnel

Dans votre vie personnelle, au travail, au sein d'une équipe ou comme gestionnaire, vous êtes devant un flot ininterrompu de données, de problèmes et de situations pour lesquels vous devez prendre des décisions. Comme il y a beaucoup de choses à trier et à traiter, vous n'obtenez pas toujours de bons résultats. Au chapitre 8, on a vu que les équipes prennent des décisions en recourant à différentes méthodes ayant chacune ses avantages et ses inconvénients. On a également étudié des techniques telles que le remue-méninges et la technique du groupe nominal, qui peuvent aider à améliorer la prise de décision collective. Il est maintenant temps d'examiner plus à fond le processus décisionnel afin que vous soyez mieux préparé, en tant que chef ou membre d'une équipe, à participer à des prises de décision qui favoriseront un rendement élevé.

Une fois un problème circonscrit et les façons envisageables de le résoudre établies, on choisit un plan d'action qui tient compte notamment des coûts, de l'échéancier ainsi que des avantages et des inconvénients liés à la solution visée.

Le processus décisionnel étape par étape

Comme on l'a vu au chapitre 8, on peut définir la *prise de décision* (ou le *processus décisionnel*) comme le processus qui consiste à choisir, parmi plusieurs lignes de conduite possibles, un plan d'action visant à régler un problème ou à saisir une occasion[1]. Fondamentalement, le processus décisionnel rationnel comporte cinq étapes.

1. *La reconnaissance et la définition du problème ou de l'occasion qui se présente.* C'est l'étape de la collecte d'information et des délibérations, qui permet de préciser pour quelle raison une décision doit être prise et ce qu'il faut accomplir. On commet souvent trois erreurs à cette première étape critique. Premièrement, on peut définir le problème de façon trop étroite ou trop large. Deuxièmement, on se concentre parfois sur les symptômes du problème au lieu d'en considérer les causes. Troisièmement, on s'attaque parfois à ce qui n'est pas le véritable problème, suivant une perception du problème qui peut être erronée.

2. *La détermination et l'analyse des solutions possibles.* On évalue les coûts et les avantages de tous les plans d'action possibles et de leurs conséquences prévisibles. À cette étape, les décideurs doivent être parfaitement conscients de ce qu'ils savent et de ce qu'ils doivent savoir. Ils ont à repérer les principales parties prenantes et prendre en considération les conséquences que chaque plan d'action pourrait avoir sur elles.

3. *Le choix d'un plan d'action.* À cette étape, on choisit un plan d'action plutôt qu'un autre en se fondant habituellement sur des critères tels que les coûts et les avantages, l'échéancier, les conséquences pour les parties prenantes et la rigueur éthique. Il s'agit aussi de déterminer qui prendra la décision : le chef de l'équipe ou les membres de l'équipe dans leur ensemble ?

4. *La mise en œuvre du plan d'action choisi.* On entreprend les démarches nécessaires pour concrétiser le plan d'action choisi. Certaines équipes subissent alors les conséquences d'une **erreur d'exclusion** après avoir exclu du processus décisionnel des membres dont l'appui s'avère nécessaire au moment de la mise en œuvre de la décision prise. Les équipes qui s'appuient sur la participation et l'engagement tirent parti des renseignements et des points de vue divers pour prendre des décisions éclairées. Elles peuvent également compter sur l'engagement de tous leurs membres pour concrétiser les choix qui ont été faits.

Erreur d'exclusion
Erreur par laquelle une équipe exclut du processus décisionnel certains de ses membres dont l'appui s'avère nécessaire au moment de la mise en œuvre de la décision prise

5. *L'évaluation des résultats et le suivi.* Enfin, on mesure les résultats en matière de rendement par rapport aux objectifs de départ et on analyse les conséquences prévues et imprévues de la décision. C'est alors que les décideurs ont une emprise sur leur démarche. Ils veillent à ce que les résultats escomptés soient atteints et à ce que les conséquences indésirables soient évitées. La plupart des équipes et des personnes négligent cette étape, ce qui peut avoir des effets négatifs sur le rendement.

Le choix des problèmes à régler

Dans les faits, il est compliqué de prendre les bonnes décisions et de les mettre en œuvre. De plus, un des aspects les plus importants du processus décisionnel est d'établir les priorités. Tous les problèmes n'ont pas à être réglés sur-le-champ, et la meilleure décision peut être celle qui n'a pas été prise. Lorsqu'on ne sait pas s'il est ou non approprié de traiter un problème particulier, on peut se poser les quatre questions suivantes pour y voir plus clair.

1. *Le problème est-il vraiment important ?* Les problèmes mineurs ne devraient pas réclamer autant d'attention et de temps que les problèmes majeurs. Si le problème est mineur, une décision erronée sera peu coûteuse.

2. *Le problème peut-il se résoudre de lui-même ?* Lorsqu'on établit des priorités, on place en dernier les problèmes mineurs. Or, étonnamment, lorsqu'on y arrive enfin, on constate souvent qu'ils se sont réglés d'eux-mêmes ou que quelqu'un d'autre s'en est occupé. Moins il y a de problèmes à régler, plus on a de temps et d'énergie à consacrer à autre chose.

3. *Est-ce à moi de prendre une décision ?* Nombre de problèmes peuvent être résolus par d'autres personnes. Il faut cependant veiller à déléguer la prise de décision aux personnes les mieux préparées et, idéalement, à celles qui sont le plus directement concernées par le problème dans leur travail.

4. *Le temps consacré à la résolution du problème fera-t-il une différence ?* Le décideur avisé distingue les problèmes qu'on peut envisager de régler avec réalisme de ceux qui sont pratiquement insolubles.

Les fondements éthiques du processus décisionnel

Pour prendre une décision, il faut faire des choix à chacune des étapes du processus décisionnel. Chacun de ces choix comporte une dimension morale qu'il est facile de laisser de côté. Examinez les décisions suivantes et réfléchissez à la dimension morale qu'elles peuvent comporter : accepter qu'un membre de l'équipe s'abandonne à la paresse sociale au lieu de lui en parler ouvertement ; choisir un plan d'action en sachant qu'il pourrait causer quelques difficultés d'ordre personnel à un membre de l'équipe ; accepter de faire des compromis sur le plan de la qualité pour accélérer le travail de l'équipe et respecter les délais ; décider de ne pas poser de questions pertinentes et dérangeantes sur le plan d'action de l'équipe.

La **figure 12.1** indique les divers problèmes éthiques auxquels il faut réfléchir à toutes les étapes du processus décisionnel[2]. Comme elle le montre, il est fortement recommandé de suivre un raisonnement éthique chaque fois qu'on prend une décision et à chacune des étapes du processus. En d'autres mots, tout processus de prise de décision qui ne comporte pas d'analyse éthique est incomplet.

FIGURE **12.1** **Le processus de prise de décision intégrant un modèle de raisonnement éthique**

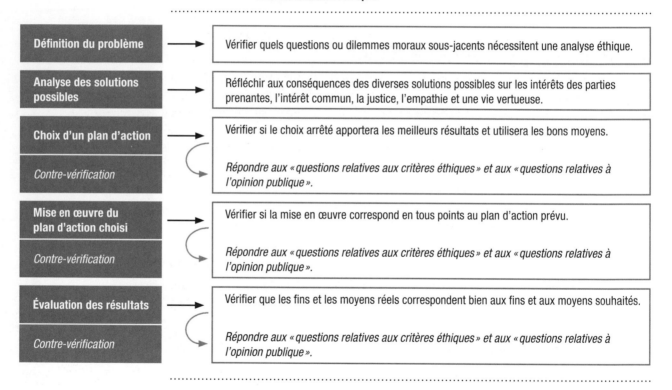

Les problèmes et les dilemmes moraux

L'**éthique** est l'étude philosophique de la moralité ou des normes qui régissent une haute moralité et une bonne conduite[3]. Lorsqu'on applique le raisonnement éthique aux décisions prises par des personnes ou des équipes au sein d'une organisation, on doit se concentrer sur les problèmes et les dilemmes moraux associés au processus décisionnel.

Un **problème moral** est un problème qui a des conséquences éthiques importantes pour le décideur ou d'autres personnes. Il est possible, et même facile, d'essayer de résoudre un problème personnel ou un problème relatif à la gestion ou aux opérations sans vraiment prendre en considération le problème moral qui le sous-tend.

Toutefois, l'approche à adopter consiste, au contraire, à examiner attentivement les retombées éthiques des diverses solutions possibles pour les parties prenantes et à choisir la solution qui a le moins de retombées négatives et qui permet le mieux de respecter les droits de chacun.

Dans le contexte d'une crise économique, par exemple, on entend presque chaque jour l'annonce de mises à pied. Pour le directeur ou l'équipe de la direction, les mises à pied peuvent sembler une solution simple et nécessaire à un problème opérationnel : les ventes sont insuffisantes pour justifier la masse salariale, et il faut licencier des employés. Cependant, la situation comporte aussi un problème moral. En effet, les personnes qui perdent leur emploi ont des familles, des dettes et peut-être des possibilités d'emploi limitées. Elles souffriront de ce qui leur arrive, même si la restructuration décidée a des avantages économiques. La prise en compte du problème moral ne changerait pas nécessairement la décision de licencier ces employés, mais elle pourrait changer la façon dont la décision est arrêtée et mise en pratique. Il s'agit, notamment, de rechercher une éventuelle solution qui serait meilleure que les licenciements ou de prévoir le type de soutien qu'on peut offrir aux employés licenciés.

Parfois, les problèmes génèrent des **dilemmes moraux**, qui placent les décideurs devant plusieurs solutions comportant des inconvénients sur le plan éthique. C'est le cas, par exemple, de décideurs qui doivent choisir entre l'externalisation du travail dans un pays pauvre où se pratique la discrimination en matière d'emploi, mais où la création d'emplois est importante pour le développement économique national, ou l'octroi du contrat à un fournisseur local dont les coûts sont plus élevés, ce qui diminue les profits de l'entreprise. Les décideurs se trouvent dans une position difficile, car ils doivent choisir entre plusieurs possibilités ayant chacune des avantages, mais aussi des effets néfastes.

Dilemme moral
Dilemme qui oblige à faire un choix entre plusieurs solutions comportant des inconvénients sur le plan éthique

Bien que de tels dilemmes soient difficiles à résoudre, le raisonnement éthique permet de veiller à ce que la décision soit prise avec rigueur, au terme d'une longue réflexion. La volonté de consacrer du temps à l'examen de l'aspect éthique d'une décision qu'on envisage peut conduire à la prise d'une meilleure décision, permettre de sauvegarder sa dignité et sa réputation, et éviter des procédures coûteuses et même l'emprisonnement.

Les contre-vérifications de l'aspect éthique des choix

Reprenons l'exemple ci-dessus concernant les licenciements. La haute direction, qui a été critiquée par les médias locaux à la suite de la restructuration, pourrait décider d'offrir aux employés licenciés des services de consultation et d'aide à la recherche d'emploi. Il s'agirait d'une décision *a posteriori*, prise à la suite de critiques de l'opinion publique et ne reflétant donc pas une conduite morale. Selon l'éthicien Stephen Fineman,

Comment me sentirais-je si ma décision était publiée dans les journaux locaux ou circulait dans Internet ?

« si les gens sont incapables de prévoir la honte et la culpabilité que certaines de leurs actions peuvent générer, les codes moraux sont sans effet...[4] » En tant que décideur, vous ne devez pas seulement choisir la meilleure solution pour le bien de l'organisation, mais aussi tenir compte de vos valeurs et de votre code moral. Vous devez également prévoir les effets néfastes sur ces derniers[5].

Si vous vous reportez à la figure 12.1, vous constaterez que les contre-vérifications de l'aspect éthique des choix sont intégrées au raisonnement éthique général. C'est une façon de veiller à ce que ses décisions respectent ses normes morales personnelles. Une contre-vérification de l'aspect éthique consiste à répondre à deux types de questions : les questions relatives aux critères éthiques et les questions relatives à l'opinion publique. Comme on l'a vu au chapitre 9, l'éthicien Gerald Cavanagh et ses collaborateurs définissent différents critères qui permettent d'analyser la dimension éthique d'une décision[6].

- *L'utilitarisme*. Est-ce que la décision satisfait tous les intervenants ou toutes les parties prenantes ?

- *Les droits*. Est-ce que la décision respecte les droits et les devoirs de toutes les personnes concernées ?

- *La justice*. Est-ce que la décision est en accord avec les critères de justice ?

- *La compassion*. Est-ce que la décision est en accord avec le devoir de chacun de se soucier d'autrui ?

En outre, les questions relatives à l'opinion publique obligent à prendre en compte, dans ses décisions, l'opinion qu'en aurait le public si elles étaient connues de tous[7]. Ces questions prennent tout leur sens lorsqu'une humiliation possible peut entraîner des conséquences très fâcheuses :

- « Comment me sentirais-je si ma famille connaissait ma décision ? »

- « Comment me sentirais-je si ma décision était publiée dans les journaux locaux ou circulait dans Internet ? »

- « Comment agirait dans cette situation la personne qui, d'après moi, a la plus haute moralité et le meilleur jugement éthique ? »

Les contextes décisionnels et les types de décisions

Habituellement, les décisions dans les organisations sont prises en fonction de trois conditions ou contextes : incertitude, risque et certitude. Ainsi, les décisions qui s'offrent au décideur sont de type *non programmé* ou *programmé*[8]. Les combinaisons de ces contextes et de ces types de décisions sont illustrées à la **figure 12.2**. Une étude rapide de ces combinaisons révèle des différences intéressantes sur le plan de la vitesse, de la justesse et de l'efficacité de la prise de décision.

FIGURE **12.2** Combinaisons de contextes de décisions et de types de décisions

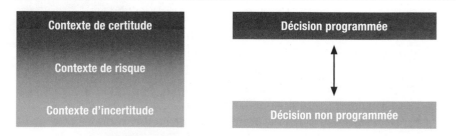

La vie et la mort dans un atelier de sous-traitance

Achèteriez-vous un produit si vous saviez qu'il a été fabriqué dans un atelier où un certain nombre d'ouvriers se sont suicidés? Une telle situation vous semble poussée à l'extrême, n'est-ce pas? Pourtant, Foxconn, grand atelier de sous-traitance de Chine, a connu des problèmes à cause du suicide de plusieurs ouvriers. Or, on fabrique là, entre autres, les produits d'Apple, de Dell et de Hewlett-Packard. Plus de 500 000 personnes travaillent pour Foxconn à Shenzhen, dans un immense complexe bâti sur plus de 2,5 km². Ce dernier comporte, en plus des ateliers, de nombreux dortoirs, des restaurants et un hôpital. En y regardant de près, on s'aperçoit que des filets ont été installés sous les fenêtres des dortoirs pour prévenir le suicide d'ouvriers se jetant dans le vide.

L'un des ouvriers de Foxconn raconte que le travail est assommant, que les conversations sur les chaînes de production sont interdites et que les pauses pour aller aux toilettes sont rares. Un autre déclare: «Je fais tous les jours la même chose. Je n'ai aucun avenir.» Un surveillant explique que la société propose des services de consultation, car la plupart des ouvriers sont jeunes et pour la première fois loin de leur foyer. «Sans leur famille, dit-il, ils ne savent plus quelle direction prendre. Nous tentons d'être là pour les orienter et les aider.»

Source: Information et citations tirées de «Life and Death at the iPad Factory», *Bloomberg Businessweek*, 7-13 juin 2010, p. 35-36.

QUESTIONS

Les gens travaillent parfois dans des conditions qui nuisent à leur santé et à leur bien-être. Ils sont victimes de mauvais traitements prenant la forme de harcèlement sexuel, d'abus de pouvoir de la part des surveillants, d'incivisme des collègues de travail, de conditions de travail non sécuritaires, de très longues journées, etc. Quelles sont les responsabilités éthiques de l'entreprise qui sous-traite à l'étranger sur le plan des conditions de travail des ouvriers de ces usines? Qui a la responsabilité de veiller à ce que les ouvriers soient bien traités? Quant aux consommateurs, doivent-ils soutenir les mauvaises pratiques en continuant d'acheter les produits commercialisés par les entreprises dont les sous-traitants traitent mal leurs employés?

Les contextes décisionnels de certitude et les décisions programmées

Dans un **contexte décisionnel de certitude**, les décideurs disposent de suffisamment d'information pour prévoir les résultats de chacune des actions qu'ils envisagent. C'est le cas, par exemple, des gens qui placent de l'argent dans un compte d'épargne en étant certains du montant des intérêts qu'ils en retireront pour une période donnée. Le contexte de certitude est évidemment idéal pour prendre des décisions de gestion et résoudre des problèmes organisationnels, puisqu'il s'agit simplement de choisir la solution parfaite ou la meilleure des solutions possibles. Malheureusement, loin d'être la règle, la certitude est l'exception dans l'univers décisionnel des gestionnaires.

On prend des **décisions programmées** lorsqu'on peut maîtriser des situations récurrentes ou résoudre des problèmes ordinaires par des mesures normalisées. Il s'agit de situations ou de problèmes qu'un décideur ou une équipe a l'habitude de prendre

Contexte décisionnel de certitude
Contexte dans lequel les décideurs disposent de suffisamment d'information pour prévoir les résultats de chacune des actions qu'ils envisagent

Décision programmée
Décision qui vise à résoudre un problème par une solution normalisée ayant fait ses preuves

en charge. On peut alors mettre en œuvre des mesures qui se sont révélées appropriées par le passé dans des circonstances semblables. C'est le cas, par exemple, des décisions à prendre en cas d'absences d'employés ainsi que des décisions relatives aux salaires ou à des questions de ressources humaines habituelles. Par ailleurs, même dans un tel cas, bien que le choix de la mesure à prendre ait été fait, il reste la mise en œuvre et l'ajustement de la mise en œuvre de la décision pour régler le problème en question. Par exemple, même les décisions programmées concernant les absences des employés, la rémunération ou les autres problèmes habituels liés aux ressources humaines demandent une mise en œuvre soignée.

La combinaison d'un contexte de certitude et de décisions programmées semble banale, car elle représente une pratique d'exploitation normale et bien établie dans un cadre reconnu. Le processus décisionnel doit être activé lorsque le choix doit être rapide, précis et efficace. Le gestionnaire avisé est celui qui n'oublie pas qu'il peut déléguer la mise en œuvre, simplifier les règles de décision ou évaluer de nouvelles solutions de rechange qui se présentent.

Quelques erreurs courantes à éviter dans les prises de décision

Pour Paul Nutt, expert en processus décisionnel, de nombreuses décisions qui tournent mal résultent de façons de procéder erronées, d'engagements prématurés et d'une mauvaise affectation des ressources. Il formule les conseils suivants permettant d'éviter ces écueils:

1. Prenez le temps de considérer les problèmes éthiques qui n'apparaissent pas au premier regard.

2. Veillez à prendre en considération les forces sociales et politiques susceptibles d'opposer une résistance à votre décision.

3. Gardez le cap sur des objectifs clairs.

4. Explorez un large éventail de solutions possibles.

5. Évaluez les risques.

6. Écartez les mesures incitatives risquant d'avoir des effets pervers.

Source: Information tirée de Paul Nutt, « Decision Debacles and How to Avoid Them », *Business Strategy Review*, vol. 12, n° 2, 2001, p. 1-14.

Les contextes décisionnels d'incertitude et les décisions non programmées

Dans un **contexte décisionnel d'incertitude**, les décideurs disposent de si peu d'information qu'il leur est impossible d'évaluer les probabilités associées aux résultats des diverses actions qu'ils envisagent. C'est évidemment le contexte décisionnel le plus délicat. Comme on le verra plus loin dans ce chapitre, l'incertitude oblige les décideurs à s'en remettre essentiellement à la créativité individuelle ou collective pour résoudre les problèmes. Elle exige qu'ils trouvent des solutions inédites et novatrices par rapport aux comportements habituels. En situation d'incertitude, il faut souvent miser sur l'intuition, la perspicacité et le flair.

Les **décisions non programmées** visent à faire face à des situations uniques en leur genre par des solutions originales conçues sur mesure. Elles doivent aider à résoudre des problèmes inédits ou imprévus exigeant des mesures spéciales pour lesquelles il n'existe pas de décision normale. C'est le genre de décision que doit prendre une équipe de marketing lorsqu'un nouveau produit est lancé sur le marché par un concurrent étranger. Bien qu'on puisse se servir d'expériences antérieures pour lutter contre la concurrence, il faut décider dans l'immédiat d'une mesure créative, adaptée aux caractéristiques de la nouvelle situation du marché. L'encadré ci-dessus fournit quelques conseils, prodigués par un expert, quant aux erreurs qu'il faut savoir éviter dans de telles situations.

Les contextes décisionnels de risque et les décisions programmées

Dans un **contexte décisionnel de risque**, les décideurs n'ont pas de certitude absolue quant aux résultats des diverses actions qu'ils envisagent, mais ils connaissent les probabilités qui y sont associées. La *probabilité* d'un phénomène est une estimation des chances qu'il se produise. Elle peut s'évaluer par une méthode statistique objective ou par l'intuition. Ainsi, un gestionnaire pourra estimer statistiquement combien de produits d'un lot de fabrication seront rejetés pour non-conformité aux normes de qualité, alors qu'un dirigeant chevronné pourra parvenir au même résultat en se fondant sur son expérience. Le contexte décisionnel de risque est celui qui est le plus fréquent dans les organisations contemporaines.

Dans les contextes de risque, les décideurs connaissent les probabilités que certains phénomènes se produisent, par exemple le nombre de produits non conformes aux normes de qualité sortant d'une chaîne de montage.

Contexte décisionnel de risque

Contexte dans lequel les décideurs n'ont pas de certitude absolue quant aux résultats des diverses actions qu'ils envisagent, mais connaissent les probabilités qui y sont associées

Dans les contextes de risque, les décideurs mettent souvent en œuvre des décisions programmées afin d'agir rapidement et de maintenir une apparence d'efficacité. Toutefois, si le risque provient d'estimations de la direction quant à des conditions qui sont incertaines, la précision des choix devrait réduire de façon substantielle.

L'incompatibilité entre le contexte décisionnel et les types de décisions

La présence de combinaisons inhabituelles de contextes et de types décisionnels est un indicateur de déficiences potentiellement sérieuses sur le plan de la prise de décision. Lorsque des organisations s'appuient sur des décisions non programmées dans des contextes de certitude et de risque, il peut y avoir perte d'efficacité. Inversement,

Des programmes informatiques pour éliminer l'arbitraire lors de l'embauche

Auparavant, les gestionnaires et le personnel des ressources humaines prenaient les décisions relatives aux candidats à un poste par l'examen de la demande d'emploi, puis par l'entrevue et, finalement, par la sélection. Mais les choses sont en train de changer, et rapidement. Maintenant, des logiciels remplacent l'être humain dans certains aspects des décisions d'embauche. Ainsi, tous les postes des centres d'appels de Xerox sont pourvus par un logiciel qui trie les demandes selon les réponses à des questions clés liées à l'emploi.

On utilise souvent des logiciels qui lisent les curriculum vitæ en y recherchant des mots et des phrases clés liés aux préférences d'embauche de l'employeur. Quant à la personnalité et aux décisions prises dans des situations simulées, on peut facilement les évaluer à l'aide d'une variété de programmes qui classent les candidats selon les actions à prendre telles que *rejeter, embaucher* ou *envisager*. Cela fait partie de ce qu'on appelle les « logiciels de gestion des talents ». Ceux qui les utilisent constatent qu'ils permettent d'éliminer le facteur « au pif » dans les décisions d'embauche et rendent le processus plus axé sur les données.

le recours à des décisions programmées dans un contexte d'incertitude échoue souvent, car les choix faits ne résolvent pas le problème ou ne correspondent pas à l'occasion. Le recours à des décisions programmées dans des contextes d'incertitude est peut-être plus fréquent qu'on pourrait le croire. Cette combinaison indique que les décideurs sont réfractaires aux conditions dynamiques changeantes.

La prise de décision dans des contextes de risque ou de crise

Lorsque les conséquences potentielles d'une décision sont considérables, les organisations pourront avoir tendance à s'engager dans un processus de planification pour assurer leur survie. L'un de ces types de planifications, très utilisé, suppose la gestion systématique des risques, alors que l'autre met l'accent sur la gestion des crises.

En 2010, l'explosion d'une plateforme de forage dans le golfe du Mexique a été à l'origine d'une marée noire sans précédent. Une gestion de crise titanesque pour la pétrolière BP.

Gestion des risques
Activité de gestion qui consiste à cerner les divers risques associés à chaque option ou possibilité d'action, puis à intégrer ces derniers dans le processus de prise de décision

La gestion des risques et la prise de décision

Un grand nombre de décisions étant prises dans un contexte de risque ou d'incertitude, on s'intéresse de plus en plus à la **gestion des risques**. Cette notion, souvent associée au monde de l'assurance et de la finance, est également utile dans le domaine de la gestion en général. La gestion des risques aide à cerner les divers risques associés à chaque option ou possibilité d'action, et à les intégrer dans le processus de prise de décision[9]. Elle permet de déterminer les risques importants, puis de mettre au point des stratégies et de désigner des responsables pour les gérer.

Par exemple, KPMG, l'une des plus grandes sociétés d'experts-conseils du monde, possède une vaste expérience en matière de gestion des risques de l'entreprise ; elle aide ses clients à cerner les risques, puis à les gérer[10]. Quels que soient le milieu organisationnel dans lequel ils interviennent et la culture que privilégient les gestionnaires de ce milieu, les consultants de KPMG savent qu'ils doivent aller bien au-delà des stratégies traditionnelles d'atténuation du risque, qui se limitent aux mesures visant à réduire l'exposition au risque. Ils demandent systématiquement aux gestionnaires de différencier :

- les risques stratégiques, c'est-à-dire tout ce qui menace le succès global de l'entreprise ;

- les risques opérationnels, soit les menaces inhérentes à l'utilisation des technologies nécessaires au succès de l'entreprise ;

- les risques relatifs à la réputation, c'est-à-dire tout ce qui menace la renommée d'un produit ou de l'entreprise elle-même.

Ces experts évaluent également la menace que peut constituer la réglementation et accordent une attention toute particulière aux menaces d'ordre financier, aux risques touchant les systèmes d'information, aux réalisations de la concurrence ainsi qu'aux nouveaux éléments susceptibles d'avoir une incidence sur le cadre concurrentiel (récession, catastrophes, etc.).

La gestion de crise

Le type extrême de décision non programmée est la **décision de crise**, qui s'impose lorsqu'un problème imprévu risque d'avoir des conséquences dangereuses, voire désastreuses, s'il n'est pas résolu rapidement et adéquatement[11]. Le problème en question peut être un acte de terrorisme, un geste violent en milieu de travail, une panne des systèmes informatiques, une atteinte à la sécurité, une catastrophe environnementale ou un scandale éthique. La capacité de surmonter une crise pourrait bien être l'épreuve ultime en matière de prise de décision. Malheureusement, la recherche indique que, dans une telle situation, on a tendance à prendre exactement la décision qu'il faudrait éviter[12]. En situation de crise, les dirigeants commettent souvent l'erreur de s'isoler pour résoudre le problème, ou de se retirer avec un petit groupe fermé. Les équipes commettent la même erreur lorsqu'elles s'isolent et adhèrent à la pensée de groupe. Dans les deux cas, en procédant ainsi, les décideurs n'ont plus accès aux renseignements cruciaux au moment même où ils en auraient le plus besoin.

À l'heure actuelle, dans un contexte d'incertitude économique, de crises nombreuses sévissant dans différentes régions du globe et d'atteintes multiples à la sécurité des systèmes informatiques, bien des organisations, parmi les plus importantes, élaborent des programmes formels de gestion des crises. Les gestionnaires y reçoivent une formation en gestion de crise et des équipes de gestion de crise sont créées à l'avance. On y met également au point divers plans de gestion des crises visant à faire face à toutes sortes d'événements impondérables. Tout comme les services de police et d'incendie, la Croix-Rouge et les municipalités qui conçoivent des plans et forment des gens pour mieux prendre en charge les éventuelles catastrophes naturelles et civiles ou les compagnies aériennes qui forment leurs équipages aux situations d'urgence en vol, les entreprises auraient également intérêt à former les dirigeants et les équipes en ce sens et à mettre au point des plans pour mieux gérer les crises organisationnelles. Dans ces programmes de formation, l'accent est généralement mis sur les six règles suivantes de gestion de crise[13] :

1. *Comprendre ce qui se passe.* Prendre le temps d'interpréter les faits et de saisir les conditions de résolution de la crise.

2. *Garder à l'esprit que la vitesse de réaction est un facteur clé.* Prendre en charge la crise le plus rapidement possible et essayer de la maîtriser avant qu'elle ne s'étende.

3. *Garder à l'esprit que la lenteur est tout aussi importante.* Savoir quand prendre du recul et attendre une meilleure occasion pour régler la crise.

4. *Reconnaître le danger d'un terrain inconnu.* Comprendre le danger que représente un tout nouveau territoire où on n'a jamais mis les pieds.

5. *Écouter les sceptiques.* Ne pas chercher un accord à tout prix et ne pas se sentir rassuré si on l'obtient. Apprécier les conseils des sceptiques ; ils peuvent aider à envisager la situation sous un autre angle.

6. *Se tenir prêt à combattre le feu par le feu.* Lorsque la situation se dégrade et que personne ne semble s'en soucier, il peut être utile de déclencher une crise pour attirer l'attention de tout le monde.

Décision de crise
Décision qui vise à résoudre un problème imprévu dont les conséquences peuvent être dangereuses, voire désastreuses, en l'absence de solution rapide et adéquate

Les femmes prendraient de meilleures décisions

Les femmes qui siègent aux conseils d'administration sont plus susceptibles de «faire bouger les choses» et sont davantage ouvertes aux idées nouvelles que leurs confrères masculins, conclut une nouvelle étude.

Ce genre d'attitude, par ailleurs, se traduit bien souvent par la prise de meilleures décisions et par un plus grand succès financier pour une entreprise, avance-t-on dans cette étude publiée dans une revue mondiale de gouvernance des affaires, l'*International Journal of Business Governance and Ethics*[14].

Le sondage démontre que, sur les 624 conseils d'administration interrogés au Canada, les femmes se révélaient davantage susceptibles de se servir de la «coopération, de la collaboration et de l'élaboration d'un consensus» en période de prises de décision complexes.

Les cadres masculins, eux, avaient plutôt tendance à prendre leurs décisions en utilisant les «règles, réglementations et façons traditionnelles de faire des affaires».

Le coauteur de cette étude, Chris Bart, a soutenu que cette recherche prouvait que, lorsque des femmes dirigeaient une entreprise, elles contribuaient au succès de celle-ci. Il a, du même coup, soulevé la question du pourquoi de la représentation encore minoritaire des femmes dans les salles de direction des entreprises canadiennes. Celui qui est aussi professeur en stratégie d'entreprise à l'Université McMaster a poursuivi en affirmant qu'il ne fallait plus se demander si le fait d'avoir des femmes aux commandes était la bonne chose à faire, mais que c'était bel et bien le geste à poser.

M. Bart, qui a mené l'étude de concert avec le professeur Gregory McQueen de l'A.T. Still University,

dans l'Arizona, a expliqué que les femmes interrogées avaient offert des réponses «moins contraignantes» aux problèmes à résoudre qui leur avaient été soumis.

Ces trouvailles font partie d'une étude plus large menée entre 2004 et 2012, alors que les membres de conseils d'administration, dont 75 % d'hommes et 25 % de femmes, avaient été questionnés sur des résolutions de problèmes. Les femmes ont également été plus disposées à prendre en considération les intérêts de nombreux investisseurs et considéraient l'équité comme un facteur plus important dans leur prise de décision.

Source : Linda Nguyen (La Presse canadienne), « Les femmes siégeant aux C.A. prendraient de meilleures décisions que les hommes », 25 mars 2013.

Les diverses approches en matière de prise de décision

Historiquement, le CO a mis l'accent sur deux types d'approches concernant la prise de décision, l'une classique, l'autre comportementale (ou *behavioriste*)[15]. Selon le *modèle décisionnel classique*, le décideur évolue dans un univers de certitude absolue. Selon le *modèle décisionnel comportemental*, fondé sur la notion de *rationalité limitée*, le décideur agit seulement en fonction de la perception qu'il a d'une situation donnée. La **figure 12.3** résume ces deux approches.

Modèle décisionnel classique

Modèle selon lequel le décideur évolue dans un univers de certitude absolue

Le modèle décisionnel classique

Selon le **modèle décisionnel classique**, un décideur ou une équipe agit de manière rationnelle et réfléchie. Dans un certain contexte, le problème est précisément défini, les diverses options ou possibilités d'action permettant de le résoudre sont connues, et leurs conséquences sont claires. Le décideur peut ainsi choisir la meilleure solution possible et adopter l'**approche décisionnelle optimale**. Ce modèle correspond parfaitement au processus de prise de décision en cinq étapes décrit au début du chapitre. C'est la situation idéale, celle où le décideur est pleinement informé et peut passer logiquement d'une étape à une autre. Ce modèle se prête bien à diverses formes d'analyse quantitative des décisions ainsi qu'à de nombreuses applications informatiques[16].

FIGURE 12.3 Le processus décisionnel selon les modèles classique et comportemental

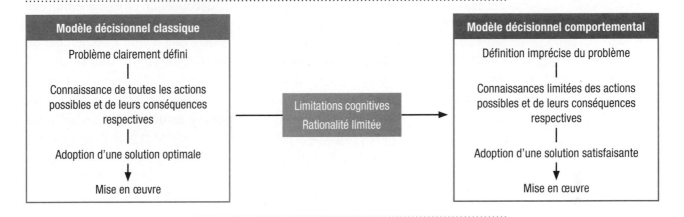

Le modèle décisionnel comportemental

Selon Herbert Simon, Prix Nobel d'économie en 1978 et spécialiste du processus décisionnel, le modèle classique et la démarche rationnelle, si attrayants qu'ils puissent être, ne correspondent pas à la réalité de nombreux contextes décisionnels, sinon de la plupart des contextes dans lesquels se trouvent les individus ou les équipes d'une organisation.

De ce fait, l'autre modèle décisionnel, soit le **modèle décisionnel comportemental**, repose sur la prémisse que le décideur agit en fonction de la perception qu'il a d'une situation donnée, perception qui, par définition, est souvent imparfaite[17].

Les spécialistes du comportement reconnaissent que l'esprit humain est un formidable outil, capable des plus grandes réalisations, mais ils savent aussi que les êtres humains ont des *limites cognitives*, ce qui veut dire que leurs connaissances à un moment donné sont limitées. Leur capacité à traiter l'information est, elle aussi, limitée. Ce manque de connaissances et cette incapacité à traiter toute l'information reçue empêchent les décideurs d'adopter le modèle classique. Ils doivent plutôt agir à l'intérieur d'une *rationalité limitée*, interpréter et comprendre les faits dans les limites de leurs perceptions et dans le contexte de la situation dans laquelle ils se trouvent. Ils s'engagent dans le processus de prise de décision avec une vision simplifiée d'une réalité complexe.

Ne possédant qu'une connaissance partielle des diverses possibilités qui s'offrent à eux et de leurs conséquences, les décideurs, selon le modèle comportemental, sont susceptibles de choisir la première option qui leur semble satisfaisante. Herbert Simon a appelé cette approche l'**approche décisionnelle satisfaisante**. Il déclare ceci[18]:

Pour l'individu comme pour l'organisation, prendre des décisions consiste presque toujours à rechercher et à adopter des solutions satisfaisantes. Ce n'est qu'exceptionnellement que la prise de décision consiste à découvrir et à adopter des solutions optimales.

La pensée analytique et la pensée intuitive

Pensée analytique
Approche méthodique et réfléchie des problèmes

Lorsqu'ils prennent des décisions et essaient de résoudre des problèmes, les individus et les équipes ont recours autant à la pensée analytique qu'à la pensée intuitive. La **pensée analytique** correspond au modèle rationnel selon lequel une décision est prise de façon réfléchie, étape par étape. Vous pouvez observer ce modèle de pensée chez le membre d'une équipe qui essaie de découper un problème complexe en éléments plus simples, qu'il s'efforcera de traiter un à un. Les équipes qui adoptent la pensée analytique s'attachent à élaborer un plan avant d'agir, à rechercher de l'information et à s'attaquer à la résolution du problème logiquement, en s'appuyant sur des faits[19].

Intuition
Faculté de connaître ou de déceler rapidement et sans hésiter les possibilités qu'offre une situation donnée

Pensée intuitive
Approche souple et spontanée des problèmes

L'**intuition** est la faculté de connaître ou de déceler rapidement et sans hésiter les possibilités qu'offre une situation donnée[20]. La **pensée intuitive** aide les individus et les équipes à prendre des décisions de manière plus souple et plus spontanée que s'ils faisaient appel à la pensée analytique[21]. On peut observer ce mode de pensée chez une personne qui semble toujours trouver une solution originale à un problème, se fondant souvent sur une évaluation rapide et globale de la situation. Les décideurs qui privilégient la pensée intuitive tendent à traiter simultanément plusieurs aspects d'un problème, cherchent à analyser la situation dans son ensemble, passent rapidement d'une question à une autre et agissent en fonction de leur inspiration, tirée de l'expérience ou d'une idée qui leur vient spontanément. Cette approche est courante dans un contexte de risque ou d'incertitude. Comme elles abordent la prise de décision spontanément et avec souplesse, les personnes intuitives apportent à une équipe une façon créative et novatrice de résoudre les problèmes.

Lorsque l'Airbus A320 de la US Airways allait s'écraser après avoir perdu l'usage de ses moteurs, le pilote Chesley Sullenberger III a utilisé son expérience et son intuition pour faire face à la situation.

Lorsque l'Airbus A320 du vol 1549 de la US Airways a frappé une nuée d'oiseaux en décollant de l'aéroport LaGuardia, qu'il a perdu l'usage de ses deux moteurs et qu'il allait s'écraser, le pilote Chesley Sullenberger III, dit « Sully », a pris la décision d'amerrir sur le fleuve Hudson. L'amerrissage a réussi, et il n'y a eu aucun décès. Considéré comme un héros, Sullenberger a décrit ainsi sa façon de penser[22] : « Je devais amerrir avec les ailes exactement au niveau. Je devais amerrir avec le nez légèrement surélevé. Je devais amerrir à... une vitesse de descente qui permettait une chance de survie. Et je devais amerrir à une vitesse de vol légèrement supérieure à notre vitesse minimale, mais pas en dessous. Et je devais faire tout cela en même temps. »

Chesley Sullenberger a fait ce qu'il fallait faire : il a pris la décision lui-même, en se fiant à sa formation et à son expérience, et il l'a assumée pleinement.

Dans son ouvrage intitulé *Intuition : comment réfléchir sans y penser*, Malcolm Gladwell soutient qu'une « décision prise instantanément peut être aussi judicieuse qu'une décision mûrement réfléchie. Cependant, l'instinct peut aussi induire en erreur. D'où l'importance de savoir quand

Décisions analytiques et intuitives : quand vous fier à votre instinct

Traditionnellement, on avisait en général les gestionnaires de ne pas prendre de décisions intuitives, car, très souvent, ces décisions se révélaient erronées et pas toujours pertinentes. Les experts conseillaient aux gestionnaires d'adopter la prise de décision analytique. Toutefois, Erik Dane et ses collègues ont fait état de recherches récentes suggérant que cette recommandation traditionnelle pouvait ne pas convenir aux décideurs très expérimentés. En ce qui concerne ces personnes, les heuristiques intuitives pourraient favoriser une prise de décision efficace.

Une revue de la littérature a démontré que la prise de décision basée sur l'intuition pouvait bien fonctionner pour les experts accomplissant des tâches qui ne peuvent pas être divisées en plusieurs composantes. Comme ils l'ont noté, « les experts sont bien outillés pour tirer le maximum des avantages potentiels de l'intuition, car ils possèdent [...] la connaissance du domaine qui favorise des choix rapides [...] et précis ».

Dans le but de valider cette théorie, les chercheurs ont effectué une série d'expériences en laboratoire. Au cours de la première expérience, ils ont demandé aux étudiants participants d'évaluer la difficulté de lancers de basketball. Ils ont tout d'abord pris des photos des lancers effectués par les joueurs au cours d'une partie récente, puis ont demandé aux entraîneurs d'évaluer la difficulté de ces lancers sur une échelle de 1 à 10. Ils ont ensuite réuni les étudiants participant à l'étude, qu'ils ont tout d'abord séparés en deux groupes : le premier formé d'individus possédant une vaste expérience du basketball (par exemple, parce qu'ils en avaient joué pendant trois ans au secondaire), le deuxième formé d'individus n'ayant aucune expérience. Ils ont demandé à certains étudiants de chacun des deux groupes de mettre au point un modèle analytique avec des critères spécifiques (par exemple, la proximité du défenseur) afin de juger de la difficulté des lancers et ont demandé aux autres étudiants d'utiliser leur intuition. Ils ont ensuite procédé à l'expérience en allouant une limite de temps aux étudiants pour faire leurs choix. Qui, pensez-vous, a obtenu le meilleur pointage ?

Les étudiants ayant l'expérience du basketball et ayant utilisé leur intuition sont ceux qui ont obtenu le pointage le plus élevé. Les pointages les moins élevés appartenaient aux étudiants sans expérience ayant utilisé leur intuition.

Les chercheurs ont aussi effectué un test semblable avec de véritables sacs à main de designers et des copies. Pour cette expérience, les experts étaient des étudiantes qui possédaient plusieurs sacs à main de designers, alors que les autres n'en possédaient pas. Les résultats étaient pratiquement identiques. Ils ont noté que les résultats pourraient ne pas s'appliquer pour des tâches qui peuvent se décomposer, comme des problèmes statistiques séquentiels.

Résultats de l'expérience sur le basketball

	Approche intuitive	Approche analytique
Peu d'expérience	21,34*	24,89
Vaste expérience	30,09	26,46

* Un pointage plus élevé est mieux.

Source : Erik Dane, Kevin W. Rockmann et Michael G. Pratt, « When Should I Trust My Gut ? Linking Domain Expertise to Intuitive Decision-Making Effectiveness », *Organizational Behavior and Human Decision Processes*, vol. 119, n° 2, novembre 2012, p. 187-194.

on peut s'y fier et quand on doit s'en méfier[23] ». Sa thèse est que la première impression est souvent la meilleure et qu'on peut très bien faire fausse route avec une analyse qu'on pense soignée. En effet, la première impression permet habituellement de saisir des détails significatifs qui, autrement, se noient dans la multitude de données qu'on évalue pour faire le choix le plus éclairé possible. L'expérience – et l'expertise qui l'accompagne – est à la base de bonnes décisions éclair, tandis que les préjugés s'avèrent de mauvais guides. Tous les problèmes ne se règlent pas en un clin d'œil, même si on peut trouver la faille en un instant[24].

Devrait-on donc toujours préférer la démarche intuitive à la démarche analytique? Sûrement pas! Les individus, tout comme les équipes, doivent plutôt privilégier une démarche qui combine les deux modes de pensée pour résoudre les problèmes complexes. En d'autres mots, dans le processus de prise de décision, les cadres supérieurs doivent s'appuyer autant sur la pensée analytique que sur la pensée intuitive.

Le processus décisionnel : erreurs à éviter et enjeux

La voie menant à la prise d'une décision judicieuse peut paraître minée de difficultés et pleine d'embûches. Qu'on travaille seul ou en équipe, il est essentiel de comprendre l'influence des heuristiques et de divers pièges sur le jugement. En outre, des choix cruciaux s'imposent. Il faut évaluer s'il convient de prendre une décision et, le cas échéant, déterminer le moment où il convient de la prendre et la façon dont il faut la prendre.

L'influence des heuristiques sur le jugement

Qui se ressemble… s'assemble. Pas toujours pour le mieux.

Le jugement, autrement dit le recours à l'intellect, revêt une très grande importance dans tous les aspects du processus décisionnel. Ainsi, lorsqu'on remet en question la dimension éthique d'une décision, ce qu'on met en doute, c'est le *jugement* de la personne qui l'a prise. Les recherches de plusieurs chercheurs, notamment celles du Prix Nobel d'économie 2002, Daniel Kahneman, et ses collègues, montrent que les gens sont portés à commettre des erreurs à cause d'idées préconçues qui altèrent la qualité du processus décisionnel[25]. Ces idées préconçues résultent des **heuristiques**, c'est-à-dire des stratégies ou des procédés qu'on utilise pour simplifier la prise de décision. Les heuristiques peuvent être utiles pour affronter l'incertitude et l'insuffisance d'information inhérentes à certains problèmes, mais elles risquent d'entraîner des erreurs de jugement récurrentes qui nuisent à la qualité des décisions ou à leur justesse sur le plan éthique. Il est donc important de connaître les heuristiques les plus courantes qui peuvent fausser le jugement : l'*heuristique de l'accessibilité mentale*, l'*heuristique de la représentativité* et l'*heuristique des données de référence*[26].

On appelle **heuristique de l'accessibilité mentale** le procédé consistant à juger un événement à la lumière des situations qui reviennent le plus facilement à la mémoire. On peut penser, par exemple, au spécialiste en R et D qui déciderait de ne pas lancer

Heuristique
Stratégie ou procédé permettant de simplifier la prise de décision

Heuristique de l'accessibilité mentale
Procédé qui consiste à juger un événement à la lumière des situations passées qui reviennent le plus facilement à la mémoire

de nouveau produit parce qu'il se souvient de l'échec du dernier produit lancé. Ici, l'échec passé influe négativement, peut-être à tort, sur le jugement de l'individu et sur sa décision de commercialiser ou non un nouveau produit.

L'**heuristique de la représentativité** est le procédé consistant à évaluer la probabilité d'un événement sur la base des similitudes qu'il présente avec d'autres situations à propos desquelles on entretient des idées préconçues. Prenons l'exemple d'un chef d'équipe qui recruterait un nouveau membre non pas en fonction de ses compétences particulières, mais parce qu'il est diplômé d'une université qui a la réputation de former des «supercadres». Ici, au lieu de se fonder sur les compétences réelles de la personne, le chef d'équipe se laisserait influencer par la réputation d'une université et de certains de ses diplômés.

L'**heuristique des données de référence** est un procédé qui consiste à évaluer un événement sur la base de données provenant d'un précédent historique ou d'une source extérieure et adaptées aux nouvelles circonstances. Prenons l'exemple d'un cadre qui ferait des recommandations sur les augmentations de salaire de ses subordonnés en appliquant simplement un pourcentage fixe. Ici, le salaire de base sert de *donnée de référence* pour les augmentations ultérieures. Or, dans certains cas, ce critère peut s'avérer inadéquat. Il se pourrait, par exemple, que la valeur d'un des subordonnés de ce cadre soit devenue de beaucoup supérieure au nouveau salaire envisagé.

Des erreurs fréquentes dans le processus décisionnel

En plus de recourir à ces heuristiques, le décideur peut être enclin à des erreurs de jugement d'ordre plus général. Ainsi, il peut tomber dans le **piège de la confirmation**, soit rechercher l'information qui confirme ce qu'il croit être vrai et faire fi de celle qui pourrait infirmer ses convictions ou la négliger. Forme de *perception sélective*, cette tendance amène le décideur à ne voir dans une situation donnée que les éléments qui corroborent une opinion toute faite.

Autre erreur qui guette le décideur, le **piège du jugement *a posteriori*** consiste à surestimer rétrospectivement ce qu'on aurait pu ou dû prévoir concernant un événement. C'est un piège, car cela peut engendrer de l'insécurité et un sentiment d'incompétence au moment de prendre d'autres décisions.

Le troisième type d'erreurs ou de pièges est l'**erreur de cadrage**. Les gestionnaires et les équipes tombent dans ce genre de piège lorsqu'ils essaient de résoudre un problème dans le contexte où ils le perçoivent, qu'il soit positif ou négatif. Supposons que les données issues de la recherche montrent qu'un nouveau produit occupe 40 % des parts du marché. Que signifie réellement cette information pour l'équipe de marketing ? D'un point de vue négatif, le produit est déficitaire, car il lui manque 60 % des parts. Les discussions et la résolution des problèmes dans ce cas se concentreront sur la question : «Quelle est notre erreur ?» D'un point de vue positif, l'équipe de marketing peut considérer que détenir 40 % des parts est une réussite. Elle aura alors des discussions qui suivront un tout autre cours et tourneront autour de la question : «Comment pourrait-on faire encore mieux ?»

Heuristique de la représentativité
Procédé qui consiste à évaluer la probabilité d'un événement sur la base des similitudes qu'il présente avec d'autres situations à propos desquelles on entretient des idées préconçues

Heuristique des données de référence
Procédé qui consiste à évaluer un événement sur la base de données provenant d'un précédent historique ou d'une source extérieure, et adaptées aux nouvelles circonstances

Piège de la confirmation
Tendance poussant l'individu à rechercher l'information qui confirme ce qu'il croit être vrai et à faire fi de celle qui pourrait infirmer ses convictions ou à la négliger

Piège du jugement *a posteriori*
Tendance à surestimer rétrospectivement ce qu'on aurait pu ou dû prévoir concernant un événement

Erreur de cadrage
Erreur qui consiste à résoudre un problème dans le contexte où on le perçoit

Donner toute l'information

Les chercheurs en CO évoquent depuis longtemps l'importance du recrutement réaliste ou de la présentation réaliste du poste à pourvoir. Les recruteurs devraient donner aux candidats à un emploi tous les renseignements pertinents à propos du poste et de l'employeur, y compris les aspects plus sombres. Les candidats pourraient prendre de meilleures décisions quant à leur carrière, ce qui éviterait la frustration professionnelle et épargnerait aux employeurs les coûts liés à de nouvelles embauches.

Injecter un peu de réalisme dans les décisions d'emploi est sensé, mais ce n'est pas la norme. Un sondage effectué par Development Dimensions International (DDI) indique que seulement 51 % des nouveaux employés considèrent avoir pris la bonne décision. Ceux qui ont nourri des attentes irréalistes ou qui sont désengagés songent même à la démission.

Dans ce sondage réalisé auprès de 2 300 nouveaux employés, nombreux sont ceux qui ont affirmé ne pas avoir reçu des renseignements importants lors du processus de recrutement. Rétrospectivement, ils auraient aimé avoir des réponses aux questions suivantes avant d'accepter l'emploi :

- Quel est le taux de rotation des employés ? Embauchez-vous souvent pour ce poste ?
- Y a-t-il beaucoup de voyages d'affaires ? Si oui, de quelle nature sont-ils ?
- Quelles sont les véritables heures de travail, pas seulement les heures officielles ?
- Dans quel état sont les finances de l'organisation ?
- Est-ce que je peux voir la vraie description de poste, celle que mon gestionnaire utilisera ?
- Quelle est la structure de l'équipe dont je ferai partie, et comment fonctionne-t-elle ?
- Y a-t-il dans l'équipe une dynamique de groupe dont je devrais être au courant ?

QUESTIONS

Du point de vue du CO, tout le monde tire avantage d'un recrutement réaliste. Les recrues qui croient avoir pris une décision bien informée sont plus susceptibles d'apprécier leur nouvel emploi. Les employeurs donnant tous les renseignements sont plus susceptibles d'embaucher des employés qui resteront en poste. Alors, pourquoi les écarts révélés par les données du sondage DDI persistent-ils ? Pourquoi n'y a-t-il pas plus de recruteurs qui adhèrent au CO et font preuve d'ouverture et de transparence avec les candidats potentiels ?

L'abandon d'un plan d'action décidé antérieurement

Surenchère irrationnelle
Investissement d'efforts supplémentaires dans un plan d'action dont tout indique qu'il ne fonctionne pas

Lorsqu'une décision est enfin prise et qu'elle est mise en œuvre, les décideurs trouvent difficile de changer d'avis et d'admettre qu'ils ont commis une erreur, même s'ils se rendent compte que les choses ne vont pas comme elles devraient. Au lieu de faire marche arrière et de revenir sur leur décision, ils ont plutôt tendance à s'acharner. C'est ce qu'on appelle la **surenchère irrationnelle**. Il s'agit précisément de l'investissement d'efforts supplémentaires dans un plan d'action dont tout indique qu'il ne fonctionne pas[27]. Comme le révèle la citation latine *Errare humanum est, perseverare diabolicum*, « L'erreur est humaine, l'entêtement dans son erreur est diabolique ».

La surenchère irrationnelle est un piège qui pousse certains décideurs à maintenir leur plan d'action même si les données relatives à la situation ne le justifient pas. C'est l'un des aspects du processus de prise de décision que les décideurs ont le plus de mal à appréhender, car la plupart d'entre eux sont parvenus aux postes qu'ils occupent après avoir transformé en succès des plans d'action voués à l'échec[28]. On doit redoubler de vigilance pour déceler les « échecs » et être prêt à casser des décisions ou à abandonner des plans qui ne fonctionnent pas. Mais c'est plus facile à dire qu'à faire.

La tendance à la surenchère irrationnelle l'emporte souvent sur la volonté d'interrompre le processus. Les décideurs préfèrent penser que tout commentaire défavorable est une réaction passagère. Par orgueil, ils refusent d'admettre que la décision d'origine n'était pas bonne ou qualifient les résultats négatifs d'« expérience d'apprentissage » en s'entêtant à affirmer que des efforts renouvelés permettront de surmonter les difficultés.

Peut-être avez-vous, vous-même, été incapable de faire marche arrière dans une certaine situation ou avez-vous été membre d'équipes qui hésitaient à le faire. Il est difficile d'admettre qu'on s'est trompé, surtout lorsque la décision qu'on a prise a exigé beaucoup d'énergie et de temps de réflexion. Il est d'autant plus difficile de renoncer à une décision lorsque l'orgueil et la réputation sont en jeu. Heureusement, les chercheurs proposent les conseils suivants pour éviter de tomber dans le piège de la surenchère irrationnelle :

- Établir d'avance des limites quant au degré d'engagement dans un plan d'action et ne pas y déroger.

- Prendre ses propres décisions et ne pas se laisser influencer par les autres, qui ont aussi une tendance à la surenchère irrationnelle.

- Déterminer attentivement les raisons qu'il y a de poursuivre l'application d'un plan d'action, et si elles ne sont pas suffisamment nombreuses, abandonner le plan d'action.

- Se souvenir du coût du plan d'action ; l'économie qu'on peut réaliser en interrompant ce dernier peut constituer une bonne raison pour l'abandonner.

Le choix des participants et leur rôle dans le processus décisionnel

De nombreux nouveaux gestionnaires et chefs d'équipe commettent l'erreur de présumer qu'ils doivent prendre toutes les décisions eux-mêmes ou qu'ils doivent toutes les déléguer à leur équipe[29]. Dans la pratique, les bonnes décisions organisationnelles sont prises par des personnes seules, par des personnes qui consultent les autres et par des personnes qui travaillent en équipe. Selon l'approche de la contingence, aucune option n'est toujours meilleure que les autres. Il faut décider quelles personnes participeront à la prise de décision et quelle méthode sera utilisée en fonction du problème à régler[30].

Le décideur est un expert capable de résoudre les problèmes qu'on lui confie. Fort de cette autorité, il pourra prendre des décisions sans la participation de ses subordonnés.

Décision par voie d'autorité
Décision que prend un responsable en s'appuyant sur l'information dont il dispose et sans consulter les membres de son groupe

Décision par consultation
Décision que prend un responsable après avoir demandé leur avis aux membres de son groupe

Décision collective (ou décision consensuelle)
Décision prise par l'ensemble des membres d'un groupe

La **décision par voie d'autorité** est la décision que prend un responsable en s'appuyant sur les données dont il dispose sans que les membres de son groupe y participent. Cette méthode reflète souvent les prérogatives liées à la position hiérarchique du décideur au sein de l'organisation. Elle repose sur le principe que le décideur est un expert capable de résoudre le problème en question. Par exemple, un directeur de magasin peut décider de la nécessité de la rotation des salariés pour la pause du midi et établir un horaire en conséquence.

La **décision par consultation**, quant à elle, est celle que prend un responsable après avoir demandé leur avis aux membres de son groupe. Pour reprendre l'exemple précédent, le directeur de magasin peut informer les salariés qu'il envisage d'établir une rotation pour la pause du midi et leur demander d'exprimer leurs préférences et leurs raisons avant de prendre une décision concernant l'horaire.

Enfin, en plus de consulter les membres de son groupe, le gestionnaire peut les inviter à participer au choix de la solution. La véritable **décision collective** (ou **décision consensuelle**) est ainsi celle à laquelle participent tous les membres d'un groupe donné. Par exemple, notre directeur de magasin pourrait organiser une réunion afin d'obtenir l'accord de tous les salariés sur un horaire donné ou sur une façon d'établir un horaire.

Victor Vroom, Philip Yetton et Arthur Jago ont conçu une grille d'analyse pour aider les gestionnaires à choisir la méthode décisionnelle qui est la plus appropriée dans telle ou telle situation et qui permet d'aboutir à la fois au meilleur choix et à une implantation réussie[31]. Ils ont défini des variantes pour les décisions par voie d'autorité, par consultation et collectives, qui viennent d'être décrites. Plus précisément, ils distinguent les cinq méthodes décisionnelles suivantes[32].

1. **AI** (*première variante de la décision par voie d'autorité*). Le gestionnaire règle le problème ou prend la décision individuellement, en s'appuyant sur l'information dont il dispose sur le moment.

2. **AII** (*deuxième variante de la décision par voie d'autorité*). Avant de décider d'une solution, le gestionnaire obtient l'information nécessaire des membres de son groupe. Il peut ou non informer ces derniers de la nature du problème sur lequel il se penche. Les subordonnés fournissent l'information requise, mais ne génèrent ni n'évaluent de possibilités d'action.

3. **CI** (*première variante de la décision par consultation*). La consultation est individuelle. Le gestionnaire consulte individuellement les membres de son groupe afin de les informer du problème sur lequel il se penche et de recueillir leurs idées et leurs suggestions. Puis il prend une décision en tenant compte ou non de ces dernières.

4. **CII** (*seconde variante de la décision par consultation*). La consultation est collective. Le gestionnaire rassemble les membres de son groupe pour les informer du problème sur lequel il se penche et recueillir les idées et les suggestions, qui découlent d'une réflexion collective. Il prend ensuite une décision en tenant compte ou non de ces idées.

5. **G** (*décision collective ou décision par consensus*). Le gestionnaire informe collectivement les subordonnés du problème, puis les invite à en discuter afin de parvenir à une décision consensuelle.

La **figure 12.4** illustre l'arbre décisionnel issu de la recherche effectuée par Vroom et ses collègues. Bien que complexe, il aide à comprendre comment les décideurs peuvent choisir parmi les divers types de prises de décision, à savoir par une seule personne (par voie d'autorité), par consultation ou par consensus, en tenant compte des huit facteurs suivants :

1. L'impératif de qualité de la décision.

2. L'impératif d'adhésion des subordonnés pour la mise en œuvre de la décision.

3. La somme d'information que possède le leader.

4. La définition du problème.

5. La probabilité d'adhésion des subordonnés, soit les chances que ceux-ci adhèrent à la décision si elle est prise individuellement par le leader.

6. L'accord des subordonnés concernant les objectifs, soit le degré d'adhésion des subordonnés aux objectifs organisationnels visés par la prise de décision.

7. Les conflits éventuels entre subordonnés à propos des actions envisagées.

8. L'information dont disposent les subordonnés pour prendre une décision éclairée.

FIGURE 12.4 **Le choix d'une méthode décisionnelle : la grille d'analyse de Vroom, Yetton et Jago**

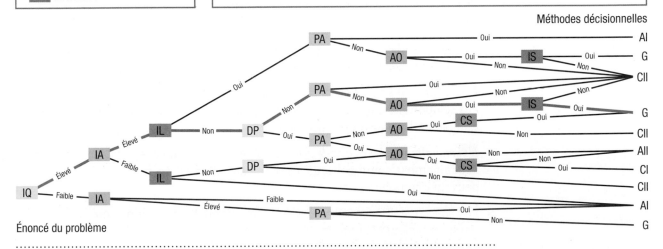

D'après ce modèle, on recommande une prise de décision par consultation ou par consensus si, par exemple, le chef de l'équipe n'a pas suffisamment d'expérience et ne dispose pas de suffisamment d'information pour résoudre le problème seul, si le problème n'est pas bien défini, si l'adhésion des autres est essentielle pour la mise en œuvre de la décision ou si on dispose de suffisamment de temps pour une véritable participation des membres du groupe. Par ailleurs, une prise de décision par voie d'autorité est indiquée lorsque, par exemple, le chef d'équipe a l'expérience nécessaire pour résoudre le problème et a confiance en sa capacité d'agir seul, lorsque les membres de l'équipe sont susceptibles d'accepter la décision du leader et de la mettre en œuvre ou lorsque le temps nécessaire aux discussions manque. Dans le cas des problèmes à résoudre immédiatement, la prise de décision par voie d'autorité est en général le seul choix possible[33].

La créativité et le processus décisionnel

Que le choix soit de prendre une décision par voie d'autorité, de consulter d'autres personnes ou de demander aux membres de l'équipe de travailler ensemble, la prise de décision efficace demande souvent de la créativité. La **créativité** correspond à la capacité de trouver des réponses originales et ingénieuses pour résoudre les problèmes ou saisir les occasions qui se présentent[34]. Dans un environnement dynamique où fourmillent les problèmes inhabituels et les enjeux complexes, la capacité d'élaborer des solutions sur mesure et inédites détermine dans bien des cas la réussite des individus et des organisations[35].

Imaginez ce que pourrait accomplir une équipe ou une organisation si elle utilisait tout son potentiel de créativité. Mais comment transformer ce potentiel en réalité ? Pour trouver la réponse à cette question, après avoir étudié les étapes de la pensée créatrice, on doit examiner quels rôles peuvent y jouer chacun des membres d'une équipe ainsi que l'équipe dans son ensemble et le contexte organisationnel.

Les étapes de la pensée créatrice

On peut voir la pensée créatrice comme un processus en cinq étapes :

1. *La préparation.* C'est l'engagement dans un processus d'apprentissage actif et d'observation continue qui est essentiel pour affronter un environnement complexe[36].

2. *La réflexion.* Elle consiste à définir et à clarifier les problèmes dans le but de dégager diverses façons d'y faire face.

3. *L'incubation.* Il s'agit d'étudier les problèmes sous divers angles afin de découvrir des solutions inédites auxquelles on ne pourrait parvenir avec une approche strictement méthodique et linéaire.

4. *L'illumination* ou *les éclairs de génie.* C'est le moment où se révèle la faculté de voir soudainement comment tous les morceaux d'un casse-tête jusque-là insoluble peuvent s'emboîter.

5. *La vérification.* Elle consiste en l'analyse rationnelle des actions envisagées pour s'assurer de leur bien-fondé[37].

Pour que la pensée créatrice se manifeste, l'organisation doit la favoriser en soutenant ses membres à chacune de ces étapes. Cependant, il faut se souvenir que plusieurs facteurs peuvent inhiber la pensée créatrice durant le processus décisionnel. Notamment, les heuristiques décrites plus haut peuvent restreindre l'éventail des actions qu'envisagent les décideurs et amener ces derniers à négliger des solutions intéressantes. De même, des blocages liés à la culture et à l'environnement peuvent limiter la créativité. C'est ainsi le cas lorsque les décideurs s'empêchent d'envisager certaines solutions parce qu'elles vont à l'encontre de normes culturelles ou organisationnelles.

EN MATIÈRE DE LEADERSHIP

L'Insectarium de Montréal

Anne Charpentier, directrice de l'Insectarium, a expérimenté la cocréation et le leadership collaboratif en s'inspirant d'un processus plus large vécu à l'Espace pour la vie (regroupant le Biodôme, le Jardin botanique, l'Insectarium et le Planétarium Rio Tinto Alcan). L'Insectarium, dont la popularité croissante dépasse sa capacité actuelle, doit être agrandi. La directrice, appuyée par le directeur général de l'Espace pour la vie, interpelle employés, collaborateurs et citoyens : comment créer un nouvel Insectarium qui ferait vivre des expériences sensorielles et des rencontres inédites ravivant le rapprochement humain/insecte afin de créer un lien émotif

indispensable à notre avenir comme être humain ? Plus spécifiquement, tous sont invités à réfléchir aux questions suivantes :

- Qu'est-ce qui n'a pas encore été fait ?

- Si les insectes invitaient les humains dans leur monde, à quoi ces derniers seraient-ils conviés ?

- À quoi ressembleraient des expériences vraiment significatives pour rapprocher les humains des insectes ?

- Comment l'espace et l'architecture peuvent-ils contribuer à cette expérience ?

Lors de divers forums, employés de l'Insectarium et des autres institutions de l'Espace pour la vie, designers, muséologues, philosophes, artistes, entomologistes, documentaristes et citoyens se sont rassemblés pour cocréer les nouveaux espaces. Le concept a ainsi été mis au point et raffiné, sur une période d'un an, sans que personne ne puisse s'attribuer

la paternité du projet. Il s'agit vraiment d'un effort collectif, qui a combiné discussions en grand groupe, prototypage, analyses, validation et enrichissement par l'ensemble des parties prenantes. Malgré la crainte des premiers mois de ne pas pouvoir concrétiser le projet à temps, le concept mis au point dépasse toutes les attentes et a été soumis à un concours d'architecture international prestigieux. Ce qui est le plus étonnant, c'est qu'aucune résistance n'a été observée de la part d'employés, de collaborateurs ou de l'administration tout au long de la démarche. L'audace, l'authenticité, la nécessité du projet et la bienveillance ont permis cette exploration inusitée et stimulante, malgré la structure administrative bureaucratique extrêmement lourde de la Ville de Montréal.

Source : Julie Bourbonnais et Étienne Beaulieu, « Du leadership transformationnel au leadership collaboratif », *Effectif*, vol. 17, n° 3, juin-juillet-août 2014, p. 26-27. Reproduction autorisée par l'Ordre des conseillers en ressources humaines agréés.

QUESTION
Quels sont les principaux catalyseurs de la créativité mis en évidence dans la situation vécue à l'Insectarium de Montréal ?

Les catalyseurs de la créativité individuelle

Bien qu'elle reste souvent inexploitée, la créativité est l'un de nos principaux atouts personnels. Pour inventorier les catalyseurs de la créativité individuelle, explorons le modèle à trois composantes, comprenant la maîtrise de la tâche, la motivation à l'exécuter et les aptitudes à la créativité, qu'illustre la **figure 12.5**[38].

FIGURE **12.5** **Les catalyseurs de la créativité individuelle et collective**

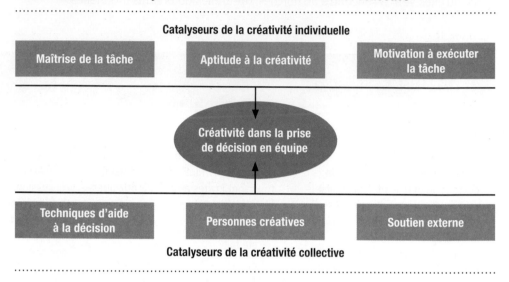

Une personne est plus apte à prendre des décisions créatives lorsqu'elle possède l'expérience nécessaire pour *maîtriser la tâche*. En effet, la créativité permet habituellement de donner une nouvelle orientation à une aptitude qu'on possède déjà. En outre, les individus ont la propension à prendre des décisions créatives lorsqu'ils possèdent une *motivation à exécuter la tâche*. Ce sont en général les personnes qui cherchent assidûment à résoudre un problème ou à saisir une occasion qui sont les plus susceptibles de prendre des décisions créatives. Enfin, ces dernières sont surtout le fait de personnes qui possèdent des *aptitudes à la créativité*, telles que les suivantes[39] :

- Travaillent avec beaucoup d'énergie.

- Ne se laissent pas démonter par la critique.

- Assument la responsabilité des résultats obtenus.

- Trouvent des solutions ingénieuses même dans des circonstances difficiles.

- Tablent à la fois sur la méthode et sur l'intuition.

- Restent objectives, prennent du recul et vérifient les hypothèses.

- Recourent à la pensée divergente en envisageant de nombreuses solutions possibles dans un cadre spontané ou non dirigé et savent s'aventurer hors des sentiers battus.

- Font appel à la pensée convergente en respectant un ensemble particulier d'étapes logiques et savent synthétiser les choses et trouver des réponses correctes.

- Font appel à la pensée latérale en considérant que l'imagination d'une solution impossible ou irréaliste peut servir d'étape à la découverte d'une solution possible éventuellement innovante et recherchent divers moyens pour résoudre un problème.

- Font le transfert des connaissances acquises en utilisant ce qu'elles ont appris dans d'autres situations.

Les catalyseurs de la créativité collective

Si vous réunissez des personnes créatives au sein d'une équipe, êtes-vous sûr d'obtenir des résultats inédits ? Pas nécessairement[40]. Ce qui importe pour obtenir des résultats originaux, c'est de mettre à contribution tous les catalyseurs de la créativité collective présentés à la figure 12.5.

Le principal ingrédient de la créativité collective, ce sont les membres de l'équipe. En effet, pour former une équipe créative, on doit réunir des *personnes créatives*. Au-delà de la composition de l'équipe, on a tout intérêt à recourir à des *techniques d'aide à la décision*, telles que le remue-méninges et la technique du groupe nominal, dont il a été question au chapitre 8. Ces dernières sont particulièrement utiles lorsque l'équipe rencontre des difficultés pendant le processus décisionnel. D'autres techniques peuvent aider les équipes à devenir plus créatives pendant le processus de prise de décision, notamment[41] :

- *Le jeu associatif.* Il consiste à imaginer et à raconter des histoires, à participer à la création d'une œuvre d'art ou à construire des modèles de jouets qui vous viennent à l'esprit lorsque vous pensez au problème à résoudre.

- *La pollinisation croisée des idées.* Il s'agit de procéder à un échange de membres entre équipes afin de bénéficier des idées de personnes ayant des centres d'intérêt, des origines et des expériences variés au moment de la recherche de solutions à des problèmes.

- *Le recours à des analogies* et à *des métaphores.* Le fait de décrire le problème à l'aide d'analogies et de métaphores favorise l'émergence d'une pensée créatrice.

Malgré la présence de membres créatifs et le recours aux techniques d'aide à la décision, une équipe ne peut réaliser son plein potentiel créatif sans un *soutien externe*. En effet, la créativité doit faire partie des priorités stratégiques de l'organisation dans son ensemble, mais celle-ci doit aussi nourrir la créativité chaque jour, de plusieurs manières. Le chef d'équipe peut ainsi favoriser la créativité en étant patient et en la laissant émerger d'elle-même dans les processus de prise de décision. La haute direction des entreprises peut également contribuer à nourrir la créativité en fournissant des ressources, notamment de la technologie, des occasions et de l'espace.

Pensez au développement de la créativité la prochaine fois que vous verrez un jeune enfant s'amuser avec un jouet vraiment ingénieux, peut-être fabriqué par Fisher-Price, filiale de Mattel. Au siège social de cette entreprise, il existe un lieu particulier appelé la « caverne », qui n'a rien à voir avec un bureau traditionnel. Baignant dans une lumière tamisée, il est meublé de fauteuils poires, de sofas et de chaises confortables. S'y déroulent les séances de remue-méninges auxquelles participent, de leur plein gré, les créateurs, les ingénieurs et les spécialistes du marketing dans le but de concevoir des jouets astucieux pour les enfants d'âge préscolaire. Les consultants recommandent que ce type d'aires destinées à la créativité soient éloignées des lieux de travail habituels et puissent accueillir de 15 à 20 personnes au maximum[42].

Selon plusieurs spécialistes de la question, les décideurs peuvent nourrir la créativité:

- en diversifiant la composition des équipes de travail par l'inclusion de membres dont les antécédents, la formation et les points de vue diffèrent;

- en encourageant le recours au raisonnement analogique, mode de pensée consistant à transférer un concept ou une idée d'un domaine à un autre;

- en préconisant des temps de réflexion silencieuse;

- en consignant toutes les idées proposées, ce qui évite de «réinventer la roue»;

- en fixant des attentes élevées en matière de créativité;

- en créant un environnement propice à l'expression d'idées amusantes et variées[43].

Force est de reconnaître que, dans les processus décisionnels axés sur la pensée créatrice, la qualité des idées résulte souvent de la quantité émise[44].

Selon une recherche, la créativité apparaît d'abord et avant tout comme un processus mettant en jeu une interaction entre individus à l'intérieur d'un cadre organisationnel donné[45]. Le décideur peut souligner l'importance qu'il y a à s'engager dans un processus créatif et inciter les personnes à partager leurs idées en veillant à ce que cela reste constructif. Dans cette optique, la créativité fonctionne comme un mouvement de flux et de reflux qui mobilise tour à tour les représentants des diverses parties de l'organisation[46].

Plusieurs entreprises misent sur un environnement de travail non traditionnel pour favoriser le bien-être de leur personnel et stimuler leur créativité. C'est le cas chez Google.

Les décideurs devraient encourager leurs subordonnés à accepter l'ambiguïté, à interagir avec des personnes ayant des points de vue différents des leurs et à s'ouvrir aux changements importants que risque de provoquer en eux la quête de nouvelles façons d'appréhender les problèmes, leurs causes et leurs solutions. Souvent, les subordonnés devront faire appel à des personnes qui n'ont qu'un lien indirect avec leur propre service au sein de l'organisation[47]. À long terme, le développement de la créativité suppose l'élargissement des réseaux créatifs permettant une évolution des idées à l'échelle individuelle[48].

Frima récompense la créativité de ses employés

Chez Frima, les meilleures idées sont payantes... Le développeur de Québec, qui a fait sa renommée avec la conception de jeux vidéo, par exemple Zombie Tycoon et Young Thor, a mis sur pied des programmes de gratification originaux pour stimuler l'esprit créatif de son personnel, comme Frimagination, un concours inspiré de l'émission *Dans l'œil du dragon*.

Dans cette version maison de la célèbre émission de télévision, les employés sont invités à soumettre leurs suggestions de produits à un jury interne. Si ces dernières sont retenues, ils obtiennent du temps – payé – pour mettre au point leur concept. Si l'idée est commercialisée, les concepteurs touchent une redevance sur les ventes.

C'est sous l'impulsion de Frimagination qu'a été créé le jeu de plateforme coopératif Chariot, téléchargé plus de 1,2 million de fois depuis son lancement en 2014. Chariot a remporté le prix Numix 2015, qui souligne la meilleure production indépendante. Une réussite qui a rapporté aussi au programmeur à l'origine du projet. « Sans entrer dans les détails, on parle d'un montant dans les cinq chiffres », explique Christian Daigle, chef de la direction de Frima Studios et cofondateur de Frima.

Ce programme n'est pas le seul à encourager l'innovation. Une nouvelle mesure lancée en 2015 met à contribution la créativité des employés pour appuyer le service de vente. Avec le programme The Great Idea,

les employés sont invités à partager leurs mécaniques de jeux préférées mettant en valeur les produits de Hasbro, de Disney, d'Ubisoft, etc. Ça peut être une chasse au trésor mettant en vedette un personnage de film, par exemple, ou une combinaison originale de différentes structures de jeux. Si l'idée se transforme en proposition par l'équipe commerciale, une prime est versée à l'employé.

Même le café situé au rez-de-chaussée de l'immeuble où loge Frima – et dont la PME est copropriétaire – sert de salle d'exposition pour vendre les œuvres des artistes de l'entreprise. « Nous réfléchissons aussi à une façon de laisser du temps à nos employés pour qu'ils travaillent à des projets personnels, précise François Sansregret, chef des opérations de Frima Studios depuis 2014. Chez nous, les gens ne viennent pas produire, ils viennent créer. C'est ce qui nous distingue de nos concurrents. »

À tel point que cette philosophie est devenue une force d'attraction pour Frima, qui compte maintenant quelque 400 employés. « Un directeur artistique a choisi de se joindre à nous parce qu'il avait un projet personnel et qu'on pouvait l'aider à le réaliser », dit M. Sansregret.

Ce genre de système de récompenses peut être très efficace, juge Claudio Gardonio, directeur sénior, rémunération globale, au groupe-conseil Solertia. « Cela motive l'employé à se dépasser et à se montrer créatif. C'est une source de fierté, puisque lorsque l'idée se concrétise, cela satisfait le client, qu'il soit interne ou

externe. La créativité se transforme en quelque chose de réel. » De plus, le fait de recevoir une prime contribue au sentiment de réalisation, surtout lorsque les idées proposées permettent de propulser l'entreprise. Une excellente mesure pour satisfaire les jeunes de la génération Y, souvent plus attirés par les projets et les responsabilités, ajoute-t-il.

Toutefois, une simple prime à la créativité n'est pas suffisante pour instaurer une culture d'innovation. Plusieurs autres facteurs entrent en compte, dont le fait d'offrir aux employés les bons outils pour se développer et mener à bien leurs projets. « Il faut les nourrir intellectuellement, leur offrir des défis et les accompagner pour qu'ils puissent développer leurs compétences », estime le spécialiste des ressources humaines.

Ces éléments comptent autant que le salaire dans la notion de rémunération globale, qui « inclut le salaire, mais aussi les avantages sociaux, la retraite, le développement de carrière, les primes et les autres mesures qui motivent les employés ». [...]

....

Source : Anne-Marie Tremblay, « Frima récompense la créativité de ses employés », *Les Affaires*, 7 mai 2016, p. 15.

Guide de RÉVISION

RÉSUMÉ

Qu'est-ce que le processus décisionnel en milieu organisationnel ?

- La prise de décision (ou le processus décisionnel) consiste à choisir, parmi plusieurs lignes de conduite possibles, un plan d'action visant à régler un problème ou à saisir une occasion.

- Le processus de prise de décision rationnel comporte les cinq étapes suivantes : (1) la reconnaissance et la définition du problème ; (2) la détermination et l'analyse des solutions possibles ; (3) le choix d'un plan d'action approprié ; (4) la mise en œuvre du plan d'action choisi ; (5) l'évaluation des résultats et le suivi.

- Les individus et les équipes doivent savoir quand il convient de prendre une décision et avoir à l'esprit le fait que chaque problème n'exige pas une décision immédiate.

- Il faut intégrer le raisonnement éthique au processus de prise de décision afin de veiller à régler adéquatement tous les dilemmes et problèmes moraux.

- Dans toute organisation, les décisions se prennent dans des contextes de certitude, de risque ou d'incertitude. Les contextes décisionnels de risque ou d'incertitude sont plus exigeants pour le décideur.

- Les problèmes routiniers et récurrents peuvent être résolus par des décisions programmées. Les problèmes exceptionnels ou inédits exigent des décisions non programmées, conçues sur mesure. Le type extrême de décision non programmée est la décision de crise face à des problèmes imprévus dont les conséquences peuvent être dangereuses s'ils ne sont pas résolus adéquatement.

- Comme les décisions se prennent souvent dans un contexte de risque ou d'incertitude, les décideurs doivent intégrer la gestion des risques au processus décisionnel.

- Le type extrême de décision non programmée est la décision de crise, qui s'impose lorsqu'un problème imprévu risque d'avoir des conséquences dangereuses, voire désastreuses, en l'absence d'une solution rapide et adéquate.

Quels sont les divers modèles décisionnels ?

- Selon le modèle décisionnel classique, le décideur fait face à des problèmes précisément définis, connaît les diverses options ou possibilités d'action et leurs conséquences, et est donc en mesure de choisir la solution optimale.

- Selon le modèle décisionnel comportemental, le décideur agit en fonction de la perception qu'il a d'une situation donnée ; il ne dispose que d'une information limitée et adopte une solution satisfaisante, c'est-à-dire la première qui lui semble acceptable ou opportune dans les circonstances.

- Lorsqu'ils prennent des décisions et essaient de résoudre des problèmes, les décideurs recourent autant à la pensée analytique, méthodique et réfléchie, qu'à la pensée intuitive, plus souple et plus spontanée.

- Les décideurs qui privilégient la pensée intuitive tendent à traiter simultanément plusieurs aspects d'un problème, cherchent à analyser la situation dans son ensemble, passent rapidement d'une question à une autre et agissent en fonction de leur inspiration, tirée de l'expérience ou d'une idée qui leur vient spontanément.

Quels sont les principales erreurs à éviter et les principaux enjeux liés au processus décisionnel ?

- Stratégies ou procédés utilisés pour simplifier la prise de décision, les heuristiques peuvent être utiles pour affronter l'incertitude et l'insuffisance d'information inhérentes à certains problèmes. Par ailleurs, elles risquent d'entraîner des erreurs de jugement récurrentes qui nuisent à la qualité et au caractère éthique des décisions.

- L'heuristique de l'accessibilité mentale consiste à juger un événement à la lumière des situations qui reviennent le plus facilement à la mémoire. L'heuristique de la représentativité consiste à évaluer la probabilité d'un événement en se fondant sur les similitudes qu'il présente avec d'autres situations à propos desquelles on entretient des idées préconçues. L'heuristique des données de référence consiste à évaluer un événement en se fondant sur des données provenant d'un précédent historique ou d'une source extérieure et adaptées aux nouvelles circonstances.

- Lorsqu'ils doivent prendre des décisions, les individus peuvent tomber dans le piège de la confirmation, c'est-à-dire rechercher l'information qui confirme ce qu'ils croient être vrai et faire fi de celle qui pourrait infirmer leurs convictions ou la négliger, et dans le piège du jugement *a posteriori*, c'est-à-dire surestimer rétrospectivement ce qu'ils auraient pu ou dû prévoir. Ils peuvent en outre commettre l'erreur de cadrage et aborder un problème dans le contexte restreint qu'ils perçoivent.

- Lorsque le plan d'action choisi ne fonctionne pas, les individus et les équipes doivent savoir lutter contre la surenchère irrationnelle, faire marche arrière et abandonner le plan.

- Les individus et les équipes doivent choisir les personnes qui participeront à la prise de décision et être prêts à accepter ou à utiliser les décisions par voie d'autorité, les décisions individuelles ou collectives et les décisions par consultation, selon les problèmes ou les occasions du moment.

Comment peut-on stimuler la créativité dans le processus décisionnel ?

- La créativité est la capacité d'élaborer des idées originales ou de suivre une démarche ingénieuse pour résoudre les problèmes ou saisir les occasions qui se présentent.

- La pensée créatrice peut être envisagée comme un processus en cinq étapes : la préparation, la réflexion, l'incubation, l'illumination et la vérification.

- Pour favoriser la pensée créatrice et prendre des décisions plus créatives, on peut s'appuyer sur les catalyseurs de la créativité individuelle se rapportant, notamment, à la maîtrise de la tâche, à la motivation et aux aptitudes à la créativité.

- Pour favoriser la pensée créatrice et prendre des décisions plus créatives, on peut s'appuyer sur les catalyseurs de la créativité collective, notamment utiliser les techniques d'aide à la prise de décision, mettre à contribution les personnes créatives et compter sur un soutien externe.

MOTS CLÉS

EXERCICE DE RÉVISION

MaBiblio > MonLab > Exercices
> Ch12 > Exercice de révision

Questions à choix multiple

1. Une fois qu'un plan d'action a été choisi et mis en œuvre, l'étape suivante du processus décisionnel consiste à _____ **a)** répéter le processus. **b)** rechercher d'autres problèmes ou possibilités. **c)** évaluer les résultats. **d)** fournir les documents étayant la décision.

2. Dans quel contexte décisionnel le décideur doit-il composer avec les probabilités concernant les actions possibles et leurs conséquences ? **a)** Le contexte de certitude **b)** Le contexte de risque **c)** Le contexte de stabilité **d)** Le contexte d'incertitude

3. Lorsqu'une équipe s'attaque à la résolution d'un problème, étape par étape, rationnellement et méthodiquement, elle recourt _____ **a)** à la pensée analytique. **b)** à la pensée intuitive. **c)** à la surenchère de réflexion. **d)** à la pensée associative.

4. Un individu ou une équipe qui dispose d'une information limitée sur un problème donné et qui agit dans un contexte relativement risqué adoptera probablement _____ **a)** une solution optimale. **b)** le modèle décisionnel classique. **c)** une solution satisfaisante. **d)** une solution irrationnelle.

5. Le responsable du marketing qui décide de ne pas lancer un produit sur le marché parce que le précédent produit lancé a été un échec est influencé par l'heuristique _____ **a)** des données de référence. **b)** de l'accessibilité mentale. **c)** de l'ajustement. **d)** de la représentativité.

6. Pour évaluer l'aspect éthique d'une décision, on doit se poser des questions sur certains critères, notamment celui concernant _____ pour s'assurer du respect des intérêts de tous les intervenants. **a)** l'utilitarisme **b)** la justice **c)** les droits **d)** la compassion

7. Selon le modèle de Vroom, Yetton et Jago, pour choisir entre une décision par voie d'autorité, par consultation ou collective, on doit se fonder, notamment, sur des critères comme l'impératif de qualité de la décision, la somme d'information que possède le leader et _____ **a)** l'impératif d'adhésion des subordonnés. **b)** la taille de l'organisation. **c)** le nombre d'intervenants. **d)** la position hiérarchique du leader.

8. _____ un piège qui pousse certains décideurs à maintenir leur engagement dans un plan d'action, même si tout indique qu'il ne fonctionne pas. **a)** La pensée de groupe **b)** Le piège de la confirmation **c)** La surenchère irrationnelle **d)** La décision par association

9. Selon le modèle décisionnel _____, les individus prennent des décisions optimales, alors que selon le modèle décisionnel _____, ils prennent les décisions qui leur paraissent satisfaisantes. **a)** heuristique ; comportemental **b)** classique ; comportemental **c)** heuristique ; éthique **d)** de crise ; programmé

10. Une erreur courante que les décideurs commettent en situation de crise est _____ a) de chercher à obtenir un trop grand nombre de données avant de réagir. b) de trop s'appuyer sur la décision collective. c) de s'isoler pour prendre la décision seuls. d) d'oublier de recourir à leur plan de gestion des crise.

11. Quel est le désavantage d'une décision collective plutôt que par voie d'autorité ? a) Les gens sont mieux informés quant à la raison de la décision. b) La décision est trop longue à prendre. c) Davantage de renseignements sont utilisés pour prendre la décision. d) La décision ne sera jamais de qualité élevée.

12. _____ est un procédé qui consiste à évaluer la probabilité d'un événement en se fondant sur les similitudes qu'il présente avec d'autres situations à propos desquelles on entretient des idées préconçues. a) L'heuristique de la représentativité b) L'heuristique des données de référence c) Le piège de la confirmation d) Le piège du jugement *a posteriori*

13. _____ est un procédé qui consiste à évaluer un événement en se fondant sur des données provenant d'expériences passées ou d'une source extérieure et adaptées aux nouvelles circonstances. a) L'heuristique de la représentativité b) L'heuristique des données de référence c) Le piège de la confirmation d) Le piège du jugement *a posteriori*

14. _____ est la tendance poussant l'individu à rechercher l'information qui confirme ce qu'il croit être vrai et à faire fi de celle qui pourrait infirmer ses convictions ou à la négliger. a) L'heuristique de la représentativité b) L'heuristique des données de référence c) Le piège de la confirmation d) Le piège du jugement *a posteriori*

15. Les catalyseurs de la créativité collective sont la présence de personnes créatives dans l'équipe, les techniques d'aide à la décision et _____ a) la motivation à exécuter la tâche. b) la maîtrise de la tâche. c) des objectifs à long terme. d) le soutien externe.

Questions à réponse brève

16. Expliquez ce que sont les heuristiques et décrivez leurs effets potentiels sur le processus décisionnel.

17. Qu'est-ce qui différencie la décision par voie d'autorité, la décision par consultation et la décision collective ?

18. Qu'est-ce que la surenchère irrationnelle ? Pourquoi est-il important d'en tenir compte au cours du processus décisionnel ?

19. Quelles questions un gestionnaire ou un chef d'équipe devrait-il se poser pour choisir les problèmes à résoudre et établir les priorités ?

Question à développement

20. Dans le cadre d'un nouveau programme de mentorat auquel participent votre université et une école secondaire de votre localité, vous vous êtes porté volontaire pour faire une présentation devant une classe d'élèves de deuxième année du secondaire sur les difficultés qu'on éprouve lorsqu'on cherche à améliorer la créativité au sein d'une équipe. Votre but est de motiver ces jeunes à avoir individuellement une pensée créatrice et à recourir collectivement à ce mode de pensée lorsqu'ils travaillent en équipe et que la tâche l'exige. Que leur direz-vous ?

Le CO dans le feu de l'action

Pour ce chapitre, nous vous suggérons les compléments numériques suivants dans MonLab.

MaBiblio >
MonLab > Documents > Études de cas
> 17. Jean Durant
> 18. La société MagRec

MonLab > Documents > Activités
> 27. Leadership et participation au processus décisionnel
> 32. Analyse et négociation de rôle
> 33. Les naufragés
> 36. Les oranges Ugli

MonLab > Documents > Autoévaluations
> 16. Êtes-vous intuitif ?
> 17. L'influence des heuristiques sur le processus décisionnel

La communication

Une communication efficace permet de travailler de façon organisée et dans un climat propice à la collaboration. Une bonne compréhension de la nature du processus de communication peut aider à bien gérer la communication au sein des organisations. Ainsi, ce chapitre traite de la communication dans les contextes organisationnels et relationnels, et notamment des facteurs associés à une communication efficace.

Interagissez avant d'agir.

OBJECTIFS D'APPRENTISSAGE

Après l'étude de ce chapitre, vous devriez pouvoir :

- Définir les éléments clés du processus de communication.
- Expliquer les principaux obstacles à la communication.
- Décrire les caractéristiques de la communication dans un contexte organisationnel.
- Discuter de la communication dans un contexte relationnel.
- Expliquer l'importance de la rétroaction.

PLAN DU CHAPITRE

La priorité à la communication chez Addenda Capital

Depuis quelques années, améliorer la communication entre les équipes et les quatre bureaux d'Addenda Capital, firme de gestion de placements, est la grande priorité. Chaque directeur de département prépare maintenant tous les trimestres un document avec l'information importante à partager entre les bureaux. Une vidéoconférence se déroule aussi à la même fréquence pour diffuser les résultats de l'entreprise, expliquer les objectifs à atteindre, le chemin parcouru et ce qu'il reste à réaliser. De plus, toutes les deux semaines, les gestionnaires des différents bureaux participent à une réunion en vidéoconférence. Enfin, chaque matin, l'entreprise tient une audioconférence pour partager les plus récentes nouvelles.

Pour se distinguer, Addenda Capital mise beaucoup sur les défis qu'elle offre à ses employés. « Nous sommes une petite boîte, alors nos employés peuvent participer à plusieurs types de projets, une chance qu'ils n'auraient pas nécessairement dans une grande entreprise », explique Michèle Frégeau, directrice des ressources humaines.

La firme de gestion de placements s'est également beaucoup penchée sur ses valeurs. Par exemple, il y a quelques années, elle a pris le virage de l'investissement responsable.

La reconnaissance des employés est aussi très importante. L'entreprise souligne notamment les anniversaires de service de ses employés deux fois par année en offrant le petit-déjeuner. L'anniversaire de naissance des employés (s'ils le souhaitent!) est aussi souligné.

Addenda Capital a amélioré récemment l'évaluation de performance de ses 120 employés. « On a retiré la note, affirme Mme Frégeau. On se concentre plutôt sur les forces de nos employés, les éléments qu'ils ont à développer et l'impact de leurs actions sur l'entreprise. Environ 60 % de nos employés sont des gens des générations X et Y. Cette forme de coaching fonctionne particulièrement bien avec eux. » Au moment de l'évaluation de la performance, les employés se voient aussi présenter depuis quelques années les grands objectifs de l'entreprise. Chaque département doit ensuite définir ses propres objectifs à partir de ce document. Ainsi, tous sont davantage en mesure d'agir de façon cohérente avec les grands objectifs de l'entreprise.

Les efforts de communication d'Addenda Capital ont porté leurs fruits. « Les employés considèrent maintenant que la haute direction est plus transparente et plus accessible, explique Michèle Frégeau. Les employés comprennent mieux la vision de l'entreprise, où elle s'en va et ils envisagent aussi plus positivement son avenir. »

L'ambiance de travail a également beaucoup évolué. « Avant, on avait plus l'impression de travailler en silos, alors que, maintenant, les différentes équipes interagissent beaucoup plus entre elles, ajoute la directrice des ressources humaines. On a aussi brisé des barrières entre les différents bureaux. Maintenant, il arrive souvent que des gens qui travaillent sur des enjeux similaires collaborent par vidéoconférence. »

> Avant, on avait plus l'impression de travailler en silos, alors que, maintenant, les différentes équipes interagissent beaucoup plus entre elles...

Addenda Capital, dont le siège social est à Montréal, est consciente que plusieurs postulants sont attirés par les valeurs que véhicule l'entreprise et par l'ambiance de travail. « L'investissement responsable, par exemple, parle beaucoup aux jeunes, et d'ailleurs, récemment, j'ai embauché une candidate qui a d'abord été attirée par notre entreprise pour cette raison, raconte Michèle Frégeau. Puis, les gens veulent travailler dans un lieu de travail où l'esprit d'équipe est fort, où le respect est très important et où on se dit les vraies choses. On le voit en entrevue. Plusieurs candidats viennent vers nous pour ces raisons. »

Source : Martine Letarte, « La priorité à la communication chez Addenda Capital », affaires.lapresse.ca, 7 décembre 2016.

La nature de la communication

La communication est le moteur de l'organisation. Tous les comportements organisationnels, bons ou mauvais, prennent naissance dans la communication. Même si on passe la majeure partie de sa vie à communiquer, ce n'est pas toujours un domaine dans lequel on excelle.

Dans ce chapitre, nous étudions la communication dans les contextes organisationnels et relationnels afin de déterminer les facteurs associés à une communication efficace. L'une des prémisses de ce chapitre est qu'on doit avoir de bonnes relations pour communiquer efficacement et que, pour avoir de bonnes relations, il faut communiquer efficacement.

L'importance de la communication

La communication a toujours été importante, mais sa nature se transforme au sein des organisations et dans le monde. L'accessibilité sans précédent à l'information donne plus de pouvoir aux employés comme aux organisations, et ce, comme jamais auparavant. Par exemple, la révolution égyptienne de 2011-2012 a été appelée la « révolution Facebook », car les citoyens égyptiens ont utilisé ce réseau social pour organiser la contestation en douce. Les gestionnaires des organisations ne sont dorénavant plus en mesure de contrôler l'information comme ils pouvaient le faire, et cela modifie la nature du pouvoir au sein des organisations. Lorsque Yahoo! a annoncé qu'elle ne permettrait plus à ses employés de travailler de la maison, les employés se sont rebellés en publiant anonymement les messages de l'entreprise en ligne. Ce que les gestionnaires de l'entreprise avaient vu comme une question de politique interne est rapidement devenu à l'échelle internationale une nouvelle importante et la source de nombreuses critiques.

La communication est le ciment assurant la cohésion de toute organisation. Elle permet de faire part de l'information, des idées, des objectifs, des orientations, des attentes, des impressions et des émotions dans le contexte d'une action coordonnée. Ainsi, une des priorités des organisations doit être l'efficacité de leurs communications. Les organisations prospères valorisent et favorisent la communication efficace tant à l'échelle interpersonnelle qu'à l'échelle de toute l'organisation, et même au-delà.

La révolution égyptienne a été qualifiée de « Révolution Facebook » : le 25 janvier 2011, plus de 15 000 manifestants contre la pauvreté, la corruption et le chômage ont répondu à l'appel des blogueurs militants.

Le processus de communication

Bien que tout le monde sache ce qu'est la communication, il est utile de revoir le modèle de communication de base pour bien comprendre les raisons des ruptures de communication. Comme l'illustre la **figure 13.1** (p. 460), la **communication** est un processus d'émission et de réception de messages porteurs de sens. Cette figure en schématise les éléments fondamentaux. Vous y noterez la présence d'une source, l'*émetteur*, qui *encode* un message pour transmettre le sens voulu, et celle d'un *récepteur*, qui *décode* le message reçu pour en saisir le sens. Selon les cas, il peut y avoir ou non une *rétroaction* du récepteur.

Communication
Processus d'émission et de réception de messages porteurs de sens

FIGURE **13.1** Le processus de communication et sept causes potentielles de bruits parasites

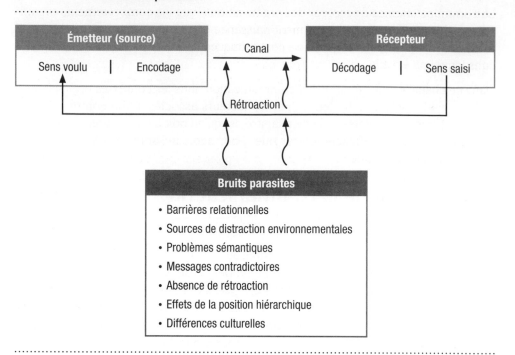

Émetteur
Individu ou groupe d'individus qui tente de communiquer avec quelqu'un d'autre

Encodage
Traduction d'une idée ou d'une pensée en un message constitué de symboles verbaux (oraux ou écrits) ou non verbaux (comme les gestes), ou une combinaison des deux

Canal de communication
Voie utilisée pour la transmission d'un message (rencontre en personne, téléphone, lettre, note de service, courriel, messagerie vocale, etc.)

Récepteur
Individu ou groupe à qui s'adresse un message

Décodage
Processus par lequel le récepteur attribue un sens au message reçu

La source de l'information, ou **émetteur**, est la personne ou le groupe qui essaie de communiquer avec quelqu'un d'autre, notamment pour changer son attitude ou son comportement, ou pour modifier ses connaissances. Le chef d'une équipe, par exemple, peut souhaiter communiquer avec son directeur de division pour lui expliquer que son équipe a besoin de plus de temps ou de ressources pour finir le travail qui lui a été confié. L'émetteur doit procéder à un **encodage**, c'est-à-dire traduire son idée ou sa pensée en un message comportant des symboles verbaux (oraux ou écrits) ou non verbaux (comme des gestes), ou une combinaison des deux. Le message est ensuite transmis par un **canal de communication** : rencontre en personne, téléphone, courriel, lettre, note de service, messagerie vocale, etc. Le choix de ce canal peut influer fortement sur le processus de communication. Certaines personnes privilégient certains canaux plutôt que d'autres. Certains canaux sont mieux adaptés à certains types de messages. Dans le cas du chef d'équipe qui communique avec son directeur de division, par exemple, l'effet du message ne sera pas le même s'il est transmis en tête à tête, par note de service ou par courriel. Le chef d'équipe a donc tout intérêt à bien choisir.

Le processus de communication ne s'arrête évidemment pas dès que le message est envoyé. Pour qu'un sens soit attribué à celui-ci, il faut que le **récepteur**, l'individu ou le groupe à qui il s'adresse, le reçoive et l'interprète grâce au **décodage**. Or de nombreux facteurs, notamment les connaissances et l'expérience du récepteur ainsi que sa relation avec l'émetteur, peuvent compliquer les choses. Les points de vue d'amis, de collègues ou de supérieurs peuvent également avoir une incidence sur l'interprétation que fera le récepteur du message. Pour finir, le sens attribué au message par le récepteur peut être bien différent de celui que lui avait donné l'émetteur.

La plupart des récepteurs sont tout à fait conscients du décalage possible entre le message que l'émetteur avait l'intention d'envoyer et le sens qu'ils lui attribuent en raison de leur propre perception. Comme nous l'expliquions au chapitre 4, traitant des processus de perception et d'attribution, ce phénomène s'explique souvent par la mauvaise interprétation que certaines personnes peuvent faire d'un message en lui attribuant un objectif ou un sens que l'émetteur n'avait pas l'intention de lui donner. Dans la plupart des cas, lorsqu'il y a un écart entre le message envoyé et le message reçu, le récepteur a tendance à «lire entre les lignes», ce qui peut fausser la communication.

La **rétroaction**, c'est-à-dire le message de retour adressé par le récepteur d'un message à l'émetteur, permet de déceler et de corriger ces éventuels décalages entre le «sens voulu» et le «sens saisi». Elle indique que la communication est bidirectionnelle, c'est-à-dire qu'elle va dans les deux sens, de l'émetteur au récepteur et du récepteur à l'émetteur. L'échange d'information qui en découle peut améliorer sensiblement le processus de communication. Il vaut donc la peine de rappeler ce conseil traditionnel aux gestionnaires: «Maintenez les canaux de rétroaction *ouverts*.»

Bien que le processus de communication semble des plus élémentaires, ce qui se produit au cours d'un tel échange d'information est plus complexe qu'il n'y paraît. Notamment, le message peut être brouillé par un **bruit parasite**, terme désignant toute perturbation qui interfère dans la transmission du message et gêne le processus de communication. Par exemple, si votre ventre gargouille parce que votre cours a lieu juste avant l'heure du dîner ou si vous vous inquiétez à propos d'un examen que vous devez passer plus tard dans la journée, il y a fort à parier que vous serez incapable d'écouter attentivement ce que votre enseignant ou vos collègues sont en train de dire. De plus, si vous n'aimez pas la personne émettrice d'un message, vos émotions peuvent déclencher en vous un discours intérieur qui perturbe votre capacité d'entendre et de l'écouter de façon efficace. Dans les faits, ce sont tous des bruits parasites qui brouillent le processus de communication.

La communication non verbale

Tout le monde le sait, les gens ne transmettent pas des messages uniquement par des mots. Ils en transmettent également par la **communication non verbale**, notamment par l'expression du visage, le regard, la position du corps et les gestes. La communication non verbale sert souvent à clarifier ou à renforcer ce qui est dit, mais elle peut aussi avoir lieu sans qu'aucun mot ne soit prononcé; elle n'accompagne pas toujours la communication verbale. Les bons communicateurs connaissent l'importance du non-verbal. D'après les recherches, lorsque le langage verbal et le langage non verbal ne sont pas en harmonie, le récepteur accorde plus d'attention au second. Ce phénomène s'explique ainsi: ce qu'une personne pense ou exprime vraiment se dissimule souvent dans l'aspect non verbal de la communication. Savez-vous comment dire si quelqu'un ment? La personne évitera tout contact visuel et montrera des signes de stress tels que l'agitation, la transpiration et, dans certains cas plus sérieux, la dilatation des pupilles.

La communication non verbale influe sur l'impression que les autres se font d'un interlocuteur. Pour faire bonne impression en entrevue et dans d'autres situations, il faut soigner à la fois les aspects verbaux et non verbaux de la communication, y

Rétroaction
Dans le processus de communication, message de retour qu'adresse le récepteur d'un message à son émetteur, généralement pour l'informer de sa compréhension ou de son interprétation de ce que ce dernier a dit ou fait

Bruit parasite
Toute perturbation qui interfère dans la transmission du message et gêne le processus de communication

Communication non verbale
Communication qui passe notamment par l'expression du visage, le regard, la position du corps et les gestes

compris la ponctualité, la tenue vestimentaire et le maintien. Il est bien connu que les personnes qui mènent des entrevues sont généralement mieux disposées à l'égard des interlocuteurs qui émettent des signaux non verbaux positifs (regard franc, posture droite, etc.) que de ceux qui émettent des signaux négatifs (yeux baissés, posture avachie, etc.). L'aménagement de l'espace de travail (du bureau, par exemple) est une autre dimension de la communication non verbale. En effet, les choix qu'elle effectue en matière de conception ou d'aménagement de son espace de travail ont une incidence importante sur la façon dont une personne est perçue par les autres[1]. La **figure 13.2** illustre trois agencements du bureau d'un cadre en indiquant les messages non verbaux qu'ils peuvent transmettre aux visiteurs. Comparez ces schémas avec l'agencement de votre propre bureau, de celui d'un supérieur ou de quelqu'un de votre entourage en vous demandant quel message est transmis aux visiteurs[2].

FIGURE **13.2** L'agencement d'un bureau et la communication non verbale

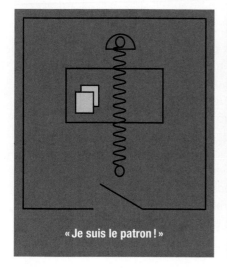  

« Je suis le patron ! »   « Je suis le patron, mais discutons. »   « Oubliez que je suis le patron et discutons. »

Comme la communication non verbale est très efficace, ceux qui la maîtrisent s'assurent de l'utiliser à leur avantage. Pour certaines personnes, cela signifie de reconnaître l'importance de la **présence**, c'est-à-dire l'art de communiquer sans les mots. L'analyse des discours d'Adolf Hitler montre qu'il avait de la présence. Il savait comment donner beaucoup d'effet à ses silences. Debout devant un vaste public, il pouvait demeurer silencieux pendant plusieurs minutes tout en gardant son auditoire captif. Le regretté Steve Jobs, cofondateur d'Apple, utilisait la même technique lors de ses présentations de nouveaux produits. En fait, Steve Jobs avait tellement de présence sur scène qu'il a rendu la tâche très difficile à son successeur, Tim Cook, qui fait pâle figure à côté de lui.

Présence
Art de communiquer sans les mots

L'effet des baskets rouges : lorsque la non-conformité est synonyme de statut élevé

De façon générale, les gens qui portent des vêtements classiques et de qualité renvoient aux autres une image de statut élevé, de compétence et d'autorité. Le complet ou le tailleur bien coupé et les chaussures en cuir bien cirées ou les escarpins sont devenus ce qu'on peut appeler l'« uniforme » des gens d'affaires. À cet égard, la jeune diplômée de l'école commerciale de 22 ans et le magnat des affaires de 50 ans semblent se conformer à des styles d'habillement étonnamment similaires afin d'obtenir et de conserver l'acceptation sociale de leurs confrères. Ce fort degré de conformité reflète le statut et les compétences que confère ce code vestimentaire et le coût social que peut entraîner une déviation aux normes en matière d'habillement.

Mais qu'en est-il des exceptions à l'uniforme d'affaires ? Qu'en est-il du penchant du chef de la direction de Facebook, Mark Zuckerberg, pour les chandails à capuchon ? Sans oublier l'observation du conseiller Tom Searcy : les visionnaires immensément riches de Silicon Valley assistent aux conseils d'administration vêtus comme des sans-abri. De toute évidence, certaines personnes prospères peuvent se permettre de se vêtir comme elles le veulent. Toutefois, se pourrait-il qu'une telle non-conformité *contribue* aux perceptions de statut et de succès ? Les chercheurs Silvia Bellezza, Francesca Gino et Anat Keinan ont étudié *l'effet des baskets rouges*, soit la tendance occasionnelle à la non-conformité pour signaler le statut et la compétence. Ils ont constaté qu'un signalement positif pouvait se produire dans certaines conditions. D'une part, la non-conformité doit être vue comme étant intentionnelle. S'habiller accidentellement de façon non conforme n'est pas synonyme de compétence. D'autre part, le comportement non conforme doit être adopté dans un contexte prestigieux où on s'attend généralement à ce que les gens s'habillent de façon traditionnelle. Revêtir une tenue décontractée à la plage ne vous fera pas marquer des points, mais cela pourrait être différent dans la salle du conseil. Comment les baskets rouges ou autres vêtements non conformes communiquent-ils le statut et la compétence ? Les chercheurs ont constaté que les non-conformistes étaient perçus comme étant plus autonomes et plus en contrôle, des valeurs appréciées dans notre société.

Le détaillant canadien de vêtements pour hommes Larry Rosen insiste sur le fait que l'habillement négligé est une forme de rejet de la culture dominante. Tom Searcy, quant à lui, précise que ce style vise à communiquer le message que les idées sont plus importantes que l'apparence. Les deux hommes, toutefois, insistent sur le fait que ce style est cultivé délibérément, ce qui recoupe les conclusions des chercheurs.

Sources : S. Bellezza, F. Gino et A. Keinan, « The Red Sneakers Effect : Inferring Status and Competence from Signals of Nonconformity », *Journal of Consumer Research*, vol. 41, 2014, p. 35-54 ; K. Owram, « Silicon Valley Closet's Fashionistas », Financial Post, FP1 et FP4, 11 septembre 2014, cité dans Gary Johns et Alan M. Saks, *Organizational Behavior: Understanding and Managing Life at Work*, 10e édition, Toronto, Pearson, 2017, p. 377. Reproduit avec la permission de Pearson Canada Inc.

Les principaux obstacles à la communication

Les organisations contemporaines sont des milieux qui débordent d'information et utilisent de plus en plus de technologies. Cependant, n'oublions jamais que ce sont les êtres humains qui font «tourner la machine». Pour mettre en commun leurs énergies et leurs talents et collaborer efficacement à l'édification d'organisations hautement performantes, ces derniers doivent exceller dans leurs communications interpersonnelles sans se laisser démonter par les obstacles qui peuvent les entraver.

Il existe sept principaux types de bruits parasites qui interfèrent couramment dans les communications interpersonnelles et dont il faut connaître la nature et les effets. Comme l'indique la figure 13.1 (p. 460), ces obstacles potentiels au processus de communication en milieu de travail sont : (1) les barrières relationnelles ; (2) les sources de distraction environnementales ; (3) les problèmes sémantiques ; (4) les messages contradictoires ; (5) l'absence de rétroaction ; (6) les effets de la position hiérarchique ; (7) les différences culturelles.

Les barrières relationnelles

Ralph Waldo Emerson expliquait ainsi les barrières relationnelles : «Ce que vous êtes parle si fort qu'on n'entend plus ce que vous dites[3].» En matière de communication, les **barrières relationnelles** se manifestent lorsqu'une personne est incapable d'écouter objectivement son interlocuteur à cause d'une mauvaise réputation de celui-ci, d'un manque de confiance à son égard, de stéréotypes ou de préjugés, ou de conflits interpersonnels, notamment. Dans de telles situations, le récepteur et l'émetteur peuvent déformer la communication en jugeant ou en évaluant le contenu du message ou en ne parvenant pas à le transmettre efficacement. Pensez à une personne que vous n'aimez pas ou à un collègue de travail ou d'université qui vous irrite. Puis réfléchissez à la façon dont vous communiquez avec cette personne. L'écoutez-vous attentivement ou pensez-vous à autre chose pendant qu'elle vous parle ? Échangez-vous de l'information avec elle ou lui coupez-vous brusquement la parole ? Lui répondez-vous évasivement ?

Ce type de problèmes reflète une écoute sélective et un filtrage de l'information. La personne qui pratique l'**écoute sélective** a tendance à bloquer l'information qu'on lui transmet ou à n'entendre que ce qui correspond à ses idées reçues. Si elle ne fait pas confiance à son interlocuteur, elle présumera que celui-ci ne lui dit pas la vérité ou pourra «entendre» des mots que son interlocuteur n'a absolument pas prononcés. Un employé qui pense qu'un collègue n'est pas compétent pourra ne pas tenir compte des renseignements importants que ce dernier lui transmet. Certaines personnes procèdent, par ailleurs, à un **filtrage de l'information** ou ne communiquent pas l'information dans sa totalité, c'est-à-dire qu'elles ne disent pas toute la vérité. Si on n'aime pas un collègue de travail, on peut négliger de lui fournir des détails ou des tuyaux essentiels qui pourraient l'aider à mieux exécuter sa tâche.

L'évitement est un autre problème important de la communication interpersonnelle. Il se produit lorsque des personnes choisissent de nier un problème ou d'en faire fi plutôt que d'y faire face. Il constitue une barrière importante à l'ouverture et à

Barrière relationnelle
Obstacle à la communication qui survient lorsqu'une personne est incapable d'écouter objectivement son interlocuteur à cause d'une mauvaise réputation de celui-ci, d'un manque de confiance à son égard, de stéréotypes ou de préjugés, ou de conflits interpersonnels, notamment

Écoute sélective
Tendance d'une personne à bloquer l'information qu'on lui transmet ou à n'entendre que ce qui correspond à ses idées reçues

Filtrage de l'information
Tendance d'une personne à ne pas transmettre l'information dans sa totalité

l'honnêteté dans la communication. L'évitement se produit quand les personnes craignent que la conversation ne soit difficile ou que parler du problème ne l'empire. Cette crainte s'accompagne souvent d'une ignorance des techniques qui permettent d'aborder les conversations difficiles. On peut surmonter l'évitement en apprenant à utiliser les principes de la communication collaborative qui sont présentés plus loin dans le présent chapitre.

Les barrières relationnelles peuvent aussi résulter de problèmes d'ego ou d'un manque d'aptitudes en communication. La personne à l'ego surdimensionné peut déformer les messages qu'elle reçoit pour qu'ils servent ses propres intérêts ou pour se mettre en valeur au détriment des autres. La personne qui manque d'aptitudes en communication peut ne pas écouter attentivement ce que les autres ont à dire. Pendant une réunion, elle peut se mettre à discourir interminablement au lieu de présenter un message concis et cohérent. Elle n'arrive pas non plus à adapter son message à son auditoire.

Les sources de distraction environnementales

Les **sources de distraction environnementales** constituent un autre type d'obstacles pouvant compromettre l'efficacité d'une tentative de communication. La scène qui suit, où on surprend les bribes d'un entretien entre Georges et son patron, Louis, en fournit quelques exemples[4].

« Très bien, Georges, parlez-moi de votre problème. » (Le téléphone sonne, le patron décroche, promet un rapport quelconque à son interlocuteur, « dès que je l'aurai moi-même obtenu », et raccroche.) « Bon, alors, où en étions-nous, Georges ? Ah oui, vous avez un problème avec les gens du marketing. Vous avez l'impression que… » (La secrétaire apporte à Louis des documents à signer. Il s'exécute et elle repart.) « Euh, vous dites qu'ils ne sont pas très coopératifs ? Eh bien ! Je vais vous donner mon point de vue… » (Nouvel appel téléphonique, suivi de la visite d'un collègue avec qui Louis a rendez-vous.) « Bon, écoutez, Georges, essayez donc de régler ça directement avec eux. Désolé, mais là, il faut que j'y aille. »

Dès le départ, Louis n'était manifestement pas intéressé par les problèmes de son subordonné. Mais il y a plus : il a laissé des sources environnementales le submerger d'information et le distraire à plusieurs reprises. Sa discussion avec Georges en a grandement souffert. Ce dernier est reparti totalement insatisfait. Louis pourrait éviter ce genre d'erreur en établissant des priorités et en réservant des moments précis pour avoir de vraies conversations. Comme

Parmi les bruits parasites qui interfèrent dans les communications interpersonnelles, on compte les distractions environnementales. Les textos en sont un excellent exemple.

Georges avait quelque chose à lui dire, Louis aurait dû choisir un moment propice au dialogue, durant lequel il ne se serait pas laissé distraire par le téléphone ou par l'arrivée d'un visiteur. À tout le moins, il aurait pu fermer la porte de son bureau et prévenir sa secrétaire qu'il ne voulait pas être dérangé.

Source de distraction environnementale
Source de distraction liée à l'environnement, telle qu'un bruit ou un visiteur impromptu, qui interfère avec la transmission d'un message et interrompt le processus de communication

Les problèmes sémantiques

Dans la mesure où ils brouillent le sens du message et peuvent même le rendre complètement indéchiffrable, des mots mal choisis ou des termes hermétiques et complexes constituent d'importants obstacles à la communication. Voici deux exemples de la langue de bois qui s'impose dans plusieurs organisations, notamment de type bureaucratique, comme le modèle de la communication officielle[5] :

A. « Nous vous invitons à nous faire parvenir toute recommandation que vous jugeriez pertinente et nous vous assurons que lesdites recommandations seront examinées avec la plus grande attention. »

B. « Des éléments représentatifs de la clientèle continuent à faire ressortir la nécessité fondamentale d'une stabilisation de la structure des prix à un niveau inférieur à celui qui a cours actuellement. »

Ne serait-il pas plus simple de dire : a) « Envoyez-nous vos recommandations : elles seront prises en considération » ; b) « Les consommateurs réclament une baisse des prix » ? Il existe en anglais le *KISS principle*, pour *keep it short and simple*, signifiant qu'il faut viser la simplicité et éviter les complications inutiles. Simple et concis : voilà un principe à retenir en gestion. Après tout, pourquoi embrouiller ce qui peut être clair et net ?

Les messages contradictoires

Pour faciliter la compréhension d'un message, le non-verbal devrait clarifier ou renforcer le verbal. Lorsqu'il y a contradiction entre le verbal et le non-verbal, le récepteur se demandera s'il doit se fier aux mots prononcés ou aux messages que son interlocuteur lui envoie, notamment, par son regard, ses gestes ou sa posture. Un **message contradictoire**, c'est-à-dire un décalage entre les mots que prononce un individu et ce que révèlent ses gestes et son langage corporel, rend la communication plus difficile. Il est important de détecter toute divergence de ce type. Par ailleurs, selon la recherche, en cas de divergence, mieux vaut accorder plus d'importance aux signaux non verbaux, car ils révèlent généralement les véritables intentions et sentiments de la personne[6].

Message contradictoire
Décalage entre les mots que prononce un individu et ce que révèlent ses gestes et son langage corporel

Au cours d'une réunion d'affaires, par exemple, un interlocuteur peut très bien prononcer un « oui » prudent, alors que son visage révèle l'inquiétude et qu'il recule dans son siège. Son langage corporel exprime ainsi des réserves et dément l'accord verbal.

L'absence de rétroaction

La communication unidirectionnelle est celle qui va de l'émetteur au récepteur sans qu'il y ait de réponse ou de rétroaction immédiate du récepteur. C'est le cas, par exemple, quand une note de service est affichée ou distribuée, ou qu'un message vocal est enregistré. La communication bidirectionnelle, elle, va dans les deux sens. C'est normalement le cas d'une conversation. Les recherches indiquent que la communication bidirectionnelle est plus coûteuse en temps et en argent, mais qu'elle est plus précise et plus efficace que la communication à sens unique. Cependant, en raison de leur efficience, les canaux de communication unidirectionnels – notes de service, lettres, courriels, rapports, etc. – sont très utilisés en milieu de travail.

Malheureusement, s'ils facilitent les choses pour l'émetteur, les messages unilatéraux peuvent être frustrants pour le récepteur qui n'est pas certain d'en comprendre l'intention ou le sens exact.

Les effets de la position hiérarchique

Dans les organisations, les **effets de la position hiérarchique** peuvent devenir des obstacles à la communication entre personnes de paliers hiérarchiques différents. D'une part, à cause de l'autorité que leur confère leur position, les cadres peuvent être portés à *dire* beaucoup plus qu'à *écouter*. D'autre part, on sait que les messages en provenance des échelons inférieurs parviennent souvent déformés aux échelons supérieurs de la hiérarchie, si toutefois ils y parviennent[7].

Entre autres, il arrive que des subordonnés *filtrent* l'information pour ne transmettre que ce qu'ils pensent que leurs supérieurs veulent entendre. On parle parfois d'**effet «motus»** pour désigner le phénomène par lequel le subordonné reste «bouche cousue» devant son supérieur par politesse ou par réticence à transmettre une mauvaise nouvelle[8]. Que l'effet «motus» s'explique par la crainte de représailles en cas de mauvaise nouvelle, par le refus d'admettre une erreur ou par le désir de plaire, le résultat est le même: le supérieur, induit en erreur par les données incomplètes, inexactes ou tendancieuses qu'on lui fournit, risque de prendre des décisions inadéquates.

Pour éviter ce genre de problèmes, les gestionnaires et les chefs d'équipe doivent veiller à nouer et à entretenir, avec leurs subordonnés et les membres de leur équipe, des relations de travail fondées sur la confiance. Ils doivent saisir toutes les occasions de les rencontrer et de leur parler en personne. La **gestion par déambulation** est ainsi une méthode simple, mais à l'efficacité désormais reconnue, pour instaurer un climat de confiance. Elle consiste, pour le gestionnaire, à sortir régulièrement de son bureau pour aller parler à ses subordonnés à leur poste de travail[9]. En se livrant à ces «promenades», les cadres peuvent réduire la distance hiérarchique qui les sépare de leurs subordonnés et favoriser la libre circulation de l'information entre les divers paliers de l'organisation. Ils peuvent ainsi contribuer à augmenter la quantité et à améliorer la qualité de l'information dont ils disposent en tant que décideurs. En fin de compte, ils prendront ainsi des décisions qui refléteront mieux les besoins des travailleurs sur le terrain.

Les différences culturelles

La mondialisation, c'est bien connu, est de nos jours une réalité incontournable. Toutefois, on tend à oublier que la réussite à l'échelle internationale dépend souvent de la qualité de la communication interculturelle. Et, sur ce plan, il y a matière à amélioration. Parmi les participants d'une étude menée par Accenture auprès de grandes entreprises, une proportion de 92% ont affirmé que la communication est le plus gros défi à relever lorsqu'on fait appel à des fournisseurs d'autres pays[10]. Les personnes devraient toujours se montrer prudentes lorsqu'elles s'engagent dans une communication interculturelle, qu'elle se passe entre habitants d'un même pays ayant des origines ethnoculturelles différentes ou entre habitants de pays différents.

Effet de la position hiérarchique
Obstacle à la communication entre personnes de paliers hiérarchiques différents

Effet «motus»
Phénomène par lequel le subordonné reste «bouche cousue» en face de son supérieur par politesse ou par réticence à transmettre une mauvaise nouvelle

Gestion par déambulation
Stratégie de gestion qui consiste, pour le gestionnaire, à sortir régulièrement de son bureau pour aller parler à ses subordonnés à leur poste de travail

En sortant régulièrement de leur bureau pour aller parler à leurs subordonnés à leur poste de travail, les cadres favorisent la communication et améliorent leur compréhension des besoins des travailleurs.

Ethnocentrisme
Tendance à penser que les façons de faire de sa propre culture sont les seules valables

Esprit de clocher
Tendance à présumer que les façons de faire de sa propre culture sont universelles

Au chapitre de la communication interculturelle, le problème le plus courant est l'**ethnocentrisme**, soit la tendance à penser que les façons de faire de sa propre culture sont les meilleures ou les seules valables. L'ethnocentrisme s'accompagne souvent du refus d'essayer de comprendre d'autres points de vue et de prendre au sérieux les valeurs qu'ils sous-tendent. Or, cet état d'esprit peut aisément engendrer des problèmes de communication entre individus d'origines diverses. L'**esprit de clocher**, c'est-à-dire la tendance à présumer que les façons de faire de sa propre culture sont universelles, peut également nuire aux communications interculturelles. Ainsi, l'esprit de clocher d'une femme d'affaires américaine pourrait l'amener à insister pour que tous ses interlocuteurs parlent anglais, et son ethnocentrisme pourrait lui faire croire que quiconque mange autrement qu'avec une fourchette et un couteau ne sait pas se conduire à table.

Les difficultés les plus évidentes en matière de communication interculturelle tiennent évidemment aux différences linguistiques. Ainsi, les messages publicitaires qui connaissent beaucoup de succès dans un pays n'ont pas nécessairement la même portée ni le même sens dans un pays de langue différente. L'introduction par Ford au Japon de son modèle européen Ka a posé quelques problèmes : le terme « ka » désigne un moustique dans ce pays ; les analystes se demandaient si une voiture qui a le nom d'un insecte vecteur de maladies pouvait inspirer confiance. Les gestes peuvent également avoir un sens différent selon les cultures : se tenir assis avec les jambes croisées est tout à fait acceptable en Angleterre, mais offensant en Arabie saoudite, surtout si la plante du pied est tournée vers une autre personne. Faire un signe de la main pour attirer l'attention de quelqu'un est correct au Canada, mais impoli en Asie[11].

Le modèle Ka de Ford, au Japon : une voiture portant le nom d'un insecte vecteur de maladies peut-il attirer les consommateurs nippons ?

La dimension linguistique de la communication interculturelle renvoie à d'autres éléments parfois très subtils. L'anthropologue Edward T. Hall estime que plusieurs malentendus résultent des différences importantes qui existent dans la manière même dont la langue est utilisée d'une culture à une autre[12]. Dans les **cultures à contexte pauvre**, les locuteurs sont très explicites dans leur utilisation du discours ou de l'écrit. En Australie, au Canada ou aux États-Unis, par exemple, le message est *en grande partie* transmis par les mots employés plutôt que par le contexte. Par contre, dans les **cultures à contexte riche**, les mots ne transmettent qu'*une partie* du message, le reste devant souvent être déduit ou interprété selon la situation, notamment le langage corporel, l'aménagement de l'espace ou les liens entretenus avec l'interlocuteur. En Asie, au Moyen-Orient et en Afrique, on trouve de nombreuses cultures *à contexte riche*, alors que la plupart des cultures occidentales sont *à contexte pauvre*.

Culture à contexte pauvre
Culture dans laquelle les locuteurs ont tendance à être très explicites dans leur utilisation du discours ou de l'écrit ; le message est en grande partie transmis par les mots utilisés plutôt que par le contexte

Culture à contexte riche
Culture dans laquelle les locuteurs ont tendance à ne transmettre par les mots qu'une partie du message, le reste devant être interprété selon la situation, le langage corporel ou d'autres indices contextuels

Des experts en commerce international recommandent d'apprendre au moins les rudiments de la langue du pays dans lequel on fait des affaires, car c'est l'une des meilleures façons d'en venir à comprendre les différences culturelles. « Le fait de parler et de comprendre la langue locale procure une certaine vision de l'intérieur, ce qui permet d'éviter les malentendus », explique un gestionnaire travaillant pour une organisation mondiale. Évoquant son expérience au sein du conseil d'administration d'une multinationale allemande, un Américain témoigne dans le même sens : « La maîtrise de la langue permet au membre [non allemand] du conseil de mieux saisir ce qui se passe… pas seulement les faits et les chiffres, mais la structure et les nuances[13]. » Certes, la perspective de faire l'apprentissage d'une nouvelle langue peut en rebuter certains. L'encadré ci-dessous montre pourtant que le jeu en vaut la chandelle[14].

Pourquoi apprendre une nouvelle langue?

Parler et comprendre la langue du pays d'accueil:

- donne de l'assurance lorsqu'on voyage;
- est une marque de respect envers les hôtes;
- facilite le contact avec les gens du pays;
- aide à gagner la confiance et le respect des habitants du pays;
- permet de mieux saisir la culture locale;
- peut être utile en cas d'urgence;
- rend les relations interpersonnelles plus agréables;
- réduit la frustration causée par le choc culturel.

La communication dans les contextes organisationnels

Les canaux de communication

Les entreprises sont bâties sur des principes d'organisation bureaucratique, c'est-à-dire que leur structure est hiérarchique: à chacun des postes correspondent une description détaillée des tâches et un niveau d'autorité bien établi. Cependant, en dehors des canaux déterminés par les rapports d'autorité, un grand nombre de données sont aussi acheminées au sein de l'organisation de façon plus spontanée, plus informelle. L'information en milieu organisationnel emprunte donc à la fois des canaux formels et informels. Les **canaux de communication formels** suivent les voies hiérarchiques déterminées par la structure officielle de l'organisation. Ainsi, l'organigramme indique le chemin que les messages officiels doivent emprunter d'un palier à un autre. Comme une certaine autorité est rattachée aux canaux formels, il est d'usage d'utiliser ces derniers pour transmettre des annonces officielles, surtout si elles visent des politiques et des procédures qu'on tient à faire respecter.

Cela dit, une grande partie du « réseautage » utilise les **canaux de communication informels**, qui, eux, ne sont pas associés aux voies hiérarchiques déterminées par la structure officielle de l'organisation[15]. Tout en coexistant fort bien avec les canaux officiels ou formels, les canaux informels permettent de sauter certains paliers et de transmettre l'information plus rapidement le long de la structure hiérarchique. Ils contribuent également à créer une atmosphère de communication ouverte et garantissent, dans une certaine mesure, les contacts entre les bonnes personnes[16].

Canal de communication formel
Canal de communication qui suit la voie hiérarchique déterminée par la structure officielle de l'organisation

Canal de communication informel
Canal de communication qui emprunte d'autres voies que les voies hiérarchiques déterminées par la structure officielle de l'organisation

L'un des canaux informels les plus courants est le **bouche-à-oreille**, soit la transmission de rumeurs et d'information officieuse par l'intermédiaire des réseaux d'amis et de connaissances. Ce bouche-à-oreille a l'avantage de transmettre l'information rapidement. De plus, il permet de combler certains besoins chez ceux qui y prennent part. Ainsi, l'impression de faire partie d'un réseau et d'être dans le coup lorsque des événements importants surviennent peut combler un besoin de sécurité. Comme il s'agit d'une communication interpersonnelle, il peut également combler des besoins d'ordre social. Cependant, le bouche-à-oreille a aussi des inconvénients, le premier étant que les renseignements transmis ne sont pas nécessairement exacts ni à jour. En outre, les rumeurs peuvent faire du tort aux individus comme à l'organisation. Pour éviter une telle dérive, le gestionnaire doit s'assurer que l'information juste parvienne aux personnes clés des réseaux informels, dès le départ.

Des recherches sur la **valeur des canaux de communication**, soit leur capacité à transmettre efficacement l'information, ont montré l'importance du choix du canal selon le type de message à communiquer[17]. Comme l'illustre la **figure 13.3**, il est généralement admis que le canal à la valeur la plus élevée est l'échange de propos direct, en personne. Viennent ensuite le téléphone ou la messagerie instantanée, puis le courriel ou la lettre. Le canal à la valeur la moins élevée est le tableau d'affichage, bien qu'il puisse convenir pour des messages routiniers ou peu compliqués, comme l'annonce du lieu d'une réunion. Lorsqu'il s'agit de messages complexes exigeant des réponses, la communication doit emprunter des canaux de grande qualité pour être efficace.

FIGURE **13.3** La valeur des canaux de communication

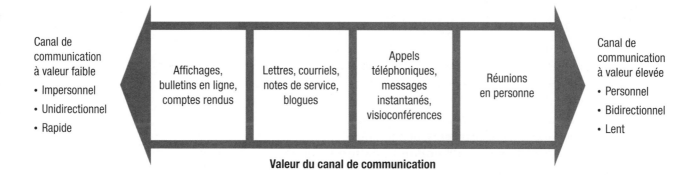

Valeur du canal de communication

La communication électronique

Aujourd'hui plus que jamais, la technologie informatique joue un rôle déterminant dans la façon dont l'information est partagée et utilisée en milieu organisationnel. Grâce aux TIC, les organisations peuvent maintenant : (1) diffuser l'information presque instantanément ; (2) communiquer plus d'information que jamais auparavant ; (3) permettre un accès plus large et plus immédiat à cette information ; (4) élargir la participation au partage et à l'utilisation de l'information ; (5) intégrer des systèmes et des fonctions et utiliser l'information pour tisser des liens avec d'autres milieux d'une façon jamais vue auparavant.

DU CÔTÉ DE LA PRATIQUE

Se déconnecter après le travail

Les nouvelles technologies facilitent la vie dans la mesure où elles permettent de travailler à distance, pratiquement en tout temps et en tout lieu. Le revers de la médaille? La frontière entre le travail et la vie personnelle devient de plus en plus floue. Ainsi, qui n'a pas déjà pris ses courriels en dehors des heures de bureau ou répondu à ses messages la fin de semaine? Une tendance qui s'accentue au fur et à mesure que l'on se conforte dans l'idée qu'un courriel doit recevoir une réponse presque immédiate.

Ainsi, dans un sondage réalisé pour le compte de l'American Psychological Asssociation, 53 % des employés américains disaient consulter leurs courriels professionnels durant le week-end, alors que 52 % en faisaient autant avant et après les heures de bureau pendant la semaine, et même durant leurs journées de maladie (54 %) ou leurs vacances (44 %). Ce sondage a aussi démontré que, aux États-Unis, plus du tiers des employés estime que les technologies de l'information et des communications accroissent leur charge de travail (34 %) et qu'à cause d'elles, il est difficile de cesser de penser à son travail (34 %) et même de prendre du repos (35 %).

Les constats sont les mêmes outre-Atlantique : selon une étude publiée en 2014 dans la revue *Chronobiology International*, prendre ses courriels après les heures de travail pourrait générer troubles du sommeil, maux de tête, fatigue, anxiété, problèmes digestifs et même cardiovasculaires.

En Allemagne, c'est le puissant syndicat de l'industrie automobile, IG Mettal, qui a sonné l'alarme. C'est sous son impulsion qu'en 2012, Volkswagen a décidé que les courriels professionnels ne seraient pas acheminés sur les téléphones des employés 30 minutes après la journée de travail et jusqu'à 30 minutes avant le début de celle-ci. Cette mesure n'a d'abord concerné qu'un millier de personnes, mais a ensuite été élargie à 5 000 employés sur les 190 000 que compte Volkswagen au pays.

Pour sa part, depuis 2014, BMW paye des heures supplémentaires à ses salariés s'ils sont amenés à répondre à leurs courriels durant la fin de semaine, par exemple.

Quant à Daimler, qui fabrique les modèles de Mercedes, les courriels envoyés à des employés en vacances sont automatiquement effacés. L'expéditeur est avisé de l'absence de la personne qu'il cherche à joindre et est invité à contacter son remplaçant. [...]

Source : Emmanuelle Gril, « Se déconnecter après le travail », *Revue RH*, vol. 19, n° 3, juin-juillet-août 2016, p. 13. Reproduction autorisée par l'Ordre des conseillers en ressources humaines agréés.

Il importe, cependant, de reconnaître les désavantages potentiels de la communication électronique. Lorsque la communication est très impersonnelle ou en grande partie unidirectionnelle, comme dans le cas des courriels, la communication non verbale est inexistante. On perd ainsi certains des aspects qui enrichiraient la communication en y ajoutant des éléments contextuels. Les études montrent que les destinataires d'un courriel n'en saisissent pas correctement le but ou le ton dans plus de 50 % des cas[18].

L'un des autres problèmes de la communication électronique réside dans la difficulté à en saisir les aspects émotionnels. Malgré les émojis qui l'accompagnent parfois, la dimension affective du message n'est pas toujours saisie adéquatement. En outre, le média électronique ne favorise pas la maîtrise des émotions, aptitude jugée essentielle en matière de communication interpersonnelle[19]. Certains disent, par exemple, qu'il est bien plus facile de céder à la brusquerie ou d'être exagérément critiques et insensibles dans la communication électronique que dans la communication directe.

Guerre d'insultes (ou flambée)
Échanges de propos enflammés dans le cyberespace

On va jusqu'à parler de **guerre d'insultes** (ou **flambée**) pour désigner certains propos enflammés qui s'échangent en ligne. Bref, la médiation de l'ordinateur peut désinhiber les gens et les inciter à laisser libre cours à leur impatience[20].

L'autre risque associé à la communication électronique est celui de la surabondance d'information, la *surinformation*. Dans certains cas, les réseaux, les systèmes de courriels ou les serveurs intranet finissent par être surchargés par un trop grand volume d'information. Ce problème peut survenir non seulement à l'échelle de l'organisation, mais aussi à l'échelle individuelle. La profusion des données peut engendrer un grand stress chez les personnes qui ont du mal à départager celles qui sont utiles de celles qui ne le sont pas.

« Salut toi, bon anniversaire ! Un an de plus : wow, c'est le début de la décrépitude… »

Tout le monde ne saisit pas l'ironie de ce message. En fait, dans 50 % des cas, le ton ou le but d'un courriel n'est pas bien perçu par son destinataire, malgré les émojis.

Enfin, les TIC rendent le contrôle du rendement et des communications du personnel plus facile pour les employeurs. Dans les milieux organisationnels contemporains, la question de la protection de la vie privée constitue un enjeu fondamental lié à la communication. L'inquiétude soulevée par la possibilité que les employeurs *espionnent* les travailleurs qui utilisent le système de messagerie électronique de l'organisation en est un exemple. Le droit à la vie privée n'interdit pas la surveillance des communications privées d'un salarié lorsque l'employeur a de sérieuses raisons d'agir ainsi. Les raisons permettant la surveillance d'Internet et des courriels doivent cependant être définies dans une politique organisationnelle en cette matière. La surveillance permanente serait abusive. Par ailleurs, un logiciel pour repérer les sites utilisés par les salariés ainsi qu'un logiciel coupe-feu pour bloquer l'accès à certains sites, tels que les sites pornographiques, peuvent être installés.

L'ÉTHIQUE EN CO

Espionner ses employés est légal, mais…

[…] Que ce soit pour éviter les scandales, prévenir les fuites ou déceler les employés qui procrastinent, les raisons qui poussent les employeurs à épier les activités de leurs employés sur Internet sont nombreuses. Les outils permettant de le faire, quant à eux, sont de plus en plus puissants. Sur le plan juridique, toutefois, des zones grises subsistent.

Les logiciels de cybersurveillance modernes ne se limitent plus à intercepter les courriels des employés.

Dans les faits, ils peuvent générer automatiquement des alertes en fonction des mots clés tapés ou des pages web consultées, faire des captures d'écran et enregistrer les mots écrits : « Imaginez qu'une caméra située derrière vous soit braquée sur votre poste de travail et enregistre tout ce que vous faites. Voilà ce que fait Spector 360 », illustre Nick Cavalancia, vice-président du marketing de SpectorSoft, l'un des principaux fournisseurs de logiciels de surveillance. […]

« Les employeurs n'ont pas besoin de l'autorisation des employés, mais on leur conseille d'établir une politique d'utilisation des ressources informatiques qui mentionne la présence d'un programme de surveillance », explique Antoine Aylwin, avocat chez Fasken Martineau.

Les outils qui servent à surveiller les employés sont souvent les mêmes que ceux que les entreprises emploient pour scruter le web et les médias sociaux à des fins de marketing. Les employeurs peuvent créer des alertes, outre celles qui sont liées à leurs marques de commerce, associées au nom de [leurs] employés ou de certains d'entre eux. Selon une étude mondiale de Gartner, 10 % des entreprises auraient mis en place un programme de surveillance de leurs employés sur les médias sociaux.

La division des cyberenquêtes de l'AMF utilise de tels outils pour surveiller ceux qui se sont rendus coupables d'infractions financières dans le passé : « Dès qu'un individu refait surface sur le web et qu'il propose quelque chose qui s'apparente à un produit financier, on effectue les vérifications nécessaires », a révélé Éric Jacob, directeur des pré-enquêtes et de la cybersurveillance à l'AMF, dans le cadre d'une présentation qui a eu lieu à Montréal.

Au Québec, la pratique semble toutefois peu répandue au sein des entreprises : « Ce que nous voyons, ce sont des employeurs qui surveillent ce qui se dit au sujet de leur marque sur Internet... Et si un employé est l'auteur d'un commentaire négatif, l'employeur est susceptible de le sanctionner », explique l'avocat Antoine Aylwin.

Toutefois, l'établissement d'un programme de surveillance visant nommément chaque employé pourrait poser problème sur le plan légal, tout comme l'utilisation de ses renseignements personnels pour ce faire. « Tout dépend du contexte et de la manière dont la surveillance est faite, explique Antoine Aylwin. Ça ressemble beaucoup aux débats sur les caméras de surveillance qui visent sans arrêt les employés. À moins de circonstances qui le justifient, ce type de surveillance est considéré comme une atteinte à la vie privée par les tribunaux. »

De plus en plus d'entreprises permettent à leurs employés de venir travailler avec leurs appareils personnels. Pour des raisons de sécurité, certaines entreprises exigent de gérer ces appareils, de manière à pouvoir les verrouiller à distance en cas de perte, par exemple. L'installation de logiciels de surveillance sur ces appareils n'est pourtant pas répandue. « À ma connaissance, aucun de nos clients n'a installé nos logiciels sur des téléphones personnels. Si la sécurité l'impose, c'est l'employeur qui fournira le téléphone », dit Nick Cavalancia dont l'entreprise propose des logiciels de surveillance compatibles avec les téléphones Android et BlackBerry. Une entreprise pourrait installer de tels logiciels sur les appareils de ses employés, mais devrait au préalable obtenir leur consentement écrit.

Source : Julien Brault, « Espionner ses employés est légal, mais... », *Les Affaires*, 6 octobre 2012, p. 20. Cet extrait a été reproduit aux termes d'une licence accordée par Copibec.

La circulation de l'information

Au sein des organisations, l'information circule et s'échange par l'intermédiaire des structures formelles et informelles précédemment décrites, et ce, de façon descendante, ascendante et horizontale.

La **communication descendante** circule des paliers supérieurs vers les paliers inférieurs de la hiérarchie. Comme le montre la **figure 13.4** (p. 474), ses principales fonctions sont d'informer les subordonnés des stratégies organisationnelles élaborées par leurs supérieurs et des objectifs fixés, de leur rappeler régulièrement les politiques, les procédures et les directives clés, ou de leur annoncer les changements technologiques. En outre, dans ce type de communication, la rétroaction sur le rendement est particulièrement importante. Le dévoilement de tous ces renseignements contribue à limiter la propagation de rumeurs et d'inexactitudes quant aux intentions des dirigeants ; il crée un sentiment de sécurité et favorise l'engagement des subordonnés,

Communication descendante
Communication qui circule des paliers supérieurs vers les paliers inférieurs de la hiérarchie d'une organisation

qui n'ont pas l'impression d'être tenus à l'écart[21]. Selon les spécialistes, la déficience de la communication descendante est une erreur de gestion malheureusement fréquente. À propos des questions de restructuration, par exemple, un sondage a révélé que 64 % des salariés interrogés ne croyaient pas ce que leur disaient les gestionnaires, que 61 % se considéraient comme mal informés sur les projets de l'organisation et que 54 % se plaignaient du manque d'explications quant aux décisions prises par les dirigeants.

FIGURE 13.4 **La circulation de l'information en milieu organisationnel**

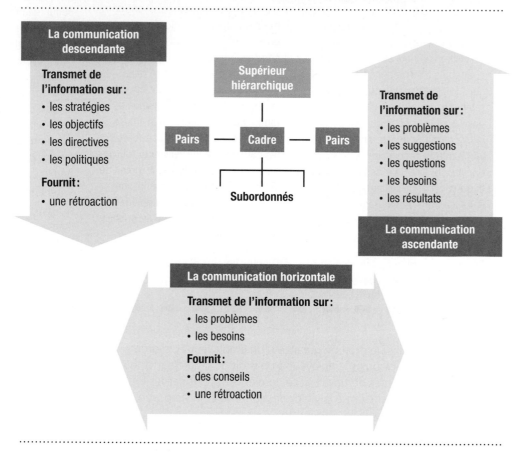

La **communication ascendante**, quant à elle, circule des paliers inférieurs vers les paliers supérieurs de la hiérarchie de l'organisation. Comme le montre la figure 13.4, elle vise à informer les paliers supérieurs de ce que font les subordonnés, des problèmes qu'ils éprouvent, des améliorations qu'ils suggèrent. Plus généralement, elle permet aux paliers supérieurs de savoir ce que les subordonnés pensent de leur emploi et de leur organisation. On ne doit cependant jamais perdre de vue les effets de la position hiérarchique sur l'efficacité de la communication ascendante.

Pour ce qui est de la **communication horizontale**, elle correspond à la circulation des renseignements entre employés de même niveau hiérarchique d'une organisation. La plus importante barrière à la communication horizontale est le cloisonnement administratif (communément appelé le « fonctionnement en silos »), soit le fait que les services et divisions soient isolés les uns des autres par de fortes démarcations. Dans

Communication ascendante
Communication qui circule des paliers inférieurs vers les paliers supérieurs de la hiérarchie d'une organisation

Communication horizontale
Communication qui circule entre employés de même niveau hiérarchique d'une organisation

IDEO mise sur le leadership participatif

L'agence IDEO s'est spécialisée dans le *design thinking*, ou l'utilisation de la pensée créatrice. Cette démarche consiste à rassembler des personnes d'horizons différents et à les engager dans un dialogue passionné dans l'espoir de faire émerger des idées novatrices et des solutions inédites. La pensée créatrice n'est pas à la portée de tout le monde, mais est l'apanage de leaders particuliers. C'est la raison pour laquelle IDEO choisit très soigneusement ses collaborateurs. L'agence recherche des personnes intelligentes et prêtes à s'engager dans un travail de collaboration. « Nous nous percevons comme une mosaïque d'individus, un très beau tableau général constitué d'éléments hétérogènes. »

« Nous nous demandons : comment est-ce que cette personne se conduirait dans un souper, pendant une séance de remue-méninges ou au milieu d'un conflit. Nous sommes tous éclectiques et différents les uns des autres, donc conscients qu'on peut toujours voir une chose sous un autre angle. » La technique du remue-méninges est un élément fondamental du *design thinking*. Chez IDEO, on sait en outre que l'échec fait partie de la culture. Pour réussir dans cette agence, vous devez être capable de faire face « à la confusion, à l'information incomplète, au paradoxe, à l'ironie » et de « vous amuser pour le plaisir de vous amuser ».

Une fois qu'une idée surgit, il faut la mettre en mots. Pour qu'elle soit acceptée, adoptée et développée plus vite et plus efficacement, on a recours à des vidéos, à des saynètes, à des environnements d'immersion, à des exposés, à des animations et même à des bandes dessinées. Chez IDEO, on favorise la « démocratie des idées ». On n'utilise pas de titre officiel et on n'observe pas de code vestimentaire. On encourage les employés à bouger, surtout lorsqu'ils ont un blocage mental. « Cela nous semble suspect qu'un employé reste assis à son bureau toute la journée, dit le directeur général, Tom Kelley, car on se demande alors s'il ne fait pas juste semblant de travailler. »

On veut favoriser les interactions stimulantes en proposant aux employés de se déplacer en vélo d'un immeuble à un autre. Les halls d'entrée sont conçus pour inciter les personnes à se rendre dans les différents immeubles.

On invite aussi les concepteurs à discuter dans diverses situations, et les experts à se réunir dans des bureaux ressemblant à « des classes de maternelle bruyantes ». Tom Peters, auteur et consultant renommé en management, déclare ainsi : « Si vous entrez dans les bureaux d'IDEO de Palo Alto, en Californie, vous êtes immédiatement frappé par l'énergie, le brouhaha, le bourdonnement créatif et la pure folie qui y règnent. » Pure folie ou non, chez IDEO, les interactions créatives et la communication collaborative sont les clés du succès.

Source : Description du *design thinking* trouvée sur le site web d'IDEO, à l'adresse ideo.com, 18 juillet 2013. Information tirée de Stefan Thomke et Ashok Nimgade, « IDEO Product Development », Harvard Business School, ideo.com/culture/careers, cas 9-600-143, 26 avril 2007, p. 5-6. Voir aussi T. Peters, « The Peters Principles », *Forbes ASAP*, 13 septembre 1993, p. 180.

QUESTIONS

Pourriez-vous réussir chez IDEO ? Cet environnement de communication correspond-il à votre style de leadership ? Trouveriez-vous la confusion et l'ambiguïté de ce milieu exaltantes ou frustrantes ?

les organisations fortement cloisonnées, les services et divisions ont tendance à communiquer plus à l'interne qu'à l'externe. Ils tendent aussi à protéger leur territoire et à garder pour eux l'information plutôt qu'à la communiquer. Cela va précisément à l'encontre de ce que les organisations d'aujourd'hui ont besoin, c'est-à-dire d'une information précise, à jour et communiquée à tous les travailleurs.

Au sein d'une organisation, les employés doivent pouvoir communiquer d'un service à l'autre en franchissant ces frontières fonctionnelles ; ils doivent demeurer à l'écoute des besoins des autres services, comme si ces derniers étaient des « clients internes ». Dans les organisations les plus efficaces, la communication horizontale s'intègre à la structure organisationnelle sous la forme de comités, d'équipes et de groupes de travail interservices ou par l'adoption d'une structure matricielle. En outre, on s'intéresse de plus en plus à l'*écologie organisationnelle*, c'est-à-dire à la façon dont l'architecture et l'aménagement des lieux favorisent la communication et la productivité, notamment en améliorant la communication horizontale.

DU CÔTÉ DE LA RECHERCHE

Comportement de la direction et parole des employés : la porte est-elle vraiment ouverte ?

Aujourd'hui, la volonté de tous les membres d'une équipe de donner leur avis et de formuler des idées concernant des méthodes de travail fondamentales est l'un des éléments déterminants d'un apprentissage couronné de succès dans divers types d'équipes. Cependant, malgré cet « impératif d'apprentissage », nombreux sont ceux qui travaillent dans un milieu où ils ne se sentent pas à l'aise de s'exprimer librement. Pour examiner cette question, James Detert et Ethan Burris ont mené une recherche sur la parole des employés, qu'ils définissent comme « la transmission discrétionnaire d'une information visant à améliorer le fonctionnement de l'organisation à une personne faisant partie de l'organisation et ayant le pouvoir d'agir, et ce, même si l'information peut remettre en question le statu quo de l'organisation et ébranler sa direction ».

Dans leur étude sur le comportement de la direction et la parole des employés, les deux chercheurs ont constaté qu'une attitude positive de la direction n'est pas suffisante, à elle seule, pour que la parole des employés se fasse entendre. Si elle veut réellement encourager les employés à prendre la parole, la direction doit se montrer prête à apporter des changements et à agir en tenant compte des commentaires des subordonnés. Bien que les comportements transformateurs de la direction soient positivement liés à la parole des employés, ce sont les comportements d'ouverture qui envoient le signal le plus fort et le plus clair indiquant que cette parole sera bien accueillie. Ces derniers sont importants, car ils créent une atmosphère de confiance dans laquelle les employés peuvent exprimer leurs opinions sans crainte. En conclusion, les auteurs affirment que les signaux envoyés par la direction constituent l'élément clé qui permet aux employés d'évaluer les avantages et les inconvénients possibles liés à l'expression de leurs suggestions.

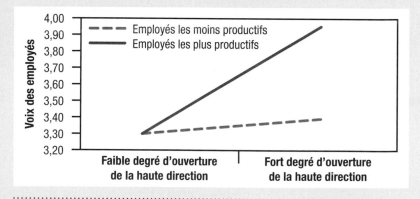

Source : D'après J. Detert et E. Burris, « Leadership Behavior and Employee Voice : Is the Door Really Open ? », *Academy of Management Journal*, vol. 50, n° 4, 2007, p. 869-884.

La parole et le silence

La décision de parler (c'est-à-dire de faire face aux situations) plutôt que de demeurer silencieux est connue comme étant la **parole**[22]. Les employés prennent la parole lorsqu'ils partagent des idées, des renseignements, des suggestions ou des préoccupations avec les paliers supérieurs de l'organisation. La parole est importante parce qu'elle aide à améliorer la prise de décision et améliore la capacité de réaction dans un milieu professionnel dynamique. Elle favorise aussi le rendement d'une équipe en encourageant ses membres à verbaliser leurs préoccupations s'ils considèrent que l'équipe n'a pas tous les renseignements nécessaires ou qu'elle prend une mauvaise orientation – ce qui permet de corriger les problèmes avant qu'ils ne s'aggravent[23].

Malgré cela, de nombreux employés préfèrent demeurer silencieux plutôt que de prendre la parole[24]. Le **silence** se produit lorsque des employés choisissent de ne pas partager des données qui pourraient être précieuses. La recherche montre que deux principaux facteurs influent sur le choix de prendre la parole ou de demeurer silencieux. Le premier est l'*efficacité perçue* de la parole, c'est-à-dire la conviction de l'employé que son opinion aura un effet. Si l'efficacité perçue est faible, l'employé se dira : « Pourquoi m'en soucier ? Personne ne va écouter et rien ne changera. »

Le deuxième facteur est le *risque perçu*. Un employé sera moins susceptible de parler à son supérieur s'il croit que cela risque de miner sa crédibilité ou de nuire à ses relations. Conformément à l'effet « motus », de nombreux employés cachent délibérément des renseignements à ceux qui occupent des postes de responsabilité, car ils craignent des conséquences négatives telles qu'une mauvaise évaluation du rendement, l'attribution de tâches indésirables ou même le congédiement.

Les employés sont plus susceptibles d'opter pour le silence dans des structures fortement hiérarchisées ou bureaucratiques, ou lorsqu'ils travaillent dans un climat de peur. Les organisations devraient donc créer des milieux qui sont ouverts et favorables à la parole. Les canaux officiels permettant aux employés de fournir des renseignements, tels que les lignes d'assistance, les procédures de grief et les boîtes à suggestions, sont aussi utiles.

Parole
Fait, pour les employés, de parler pour partager des idées, des renseignements, des suggestions ou des préoccupations avec les échelons supérieurs d'une organisation

Silence
Fait, pour les employés, de ne pas partager des données qui pourraient être précieuses

La communication dans les contextes relationnels

Une grande partie du travail effectué dans les organisations se déroule dans un contexte relationnel. Étonnamment, même si la plupart des gens passent leur vie à se lier et à maintenir des relations, beaucoup ne savent pas ou n'ont pas appris à entretenir des relations de bonne qualité. Souvent, on pense que l'évolution des relations est le fruit du hasard et lorsqu'elles évoluent mal, on a tendance à blâmer l'autre. On se dit alors : « Il y a quelque chose qui ne va pas chez cette personne » ou « Impossible de faire

Lorsque les relations avec d'autres personnes évoluent mal, on a tendance à blâmer celles-ci plutôt que soi-même.

affaire avec elle ». Mais les relations, ça se gère, et bien plus qu'on ne le pense. En fait, la bonne gestion des relations dépend largement de la communication dans les contextes relationnels.

Le développement des relations

Mise à l'épreuve relationnelle

Processus par lequel une personne A fait des divulgations à une personne B qui s'en forge une opinion et qui attribue certaines caractéristiques à la personne A basées sur les divulgations qui lui ont été faites

Divulgation

Dévoilement ou révélation sur soi-même fait à une autre personne

Les relations évoluent selon un processus de **mise à l'épreuve relationnelle**. Une relation commence lorsqu'une personne fait une **divulgation** – un dévoilement ou une révélation sur soi-même – à une autre personne. Un exemple de divulgation très répandue est de révéler à une personne ce qu'on aime ou n'aime pas.

Lorsqu'une divulgation est faite, l'autre personne commence déjà à se forger une opinion. Si elle partage les goûts exprimés, les deux personnes éprouvent alors un sentiment d'attachement ou d'affection l'une pour l'autre. Si elle ne partage pas les goûts exprimés, il n'y a pas de lien favorable et la relation demeure distante.

Une divulgation plus profonde est une révélation plus personnelle, comme un détail intime de l'histoire personnelle d'une personne. Généralement, les divulgations plus profondes ne sont appropriées que dans les relations bien établies, une fois que les personnes se connaissent bien et se font confiance. Des divulgations profondes faites trop tôt peuvent faire dérailler le processus et miner le développement d'une relation bénéfique.

Dans le processus de mise à l'épreuve relationnelle, qui est séquentiel, il s'agit de l'étape active du « marquage de points ». Si l'épreuve est réussie, la relation progresse et les divulgations deviennent plus révélatrices. Si l'épreuve échoue, les personnes redeviennent plus réservées, et les interactions peuvent même prendre une tournure négative. Ce processus est très similaire au jeu bien connu de serpents et échelles (**figure 13.5**). Lorsque les mises à l'épreuve relationnelles se déroulent bien, elles agissent comme des échelles, faisant passer la relation à un niveau supérieur. Quand, au contraire, il y a des atteintes relationnelles, celles-ci agissent comme des serpents, faisant rétrograder la relation à un niveau inférieur.

On perçoit très bien les mises à l'épreuve relationnelles dans la formation d'un couple. Au début d'une relation, vous faites des divulgations à l'autre personne et surveillez sa réaction. Vous écoutez aussi ce que l'autre vous divulgue. Lorsque les choses vont bien, vous découvrez que vous avez beaucoup de choses en commun : vous appréciez l'interaction et vous aimez ce que l'autre personne vous dit. Cela vous incite alors à faire des divulgations plus profondes. Lorsque les choses ne vont pas bien et qu'une des deux personnes ne passe pas l'épreuve, un malaise s'installe et les interactions peuvent devenir difficiles.

Comme on a appris à être polis, il peut parfois être difficile de déterminer comment la relation évolue si les personnes dissimulent leurs véritables sentiments et leurs réactions. Dans le milieu professionnel, on se livre à des mises à l'épreuve (et, par conséquent, on se forge des opinions) constamment et sans même y penser. On ne le fait pas dans une intention précise, c'est un aspect inhérent aux interactions entre les humains. Il arrive donc souvent qu'on se forge une opinion sur la base d'une information futile ou lacunaire.

L'essentiel est de comprendre que de nombreux processus de mise à l'épreuve relationnelle se produisent constamment autour de vous. Par conséquent, si vous souhaitez mieux gérer vos relations, vous devez comprendre le déroulement de ce processus et prendre conscience du moment où ces épreuves se déroulent. Lorsque cela se produit, vous devez porter attention au processus afin de le gérer de manière plus efficace. Cela ne signifie pas d'être malhonnête ou de faire semblant; en fait, faire semblant serait la meilleure façon d'échouer à l'épreuve! Cela veut plutôt dire d'interagir prudemment avec les personnes avec qui vous n'avez pas encore de relation établie (par exemple, un nouveau patron).

FIGURE **13.5** Le processus de mise à l'épreuve relationnelle

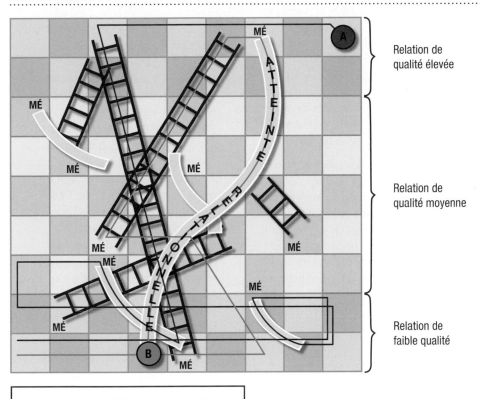

Relation de qualité élevée

Relation de qualité moyenne

Relation de faible qualité

A : Relation mise à l'épreuve avec succès
B : Relation fragilisée par de lourdes atteintes
MÉ : Mise à l'épreuve

Le maintien des relations

Lorsqu'une relation est établie, le processus de mise à l'épreuve emprunte une forme différente. Il passe de la mise à l'épreuve active à la surveillance des atteintes relationnelles[25]. Une **atteinte relationnelle** est une violation de la «limite» du comportement acceptable dans une relation. Cette limite varie selon la nature de la relation. Dans un mariage, l'infidélité constitue généralement une violation de la limite. Dans une relation gestionnaire-subordonné de grande qualité, un abus de confiance est une violation de la limite. Dans une relation gestionnaire-subordonné de faible qualité, une offense plus sérieuse, comme un sabotage ou une grave erreur au travail, constituera une violation de la limite. En fait, à cette étape, le processus de mise à l'épreuve n'est plus actif ou constant au fil des interactions; il ne se réactive que s'il y a atteinte[26].

Atteinte relationnelle
Violation de la «limite» du comportement acceptable dans une relation

Accepter un peu de discorde au sein d'une équipe

Apparemment, l'étoile du basketball Michael Jordan n'adhère pas au populaire cri de ralliement «Tous pour un et un pour tous». Après tout, n'a-t-il pas déjà dit, «*je suis responsable de la victoire*». Qu'en est-il? Michael Jordan suggérait qu'un athlète de son calibre ou une personne brillante n'a pas toujours à se soumettre à l'équipe. Au contraire, ce serait plutôt à l'équipe de se mettre au service de ses talents pour que tous puissent briller.

Dans son livre *There Is an I in Team : What Elite Athletes and Coaches Really Know About High Performance* (Harvard Business Review Press, 2012), Mark de Rond, professeur de Cambridge, s'inspire de l'univers du sport pour améliorer le travail d'équipe dans le monde des affaires.

Il remarque que les métaphores sportives sont très présentes au travail. On parle de «poids lourds» ou on demande aux collègues de «prendre le relais». Mais contrairement à ce que Michael Jordan affirmait, le véritable travail d'équipe est dominé par une quête de coopération, peut-être au prix d'inévitables frictions. Ce qui peut nuire au rendement.

Mark de Rond et Richard Hackman de l'Université Harvard s'inquiètent du fait que l'harmonie entre collègues, plutôt que le bon rendement, devienne parfois l'objectif prioritaire dans les équipes. Hackman précise que le problème est particulièrement aigu lorsque la quête d'harmonie amène les membres hautement talentueux à «autocensurer» leur contribution.

Selon Mark de Rond, «lorsque les équipes travaillent bien, c'est *en raison*, et non pas *en dépit*, des différences individuelles». Plutôt que d'essayer de les éviter ou de les atténuer, il faut trouver des façons de concilier ces différences dans les équipes. Si les grandes vedettes suscitent des conflits, il peut en résulter une créativité accrue et un surplus de rendement qui n'existeraient pas autrement. Plutôt que d'essayer de faire plaisir à tout le monde, il est peut-être temps que les gestionnaires et les chefs d'équipe acceptent qu'une certaine part de discorde puisse être bénéfique. Une légère tension au sein d'une équipe pourrait être le prix à payer pour obtenir le plein apport d'une personne aux talents exceptionnels.

QUESTIONS

Supposons qu'il y ait une grande vedette dans votre équipe. Est-ce que cela signifie que sa piètre participation au travail d'équipe et son mauvais caractère devraient être pardonnés? Y a-t-il un seuil au-delà duquel le talent d'une vedette surpasse tous les éléments négatifs qu'elle peut apporter à l'équipe? Est-ce que Mark de Rond a tout simplement tort sur cet aspect du travail d'équipe? Où se trouve la démarcation entre la véritable contribution au rendement de l'équipe et l'incidence négative causée par un tempérament difficile et des conflits de personnalités? Compte tenu de ce qu'on sait à propos des équipes et de votre expérience personnelle, devrait-on tenter de satisfaire les grandes vedettes ou simplement en faire fi?

Tant qu'il n'y a pas atteinte, les personnes interagissent dans le contexte des limites relationnelles, et la relation se déroule bien. Toutefois, lorsqu'il y a atteinte, la mise à l'épreuve relationnelle reprend de plus belle. Si la relation survit à l'atteinte – certaines n'y survivent pas –, elle est alors de qualité inférieure ou même dans un état négatif. Pour se maintenir, elle devra passer par une réparation relationnelle.

Réparation relationnelle
Actions pour retourner la relation à un état positif

La **réparation relationnelle** suppose des actions visant à rétablir l'état favorable de la relation. Elle constitue aussi un processus de mise à l'épreuve, mais, cette fois, dans le but de rebâtir la relation ou d'en rétablir la qualité. Par exemple, un abus de confiance peut être réparé par des excuses sincères, suivies d'actions montrant que la personne peut, de nouveau, être digne de confiance. Un manque de respect professionnel peut être réparé par des démonstrations claires de compétence professionnelle.

Dans la plupart des cas, la réparation relationnelle nécessite une communication efficace. Comme vous pouvez l'imaginer, tout le monde ne possède pas cette aptitude, et ceux qui la possèdent l'utilisent souvent de façon intuitive, c'est-à-dire sans en être conscients. Les *principes de la communication collaborative*, présentés dans la prochaine section du chapitre, sont un ensemble de principes utiles à la fois pour la réparation relationnelle et pour établir de bonnes relations.

Lorsqu'un abus de confiance ou un manque de respect vient ternir une relation, une communication d'une grande efficacité est nécessaire pour espérer une réparation.

Les principes de la communication collaborative

1. Se concentrer sur le problème et non sur la personne. Ne pas dire «Tu es mauvais», mais plutôt «Ta conduite est mauvaise».

2. Se concentrer sur la résolution conjointe du problème. Ne pas dire «Nous n'avons pas atteint nos objectifs ce trimestre-ci», mais plutôt «Discutons ensemble des solutions pouvant être mises en place pour améliorer la situation et atteindre nos objectifs le trimestre prochain».

3. Préciser et décrire, au lieu de rester général et vague. Éviter de dire «jamais» ou «toujours». Par exemple, «Tu ne m'écoutes jamais…»

4. S'approprier la communication au lieu de rapporter les propos de quelqu'un d'autre. Dire «Je pense que nous devons changer», plutôt que «La direction nous demande de changer».

5. Rester cohérent. Faire correspondre les paroles et le langage corporel. Ne pas affirmer «Je ne suis pas fâché» si le langage corporel exprime la colère.

Les principes de la communication collaborative

Les **principes de la communication collaborative** portent sur la résolution commune de problèmes dans le but de résoudre les difficultés relationnelles ou de s'attaquer aux comportements qui posent problème avant qu'ils ne prennent de l'ampleur et constituent des atteintes relationnelles[27].

Le principal objectif de la communication collaborative est d'éviter les attitudes défensives et le démenti. Une personne adopte une **attitude défensive** lorsqu'elle a l'impression qu'on l'attaque et qu'elle doit se défendre. Si votre interlocuteur commence à se fâcher et devient agressif, c'est probablement qu'il est sur la défensive. Par ailleurs, une personne oppose un **démenti** lorsqu'elle a l'impression qu'on met sa valeur en doute. Dans ce cas, elle se retire de la conversation ou commence à se vanter pour essayer de se mettre en valeur.

Principes de la communication collaborative
Dans le processus de communication, ensemble de règles qui favorisent la résolution commune de problèmes

Attitude défensive
Attitude qu'adopte une personne lorsqu'elle a l'impression qu'on l'attaque et qu'elle doit se défendre

Démenti
Attitude qu'adopte une personne lorsqu'elle a l'impression qu'on met en doute sa valeur

Les relations tendues sont particulièrement sujettes aux problèmes d'attitude défensive et de démenti. Par conséquent, lors de situations de réparation relationnelle, il est encore plus important de surveiller et de désamorcer l'attitude défensive et le démenti. On peut le faire en arrêtant la conversation ou en la réorientant dès que ces attitudes surgissent.

Le principe primordial à respecter en matière de communication collaborative est de *se concentrer sur le problème et non sur la personne* à laquelle on s'adresse. Si vous mettez l'accent sur la personne, sa réaction la plus probable sera de se mettre sur la défensive et de démentir. Un bon truc est de commencer vos phrases par «je» plutôt que par «tu». Les énoncés en «tu» ont le même effet que de pointer du doigt : «Tu as bousillé la commande que je t'ai envoyée» ou «Tu m'as fait perdre ma concentration au cours de la réunion». Avec un énoncé en «je» et en mettant l'accent sur le problème, on dira plutôt : «J'ai eu un problème avec ma commande l'autre jour, et j'aimerais t'en parler pour voir ce qui s'est passé» ou «J'ai perdu ma concentration l'autre jour à la réunion quand j'ai été interrompu et j'ai eu du mal à continuer ma présentation».

Le deuxième principe est de vous concentrer sur un problème sur lequel vous et votre interlocuteur pouvez intervenir. L'accent doit être mis sur une *résolution conjointe de problème*. Cela signifie que la formulation du message doit se concentrer sur le problème que vous avez en commun et sur la façon dont vous pouvez travailler ensemble pour le régler à votre avantage à tous deux. À ce point de la conversation, il est utile de dire à l'autre personne que vous vous souciez d'elle ou de votre relation, et il est important que cette personne ait confiance en vos motivations. Si votre interlocuteur perçoit que vous ne pensez qu'à vous ou que vous voulez l'attaquer, la conversation sera rompue. Par exemple : «J'aimerais discuter avec toi pour voir comment nous pouvons gérer le budget de manière plus efficace et éviter les problèmes à l'avenir», plutôt que «Tu as dépassé le budget et, maintenant, je dois réparer tes dégâts».

Les autres principes vous aident à bien choisir vos mots afin que la conversation soit plus efficace. Par exemple, vous devriez être *spécifique* et *ne pas généraliser*, et être *objectif* et *ne pas juger*. Être spécifique et ne pas généraliser signifient de ne pas utiliser des mots comme *jamais* ou *toujours*. Ces mots sont faciles à contredire ; l'autre personne vous répondra tout simplement «Ce n'est pas vrai». Essayez de demeurer centré sur les faits et objectif. Plutôt que de dire «Tu ne m'écoutes jamais», dites «L'autre jour, lors de la réunion, tu m'as interrompu trois fois, et après j'ai eu du mal à faire passer mon message».

En outre, selon les principes de la communication collaborative, il faut aussi *s'approprier la communication* et s'assurer d'*être cohérent*. S'approprier la communication signifie d'assumer ce qu'on affirme plutôt que de l'imputer à quelqu'un d'autre. Un gestionnaire qui dit «L'entreprise nous demande de mieux documenter nos heures de travail» envoie un message plus faible que celui qui dit «Je crois qu'une meilleure documentation de nos heures de travail nous aidera à être plus efficaces dans l'exploitation de notre entreprise». Être cohérent signifie de faire correspondre nos paroles (verbal) à notre langage corporel (non verbal). Si vous dites «Non, je ne suis pas fâché», mais que votre langage corporel démontre de la colère, vous n'êtes ni honnête ni franc. L'autre personne le constatera ; elle sera moins ouverte et s'investira moins dans la conversation.

L'écoute active

Les principes de la communication collaborative mettent en évidence l'importance de l'**écoute active**. Tout comme la communication collaborative, l'écoute active met l'accent sur la résolution de problèmes, mais cette fois dans le but d'aider l'autre personne à exprimer ce qu'elle veut vraiment dire. Par exemple, l'écoute active est souvent utilisée par les psychologues avec les clients qui viennent les consulter. Il s'agit alors pour le professionnel d'aider son client à résoudre des problèmes qui ont trait à des émotions, à des attitudes, à une absence de motivation, à des troubles de la personnalité, et ainsi de suite. Pour que la relation d'aide soit efficace, le psychologue doit maintenir la discussion centrée sur son client et ses problèmes.

Écoute active
Façon d'écouter qui aide l'émetteur d'un message à exprimer ce qu'il veut vraiment dire

Lorsqu'on fait diversion, on risque de passer pour quelqu'un qui n'est pas intéressé par ce qui est dit ou qui est trop préoccupé pour écouter.

L'erreur la plus répandue quand on pratique cette écoute est de passer trop vite aux conseils ou de recentrer la conversation sur soi. Un bon principe à retenir lors de l'écoute active est la célèbre phrase de Mme de Sévigné : « L'homme a deux oreilles et une bouche pour écouter deux fois plus qu'il ne parle[28]. » Lorsque vous pratiquez l'écoute active, votre objectif est de braquer le projecteur sur l'autre personne et de l'aider à s'investir dans l'analyse de sa propre conduite et la résolution du problème efficace.

Les types de réponses émergeant du processus d'écoute

- **Reflet.** Paraphraser ce que l'autre a dit, le résumer ou encore lui poser une question pour s'assurer d'avoir bien compris.
  > « Tu étais contrarié en raison de la façon dont ton gestionnaire t'a traité. »
  > « Si je t'ai bien compris, tu étais contrarié en raison de la façon dont ton gestionnaire t'a traité ? »

- **Questionnement.** Demander d'approfondir, de préciser ou de répéter, au besoin.
  > « Pourquoi penses-tu que tu étais si contrarié par la façon dont ton gestionnaire t'a traité ? »
  > « Est-ce que quelque chose d'autre t'a contrarié ? »

- **Diversion.** Passer à un autre sujet.
  > « Je sais. Ça m'arrive tout le temps. »
  > « As-tu su ce qui était arrivé à Raymond l'autre jour ? »

- **Conseil.** Dire quoi faire à quelqu'un.
  > « Tu dois régler ça tout de suite. »
  > « Parle au gestionnaire et dis-lui que tu n'endureras plus ça. »

Il est important de distinguer les divers types de réponses pouvant émerger du processus d'écoute active afin de pouvoir choisir celle qui est adaptée à la situation. D'emblée, précisons que l'écoute active repose davantage sur le *reflet* et le *questionnement* que sur le *conseil* et la *diversion*. Le reflet et le questionnement amènent des réponses de type « ouvertes » qui encouragent l'autre à élaborer et à pousser sa réflexion. Le conseil et la diversion amènent plutôt des réponses de type « fermées » qui ne devraient être utilisées que rarement et à la fin de la conversation plutôt qu'au début[29].

Reflet
Dans le processus d'écoute active, réponse qui consiste à paraphraser ce que l'interlocuteur a dit, à résumer ses propos ou encore à lui poser une question pour s'assurer d'avoir bien compris

Le **reflet** consiste à paraphraser ce que l'autre a dit, à en faire le résumé ou encore à lui poser une question pour s'assurer d'avoir bien compris. Le reflet permet de démontrer qu'on écoute vraiment et de donner une chance à l'interlocuteur de corriger toute incompréhension.

Questionnement
Dans le processus d'écoute active, réponse qui consiste à demander à l'émetteur d'approfondir, de préciser ou de répéter au besoin

Le **questionnement** consiste à demander des renseignements additionnels. Dans ce type de réponse émergeant du processus d'écoute, on doit faire attention aux types de questions posées afin de ne pas s'ériger en juge (par exemple, « Comment as-tu pu faire ça ? »). On ne doit pas, non plus, changer de sujet avant que le sujet en discussion soit réglé. Un questionnement efficace porte sur ce que l'émetteur a exprimé précédemment et lui demande d'approfondir, de préciser ou de répéter au besoin.

Diversion
Dans le processus d'écoute, réponse qui consiste à passer à un autre sujet de conversation

La **diversion** consiste à passer à un autre sujet. Lorsqu'on fait diversion, on risque de passer pour quelqu'un qui n'est pas intéressé par ce qui est dit ou qui est trop préoccupé pour écouter. Il est fréquent qu'on fasse dévier involontairement une conversation en partageant ses propres expériences. Même si on pense alors aider l'interlocuteur en lui faisant savoir qu'il n'est pas seul, la communication peut être inefficace si on dirige la conversation sur soi. Les personnes qui écoutent le mieux sont celles qui évitent le plus possible de faire diversion[30].

Conseil
Dans le processus d'écoute, réponse qui consiste à dire quoi faire à son interlocuteur

Le **conseil** consiste à dire quoi faire à quelqu'un. C'est une réponse fermée parce qu'habituellement, lorsqu'on dit à quelqu'un quoi faire, la conversation prend fin. Bien qu'on croie aider les autres en les conseillant, il peut arriver qu'on les heurte en transmettant un message de supériorité plutôt que d'égalité. Les personnes qui écoutent le mieux sont celles qui s'efforcent de maîtriser leur désir de conseiller ; si l'autre leur demande un conseil, elle le donne dans une optique de soutien et sans afficher une suffisance déplacée.

La rétroaction constructive

Dans la plupart des organisations, la rétroaction est plutôt insuffisante que surabondante, en particulier lorsque le message est négatif, car les gens appréhendent la façon dont ce dernier sera reçu ou craignent de provoquer des émotions qu'ils ne sont pas préparés à affronter. Des paroles qui se veulent polies et prévenantes peuvent être perçues comme désagréables et même hostiles. Ce risque est particulièrement présent pendant le processus d'évaluation du rendement. Un gestionnaire ne doit pas se contenter de rédiger une évaluation du rendement et de la verser au dossier de l'employé. Pour contribuer au perfectionnement de celui-ci, il doit procéder à une rétroaction pertinente sur les résultats de son évaluation, faite autant de louanges que de critiques.

Donner de la rétroaction

La rétroaction est essentielle à l'évolution des personnes. Par conséquent, il est très important de donner aux collègues et employés une **rétroaction constructive** et franche, et ce, de façon sensible et attentive. Cela leur permet de savoir ce qu'ils ont fait de bon et de moins bon, et ce qu'ils peuvent faire pour s'améliorer.

La **fenêtre de Johari** est un outil qui aide à comprendre sa relation avec soi-même et avec les autres (**figure 13.6**). Cette fenêtre montre qu'on sait des choses sur soi-même que les autres connaissent aussi («zone publique») et certaines que les autres ne connaissent pas («zone cachée»). Cependant, il y a aussi des choses sur soi-même qu'on ignore, mais que les autres connaissent: c'est la zone aveugle. Vous ne voyez pas ce qui est dans votre zone aveugle, mais les autres le voient. Comme vous pouvez l'imaginer, c'est un problème, car cela signifie que les autres sont au courant de certains éléments qui vous concernent, mais que vous ignorez! La seule façon de réduire sa zone aveugle est de porter attention à la rétroaction donnée par les autres; c'est la raison pour laquelle elle est si importante.

Rétroaction constructive
Rétroaction donnée d'une manière franche et positive afin d'aider l'autre à s'améliorer

Fenêtre de Johari
Outil qui aide à comprendre sa relation avec soi-même et avec les autres

FIGURE **13.6** **La fenêtre de Johari**

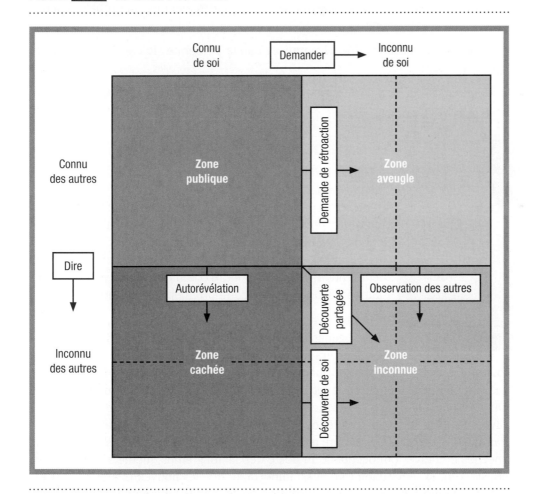

Malgré tout, donner de la rétroaction est sans doute l'une des activités qu'on évite le plus dans les organisations. Il pourrait en être autrement, car lorsqu'elle est formulée de la bonne façon, la rétroaction peut donner lieu à une expérience enrichissante. Elle aide à entretenir de solides relations et peut renforcer la confiance en soi. Tout comme pour la communication collaborative, vous devez tenir compte de certains principes importants lorsque vous donnez de la rétroaction[31] :

1. *Assurez-vous que la rétroaction est constructive.* Soyez positif et mettez l'accent sur l'amélioration.

2. *Donnez la rétroaction en temps opportun.* Donnez la rétroaction sans tarder afin que l'événement ou la situation en cause soient frais en mémoire.

3. *Préparez-vous.* Clarifiez ce que vous allez dire afin de vous concentrer sur le problème.

4. *Soyez spécifique.* Évitez les généralités, car vous ne ferez alors que semer le doute.

5. *Donnez la rétroaction en privé.* Ayez la discussion dans un endroit où l'autre se sentira à l'aise.

6. *Restez centré sur le sujet.* Tenez-vous-en au comportement ou au problème que la personne peut corriger.

7. *Exprimer votre soutien.* Ne démoralisez pas la personne; faites aussi valoir ses points positifs.

8. *Faites preuve de compassion.* Démontrez de la sollicitude et votre volonté d'aider la personne.

Obtenir de la rétroaction permet d'en apprendre davantage sur soi-même et donc de s'améliorer.

Demande de rétroaction
Expression du souhait d'obtenir de la rétroaction sur soi de la part des autres

Demander de la rétroaction

D'après la fenêtre de Johari, on ne devrait pas seulement donner de la rétroaction, *on devrait aussi en demander.* Obtenir de la rétroaction permet d'en apprendre davantage sur soi-même et de voir comment on est perçu par les autres. Dans les organisations, ceux qui **demandent de la rétroaction** montrent qu'ils souhaitent : (1) obtenir des renseignements afin d'accroître leur rendement ; (2) apprendre comment ils sont perçus par les autres ; (3) adapter leur comportement en conséquence[32].

Comme la rétroaction est porteuse d'émotions, les gens préfèrent généralement la demander quand ils se doutent qu'elle comportera des renseignements favorables. Mais ce n'est pas toujours le cas. Les personnes qui ont un degré élevé de confiance en soi sont plus susceptibles de demander de la rétroaction portant sur des problèmes de rendement, par exemple, même si elle peut se révéler négative. Dans ce cas, les gens préfèrent savoir ce qu'ils font de mal plutôt que de continuer à obtenir des résultats médiocres. Par ailleurs, la recherche montre que la demande de rétroaction devient moins forte chez les employés qui occupent un poste depuis longtemps, même si ces derniers considèrent la rétroaction tout aussi importante que les nouveaux employés. Cela pourrait vouloir dire que ceux qui sont en poste depuis longtemps se considèrent capables d'évaluer leur rendement par eux-mêmes[33].

Les personnes qui craignent qu'une rétroaction sur le rendement nuise à leur image sont plus susceptibles d'éviter la demande de rétroaction. Elles se privent ainsi des bienfaits qui en découlent. Un environnement sécuritaire, où les employés peuvent faire confiance aux autres et où ils ne sentent pas leur image ou leur ego menacé, peut aider à surmonter cet évitement[34].

Recevoir de la rétroaction

Le niveau de réceptivité de chacun peut aider à comprendre pourquoi différentes personnes réagissent à la rétroaction à leur manière propre. La **réceptivité** correspond à l'aptitude générale d'une personne à recevoir de la rétroaction. Les personnes qui font preuve d'une grande réceptivité sont capables de mieux contrôler et de surmonter leurs réactions émotives à la rétroaction. En outre, elles arrivent à éviter une erreur d'attribution qui est fréquente, soit l'effet de complaisance, qui consiste à rejeter le blâme sur les autres. Elles réussissent ainsi à profiter de la rétroaction pour établir des objectifs qui les aideront à améliorer leur rendement[35].

Réceptivité
Aptitude générale d'une personne à recevoir de la rétroaction

La réceptivité est fonction de quatre éléments:

- L'*utilité,* qui correspond à la conviction que la rétroaction est utile pour atteindre ses objectifs et obtenir les résultats désirés.

- La *responsabilisation,* qui correspond au sentiment d'avoir la responsabilité d'agir en fonction de la rétroaction reçue (par exemple «Je suis responsable d'utiliser la rétroaction pour améliorer mon rendement»).

- La *conscience sociale,* qui est la prise en considération de la perception qu'ont les autres de soi et la sensibilité à cette perception.

- Le *sentiment de compétence en matière de rétroaction,* qui est la compétence perçue par la personne concernant l'interprétation et la réponse adéquate à la rétroaction (par exemple «Je me sens en confiance lorsque je réagis à la rétroaction»)[36].

Les personnes qui font preuve d'une grande réceptivité sont plus susceptibles que les autres de demander de la rétroaction et d'entretenir de meilleures relations. Elles sont aussi plus susceptibles de recevoir de meilleures évaluations du rendement de la part de leurs gestionnaires. Toutefois, un des rôles importants des gestionnaires est d'améliorer le climat afin de favoriser la rétroaction constructive. Ils peuvent y parvenir en étant accessibles, en encourageant la demande de rétroaction de la part de leurs subordonnés et en donnant eux-mêmes constamment de la rétroaction de manière franche et positive[37].

Guide de RÉVISION

RÉSUMÉ

Quels sont les éléments clés du processus de communication interpersonnelle ?

- La communication est un processus d'émission et de réception de messages porteurs de sens.

- Le processus de communication comporte plusieurs étapes : l'encodage du message (traduction d'une idée ou d'une pensée en un ou plusieurs symboles par l'émetteur) ; la transmission du message par un canal de communication ; la réception du message et son décodage par le récepteur, qui lui attribue un sens.

- La rétroaction est, dans le processus de communication, le message de retour qu'adresse le récepteur d'un message à son émetteur, généralement pour l'informer de sa compréhension ou de son interprétation.

- On appelle « bruit parasite » toute perturbation qui interfère dans la transmission du message et gêne le processus de communication.

- La communication non verbale est la communication qui se fait par des moyens autres que la parole, notamment par l'expression du visage, le regard, la position du corps et les gestes.

- Lorsque la communication verbale et la communication non verbale ne sont pas en accord, le récepteur accorde plus d'attention à la communication non verbale, d'après les résultats de la recherche.

Quels sont les principaux obstacles à la communication ?

- Les barrières relationnelles, les sources de distraction environnementales, les problèmes sémantiques, les messages contradictoires, l'absence de rétro-action, les effets de la position hiérarchique et les différences culturelles sont sept grands types de bruits parasites qui peuvent faire obstacle à la communication.

- Les barrières relationnelles entravent la communication parce qu'elles empêchent le récepteur d'écouter en toute objectivité le message de l'émetteur, à cause de préjugés personnels ou d'un manque de confiance qui entraînent une écoute sélective et un filtrage de l'information.

- Les sources de distraction environnementales sont des obstacles à la communication qui viennent de l'environnement et qui causent des interruptions, comme les bruits, les visiteurs inattendus, etc.

- Les mauvais choix de mots ou les termes hermétiques et complexes constituent des obstacles sémantiques.

- Le message contradictoire, c'est-à-dire le décalage entre les mots que prononce un individu et ce que révèlent ses gestes et son langage corporel, brouille le processus de communication.

- En l'absence de rétroaction, il peut être difficile de savoir si le sens du message a été reçu sans erreur d'interprétation.

- Les effets de la position hiérarchique peuvent entraîner un filtrage de l'information et une limitation des communications entre les subordonnés et leurs supérieurs.

- L'esprit de clocher et l'ethnocentrisme constituent deux problèmes courants qui nuisent à une véritable communication entre les individus de cultures différentes, tout comme le fait qu'ils proviennent, pour les uns, d'une culture à contexte pauvre ou, pour les autres, d'une culture à contexte riche.

Qu'est-ce qui caractérise la communication dans les contextes organisationnels?

- La communication organisationnelle est le processus par lequel l'information circule et s'échange au sein de l'organisation.

- La communication au sein des entreprises passe par une variété de canaux formels et informels. La valeur du canal, c'est-à-dire sa capacité à transmettre efficacement l'information, doit être adaptée au message à envoyer.

- Dans les organisations, la communication de l'information peut être ascendante, descendante ou horizontale.

- La plus importante barrière à la communication horizontale est le cloisonnement administratif, soit le fait que les services et divisions soient isolés les uns des autres par de fortes démarcations.

- Par la parole, les employés partagent des idées, des renseignements, des suggestions ou des préoccupations avec les gestionnaires des paliers supérieurs de l'organisation ; la parole est favorisée lorsque les employés constatent que parler aura un effet réel sans conséquences regrettables pour eux.

Qu'est-ce qui caractérise la communication dans les contextes relationnels ?

- Les types de relations organisationnelles les plus répandus sont les relations entre gestionnaires et subordonnés, les relations entre collègues et les relations avec les clients.

- Les relations évoluent au cours d'un processus de mise à l'épreuve relationnelle ; les personnes font des divulgations et, si ces divulgations sont reçues de façon favorable, l'épreuve est réussie, et la relation se poursuit.

- Lorsqu'une relation est établie, elle passe des mises à l'épreuve à la surveillance des atteintes relationnelles ; l'atteinte relationnelle est une violation de la limite du comportement acceptable dans une relation. Cette limite varie selon la nature de la relation.

- La réparation relationnelle suppose des actions visant à remettre la relation dans un état favorable.

- Les principes de la communication collaborative aident à développer et à réparer les relations ; ils mettent l'accent sur la résolution conjointe d'un problème, tout en réduisant l'attitude défensive et le démenti.

- L'écoute active est conçue pour aider une autre personne à réfléchir à un problème ; elle repose davantage sur le reflet et le questionnement que sur le conseil et la diversion.

Pourquoi la rétroaction est-elle si importante ?

- La rétroaction est trop peu fréquente dans la plupart des lieux de travail.

- La rétroaction constructive permet à une personne de savoir ce qu'elle fait de bon et de moins bon, et ce qu'elle peut faire pour s'améliorer.

- La fenêtre de Johari révèle la nature de la zone aveugle, c'est-à-dire les choses à propos de soi-même qu'on ignore, mais que les autres connaissent ; la rétroaction aide les personnes à réduire leur zone aveugle.

- Lorsque la rétroaction est donnée de façon adéquate, elle peut être une expérience enrichissante, car elle aide à bâtir les relations et à renforcer la confiance en soi.

- La demande de rétroaction est le désir d'obtenir de la rétroaction des autres sur son comportement.

- La réceptivité correspond à l'aptitude générale d'une personne à recevoir de la rétroaction.

MOTS CLÉS

EXERCICE DE RÉVISION

MaBiblio > MonLab > Exercices
> Ch13 > Exercice de révision

Questions à choix multiple

1. Dans le processus de communication, _____ est un facteur qui interfère dans la transmission du message. **a)** le canal **b)** l'émetteur **c)** le récepteur **d)** le bruit parasite

2. Toute rétroaction donnée à un collègue ou à un employé devrait _____ **a)** être générale et non particulière. **b)** être communiquée au moment le plus propice pour l'émetteur. **c)** être positive et mettre l'accent sur l'amélioration. **d)** être donnée en public.

3. Quel est le canal le plus approprié pour la transmission d'un message complexe exigeant une réponse? **a)** La conversation face à face. **b)** La note de service. **c)** Le courriel. **d)** L'appel téléphonique.

4. Si les mots que prononce une personne sont contredits par les signaux non verbaux de son langage corporel, on est en présence _____ **a)** d'un message ethnocentrique. **b)** d'un message contradictoire. **c)** d'un problème sémantique. **d)** de l'effet de la position hiérarchique.

5. Les préjugés personnels sont un exemple _____ dans le processus de communication. **a)** de barrière relationnelle **b)** d'obstacle sémantique **c)** de distraction environnementale **d)** de message contradictoire

6. Le cloisonnement administratif _____ la communication horizontale. **a)** entrave **b)** rehausse **c)** n'influence pas **d)** favorise

7. _____ est un exemple de canal informel qui fait circuler de l'information au sein d'une entreprise. **a)** Le bouche-à-oreille **b)** La communication descendante **c)** L'effet «motus» **d)** La transparence

8. Les relations évoluent selon un processus _____ **a)** de sollicitation de rétroaction. **b)** de transmission de rétroaction. **c)** d'écoute active. **d)** de mise à l'épreuve relationnelle.

9. _____ font en sorte qu'une relation retourne aux processus actifs de mise à l'épreuve. **a)** Les atteintes relationnelles **b)** Les barrières interpersonnelles **c)** Les barrières sémantiques **d)** Les principes de la communication collaborative

10. L'un des problèmes de la communication électronique réside dans _____
    a) la difficulté à en saisir les aspects émotionnels. **b)** son caractère personnel.
    c) la lenteur dans le processus de transmission d'information. **d)** l'accès limité à
    l'information transmise.

11. Un gestionnaire qui souhaite favoriser la parole dans son service doit renforcer
    _____ **a)** la bureaucratie. **b)** la confiance. **c)** la hiérarchie. **d)** le bouche-
    à-oreille.

12. _____ démontre pourquoi la rétroaction constructive est si importante.
    a) La fenêtre de Johari **b)** Une mise à l'épreuve relationnelle **c)** L'écoute active
    d) La communication non verbale

13. Si une personne est déconcertée parce qu'elle ne comprend pas le mot que
    l'autre personne utilise, la communication souffre d'une barrière _____
    a) d'écoute. **b)** interpersonnelle. **c)** sémantique. **d)** culturelle.

14. L'écoute active repose essentiellement sur _____ **a)** le questionnement
    et le conseil. **b)** le reflet et le conseil. **c)** le reflet et le questionnement.
    d) le conseil et la diversion.

15. Le principal objectif de la communication collaborative est _____
    a) d'éviter les attitudes défensives et le démenti. **b)** de favoriser la parole.
    c) de réduire le silence. **d)** d'accroître la réceptivité à la rétroaction.

Questions à réponse brève

16. Pourquoi le concept de *valeur* du canal de communication peut-il être utile
    aux gestionnaires?

17. Quelle est la place des canaux de communication informels dans les
    organisations d'aujourd'hui?

18. Pourquoi y a-t-il souvent un filtrage de la communication et de l'information
    entre les paliers inférieurs et supérieurs de l'organisation?

19. Quels sont les différents types de réponses pouvant émerger du processus
    d'écoute? Qu'est-ce qui les distingue?

Question à développement

20. «Dans notre organisation, les gens ne se parlent plus. Tout le monde ne jure que par le courrier électronique. Si quelqu'un nous met en colère, nous lui expédions un courriel, bien à l'abri derrière notre ordinateur!» C'est en ces mots que Richard exprime sa frustration devant ce qui se passe chez Delta General. Sa collègue, Xiaomei, réagit à ses doléances: «Je suis d'accord avec toi. Mais le directeur général devrait pouvoir trouver le moyen d'améliorer la communication organisationnelle sans que nous renoncions pour autant aux avantages du courriel!» À titre de consultant, que conseilleriez-vous au directeur général pour l'aider à relever le défi que lui lance Xiaomei?

Le CO dans le feu de l'action

Pour ce chapitre, nous vous suggérons les compléments numériques suivants dans MonLab.

MaBiblio >
MonLab > Documents > Études de cas
> 6. Ça brasse à la succursale Sainte-Anne!
> 19. L'histoire du morse qui n'en savait pas assez
> 26. La financière First Community

MonLab > Documents > Activités
> 7. Signaux culturels
> 29. Écoute active
> 30. Évaluation d'un supérieur
> 31. Rétroaction à 360 degrés
> 34. Incursion dans l'inconnu

MonLab > Documents > Autoévaluations
> 12. Leadership transactionnel et leadership transformateur
> 13. Votre propension à la délégation

14

Les conflits et la négociation

Bien qu'on recherche autant que possible les situations de coopération et de colla-boration dans les organisations et les équipes, force est de constater que les conflits et la négociation jouent un rôle prépondérant dans la dynamique de tout groupe. Chacun doit être capable de les gérer de manière positive. Au sein d'une équipe de travail ou dans les relations interpersonnelles, lorsque la communication vacille ou que les tensions s'accentuent, un simple oui peut parfois débloquer une situation qui, autrement, aurait mené à un conflit ou entraîné une négociation difficile. Ce chapitre porte donc sur le conflit et la négociation, deux processus cruciaux en milieu organisationnel.

OBJECTIFS D'APPRENTISSAGE

Après l'étude de ce chapitre, vous devriez pouvoir :
- Expliquer les caractéristiques du conflit en milieu organisationnel.
- Distinguer les principales stratégies de gestion des conflits.
- Définir le processus de négociation en milieu organisationnel.
- Décrire les principales stratégies en matière de négociation.

PLAN DU CHAPITRE

Un oui
permet d'ouvrir
bien des portes.

Un incontournable de la collaboration : la gestion des conflits

Bien que la plupart des conflits se règlent en marge du groupe, entre les personnes concernées, certaines situations s'avèrent tellement difficiles qu'elles peuvent mettre la collaboration en péril. Du coup, le champion doit intervenir pour éviter le dérapage et remettre le projet sur ses rails.

À titre d'illustration, voici l'exemple d'une organisation qui, pour régler un important problème de chaîne logistique, a décidé de réunir ses gestionnaires de l'exploitation pour examiner de plus près l'ensemble des processus et pour mieux se coordonner. Premier constat : la situation était loin d'être reluisante. Plusieurs erreurs avaient été commises, ce qui avait entraîné des pertes de temps et des retards de livraison. L'enjeu consistait donc à explorer, au moyen d'un forum de collaboration, les façons dont l'entreprise pouvait devenir plus efficace en adoptant de meilleures pratiques.

Après quelques rencontres, un autre constat s'est imposé : la collaboration avait achoppé en raison d'un conflit personnel entre deux membres du groupe. Résultat : loin d'apporter les résultats escomptés, l'initiative piétinait, et le moral des troupes était au plus bas. Ces deux gestionnaires non seulement ne croyaient pas à une amélioration possible des processus mais se tenaient mutuellement responsables des ratés. Inutile de préciser qu'on est loin ici des objectifs visés par la collaboration, qui consistent à favoriser les conversations ouvertes et la transparence afin d'élaborer ensemble des solutions.

Devant ce cul-de-sac, la responsable du forum a décidé de prendre le taureau par les cornes et de procéder à une médiation. Pour faciliter l'ouverture et la confidence, elle a rencontré individuellement chacune des parties. Ces séances devaient lui permettre de déterminer la source du problème : de part et d'autre, les protagonistes se prêtaient de mauvaises intentions en s'imaginant notamment que l'autre désirait se servir du forum pour miner sa crédibilité et le prendre en défaut. Craignant de se faire blâmer pour les erreurs commises dans leur service respectif, les deux collègues avaient alors adopté une attitude défensive.

En présence de la responsable, les deux protagonistes se sont expliqués et se sont entendus sur une façon d'aborder les problèmes sans se blâmer mutuellement. Cette médiation devait leur permettre de se parler franchement et d'évacuer cette crainte réciproque qui faisait obstacle à des discussions constructives au sein du forum.

Une fois la situation « assainie », la responsable a repris les rencontres de groupe afin d'établir en commun des règles de fonctionnement pour déterminer les causes réelles des problèmes logistiques sans chercher de coupables. Le forum d'exploration a alors pu jouer son véritable rôle, et l'exercice s'est avéré bénéfique pour l'entreprise.

Pour les fins de l'histoire, précisons que ces deux collègues n'étaient pas d'entrée de jeu les meilleurs amis du monde et qu'ils se faisaient même concurrence pour obtenir les faveurs de la direction. Par conséquent, cet exemple démontre

> C'est un piège de présumer que les gens vont passer outre leurs conflits interpersonnels uniquement parce qu'une entreprise met un forum de collaboration sur pied.

clairement non seulement que certains différends ne se résorbent pas d'eux-mêmes mais que c'est un piège de présumer que les gens vont passer outre leurs conflits interpersonnels uniquement parce qu'une entreprise met un forum de collaboration sur pied.

Source : Jean Poitras, « Un incontournable de la collaboration : la gestion des conflits », reproduit avec la permission de *Gestion*, revue internationale de gestion, vol. 40, n° 3 (automne 2015), p. 82.

Le conflit en milieu organisationnel

Le travail quotidien des individus au sein des organisations repose incontestablement sur la communication et les relations interpersonnelles. Dans les milieux où on a établi une communication franche et où l'information circule librement, les conflits interpersonnels sont beaucoup moins nombreux qu'ailleurs. L'implicite et le non-dit peuvent entretenir les différends. Pour être en mesure de faire face à des situations professionnelles souvent difficiles et contraignantes, gestionnaires et salariés doivent posséder les compétences interpersonnelles essentielles à la collaboration[1].

Il y a **conflit** entre des individus ou entre des groupes lorsque surviennent des désaccords sur des questions de fond ou des frictions créées par des problèmes relationnels[2]. Les chefs d'équipe et leurs coéquipiers consacrent un temps considérable à gérer des conflits. Tantôt ils y sont directement mêlés et y prennent part en tant que protagonistes, tantôt ils interviennent à titre d'arbitres ou de médiateurs pour aider à les résoudre[3]. Dans les deux cas, ils doivent être solidement préparés. Pour que le conflit ne les prenne pas au dépourvu, ils doivent être capables de reconnaître les situations potentiellement conflictuelles et d'y réagir en répondant tant aux besoins de l'organisation qu'à ceux des différentes parties en cause[4].

Conflit
Désaccord entre des individus ou des groupes concernant des questions de fond ou frictions résultant de problèmes relationnels

Le conflit de fond et le conflit émotionnel

Au quotidien, tant en milieu organisationnel que dans la vie privée, le conflit peut se présenter sous la forme d'un conflit de fond ou d'un conflit émotionnel.

Le **conflit de fond** est un désaccord fondamental sur les objectifs à poursuivre ou sur les moyens de les atteindre[5]. Une dispute avec un patron au sujet d'un plan d'action, comme la stratégie de commercialisation d'un nouveau produit, en est un exemple. Lorsque des gens travaillent ensemble jour après jour, il est tout à fait normal qu'ils aient des divergences de vues sur diverses questions d'ordre professionnel : les objectifs du groupe ou de l'organisation, la répartition des ressources, l'attribution des récompenses, les orientations et les procédures, la répartition des tâches, etc. La plupart des gestionnaires doivent surmonter quotidiennement des conflits de ce genre.

Colère, méfiance, animosité, crainte, rancune : voilà un échantillon des sentiments qui peuvent surgir d'un conflit émotionnel.

Conflit de fond
Désaccord fondamental sur les objectifs à poursuivre ou sur les moyens de les atteindre

Conflit émotionnel
Problème relationnel qui se manifeste, notamment, par des sentiments de colère, de méfiance, d'animosité, de crainte et de rancune

Le **conflit émotionnel**, lui, tient à des problèmes relationnels qui se manifestent, notamment, par des sentiments de colère, de méfiance, d'animosité, de crainte et de rancune[6]. Combien de fois, par exemple, avez-vous entendu ce type de commentaires : « Je ne suis plus capable de travailler avec lui », « Je ne sais pas comment m'y prendre avec elle », « Même si tu me suppliais, jamais je ne me joindrai à lui pour un projet » ? Le conflit émotionnel, communément appelé « conflit de personnalités », peut drainer l'énergie des gens concernés et les détourner de leurs priorités professionnelles. Les conflits émotionnels peuvent survenir dans toutes sortes de situations, tant entre collègues qu'entre supérieurs et subordonnés.

Les divers niveaux de conflits

Contrairement à ce qu'on pourrait penser, les conflits en milieu de travail ne se limitent pas aux relations interpersonnelles, soit aux conflits entre deux ou plusieurs personnes. Les conflits en milieu de travail peuvent également se situer sur le plan de l'individu (conflit intérieur qui ne touche que lui), des relations entre des groupes au sein d'une organisation ou des relations entre des organisations. Il faut donc comprendre ces différents types de conflits, être préparé à les affronter et à les résoudre.

Conflit intrapersonnel

Déchirement intérieur découlant d'un choix qu'une personne doit faire ou déchirement intérieur d'une personne dû à l'incompatibilité, réelle ou perçue, entre ses attentes ou ses objectifs, d'une part, et les attentes qu'on entretient à son égard ou les objectifs qu'on lui fixe, d'autre part

Certains conflits ne concernent que la personne elle-même. On parle ainsi de **conflit intrapersonnel** lorsqu'une personne vit un déchirement intérieur découlant d'un choix qu'elle doit faire.

Plus précisément, on distingue généralement les trois formes suivantes de conflits intrapersonnels.

1. Le *conflit approche-approche*, dans lequel l'individu doit choisir entre deux possibilités tout aussi positives et alléchantes l'une que l'autre. Par exemple, il a le choix entre une promotion très intéressante et un poste des plus séduisants dans une autre organisation.

2. Le *conflit évitement-évitement*, dans lequel l'individu doit choisir entre deux possibilités tout aussi négatives et rebutantes l'une que l'autre. Par exemple, il a le choix » entre une mutation dans une ville qui lui déplaît et le licenciement pur et simple.

3. Le *conflit approche-évitement*, dans lequel l'individu est ambivalent quant à une possibilité qui comporte à la fois des aspects positifs et négatifs. Par exemple, il reçoit une offre pour un poste mieux rémunéré, mais dont l'acceptation entraînera des répercussions déplaisantes sur sa vie personnelle.

Le conflit intrapersonnel se manifeste également lorsqu'une personne vit un déchirement intérieur dû à l'incompatibilité, réelle ou perçue, entre ses attentes ou ses objectifs, d'une part, et les attentes qu'on entretient à son égard ou les objectifs qu'on lui fixe, d'autre part. Il s'agit, notamment, du conflit entre la personne et le rôle qu'elle doit tenir (voir chapitre 8).

Conflit interpersonnel

Conflit qui oppose deux individus ou plus

Le **conflit interpersonnel** oppose deux individus ou plus. Il peut s'agir d'un conflit de fond (par exemple entre deux cadres qui ne s'entendent pas sur l'embauche d'un candidat à un poste donné), d'un conflit émotionnel (par exemple entre deux travailleurs qui critiquent constamment leurs attitudes et leurs modes de vie respectifs et n'arrivent pas à travailler ensemble) ou d'une combinaison des deux. Le processus traditionnel d'évaluation du rendement par lequel le supérieur transmet son appréciation au subordonné, sans que ce dernier ait l'occasion de lui faire part de son propre examen, est aussi souvent propice à l'émergence d'un conflit interpersonnel sous ces deux formes. Le subordonné peut se demander ce que signifie une *performance médiocre* (conflit interpersonnel de fond). En outre, le subordonné peut se faire reprocher sa tenue vestimentaire ou son apparence

Le processus traditionnel d'évaluation du rendement par lequel le supérieur transmet son appréciation au subordonné est propice à l'émergence d'un conflit interpersonnel.

Combattre l'intimidation

On parle beaucoup d'intimidation à l'école depuis quelques années. Mais ceux qui ont intimidé leurs camarades, une fois dans le monde adulte, ne laissent pas tous tomber leur vilain comportement. Selon un sondage CROP réalisé pour l'Ordre des conseillers en ressources humaines agréés (CRHA), 29 % des travailleurs ont été témoins d'intimidation dans leur milieu de travail au cours de la dernière année.

Lorsqu'on demande aux répondants s'ils ont eux-mêmes été victimes d'intimidation, 42 % indiquent qu'ils en ont vécu au moins une fois au cours de leur carrière. Fait étonnant : ce chiffre grimpe à 50 % chez les travailleurs dont le revenu annuel du ménage dépasse 100 000 $.

« Dans un environnement de travail hautement compétitif, on encourage cette compétition entre les employés. Les gens expriment leur stress de différentes façons. On observe aussi que les intimidateurs au travail et leurs victimes sont les mêmes qu'à l'école », dit Florent Francoeur, président de l'Ordre des CRHA.

Nadia G. Michaud en sait quelque chose, elle qui a été intimidée pendant sept mois par son ancien directeur de succursale. « Il avait un comportement non éthique envers l'entreprise et me disait régulièrement : "Si tu me dénonces, je vais m'arranger pour que tu sois congédiée. Que je ne te voie jamais parler de cela au patron, sinon tu vas voir à qui tu as affaire." »

Heureusement pour elle, l'histoire s'est bien terminée. Le grand patron, à l'occasion d'une conversation téléphonique, lui a ouvert une porte afin qu'elle dise enfin la vérité. Elle a conservé son emploi, et le directeur a été congédié. Mais le patron était mécontent.

« De telles menaces sont inacceptables, mais j'aurais souhaité que tu m'en parles avant, car l'entreprise a perdu de l'argent à cause de ça », lui a-t-il dit. Mais Nadia n'avait pas osé.

« J'avais peur de ne pas être crue et d'être ridiculisée. Avec du recul, je pense que si je n'osais pas parler, c'est parce que je me sentais en quelque sorte inférieure à ces deux hommes, et je me sentais honteuse parce que je ne pouvais pas m'affirmer. Je vivais dans la peur de perdre mon emploi au lieu de penser à mon intégrité et à mon estime de soi, alors que j'aurais dû davantage me respecter », dit-elle. [...]

Toutefois, il existe encore des histoires qui se terminent mal quand le personnel en place connaît mal la loi, ou fait mal son travail, comme dans le cas de Carole M.

« Mon supérieur immédiat est venu trois fois piquer des colères dans mon bureau pour des raisons qui ne relevaient pas du tout de mes responsabilités, raconte-t-elle. La troisième fois, j'en ai parlé à la responsable des relations humaines, qui m'a répondu : "Ce que tu me dis n'est pas possible, c'est un bon gars ! Je pense que c'est lui qui a raison et que tu n'es pas la bonne personne pour ce poste." »

Carole a fini par perdre son emploi. Seule consolation : la responsable des ressources humaines a elle aussi été congédiée quelque temps plus tard... pour incompétence !

Selon le sondage CROP-CRHA, 30 % des répondants qui ont fait l'objet d'intimidation au cours de leur carrière se sont déjà absentés du travail pour cette raison. Mais l'intimidation peut aussi engendrer du présentéisme, c'est-à-dire le fait d'être présent au travail sans y être disposé.

« Je vivais beaucoup d'émotions négatives à cause de ma situation, et cela a eu un impact certain sur la qualité de mon travail, dit Nadia. Les employeurs devraient créer des liens de confiance avec les employés pour qu'ils sentent qu'ils ont le droit de s'exprimer et sachent qu'en cas de problème, ils seront écoutés. » [...]

Source : Caroline Rodgers (collaboration spéciale), « L'intimidation au travail se perpétue », *La Presse*, 5 septembre 2012.

QUESTIONS

L'intimidation est-elle inévitable en milieu de travail ? Comment faire face à ce fléau au Québec ? Quels sont les rôles et les responsabilités de l'organisation et des travailleurs ?

(conflit interpersonnel émotionnel). Finalement, mentionnons qu'une telle dynamique interpersonnelle peut aussi se manifester dans un processus de rétroaction à 360 degrés.

Conflit intergroupe
Conflit qui oppose deux groupes ou plus au sein d'une organisation

Le **conflit intergroupe** oppose deux groupes ou plus. Là encore, il peut s'agir d'un conflit de fond entre des équipes qui sont en compétition pour des ressources rares ou des récompenses convoitées, d'un conflit émotionnel entre des équipes dont les membres ont des problèmes relationnels ou d'une combinaison des deux. L'exemple classique de conflit intergroupe est celui qui oppose deux unités opérationnelles, comme le marketing et la production. Parfois, ces conflits émergent à cause d'une véritable divergence de vues, le marketing se concentrant sur les objectifs de vente et la production, sur les objectifs de rentabilité (conflit intergroupe de fond). D'autres fois, ces conflits tiennent à des problèmes relationnels. Ce sont alors des conflits de personnalités opposant, par exemple, des individus des divers services, égotistes, qui veulent paraître meilleurs que les autres dans certaines circonstances (conflit intergroupe émotionnel). Relativement fréquents dans les organisations, les conflits intergroupes peuvent rendre difficiles la coordination et l'intégration des tâches[7]. Le recours de plus en plus courant aux équipes interfonctionnelles et aux groupes de projet est l'un des moyens dont disposent les gestionnaires pour atténuer ce type de conflits et pour favoriser la communication horizontale.

Conflit interorganisationnel
Conflit qui oppose deux organisations ou plus

Le **conflit interorganisationnel** oppose deux organisations ou plus. Il s'agit souvent de concurrence et de rivalité entre des organisations dont les activités concernent les mêmes marchés. On n'a qu'à penser à la lutte constante que se livrent les entreprises canadiennes et leurs rivales étrangères. Cependant, loin de se réduire à cette concurrence interentreprise, le concept de conflit interorganisationnel s'étend, par exemple, aux litiges opposant les syndicats et les organisations qui emploient leurs membres, les organismes gouvernementaux de réglementation et les organisations qui leur sont assujetties, les organisations et leurs fournisseurs, ou certains groupes de pression et les organisations sur lesquelles ils cherchent à exercer de l'influence.

Le conflit constructif et le conflit destructeur

Les conflits en milieu organisationnel peuvent être déstabilisants, tant pour les protagonistes que pour leur entourage. Travailler dans un climat d'hostilité constante, où deux collègues sont à couteaux tirés ou deux équipes se livrent concurrence pour des ressources limitées, peut devenir très pénible. Cependant, comme le montre la **figure 14.1**, les spécialistes en CO considèrent que le conflit peut être tantôt constructif, tantôt destructeur.

Conflit constructif
Conflit qui a des retombées positives pour les individus, les groupes ou l'organisation

Le **conflit constructif** est celui qui a des retombées positives pour les individus, les groupes ou l'organisation. Un conflit peut être constructif dans les cas suivants : il permet de mettre au jour des problèmes qui, autrement, resteraient latents ; il pousse les parties à étudier de plus près une décision, voire à la reconsidérer pour vérifier que la bonne ligne de conduite est adoptée ; il augmente la quantité d'information dont disposent les décideurs ; il stimule la créativité et favorise l'amélioration du rendement individuel, du rendement de groupe ou du rendement organisationnel. Le gestionnaire efficace sait comment provoquer un conflit constructif dans les situations où l'acceptation du statu quo empêche les changements ou l'évolution qui s'imposent.

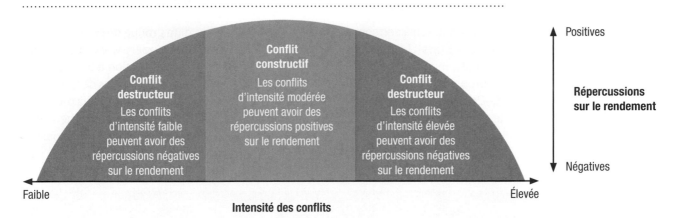

Au contraire, le **conflit destructeur** a des retombées négatives pour les individus, les groupes ou l'organisation. Il détourne les énergies, nuit à la cohésion du groupe, favorise les manifestations d'hostilité et, en général, crée un environnement néfaste pour les travailleurs. On en a l'exemple lorsque deux collègues n'arrivent pas à travailler ensemble à cause de divergences d'ordre personnel (conflit émotionnel destructeur) ou lorsque les membres d'un comité piétinent dans leur travail parce qu'ils ne parviennent pas à s'entendre sur les objectifs du groupe (conflit de fond destructeur). Des conflits de ces types-là risquent d'entraîner une diminution à la fois de la productivité et de la satisfaction professionnelle et peuvent même devenir des causes d'absentéisme et de roulement accru du personnel. Les gestionnaires doivent être à l'affût des conflits destructeurs et y réagir promptement afin de les enrayer ou, du moins, d'en atténuer les conséquences.

Conflit destructeur
Conflit qui a des retombées négatives pour les individus, les groupes ou l'organisation

La culture et les conflits

La société contemporaine présente de nombreux signes de détérioration des relations sociales : racisme, homophobie, âgisme, sexisme et ainsi de suite. D'une façon ou d'une autre, ces tensions découlent toutes de différences entre les gens. Voilà qui rappelle également le potentiel conflictuel important des différences culturelles.

Au chapitre 2, nous avons décrit les diverses dimensions d'une culture ; nous avons mentionné, notamment, les différences ayant trait à l'orientation temporelle, à la dimension individualisme-collectivisme ainsi qu'à la distance hiérarchique. Lorsqu'une personne issue d'une culture misant sur le court terme, comme celle des États-Unis, veut travailler avec une autre issue d'une culture misant sur le long terme, comme celle du Japon, le risque que surgissent des conflits est élevé. Il en va de même lorsque des « individualistes » travaillent avec des « collectivistes » ou lorsque des travailleurs issus d'une culture à distance hiérarchique élevée sont en relation professionnelle avec des travailleurs provenant d'une culture à distance hiérarchique faible[8].

Les personnes qui sont incapables d'accepter et de respecter l'influence de la culture sur le comportement peuvent contribuer à l'apparition de situations dysfonctionnelles et destructrices. Par contre, celles qui font preuve de sensibilité et de respect dans les relations professionnelles interculturelles trouvent des façons de travailler avec d'autres cultures sans trop de difficultés et savent même mettre à profit les avantages du conflit constructif.

Prêtez attention à ces commentaires de deux membres d'un groupe de projet conjoint France–États-Unis, chez Corning. « Un genre de magie s'opère », explique John Thomas, ingénieur de projet américain, pour décrire la collaboration à la résolution de problèmes entre les scientifiques européens et américains des centres de recherche de Corning. « Les Européens ont une pensée très créative, affirme-t-il, et ils prennent le temps de réfléchir au problème afin de proposer la meilleure solution théorique possible. Nous, Américains, avons davantage l'esprit pratique. Nous voulons passer

DILEMME : À CONSIDÉRER... OU À ÉVITER ?

Bloguer sur sa vie au travail

Il est facile et tentant de créer son propre blogue sur le web, de raconter ses expériences et ses impressions et de les diffuser en ligne. Alors, pourquoi s'en empêcher ?

Catherine Sanderson, citoyenne britannique qui vit et travaille à Paris, aurait dû se méfier avant de lancer son blogue, *La petite Anglaise*. Elle a connu un grand succès, atteignant à un certain moment 3 000 lecteurs. Mais, dans sa chronique en ligne, elle relatait aussi son expérience de travail. Or, son employeur, le bureau d'experts-comptables Dixon Wilson, n'a pas prisé cette publicité non sollicitée.

Bien que Mme Sanderson n'ait pas signé son blogue, elle avait affiché sa photo. Le lien n'était donc pas difficile à faire. Son employeur a mal pris ses nombreux commentaires sur ses patrons et ses collègues ainsi que sur la vie au bureau. Elle a par exemple écrit que l'un des chefs de service « appelle les secrétaires des dactylos ». Elle a raconté dans le détail la soirée de Noël, n'oubliant pas de mentionner que l'un des cadres supérieurs avait fait « un inoubliable faux pas ». Sous le titre « Titillations », elle a décrit par le menu le décolleté plongeant qu'elle avait arboré pendant une visioconférence au bureau.

Lorsque les faits ont été connus, Mme Sanderson a affirmé avoir été « *dooced* », terme qui signifie avoir été congédié pour des propos tenus dans un blogue. Elle a intenté une poursuite pour obtenir une compensation financière et réclamé le respect de ses droits, arguant que son blogue faisait partie du domaine privé. La cour lui a donné raison et ordonné qu'on lui accorde un an de salaire.

Source : Information tirée de « "Bridget Jones" Blogger Fire Fury », CNN.com, 19 juillet 2006.

QUESTIONS

Quelqu'un pourrait dire : « Supposons que vous travaillez pour une grosse entreprise et que vous rédigez anonymement la "Chronique d'un initié" pour le *Financial Times* dans vos moments de loisir. Vous attendriez-vous à autre chose qu'à votre congédiement si le pot aux roses était découvert ? » Quelqu'un d'autre pourrait rétorquer : « À quel moment l'influence qu'a votre employeur sur votre vie quotidienne cesse-t-elle ? » Partagez-vous le point de vue d'une de ces deux personnes ? Laquelle ? Quelles questions d'éthique un tel blogue soulève-t-il du point de vue du blogueur et de son employeur ? Quels sont exactement les droits des deux parties quand un blogueur rend publiques ses impressions et son expérience du travail ?

sans tarder à la mise au point d'une solution fonctionnelle. » Son partenaire du centre de Fontainebleau, en France, ajoute : « Nous, Français, sommes plutôt axés sur les idées et les concepts. Quand survient un blocage dans l'exécution de ce que notre esprit a conçu, nous sommes portés à abdiquer. Les Américains n'ont pas cette réaction. Ils accordent plus d'attention aux détails, aux processus et aux calendriers de travail. Ils veillent à être bien préparés et s'assurent que tous leurs collaborateurs participent au processus de planification afin de ne pas subir de retard. L'idéal demeure la combinaison des deux approches. C'est ainsi qu'on parvient finalement aux meilleurs résultats[9]. »

La gestion des conflits

Il existe bien des façons de réagir à un conflit, mais l'objectif primordial devrait toujours être de jeter les bases d'une véritable **résolution de conflit**, c'est-à-dire d'éliminer les causes sous-jacentes du problème. Les conflits non résolus ouvrent la voie à d'autres conflits de même nature. Ainsi, au lieu de nier leur existence ou de se contenter d'en supprimer temporairement les manifestations, il vaut souvent mieux s'attaquer de front aux conflits importants et les résoudre une fois pour toutes. Pour ce faire, il importe de bien connaître les phases du conflit, ses causes possibles et les stratégies directes et indirectes pour le gérer.

Résolution de conflit
Situation dans laquelle les causes sous-jacentes d'un conflit ont été éliminées

Les phases d'un conflit

La plupart des conflits comportent les quatre phases qu'illustre la **figure 14.2**[10] (p. 504). Tout d'abord, les *antécédents* du conflit sont les conditions propices à son apparition. Puis, lorsque celles-ci finissent par entraîner des différends sur des questions de fond ou des antagonismes d'ordre émotionnel, on entre dans la phase du *conflit perçu*. Notons que la perception d'un conflit peut n'être le fait que d'une des parties concernées.

Il est essentiel de distinguer la phase du conflit perçu de celle du *conflit ressenti*. Durant cette dernière, le conflit est ressenti comme une tension désagréable qui pousse à agir afin d'obtenir un certain soulagement. Pour qu'un conflit puisse être résolu, toutes les parties doivent percevoir son existence et ressentir le besoin d'agir.

Lorsque le différend s'exprime ouvertement, se traduit par des comportements, le conflit devient *manifeste*. À cette phase, on peut le *résoudre* en éliminant ses antécédents ou en y remédiant. On peut également le *supprimer* : il s'agit de faire disparaître ses manifestations, mais pas les conditions de son apparition, qui, elles, restent inchangées ; c'est donc uniquement un traitement de surface. Ainsi, il y a suppression du conflit lorsque l'une des deux parties décide d'oublier momentanément le désaccord qui l'oppose à l'autre. Ce n'est qu'une façon superficielle et la plupart du temps temporaire de « régler » le conflit.

En fait, le conflit supprimé et le conflit non résolu appartiennent à la même catégorie. Tous deux risquent de s'envenimer et d'engendrer d'autres problèmes du même ordre. Cependant, supprimer le conflit est parfois la meilleure solution à court terme pour le gestionnaire, du moins jusqu'à ce qu'il parvienne à modifier les antécédents en cause.

FIGURE **14.2** Les phases d'un conflit

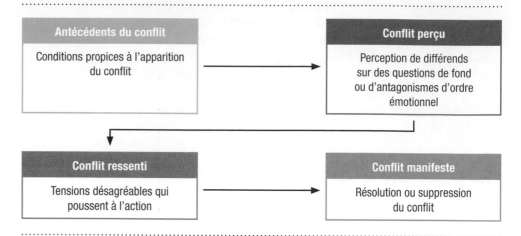

Par ailleurs, les conflits de fond non résolus peuvent entraîner des problèmes émotionnels d'envergure et dégénérer en conflits émotionnels destructeurs. À l'opposé, les conflits bien résolus peuvent faire place à des conditions favorables, qui limitent le risque de discordes ultérieures et facilitent la résolution de celles qui pourraient survenir. Le gestionnaire ne doit donc jamais perdre de vue les conséquences à long terme d'un conflit.

Les types de situations conflictuelles et leurs principales causes

Un processus efficace de gestion des conflits commence par une connaissance préalable des divers types de situations conflictuelles et suppose un diagnostic des causes du problème.

D'emblée, il faut reconnaître que les systèmes hiérarchiques qui caractérisent les organisations créent un terreau fertile à l'émergence de conflits. Ainsi, le *conflit vertical* oppose des personnes ou des groupes de niveaux hiérarchiques différents. Il se manifeste fréquemment par des litiges entre subordonnés et supérieurs à propos des ressources, des objectifs, des échéanciers ou des résultats en matière de rendement. Le *conflit horizontal*, quant à lui, voit s'affronter des personnes ou des groupes d'un même niveau hiérarchique. Leurs mésententes peuvent découler d'objectifs incompatibles, d'un manque de ressources ou de facteurs purement interpersonnels. Le conflit horizontal se manifeste souvent sous la forme d'un *conflit entre une unité opérationnelle et une unité fonctionnelle*, notamment lorsque les deux parties veulent s'approprier le pouvoir de trancher telle ou telle question concernant les budgets, les embauches, les congédiements, etc.

Également fréquent en milieu de travail, le *conflit de rôle* survient couramment lorsque les attentes en matière de tâches sont exprimées de manière inadéquate ou déstabilisante. Comme on l'a vu au chapitre 8 à propos du travail d'équipe, les problèmes de cet ordre viennent d'ordinaire du fait qu'un ou plusieurs émetteurs expriment des attentes contradictoires ou incompatibles. Il arrive aussi que les valeurs et les besoins d'une personne entrent en conflit avec les attentes liées à son rôle, ou que les attentes attachées aux divers rôles d'une même personne soient incompatibles. De plus, des conflits peuvent apparaître lorsqu'il y a *ambiguïté des rôles*, c'est-à-dire lorsque les tâches et les objectifs de chacun sont mal définis, faisant en sorte qu'il est difficile de savoir qui est responsable de quoi, et pourquoi.

L'organisation en tant qu'un réseau de sous-systèmes interactifs constitue également un contexte favorable à l'émergence de conflits. Ainsi, les situations d'*interdépendance dans le circuit de production* peuvent être une source importante de différends. Des mésententes ou des disputes ouvertes peuvent surgir entre des individus ou des unités qui doivent coopérer pour atteindre des objectifs ambitieux. Les frictions sont plus fréquentes lorsque l'interdépendance est très étroite, c'est-à-dire lorsqu'une personne ou un groupe dépend d'une autre personne ou d'un autre groupe pour atteindre ses objectifs. Ainsi, dans les restaurants, les rapports entre le personnel de la cuisine et le personnel du service tournent souvent au vinaigre lorsque les plats tardent à sortir de la cuisine.

En outre, les conflits peuvent dégénérer lorsqu'il y a une *différenciation structurelle*, c'est-à-dire lorsque des équipes ou des unités de travail poursuivent des objectifs différents et ont des orientations temporelles dissemblables (**figure 14.3**). Des *ambiguïtés en matière de responsabilités*, apparaissant lorsque les champs de responsabilités et l'étendue de l'autorité ne sont pas clairement délimités, peuvent aussi être source de conflits. Ainsi, des différends peuvent surgir lorsque les individus ou les équipes ne reçoivent pas de directives claires concernant leurs tâches ou leurs objectifs : ces personnes ou ces équipes ne comprennent pas des notions telles que les responsabilités relatives aux territoires de vente ou à l'étendue des pouvoirs par exemple.

FIGURE 14.3 **La différenciation structurelle comme source potentielle de conflit entre équipes de travail**

Équipe de recherche et développement	Équipe de production	Équipe de commercialisation
• Met l'accent sur la qualité des produits • Adopte une orientation à long terme	• Met l'accent sur le rapport coûts-qualité • Adopte une orientation à court terme	• Met l'accent sur les besoins des clients • Adopte une orientation à court terme

Qu'elle soit réelle ou perçue comme telle, l'*insuffisance des ressources* peut également susciter une concurrence destructrice entre diverses composantes d'une même organisation. Lorsque les ressources se raréfient, les relations de travail risquent de se détériorer. C'est particulièrement vrai quand l'organisation connaît des difficultés financières ou qu'elle procède à des compressions de personnel ou de budget. De tels contextes poussent certains individus ou certains groupes à rivaliser pour obtenir ou conserver le plus de ressources possible. Ces derniers vont s'opposer à une nouvelle répartition des ressources ou mettre en place des contre-mesures visant à empêcher qu'une partie de leurs ressources ne soit attribuée à d'autres.

Enfin, les relations de travail peuvent engendrer des conflits quand il y a une *asymétrie de pouvoir* ou une *asymétrie de valeurs*, c'est-à-dire quand il y a un trop grand écart entre la position hiérarchique et l'influence, ou entre les valeurs, de personnes ou de groupes interdépendants. Ce type de différends peut éclore, notamment, lorsqu'une personne qui a peu de pouvoir a besoin de l'aide d'un collègue à la fois mieux placé et peu coopératif, lorsque des individus aux valeurs radicalement divergentes sont forcés de travailler à une tâche commune, ou lorsqu'une personne haut placée doit interagir avec un collègue qui occupe une position inférieure et dont elle dépend à certains égards.

Guettez ces causes courantes de conflit au sein des organisations

- *Les conflits antérieurs non résolus.* Lorsqu'on ne règle pas les conflits au fur et à mesure qu'ils surviennent, ils restent latents et peuvent ressurgir dès que des conditions similaires se présentent à nouveau.

- *L'ambiguïté des rôles.* Lorsqu'une personne ne sait pas avec certitude ce qu'elle doit faire, elle peut entrer en conflit avec d'autres personnes. Les incertitudes relatives aux tâches accroissent le risque de confrontations et de travail à contre-courant.

- *L'insuffisance des ressources.* Lorsqu'on doit partager des ressources avec d'autres personnes ou lorsqu'on est en compétition avec d'autres pour obtenir des ressources, on travaille dans des conditions propices aux conflits.

- *L'interdépendance des tâches.* Lorsqu'on ne peut pas commencer son travail avant que quelqu'un d'autre n'ait terminé le sien, des conflits risquent de surgir. Une situation de dépendance à l'égard d'autrui est génératrice d'anxiété et de stress.

- *Les ambiguïtés en matière de responsabilités.* Lorsqu'on ne reçoit pas de directives précises concernant la façon dont les objectifs personnels ou ceux de l'équipe s'ajustent aux objectifs d'autres personnes, ou lorsque ces objectifs donnent lieu à des situations créant un gagnant et un perdant, des conflits surgissent fréquemment.

- *La différenciation structurelle.* Lorsqu'on travaille au sein d'une organisation où les structures, les objectifs, les échéances, les horizons prévisionnels et même la composition des équipes sont très différents, des conflits entre les services ou les unités opérationnelles sont très probables.

Les stratégies de gestion directe des conflits

S'il importe de connaître les types de situations conflictuelles et leurs principales causes, on doit comprendre aussi comment gérer les conflits en tête à tête. La **figure 14.4** présente une grille d'analyse qui décrit les cinq stratégies de gestion directe des conflits, selon le degré de coopération et d'affirmation de soi qu'elles supposent. Bien qu'une véritable résolution du conflit ne soit possible que si les causes sous-jacentes sont mises au jour (raisons de fond ou d'ordre émotionnel) et qu'une solution faisant en sorte que toutes les parties sont *gagnantes* est trouvée, en réalité, la gestion directe des conflits peut également avoir comme issue une situation qui ne fait que des perdants ou un gagnant et un perdant[11].

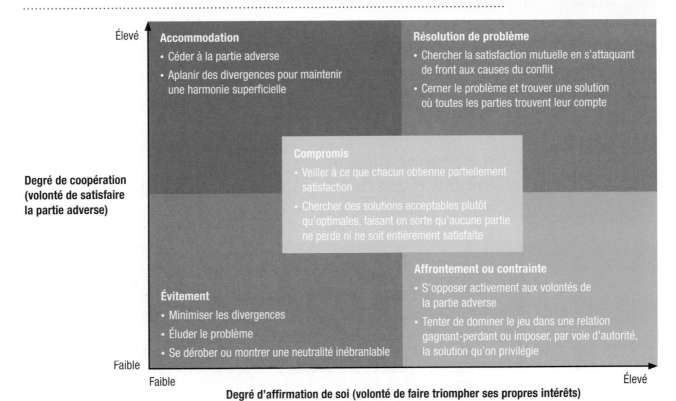

La situation qui ne fait que des perdants

Dans cette situation, caractérisée par l'absence ou une faiblesse d'affirmation de soi, aucune des parties n'obtient entière satisfaction. Les antécédents du conflit restent inchangés. Toutes les conditions sont réunies pour que des conflits ultérieurs de même nature éclatent. Cela constitue généralement l'aboutissement du recours à l'une ou à l'autre des trois stratégies suivantes :

1. L'**évitement** (ou **fuite**), lorsque chacune des parties concernées élude le problème en se comportant comme s'il n'existait pas, parfois dans l'espoir qu'il se dissipe de lui-même.

2. L'**accommodation**, lorsqu'on aplanit les divergences et qu'on se concentre sur les ressemblances et les points d'entente pour préserver la *coexistence pacifique*; mais le problème reste entier et risque d'engendrer frustrations et rancœur.

3. Le **compromis**, lorsque chaque partie cède face à l'autre sur un point important ; personne n'obtenant entière satisfaction, des conflits ultérieurs de même nature risquent d'apparaître.

La situation qui fait un gagnant et un perdant

Dans cette situation, caractérisée par un degré élevé d'affirmation de soi et un faible degré de collaboration, l'une des parties l'emporte sur l'autre. C'est généralement l'issue du recours à l'une ou à l'autre des deux stratégies suivantes :

Évitement (ou fuite)
Stratégie de gestion des conflits par laquelle chacune des parties concernées élude le problème en se comportant comme s'il n'existait pas

Accommodation
Stratégie de gestion des conflits par laquelle on aplanit les divergences et on se concentre sur les ressemblances et les points d'entente

Compromis
Stratégie de gestion des conflits par laquelle chaque partie cède face à l'autre sur un point important

Affrontement
Stratégie de gestion des conflits par laquelle la victoire revient à la partie qui réussit à s'imposer par sa force, par la supériorité de ses compétences ou par son influence

Contrainte
Stratégie de gestion des conflits par laquelle l'une des parties, s'appuyant sur son autorité hiérarchique, impose sa solution et spécifie les gains et les pertes de chacune

1. **L'affrontement**, lorsque la victoire revient à la partie qui a réussi à s'imposer par sa force, par la supériorité de ses compétences ou par son influence.

2. **La contrainte**, lorsque l'une des parties impose sa solution en s'appuyant sur son autorité et spécifie les gains et les pertes de chacune.

Dans les deux cas, on ne s'attaque pas aux racines du conflit et on tend à étouffer les désirs de l'une des parties en présence. On peut donc s'attendre à de nouveaux conflits autour des mêmes questions.

La gestion directe des conflits : quand recourir aux différentes stratégies ?

- La *stratégie de résolution de problème* est à privilégier lorsque les ressources nécessaires, notamment le temps et l'argent, sont disponibles et que chaque partie souhaite parvenir à une véritable résolution du conflit, c'est-à-dire en éliminer les causes sous-jacentes.

- L'*évitement* peut être une stratégie appropriée si le problème est banal, si des questions plus urgentes mobilisent l'attention ou s'il est nécessaire de calmer le jeu et de donner aux parties concernées le temps d'envisager la situation sous un angle différent.

- La *contrainte* peut être nécessaire si la situation exige une intervention rapide et décisive ou si une mesure impopulaire s'impose.

- L'*accommodation* peut être une stratégie appropriée si l'enjeu revêt plus d'importance pour l'autre partie que pour soi ou si l'obtention d'un «crédit» peut se révéler utile ultérieurement.

- Le *compromis* peut être une stratégie appropriée si on veut obtenir un accord temporaire sur des questions complexes ou si une solution rapide s'impose.

La situation qui ne fait que des gagnants

Résolution de problème
Stratégie de gestion directe des conflits qui s'appuie sur la collecte et l'évaluation de l'information pertinente et sur des discussions franches entre les parties pour éliminer les antécédents du conflit

Ce n'est qu'à condition de pouvoir miser sur des degrés élevés de coopération et d'affirmation de soi qu'on parvient à la situation optimale qui ne fait que des gagnants[12]. La stratégie de **résolution de problème** suppose, en effet, que toutes les parties reconnaissent l'existence d'un problème et la nécessité d'y prêter attention. Elle s'appuie sur la collecte et l'évaluation de l'information pertinente pour la recherche de solutions et la prise de décision. En adoptant une telle stratégie, on élimine les antécédents du conflit, c'est-à-dire les raisons qui justifient le maintien ou la réémergence de ce dernier. On doit donc veiller à ne négliger et à n'étouffer aucun de ses aspects. Toutes les questions appropriées doivent être soulevées et discutées ouvertement.

On peut affirmer qu'on est bel et bien parvenu à une situation qui ne fait que des gagnants si toutes les parties :

- estiment avoir atteint leurs objectifs respectifs ;

- jugent la solution acceptable pour elles-mêmes ;

- s'engagent à se montrer honnêtes et ouvertes tant en ce qui concerne les faits que leurs sentiments.

Si c'est le cas, il y a de fortes chances que le conflit soit vraiment réglé.

S.O.S… Mon collègue m'envahit

Une musique trop forte, des appels téléphoniques bruyants ou même le parfum lourd d'une collègue finissent par déranger les autres. Comment retrouver l'harmonie? Deux conseillères en ressources humaines proposent leurs solutions.

Ghislaine Labelle, du Groupe Conseil SCO, psychologue organisationnelle et spécialiste en conflits, a souvent l'occasion de constater comment l'étroitesse d'un bureau peut devenir le catalyseur d'un mauvais climat de travail. Une situation parfois explosive.

Mme Labelle a dû intervenir dans une entreprise où quatre collègues devaient travailler dans un espace restreint. «Une se plaignait de la musique de sa voisine et l'autre, du parfum de sa collègue. L'ajout d'une plante sur un bureau a fait l'objet d'une contestation sous prétexte qu'elle voilait la vue.»

Au même endroit, on dénonçait une collègue fumeuse qui s'absentait pour de longues pauses. Les autres allaient jusqu'à l'épier et à noter ses allées et venues.

La plupart du temps, il n'est pas possible d'agrandir l'espace où on passe toutes ses journées. Doit-on demander à son patron un bureau privé? «Cette demande est rarement acceptée. J'ai vu des gens qui ne pouvaient plus se blairer parce que l'autre se sentait épié. Il est préférable de trouver un autre endroit pour faire nos appels en toute tranquillité», conseille Mme Labelle.

Comment a-t-on amélioré le climat dans l'entreprise évoquée plus haut? La psychologue organisationnelle a recommandé d'établir de nouvelles règles entre le gestionnaire et ses employées afin de diminuer les frictions.

«Le patron a rappelé à une employée que la pause dure 15 minutes et que l'heure du lunch ne dépasse pas une heure. La fille qui portait un parfum lourd est partie dans un autre service. Quant à la musique, tous ont déterminé qu'il est préférable de ne pas en mettre. Sinon, les écouteurs existent», explique Mme Labelle.

La spécialiste en gestion de conflits estime que chacun doit exprimer ses besoins. «On trouve une entente afin de ne pas brimer la liberté de l'autre.»

De son côté, Catherine Privé, présidente et chef de la direction d'Alia Conseil, une firme spécialisée en développement organisationnel, estime que chacun contribue à assurer un bon climat.

«Si chaque employé se préoccupe des cinq pieds autour de lui, le climat de travail sera plus sain. Sur le plan personnel, chaque individu doit faire connaître ses besoins, ses limites et ses attentes. Plus les gens se connaissent dans une équipe, plus ils vont respecter les besoins des autres.»

Mme Privé estime que le gestionnaire doit définir les règles de fonctionnement en collaboration avec son équipe. «Nous pouvons même associer ces règles à notre mission, soit d'être accueillants pour les clients.»

La présidente d'Alia Conseil ajoute que des éléments visuels, comme une affiche portant l'inscription «Attention au bruit», peuvent être mis bien en vue dans l'entreprise. […]

Source: Annie Bourque, «S.O.S… Mon collègue m'envahit», lapresse.ca, 9 juillet 2012.

Même si la stratégie de la résolution de problème est généralement celle qu'on favorise, elle présente un désavantage majeur : elle est coûteuse en temps et en énergie. Les parties doivent donc accepter de s'y investir et réellement vouloir qu'elle aboutisse. De plus, elle n'est envisageable que si toutes les parties manifestent un haut degré d'affirmation de soi et de coopération. Enfin, elle est difficilement applicable si la coopération n'est pas l'une des valeurs dominantes de la culture organisationnelle[13]. Par ailleurs, comme le montre l'encadré de la page 508, chacune des stratégies de gestion des conflits peut avoir des avantages dans certaines conditions.

Les stratégies de gestion indirecte des conflits

La plupart des gestionnaires vous diront qu'on ne peut pas régler tous les conflits au sein des équipes ou dans une organisation en incitant les personnes concernées à adopter de nouveaux comportements, de nouvelles attitudes ou de nouvelles positions les unes à l'égard des autres. Pensez-y ! N'existe-t-il pas de circonstances dans lesquelles les personnalités et les émotions sont inconciliables ? Dans de tels cas, une démarche de gestion indirecte du conflit peut s'avérer utile. Les diverses stratégies de gestion indirecte des conflits ont ceci en commun qu'elles ne s'attaquent pas de front aux problèmes, qu'elles ne tentent pas de résoudre ces derniers en réunissant les personnes concernées. Les principales stratégies de ce type sont : la diminution de l'interdépendance, l'appel aux objectifs communs, le recours aux supérieurs hiérarchiques et la modification des scénarios et des mythes organisationnels.

La diminution de l'interdépendance

Si les conflits sont liés aux circuits de production, le gestionnaire peut revoir le degré d'interdépendance des unités ou des individus[14]. Il dispose pour cela d'une solution très simple, la *dissociation*, qui consiste à éliminer ou à restreindre les contacts entre les parties qui s'opposent. Dans certains cas, on peut réorganiser les tâches des unités en réduisant le nombre de points de coordination qu'elles requièrent. Les unités en conflit peuvent ensuite être séparées de sorte que chacune dispose d'un accès direct aux ressources dont elle a besoin. La dissociation peut apaiser les relations, mais elle peut aussi déboucher sur un dédoublement des tâches ou une mauvaise répartition des ressources.

Lorsque les intrants d'une équipe sont constitués des extrants d'une autre, le *recours à des stocks tampons* peut être une autre façon de diminuer l'interdépendance. Il s'agit notamment de constituer des stocks de sécurité entre les équipes en conflit afin de faire disparaître les répercussions que d'éventuelles variations de la production d'intrants peuvent avoir sur le groupe cible. Bien que cette méthode puisse effectivement atténuer les manifestations conflictuelles, elle est de moins en moins utilisée à cause des coûts élevés de stockage. En fait, elle va à l'encontre de l'*approche juste-à-temps*, qui est maintenant la tendance privilégiée en gestion des opérations.

Désigner une personne afin qu'elle joue le rôle de *courroie de transmission* entre les groupes antagonistes peut faciliter la gestion d'un conflit lié à l'interdépendance des tâches[15]. Cette personne appelée à améliorer la coopération et l'exécution des tâches communes (une coordonnatrice de projet, par exemple) doit évidemment avoir une bonne connaissance des groupes en cause, de leurs activités, de leurs membres, de leurs besoins et de leurs normes respectives. Elle doit utiliser cette connaissance pour aider les groupes à mieux collaborer à la réalisation de tâches communes.

L'appel aux objectifs communs

L'*appel à des objectifs communs* permet de recentrer l'attention des parties potentiellement antagonistes sur une conclusion souhaitable pour tous. Le fait de resituer les désaccords potentiels dans un cadre où les parties doivent reconnaître leur interdépendance dans la poursuite et l'atteinte d'objectifs communs peut aider celles-ci à modifier leurs points de vue et les convaincre de renoncer aux querelles mesquines. Par exemple, si les étudiants d'une équipe de travail se disputent à propos du contenu d'une présentation PowerPoint, il peut être utile de leur rappeler que le but est de faire bonne impression sur l'enseignant et d'obtenir un « A », ce qui n'est possible que si chacun contribue au travail commun au meilleur de ses possibilités.

Le recours aux supérieurs hiérarchiques

Le *recours aux supérieurs hiérarchiques* est une stratégie de résolution des conflits qui utilise la voie hiérarchique. Il s'agit simplement de transmettre le ou les problèmes aux supérieurs afin qu'ils trouvent des solutions[16]. Quoique cette approche donne des résultats probants dans certains cas, elle a aussi ses limites. Si le conflit est sérieux et récurrent, le recours continuel aux supérieurs ne permettra peut-être jamais d'aboutir à une véritable résolution du problème. Distraits de leurs responsabilités quotidiennes, les cadres à qui on demande d'intervenir risquent de ne pas diagnostiquer correctement les causes réelles du conflit et de ne lui apporter qu'une solution superficielle. Signalons que les gestionnaires débordés peuvent être enclins à voir dans la plupart des conflits qu'on leur soumet la seule dimension émotionnelle. Ils risquent alors de blâmer les personnes concernées et de réagir de manière expéditive en remplaçant ces dernières.

La modification des scénarios et des mythes organisationnels

Dans certaines situations, le gestionnaire gère le conflit superficiellement en recourant à des *scénarios*, c'est-à-dire à des comportements routiniers qui finissent par faire partie de la culture organisationnelle[17]. Ces derniers deviennent des rituels qui permettent aux parties en litige d'évacuer leurs frustrations et d'admettre leur interdépendance au sein de cette vaste entité qu'est l'organisation.

À titre d'exemple, citons la réunion mensuelle des responsables de service qui est censée viser des objectifs de coordination et de résolution de problèmes, mais qui, en fait, n'est souvent qu'un forum courtois où on entérine des accords superficiels[18].

Réunion mensuelle des chefs de service : lieu de règlement des vrais problèmes ou rituel superficiel mais nécessaire ?

Dans ce type de situations, les gestionnaires connaissent leur scénario et acceptent la difficulté que représente la véritable résolution d'un conflit majeur. En suivant pas à pas le scénario, en exprimant à peine leur désaccord ou en s'empressant de faire comme si tout était réglé, ils peuvent quitter la réunion en ayant tous un vague sentiment du devoir accompli.

La négociation en milieu organisationnel

Mettez-vous maintenant dans la peau d'un cadre. Vous êtes sur le point de commander une tablette à la fine pointe de la technologie et vous vous apercevez qu'un collègue d'un autre service en veut une aussi, mais il préfère un modèle différent. Votre patron vient vous informer qu'un seul modèle sera commandé. Bien entendu, vous estimez que vous avez choisi ce qui se fait de mieux. Voilà une belle situation conflictuelle en puissance...

Imaginez cette fois qu'on vous a offert un poste alléchant dans une autre ville. Vous êtes fortement tenté d'accepter, mais le salaire proposé est inférieur à vos attentes. Vous vous rappelez avoir appris, sur les bancs d'école, que les employeurs acceptent parfois de réviser leur première offre concernant la rémunération et les avantages sociaux... dans la mesure, évidemment, où le candidat sait comment présenter les choses[19]. Comme vous estimez que votre réinstallation entraînera des coûts, vous souhaitez obtenir une prime à la signature ainsi que l'assurance que votre salaire sera rapidement revu. Comment dénouerez-vous cette situation délicate dont l'enjeu vous concerne directement ?

Négociation
Processus par lequel des parties privilégiant des positions divergentes tentent de parvenir à une entente, à une décision commune

Ces exemples ne sont que deux illustrations des multiples situations qui amènent des personnes à s'engager dans une **négociation**, processus par lequel des parties privilégiant des positions divergentes tentent de parvenir à une entente, à une décision commune[20]. En milieu organisationnel, où les sujets de désaccord potentiels sont innombrables (échelle salariale, objectifs de productivité, évaluation du rendement, attribution des tâches, horaires de travail, aménagement de l'espace, etc.), la négociation est cruciale.

Pour être fructueuse, toute négociation doit tenir compte des différences culturelles des deux parties.

Les types de négociations en milieu organisationnel

En milieu organisationnel, les gestionnaires et les chefs d'équipe doivent se préparer à prendre part à au moins quatre types de négociations :

1. La *négociation bilatérale*, où le gestionnaire négocie directement avec un autre protagoniste.

2. La *négociation de groupe*, où le gestionnaire négocie avec les autres membres de son groupe ou de son équipe pour parvenir à une décision collective.

3. La *négociation intergroupe*, où le groupe auquel appartient le gestionnaire négocie avec un autre groupe pour régler un problème ou une situation qui les concerne tous.

4. La *négociation sectorielle*, où le gestionnaire négocie, à titre de représentant d'une composante de l'organisation, avec les représentants d'autres composantes ; la négociation dans laquelle s'engagent les représentants de la direction et des syndicats pour arriver à un accord qui prendra la forme d'une convention collective en est un exemple.

Les objectifs et les résultats de la négociation

Dans toute négociation, deux types d'objectifs doivent être pris en considération.

1. Les *objectifs liés au contenu* concernent la teneur des questions sur lesquelles porte la négociation. Il peut s'agir, par exemple, des montants chiffrés d'une entente salariale, dans une négociation collective.

2. Les *objectifs liés aux relations* concernent la façon dont les personnes engagées dans la négociation et, éventuellement, les groupes qu'elles représentent arriveront à travailler ensemble une fois le processus mené à terme. Il peut s'agir, par exemple, de la capacité des représentants syndicaux et patronaux à établir une collaboration efficace après le règlement d'un désaccord contractuel.

Malheureusement, bien des négociations se soldent par une dégradation des relations, essentiellement parce que les parties en présence ont accordé trop d'importance aux objectifs liés au contenu ainsi qu'à leurs propres intérêts et qu'elles ont négligé les objectifs liés aux relations. La *négociation efficace* règle des questions de contenu en préservant, voire en améliorant, les relations de travail. Elle favorise la conciliation des intérêts respectifs et débouche sur des décisions communes «pour le bien de tous». Voici les deux critères déterminants d'une négociation fructueuse:

1. *La qualité de l'accord.* Les résultats de la négociation correspondent à un accord de qualité, qui est judicieux et satisfaisant pour toutes les parties.

2. *L'harmonie.* La négociation se déroule dans l'harmonie et favorise de bonnes relations interpersonnelles au lieu de les inhiber.

Les aspects éthiques de la négociation

Si elles tiennent à garder de bonnes relations professionnelles, les parties doivent respecter des normes éthiques rigoureuses tout au long de leurs négociations. Cependant, même si les parties sont résolues à se conduire de manière irréprochable, au fil des pourparlers, elles risquent de laisser leurs intérêts respectifs entamer leur détermination. Dans le feu de l'action, leur envie d'obtenir plus que l'autre ou leur conviction qu'il n'y a pas suffisamment de ressources pour satisfaire tout le monde prend fréquemment le pas sur les bonnes intentions[21].

Lorsque la tension retombe, les participants tentent souvent de justifier des comportements très discutables sur le plan de l'éthique, alléguant qu'ils étaient anodins, inévitables ou légitimes. Pourtant, à long terme, les inconvénients de ces rationalisations *a posteriori* l'emportent la plupart du temps sur leurs avantages. Ainsi, la partie qui a eu des comportements contraires à l'éthique une première fois ne parviendra pas nécessairement à satisfaire ses *desiderata* à la négociation suivante. Elle s'expose, à tout le moins, aux représailles des protagonistes lésés. Enfin, notons qu'une fois qu'on a enfreint les règles de l'éthique, on peut rester empêtré dans ce genre de conduite et être enclin à récidiver[22].

La culture et la négociation

Les différences culturelles liées à l'orientation temporelle, à la dimension individualiste ou collectiviste ainsi qu'à la distance hiérarchique peuvent avoir une incidence notable sur une négociation. Ainsi, lorsque des gens d'affaires nord-américains tentent d'accélérer des négociations avec leurs homologues chinois, c'est souvent dans l'intention de conclure, dès que possible, un accord définitif qui liera les deux parties et régira leurs relations ultérieures. Mais la culture chinoise ne joue pas en faveur des Nord-Américains sur ce plan. En effet, l'homme d'affaires chinois typique envisage la négociation comme un processus beaucoup plus lent, où l'établissement de bonnes relations interpersonnelles est un préalable essentiel à tout accord. De plus, en cas d'entente, il sera réticent à tout mettre par écrit et s'attendra même à ce qu'un accord puisse être modifié ultérieurement, au gré des circonstances[23]. Bref, son approche de la négociation est aux antipodes de celle du négociateur nord-américain, dont la culture est axée sur le court terme et l'individualisme.

Les stratégies de négociation

Lorsque vous pensez aux négociations, les premières choses qui vous viennent à l'esprit sont probablement les discussions sur le salaire ou le prix d'une voiture. Mais au sein des entreprises, les individus négocient sans cesse, non seulement leur salaire ou une augmentation, mais aussi leurs objectifs, leurs préférences ou l'accès à diverses ressources limitées : argent, temps, ressources humaines, équipement, matériel, etc. La façon dont on aborde une négociation et les stratégies qu'on utilise peuvent avoir une influence majeure sur l'issue.

En CO, on distingue en général deux grandes stratégies de négociation très différentes l'une de l'autre quant à l'approche et aux issues possibles. La **négociation distributive** est centrée sur les positions respectives des parties en conflit, chacune luttant pour obtenir sa part du gâteau. À l'opposé, la **négociation raisonnée** (ou **négociation à gains mutuels**) est centrée sur l'évaluation des questions à régler et des intérêts en jeu, toutes les parties recherchant conjointement une solution qui maximise leurs gains mutuels[24].

Négociation distributive
Négociation centrée sur les positions respectives des parties, luttant chacune pour maximiser ses propres gains

Négociation raisonnée (ou négociation à gains mutuels)
Négociation centrée sur l'évaluation des questions à régler et des intérêts en jeu, toutes les parties recherchant conjointement une solution qui maximise leurs gains mutuels

En France, des travailleurs négocient en prenant des cadres en otage[25]

Les travailleurs congédiés de l'usine Caterpillar de France ont gardé en otage cinq cadres pendant 24 heures. Ils ne les ont relâchés qu'après que l'entreprise a accepté de renégocier l'indemnisation des salariés qui perdaient leur emploi. Un sondage a montré qu'environ 45 % des Français étaient d'accord avec ce type de « kidnapping de patrons ».

La négociation distributive

Les participants d'une négociation distributive abordent habituellement les discussions avec l'idée qu'il y aura un gagnant et un perdant. Les discussions ont tendance à prendre deux directions distinctes, qui ne donnent ni l'une ni l'autre de résultats optimaux.

- *La version dure.* Dans ce type de négociation distributive, les parties adoptent une ligne de conduite dure, ferme. Elles tiennent absolument à satisfaire leurs intérêts personnels. Ce genre d'attitude mène à un affrontement où chacune cherche à dominer l'autre et à maximiser ses propres gains. Cette stratégie, fondée sur l'affirmation de soi, débouche soit sur une situation gagnant-perdant, l'une des parties s'imposant et remportant la victoire, soit sur une impasse.

- *La version douce.* Dans ce type de négociation distributive, en revanche, l'une des parties au moins se montre prête à faire des concessions pour permettre l'obtention d'une solution. Cette situation débouche soit sur l'accommodation, où l'une des parties cède, soit sur le compromis, où toutes les parties acceptent de céder du terrain pour parvenir à un accord. Dans les deux cas, on peut s'attendre à un certain degré d'insatisfaction. Même s'il y a eu compromis, c'est-à-dire que les parties ont coupé la poire en deux, ni l'une ni l'autre n'est entièrement satisfaite, puisque ni l'une ni l'autre n'a obtenu tout ce qu'elle souhaitait initialement.

La **figure 14.5** illustre les principaux éléments d'une *négociation distributive bilatérale* typique, en prenant pour exemple le cas d'une jeune diplômée qui négocie son salaire à l'occasion d'une offre d'emploi avec le recruteur d'une grande société[26]. Du point de vue de cette diplômée, la situation est la suivante : elle présente au recruteur une demande initiale de salaire de 60 000 $, mais elle est prête à diminuer ses exigences jusqu'à un *minimum* de 50 000 $, soit le salaire le plus bas qu'elle accepterait pour ce poste. Du point de vue du recruteur, la situation se présente tout autrement : il propose à la jeune diplômée une offre initiale de salaire de 45 000 $, mais il se réserve la possibilité de monter jusqu'à un *maximum* de 55 000 $, soit le salaire le plus élevé qu'il serait prêt à accorder au nom de l'entreprise.

FIGURE 14.5 **Un exemple de négociation distributive bilatérale typique**

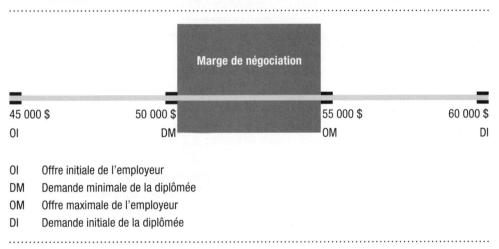

OI Offre initiale de l'employeur
DM Demande minimale de la diplômée
OM Offre maximale de l'employeur
DI Demande initiale de la diplômée

L'écart entre les montants acceptables respectifs des protagonistes d'une négociation, c'est-à-dire entre le minimum de l'un et le maximum de l'autre, s'appelle la **marge de négociation**. La figure 14.5 illustre cette marge, qui se situe, dans l'exemple présenté, entre 50 000 $ et 55 000 $. Comme les montants acceptables des deux parties se chevauchent, il s'agit d'une marge de négociation positive, ce qui signifie que les protagonistes peuvent formuler des propositions et des contre-propositions. En revanche, si le salaire minimal que notre jeune diplômée était prête à accepter pour ce poste était de 57 000 $, et donc supérieur à l'offre maximale du recruteur, il leur serait pratiquement impossible de négocier. La négociation bilatérale typique comporte

Marge de négociation
Écart entre les montants acceptables respectifs des protagonistes d'une négociation, c'est-à-dire entre le minimum de l'un et le maximum de l'autre

toujours, pour les deux interlocuteurs, les tâches délicates de découvrir les positions de chacun, puis de progresser vers un accord acceptable pour chacun, c'est-à-dire situé à l'intérieur de la marge de négociation.

Tôt ou tard, vous devrez savoir négocier une augmentation de salaire

Qui n'a pas déjà regretté de ne pas avoir demandé un salaire de départ plus élevé ou une augmentation salariale plus importante? Pourquoi ne l'avez-vous donc pas fait? Si vous aviez osé, auriez-vous obtenu le résultat escompté? Très souvent, les individus négocient leur salaire sans être bien préparés. Et cette lacune se révèle coûteuse dans bien des cas. Les conseils en matière de négociation salariale ne manquent pourtant pas. En voici quelques-uns[27].

- *Préparez-vous adéquatement.* Faites des recherches pour savoir combien gagnent les personnes qui occupent des postes semblables à l'intérieur et à l'extérieur de votre organisation. N'oubliez pas de prendre en considération non seulement le salaire, mais aussi les avantages sociaux, les suppléments de rémunération, les primes de productivité et tous les autres à-côtés.

- *Montez et mettez en valeur votre dossier.* Déterminez et soulignez votre valeur. Mettez en relief les réalisations, les économies et les bénéfices que vos anciens employeurs peuvent vous attribuer. Démontrez les avantages qu'un éventuel employeur pourra tout autant retirer de vos qualités et compétences.

- *Défendez votre cause et osez présenter vos demandes.* Soyez votre meilleur avocat. En matière de négociation salariale, si vous ne demandez rien, vous n'obtiendrez rien. Toutefois, n'agissez pas avec précipitation. La question du salaire doit d'abord être abordée par votre patron ou par la personne qui mène l'entrevue.

- *Gardez le cap sur votre objectif.* Votre but est de satisfaire vos intérêts dans la plus large mesure possible. Il peut donc s'agir d'obtenir des gratifications à court terme, ou un meilleur positionnement en vue d'avantages à long terme.

- *Comprenez le point de vue de l'autre partie.* Mettez vos demandes à l'épreuve en adoptant le point de vue de votre employeur. Sont-elles raisonnables, convaincantes et justes? Comment votre patron pourra-t-il justifier leur acceptation auprès de ses supérieurs et de vos pairs?

- *Ne réagissez pas exagérément aux contrariétés.* Évitez les gestes impulsifs si vous n'obtenez pas ce que vous désirez. Soyez prêt à rechercher et à envisager d'autres possibilités d'emploi.

La négociation raisonnée

La négociation raisonnée est beaucoup moins axée sur la confrontation que la négociation distributive et incite les parties à envisager un éventail de solutions beaucoup plus vaste au cours du processus. Ici, les parties s'orientent vers la recherche conjointe d'une solution mutuellement satisfaisante. Elles visent une situation où tout le monde est gagnant. Bien qu'il puisse durer plus longtemps, ce type de négociation peut valoir le temps, l'énergie et les efforts qu'on y investit. Comme il a été dit, il vise la maximisation des gains pour toutes les parties. Cependant, ce résultat ne va pas de soi.

Pour parvenir à de véritables accords raisonnés, il faut réunir certaines conditions fondamentales : des attitudes propices, des comportements constructifs et une information appropriée[28].

Les attitudes essentielles

Trois attitudes sont essentielles pour permettre une entente raisonnée. Premièrement, chaque partie doit s'engager dans la négociation avec une certaine *confiance* en l'autre, ce qui explique pourquoi l'éthique et les bonnes relations sont si importantes au moment des négociations. Deuxièmement, chaque partie doit signifier à l'autre qu'elle est *prête à partager l'information* qu'elle possède. Si ce n'est pas le cas, il sera très difficile d'envisager une résolution efficace des problèmes. Troisièmement, chaque partie doit manifester une *volonté de poser des questions concrètes et de répondre à celles de l'autre*, ce qui facilitera le partage de l'information.

Les comportements essentiels

Tout comportement adopté au cours d'une négociation revêt une importance considérable, tant en raison de ses véritables effets que de l'impression qu'il laisse à autrui. Par conséquent, tout bon négociateur doit adopter les comportements suivants, qui sont essentiels à la conclusion d'une entente raisonnée :

- Aborder objectivement le problème, faire la distinction entre le problème et les individus.
- Ne laisser aucune considération affective s'immiscer dans les négociations.
- Se concentrer sur les intérêts plutôt que sur les positions.
- Éviter de porter des jugements prématurés.
- Séparer les étapes de proposition d'idées et d'évaluation des solutions possibles.
- Régler les différends et choisir les solutions en s'appuyant sur des normes ou des critères objectifs.

Pour une négociation fructueuse, chaque partie doit faire preuve de confiance envers l'autre, partager l'information qu'elle possède, poser des questions à la partie adverse et répondre aux questions de celle-ci.

L'information essentielle

Le partage de l'information est une dimension primordiale de la négociation raisonnée. Notamment, toutes les parties doivent se familiariser avec le concept de *meilleure solution de rechange* (MESORE), c'est-à-dire que chaque partie doit savoir ce qu'elle fera si aucun accord n'est obtenu. Autrement dit, chaque partie doit déterminer et comprendre ses intérêts propres dans les questions négociées, tâcher de comprendre les intérêts de l'autre et saisir l'importance relative des uns et des autres. Si difficile que cela puisse paraître, chacune doit comprendre ce qui a de la valeur pour l'autre.

Les obstacles à la négociation les plus fréquents

Il faut admettre que le processus de négociation est très complexe sur le plan éthique et sur bien d'autres plans. De plus, il est caractérisé par les nombreux risques de confusion liés à l'imprévisibilité de la dynamique des individus et des groupes. Par conséquent, toute personne qui s'engage dans une négociation doit au moins tâcher d'en éviter les quatre écueils les plus courants[29].

Mieux négocier pour mieux réussir

Savoir négocier, c'est savoir obtenir ce que l'on désire. En affaires autant que dans sa carrière, c'est donc un outil indispensable que l'on doit tenir aiguisé. [...]

Le bon négociateur doit d'abord se préparer adéquatement. « Mal se préparer, c'est un échec quasi assuré », dit Nathalie Francisci, associée chez Odgers Berndtson et experte invitée de la formation *Négociation stratégique : influencez pour mieux convaincre*, de la série Femmes Leaders, organisée par Événements Les Affaires.

En pratique, se préparer implique d'élaborer de bons arguments. Si l'on négocie pour un salaire, il faut pouvoir justifier sa performance et connaître les salaires de l'industrie pour les emplois comparables. En affaires, il faut connaître nos interlocuteurs ainsi que l'entreprise pour laquelle ils travaillent, et se mettre à leur place. Que veulent-ils ? Quels sont leurs intérêts ?

Pour y arriver, il faut bien écouter, estime Isabelle Bettez, présidente et chef de la direction de 8 D Technologies, une PME de Montréal spécialisée dans les systèmes de points de vente. « On peut aussi lire dans les médias ce qui s'écrit sur eux pour décoder leur stratégie, ou interroger les gens de notre réseau », dit-elle.

Répondre aux besoins de l'autre partie négociante, c'est un moyen supplémentaire d'obtenir ce que l'on veut. À condition de savoir ce que l'on veut ! On doit donc dresser une liste de nos priorités et des concessions que l'on peut faire. En alimentation, par exemple, une question souvent abordée par les épiceries est celle des promotions, explique Tatiana Bossy, présidente de la Maison Le Grand, un fabricant de produits alimentaires de Blainville. « C'est important de savoir ce que tu peux donner ou non, surtout si tu aimes le client et que tu veux lui plaire », dit-elle.

L'attitude est aussi un élément clé. Il ne faut être ni sur la défensive ni en mode agression. Restez neutre et visez une solution gagnant-gagnant, conseille Mme Francisci. Quand un négociateur veut « gagner » à tout prix, il se laisse emporter par son orgueil et perd de vue ses objectifs. « Si je presse le citron à un fournisseur, quel genre de relation aura-t-on par la suite ? La qualité du service restera-t-elle la même ? » demande Nathalie Francisci. Un négociateur ne devrait pas non plus se sentir obligé d'accepter une proposition. Pour l'éviter, il doit connaître sa meilleure solution de remplacement en cas d'échec de la négociation. Il devrait accepter une proposition seulement lorsqu'elle est plus avantageuse que ses autres options.

Nathalie Francisci, chez Odgers Berndtson

Les gens d'affaires qui jouent sur l'échiquier international ont des écueils supplémentaires à éviter parce que chaque culture a une approche différente de la négociation. Les Américains entrent vite dans le vif du sujet et jouent plus dur. En Europe, il y a plus de décorum. En Afrique du Nord, il faut respecter la tradition des salamalecs, soit un ensemble de salutations et de politesses. « Souvent, là-bas, on parle affaires après seulement trois ou quatre rencontres durant lesquelles on aura jasé et partagé des repas pour établir une relation, illustre Nathalie Francisci. Alors, si on essaie de parler du contrat d'emblée, on risque de manquer notre coup. »

S'il faut savoir s'adapter, il faut malgré tout respecter nos propres valeurs, estime Tatiana Bossy. « Si nos visions sont trop différentes, ce sera difficile de bâtir une relation à long terme. » [...]

Source : Simon Lord, « Mieux négocier pour mieux réussir », *Les Affaires*, 14 janvier 2017, p. 13.

QUESTIONS

Êtes-vous à l'aise dans un processus de négociation ? Tentez-vous de rester sur vos positions ou de trouver une solution qui intègre les intérêts de toutes les parties en présence ? Quelles attitudes et quels comportements privilégiez-vous ?

1. Les individus qui participent à une négociation ont tendance à établir leurs positions en partant de l'hypothèse erronée qu'un gain ne peut s'obtenir qu'en retirant quelque chose à l'autre partie. Ce *mythe du jeu à somme nulle* est typique de la négociation distributive. La négociation raisonnée, quant à elle, repose sur le principe qu'il est possible de parvenir à une entente maximisant les avantages retirés par toutes les parties.

2. Lorsque les parties entament la négociation avec des exigences extrêmes, il y a un risque de *surenchère irrationnelle*. Une fois leurs demandes exprimées, les protagonistes peuvent, en effet, se sentir liés par elles et hésiter à reculer. L'orgueil et la crainte de perdre la face peuvent les pousser à refuser de céder du terrain, ce qui risque de compromettre tout espoir de règlement. Il est donc vital de lutter contre cette tendance.

3. Les négociateurs font souvent preuve d'une *assurance excessive* à l'égard de leur position, jugeant que c'est la meilleure, sinon la seule possible. Ce manque d'ouverture peut les empêcher de comprendre les besoins et les intérêts de l'autre partie. Certains négociateurs sont incapables de voir le bien-fondé des arguments de l'autre partie, bien-fondé qui n'échapperait pas à un observateur impartial. Avec une telle attitude, il devient très difficile de parvenir à une entente positive et raisonnée.

4. Des problèmes de communication peuvent aussi compliquer la négociation, et même la faire échouer. La négociation doit être un «processus de communication réciproque visant à prendre une décision commune[30]». Un *problème de discours* peut la freiner : les parties ne se parlent pas vraiment, n'essaient pas vraiment de bien se faire comprendre. Un *problème d'écoute* peut également la ralentir : les parties font la sourde oreille ou sont incapables de saisir ce que l'autre leur dit. Il est certain qu'une négociation raisonnée a plus de chances de réussir si les protagonistes pratiquent l'écoute active et posent des questions qui permettent de clarifier les positions. De temps à autre, chaque partie doit *se mettre à la place de l'autre* pour essayer de comprendre la situation selon son point de vue[31].

Le rôle d'un tiers dans la négociation

Lorsque la négociation piétine, que les parties sont dans une impasse et qu'il semble impossible de trouver une solution, l'intervention d'un tiers peut devenir nécessaire pour faire avancer les pourparlers et, finalement, parvenir à un accord. Les parties en négociation peuvent alors recourir à un *mode substitutif de règlement des conflits*, soit un processus par lequel un tiers neutre les aide à se sortir de l'impasse et à régler leur différend.

Ce mode de résolution peut prendre principalement deux formes. L'**arbitrage** est le règlement d'un différend effectué par un tiers neutre qui agit à titre d'arbitre et qui, après avoir entendu les arguments respectifs des parties, prend une décision par laquelle celles-ci sont liées. Chez les sportifs professionnels, les questions salariales se règlent fréquemment par arbitrage. La **médiation** est, quant à elle, un processus où un tiers neutre tente, par la persuasion et des arguments rationnels, d'amener les parties à une solution négociée. La médiation est un procédé courant dans le cadre de négociations de conditions de travail entre un employeur et des salariés : les

Arbitrage
Processus de règlement des différends par lequel un tiers neutre agit comme arbitre et, après avoir entendu les arguments respectifs des parties, prend une décision par laquelle celles-ci sont liées

Médiation
Processus de règlement des différends par lequel un tiers neutre tente, par la persuasion et des arguments rationnels, d'amener les parties à une solution négociée

parties en présence acceptent l'intervention de médiateurs professionnels pour dénouer des situations qui semblent sans issue. Notons que, contrairement à l'arbitre, le médiateur ne peut imposer de solution.

DU CÔTÉ DE LA RECHERCHE

Le choix des mots conditionne la résolution de conflits en ligne

Des chercheurs qui se sont penchés sur la résolution de conflits entre des vendeurs et des acheteurs sur eBay ont découvert que l'utilisation de termes marquant le respect conduisait plus souvent à une entente entre les parties que l'emploi de termes désobligeants. Jeanne Brett, Marla Olekans, Ray Friedman, Nathan Goates, Cameron Anderson et Cara Cherry Lisco ont examiné des litiges réels portés à l'attention de Square Trade, service de résolution de conflits en ligne vers lequel eBay dirige les clients insatisfaits. Selon la National Consumer League, ont-ils noté, 41 % des personnes qui prennent part à des échanges commerciaux en ligne font face à des problèmes, concernant souvent des retards de livraison. Aux fins de leur recherche, ils ont défini un « litige » comme étant une forme de conflit dans lequel l'une des parties dans une transaction formule une plainte que l'autre rejette.

Les chercheurs soulignent que la plupart des recherches menées à ce jour sur la résolution de conflits ont mis l'accent sur les caractéristiques de la situation et des participants. Eux-mêmes ont plutôt adopté ce qu'ils ont appelé une « approche axée sur le langage », fondée sur une théorie de l'image de soi. Essentiellement, ils soutiennent que les mots employés par une partie pour atteindre et attaquer l'image de l'autre ont une incidence majeure sur le dénouement du conflit. Parmi les termes négatifs relevés, on trouve des qualificatifs tels que « nerveux », « en colère », « inquiet », « méprisant », « frustré », « furieux » et « détestable ».

L'étude a porté sur 386 litiges traités par Square Trade. L'analyse des mots utilisés dans la première discussion entre les parties montre que l'expression d'émotions négatives et le fait de donner des ordres réduisaient la possibilité de résolution du conflit. En revanche, une entente se révèle probable lorsque la personne, selon le cas, explique les causes du problème, formule des suggestions et s'exprime avec fermeté. Les chercheurs avaient avancé l'hypothèse que l'expression d'émotions positives augmentait les probabilités de résolution du conflit, mais celle-ci n'a pas été confirmée. Par ailleurs, l'étude a démontré que plus le conflit se prolonge, plus les chances d'arriver à une entente s'amenuisent.

Les chercheurs soulignent les implications pratiques de leurs observations : « Faites attention à ce que vous dites. Évitez d'attaquer l'image de l'autre, que ce soit en dirigeant votre colère contre lui ou en lui exprimant votre mépris. Par ailleurs, évitez de montrer de la faiblesse, soyez ferme dans vos demandes. Fournissez des explications en assumant vos responsabilités et faites preuve de respect à l'égard de l'autre. » Selon eux, ces principes de base ne s'appliquent pas uniquement à la résolution de litiges commerciaux en ligne, mais aussi à plusieurs types de situations où on souhaite parvenir à une entente.

La résolution du conflit est moins probable si les parties concernées :

- expriment des émotions négatives ;
- donnent des ordres.

La résolution du conflit est plus probable si les parties concernées :

- fournissent des explications ;
- formulent des suggestions ;
- communiquent avec fermeté.

Source : D'après Jeanne M. Brett, Marla Olekans, Ray Friedman, Nathan Goates, Cameron Anderson et Cara Cherry Lisco, « Sticks and Stones : Language, Face, and On-Line Dispute Resolution », *Academy of Management Journal*, vol. 50, nº 1, 2007, p. 85-99.

Guide de RÉVISION

RÉSUMÉ

Qu'est-ce qui caractérise le conflit en milieu organisationnel ?

- On peut dire qu'il y a conflit entre des individus ou des groupes lorsque surviennent des désaccords sur des questions de fond ou des frictions créées par des problèmes relationnels.

- Les conflits en milieu de travail peuvent se situer sur le plan de l'individu (conflit intérieur qui ne touche que lui), des relations interpersonnelles (conflit entre deux ou plusieurs personnes), des relations entre des groupes au sein d'une organisation ou des relations entre des organisations.

- Les conflits d'intensité modérée sont constructifs. Ils peuvent favoriser le rendement, car ils incitent à l'effort et stimulent la créativité.

- Les conflits d'intensité faible, qui risquent de favoriser la complaisance, ou d'intensité élevée, qui submergent, sont destructeurs.

Comment peut-on gérer adéquatement les conflits ?

- La plupart des conflits progressent en quatre phases : les antécédents du conflit ; le conflit perçu ; le conflit ressenti ; le conflit manifeste.

- Des conflits non résolus ouvrent la voie à d'autres conflits de même nature.

- Les principales causes de conflit en milieu organisationnel sont les conflits antérieurs non résolus, l'ambiguïté des rôles, l'insuffisance des ressources, l'interdépendance des tâches, les ambiguïtés en matière de responsabilités et la différenciation structurelle.

- Les approches de gestion directe des conflits reposent sur des stratégies comme l'évitement, l'accommodation, le compromis, l'affrontement ou la contrainte et la résolution de problème. Ces approches correspondent à diverses combinaisons d'affirmation de soi et de coopération des parties en conflit.

- L'évitement (ou la fuite), l'accommodation et le compromis débouchent sur une situation qui ne fait que des perdants. Dans les trois cas, personne n'obtient entière satisfaction, et les antécédents des conflits restent inchangés. Toutes les conditions sont réunies pour que des conflits ultérieurs de même nature éclatent.

- L'affrontement comme la contrainte débouchent sur une situation qui fait un gagnant et un perdant. Dans les deux cas, on ne s'attaque pas aux racines du conflit et on tend à étouffer les désirs de l'une des parties en présence. On peut donc s'attendre à d'autres conflits autour des mêmes questions.

- La stratégie de résolution de problème, à favoriser, débouche sur une situation qui ne fait que des gagnants. Elle s'appuie sur la collecte de l'information pertinente et sur des discussions franches entre les parties pour éliminer les antécédents du conflit.

- Les approches de gestion indirecte des conflits privilégient des stratégies comme la diminution de l'interdépendance, l'appel aux objectifs communs, le recours aux supérieurs hiérarchiques et la modification des scénarios et des mythes organisationnels.

Qu'est-ce qui caractérise la négociation en milieu organisationnel?

- La négociation est le processus par lequel des parties privilégiant des positions divergentes tentent de parvenir à une entente, à une décision commune.

- Les gestionnaires peuvent s'engager dans divers types de négociations: bilatérales, de groupe, intergroupes et sectorielles.

- Une négociation efficace répond à la fois aux objectifs liés au contenu, concernant les questions de fond, et aux objectifs liés aux relations, concernant la façon dont les parties arriveront à travailler ensemble une fois le processus mené à terme.

- Une conduite conforme à l'éthique est essentielle pour réussir une négociation. Des problèmes d'éthique peuvent survenir pendant une négociation si les interlocuteurs en viennent à se montrer manipulateurs et malhonnêtes pour défendre à tout prix leurs propres intérêts.

Quelles sont les principales stratégies en matière de négociation?

- La négociation distributive débouche sur une situation comportant un gagnant et un perdant, alors que la négociation raisonnée (ou négociation à gains mutuels) débouche sur une situation où tout le monde est gagnant.

- La négociation distributive est centrée sur les positions respectives des parties, chacune luttant pour maximiser ses propres gains.

- La négociation raisonnée est centrée sur l'évaluation des questions à régler et des intérêts en jeu, toutes les parties recherchant conjointement une solution qui maximise leurs gains mutuels.

- La réussite d'une négociation repose sur la capacité des parties à éviter ou à surmonter les écueils les plus fréquents, notamment le mythe du jeu à somme nulle, la surenchère irrationnelle, l'assurance excessive ainsi que les problèmes de discours et d'écoute.

- Lorsque des négociations sont dans une impasse, les parties peuvent recourir à un mode substitutif de règlement des conflits, soit un processus par lequel un tiers neutre les aide à se sortir de l'impasse et à régler leur différend. Ce mode de résolution peut prendre deux formes : l'arbitrage ou la médiation.

MOTS CLÉS

Accommodation	p. 507	Conflit émotionnel	p. 497	Médiation	p. 520
Affrontement	p. 508	Conflit intergroupe	p. 500	Négociation	p. 512
Arbitrage	p. 519	Conflit interorganisationnel	p. 500	Négociation distributive	p. 514
Compromis	p. 507	Conflit interpersonnel	p. 498	Négociation raisonnée (ou négociation à gains mutuels)	p. 514
Conflit	p. 497	Conflit intrapersonnel	p. 498		
Conflit constructif	p. 500	Contrainte	p. 508	Résolution de conflit	p. 503
Conflit de fond	p. 497	Évitement (ou fuite)	p. 507	Résolution de problème	p. 508
Conflit destructeur	p. 501	Marge de négociation	p. 515		

EXERCICE DE RÉVISION

MaBiblio > MonLab > Exercices
> Ch14 > Exercice de révision

Questions à choix multiple

1. Le _____ se manifeste sous la forme d'un désaccord fondamental sur les objectifs à atteindre ou sur les moyens d'y parvenir. **a)** conflit relationnel **b)** conflit émotionnel **c)** conflit de fond **d)** conflit de procédures

2. En gestion de conflit, _____ est une approche indirecte qui s'appuie sur la voie hiérarchique. **a)** le recours aux supérieurs hiérarchiques **b)** la fuite **c)** la restructuration organisationnelle **d)** l'appel à des objectifs communs

3. En règle générale, les conflits qui s'avèrent finalement « constructifs » pour les individus et l'organisation sont _____ **a)** d'intensité élevée. **b)** d'intensité modérée. **c)** de faible intensité. **d)** inexistants.

4. L'un des problèmes associés à la suppression des conflits, c'est qu'elle _____ **a)** fait des gagnants et des perdants. **b)** ne constitue qu'une solution temporaire et ouvre la voie à des conflits ultérieurs de même nature. **c)** permet uniquement de régler les conflits émotionnels. **d)** permet uniquement de régler les conflits de fond.

5. Le gestionnaire qui recentre l'attention des parties antagonistes sur la mission et la raison d'être de l'organisation, en tentant de resituer les désaccords dans ce cadre, emploie une stratégie de gestion des conflits axée sur _____ **a)** la diminution de l'interdépendance. **b)** la constitution de stocks tampons. **c)** l'accroissement des ressources. **d)** l'appel aux objectifs communs.

6. Parmi les conflits intrapersonnels, le conflit de type _____ se manifeste lorsque la personne doit choisir entre deux lignes de conduite également attrayantes. **a)** approche-évitement **b)** évitement-évitement **c)** approche-approche **d)** évitement-approche

7. Si deux unités d'une organisation, dont les intrants de l'une sont constitués des extrants de l'autre, sont engagées dans un conflit presque perpétuel, quelle stratégie pourrait adopter le chef de service qui décide qu'il est temps d'intervenir et d'en diminuer l'interdépendance? **a)** Le compromis. **b)** Le recours à des stocks tampons. **c)** L'appel à des objectifs communs. **d)** Le recours aux supérieurs hiérarchiques.

8. Parmi les approches suivantes, laquelle aboutit généralement à une situation dans laquelle tout le monde est perdant? **a)** La désignation d'une personne appelée à servir de courroie de transmission entre les parties antagonistes. **b)** La modification des scénarios et des mythes organisationnels. **c)** L'accommodation. **d)** La résolution de problème.

9. Selon la grille d'analyse des diverses stratégies de gestion directe des conflits, _____ se caractérise par des degrés élevés d'affirmation de soi et de coopération. **a)** l'affrontement **b)** le compromis **c)** l'accommodation **d)** la résolution de problème

10. _____ sont deux dimensions à considérer au moment d'une négociation. **a)** Le rendement et l'évaluation **b)** La tâche et les questions de fond **c)** Les questions de fond et les relations entre les personnes engagées dans la négociation **d)** La tâche et le rendement

11. Les deux critères d'une négociation efficace ou fructueuse sont _____ **a)** la qualité de l'accord et l'harmonie. **b)** l'efficience et le respect de l'éthique. **c)** le respect de l'éthique et l'efficience. **d)** la qualité de l'accord et l'aspect pratique.

12. Lequel des énoncés suivants est vrai? **a)** La négociation raisonnée débouche sur l'accommodation. **b)** La négociation distributive en version dure débouche sur la résolution de problème. **c)** La négociation distributive en version douce débouche sur l'accommodation ou le compromis. **d)** La négociation distributive en version dure débouche sur une situation où tout le monde est gagnant.

13. La négociation raisonnée est aussi appelée _____ **a)** arbitrage. **b)** médiation. **c)** négociation à gains mutuels. **d)** accommodation.

14. Quel obstacle à la négociation survient quand les participants partent de l'hypothèse erronée qu'un gain ne peut s'obtenir qu'en retirant quelque chose à l'autre? **a)** Le mythe du jeu à somme nulle **b)** La surenchère irrationnelle **c)** L'assurance excessive **d)** Un problème d'écoute

15. _____ est un mode de règlement des différends par lequel un tiers neutre agit comme «juge» et décide d'un règlement du différend. **a)** La médiation **b)** L'arbitrage **c)** La conciliation **d)** La collaboration

Questions à réponse brève

16. Énumérez et expliquez les principales causes de conflits en milieu organisationnel.

17. Énumérez et expliquez les principales stratégies de gestion indirecte des conflits.

18. Dans quelles circonstances un gestionnaire devrait-il avoir recours (1) à l'évitement? (2) à l'accommodation?

19. Comparez la négociation distributive et la négociation raisonnée. En quoi les deux diffèrent-elles? Laquelle est la plus souhaitable? Pourquoi?

Question à développement

20. Décrivez les obstacles que vous pourriez rencontrer si vous aviez à négocier le salaire d'un candidat à un nouvel emploi et expliquez comment vous y feriez face.

Le CO dans le feu de l'action

Pour ce chapitre, nous vous suggérons les compléments numériques suivants dans MonLab.

MaBiblio >

MonLab > Documents > Études de cas
> 17. Jean Durant
> 20. Le cas de l'augmentation manquée
> 21. Conflits chez Pièces d'auto ABC
> 22. Conflit chez Burger Mart
> 23. L'assistante technique compétente et motivée

MonLab > Documents > Activités
> 32. Analyse et négociation de rôle
> 35. Le casse-tête des congés
> 36. Les oranges Ugli
> 37. Conflits et dialogues

MonLab > Documents > Autoévaluations
> 18. Les styles de gestion des conflits

La structure et la culture organisationnelles dans un environnement en changement

PARTIE 5

La structure et la conception organisationnelles

Une organisation est un regroupement d'individus qui travaillent ensemble à la poursuite d'objectifs communs. Les cadres supérieurs doivent expliquer clairement quels sont les objectifs de l'entreprise et mettre en place une structure qui permet de les atteindre. Pour devenir un gestionnaire efficace, vous devez apprendre à organiser et à gérer une hiérarchie ainsi qu'à organiser et à coordonner les activités requises. Dans ce chapitre, nous examinons les différents objectifs que se donnent les organisations et nous nous penchons sur leurs façons d'adapter, en pratique, les divers éléments de leur structure en vue de les atteindre[1]. Nous allons également voir comment les organisations peuvent recourir à un éventail de possibilités en matière de configuration structurelle afin de satisfaire aux exigences liées à leur stratégie, à leur âge, à leur taille, à leur environnement et aux technologies qu'elles utilisent.

OBJECTIFS D'APPRENTISSAGE

Après l'étude de ce chapitre, vous devriez pouvoir :

- Décrire les différents types d'objectifs organisationnels.
- Décrire la structure formelle d'une organisation et sa représentation graphique.
- Expliquer comment la spécialisation verticale répartit l'autorité formelle au sein de l'organisation.
- Décrire les principales activités de contrôle en milieu organisationnel.
- Distinguer les trois principaux types de spécialisation horizontale que sont la structure fonctionnelle, la structure divisionnaire et la structure matricielle et discuter de leurs avantages et de leurs inconvénients respectifs.
- Définir les modes interpersonnels et les modes formels de coordination.
- Expliquer comment la stratégie de l'organisation, son âge et sa taille, ses technologies et l'environnement dans lequel elle évolue influent sur sa configuration structurelle.
- Comparer les différents modèles de bureaucratie.

Se structurer
en fonction
des objectifs,
voilà la clé.

PLAN DU CHAPITRE

Les objectifs organisationnels

La structure formelle et la division du travail
L'organigramme

La spécialisation verticale
La ligne hiérarchique et l'éventail de subordination
Les unités opérationnelles et les unités fonctionnelles

Le contrôle
Le contrôle des résultats
Le contrôle des processus
Le pouvoir décisionnel : la centralisation et la décentralisation

La spécialisation horizontale
La structure fonctionnelle
La structure divisionnaire
La structure matricielle

Bonheur au travail : les trois conditions de la réussite

En débarrassant notamment les employés des lourdeurs bureaucratiques, des entreprises dites libérées souhaitent réconcilier bonheur et travail. [...]

Comment y sont-elles parvenues ? En partant d'une vision positive de l'être humain selon laquelle l'homme est bon. Selon le psychologue Douglas McGregor, il « est motivé par nature ». Il a seulement besoin d'un environnement favorable pour s'exprimer et agir. C'est pourquoi l'entreprise libérée cherche à supprimer tout ce qui enferme et contraint : les organigrammes alambiqués, les descriptifs de poste sclérosants et les procédures inutiles, autant de dispositifs qui reposent sur une vision pessimiste de la nature humaine. Quand on cherche excessivement à contrôler l'homme, on finit par le démotiver. [...]

Dans les démarches de libération d'une entreprise, on cherche précisément à se débarrasser du poids des procédures et de la hiérarchie paralysante pour que l'énergie des hommes soit non pas accaparée par l'alimentation du système mais tournée vers l'essentiel :

la satisfaction du client. Le maître-mot est « confiance ». Les salariés sont libres et responsables d'entreprendre les actions qu'ils estiment les meilleures pour l'entreprise. Afin de favoriser les initiatives et le travail collaboratif, l'entreprise libérée adopte une forme d'organisation aplatie et cellulaire. Des sortes de mini-entreprises internes fonctionnant de manière autonome sont constituées avec, à leur tête, un leader généralement élu par le groupe. Ces leaders ainsi que le dirigeant sont invités à ne pas se réfugier derrière des signes artificiels de pouvoir : pas de décisions imposées, pas de voitures de fonction, pas de titres ronflants…

Des entreprises — encore très peu nombreuses, disons-le — ont mis en œuvre ce type d'organisation révolutionnaire, par exemple Harley-Davidson, Zappos, Sun Hydraulics, USAA et W. L. Gore & Associates aux États-Unis, FAVI (Fonderie et ateliers du Vimeu) et Chrono Flex en France, etc. De plus en plus d'entreprises cherchent à relever le défi. Mais certaines d'entre elles se contentent de s'autoproclamer sur la voie de la libération sans que l'idée

> L'entreprise libérée cherche à supprimer ce qui contraint : organigrammes alambiqués, descriptifs de poste sclérosants et procédures inutiles…

soit partagée par tous les membres de l'organisation. Pour que le miracle ne tourne pas au mirage, le dirigeant doit respecter quelques idées clés : (1) privilégier la subsidiarité à la délégation ; (2) accompagner et arbitrer ; (3) affirmer son autorité au lieu de s'effacer. [...]

....

Source : Yvan Barel et Sandrine Frémeaux, « Bonheur au travail : les trois conditions de la réussite », reproduit avec la permission de *Gestion*, revue internationale de gestion, vol. 41, nº 2 (été 2016), p. 82-84.

Les objectifs organisationnels

Les activités d'une organisation ne se déroulent pas en vase clos ; elles reflètent les besoins et les attentes de la société dans laquelle elles s'insèrent. Les **objectifs sociétaux** de l'organisation sont les objectifs relatifs à la contribution que l'organisation entend apporter à l'ensemble de la société[2]. Généralement, une organisation remplit une fonction sociale particulière ou répond à un besoin profond de la société. Les dirigeants avisés tablent sur la contribution sociétale à laquelle prétend leur organisation en prenant soin de relier les activités et les tâches particulières de cette dernière à ses objectifs d'ordre supérieur.

Souvent, l'**énoncé de mission** de l'organisation, c'est-à-dire la déclaration écrite qui décrit sa raison d'être, définit ses objectifs sociétaux. Pour les dirigeants, rédiger un énoncé de mission qui traduise les objectifs de leur organisation en moyens, de manière à orienter et à mobiliser le personnel, est un mandat de toute première importance. Un bon énoncé de mission précise qui l'organisation entend servir et comment elle compte le faire, comment elle compte atteindre ses objectifs sociétaux[3].

Un parti politique peut se donner pour mission de redistribuer la richesse plus équitablement à l'ensemble des citoyens. Les universités se consacrent à la production et à la transmission du savoir. Les tribunaux doivent faire respecter les droits individuels et collectifs. Finalement, on attend des entreprises qu'elles veillent à la subsistance économique et au bien-être matériel de la société. Les organisations qui parviennent le mieux à mettre en valeur leur raison d'être et leur contribution sociétale ont une longueur d'avance sur leurs concurrentes.

Afin que leurs efforts ciblent le plus précisément possible un groupe particulier, les organisations affinent leurs objectifs sociétaux[4]. Nombre de grandes organisations ont compris l'importance de délimiter avec soin leur champ d'activité et de définir clairement ce dernier[5]. Elles obtiennent ainsi une base pour le processus de planification à long terme et, surtout lorsqu'elles sont très grandes, des balises pour éviter de consacrer trop de ressources à des activités accessoires. Cette délimitation du champ d'activité permet à certaines entreprises de clarifier la nature des biens ou des services qu'elles veulent offrir, c'est-à-dire de définir leurs objectifs en matière de biens ou de services, car ceux-ci constituent un critère important dans l'appréciation qu'on fait d'elles. Les **objectifs de production** de l'organisation délimitent son champ d'activité et précisent son énoncé de mission, plus général.

Les **objectifs stratégiques**, quant à eux, concernent les conditions susceptibles d'accroître les chances de survie de l'organisation. La liste des objectifs stratégiques possibles est pratiquement infinie, chaque gestionnaire et chaque chercheur établissant des liens différents entre les conditions vécues à un moment donné et la situation future. Cependant, un grand nombre d'organisations ont en commun des objectifs tels que la croissance, la productivité, la stabilité, l'harmonie, la flexibilité, le prestige et la fidélisation des ressources humaines. Dans certains secteurs, les

Créée en 1944 par le gouvernement du Québec, Hydro-Québec produit et distribue de l'électricité, s'assure de la fiabilité du réseau et joue un rôle central dans l'instauration d'une économie à faible empreinte carbone, contribuant ainsi à la richesse collective.

Objectif sociétal
Objectif relatif à la contribution que l'organisation entend apporter à l'ensemble de la société

Énoncé de mission
Déclaration écrite qui décrit la raison d'être d'une organisation

Objectif de production
Objectif de l'organisation qui délimite son champ d'activité et précise son énoncé de mission, plus général

Objectif stratégique
Objectif de l'organisation qui énonce une condition susceptible d'accroître ses chances de survie

analystes estiment que la part de marché et la rentabilité à court terme constituent d'importants objectifs stratégiques ; dans d'autres secteurs, l'innovation et la qualité sont à privilégier. Des études récentes en désignent également deux autres : l'intégrité et l'éthique.

D'un point de vue très pragmatique, les objectifs stratégiques reflètent les caractéristiques organisationnelles à court terme que les dirigeants de l'entreprise cherchent à promouvoir. Souvent, on doit faire en sorte que ces objectifs s'équilibrent les uns les autres pour éviter, par exemple, qu'une volonté exagérée de productivité et d'efficience ne vienne diminuer la flexibilité et la capacité d'adaptation de l'organisation.

On demande fréquemment aux diverses composantes de l'organisation de poursuivre des objectifs stratégiques différents. Ainsi, les dirigeants d'une entreprise peuvent demander aux unités de production de viser l'efficience, au service de recherche et développement d'apporter des innovations et au service des finances de veiller à l'équilibre budgétaire.

Les objectifs stratégiques sont essentiels à l'organisation, car, à l'image d'une carte routière indiquant l'itinéraire à suivre pour parvenir à une destination donnée, ils orientent ses diverses unités, tout en leur désignant le but commun qui les rallie et qui garantit la survie. Les objectifs stratégiques établis avec rigueur sont pragmatiques et faciles à comprendre ; ils aident les gestionnaires à centrer leur attention sur ce qui doit être fait, tout en leur laissant une certaine latitude dans le choix des moyens pour atteindre les cibles importantes.

Enfin, les choix que les gestionnaires font en matière d'objectifs stratégiques devraient naturellement fournir les assises de la répartition du travail au sein de l'organisation, c'est-à-dire les assises de sa structure formelle. En d'autres mots, pour s'assurer le succès, la direction doit faire correspondre à ses décisions relatives aux résultats escomptés des choix en matière de répartition des tâches permettant d'atteindre ces objectifs. Étant donné l'importance que revêt la structure formelle de l'entreprise, examinons les types de choix que les gestionnaires peuvent faire concernant l'organisation, le contrôle et la coordination des tâches.

La structure formelle et la division du travail

La structure formelle renvoie à la configuration générale et planifiée des postes, des tâches associées à ces postes ainsi que des lignes hiérarchiques qui unissent les diverses composantes de l'organisation. Bref, la structure formelle est le squelette de l'organisation[6]. En optant pour une configuration particulière, l'entreprise précise les forces qu'elle entend déployer en vue d'atteindre certains objectifs.

Traditionnellement, la structure formelle de l'organisation était aussi désignée par le terme « division du travail ». Certaines personnes utilisent encore cette terminologie pour faire la distinction entre ce qui touche directement la structure formelle de l'organisation et des questions telles que la répartition des marchés ou l'adoption d'une technologie donnée.

Le présent chapitre explique en quoi la structure est le fondement de l'action des gestionnaires et traite de l'influence de facteurs tels que la stratégie, l'âge et la taille, les technologies et l'environnement de l'organisation. Pour l'instant, voyons comment la structure formelle indique ce qui doit être fait, désigne (par la fonction) la ou les personnes qui effectueront telle ou telle activité et montre les façons dont l'organisation accomplira l'ensemble de ses tâches.

L'organigramme

L'**organigramme** est la représentation graphique de la structure formelle de l'organisation. Ordinairement, il donne des indications sur les divers postes et sur les personnes qui les occupent ainsi que sur les lignes hiérarchiques qui les unissent. Comme vous pouvez le voir à la **figure 15.1**, l'organigramme de l'Université Laval, à Québec, permet aux membres de cet établissement de savoir où ils se situent dans la structure formelle et de connaître les lignes hiérarchiques qui les rattachent à d'autres membres du personnel. Par exemple, il montre que le vice-recteur à l'administration dépend de la rectrice, mais a notamment autorité sur la personne responsable de la Direction des technologies de l'information ainsi que sur la personne responsable du Service des finances.

Lorsque vous étudiez un organigramme comme celui de la figure 15.1, ne perdez pas de vue qu'il s'agit de la représentation graphique de la structure formelle d'une organisation à un moment précis de l'existence de cette dernière. En effet, la structure d'une organisation se modifie sans cesse. Elle évolue en fonction, notamment, des stratégies et des objectifs de l'organisation, des changements qui se produisent dans son environnement, de sa taille et de sa maturité. L'organigramme et la structure qu'il représente ne sont donc pas statiques et figés, mais dynamiques et changeants.

La spécialisation verticale

Dans la plupart des organisations, on observe une répartition très précise et très explicite de l'autorité et des responsabilités par paliers hiérarchiques. Cette distinction correspond à la **spécialisation verticale**, division hiérarchique du travail qui répartit l'autorité et détermine les échelons auxquels se prennent les décisions importantes. Cette forme de division du travail crée une *hiérarchie de l'autorité*, c'est-à-dire une ordonnance des postes de travail en fonction du pouvoir décisionnel qui y est associé[7].

La ligne hiérarchique et l'éventail de subordination

La ligne hiérarchique relie les cadres supérieurs, les cadres intermédiaires, les cadres inférieurs et les salariés en spécifiant, à l'échelle de l'organisation, qui est sous la responsabilité de qui. Selon un principe classique de gestion, chaque individu devrait dépendre d'un seul supérieur, et chaque unité de travail ne devrait avoir qu'un responsable. On considère alors qu'il y a une *unité de commandement*. Celle-ci serait nécessaire pour parer à toute éventualité sans aucune confusion

Du simple soldat jusqu'au général, la ligne hiérarchique de l'armée ne laisse place à aucune confusion possible : l'autorité et les responsabilités sont clairement réparties en fonction des paliers hiérarchiques.

FIGURE **15.1** L'organigramme de l'Université Laval

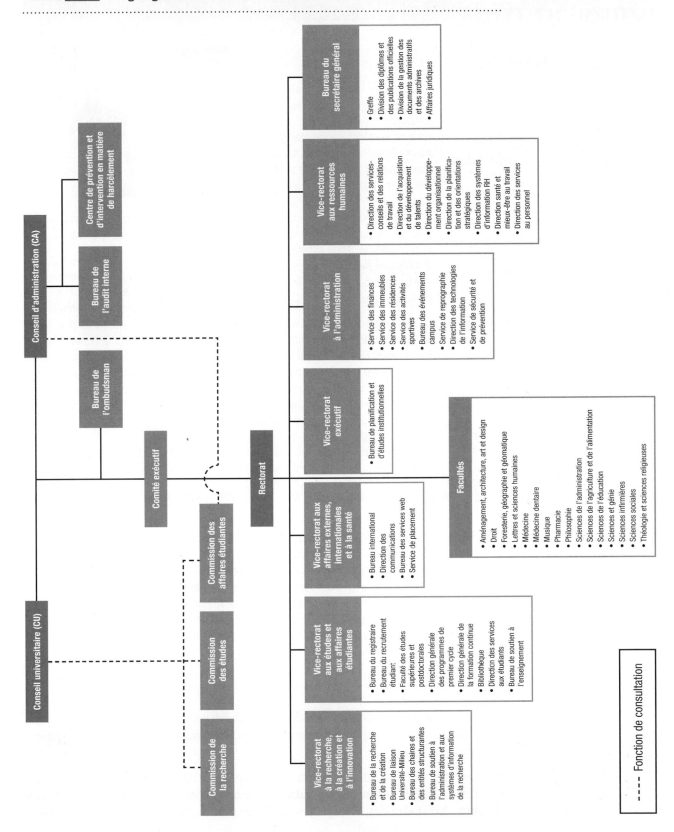

Au bout du rouleau

Docteur,

Ma patronne a eu l'excellente idée de supprimer quelques postes de supervision et de me placer, moi ainsi que les superviseurs qui restent, à la tête d'équipes plus grandes qu'auparavant. De plus, on ne nous appelle plus «superviseurs», mais «coachs». Elle prétend que cette démarche fait partie d'une nouvelle approche de gestion visant à alléger la structure et à nous donner plus de responsabilités.

En ce qui me concerne, ces changements ont alourdi ma charge de travail, car je dois maintenant coordonner les activités de 17 employés, alors que je supervisais avant 6 personnes. Comme, la plupart du temps, je n'arrive pas à examiner tous les dossiers qui s'amoncellent sur mon bureau, je finis par emporter du travail à la maison.

Pendant que notre organisation se «restructure» et licencie des employés, mes collègues et moi, qui restons, sommes submergés de travail. Nous sommes tous au bout du rouleau. Nos familles se sentent trahies et nous en veulent. J'en suis arrivé à me sentir coupable de prendre du temps, le samedi matin, pour aller regarder ma fille jouer au soccer. Bien qu'il soit satisfaisant, mon salaire ne compense pas le prix lourd que je dois payer en temps non consacré à ma famille.

Et savez-vous quel est le comble? Ma patronne semble ne rien comprendre. Elle ne vient jamais me dire : «Henri, vous travaillez trop. Ne pensez-vous pas que vous devriez reprendre un emploi du temps plus raisonnable?» Non, jamais! Je l'entends plutôt dire souvent : «Regardez André. Il se débrouille vraiment bien avec notre nouveau modèle de gestion. Il fait preuve de zèle. Je ne pense pas qu'il ait quitté le bureau une fois avant 20 h cette semaine.»

Que dois-je faire, docteur? Continuer comme ça jusqu'au jour où tout va s'écrouler? Est-ce qu'une hiérarchie allégée, comportant moins de gestionnaires, est toujours la bonne solution? Est-ce qu'il y a quelque chose que je n'ai pas compris au sujet de cette «nouvelle approche de gestion»?

Sincères salutations,

Un employé épuisé de Montréal

QUESTIONS

Est-il éthique de restructurer, de supprimer des échelons de direction et d'obliger ainsi les gestionnaires restants à faire plus de travail? Ou alors le problème est-il plutôt qu'il faudrait former les gestionnaires habitués aux «anciennes façons de faire», mieux les préparer à intégrer les «nouvelles» approches de gestion? Et que dire de la supérieure hiérarchique de cet employé? A-t-elle les compétences nécessaires pour être une bonne gestionnaire? En tant que gestionnaire, n'est-elle pas censée aider les membres de son équipe à comprendre leurs tâches, à se fixer des objectifs prioritaires et à les atteindre, tout en trouvant un juste équilibre entre leur vie professionnelle et leur vie personnelle?

Éventail de subordination (ou effectif sous responsabilité directe)
Nombre d'individus qui dépendent d'un même supérieur hiérarchique

possible, pour faire en sorte que toute responsabilité soit nettement dévolue à un individu particulier et que les canaux de communication au sein de l'organisation soient clairement établis.

À ce nombre d'individus dépendant d'un même supérieur hiérarchique correspond une notion appelée **éventail de subordination** (ou **effectif sous responsabilité directe**). Normalement, si les tâches sont complexes, si les subordonnés manquent d'expérience ou de formation ou encore si les tâches exigent un travail d'équipe, l'éventail de subordination doit être restreint.

Malheureusement, les éventails de subordination étroits impliquent une multiplication des paliers hiérarchiques, et donc une structure coûteuse, mais aussi trop rigide pour permettre à l'organisation de réagir rapidement aux changements. En outre, dans ce type d'organisation, la communication perd de son efficacité parce qu'elle est filtrée et déformée à plusieurs reprises, de sorte que des améliorations subtiles, mais nécessaires, ne sont pas mises en œuvre. Qui plus est, la multiplication des échelons hiérarchiques éloigne les cadres de l'action et les isole du reste des membres de l'organisation. Par ailleurs, des organisations comportant trop peu de niveaux hiérarchiques peuvent éprouver des problèmes de coordination et de contrôle, et les gestionnaires peuvent souffrir d'épuisement professionnel.

Les unités opérationnelles et les unités fonctionnelles

Une bonne façon d'étudier la division verticale du travail consiste à distinguer deux types d'unités organisationnelles : les unités opérationnelles et les unités fonctionnelles. Les **unités opérationnelles** assument les activités premières de l'organisation, notamment la production et le marketing. Elles sont secondées par les **unités fonctionnelles**, qui leur fournissent de l'expertise et des services spécialisés, comme la comptabilité ou les relations publiques.

Ainsi, les facultés de l'Université Laval (voir l'organigramme de la figure 15.1) sont des unités opérationnelles, puisqu'elles assument les activités premières de l'université, soit l'enseignement et la recherche. Par contre, le vice-rectorat à l'administration représente une unité fonctionnelle, tout comme le vice-rectorat aux ressources humaines.

Le personnel des unités fonctionnelles contribue indirectement à l'atteinte des objectifs de l'organisation en lui fournissant des connaissances et des compétences spécialisées. Traditionnellement, il se consacre, notamment, aux tâches administratives ainsi qu'à l'embauche et à la formation des travailleurs.

L'organisation peut choisir de placer le personnel fonctionnel à différents paliers de la pyramide hiérarchique, en le rattachant plus particulièrement aux cadres supérieurs, aux cadres intermédiaires ou aux cadres inférieurs. Lorsque le personnel fonctionnel est rattaché principalement aux gestionnaires qui sont au sommet de la pyramide hiérarchique, la capacité des cadres supérieurs de résoudre des problèmes et de prendre des décisions s'en trouve considérablement accrue. La direction a alors la mainmise sur l'information, sur les orientations et sur l'application de ses décisions. Le degré de spécialisation verticale est alors très élevé, puisque ce sont les cadres supérieurs qui planifient, décident et contrôlent, avec l'aide d'un personnel fonctionnel centralisé.

Le contrôle

Complément de la spécialisation verticale, le **contrôle** est un ensemble de mécanismes qui servent à maintenir les activités et la production d'une organisation dans des limites prédéterminées[8]. Les tâches de contrôle comprennent donc la fixation

Unité opérationnelle
Groupe de travail qui assume les activités premières de l'organisation

Unité fonctionnelle
Groupe de travail qui seconde les unités opérationnelles de l'organisation en leur fournissant de l'expertise et des services spécialisés

Contrôle
Ensemble de mécanismes qui servent à maintenir les activités et la production d'une organisation dans des limites prédéterminées

des objectifs, l'évaluation des résultats en fonction des objectifs et l'instauration de mesures correctives. Il importe de souligner que, pour être efficace, le contrôle doit s'amorcer avant l'application proprement dite de telles mesures. Ainsi, la fixation des objectifs par le gestionnaire doit s'accompagner de la définition des critères qui serviront à l'évaluation de leur atteinte et à la détermination de la réussite.

Il existe un large éventail de contrôles organisationnels qui, pour l'essentiel, se répartissent en trois grandes catégories : le contrôle des résultats, le contrôle des processus et le contrôle social. Ce dernier type de contrôle est traité dans le chapitre suivant, qui est consacré à la culture organisationnelle, et qui explique que cette dernière amoindrit la nécessité des contrôles formels et bureaucratiques. Le présent chapitre s'attarde donc aux deux autres, qui sont des contrôles formels mis en place par les gestionnaires.

Les objectifs stratégiques d'une organisation spécifient, telle une carte routière, les conditions favorables qui rallient les diverses unités de l'organisation et les orientent vers la réalisation de ses objectifs de production et sociétaux.

Contrôle des résultats
Ensemble de mécanismes de contrôle organisationnel consistant à fixer des objectifs et à définir des critères d'évaluation des résultats, à évaluer les résultats par rapport aux objectifs et à instaurer des mesures correctives

Le contrôle des résultats

Le début du présent chapitre définissait les objectifs de production et mentionnait que les objectifs stratégiques, à l'image d'une carte routière indiquant l'itinéraire à suivre pour parvenir à une destination donnée, spécifient les conditions favorables qui rallient les diverses unités de l'organisation et les orientent vers la réalisation de ses objectifs de production et sociétaux. Le contrôle des résultats se focalise sur les objectifs de chacune des unités de l'organisation. Plus spécifiquement, le **contrôle des résultats** consiste à fixer des objectifs et à définir des critères d'évaluation des résultats, à évaluer les résultats par rapport aux objectifs et à instaurer des mesures correctives[9]. Il porte sur des objectifs précis et permet aux gestionnaires d'utiliser leurs propres méthodes pour les atteindre. La plupart des organisations modernes ont recours à des mécanismes de contrôle des résultats dans le cadre plus général de la *gestion par exception*, mode de gestion qui consiste à surveiller les écarts importants entre les résultats et les prévisions, et à en analyser les causes.

Les mécanismes de contrôle des résultats sont très populaires parce qu'ils favorisent la souplesse et la créativité, tout en facilitant les discussions sur les mesures correctives à prendre. En effet, adopter le contrôle des résultats permet de séparer le *quoi* du *comment* : les discussions concernant la fixation des objectifs (le quoi faire) sont bien distinctes de celles qui portent sur les méthodes à utiliser (le comment faire). Cette distinction peut aussi favoriser une décentralisation du pouvoir : les cadres supérieurs ont l'assurance que le personnel de tous les paliers hiérarchiques travaillera à la poursuite des objectifs que la direction juge importants, et ce, même si les cadres des échelons inférieurs innovent et implantent de nouvelles méthodes pour y arriver.

Le contrôle des processus

Très peu d'organisations s'en tiennent aux mécanismes de contrôle des résultats. Souvent, après avoir trouvé la solution à un problème et l'avoir appliquée avec succès, les gestionnaires mettent en place des mécanismes de contrôle des processus pour éviter que la situation ne se reproduise. Le **contrôle des processus** vise à spécifier la façon dont les tâches doivent être accomplies[10]. Parmi les divers types de mécanismes de contrôle des processus, les trois principaux sont les suivants : (1) les politiques, les procédures et les directives organisationnelles ; (2) la formalisation et la standardisation ; (3) la gestion intégrale de la qualité.

Contrôle des processus
Ensemble de mécanismes de contrôle organisationnel qui consistent à spécifier la façon dont les tâches doivent être accomplies

Les politiques, les procédures et les directives organisationnelles

La plupart des organisations mettent en place toute une panoplie de politiques, de procédures et de directives pour définir les façons d'atteindre les objectifs qu'elles se sont fixés.

Une *politique* est un ensemble de principes directeurs qui indiquent la ligne de conduite à adopter dans le but de guider les membres de l'organisation dans la gestion de leurs tâches. Elle laisse donc une certaine latitude aux travailleurs et leur permet de faire de petits changements, sans qu'ils doivent expressément obtenir l'autorisation d'un cadre d'un échelon supérieur.

Une *procédure* décrit pour sa part la meilleure méthode à suivre pour exécuter une tâche, souligne les aspects les plus importants de cette méthode et prévoit un mécanisme d'attribution de récompenses.

En ce qui concerne les directives, elles sont beaucoup plus précises, strictes et officielles que les procédures. Généralement, une *directive* décrit en détail la façon d'accomplir une tâche ou une série de tâches et indique ce qu'il ne faut pas faire. Elle est conçue pour s'appliquer à tous les travailleurs qui peuvent se retrouver dans une situation donnée. Ainsi, de nombreux concessionnaires d'automobiles reçoivent des instructions détaillées sur la marche à suivre pour faire réparer un véhicule neuf sous garantie et doivent respecter des directives très strictes pour obtenir le remboursement auprès du fabricant.

La formalisation et la standardisation

La **formalisation**, c'est-à-dire la présentation écrite des politiques, des procédures et des directives, constitue un processus de substitution à la supervision directe des dirigeants. L'organisation peut diriger très précisément les activités d'un grand nombre de travailleurs à l'aide de procédures et de directives écrites. Celles-ci permettent d'assurer un traitement presque identique dans plusieurs installations, même lorsqu'elles se trouvent éloignées les unes des autres. Si le hamburger et les frites de McDonald's ont un goût sensiblement identique de Hong Kong à Chicoutimi ou de Genève à Longueuil, c'est simplement parce que des procédures et des directives écrites spécifient les ingrédients à utiliser et les méthodes de cuisson à appliquer. En outre, ces procédures et directives écrites permettent au travailleur dont la formation est incomplète de s'acquitter de tâches relativement complexes, malgré ses lacunes. Enfin, la description écrite d'une procédure constitue une référence permettant au travailleur de s'assurer qu'il exécute correctement une séquence donnée de tâches, en particulier lorsqu'elle ne lui est pas familière.

Peu importe dans quelle succursale Tim Hortons vous vous arrêterez au Canada, le café goûtera la même chose, la recette étant scrupuleusement suivie partout.

Formalisation
Mécanisme de contrôle des processus qui consiste à présenter par écrit les politiques, les procédures et les directives de l'organisation

La plupart des organisations se sont, par ailleurs, dotées de méthodes complémentaires pour gérer des situations ou des problèmes récurrents en standardisant les façons d'y faire face. On entend par **standardisation** le fait d'imposer des limites aux actions permises dans l'accomplissement d'une tâche ou d'une série de tâches. Toutes les méthodes de standardisation consistent en la détermination de lignes de conduite très précises visant à faire en sorte que des activités similaires soient toujours accomplies de la même manière. De telles méthodes peuvent être le fruit de nombreuses expériences de gestion de situations récurrentes ou avoir été acquises au cours d'une formation. Par exemple, si vous ne réglez pas à temps le montant minimal exigé sur le solde de votre carte de crédit, l'établissement financier appliquera la procédure standardisée correspondant à cette situation : il vous fera parvenir un avis et entamera un processus interne de surveillance de votre compte.

La gestion intégrale de la qualité

Les mécanismes de contrôle des processus qui viennent d'être présentés, soit les politiques, les procédures et les directives, mais aussi la formalisation et la standardisation, reposent essentiellement sur l'expérience accumulée au sein d'une organisation. Les gestionnaires les mettent en place au fil du temps, un par un, habituellement sans réfléchir à une philosophie globale portant sur le rôle des mécanismes de contrôle dans l'amélioration de l'ensemble des activités de l'organisation. Il existe cependant une autre approche de l'instauration de contrôles des processus : la gestion intégrale de la qualité.

W. Edwards Deming, maintenant disparu, est le fondateur du mouvement qui a prôné la gestion intégrale de la qualité[11]. Accueillies plutôt froidement en Amérique du Nord, ses idées ont eu un immense écho au Japon, où leur application a donné naissance à ce que certains estiment être les meilleures approches japonaises en matière de gestion. Essentiellement, l'approche d'Edwards Deming consiste en un processus d'amélioration continue fondé sur l'analyse statistique de chacune des activités de l'organisation. Autour de cette idée, Edwards Deming a formulé 14 recommandations à l'intention des gestionnaires désireux de l'appliquer (voir l'encadré page ci-contre). Vous remarquerez l'importance qu'il accorde à la collaboration entre les cadres et les salariés dans l'utilisation des contrôles statistiques visant l'amélioration.

Un programme de gestion intégrale de la qualité implique entre autres que les cadres doivent former les travailleurs, leur faire acquérir de nouvelles compétences et mettre en évidence les objectifs de qualité poursuivis.

Lorsque les éléments clés des objectifs de l'organisation sont clairement définis et qu'ils sont soutenus par une gestion participative axée sur l'habilitation du personnel, l'approche d'Edwards Deming consistant à accorder la primauté à la qualité semble très bien fonctionner. Un programme de gestion intégrale de la qualité repose sur l'engagement de tous les paliers de gestion. Entre autres, les cadres doivent former les travailleurs, leur faire acquérir de nouvelles compétences et mettre en évidence les objectifs de qualité poursuivis.

Le pouvoir décisionnel : la centralisation et la décentralisation

Selon les organisations, les combinaisons de spécialisation verticale, de contrôle des résultats, de contrôle des processus et de techniques de gestion destinées à répartir l'autorité ou le pouvoir décisionnel peuvent varier grandement[12]. Plus le pouvoir de dépenser des fonds, d'embaucher du personnel et de prendre des décisions de cet ordre est concentré au sommet de la pyramide hiérarchique, plus grande est la **centralisation**. À l'inverse, plus ce pouvoir est délégué à des échelons inférieurs, plus la **décentralisation** est importante.

En période de crise, lorsque sa survie est en jeu, l'organisation a tendance à centraliser son fonctionnement. Il n'est donc pas très étonnant que la structure des forces armées soit très centralisée ni que les entreprises au bord de la faillite soient enclines à la centralisation. Une recherche récente suggère même que les organismes d'État peuvent améliorer leur rendement au moyen de la centralisation lorsqu'ils doivent se mettre sur la défensive[13].

En général, la décentralisation augmente la satisfaction professionnelle des subordonnés et permet une résolution plus rapide de divers types de problèmes. En outre, elle favorise la formation sur le tas des subordonnés et les prépare à occuper des postes plus élevés. Un nombre croissant d'organisations optent pour une certaine décentralisation[14]. De grandes sociétés, comme Union Carbide, Hewlett-Packard et Sysco, ont résolument pris cette voie et délèguent de plus en plus de responsabilités aux échelons inférieurs de leur hiérarchie. Dans chacun de ces cas, les dirigeants espèrent ainsi améliorer la qualité de la production et la capacité d'adaptation de l'entreprise.

La décentralisation et la participation. La décentralisation des structures est étroitement associée à la notion de *participation des travailleurs.* Il y a participation dès qu'un gestionnaire délègue une partie de son pouvoir décisionnel à des subordonnés afin d'intégrer ces derniers dans le processus décisionnel. Nombreux sont les travailleurs qui veulent participer aux décisions relatives à leur travail et avoir voix au chapitre en ce qui concerne les objectifs de leur unité et les moyens de les atteindre[15].

Centralisation
Concentration du pouvoir décisionnel aux échelons supérieurs de la hiérarchie organisationnelle

Décentralisation
Délégation du pouvoir décisionnel aux échelons inférieurs de la hiérarchie organisationnelle

Les 14 recommandations de W. E. Deming

1. Établissez vos objectifs organisationnels en pensant à :
   a) innover ;
   b) investir dans la recherche et la formation ;
   c) investir dans l'équipement et les nouveaux outils d'aide à la production.

2. Familiarisez-vous avec une nouvelle philosophie de la qualité visant à améliorer chaque système.

3. Exigez des données statistiques fiables du contrôle des processus et éliminez les contrôles de la production strictement financiers.

4. Exigez des données statistiques fiables du contrôle des achats des matières premières, ce qui se traduira par une réduction du nombre de vos fournisseurs.

5. Instaurez des méthodes statistiques qui permettent de cerner l'origine d'un problème.

6. Instaurez des programmes de formation sur le tas qui soient à jour.

7. Améliorez l'encadrement afin que des leaders inspirés se manifestent.

8. Éliminez la crainte de l'autorité et stimulez l'envie d'apprendre.

9. Éliminez les barrières entre les services.

10. Éliminez les objectifs de nature quantitative et les slogans « creux » appelant à l'augmentation de la productivité.

11. Améliorez constamment vos méthodes de travail.

12. Instaurez de vastes programmes de formation sur les méthodes statistiques à l'intention du personnel.

13. Formez vos ressources humaines ; faites en sorte qu'elles acquièrent de nouvelles compétences.

14. Mettez sur pied une structure interne qui favorise l'application des 13 points précédents.

Et si le leadership horizontal était bon pour la santé !

Dans plusieurs organisations, le leadership est en train de se transformer. De plus en plus, on y voit des leaders officiels partager leurs responsabilités avec des leaders ponctuels. [...]

Le leadership horizontal se manifeste donc par le partage du leadership entre les membres d'une équipe. Suivant les dossiers, les sujets ou les projets, le leadership est accordé à celui ou à celle qui possède la compétence ou la légitimité pour l'assumer. De plus, le leadership horizontal est de type collaboratif en ce qu'il amène les gens à agir de concert plutôt qu'à miser sur les directives formelles. Les membres de l'équipe sont en mouvement et décident ensemble. Cette forme de leadership s'applique particulièrement bien à des contextes de créativité et d'innovation où on a tout avantage à ce que tous soient mis à contribution, et plus particulièrement dans leur zone de talent. [...]

Les pratiques de gestion implantées chez LabVolt ltée, entreprise reconnue mondialement comme un important fabricant de matériel technico-pédagogique, illustrent bien l'effet du leadership horizontal sur le bien-être et la santé psychologique. La filiale canadienne de la société LabVolt est située à Québec. [...]

L'usine LabVolt de Québec, composée de 200 salariés, dont 120 à la production, a une culture de partage et de travail d'équipe. À cet égard, à l'embauche de nouveaux employés, deux critères sont scrutés pour cibler les nouveaux collaborateurs : l'ouverture d'esprit et la polyvalence. Dans cette usine, les employés sont appelés à changer régulièrement de poste de travail pour soutenir les besoins de production.

Devant un défi de croissance en 2006, LabVolt a su revoir ses modes de fonctionnement pour passer d'une production « en lot » à une production « juste-à-temps ». Ce changement a nécessité la révision des bases du travail en équipe. Pendant cette période, un comité de travail a été formé pour réfléchir à des stratégies qui pourraient répondre aux besoins des employés. [...]

Depuis ce temps, les postes de chef d'équipe ont disparu, les horaires flexibles sont maintenus (horaire entre 20 et 40 heures/semaine au choix, début et fin de travail variables, réduction ou compression de la semaine de travail, temps reporté ou autre selon le besoin spécifique de l'employé) et les employés gèrent de façon autonome leur production et leurs heures de travail. Le leadership dans les équipes émerge selon les besoins opérationnels et les défis. La production se fait par centres de travail, et les équipes varient de trois à cinq personnes. Les équipes reçoivent leurs objectifs hebdomadaires et quotidiens. Chaque centre de travail peut observer le travail des autres et l'avancement de la production. Ainsi, les équipes qui terminent plus rapidement leurs tâches sont invitées à aller aider les autres centres de travail. Les leaders informels ont pris les responsabilités liées à la transmission d'information, à la tenue de réunions éclair et à la prise de décision liée à leur centre de travail. Pour ce qui est de la gestion des priorités et de la planification des vacances, le leadership est assumé par l'équipe.

Chez LabVolt, la hiérarchie étant pratiquement inexistante, les délais d'approbation et de décision sont minimes. Un des principes intéressants de la culture d'entreprise est que les dirigeants sont au service des employés. En fait, c'est le principe de la pyramide inversée qui favorise l'élimination des délais et la création de valeur ajoutée. [...]

Source : Catherine Privé et Claude Mignault, « Et si le leadership horizontal était bon pour la santé ! », *Effectif*, vol. 17, n° 3, 2014, p. 36-39. Reproduction autorisée par l'Ordre des conseillers en ressources humaines agréés.

QUESTIONS

Quels sont les éléments clés du leadership exercé chez LabVolt ? Comment ce leadership influence-t-il la structure organisationnelle mise en place ?

L'illusion de contrôle. L'un des mythes de la gestion est l'illusion de contrôle. Il existe plusieurs versions de ce mythe ; l'une d'elles se centre plus particulièrement sur les mécanismes de contrôle formels proprement dits. De nombreux gestionnaires veulent croire qu'ils peuvent fixer tous leurs objectifs à leurs subordonnés et leur dicter également la façon de les atteindre. Avec un trop grand nombre d'objectifs liés aux processus et d'objectifs liés aux résultats à atteindre, les subordonnés semblent avoir très peu de latitude. Toutefois, à mesure que le nombre de mécanismes de contrôle des processus et des résultats s'accroît, un conflit entre les deux types de mécanismes de contrôle surgit et prend de l'importance. De ce fait, les subordonnés ne peuvent faire autrement que de choisir quels mécanismes ils peuvent respecter, et les gestionnaires vivent dans l'illusion que leurs employés poursuivent tous les objectifs établis[16].

La spécialisation horizontale

Si elles sont deux dimensions importantes de la structure organisationnelle, la spécialisation verticale et le contrôle, qu'on vient de voir, ne constituent que la moitié du portrait de l'organisation. En effet, les gestionnaires doivent également diviser l'ensemble du travail à accomplir en tâches précises, puis regrouper les ressources et les travailleurs affectés à des activités similaires[17]. La **spécialisation horizontale**, appelée également *départementalisation*, est une division du travail qui mène à la création d'unités ou de groupes de travail au sein de l'organisation.

Spécialisation horizontale
Division du travail qui mène à la création d'unités ou de groupes de travail au sein de l'organisation

Tout en procédant à cette division horizontale du travail, les gestionnaires doivent impérativement se soucier de la façon dont les efforts des différents groupes de travail ainsi créés se combineront, s'intégreront les uns aux autres. L'intégration des diverses composantes de l'organisation relève de la coordination. Après avoir étudié les différents types de départementalisation, vous verrez un peu plus loin dans le chapitre comment les cadres conjuguent, à cette fin, des modes de coordination interpersonnels et formels.

La structure fonctionnelle

Le regroupement des individus par compétences, connaissances ou activités conduit à créer une **structure fonctionnelle**. Dans l'organigramme présenté à la figure 15.1, on voit que chaque service ou département de l'Université Laval a une spécialité ou une fonction administrative particulière. De même, dans les entreprises, le marketing, les finances, la production et la gestion des ressources humaines constituent des fonctions importantes. Cette forme de départementalisation est celle qui prédomine dans les PME. Les grandes sociétés l'utilisent aussi, principalement dans leurs champs d'activité hautement techniques.

Structure fonctionnelle
Structure organisationnelle qui regroupe les individus par compétences, connaissances ou activités

La **figure 15.2** (p. 544) souligne les avantages et les inconvénients de la structure fonctionnelle. L'importance des avantages explique que ce type de structure soit si répandu ; il se rencontre dans la plupart des organisations, particulièrement aux échelons inférieurs de la pyramide hiérarchique. La structure fonctionnelle comporte cependant des

Lorsque les individus d'une organisation sont regroupés par compétences, connaissances ou activités, on parle de structure fonctionnelle. C'est le cas de votre université.

inconvénients, et l'organisation qui l'étend à tous les échelons de sa hiérarchie peut s'attendre à voir apparaître, avec le temps, les tendances suivantes : recherche de la qualité surtout axée sur l'aspect technique, résistance aux changements et difficulté à coordonner les activités de services fonctionnels distincts.

FIGURE **15.2** **Les principaux avantages et inconvénients de la structure fonctionnelle**

Avantages	Inconvénients
1. Elle conduit à une détermination des tâches très précise, correspondant à la formation des travailleurs.	1. Elle peut entraîner une spécialisation excessive.
2. Les travailleurs d'un même service peuvent s'appuyer sur leurs compétences, leur formation et leurs expériences respectives.	2. Elle peut conduire à la création de postes étroits, routiniers et monotones.
3. Elle fournit un lieu de formation privilégié pour les jeunes cadres.	3. Elle rend difficile la circulation de l'information d'un service à l'autre.
4. Elle est facile à expliquer.	4. La direction risque d'être débordée par des problèmes interfonctionnels.
5. Elle met à profit les compétences techniques de l'employé.	5. Les travailleurs peuvent être portés à attendre l'orientation et le renforcement de leurs supérieurs hiérarchiques plutôt que de se concentrer sur les produits, les services ou la clientèle.

La structure divisionnaire

Structure divisionnaire
Structure organisationnelle qui regroupe les individus et les ressources par produits, secteurs géographiques, types de services, clients ou entités juridiques

Le regroupement des individus et des ressources par produits, secteurs géographiques, types de services, clients ou entités juridiques conduit à la création d'une **structure divisionnaire**[18]. La **figure 15.3** illustre la départementalisation en divisions par produits, secteurs géographiques et clientèles d'un fabricant de pièces automobiles. On adopte en général cette structure organisationnelle pour réagir à des menaces ou pour saisir des occasions se présentant dans l'environnement. Énumérés à la figure 15.3 avec ses inconvénients, les principaux avantages de la structure divisionnaire sont sa souplesse devant les exigences de l'environnement, sa rapidité de réaction aux changements, sa capacité d'intégration des travailleurs spécialisés aux sous-structures profondes de l'organisation et la primauté accordée à la spécificité des produits en fonction de clients particuliers.

En revanche, la structure divisionnaire peut entraîner la répétition superflue des mêmes efforts d'une division à une autre, la tendance des divisions à privilégier leurs propres intérêts au détriment de ceux de l'organisation dans son ensemble ainsi que des querelles intestines entre les divisions. En outre, cette structure n'est pas la plus propice à la formation des travailleurs dans des domaines techniques. L'organisation qui l'adopte risque de se faire devancer par ceux de ses concurrents qui ont opté pour une structure fonctionnelle.

Les très grandes sociétés servant des marchés à l'échelle nationale ou internationale choisissent souvent une départementalisation par *secteurs géographiques*. Ce type de structure leur permet de faire de substantielles économies de temps, d'efforts et de déplacements. De plus, chaque division territoriale peut s'adapter aux particularités régionales.

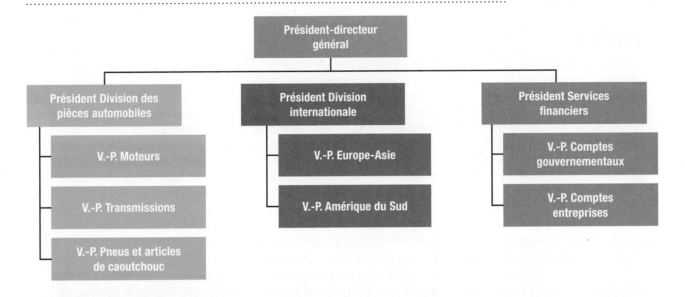

L'organisation qui ne compte que quelques gros clients peut structurer ses ressources et son personnel en fonction de ces derniers, en se concentrant sur la satisfaction de leurs besoins uniques[19]. Dans la mesure où les demandes sont distinctes d'un client à un autre, la départementalisation par clients en simplifie le traitement et augmente la synergie.

L'organisation qui étend ses activités aux marchés internationaux peut également décider de mettre sur pied des divisions distinctes pour répondre aux exigences parfois complexes des pays d'accueil à l'égard de la propriété étrangère. Ainsi, NEC, Sony, Nissan et un grand nombre d'entreprises japonaises ont créé des filiales nord-américaines pour servir leurs clients dans ce secteur géographique; des multinationales européennes comme Philips ou Nestlé ont adopté une structure semblable lorsqu'elles se sont implantées aux États-Unis. Des multinationales américaines comme IBM ou GE ont également recouru à la structure divisionnaire pour leurs activités internationales.

DU CÔTÉ DE LA PRATIQUE

Philips

Philips, une société technologique néerlandaise fondée en 1891, est devenue un leader mondial en électronique grand public dans les années 1950. Étant donné la taille restreinte des Pays-Bas, Philips a rapidement dû se tourner vers les pays étrangers. Presque dès le début, la stratégie de Philips a reposé sur la décentralisation des atouts clés, soit la délocalisation des meilleurs gestionnaires à l'étranger et des activités des laboratoires de recherche. Cette décentralisation a été renforcée durant la Deuxième Guerre mondiale lorsque les filiales étrangères, isolées du siège social, sont devenues encore plus indépendantes.

La grande autonomie acquise par les filiales a rapidement stimulé l'activité et l'innovation entrepreneuriales. Ces filiales étaient désormais responsables des aspects financiers et juridiques ainsi que de tout ce qui touchait la production, la recherche et l'administration. Le nouveau pouvoir des filiales s'est notamment manifesté par l'envoi de représentants au siège social pour faire valoir les intérêts de leurs pays respectifs. De manière générale, les filiales ont développé une grande capacité à cerner les conditions spécifiques du marché de leur pays ainsi qu'à en tirer parti. Cette stratégie de décentralisation a eu beaucoup de succès à une période où les préférences des consommateurs et les conditions économiques variaient beaucoup selon les pays.

Les années 1960 ont amené une série de changements draconiens dans l'environnement commercial.

Il y a d'abord eu une augmentation des accords de commerce sur le marché commun européen, qui a amoindri les taxes commerciales et diminué le besoin de filiales indépendantes à travers l'Europe. De plus, avec les nouvelles technologies basées sur le transistor, bon nombre de concurrents de Philips ont délocalisé leur production en Asie pour réduire les coûts, ce qui a rendu les prix de Philips non concurrentiels. Enfin, une vague d'homogénéisation des préférences des consommateurs a déferlé, ce qui a propulsé les produits japonais électroniques normalisés, de grande qualité et abordables, qui ont alors inondé le marché.

Entre les années 1970 et 2010, les dirigeants successifs de Philips ont mis en œuvre une série de réorganisations pour centraliser de plus en plus le pouvoir et l'enlever aux filiales. Premièrement, afin de rationaliser les activités, ils ont choisi de se concentrer sur un nombre restreint de produits et ont radicalement réduit la gamme de produits des filiales. Deuxièmement, dans le but de réduire les coûts, ils ont concentré la production et se sont débarrassés de plus d'une centaine d'usines inefficaces. Troisièmement, le siège social a repris les rênes de la coordination des activités des filiales et a finalement pris en charge la définition des nouvelles activités technologiques, aspect qui était auparavant du ressort des filiales.

Malheureusement pour Philips, plusieurs de ces changements ont été plus longs à mettre en œuvre que

prévu et ont mis l'entreprise en péril, et ce, pour quatre raisons principales. En premier lieu, les gestionnaires locaux, qui étaient au centre du pouvoir au sein de l'organisation, se sont soudainement sentis écartés plutôt qu'impliqués dans le processus. En deuxième lieu, ceux-ci ont résisté à de nombreux changements qui impliquaient des mises à pied, souhaitant protéger les emplois locaux. En troisième lieu, bon nombre des plus importants talents de l'entreprise, notamment ceux qui étaient responsables des filiales, ont démissionné. Beaucoup de savoirs concernant les technologies et l'organisation de Philips ont donc quitté l'entreprise en même temps qu'eux. En quatrième lieu, les gestionnaires locaux qui sont restés ne se sont pas nécessairement investis dans les nouvelles activités technologiques définies par le siège social, jugeant qu'elles leur avaient plutôt été imposées.

Source : David Pastoriza, « Le passage de la centralisation à la décentralisation : un dangereux balancier », reproduit avec la permission de *Gestion*, revue internationale de gestion, vol. 41, nº 4 (hiver 2017), p. 70-73.

La structure matricielle

Il existe une autre forme de départementalisation, très particulière et de plus en plus répandue : la structure matricielle, qui est née dans l'industrie aérospatiale[20]. Dans ce secteur industriel, les projets sont d'une extrême complexité technique et font intervenir des centaines de sous-traitants situés aux quatre coins du globe. Il est donc essentiel de mettre en place des mesures rigoureuses d'intégration et de contrôle s'appliquant à une grande variété de fonctions et d'organisations. Sur ce plan, les structures fonctionnelle et divisionnaire sont rarement suffisantes, car de nombreuses sociétés se montrent très réticentes à l'idée de sacrifier la souplesse et le dynamisme de la structure divisionnaire pour les avantages qu'offre la structure fonctionnelle sur le plan technique. La **structure matricielle** allie ces deux formes d'organisation. La **figure 15.4** présente la structure matricielle d'une division aérospatiale. Notez que les services fonctionnels sont situés d'un côté de l'organigramme, et les projets spéciaux, de l'autre. Les travailleurs et les cadres au centre de la matrice dépendent de deux autorités, l'une fonctionnelle et l'autre attachée à un projet.

Structure matricielle
Structure organisationnelle qui combine des éléments des structures fonctionnelle et divisionnaire, et où le travailleur dépend de deux autorités

FIGURE 15.4 **La structure matricielle d'une division aérospatiale**

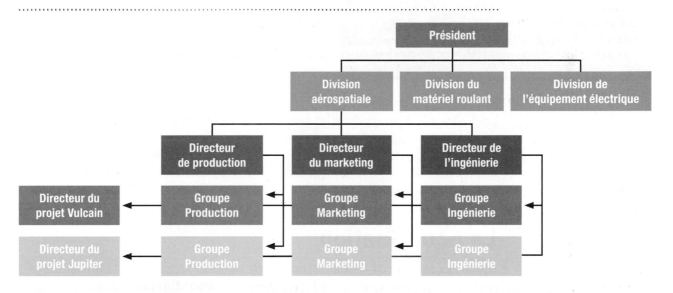

Les principaux avantages et inconvénients de la structure matricielle	
Avantages	**Inconvénients**
1. Elle associe les points forts des structures fonctionnelle et divisionnaire.	1. Elle est très onéreuse.
2. Dans un environnement de plus en plus complexe, elle permet à l'organisation d'associer les compétences techniques et la connaissance du marché.	2. Elle élimine l'unité de commandement (les travailleurs relèvent de plus d'un supérieur).
3. Elle permet à de nombreux cadres de communiquer efficacement tant avec le personnel technique qu'avec celui du marketing.	3. Parce que l'autorité et les responsabilités des cadres se chevauchent parfois, elle peut générer des conflits et des divergences entre les unités ainsi que des incohérences dans l'établissement des priorités.
	4. Elle est difficile à expliquer aux travailleurs.

La figure 15.4 résume les principaux avantages et inconvénients d'une telle forme de départementalisation. L'inconvénient majeur est la disparition de l'unité de commandement, dont il peut résulter une certaine incertitude chez les travailleurs à propos de leurs tâches, de la personne qui les supervise dans telle ou telle activité et de la division du travail chez les cadres se partageant la responsabilité d'un projet. La structure matricielle peut également se révéler très onéreuse, dans la mesure où il revient à différents cadres de coordonner les efforts de tous les intervenants, jusqu'aux échelons les plus bas de l'organisation. Le nombre de gestionnaires est donc généralement beaucoup plus élevé dans une structure matricielle que dans une structure fonctionnelle ou divisionnaire.

En dépit de ses limites, la structure matricielle permet d'équilibrer les priorités des deux autres formes de structures. Dans la pratique, bien des problèmes se règlent sur le plan opérationnel, là où il est possible de concilier au mieux les aspects techniques, les coûts, les préoccupations du client et celles de l'organisation.

Quelle structure choisir? Comme on vient de le voir avec le modèle matriciel, il est possible de procéder à la départementalisation en utilisant simultanément deux méthodes. En fait, il est courant de voir les organisations combiner des structures, ce qui est une décision judicieuse, car en divisant les activités des groupes et les ressources selon deux méthodes, on peut équilibrer les avantages et les inconvénients de chacune. Grâce à ces structures mixtes, les organisations utilisent la division du travail pour profiter des avantages associés à leur taille et à leur maturité, saisir les occasions qui se présentent dans leur environnement et exploiter le potentiel des nouvelles technologies à des fins stratégiques.

Dans les secteurs où les projets sont d'une grande complexité technique, comme en aérospatiale, il est essentiel de mettre en place des mesures rigoureuses d'intégration et de contrôle.

La coordination

À toute démarche de différenciation ou de division horizontale du travail doivent correspondre des mécanismes d'intégration[21]. La **coordination** est un ensemble de mécanismes que l'organisation utilise pour établir un lien cohérent entre les activités de ses diverses unités. La coordination est requise à tous les niveaux de gestion, pas seulement entre quelques unités isolées. La majeure partie des tâches de coordination au sein d'une unité incombent à son gestionnaire. Les PME peuvent s'en remettre à la hiérarchie pour assurer la cohérence et l'intégration nécessaires. Toutefois, plus l'organisation prend de l'expansion, plus les cadres risquent d'être débordés. Il est alors crucial de mettre en place des mécanismes de coordination efficaces.

Coordination
Ensemble des mécanismes qu'utilise l'organisation pour établir un agencement cohérent des activités de ses diverses unités

Les modes de coordination interpersonnels

Les modes de coordination interpersonnels créent la synergie indispensable à une organisation en favorisant le dialogue, la discussion, l'innovation, la créativité et l'apprentissage, à la fois à l'intérieur de ses diverses unités et entre elles. Ils permettent à l'organisation de s'occuper simultanément des besoins particuliers des différentes unités et de ceux des individus. Les modes de coordination interpersonnels sont multiples[22], le plus répandu étant sans doute le contact direct entre les membres du personnel. L'utilisation des technologies de l'information et des communications (TIC) permet maintenant d'instaurer et d'entretenir des réseaux de contacts encore plus efficients. Ainsi, nombre de gestionnaires, en plus de se parler face à face, communiquent au moyen d'outils électroniques.

Toutefois, la communication directe et personnelle est aussi associée au *bouche-à-oreille* et à ses effets néfastes. Le fait est notoire : le bouche-à-oreille n'est pas nécessairement fiable lorsqu'il colporte les potins et les rumeurs au sein de l'organisation. Il reste que c'est un moyen de communication qui peut se révéler assez juste et rapide pour que les gestionnaires ne puissent en faire fi purement et simplement. Mieux vaudrait donc en tirer profit et s'en servir pour alimenter la *machine à rumeurs* en renseignements exacts.

Les cadres participent souvent à un grand nombre de comités destinés à améliorer la coordination entre les services. Bien que les comités aient mauvaise réputation et soient généralement onéreux, il est possible d'en faire des mécanismes interpersonnels fort efficaces pour assurer la coordination entre les directeurs de service et permettre à ces derniers de prendre les mesures qui s'imposent. Ils peuvent servir non seulement à communiquer des données qualitatives et de l'information complexe, mais également à aider les cadres dont les unités doivent régler ensemble les questions d'horaires, de tâches et d'affectations afin d'améliorer leur productivité.

DU CÔTÉ DE LA RECHERCHE

La coordination dans les organisations provisoires

De nos jours, nombreux sont ceux dont le travail oblige à faire régulièrement partie d'entités provisoires, comme des comités de réflexion, des alliances d'intervenants ou des équipes de projet. La coordination des activités de ces personnes est souvent difficile dans un tel contexte. Par la recherche qu'elle a effectuée, Betty Bechky nous aide à mieux comprendre cette problématique. Elle s'est en effet intéressée aux membres d'une équipe travaillant sur un plateau de tournage, non pas les acteurs ni les producteurs, mais les techniciens ayant monté le plateau, les machinistes, les cadreurs et les perchistes. En général, ces derniers

sont des contractuels «indépendants» qui doivent rapidement se mettre en phase les uns avec les autres même si l'équipe n'a été formée que quelques heures auparavant.

Comment ces techniciens peuvent-ils fonctionner ensemble pendant la courte période que dure le tournage d'un film? Selon Betty Bechky, ils négocient leurs rôles les uns avec les autres. Chacun a sa propre spécialisation et sa propre responsabilité, mais il doit coordonner son travail avec celui du reste de l'équipe. Bien que tous connaissent le cheminement des uns et des autres (certains ont plus d'expérience et peuvent aider

ceux qui en ont moins), ils savent aussi que le contrat du moment en précède de nombreux autres qu'ils souhaitent obtenir à l'avenir. Ils sont donc tous prêts à faire de leur mieux dans l'espoir qu'on les embauchera pour le tournage du prochain film.

Betty Bechky s'est aperçue que, pour assurer une coordination efficace, les membres de l'équipe qui ont le plus d'expérience peuvent, par exemple, manifester avec enthousiasme leur reconnaissance ou reprendre poliment ceux qui en ont moins. Pour établir un nouvel ordre et assurer la coordination, ils ont recours à l'humour, aux taquineries polies, aux commentaires sarcastiques et au persiflage léger. Les accès de colère publics sont rares et mal vus. Une fois les mécanismes mis en place, en l'espace de quelques heures, l'équipe est prête à fonctionner comme une unité intégrée.

Pour appliquer ces observations à un groupe d'étudiants, essayez de bâtir un modèle simplifié reprenant les divers facteurs évoqués. Ce modèle pourrait prendre la forme du schéma ci-dessous.

Formez un groupe en rassemblant des étudiants spécialisés chacun dans un domaine différent (par exemple, comptabilité, finances, management) afin qu'ils réalisent en équipe une étude de cas. Observez s'ils s'attribuent des tâches adaptées à leur domaine de spécialisation. Notez s'il y a une diversité sur le plan de l'expérience et s'il y a un désir commun d'atteindre un haut rendement.

Lorsque le groupe commence à travailler au projet, voyez si les étudiants cherchent à négocier des rôles bien distincts. Pour fusionner, ont-ils recours à l'humour, à la taquinerie et aux commentaires sarcastiques? Forment-ils un groupe intégré dont chaque membre a des responsabilités et des activités coordonnées avec celles des autres? Ou sont-ils seulement quelques-uns à prendre les choses en main?

Source : D'après Beth A. Bechky, « Gaffers, Gofers and Grips : Role-Based Coordination in Temporary Organizations », *Organization Science*, vol. 17, n° 1, 2006, p. 3-23.

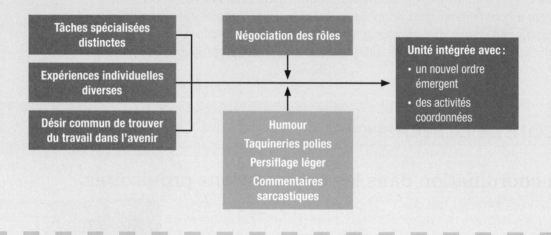

Il n'existe aucune combinaison miracle des modes de coordination interpersonnels pouvant s'adapter universellement aux compétences, aux aptitudes et aux expériences individuelles de tous les subordonnés. Le gestionnaire doit connaître les personnes avec qui il travaille et leurs préférences ainsi que les approches que privilégient les diverses unités au sein de l'organisation. Comme le démontre la rubrique *Du côté de la recherche* ci-dessus, divers modes de coordination interpersonnels peuvent être utilisés et adaptés en fonction des individus et de la situation. Ils ne constituent par ailleurs qu'un volet des outils de coordination dont le gestionnaire dispose, puisqu'il peut également instaurer des mécanismes de coordination formels.

Les modes de coordination formels

De nature plus impersonnelle, les modes de coordination formels suscitent la synergie en privilégiant la cohérence et la standardisation pour assurer un agencement logique des activités des diverses unités. Bien souvent, ils prolongent et complètent les contrôles des processus en mettant l'accent sur la formalisation et la standardisation. La plupart des grandes organisations se servent de politiques et de procédures écrites – prévisions, budgets, programmes, etc. – pour faire en sorte que les activités de diverses unités aboutissent à un résultat d'ensemble cohérent et prévisible.

Historiquement, les organisations avaient recours à des unités fonctionnelles spécialisées pour assurer la coordination de leurs unités. Cependant, cette méthode se révèle très coûteuse et risque d'aboutir à une trop grande rigidité. Le mode de coordination formel le plus élaboré est celui qui découle de l'adoption d'une structure matricielle. Comme on l'a vu, cette forme de départementalisation est expressément conçue pour coordonner les efforts d'unités fonctionnelles et d'unités attachées à un projet.

En revanche, plusieurs organisations choisissent de faire appel à des groupes de travail interfonctionnels, plutôt que de maintenir une unité fonctionnelle spécialisée ou de mettre en place une structure matricielle. Ces groupes de travail sont constitués, en général, dans le but de résoudre un problème de coordination particulier, puis sont dissous une fois leur mandat accompli. Ils peuvent réclamer l'adoption de nouvelles procédures, la redistribution des tâches ou l'instauration de méthodes plus personnelles pour s'assurer que les efforts des diverses unités se combinent efficacement et sans heurts.

Le dernier exemple de mode de coordination formel présenté ici est en train de se transformer radicalement dans un grand nombre d'organisations. Il fut un temps où les systèmes de gestion de l'information étaient conçus pour permettre aux gestionnaires de coordonner et de contrôler les activités des diverses unités dont ils avaient la responsabilité. Ces systèmes constituaient des versions informatisées des prévisions, des budgets et des autres données de même ordre. Dans certaines organisations, le système de gestion de l'information continue de fonctionner comme un mécanisme combinant un mode de coordination formel et un contrôle des processus. Toutefois, utilisé judicieusement, il peut constituer un réseau de liens électroniques entre tous les membres du personnel. Grâce à des systèmes de communication décentralisés, soutenus par le bon vieux téléphone, le télécopieur et le courriel, un système auparavant centralisé peut devenir, pour le gestionnaire, un atout qui s'ajoute aux modes de coordination interpersonnels.

Plusieurs organisations choisissent de faire appel à des groupes de travail interfonctionnels constitués, en général, dans le but de résoudre un problème de coordination particulier et dissous une fois leur mandat accompli.

Au Canada et aux États-Unis, pays où l'individualité et le libre arbitre sont culturellement valorisés, on a une aversion pour le contrôle. Les gestionnaires mettent donc souvent en place des mécanismes de contrôle en les faisant passer pour de la coordination. Ils soutiennent que, certaines des techniques utilisées pouvant servir au contrôle comme à la coordination, tous les efforts déployés visent finalement la coordination. Il est extrêmement important de séparer « contrôle » et « coordination » pour la simple et bonne raison qu'ils suscitent chacun des réactions passablement différentes.

La logique sous-jacente du contrôle implique l'établissement d'objectifs, la mesure de résultats et l'instauration de mesures correctives afin d'atteindre les buts normalement fixés par la direction. Par conséquent, plusieurs subordonnés risquent de percevoir le renforcement des mécanismes de contrôle comme une menace associée à la présomption qu'ils ont fait quelque chose de répréhensible. En revanche, la coordination vise à amener les unités qui composent l'organisation à agir en concertation, comme autant d'éléments d'un tout. Tandis que le contrôle suppose l'exercice de l'autorité hiérarchique à des fins de mesure et de correction, la coordination met l'accent sur la coopération et la résolution de problèmes. La plupart des travailleurs chevronnés savent faire la différence entre les deux, quel que soit le vocabulaire employé par leurs supérieurs[23]. Il est très rare qu'on règle un problème de coordination en accentuant le contrôle, tout comme on a peu de chances de régler une question de contrôle en se concentrant sur la coordination.

La conception organisationnelle

Conception organisationnelle
Processus qui consiste à déterminer la structure d'organisation appropriée et à la mettre en œuvre

La **conception organisationnelle** est le processus qui consiste à déterminer la structure d'organisation la plus appropriée et à la mettre en œuvre[24]. Cette démarche ne consiste pas uniquement à préciser la relation entre les paliers hiérarchiques et la configuration des postes dans chaque unité. En effet, la conception organisationnelle s'appuie sur les éléments structurels fondamentaux présentés précédemment, mais les façonne selon les désirs, les exigences, les contraintes et les décisions de l'organisation. Le choix de la structure adéquate est tributaire de plusieurs facteurs, notamment :

- la stratégie qu'elle privilégie pour assurer sa croissance et sa pérennité ;

- l'âge et la taille de l'organisation ;

- les technologies qu'elle utilise dans ses activités d'exploitation et dans le traitement de l'information ;

- son environnement.

Le gestionnaire doit donc orienter la conception organisationnelle de manière à tirer profit, notamment, de l'âge, de la taille, du profil technologique et de l'environnement de l'organisation, même si l'exercice consiste à modifier chacun de ces éléments dans l'optique d'un renforcement des compétences et de la mise en œuvre de sa stratégie. Les organisations ont besoin de croître, mais elles doivent reconnaître les limites inhérentes à leur taille de départ. En même temps qu'elles doivent chercher à exercer une influence positive sur leur environnement, elles ont à s'adapter à la présence de forces puissantes dans ce dernier. Quand on examine de plus près chacun des facteurs – la stratégie de l'organisation, son âge, sa taille, son utilisation des technologies et son environnement –, on constate qu'un éventail de possibilités s'offrent au gestionnaire qui souhaite renforcer les compétences de son organisation dans une perspective à long terme.

La stratégie et la conception organisationnelles

La **stratégie organisationnelle** est le plan d'ensemble de l'organisation résultant d'un processus de positionnement dans l'environnement concurrentiel et de détermination des mesures à implanter pour soutenir efficacement la concurrence. Il s'agit de l'agencement particulier d'une série de décisions[25]. Les organisations commencent habituellement à se doter d'une stratégie par l'ensemble des choix et des mesures qu'elles mettent de l'avant concernant la contribution qu'elles souhaitent apporter à la société, les clientèles qu'elles souhaitent cibler et ce qu'elles désirent exactement leur offrir.

Le processus d'élaboration de la stratégie organisationnelle est un processus continu qui devrait mobiliser tous les membres de l'entreprise, à tous ses échelons et dans ses divers secteurs d'activité, de manière à dégager un profil cohérent et reconnaissable, projetant l'image de compétences supérieures à celles de la concurrence. Ce profil reconnaissable de compétences dynamiques, éventuellement propre à l'organisation, est multidimensionnel.

De toute évidence, loin de s'élaborer et d'évoluer isolément, une stratégie réussie se définit en fonction des objectifs sur lesquels on entend mettre l'accent, de la maturité, de la taille, des capacités technologiques et du milieu environnant de l'organisation ainsi que de la structure appropriée à sa mise en œuvre.

Afin de montrer la relation complexe qui se tisse entre stratégie et conception organisationnelle, il est utile de revenir à la notion dualiste de la stratégie, dont on peut maintenant élargir la portée[26]. La stratégie consiste, pour l'organisation, à se positionner dans son environnement de manière à pouvoir soutenir efficacement la concurrence. Cette notion désigne aussi l'agencement particulier d'une série de décisions. Dans cette double perspective, soulignons l'importance des objectifs ainsi que des éléments clés de la structure de l'organisation. À mettre également en relief: la nécessité, pour l'organisation, d'appuyer ses intentions sur une certaine capacité de mise en œuvre dans un cadre favorable à sa réussite.

À une certaine époque, on répétait aux cadres supérieurs que les organisations n'avaient à leur disposition qu'un éventail limité de stratégies génériques fondées sur des facteurs tels que l'efficience et l'innovation[27]. L'organisation en quête d'efficience devait adopter le modèle de la bureaucratie mécaniste, c'est-à-dire la bureaucratie qui privilégie la spécialisation verticale et le contrôle, recourt à des modes de coordination formels et s'appuie fortement sur la standardisation, la formalisation, les directives, les politiques et les procédures. L'organisation orientée vers l'innovation devait, quant à elle, opter pour un modèle plus organique, en limitant les procédures et en mettant l'accent sur la coordination. De nos jours, le monde des affaires et des organisations se révèle autrement plus complexe, et les dirigeants ont découvert des moyens beaucoup plus subtils de se faire concurrence.

Stratégie organisationnelle
Plan d'ensemble de l'organisation résultant d'un processus de positionnement dans l'environnement concurrentiel et de détermination des mesures à implanter pour soutenir efficacement la concurrence

Quand on examine de près les caractéristiques d'une organisation, on constate qu'un éventail de stratégies s'offrent au gestionnaire qui veut la faire évoluer à long terme.

Bon nombre de dirigeants actuels attachent une grande importance aux aptitudes et aux habiletés sur lesquelles leur organisation doit pouvoir compter non seulement pour soutenir la concurrence, mais aussi pour demeurer dynamique dans un monde qui évolue très vite[28]. En plus de faciliter les réalisations expressément souhaitées par la direction, la configuration structurelle de l'organisation – en d'autres termes, la conception organisationnelle – devrait permettre à ses membres d'explorer la portée de leurs compétences, de consolider celles-ci et d'en acquérir de nouvelles. C'est là une des conditions pour que la stratégie puisse évoluer[29].

Au fil du temps, avec les légers correctifs que les cadres intermédiaires et inférieurs sont susceptibles d'apporter pour résoudre divers problèmes, l'organisation peut acquérir des compétences techniques et administratives particulières. Tandis que ses cadres intermédiaires et inférieurs apprennent, elle fait de même, dans la mesure, cependant, où les acquis se transmettent à la fois horizontalement et verticalement, d'un échelon à un autre jusqu'au sommet de la hiérarchie. Si elle sait reconnaître ces derniers, la direction pourra réviser la stratégie globale de l'organisation en tirant parti des habiletés nouvelles ou renforcées des gestionnaires et des travailleurs subalternes.

L'âge et la taille de l'organisation et la conception organisationnelle

L'organisation de petite taille et la structure simple

Structure simple
Configuration structurelle caractérisée par des mécanismes de coordination formels peu nombreux et peu élaborés, une forte centralisation, un contrôle exercé par le dirigeant, une spécialisation horizontale peu poussée et un personnel fonctionnel peu nombreux

La **structure simple** est une configuration structurelle caractérisée par des mécanismes de coordination formels – recueils de politiques, manuels de procédures, directives écrites, etc. – peu nombreux et peu élaborés, une forte centralisation, un contrôle exercé par le dirigeant, une spécialisation horizontale peu poussée et un personnel fonctionnel peu nombreux. Elle tend donc à réduire le plus possible les dimensions bureaucratiques et repose surtout sur le leadership du dirigeant.

Ce type de structure est adapté à de nombreuses PME, particulièrement aux entreprises familiales, aux magasins de vente au détail ou aux petites entreprises manufacturières[30]. Ses avantages résident dans sa simplicité, sa flexibilité et sa capacité à se plier aux volontés du principal gestionnaire, qui est généralement le propriétaire. Comme elle s'appuie largement sur le leadership d'un seul individu, son efficacité dépend cependant du savoir-faire de cette personne.

La flexibilité et le contrôle centralisé de la structure simple s'adapte bien à de nombreuses PME, notamment les entreprises familiales à propriétaire unique.

À mesure qu'elles croissent, les entreprises doivent adapter leur conception organisationnelle, leur structure[31]. Les grandes organisations ne peuvent se contenter d'être des versions géantes des petites. Avec la croissance, il faut gérer les contacts interpersonnels directs entre tous les membres. Ainsi, lorsque le nombre de travailleurs suit une progression arithmétique dans une organisation, le nombre de relations potentielles entre eux progresse, lui, de façon exponentielle.

Les grandes organisations sont des entités plus complexes que les petites et moyennes entreprises (PME). Ces dernières ont une configuration structurelle qui dépend directement de la technologie sur laquelle repose leur principale activité d'exploitation, alors que les grandes entreprises ont plusieurs activités d'exploitation et recourent à plusieurs technologies réparties dans de nombreuses unités opérationnelles spécialisées. En outre, pour les entreprises de très grande taille, la clé de la réussite réside fréquemment dans l'efficience que permettent les économies d'échelle, c'est-à-dire la réduction du coût de production unitaire des biens ou des services grâce aux quantités produites. La spécialisation de la main-d'œuvre, de l'équipement et des services est une façon de réaliser des économies d'échelle. Cependant, accroître la spécialisation exige un contrôle et une coordination accrus, car il faut s'assurer que les diverses activités de l'organisation visent des objectifs communs et se lient rationnellement les unes aux autres. Ainsi, la complexité des grandes entreprises exige une structure organisationnelle élaborée et bureaucratique. La taille des PME, quant à elle, requiert souvent une structure simple.

Les risques de la croissance et du vieillissement : les scénarios de gestion

À mesure qu'elle accumule les années d'existence, croît et acquiert une structure plus complexe, l'organisation tend à devenir rigide, inflexible et réfractaire au changement[32]. Autant ses dirigeants que leurs subalternes en viennent à croire que les réussites passées se répéteront dans l'avenir sans qu'il soit nécessaire d'investir dans l'innovation et l'apprentissage. L'organisation offre ainsi un terreau fertile à des scénarios de gestion qui se figent en habitudes.

On parle de **scénarios de gestion** pour décrire les habitudes qu'acquièrent à la longue les gestionnaires d'une même organisation, tant dans leur façon de diagnostiquer et d'analyser les problèmes que dans celle d'envisager les solutions possibles[33]. Ces scénarios, qui varient selon les organisations, reposent en général sur ce qui a fait ses preuves dans le passé. Jusqu'à un certain point, on peut y voir une série de rituels reflétant le contenu de la mémoire collective de l'organisation. Mais, en s'attachant à ce qu'ils ont déjà vu et appris, les gestionnaires risquent de ne pas voir ce qui se passe et d'être incapables de désapprendre.

Un scénario peut être assez complexe pour fournir un ensemble de solutions apparemment éprouvées, puisqu'elles se fondent sur l'expérience. La structure des organisations les plus grandes et les plus anciennes est généralement axée sur l'efficience plutôt que sur l'apprentissage. Autrement dit, leur configuration structurelle privilégie la répétition, le volume et la routine. Pour apprendre, l'organisation doit être capable de désapprendre, de changer ses habitudes afin d'obtenir rapidement des données brutes ainsi que diverses interprétations des événements du moment, plutôt que de se rabattre sur des archives internes.

Très peu de gestionnaires remettent en question un scénario qui a fait ses preuves. La plupart tentent de résoudre les problèmes d'aujourd'hui avec les solutions d'hier. Autrement dit, ils privilégient des améliorations pondérées et progressives au lieu d'inventer de nouvelles façons d'aborder le diagnostic et la résolution de problèmes.

Scénario de gestion
Habitude qu'acquièrent à la longue les gestionnaires d'une même organisation, tant dans leur façon de diagnostiquer et d'analyser les problèmes que dans celle d'envisager les solutions possibles

Les façons de surmonter l'inertie

Dans les grandes organisations, pour surmonter l'inertie, l'une des plus grandes difficultés est de réduire les barrières verticales, horizontales, externes et géographiques qui font obstacle à toute action, à tout apprentissage ou à toute innovation souhaitable[34]. Les barrières qui se dressent sont notamment les suivantes :

- l'importance trop grande accordée aux relations hiérarchiques, qui peut empêcher la communication de bas en haut et de haut en bas au sein de l'organisation ;

- l'accent exagéré mis sur les fonctions, les produits et les unités organisationnelles, qui nuit à une coordination efficace ;

- le maintien d'une ligne de démarcation rigide entre l'organisation et ses partenaires, qui risque de conduire à l'isolement ;

- le renforcement des frontières naturelles, culturelles, nationales et géographiques, qui peut entraver la coordination des activités à l'échelle mondiale.

Réduire ces barrières ne vise pas nécessairement à les éliminer toutes, mais plutôt à les rendre plus perméables[35]. Plusieurs facteurs importants sont associés à la difficulté des organisations à coévoluer dynamiquement avec leur environnement et à enclencher un cycle d'améliorations profitables[36]. Outre l'inertie organisationnelle, mentionnons l'orgueil. Trop peu de cadres supérieurs se montrent prêts à remettre en question leurs actions ou celles de leur organisation, parce qu'ils se réfèrent toujours aux réussites passées. Ils se refusent à admettre que des pratiques qui étaient novatrices hier sont dépassées aujourd'hui. Lié à l'inertie organisationnelle et à l'orgueil, le détachement excessif est également en cause. Les dirigeants sont souvent convaincus d'être capables de gérer une multitude d'activités grâce à la simple analyse de rapports et de dossiers financiers. Ils perdent ainsi contact avec la réalité et négligent de procéder aux ajustements uniques et particuliers qu'exige toute organisation.

L'inertie, l'orgueil et le détachement sont des maux répandus, mais certainement pas une fatalité à laquelle l'organisation ne peut échapper. Celle-ci peut coévoluer de manière constructive avec son environnement.

Les technologies et la conception organisationnelle

La structure d'une organisation doit non seulement refléter sa stratégie et sa taille, mais doit aussi être adaptée aux occasions et aux exigences liées à son environnement technologique[37]. Dans les entreprises prospères, on constate que les structures internes sont organisées en fonction des principales technologies liées aux activités d'exploitation et en fonction des possibilités qu'offrent les technologies de l'information et des communications (TIC)[38]. Par **technologies liées aux activités d'exploitation**, on entend la combinaison des ressources, des connaissances et des techniques qui crée un extrant – bien ou service – pour l'organisation[39]. Quant au terme **technologies de l'information et des communications (TIC)**, il désigne la combinaison de l'équipement, du matériel, des procédures et des systèmes qui est utilisée pour recueillir, emmagasiner, analyser et diffuser l'information afin qu'elle puisse se traduire en connaissances, en savoir[40].

Technologies liées aux activités d'exploitation
Combinaison des ressources, des connaissances et des techniques qui crée un extrant (bien ou service) pour l'organisation

Technologies de l'information et des communications (TIC)
Combinaison de l'équipement, du matériel, des procédures et des systèmes qui est utilisée pour recueillir, emmagasiner, analyser et diffuser l'information afin qu'elle puisse se traduire en connaissances, en savoir

Les technologies liées aux activités d'exploitation et la conception organisationnelle

Depuis de nombreuses années, les chercheurs en management mettent en lumière les liens entre les technologies liées aux activités d'exploitation et la conception organisationnelle. Deux classifications de ces technologies, celles de Thompson et de Woodward en particulier, suscitent un intérêt considérable.

Les technologies selon Thompson

James D. Thompson a classé les technologies selon leur degré de spécification et le degré d'interdépendance des diverses activités d'exploitation. Il a ainsi créé les trois catégories suivantes : les technologies intensives, les technologies médiatrices et les chaînes technologiques[41].

Avec les *technologies intensives*, ou *technologies interactives*, il y a toujours une part d'incertitude quant à la façon de procéder pour atteindre les résultats souhaités. L'organisation doit réunir un groupe de spécialistes qui, en *interaction*, appliqueront diverses techniques pour résoudre les problèmes complexes qui se posent. C'est la situation qui existe, par exemple, dans le service des urgences d'un hôpital ou dans un laboratoire de recherche. Lorsqu'on recourt à ce type de technologies, la coordination et l'échange des connaissances sont des facteurs cruciaux.

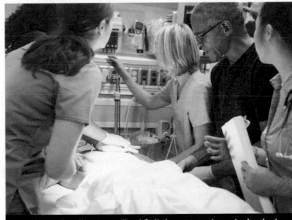

Les *technologies médiatrices*, ou *technologies d'appariement*, associent des entités distinctes qui cherchent à établir des liens d'interdépendance. Ainsi, une banque met en contact des prêteurs et des emprunteurs et gère les fonds et l'information afin de faciliter les transactions entre les deux. Prêteurs et emprunteurs sont en interdépendance indirecte, la fiabilité de leurs échanges d'information étant garantie par la banque, qui fait office de *médiateur*. Les technologies médiatrices réduisent substantiellement la nécessité de la coordination des tâches individuelles et sont telles que la gestion de l'information prend plus d'importance que l'application coordonnée des connaissances.

Dans le service d'urgence d'un hôpital, on recourt aux technologies interactives : la coordination des intervenants et l'échange de connaissances y sont primordiaux.

Avec les *chaînes technologiques*, ou *productions de masse*, la façon de procéder pour obtenir les résultats souhaités est connue. Les tâches sont décomposées en une succession d'étapes. Un exemple des plus évidents est la chaîne de montage d'automobiles. Ici, le contrôle est crucial, et la coordination se limite à l'harmonisation des liens entre les différentes étapes.

Les technologies selon Woodward

Joan Woodward classe également les technologies en trois catégories selon le type de production qu'elles permettent : la production en petite série, la production de masse et la production en continu[42].

Dans les unités de *production en petite série*, l'éventail de produits est varié, car ceux-ci sont fabriqués pour répondre spécifiquement aux demandes de clients particuliers ;

c'est le cas des complets faits sur mesure par exemple. Généralement, l'équipement et les machines utilisés ne sont pas très complexes, mais ce type de production exige souvent une connaissance approfondie du métier.

La *production de masse* correspond à la fabrication d'un éventail restreint de produits sur des chaînes de montage. Le travail d'un groupe donné dépend largement du travail du groupe précédent, l'équipement est généralement très complexe, et les travailleurs reçoivent des consignes très détaillées. C'est ainsi qu'on fabrique les réfrigérateurs et les automobiles par exemple.

Enfin, la *production en continu* est le fait d'entités qui ne fabriquent que quelques produits en recourant largement à l'automatisation, comme les usines de produits chimiques et les raffineries de pétrole.

Les recherches de Joan Woodward l'ont conduite à la conclusion suivante : l'adéquation entre la structure organisationnelle et la technologie est un facteur de réussite crucial. En d'autres mots, lorsque les technologies et la configuration structurelle s'harmonisent, l'entreprise réussit mieux. Plus précisément, la chercheuse a observé que, lorsque la production se fait en petite série ou en continu, les organisations qui réussissent bien ont une structure souple et s'appuient sur de petites équipes de travail, tandis que celles qui réussissent moins bien ont une structure plus rigide. Par contre, dans le cas des activités de production de masse, les organisations qui sont couronnées de succès présentent une structure rigide et s'appuient sur des équipes de travail de grande taille à la base. Depuis les recherches de Joan Woodward, diverses études ont confirmé cet impératif technologique, dont on sait aujourd'hui qu'il n'est cependant que l'un des facteurs de réussite d'une organisation[43].

La production de masse correspond à la fabrication d'un éventail restreint de produits sur des chaînes de montage. C'est le cas de l'automobile.

Les technologies liées aux activités d'exploitation et l'adhocratie

L'influence des technologies liées aux activités d'exploitation est particulièrement évidente dans les PME et dans certains services des entreprises de grande taille. Il arrive que des gestionnaires et d'autres salariés ignorent tout simplement quelle est la meilleure manière de fournir un service à un client ou de fabriquer un produit donné. Ce type d'exemples extrême de la technologie intensive dont parlait James Thompson peut s'observer dans les productions en petite série où une équipe de travailleurs doit fabriquer un produit précis pour un client particulier.

Adhocratie
Structure organisationnelle caractérisée par : la rareté des politiques, des procédures et des directives ; une décentralisation marquée ; un processus décisionnel participatif ; une spécialisation horizontale poussée ; un petit nombre de paliers hiérarchiques ; l'absence quasi totale de mécanismes de contrôle formels

Selon Henry Mintzberg, le recours à l'adhocratie peut être la solution structurelle aux situations technologiques extrêmes[44]. L'**adhocratie** est une structure organisationnelle caractérisée par : la rareté des politiques, des procédures et des directives ; une décentralisation marquée ; un processus décisionnel participatif ; une spécialisation horizontale poussée (chaque membre d'une unité pouvant avoir sa spécialité propre) ; un petit nombre de paliers hiérarchiques ; l'absence quasi totale de mécanismes de contrôle formels. Ce type de structure favorise l'innovation.

L'adhocratie est particulièrement utile lorsque les technologies liées aux activités d'exploitation de l'organisation posent les problèmes suivants : (1) les tâches varient considérablement et comportent de nombreuses exceptions possibles ; (2) les problèmes sont difficiles à cerner et à résoudre[45]. Cette structure place le professionnalisme et la coordination au premier plan afin de favoriser la résolution de problèmes[46].

Pour parvenir à définir et à régler les problèmes avec toute la créativité que permet l'adhocratie, les grandes organisations peuvent mettre sur pied des groupes de projet temporaires, créer des comités spéciaux et même engager des experts-conseils. C'est la démarche adoptée par Microsoft, qui forme des services autonomes pour encourager la création de logiciels par ses travailleurs talentueux. De même, Allied Chemicals et 3M ont mis en place des équipes semi-autonomes pour les faire travailler à de nouvelles idées de produits.

Il faut cependant noter que l'adhocratie peut s'avérer inefficiente. Un grand nombre de gestionnaires hésitent à adopter cette forme de structure, car ils ont l'impression de ne pas avoir d'emprise sur le fonctionnement et les activités quotidiennes. La stratégie qui sous-tend l'adhocratie consiste à accorder la priorité à la qualité et au service individuel au détriment de l'efficience. Avec les progrès des TIC, les entreprises commencent à combiner l'adhocratie à des éléments de bureaucratie en s'appuyant sur des systèmes informatiques de pointe.

Les TIC et la conception organisationnelle

Les TIC, le web et l'ordinateur (y compris la tablette et le téléphone) sont des éléments quasi indissociables qui ont profondément transformé la conception organisationnelle en permettant aux entreprises d'acquérir de nouvelles compétences[47].

Du point de vue organisationnel, les TIC peuvent jouer plusieurs rôles. Elles peuvent :

- servir de substituts à certaines activités d'exploitation ainsi qu'à certains mécanismes de contrôle des processus et modes de coordination formels ;

- représenter un potentiel stratégique ;

- constituer des outils d'apprentissage transformant l'information en savoir. Ainsi, de nos jours, la plupart des établissements financiers ne pourraient exister sans elles, car leur secteur d'activité repose sur elles. Grâce aux TIC, ils ont créé des volets tout à fait inédits de leur secteur, comme les instruments dérivés exotiques. Il est d'ailleurs maintenant douloureusement évident que ces nouveaux volets ont pris des proportions démesurées : les gestionnaires ne peuvent plus les contrôler. Les TIC, tout comme les technologies liées aux activités d'exploitation, peuvent donner autant de bons résultats que de mauvais.

L'organisation virtuelle

L'évolution des TIC et leur potentiel stratégique ont donné naissance à des « organisations virtuelles[48] ».

Une organisation virtuelle est un regroupement d'entreprises en perpétuelle mutation, qui a une société à sa tête et dont les membres mettent en commun leurs compétences, leurs ressources et leur expérience afin de prospérer ensemble. Ce regroupement, qui ne cesse d'évoluer, est le plus souvent constitué d'un noyau relativement stable (habituellement des sociétés indépendantes), composé en général de clients, de centres de recherche, de fournisseurs et de distributeurs. L'organisation à laquelle est confié un rôle de direction possède une compétence cruciale dont les autres ont besoin. Bien que cette compétence cruciale puisse être une technologie clé liée aux activités d'exploitation ou à un accès à la clientèle, les TIC constituent toujours l'élément clé reliant les membres de cette organisation virtuelle.

L'organisation virtuelle ne fonctionne que si elle adopte des règles qui sont propres à ses membres et à un mode de direction original.

En premier lieu, le système de production permettant de fournir les produits ou les services que désirent les clients doit prendre la forme d'un réseau de partenaires composé d'entreprises indépendantes, mais entretenant des liens de confiance mutuelle et partageant un sens de la survie collective. Selon l'évolution des attentes de la clientèle, le partage du travail entre les entreprises membres peut varier ou la composition de l'organisation virtuelle peut se modifier.

En deuxième lieu, le réseau de partenaires ainsi constitué doit établir et maintenir :

- une technologie de l'information évoluée, susceptible de remplacer avantageusement les rencontres en personne ;

- des rapports de confiance et de réciprocité en ce qui a trait aux problèmes et aux solutions ;

- une culture commune (voir le chapitre 16).

Si l'acquisition de ces caractéristiques n'est pas une mince affaire, l'organisation virtuelle peut se révéler hautement résiliente et posséder des qualités remarquables – compétences, capacité d'innovation, efficacité – qui compensent généralement certaines lacunes.

La société se trouvant à la tête du regroupement a un rôle plutôt inhabituel, mais c'est en fait grâce à elle qu'un simple réseau d'entreprises devient une organisation virtuelle. Elle assume une responsabilité d'ensemble et coordonne les actions ainsi que les initiatives de changement des entreprises membres, qui demeurent autonomes. Ses cadres doivent avoir une compréhension élargie des enjeux afin d'amener le réseau de participants à s'appuyer sur un schéma d'action suffisamment cohérent pour soutenir la concurrence, tout en étant en mesure de réagir rapidement aux évolutions technologiques et aux nouvelles conditions de l'environnement[49]. Les dirigeants de cette société doivent aussi savoir communiquer une vision et inspirer les personnes travaillant au sein des entreprises indépendantes rattachées à celle-ci.

Aujourd'hui, de nombreux gestionnaires participent à des réseaux virtuels de groupes de travail ou d'équipes de travail temporaires créés pour déterminer et résoudre des problèmes. Dans une telle situation, les participants sont reliés par une connexion électronique. De récentes recherches portant sur les membres d'équipes virtuelles démontrent que les gestionnaires devraient revoir ce que signifie « gérer ». Plutôt que de commander aux autres ce qu'ils doivent faire, les gestionnaires devraient accepter de les traiter avec les mêmes égards que s'il s'agissait de bénévoles qui s'attendent à participer à la gestion des réunions et qui sont liés uniquement par leur engagement à déterminer et à résoudre les problèmes définis[50].

L'environnement et la conception organisationnelle

Pour être efficace, une configuration structurelle doit non seulement s'harmoniser avec certains facteurs internes tels que la stratégie, la maturité, la taille et les technologies de l'organisation, mais aussi s'adapter à de puissantes forces extérieures. En tant que *système ouvert*, l'organisation doit recevoir des intrants de son environnement afin de les transformer en extrants qu'elle vendra à ce même environnement. Comprendre ce dernier dans toute sa complexité est primordial[51].

L'*environnement global* d'une organisation correspond à l'ensemble des conditions culturelles, économiques, politico-juridiques et éducationnelles qui caractérisent les milieux où cette dernière est implantée. Les sociétés qui connaissent une expansion à l'échelle mondiale doivent composer avec plusieurs environnements globaux.

Les actionnaires, les fournisseurs, les distributeurs, les organismes publics et les concurrents avec lesquels l'organisation doit interagir pour croître et survivre constituent, en revanche, son *environnement immédiat*. Généralement, ce dernier offre beaucoup plus de possibilités de choix que l'environnement global. L'organisation peut ainsi adopter des politiques et des stratégies qui vont modifier la combinaison des fournisseurs, des distributeurs, des concurrents, etc., avec lesquels elle entretient des relations.

Pour des raisons de commodité, on distingue souvent les influences qu'exerce l'environnement global sur une organisation de celles qu'exerce l'environnement immédiat, mais les gestionnaires doivent tenir compte des effets conjugués des deux. Pour l'organisation, décider de pénétrer un champ d'activité donné peut, en effet, signifier qu'elle aura à affronter une concurrence mondiale dotée des TIC les plus avancées.

Pour l'organisation, décider de pénétrer un champ d'activité donné peut signifier qu'elle aura à affronter une concurrence mondiale dotée des TIC les plus avancées.

La complexité de l'environnement

Lorsqu'on analyse l'environnement d'une organisation, l'une des questions fondamentales est celle de sa complexité. Plus un environnement est complexe, plus il recèle des occasions à saisir et des problèmes à résoudre. Par **complexité de l'environnement**, on entend l'ampleur des problèmes et des occasions que présente l'environnement organisationnel immédiat et global, révélée par les trois variables majeures de ce dernier : sa *richesse*, l'étroitesse de ses liens d'*interdépendance* avec l'organisation et le degré d'*incertitude* qu'il génère.

La richesse de l'environnement

En général, l'environnement est plus riche lorsque l'économie est en croissance, lorsque le degré de scolarité de la population s'améliore et lorsque ceux dont l'organisation dépend prospèrent. Pour une entreprise, un environnement riche signifie de bonnes conditions économiques, des consommateurs qui dépensent et une volonté affirmée des fournisseurs (notamment les banques) d'investir dans son avenir. Dans

> **Complexité de l'environnement**
>
> Ampleur des problèmes et des occasions que présente l'environnement organisationnel immédiat et global, révélée par les trois variables majeures de ce dernier : sa richesse, l'étroitesse de ses liens d'interdépendance avec l'organisation et le degré d'incertitude qu'il génère

un tel environnement, les organisations sont plus nombreuses à survivre, et ce, même si leur configuration structurelle n'est pas la plus appropriée. La richesse de l'environnement influe aussi sur les occasions qui s'offrent à elles et sur leur dynamisme, leur potentiel d'adaptation aux changements. Leur configuration structurelle doit leur permettre de déceler ces occasions et d'en tirer profit. Au contraire, un environnement en déclin est beaucoup moins fertile pour les organisations. Ainsi, une récession généralisée offre aux entreprises un environnement appauvri.

L'interdépendance de l'organisation et de l'environnement

La relation entre la configuration structurelle et les liens d'interdépendance que l'organisation entretient avec son environnement est souvent subtile et indirecte. Ainsi, l'organisation peut coopter de puissants éléments extérieurs en les intégrant à sa structure, comme le font les grandes sociétés dont les conseils d'administration comptent des représentants d'institutions financières ou de sociétés d'assurances.

L'organisation peut aussi revoir sa conception organisationnelle, adapter sa structure de manière à amortir ou à neutraliser les exigences d'un élément extérieur très influent. Ce type de stratégie se concrétise dans bien des cas par la mise sur pied d'un service voué aux questions relatives à cet élément. Ainsi, dans la quasi-totalité des grandes sociétés nord-américaines, on trouve près du sommet de la pyramide une unité chargée des relations avec les gouvernements. En outre, si le service à fournir à quelques gros clients se révèle crucial pour elle, l'organisation pourra passer d'une structure fonctionnelle à une structure divisionnaire[52].

L'incertitude et l'instabilité de l'environnement

L'instabilité de l'environnement et l'incertitude qu'il génère peuvent être particulièrement néfastes aux bureaucraties de grande taille. En période de changement, les investissements deviennent rapidement obsolètes, et les modes de fonctionnement habituels, infructueux. Sur le plan de la conception organisationnelle, la réaction la plus évidente aux facteurs environnementaux déstabilisateurs consiste à adopter une structure organisationnelle plus *organique*, soit une structure plus souple et plus flexible ; dans des conditions extrêmes, le passage à l'*adhocratie* peut s'imposer.

Cependant, les pressions externes en faveur d'une structure flexible peuvent être incompatibles avec la taille et les technologies liées aux activités d'exploitation de l'organisation. Dans de tels cas, le passage à une structure plus souple peut être trop difficile ou trop long. L'organisation doit alors lutter tant bien que mal pour survivre, tout en modifiant peu à peu sa configuration structurelle. Certaines entreprises peuvent faire face à des demandes contradictoires de l'environnement externe et de l'environnement interne – le premier privilégiant le changement et le second, la stabilité – en créant des réseaux ou en participant à des alliances.

Les organisations en réseaux et les alliances interentreprises

De nos jours, étant donné la complexité accrue de l'économie mondiale, la conception organisationnelle doit dépasser les frontières traditionnelles de l'entreprise[53]. Les organisations doivent apprendre à coévoluer avec leur environnement en le modifiant ou, tout simplement, en s'y adaptant. Deux approches sont de plus en plus courantes : la gestion de réseaux et le recours à des alliances.

Plusieurs sociétés nord-américaines apprennent de leurs équivalents européens et japonais à tisser des réseaux susceptibles de les relier aux entreprises clés dont elles dépendent. En Europe, on parle d'*associations informelles* ou de *cartels* : il s'agit d'ententes de coopération entre concurrents qui établissent leurs parts de marché respectives afin de limiter leur l'incertitude et d'améliorer leurs conditions commerciales. Au Canada et aux États-Unis, de telles ententes sont en général jugées illégales.

Au Japon, dans de nombreux secteurs, le réseautage d'entreprises bien établies prend la forme du *keiretsu*, dont il existe deux modèles courants. Le premier est le *keiretsu* organisé autour d'une banque, où les liens interentreprises découlent d'une participation croisée ou de liens historiques avec l'établissement financier. Le groupe Mitsubishi en est un exemple éloquent. Le second est le *keiretsu* vertical, où un fabricant d'envergure est à la tête d'un réseau de fournisseurs et de distributeurs et jouit de contrats d'approvisionnement à long terme, souvent dans le contexte de participations croisées. Dans une certaine mesure, ce type de *keiretsu* isole l'entreprise japonaise des actionnaires et lui fournit un mécanisme de partage et de développement des technologies. Toyota, par exemple, est au cœur d'un *keiretsu* vertical.

Une forme bien particulière d'organisation en réseau a également commencé à faire des adeptes en Amérique du Nord. Elle comporte une entreprise centrale, ou un donneur d'ordres, qui se spécialise dans une activité particulière, comme la conception ou l'assemblage, et qui travaille à long terme avec quelques fournisseurs à la création des composants et à l'amélioration de l'efficacité de la production. Les membres du réseau comptent sur cette entreprise centrale plus qu'elle-même ne dépend d'eux. À titre d'exemple, Bombardier est le chef de file de ce type de relations interentreprises.

Au Japon, le réseautage d'entreprises bien établies prend la forme du *keiretsu*. Le constructeur automobile Mitsubishi en est un bon exemple.

Aujourd'hui, rares sont les grandes entreprises nord-américaines qui n'ont pas amplement recours à la sous-traitance. Leurs dirigeants justifient cette décision par la nécessité de la quête d'une main-d'œuvre bon marché. Cependant, il y aurait lieu d'examiner la pertinence de ce choix en matière de conception organisationnelle, au regard de la stratégie et des technologies sur lesquelles ces entreprises s'appuient. Par exemple, la sous-traitance ne satisferait vraisemblablement pas aux exigences opérationnelles d'une société qui commercialise des produits haut de gamme, généralement accompagnés d'un service de qualité correspondant. D'ailleurs, les clients potentiels d'une entreprise de ce style qui confierait la responsabilité du service à un fournisseur se tourneraient fort probablement vers un concurrent qui ne le ferait pas.

Les organisations peuvent aussi conclure des **alliances interentreprises**, c'est-à-dire des accords de coopération ou de coparticipation visant le rapprochement stratégique d'entreprises indépendantes, et former ainsi des *coentreprises* (*joint ventures*)[54]. Ces alliances interviennent d'habitude entre des sociétés situées dans plusieurs pays. Dans les domaines de haute technologie basés sur les TIC, comme la robotique, l'industrie des semi-conducteurs, l'industrie des matériaux de pointe

Alliance interentreprise
Accord de coopération ou de coparticipation visant le rapprochement stratégique d'entreprises indépendantes, qui forment alors une coentreprise

(céramiques et fibres de carbone) ou les systèmes de traitement de l'information, il est fréquent qu'une entreprise ne puisse posséder à elle seule tout le savoir nécessaire à la commercialisation de nouveaux produits. Aussi, les rapprochements stratégiques y sont très courants. Grâce aux alliances internationales, les entreprises de haute technologie visent deux objectifs : la mise au point de nouveaux produits et une certaine garantie que les solutions élaborées deviendront des normes en vigueur dans le reste du monde.

L'établissement et la gestion efficace d'une alliance constituent un objectif de taille pour les gestionnaires. Les entreprises doivent coopérer au lieu de s'affronter dans un esprit de concurrence. Or, elles ont généralement chacune leur propre stratégie, leur culture bien à elles et des attentes particulières concernant l'alliance qu'elles concluent. Les gestionnaires de l'alliance – tout comme la direction des sociétés participantes – doivent faire preuve de patience, de souplesse et de créativité dans la poursuite des objectifs de l'alliance et de ses membres.

Bien entendu, l'alliance interentreprise n'est qu'une façon de modifier l'environnement. L'entreprise peut aussi investir dans les projets d'autres sociétés en passant par des filiales spécialisées dans le capital-risque. Elle peut aussi faire l'acquisition de sociétés pour intégrer directement leur expertise. Toutes ces initiatives présentent des avantages[55]. Cependant, elles doivent toutes être reliées à la stratégie de la firme et à sa technologie.

Bureaucratie
Forme d'organisation, idéale selon le sociologue allemand Max Weber, qui s'appuie sur l'autorité, la logique et l'ordre, et qui a pour fondements la division du travail, le contrôle hiérarchique, l'avancement au mérite avec les possibilités de carrière à long terme pour les employés et une gestion fondée sur des directives

La bureaucratie et ses modèles les plus courants

Dans les pays industrialisés, la plupart des organisations sont des « bureaucraties », terme qui, dans le domaine du comportement organisationnel, n'a pas la connotation négative qu'on lui attribue habituellement. Selon le célèbre sociologue allemand Max Weber, c'est en devenant une **bureaucratie**, c'est-à-dire en s'appuyant sur l'autorité, la logique et l'ordre, que l'organisation peut prospérer[56]. La division du travail, le contrôle hiérarchique, l'avancement au mérite avec les possibilités de carrière à long terme pour les employés et la gestion fondée sur des directives constituent les fondements de cette forme d'organisation.

Max Weber estimait que, par sa nature rationnelle et logique, la bureaucratie était de loin supérieure aux structures fondées sur le charisme du dirigeant ou sur les traditions culturelles. L'organisation de type *charismatique*, ayant à sa tête une personnalité exceptionnelle, dépend trop des talents du seul leader et risque de s'effondrer dès que celui-ci disparaît. Quant à l'organisation qui s'appuie sur les traditions culturelles, elle

Poussée à l'extrême, la bureaucratie peut nuire à l'efficacité fonctionnelle, notamment parce que les règlements et les directives deviennent une fin en soi et non plus de simples mécanismes de contrôle.

n'est pas ouverte à l'innovation, étouffe l'initiative, nuit à l'efficacité et est souvent loin d'être équitable. Max Weber souhaitait au contraire que la bureaucratie, qui privilégie l'efficacité, l'ordre et le rationnel, soit juste pour les travailleurs et accorde davantage de place à l'expression individuelle. Il prédisait que cette forme d'organisation, qu'il considérait comme *idéale* mais non parfaite, ou l'une de ses variantes, dominerait le monde moderne[57]. Il ne s'est guère trompé. Dans les entreprises de grande taille, notamment, la bureaucratie prédomine.

Cependant, poussées à l'extrême, certaines caractéristiques d'une bureaucratie peuvent nuire à l'efficacité fonctionnelle :

- La spécialisation à outrance favorise une divergence d'intérêts entre les unités et une incapacité à gérer les problèmes qui en résultent.

- Le recours exagéré à la hiérarchie conduit à insister sur le respect des voies officielles plutôt que sur la résolution des problèmes de la base au sommet.

- L'apparition d'une élite de cadres supérieurs incite l'ensemble du personnel à considérer les dirigeants de l'organisation comme infaillibles en tout et à les assimiler à des chefs politiques plutôt qu'à des individus ayant pour rôle d'aider l'ensemble de l'organisation à atteindre ses objectifs.

- L'insistance démesurée sur l'obligation de conformité, même dans les choses insignifiantes, peut se faire au détriment de l'épanouissement personnel.

- Les directives et les règlements peuvent devenir des fins en soi, au lieu de n'être que de simples mécanismes de contrôle et de coordination.

La notion de bureaucratie a évolué avec le temps[58]. On présente ci-dessous les modèles les plus courants : la bureaucratie mécaniste, la bureaucratie professionnelle et les configurations hybrides. Chacune de ces formes d'organisation est une combinaison particulière des caractéristiques fondamentales décrites dans ce chapitre, et chaque combinaison donne naissance à des organisations possédant leur éventail particulier de forces et leurs tendances propres. Autrement dit, chaque type de bureaucratie accroît l'efficacité de l'organisation dans la poursuite de certains objectifs plutôt que d'autres.

La bureaucratie mécaniste

La **bureaucratie mécaniste** privilégie la centralisation verticale ainsi que la spécialisation verticale et horizontale du travail[59]. L'organisation qui adopte ce modèle met l'accent sur les directives, les politiques et les procédures ; elle détermine les méthodes de prise de décision et recourt surtout à des mécanismes de contrôle très documentés, renforcés par un important personnel d'encadrement intermédiaire et un important personnel fonctionnel[60]. Parallèlement, on constate souvent une utilisation poussée de la structure fonctionnelle à tous les échelons.

Le modèle mécaniste, prisé par les entreprises misant sur une stratégie de leadership des coûts, résulte d'une gestion privilégiant la routine pour atteindre l'efficacité. Jusqu'à l'apparition des TIC, la plupart des grandes organisations, dans les principaux secteurs économiques, étaient des bureaucraties mécanistes : constructeurs d'automobiles, banques, sociétés d'assurances, aciéries, grands magasins, fonction publique, etc. Elles parvenaient à l'efficacité en combinant de très fortes spécialisations verticale et horizontale, liées par des mécanismes poussés de contrôle et de coordination formelle.

Bureaucratie mécaniste
Type de bureaucratie qui privilégie la centralisation verticale ainsi que la spécialisation verticale et horizontale du travail, qui recourt à des modes de coordination formels et qui s'appuie fortement sur la standardisation, la formalisation, les directives, les politiques et les procédures

Toutefois, il y a des limites aux bienfaits de la spécialisation soutenue par des contrôles stricts. La plupart des travailleurs n'aimant pas les structures rigides, leur motivation faiblit dans un tel cadre de travail. De plus, pour protéger les salariés de contrôles hiérarchiques de plus en plus nombreux, les syndicats s'attachent à des descriptions de tâches toujours plus restreintes et exigent des directives et des règles précises concernant la manière d'accomplir les activités. En outre, une bureaucratie mécaniste peut contrecarrer les efforts d'adaptation d'une organisation aux nouvelles technologies ou à l'évolution de son environnement.

La bureaucratie professionnelle

Bureaucratie professionnelle (ou structure organique)
Type de bureaucratie qui privilégie la décentralisation, la spécialisation horizontale et le contrôle exercé par des professionnels; recourt à des modes de coordination interpersonnels

Dans la **bureaucratie professionnelle** (ou **structure organique**), la spécialisation verticale est beaucoup moins importante que dans le modèle mécaniste, et la spécialisation horizontale est privilégiée. Les procédures sont réduites au minimum, et celles qui restent ne sont pas particulièrement strictes. L'organisation s'en remet au jugement des professionnels et a recours à des modes de coordination interpersonnels. Si elle met en place des mécanismes de contrôle, ceux-ci se fondent généralement sur la socialisation, la formation et le renforcement individuel. La plupart du temps, le personnel fonctionnel est placé à un palier intermédiaire de la pyramide hiérarchique. Comme c'est là une configuration courante dans les organisations qui regroupent des professionnels, Henry Mintzberg l'a appelée *bureaucratie professionnelle*[61].

Votre université est sans doute une bureaucratie professionnelle : sa structure ressemble à une pyramide à large base, avec un renflement au palier intermédiaire correspondant à l'ensemble des fonctions de soutien logistique exercées par le personnel fonctionnel, dont les effectifs sont importants. Sans posséder de véritable pouvoir officiel, le personnel fonctionnel assiste les cadres opérationnels. Dans cette configuration, le pouvoir repose sur le savoir. Le contrôle est assuré par la standardisation des compétences professionnelles. La plupart des hôpitaux et des agences de santé et de services sociaux ont également adopté une structure de type bureaucratie professionnelle.

Avec sa décentralisation et sa spécialisation horizontale, l'université peut être qualifiée de bureaucratie professionnelle, où le pouvoir repose sur le savoir.

Comparativement à la bureaucratie mécaniste, la bureaucratie professionnelle donne de meilleurs résultats pour ce qui est de la résolution de problèmes et répond mieux aux besoins particuliers des clients. L'accent qui est mis sur les relations entre les travailleurs de même palier et sur la coordination de leurs activités diminue la nécessité d'un contrôle centralisé au niveau de la direction. Cette configuration permet donc à l'organisation de déceler les changements qui se produisent dans l'environnement et de s'adapter aux nouvelles technologies, mais en renonçant aux avantages d'une direction centralisée. Enfin, les organisations qui optent pour ce modèle parviennent plus facilement à mettre en œuvre des stratégies axées sur la qualité du produit, la satisfaction rapide du client et l'innovation.

Harley-Davidson : la fabrication flexible

À l'usine de Harley-Davidson de York, en Pennsylvanie, on construit les motos avec la moitié moins de travailleurs qu'auparavant : c'est ce qu'on appelle la flexibilité. L'usine a été consolidée par le regroupement de plusieurs bâtiments en une seule installation efficace. Les quelque 1 000 travailleurs sont maintenant divisés en 5 catégories d'emplois, comparativement à 62 antérieurement, et ils effectuent de nombreuses tâches mettant à profit des compétences variées. Au moins 10 % de ces travailleurs sont considérés comme des employés occasionnels, donc qui ne sont embauchés qu'au besoin, selon les échéanciers de production. De plus, nombre de robots assument maintenant des tâches autrefois dévolues aux humains, et les ordinateurs sont partout.

À l'échelle de l'entreprise, les économies réalisées par cette nouvelle stratégie de fabrication sont évaluées à plus de 275 millions de dollars. Cela est suffisant pour que des motocyclettes continuent à être fabriquées aux États-Unis, et que certains emplois de fabrication demeurent en sol américain. Cependant, la flexibilité signifie que les travailleurs doivent assumer plus de responsabilités, acquérir plus de compétences et faire preuve, eux aussi, de plus de flexibilité en collaborant avec les gestionnaires pour résoudre les problèmes et maintenir la chaîne de production en marche.

La fabrication flexible permet de garder en Amérique certains types d'emplois du secteur manufacturier. Par contre, les entreprises doivent investir dans leurs installations et dans la technologie, et les travailleurs doivent acquérir de nouvelles compétences et apprendre de nouvelles façons de travailler.

QUESTIONS

Les structures et les cultures organisationnelles changent constamment, tout comme les processus de travail et les pratiques de gestion des ressources humaines. La fabrication flexible débouche-t-elle sur une situation gagnante pour toutes les parties concernées ou comporte-t-elle des inconvénients qui pourraient un jour revenir hanter les entreprises ? Pouvez-vous nommer des produits ou des situations pour lesquels la fabrication flexible ne serait pas une bonne solution ?

Les configurations hybrides

Nombreuses sont les très grandes organisations qui considèrent que ni le modèle mécaniste ni le modèle organique ne conviennent parfaitement à l'ensemble de leurs activités. D'un côté, l'adoption d'une bureaucratie mécaniste surchargerait les cadres supérieurs de travail et créerait un nombre trop élevé d'échelons hiérarchiques. De l'autre, le modèle organique entraînerait une perte de contrôle et d'efficience. Les dirigeants de ces organisations peuvent opter pour une configuration hybride.

Citons deux des configurations hybrides les plus courantes. La première, parfois appelée *bureaucratie divisionnaire*, est un prolongement de la structure divisionnaire présentée précédemment. Différentes divisions, pouvant être plus ou moins organiques ou mécanistes, sont traitées comme des entités séparées, même si elles partagent généralement le même énoncé de mission et poursuivent les mêmes grands objectifs stratégiques[62]. Par ailleurs, en adoptant une configuration hybride, l'organisation accepte que chacune mette de l'avant sa propre stratégie.

Conglomérat
Société formée par la concentration de plusieurs organisations exerçant des activités diversifiées sans rapport entre elles

La deuxième configuration hybride est le **conglomérat** : il s'agit d'une société formée par la concentration de plusieurs organisations exerçant des activités diversifiées sans rapport entre elles. Cette société s'apparente à la bureaucratie divisionnaire, mais le terme « conglomérat » est utilisé lorsqu'il n'y a aucun lien réel entre les divisions[63]. C'est le cas de General Electric, qui regroupe des divisions travaillant dans des domaines et des secteurs industriels très éloignés, allant de la fabrication d'ampoules électriques ou de moteurs d'avion à la conception et à l'entretien de réacteurs nucléaires. Au Canada, les gouvernements fédéral et provinciaux sont en quelque sorte des conglomérats regroupant des divisions aux activités disparates : un premier ministre serait ainsi un PDG à la tête d'unités chargées d'offrir des services aussi différents que l'éducation, la santé, la sécurité publique et les transports.

La configuration en conglomérat illustre également trois idées essentielles concernant la structure organisationnelle :

- Toute structure est une combinaison d'éléments fondamentaux.

- Il n'existe pas de structure idéale ; tout dépend de facteurs tels que la taille et la maturité de l'organisation, son environnement, sa technologie et sa stratégie.

- L'organisation ne fonctionne pas en vase clos, mais fait partie d'un réseau plus large constitué d'autres organisations et des parties prenantes.

Guide de RÉVISION

RÉSUMÉ

Quels sont les différents types d'objectifs organisationnels ?

- Les objectifs sociétaux de l'organisation décrivent la contribution que l'entreprise entend apporter à l'ensemble de la société.

- L'organisation peut préciser, dans un énoncé de mission, qui elle vise à servir en premier lieu et comment elle compte le faire, c'est-à-dire comment elle compte atteindre ses objectifs sociétaux.

- Les objectifs de production de l'organisation délimitent son champ d'activité et précisent les produits ou les services qu'elle veut offrir.

- Les objectifs stratégiques énoncent les conditions qui, selon la direction, peuvent accroître les chances de survie et de croissance de l'organisation.

- Croissance, productivité, stabilité, harmonie, flexibilité, prestige et fidélisation des ressources humaines constituent des exemples d'objectifs stratégiques.

Qu'est-ce que la structure formelle d'une organisation ?

- La structure formelle de l'organisation est ce qu'on appelait traditionnellement « division du travail ».

- C'est la configuration générale et planifiée des postes, des tâches associées à ces postes et des lignes hiérarchiques qui unissent les diverses composantes de l'organisation.

- L'organigramme est la représentation graphique de la structure formelle de l'organisation.

Comment la spécialisation verticale répartit-elle l'autorité formelle au sein de l'organisation ?

- La spécialisation verticale est une division hiérarchique du travail qui répartit l'autorité et détermine les échelons auxquels se prennent les décisions importantes.

- Généralement, il existe une ligne hiérarchique qui relie les cadres supérieurs, les cadres intermédiaires, les cadres inférieurs et les travailleurs de la base.

- Les unités opérationnelles se distinguent ainsi des unités fonctionnelles : les unités opérationnelles assument les activités premières de l'organisation, tandis que les unités fonctionnelles leur fournissent un soutien logistique.

Comment l'organisation contrôle-t-elle les activités de son personnel ?

- Le contrôle est un ensemble de mécanismes servant à maintenir les activités et la production d'une organisation dans des limites prédéterminées.

- Le contrôle des résultats consiste à fixer des objectifs et à définir des critères d'évaluation des résultats, à évaluer les résultats par rapport aux objectifs et à instaurer des mesures correctives.

- Le contrôle des processus consiste à spécifier les détails de l'exécution des tâches par : (1) les politiques, les directives et les procédures ; (2) la formalisation et la standardisation ; (3) la gestion intégrale de la qualité.

- Les organisations contemporaines sont en train de découvrir que la décentralisation comporte des avantages substantiels.

- Dans une organisation dont la structure est centralisée, le pouvoir décisionnel est concentré aux échelons supérieurs de la hiérarchie.

- Dans une organisation dont la structure est décentralisée, le pouvoir décisionnel est délégué aux échelons inférieurs de la hiérarchie.

Quels sont les principaux types de spécialisation horizontale ?

- La spécialisation horizontale – ou départementalisation – est une division du travail qui mène à la création d'unités ou de groupes de travail au sein de l'organisation.

- Il existe trois types principaux de départementalisations qui créent trois formes particulières de structures : la structure fonctionnelle, la structure divisionnaire et la structure matricielle. Chacune comporte des avantages et des inconvénients.

- L'organisation peut décider d'adopter l'une ou l'autre de ces structures, ou encore de les combiner pour obtenir une structure mixte, l'essentiel étant que la structure choisie corresponde à ses besoins.

À quels modes de coordination interpersonnels ou formels l'organisation devrait-elle recourir ?

- La coordination est l'ensemble des mécanismes qu'utilise l'organisation pour établir un agencement cohérent des activités de ses diverses unités.

- Les modes de coordination interpersonnels créent une synergie dans l'organisation en favorisant la communication, la discussion, l'innovation, la créativité et l'apprentissage, à la fois à l'intérieur de ses diverses unités et entre elles.

- Les modes de coordination formels créent de la synergie en mettant l'accent sur la cohérence et la standardisation pour assurer un agencement logique des activités des diverses unités.

Comment la stratégie de l'organisation, son âge et sa taille, ses technologies et l'environnement dans lequel elle évolue influent-ils sur sa conception ?

- La conception organisationnelle est le processus qui consiste à déterminer la structure organisationnelle la plus appropriée et à la mettre en œuvre.

- Le choix de la structure adéquate devrait se faire en fonction de : la stratégie privilégiée par l'organisation pour assurer sa croissance et sa pérennité ; l'âge et la taille de l'organisation ; les technologies utilisées dans les activités d'exploitation et dans le traitement de l'information ; l'environnement.

- Pour être un gage de réussite, la configuration structurelle d'une organisation doit soutenir la stratégie.

- La stratégie organisationnelle est le plan d'ensemble de l'organisation résultant d'un processus de positionnement dans l'environnement concurrentiel et de détermination des activités et des mesures à implanter pour soutenir efficacement la concurrence. C'est l'agencement particulier d'une série de décisions.

- Les organisations de petite taille se caractérisent en général par une structure simple, dont les avantages résident dans la simplicité, la flexibilité et la capacité de se plier aux volontés du gestionnaire principal.

- Les grandes entreprises sont souvent des entités plus complexes que les PME et requièrent pour cette raison une structure organisationnelle élaborée et bureaucratique.

- La structure organisationnelle devrait être définie en fonction des technologies liées aux activités d'exploitation pour que l'entreprise soit en mesure de produire les biens ou les services attendus. En présence d'une technologie intensive et d'une production en petite série, on a fréquemment recours à l'adhocratie, structure organisationnelle très décentralisée.

- La structure organisationnelle devrait aussi être définie en fonction des technologies de l'information et des communications (TIC), soit la combinaison de l'équipement, du matériel, des procédures et des systèmes qui est utilisée pour recueillir, emmagasiner, analyser et diffuser l'information afin que cette dernière puisse se traduire en connaissances, en savoir.

- Un environnement organisationnel est complexe lorsqu'il est riche, lorsqu'il présente des liens d'interdépendance étroits avec l'organisation et lorsqu'il génère un haut degré d'incertitude. Aucune organisation ne se suffit à elle-même. Les entreprises ne doivent pas se replier sur elles-mêmes, mais plutôt prendre part à des réseaux et conclure des alliances pour faire face à la complexité de l'environnement.

Qu'est-ce que la bureaucratie et quels sont ses modèles les plus courants ?

- La bureaucratie est une forme d'organisation s'appuyant sur l'autorité, la logique et l'ordre pour prospérer.

- La bureaucratie mécaniste met l'accent sur la centralisation verticale, la spécialisation verticale et horizontale du travail, le contrôle et les modes de coordination formels.

- La bureaucratie professionnelle met l'accent sur la décentralisation, la spécialisation horizontale, le contrôle exercé par des professionnels et les modes de coordination interpersonnels.

- Les configurations hybrides, notamment la bureaucratie divisionnaire et le conglomérat, combinent des éléments des modèles mécaniste et organique.

MOTS CLÉS

EXERCICE DE RÉVISION

MaBiblio > MonLab > Exercices
> Ch15 > Exercice de révision

Questions à choix multiple

1. Les types d'objectifs les plus importants, pour la plupart des organisations, sont les objectifs _____ **a)** sociétaux, personnels et de production. **b)** sociétaux, de production et stratégiques. **c)** personnels et impersonnels. **d)** de rentabilité, de responsabilité organisationnelle et personnels.

2. La représentation graphique de la structure formelle d'une organisation est _____ **a)** un diagramme environnemental. **b)** un organigramme. **c)** un diagramme horizontal. **d)** une description matricielle.

3. Ce qui distingue l'unité opérationnelle de l'unité fonctionnelle a trait _____ **a)** à la quantité de ressources dont l'une et l'autre disposent. **b)** aux liens entre leurs tâches et les objectifs de l'organisation. **c)** à la scolarité et à la formation de leurs membres. **d)** à leur utilisation des systèmes de communication informatisés.

4. Lequel des éléments suivants ne fait pas partie des activités de contrôle ? **a)** L'évaluation des résultats. **b)** La fixation d'objectifs. **c)** L'instauration de mesures correctives. **d)** La sélection de la main-d'œuvre.

5. Le regroupement des individus par compétences, connaissances et activités mène à la création d'_____ **a)** une structure divisionnaire. **b)** une structure fonctionnelle. **c)** une structure matricielle. **d)** un conglomérat.

6. Le regroupement des ressources, en fonction à la fois des services fonctionnels et des projets spéciaux, est un exemple de la structure _____ **a)** divisionnaire. **b)** fonctionnelle. **c)** verticale. **d)** matricielle.

7. La structure matricielle _____ **a)** renforce l'unité de commandement. **b)** n'est pas onéreuse. **c)** est facile à expliquer aux travailleurs. **d)** est telle que certains travailleurs ont deux patrons.

8. _____ est un ensemble de mécanismes qu'utilise l'organisation pour établir un agencement cohérent des activités de ses diverses unités. **a)** La départementalisation **b)** La coordination **c)** Le contrôle **d)** La spécialisation

9. La structure d'une organisation doit s'adapter à tous ces facteurs, sauf un. Lequel ? **a)** Son environnement. **b)** Sa stratégie organisationnelle. **c)** Son âge et sa taille. **d)** Les travailleurs qu'elle embauchera.

10. Laquelle des affirmations suivantes s'applique le mieux à l'adhocratie ? **a)** Cette structure facilite l'échange d'information et l'apprentissage organisationnel. **b)** Elle se caractérise par un très grand nombre de directives et de politiques. **c)** Elle n'a que très peu recours aux TIC. **d)** Elle traite les problèmes courants avec une grande efficacité.

11. La _____ est le processus qui consiste à déterminer la structure d'organisation la plus appropriée et à la mettre en œuvre. **a)** stratégie organisationnelle **b)** conception organisationnelle **c)** formalisation **d)** coordination

12. _____ consiste(nt) en une combinaison des ressources, des connaissances et des techniques qui permettent à l'organisation de créer un bien ou un service. **a)** Les TIC. **b)** La stratégie. **c)** L'apprentissage organisationnel. **d)** Les technologies liées aux activités d'exploitation.

13. La complexité de l'environnement _____ **a)** fait référence aux jeux d'alliances entre les cadres supérieurs. **b)** fait référence à l'ampleur des problèmes et des occasions qui se présentent dans l'environnement organisationnel global et immédiat. **c)** ne fait référence qu'à l'environnement général de l'organisation. **d)** ne fait référence qu'aux organisations avec lesquelles une entreprise doit interagir pour obtenir des intrants et écouler ses extrants.

14. Le segment de l'environnement qui concerne les sociétés avec lesquelles l'organisation doit entrer en interaction à la fois pour obtenir des intrants et pour écouler ses produits s'appelle _____ **a)** l'environnement global. **b)** l'environnement stratégique. **c)** le milieu d'apprentissage organisationnel. **d)** l'environnement immédiat.

15. En comparaison avec la bureaucratie mécaniste, la bureaucratie professionnelle (ou structure organique) _____ **a)** est plus efficace pour les activités de routine. **b)** privilégie davantage la spécialisation verticale et les mécanismes de contrôle. **c)** est de plus grande taille. **d)** privilégie davantage la spécialisation horizontale et la décentralisation.

Questions à réponse brève

16. Comparez les objectifs de production et les objectifs stratégiques en dégageant ce en quoi ils diffèrent.

17. Décrivez les divers mécanismes de contrôle auxquels une organisation a généralement recours.

18. Quels sont les principaux avantages et inconvénients de la structure matricielle?

19. Quels sont les trois principaux facteurs qui déterminent le degré de complexité d'un environnement organisationnel?

Question à développement

20. Pourquoi un constructeur d'automobiles choisirait-il d'adopter une structure matricielle pour le volet conception et mise au point de ses véhicules et s'abstiendrait-il d'étendre cette configuration à ses activités de fabrication et de montage?

Le CO dans le feu de l'action

Pour ce chapitre, nous vous suggérons les compléments numériques suivants dans MonLab.

MaBiblio >
MonLab > Documents > Études de cas
> 24. CSI
> 25. Fabrication Laurentides
> 26. La financière First Community

MonLab > Documents > Activités
> 13. Le jeu de construction
> 39. Les coulisses des organisations
> 40. D'un hamburger à l'autre...

MonLab > Documents > Autoévaluations
>   2. Le gestionnaire du 21e siècle
> 21. Votre préférence en matière de structure organisationnelle

16

La culture organisationnelle et l'innovation

Travailler, vivre et réaliser des choses ensemble.

Étant donné qu'on passe le plus clair de sa vie adulte dans des organisations ou qu'on gravite autour d'elles, on est souvent imprégné par la culture de ces dernières. Cette culture, qui apporte signification et stabilité, peut se décliner en sous-cultures et s'accompagner de contre-cultures. Pour devenir un gestionnaire efficace, vous devez comprendre les différentes dimensions de la culture organisationnelle et le rôle important que jouent les récits, les rites et les rituels. Si la culture apporte une certaine stabilité, les organisations ont également besoin d'innovation pour survivre. Trouver un équilibre entre le besoin d'innovation et la stabilité peut constituer un défi de taille. Dans ce chapitre, nous allons donc nous pencher sur les principales dimensions de la culture organisationnelle, puis examiner comment le gestionnaire avisé peut gérer cette dernière ou recourir à l'innovation pour la transformer.

OBJECTIFS D'APPRENTISSAGE

Après l'étude de ce chapitre, vous devriez pouvoir :

* Définir la culture organisationnelle et expliquer ses principales fonctions.
* Décrire les trois dimensions d'une culture organisationnelle et leur rôle respectif.
* Expliquer comment on peut gérer la culture organisationnelle.
* Expliquer ce qu'est l'innovation et pourquoi elle est si importante pour l'organisation.

PLAN DU CHAPITRE

La culture organisationnelle
Les fonctions de la culture organisationnelle
La culture dominante, les sous-cultures et les contre-cultures
La culture nationale et la culture organisationnelle

Les trois dimensions de la culture organisationnelle
La culture apparente
Les valeurs communes
Les hypothèses communes

La gestion de la culture organisationnelle
La philosophie de gestion et la stratégie
La consolidation et la transformation de la culture organisationnelle

L'innovation en milieu organisationnel
Le processus d'innovation
L'innovation en matière de produits et en matière de procédés
Les caractéristiques des organisations et des équipes novatrices
L'équilibre entre l'exploration et l'exploitation
Les tensions entre la stabilité culturelle et l'innovation

Guide de révision

Attirez les meilleurs, cultivez votre marque

« À la base, pour qu'un employé soit motivé et ait envie de s'engager dans une entreprise, il doit se sentir autonome. L'autonomie, c'est une valeur que l'on met de l'avant. Ça parle beaucoup aux générations actuelles », dit Vanessa Ribreau, partenaire RH chez Shopify, une plateforme d'e-commerce établie à Ottawa. [...]

En pratique, l'approche de Shopify centrée sur l'autonomie signifie notamment que les employés peuvent prendre leurs vacances quand bon leur semble et travailler aux heures et aux endroits qui leur plaisent, même à la cafétéria ou au bar lounge. « En offrant un environnement de travail comme celui-là, on croit que les gens vont travailler quand ils se sentent productifs et qu'ils ont une bonne concentration », dit Vanessa Ribreau.

L'entreprise valorise non seulement le bien-être professionnel des employés, mais aussi leur bien-être personnel. Elle donne chaque semaine des cours de yoga et de méditation. Et pour montrer qu'elle accorde aussi de l'importance à la famille, elle offre des prestations complémentaires de maternité et de paternité.

Vanessa Ribreau note d'ailleurs que, s'il peut être avantageux pour un employeur d'offrir des avantages, comme des cours ou des prestations parentales,

il faut idéalement que ceux-ci soient la matérialisation d'une vision ou d'un ensemble de valeurs. Si Shopify encourage le remboursement d'achat de matériel de sport, par exemple, ce n'est pas uniquement pour donner un petit plus aux employés, mais aussi pour souligner son engagement envers la santé. [...]

Spektrum Media, une firme de développement logiciel basée à Québec, met aussi de l'avant un ensemble de valeurs auxquelles elle tient dur comme fer. En effet, selon le cofondateur Georges Saad, les travailleurs d'aujourd'hui ne cherchent plus seulement un emploi. Ils veulent travailler pour une cause et réaliser des projets stimulants. Le rôle de l'employeur est donc de mettre de l'avant ses valeurs dans le but d'attirer des employés qui y croient. Par là passe l'expérience employé. « On doit par contre éviter de parler en l'air, dit Georges Saad. On doit joindre le geste à la parole. »

Parmi les valeurs de Spektrum Media, on compte l'autonomie, la confiance, la responsabilité et l'excellence. Et le respect. « L'an dernier, nous avons arrêté de travailler avec un client parce qu'il manquait de respect envers un des développeurs, dit M. Saad. Disons qu'il était très condescendant. Nous l'avons mis à la porte. »

> Il faut se rappeler que tous les employés ne recherchent pas la même chose et que les valeurs doivent coller à l'ADN de l'entreprise.

Il reconnaît que changer une culture d'entreprise peut être difficile et que ce n'est pas toujours souhaitable. Une banque, par exemple, aurait sans doute de la difficulté à fonctionner si elle était guidée exactement par les mêmes valeurs que son entreprise, où la moyenne d'âge est de 28 ans.

« Les jeunes de la génération actuelle veulent en général plus de flexibilité, mais il faut se rappeler que tous les employés ne recherchent pas la même chose et que les valeurs doivent coller à l'ADN de l'entreprise. »

Source : Simon Lord, « Attirez les meilleurs, cultivez votre marque », *Les Affaires*, 25 février 2017, p. 23.

La culture organisationnelle

La **culture organisationnelle** (ou **culture d'entreprise**, dans les milieux d'affaires) se définit comme l'ensemble des attitudes, des valeurs et des croyances communes qu'acquièrent les membres d'une organisation et qui guident leur comportement[1]. Comme la personnalité d'un individu, la culture d'une organisation est unique : il n'en existe pas deux qui soient identiques. De plus en plus, les spécialistes et les consultants en gestion s'entendent pour dire que la culture distinctive d'une organisation peut avoir un effet déterminant sur ses résultats globaux et sur la qualité de vie professionnelle de ses membres. Par ailleurs, il existe certains éléments culturels communs aux organisations qui se distinguent par leur stabilité et dont les membres investissent leur tâche d'une signification commune[2].

Il est important de reconnaître que la culture d'une entreprise provient : (1) du dialogue et du discours entre ses membres et de leur expérience collective au fil du temps ; (2) des tentatives des gestionnaires d'influencer les subordonnés ; (3) des pressions qui proviennent de l'environnement dans lequel les membres, les gestionnaires et l'organisation évoluent. Dans le présent chapitre, nous étudierons les fonctions de la culture organisationnelle et les divers niveaux d'analyse culturelle pour comprendre la force considérable de la culture organisationnelle. Nous passerons ensuite à l'innovation, et nous verrons comment sont liées l'innovation et la gestion de la culture organisationnelle.

> **Culture organisationnelle (ou culture d'entreprise)**
> Ensemble des attitudes, des valeurs et des croyances communes qu'acquièrent les membres d'une organisation et qui guident leur comportement

Les fonctions de la culture organisationnelle

C'est par leur expérience collective que les membres d'une organisation parviennent à résoudre deux questions capitales liées à la pérennité de cette dernière :

1. Celle de l'*adaptation externe*. Que faut-il accomplir précisément et comment y arriver ?

2. Celle de l'*intégration interne*. Comment régler les problèmes quotidiens liés au fait de travailler ensemble et de se côtoyer[3] ?

Chaque organisation est unique, de la même manière que chaque personne est unique : ses attitudes, valeurs et croyances spécifiques la définissent.

L'adaptation externe

Une fonction importante de la culture organisationnelle est de fournir des solutions qui se sont déjà révélées efficaces aux problèmes d'adaptation externe[4]. Par **adaptation externe**, on entend le processus qui permet à l'organisation d'atteindre ses objectifs et de composer avec les forces de l'environnement. Plus précisément, l'adaptation externe concerne les tâches à accomplir ainsi que les méthodes à employer pour atteindre les objectifs organisationnels et pour assumer les succès et les échecs.

Grâce aux expériences qu'ils partagent, les membres d'une organisation peuvent acquérir des perspectives communes qui les guident dans leurs activités de tous les jours. Cependant, il est essentiel qu'ils connaissent la véritable mission de l'organisation, et pas seulement les énoncés relatifs à certaines de ses parties prenantes, comme les actionnaires. Au fil de leurs interactions, les travailleurs en viendront

> **Adaptation externe**
> Processus qui permet à l'organisation d'atteindre ses objectifs et de composer avec les forces de l'environnement ; plus précisément, ensemble des tâches à accomplir et des méthodes à employer pour atteindre les objectifs organisationnels et pour assumer les succès et les échecs

naturellement à comprendre leur rôle dans l'accomplissement de cette mission. Selon le cas, ils pourront se voir comme des ressources humaines de première importance, comme des rouages de la machine ou comme un simple coût à réduire.

Au début de chacun de ses projets, la société 3M, « mère » du Post-it, se fixe des critères d'abandon de projet : plutôt que de faire fausse route trop longtemps, mieux vaut réorienter les efforts et voir l'abandon comme une occasion d'apprentissage et non comme un échec.

La mission de l'organisation et la perception qu'ont ses membres de sa contribution sociétale sont étroitement liées aux questions de responsabilité, d'objectifs et de méthodes. Chez 3M, par exemple, les travailleurs estiment qu'il leur incombe d'innover et de se montrer créatifs. Pour eux, cette responsabilité découle des objectifs organisationnels d'innovation et d'amélioration continue des produits et des procédés.

Dans une organisation, chaque groupe de travailleurs a également tendance à :

• départager les forces externes les plus importantes et les moins importantes ;

• trouver des façons d'évaluer ses réalisations ;

• élaborer des explications pour justifier le fait que les objectifs ne sont pas toujours atteints.

Par exemple, chez le fabricant d'ordinateurs Dell, les cadres n'évaluent plus leur progrès en fonction de cibles précises, mais plutôt en fonction de l'avancement d'un processus global de croissance. Au lieu d'expliquer un échec en invoquant la situation économique ou en blâmant la direction, ils se sont donné des objectifs extrêmement exigeants et ils ont redoublé d'efforts pour accroître la participation et l'engagement de leurs subordonnés[5].

L'adaptation externe vise également deux autres aspects – souvent négligés et pourtant cruciaux – liés à la façon de composer avec les forces de l'environnement. Premièrement, les travailleurs doivent trouver des manières d'informer les gens de l'extérieur de leurs réussites réelles et de celles de l'organisation. Par exemple, chez 3M, on parle de la quantité et de la qualité des produits utiles que l'entreprise a apportés au marché. Deuxièmement, les travailleurs doivent savoir quand le moment est venu d'admettre collectivement un échec. Toujours chez 3M, on a trouvé une solution simple pour les produits qu'on conçoit : au tout début du processus d'élaboration, on se fixe des critères d'abandon de projet ; quand on constate qu'on fait fausse route, on suspend les efforts et on les réoriente. Lorsqu'ils décident d'abandonner un projet, les responsables du groupe de projet s'assurent que cet abandon ne soit pas interprété par les membres comme un échec, mais bel et bien comme une occasion d'apprentissage qui fera en sorte que le prochain projet connaîtra du succès sur le marché[6].

En résumé, l'adaptation externe repose sur une compréhension commune des membres de l'organisation concernant d'importantes questions de survie et d'adaptation à l'environnement :

• Quelle est la mission ? Comment peut-on contribuer à l'accomplir ?

• Quels sont les objectifs ? Comment peut-on les atteindre ?

• Quelles sont les principales forces externes auxquelles on doit faire face ?

- Comment va-t-on évaluer ses résultats ?

- Que fera-t-on si on n'atteint pas certains objectifs ?

- Comment fera-t-on savoir aux autres à quel point on est excellent ?

- Quand doit-on abandonner un projet ?

L'intégration interne

La culture organisationnelle apporte également des solutions aux problèmes d'intégration interne de l'organisation. Par **intégration interne**, on entend le processus par lequel les membres de l'organisation se donnent une identité collective et harmonisent leurs façons de travailler ensemble et de se côtoyer[7].

Le processus d'intégration interne commence souvent par l'émergence d'un sentiment d'unité ou d'identité propre : chaque groupe ou chaque « sous-culture » parvient à définir son unicité au sein de l'organisation. Par le dialogue et l'interaction, les individus commencent à se faire une idée de l'environnement dans lequel ils travaillent. Selon le cas, ils pourront y voir un univers en évolution ou figé, un univers riche en possibilités ou menaçant. Lorsque les divers groupes ou sous-cultures prennent collectivement conscience qu'ils peuvent changer des aspects importants de cet univers et voient dans ce qui leur apparaissait comme une menace une occasion d'évoluer, ils ont déjà fait un grand pas dans le sens de l'innovation.

Essentiellement, travailler en groupe suppose trois questions :

1. Décider qui est ou n'est pas membre du groupe.

2. Déterminer informellement les comportements acceptables et inacceptables.

3. Distinguer les alliés des adversaires.

Aetna, une importante compagnie spécialisée dans les régimes d'assurance maladie des employés, indique que sa culture d'entreprise suppose que les employés « travaillent ouvertement ensemble, échangent librement de l'information et se fondent sur les idées des uns et des autres pour continuellement améliorer les processus. Il n'y a rien d'impossible pour l'équipe Aetna. Ses membres sont désireux d'apprendre et cherchent sans cesse à innover, ce que, chaque jour, ils arrivent à faire[8] ».

Pour travailler ensemble efficacement, les individus doivent régler collectivement des questions relatives au pouvoir, à l'autorité et au statut de chacun, et ils doivent s'entendre sur l'attribution des récompenses et des punitions liées à tel ou tel comportement. Un trop grand nombre de gestionnaires négligent ces dimensions de l'intégration interne. À titre d'exemple, un gestionnaire peut se montrer incapable d'expliquer clairement les raisons d'une promotion et de démontrer que cette récompense ainsi que le statut et le pouvoir qui s'y rattachent vont dans le sens des convictions de l'ensemble des travailleurs.

Les individus doivent aussi se donner les moyens de communiquer entre eux et d'établir des liens d'amitié au sein de l'organisation. Ces dimensions de l'intégration interne peuvent sembler bizarres à certains, mais elles sont indispensables. Pour agir efficacement en équipe, les personnes doivent accepter l'idée que les rapprochements et les liens d'amitié unissant certaines d'entre elles sont inévitables[9].

Intégration interne
Processus par lequel les membres de l'organisation se donnent une identité collective et harmonisent leurs façons de travailler ensemble et de se côtoyer

Des employés plus engagés pour un meilleur rendement

La maison de sondage Gallup utilise un «ratio d'engagement» comme indicateur de la santé organisationnelle. De plus, la recherche démontre que l'engagement peut avoir une forte incidence sur le rendement. Selon les données, dans les organisations qui affichent les meilleurs rendements, les employés engagés sont plus nombreux que ceux qui ne le sont pas dans un rapport de 9,57 à 1. Dans les organisations à rendement moyen, ce rapport descend à 1,83 à 1.

Les avantages provenant d'une main-d'œuvre activement engagée se font ressentir jusque dans le rendement, l'adoption de comportements sécuritaires au travail, la rétention des employés et l'orientation client. Gallup souligne que, dans les organisations à haut rendement, «l'engagement est plus qu'une initiative des ressources humaines; c'est le fondement stratégique de la façon dont elles mènent leurs affaires. »

Le fait de régler ces points d'intégration interne favorise, chez les membres, un sentiment d'appartenance et un engagement envers l'organisation, ce qui contribue à la stabilité à long terme et au sentiment de participer à un projet collectif. En somme, l'intégration interne passe par la résolution de problèmes importants concernant le fait de travailler ensemble et de se côtoyer, par la recherche de réponses aux grandes questions suivantes :

- Quelle est l'identité collective distinctive de l'organisation ?
- Comment envisage-t-on l'univers de travail ? Qui en fait pleinement partie ?
- Comment règle-t-on collectivement les problèmes relatifs au pouvoir, à l'autorité et au statut de chacun ?
- Comment les membres du personnel communiquent-ils entre eux et avec les autres ?
- Sur quoi les liens d'amitié se fondent-ils ?

Il est crucial que les membres du personnel répondent à ces questions, car une organisation n'est pas seulement un milieu de travail[10].

La culture dominante, les sous-cultures et les contre-cultures

Généralement, les organisations de petite taille possèdent une seule culture organisationnelle, cimentée par un ensemble d'attitudes, de valeurs et de croyances communes. Les organisations de plus grande taille, en revanche, comportent souvent plusieurs *sous-cultures* ainsi qu'une ou plusieurs *contre-cultures*[11].

Les sous-cultures

Sous-culture
Philosophie et valeurs qui sont propres à un groupe, mais qui demeurent en harmonie avec la culture dominante de l'organisation

On entend par **sous-culture** une philosophie et des valeurs qui sont propres à un groupe, mais qui demeurent en harmonie avec la culture dominante de l'organisation[12]. Notons que, dans une organisation, les sous-cultures fortes sont plutôt le fait de groupes de travail ou de groupes de projet spécial, leur émergence renforçant les liens entre des individus qui doivent collaborer pour accomplir une tâche particulière. Ainsi, à l'usine Boeing de Renton, près de Seattle, on trouve des sous-cultures très fortes chez les ingénieurs-vérificateurs de matériaux et chez les ingénieurs de liaison, deux groupes très spécialisés chargés de résoudre des problèmes techniques extrêmement complexes touchant la sécurité des appareils. Cependant, l'existence de ces sous-cultures n'empêche nullement les deux groupes d'ingénieurs d'adhérer aux valeurs fondamentales de Boeing.

DILEMME : À CONSIDÉRER... OU À ÉVITER ?

Rendre le lieu de travail amusant

Les employés qui s'amusent le plus au travail ont-ils le meilleur rendement ? Les employeurs devraient-ils ajouter une touche de plaisir à la routine quotidienne des employés ?

Chez le détaillant en ligne Zappos.com, le temps que les employés passent à « faire les fous » est considéré comme précieux. On les y encourage à prendre des pauses et à s'amuser. L'entreprise est même dotée d'un « ministre de la culture », John Walkses, dont le travail consiste à s'assurer que la culture organisationnelle demeure joyeuse et productive. Il explique : « En permettant aux membres de l'équipe de participer à des activités non liées au travail et de s'amuser, le bureau conserve une atmosphère positive, et les gens sont beaucoup plus heureux. De plus, ils ne sont pas épuisés, car ils peuvent prendre congé de leurs tâches. »

Zappos n'est pas la seule entreprise à s'être ainsi engagée à transformer le lieu de travail en un endroit amusant et intéressant pour les employés. Chez ?What If !, une société d'experts-conseils en innovation, les employés se présentent eux-mêmes ou présentent une activité qu'ils font en dehors du travail dans un PechaKucha, un type de présentation orale courte au cours de laquelle on montre 20 diapositives pendant 20 secondes chacune. Le but est d'aider les collègues à mieux se connaître.

Les organisations comme Zappos et ?What If ! sont-elles en avance ? Les autres devraient-elles suivre leur exemple ? Ou est-ce plutôt une tendance passagère qui ne s'applique qu'à quelques employeurs et milieux de travail ?

QUESTIONS

Qu'indique la recherche au sujet de la création d'un milieu de travail joyeux et productif ? Les gestionnaires devraient-ils dépenser du temps et de l'argent pour repenser la culture organisationnelle afin que le milieu de travail devienne un endroit amusant ?

Les contre-cultures

En revanche, le terme **contre-culture** désigne une philosophie et des valeurs qui sont propres à un groupe et qui se définissent par leur opposition à la culture dominante de l'organisation[13]. Ainsi, dès qu'il a réintégré Apple pour en prendre la direction générale, le regretté Steve Jobs a créé, au sein même de la société, une contre-culture en rupture avec les valeurs et la philosophie de l'ancien directeur, Gil Amelio. Les 18 mois qui ont suivi ont été riches en conflits, car les partisans de l'ancien directeur luttaient pour conserver leur place et maintenir l'ancienne culture. C'est finalement le nouveau

Contre-culture
Philosophie et valeurs propres à un groupe qui se définissent par opposition à la culture dominante de l'organisation

directeur qui l'a emporté, et Apple par la même occasion. La contre-culture de Jobs est devenue la culture dominante, et l'entreprise a continué de prospérer, même après son décès[14].

Toute organisation de grande taille qui recrute sa main-d'œuvre dans l'environnement où elle est implantée est susceptible d'importer, du même coup, des sous-groupes sociaux ou ethnoculturels parfois importants. Dans les entreprises nord-américaines, les sous-cultures et les contre-cultures se créent naturellement en fonction de caractéristiques telles que l'origine ethnoculturelle, le genre, l'âge ou même le quartier de résidence. Au Japon, la date d'obtention du diplôme, le genre et l'origine régionale sont des éléments clés de la création de sous-cultures en milieu organisationnel. Dans les entreprises européennes, ce sont l'origine ethnoculturelle, la langue et le genre qui jouent un rôle majeur dans l'apparition de sous-cultures et de contre-cultures. Finalement, dans la plupart des pays émergents, les sous-cultures et les contre-cultures organisationnelles se forment à partir de caractéristiques telles que la langue, l'éducation, la religion ou le statut social de la famille.

En outre, les acquisitions et les fusions peuvent faire émerger une ou plusieurs contre-cultures, les organisations nouvellement acquises ou fusionnées pouvant fort bien entretenir des valeurs et des croyances contraires à la culture de l'acquéreur ou de l'organisation principale. On appelle ce phénomène *choc des cultures organisationnelles*[15]. De plus en plus d'entreprises se mondialisent et misent sur les fusions ou sur l'acquisition d'autres entreprises pour assurer leur croissance. Dès lors, elles doivent composer à la fois avec l'importation de sous-cultures et avec le choc des cultures organisationnelles.

La culture nationale et la culture organisationnelle

Les valeurs très largement partagées par les membres d'une organisation proviennent souvent de la culture du pays où cette dernière a été implantée originellement, même si elle accroît ses activités à l'échelle internationale. Ainsi, la culture de Toyota, axée sur les réalisations collectives, et celle de Ford, axée sur l'excellence individuelle,

reflètent toutes deux la culture de leur société d'appartenance : la culture collectiviste des Japonais et la culture individualiste des Nord-Américains. Les valeurs liées à une culture nationale peuvent influer sur les attentes des éléments constitutifs de l'organisation, de même que sur les solutions préconisées, et largement acceptées, pour résoudre certains problèmes.

Lorsqu'ils passent d'un pays à un autre, les gestionnaires doivent donc être conscients des différences culturelles pour ne pas agir en contradiction avec des valeurs issues de la culture nationale. Toute organisation qui a des activités à l'échelle internationale doit savoir que les actions qui s'opposent aux valeurs nationales risquent de choquer les travailleurs et d'avoir un effet désastreux sur le rendement, et ce, même si les gestionnaires sont bien intentionnés. Par

Les réunions générales ou autres séminaires de formation visant une meilleure compréhension des pratiques organisationnelles et un partage des valeurs ne suffisent pas toujours à aplanir les barrières culturelles entre les travailleurs de différents pays.

exemple, afin de remonter le moral des cadres de la Compagnie Générale de Radiologie, la filiale française que leur entreprise venait d'acquérir, les dirigeants américains de General Electric ont invité tous les cadres européens à un séminaire de bienvenue près de Paris. Ils leur ont distribué, à cette occasion, des t-shirts portant le slogan de GE, « Go for One », comme le veut la pratique courante au cours des séminaires de formation en Amérique du Nord. Or, les Français n'ont pas du tout apprécié le cadeau, l'un d'entre eux allant jusqu'à assimiler ce geste à un comportement nazi : « On se serait cru sous Hitler. Vouloir nous forcer à porter ces *uniformes*... C'était humiliant. » Comme vous pouvez le constater, instaurer une culture commune fondée sur de solides valeurs éthiques ne va pas sans difficulté, particulièrement lorsqu'il y a importation de sous-groupes sociaux.

L'importation de sous-groupes sociaux ou ethnoculturels

Au-delà des problèmes relatifs aux différences entre les cultures nationales, qui nécessitent une adaptation, des difficultés peuvent surgir à cause de l'importation de sous-groupes issus de la société environnante. Les sous-cultures qui sont associées à ces derniers peuvent tantôt représenter un apport pour l'organisation, tantôt se révéler nuisibles. Il se peut que les cadres supérieurs, acceptant mal les différences, privilégient l'uniformité et le respect des valeurs de la culture dominante. Par cette approche, ils favorisent l'apparition de trois grands types de problèmes. Premièrement, les sous-groupes minoritaires unis par une même religion ou une même origine ethnoculturelle, par exemple, seront enclins à créer une contre-culture et à consacrer plus d'énergie à améliorer leur statut collectif qu'à assurer la pérennité de l'organisation. Deuxièmement, l'organisation risque d'avoir beaucoup de mal à s'adapter à des changements culturels plus profonds. Par exemple, on sait qu'en Amérique du Nord les attitudes envers les femmes, les personnes handicapées et les minorités ont beaucoup évolué depuis 30 ans. Les organisations qui restent attachées à leurs vieux préjugés et à leurs attitudes traditionnelles ont perdu plus de personnel qualifié et connu plus de problèmes de communication et de conflits interpersonnels que celles qui manifestent de l'ouverture et du respect à l'égard de la diversité de la main-d'œuvre. Troisièmement, les organisations qui adhèrent aux préjugés et aux divisions sociales et qui les reproduisent en leur sein risquent d'éprouver de grandes difficultés à mener des activités internationales importantes. Ainsi, certaines sociétés japonaises ont encore du mal à s'adapter aux politiques nord-américaines de non-discrimination à l'égard des femmes[16].

Les façons de bâtir en s'appuyant sur la diversité culturelle nationale

Les gestionnaires peuvent intervenir pour éradiquer toute sous-culture ou contre-culture qui émerge naturellement au sein de leur organisation. De nombreuses entreprises tentent d'appliquer un modèle préconisé par le chercheur Taylor Cox : celui de *l'organisation multiculturelle*. Il s'agit d'une organisation qui valorise la diversité, mais qui fait en sorte d'empêcher les sous-cultures issues de l'environnement de pénétrer le tissu social qui lui est propre[17]. Comme Taylor Cox travaille sur des problèmes propres aux États-Unis, ses recommandations pourraient ne pas s'appliquer aux organisations établies dans des pays à population plus homogène. Voici, néanmoins, son programme en cinq étapes pour créer une organisation multiculturelle.

1. L'organisation doit soutenir le pluralisme, tout en visant une socialisation fondée sur la diversité. À cette fin, les membres des divers groupes *naturels* doivent apprendre les uns des autres afin d'être mieux informés, de mieux se connaître et de ne pas entretenir de stéréotypes.

2. L'organisation doit veiller à ce que sa structure intègre la diversité à tous les échelons, de sorte qu'il soit impossible d'associer tel ou tel groupe à tel ou tel type de postes ou de tâches. Par exemple, elle doit éviter la sexualisation des tâches.

3. L'organisation doit essayer d'intégrer les réseaux informels en éliminant les barrières et en accentuant la participation du personnel. Elle devrait ainsi pouvoir démanteler les groupes informels fondés sur des divisions qu'on trouve dans la société.

4. L'organisation doit faire disparaître les liens qui l'associent à un groupe particulier. Autrement dit, elle doit veiller à ne pas donner l'impression d'être réservée aux jeunes, aux aînés, aux hommes, aux femmes, etc.

5. L'organisation doit travailler activement à éliminer les conflits interpersonnels fondés sur l'appartenance à un groupe donné ou sur une réaction brutale du groupe dominant à l'égard d'une minorité particulière.

Les dirigeants avisés savent faire preuve de souplesse et de pragmatisme dans la mise en application de ce programme. Ils reconnaissent que certains regroupements naturels peuvent les aider à atteindre leurs objectifs. À titre d'exemple, pour suivre à la lettre le programme de Taylor Cox, on devrait faire en sorte que les travailleurs de chaque groupe d'âge, y compris ceux qui sont dans la vingtaine, soient représentés au sein de la direction proportionnellement à leur nombre dans l'organisation. Or, dans la plupart des entreprises, on exige des cadres supérieurs un jugement aiguisé par un degré d'expérience que peu de jeunes gens possèdent. Cela, soulignons-le au passage, n'empêche pas les dirigeants de trouver d'autres moyens de se rapprocher des individus de cette tranche d'âge.

L'ÉTHIQUE EN CO

L'âge commence à poser problème au moment des mises à pied

Lorsque la situation économique est défavorable, les mises à pied deviennent incontournables. Mais par qui commencer? Sarah est jeune et célibataire. Elle a obtenu son diplôme universitaire il y a quelques années à peine. C'est une travailleuse acharnée, comme l'a montré son évaluation de cette année: son rendement a atteint des sommets. Elle se porte toujours volontaire lorsqu'il faut travailler le soir ou faire des déplacements. Quant à Mary, elle est au milieu de la quarantaine. Elle a deux enfants et un mari pédiatre. Son rendement est bon, toujours égal ou supérieur à la moyenne, comme en témoignent ses évaluations. Cependant, elle a peu de temps pour travailler le soir ou faire des voyages d'affaires.

Va-t-on d'abord mettre à pied Sarah ou Mary? Selon toute vraisemblance, ce sera Sarah. D'après le *Wall Street*

Journal, les salariés les plus jeunes sont exposés à un plus grand risque de mise à pied. Au moment des compressions de personnel, en effet, de nombreux employeurs suivent la règle du «dernier arrivé, premier sorti», même si les salaires des employés les plus jeunes tendent à être plus bas que ceux des anciens et même si leur rendement peut être plus élevé. Cela s'explique, notamment, par la volonté des gestionnaires d'éviter des conflits. Personne ne souhaite devoir faire face à un procès pour discrimination fondée sur l'âge.

Il y a aussi la forte charge émotionnelle associée aux décisions de mises à pied. Ainsi, il semble plus facile de renvoyer un employé jeune, qui a probablement moins d'obligations familiales et une situation personnelle moins compliquée que d'autres.

David Schauer, directeur d'une école de Phoenix, raconte qu'il a envoyé des préavis de licenciement à 68 enseignants se trouvant tous dans leur première année d'emploi. Il déclare : «Ma plus grande crainte est que des individus vraiment talentueux quittent définitivement l'enseignement.» Nicole Ryan, enseignante new-yorkaise venant de recevoir un préavis de licenciement, avoue : «Je me doutais bien que ça arriverait, à cause de mon peu d'ancienneté. J'étais au bas de l'échelle.» Elle ajoute : «Je n'ai pas trouvé ça facile pour autant.»

Source : Information et citations tirées de Dana Mattioli, «With Jobs Scarce, Age Becomes an Issue», *The Wall Street Journal*, 19 mai 2009, p. D4.

QUESTIONS

Les gestionnaires ont-ils raison de mettre à pied d'abord les jeunes salariés, même si leur rendement est élevé ? Est-il juste de tenir compte de facteurs personnels et familiaux lorsqu'il faut décider quels employés garder et lesquels licencier ? Est-il juste que des employés jeunes craignent le licenciement du fait que certains gestionnaires redoutent un procès pour discrimination fondée sur l'âge ?

Les trois dimensions de la culture organisationnelle

L'analyse de la culture d'une organisation permet d'en dégager trois dimensions qui se révèlent l'une après l'autre, un peu comme des couches superposées : d'abord la *culture apparente*, puis les *valeurs communes*, et enfin les *hypothèses communes*[18]. Plus une dimension est profondément enfouie, plus elle est difficile à découvrir, mais plus les éléments qui la composent sont fondamentaux. C'est ce que montre la **figure 16.1**, représentant ces trois dimensions dans une forme pyramidale.

FIGURE 16.1 **Les trois dimensions d'une culture organisationnelle**

Culture apparente

Valeurs communes

Hypothèses communes

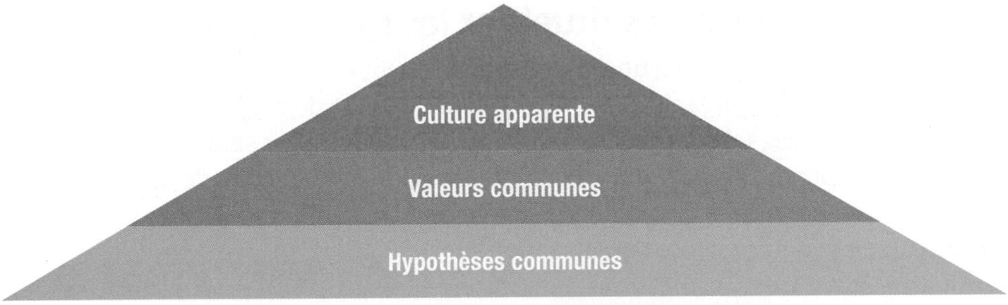

Première dimension de la culture d'une organisation, la *culture apparente* correspond à « la manière dont on fait les choses ici », c'est-à-dire les méthodes établies par le groupe et enseignées aux nouveaux venus. La culture apparente englobe aussi les récits, les cérémonies et les rituels qui constituent l'histoire de l'organisation ou de l'un de ses groupes.

Constituant la deuxième dimension de la culture d'une organisation, les *valeurs communes* jouent un rôle crucial, car elles relient les individus et peuvent agir comme un puissant mécanisme de mobilisation des membres de l'organisation. De nombreux consultants conseillent d'ailleurs aux organisations d'instaurer un « ensemble cohérent et dominant de valeurs communes[19] ». Sur le plan de l'analyse culturelle, la notion de communauté de valeurs implique que le groupe forme un tout : certains membres peuvent ne pas adhérer entièrement à ces valeurs, mais tous ont conscience de leur existence et savent, pour l'avoir souvent entendu répéter, à quel point elles sont primordiales. Ainsi, chez Microsoft, la passion pour la technologie représente une valeur culturelle commune.

Enfin, la dimension la plus profonde de la culture organisationnelle est celle des *hypothèses communes* – les vérités allant de soi – que les divers groupes de l'organisation ont élaborées et acquises au fil de leur expérience collective. Ces hypothèses communes sont en général très difficiles à cerner. Toutefois, lorsqu'on y parvient, on comprend mieux l'omniprésence de la culture dans tous les aspects de la vie organisationnelle.

Prenons maintenant le temps d'approfondir ces trois dimensions de la culture organisationnelle, telles qu'elles se révèlent l'une après l'autre.

La culture apparente

D'importants aspects de la culture d'une organisation naissent de l'expérience collective de ses membres, lui conférant son originalité et, souvent, un avantage concurrentiel. Certains s'observent dans les pratiques quotidiennes. D'autres doivent être découverts, à l'occasion, par exemple, de récits que peuvent faire les travailleurs des événements marquants de l'histoire de leur organisation, si on le leur demande. C'est fréquemment ainsi que se révèlent certains aspects uniques d'une culture organisationnelle donnée. On peut donc commencer à comprendre la culture d'une organisation en observant les travailleurs qui vaquent à leurs activités, en écoutant leurs histoires et en les interrogeant sur leur interprétation de ce qui se passe au jour le jour. La culture apparente englobe, entre autres, les récits, les rites et les rituels qui créent l'histoire de l'organisation ou de l'un de ses groupes.

Les récits, les rites, les rituels et les symboles culturels

Pour comprendre la culture d'une organisation, il peut être plus facile de commencer avec ses histoires. Les organisations regorgent d'histoires de gagnants et de perdants, de succès et d'échecs. De tous ces récits, le plus important est sans doute celui de la fondation de l'organisation, qui transmet non seulement les leçons de quelque valeureux entrepreneur luttant pour concrétiser un rêve, mais aussi la vision qui l'animait et qui guide peut-être encore l'organisation[20].

Lorsque l'histoire de la fondation est embellie au fil du temps, elle prend l'allure d'une **épopée**, d'un récit légendaire de tout ce que le *héros* a accompli[21]. Cette légende est importante pour l'organisation, car elle sert à enseigner aux recrues sa mission réelle, son mode de fonctionnement et sa manière d'intégrer les gens. Cela dit, elle est rarement tout à fait exacte et passe sous silence les aspects les moins reluisants. Tel est le cas de celle de l'entreprise Monterey Pasta.

Sur son site web, Monterey Pasta retrace ainsi son histoire[22] :

> Monterey Pasta a vu le jour en 1989, dans un établissement de 37 m^2 ayant pignon sur Lighthouse Avenue, à Monterey, en Californie. [...] Les fondateurs ont mis sur pied cette petite entreprise de pâtes fraîches afin de satisfaire l'intérêt croissant du public pour les produits fins et les aliments santé. La clientèle a manifesté un enthousiasme de plus en plus grand à l'endroit des pâtes fraîches, en raison de leur qualité supérieure, de leur valeur nutritive et de leur facilité de préparation. [...] Peu après, l'entreprise acceptait un premier contrat important en tant que fournisseur auprès d'un détaillant. [...] En 1993, elle émettait ses premières actions.

L'entreprise passe toutefois sous silence les erreurs qu'elle a pu commettre en début de parcours. Ainsi, elle n'explique pas qu'elle s'est aventurée dans le secteur de la restauration au milieu des années 1990. Elle n'avoue pas que cette tentative a créé un éparpillement néfaste et entraîné des pertes importantes, jusqu'à ce qu'elle se recentre avec succès sur le commerce de détail. Pourquoi ruiner un bon récit de fondation, dira-t-on ?

Si vous avez une expérience du monde du travail, petite ou grande, vous avez sans doute déjà prêté l'oreille à des anecdotes tournant autour de ces questions : Comment le patron réagit-il en cas d'erreur ? Le salarié qui commence au bas de l'échelle a-t-il des chances d'évoluer jusqu'aux plus hauts échelons ? Qu'est-ce qui pourrait entraîner mon licenciement ? Ce sont là des sujets d'histoires très populaires dans la plupart des organisations[23]. Ces récits qui circulent au sein d'une entreprise recèlent souvent des renseignements intéressants et autrement inaccessibles : Qui détient le pouvoir dans l'organisation ? Jusqu'où va vraiment la sécurité de l'emploi ? Comment s'exercent véritablement la supervision et le contrôle ? Ces récits permettent essentiellement d'entrevoir la vision du monde et la vie collective des membres de l'organisation.

Les rites et les rituels, quant à eux, sont sans doute les manifestations les plus apparentes d'une culture organisationnelle[24]. Les **rites** sont des activités planifiées, standardisées et récurrentes auxquelles on recourt à un moment précis afin d'influer sur la perception et sur le comportement des membres de l'organisation. Les **rituels** sont des ensembles de rites.

Dans les entreprises japonaises, par exemple, bon nombre de travailleurs de tous les échelons commencent leur journée de travail en effectuant des exercices de gymnastique et en chantant en chœur l'*hymne de l'entreprise*. Isolément, la séance de gymnastique et le chant sont des rites ; ensemble, ils constituent un rituel. Pour prendre

Épopée
Récit légendaire qui raconte les exploits d'un héros

Monument de la restauration à Montréal, Schwartz et sa recette de smoked meat attirent des célébrités du monde depuis 80 ans. La culture de l'entreprise est largement définie par son histoire et ses traditions.

Rite
Activité planifiée, standardisée et récurrente à laquelle on recourt à un moment précis afin d'influer sur la perception et sur le comportement des membres de l'organisation

Rituel
Ensemble de rites

un autre exemple, chez Mary Kay Cosmetics, on organise à date fixe des cérémonies inspirées du concours *Miss America* (un rituel), à la fois pour encourager la fixation d'objectifs de rendement ambitieux et pour souligner les réussites exceptionnelles au moyen de *trophées* (broches en or ou à diamants, étoles de fourrure, etc.).

Certains rites et rituels sont propres à tel ou tel groupe de l'organisation. La technologie utilisée dans une unité, la spécificité des activités de cette dernière et le regroupement de spécialistes dont elle est issue peuvent favoriser l'émergence de sous-cultures. Un langage commun peut suffire à établir les frontières d'une sous-culture. Souvent, le langage particulier d'une sous-culture ainsi que ses rites et ses rituels apparaissent aux autres comme une sorte de jargon. Ce jargon déborde parfois les frontières de l'organisation et se répand dans la société. Il en est ainsi de certaines expressions spécialisées, telles que «liens hypertextes» et «mise en forme automatique», forgées par les concepteurs Word de Microsoft.

Symbole culturel
Objet, action ou événement qui transmet un message d'ordre culturel

Enfin, les **symboles culturels** d'une organisation sont des objets, des actions ou des événements qui transmettent un message d'ordre culturel. Les uniformes des facteurs de Postes Canada et des livreurs d'UPS en sont des exemples. Bien que les symboles culturels soient plutôt faciles à voir, leur signification et leur portée ne sont pas toujours évidentes.

Les normes et les rôles

La culture organisationnelle précise en général quand certains comportements sont appropriés et quelles sont les positions des individus dans le système social de l'organisation. Ces normes et ces rôles culturels font partie des mécanismes de contrôle de l'organisation et transparaissent dans ses activités courantes[25]. Par exemple, chaque entreprise a sa façon propre de présenter et de diffuser, à tel ou tel moment, les consignes de la direction.

Dans une organisation donnée, les réunions peuvent être des moments propices à la négociation et au dialogue dans un climat participatif: les gestionnaires établissent l'ordre du jour, mais laissent ensuite fuser les idées, les critiques et les suggestions. Dans une autre organisation, au contraire, le patron se rendra à la réunion avec des attentes précises: les idées et les critiques ayant été émises en privé avant la rencontre, celle-ci servira essentiellement à annoncer les décisions aux participants et à leur transmettre des directives sur ce qu'ils devront faire à l'avenir.

Les valeurs communes

Pour vraiment décrire la culture d'une organisation, il faut aller au-delà de ses aspects apparents. Selon de nombreux chercheurs et gestionnaires, les valeurs communes sont au cœur de la culture organisationnelle. Elles contribuent à transformer des activités routinières en activités importantes et appréciables. Elles relient l'organisation à des valeurs centrales de la société où elle est implantée. Elles peuvent même lui procurer un avantage concurrentiel notable.

Dans toute organisation, ce qui fonctionne pour quelqu'un a l'habitude d'être présenté et enseigné aux recrues comme étant la bonne manière de penser et d'agir. Des valeurs fondamentales sont ainsi associées aux solutions qui permettent de résoudre les problèmes quotidiens. En établissant une telle relation entre des valeurs et des actions, l'organisation fait appel à l'une des dimensions les plus puissantes et les plus profondes de l'être humain. Elle attribue ainsi aux tâches quotidiennes qu'accomplit l'individu non seulement une utilité, mais aussi une valeur : ce qu'il fait n'est plus simplement utilitaire, mais également bon et important.

Certaines organisations florissantes ont en commun des caractéristiques d'ordre culturel[26]. Les entreprises dotées d'une culture forte se distinguent par un ensemble de valeurs largement partagées et profondément enracinées qui renforcent l'identité organisationnelle, améliorent l'engagement collectif, créent un système social interne stable et réduisent la nécessité des contrôles formels et bureaucratiques. Lorsque les consultants suggèrent aux organisations d'établir une culture organisationnelle forte, les éléments suivants sont mis en évidence[27] :

Pendant des années, la forte culture d'entreprise de General Motors a freiné son adaptation aux changements de l'industrie automobile. C'est le spectre de la faillite qui l'a obligée à se ressaisir.

- une compréhension commune réelle de la raison d'être de l'organisation, largement acceptée et souvent résumée dans des slogans ;

- la primauté de la personne, laquelle doit passer avant les directives, les orientations, les procédures et la conformité aux exigences d'un poste ;

- la mise en valeur de héros dont les actions reflètent la philosophie et les préoccupations de l'organisation ;

- le recours aux rituels et aux cérémonies pour rapprocher les membres de l'organisation et construire une identité collective ;

- une compréhension commune des règles informelles et des attentes tacites, faisant en sorte que tous les membres de l'organisation savent ce qu'on attend d'eux ;

- la conviction que ce que fait chaque membre de l'organisation est important, quel que soit son rang hiérarchique, et que la communication de l'information et des idées est primordial.

Cependant, une culture solidement établie peut devenir une arme à double tranchant. Elle peut en effet engendrer une vision monolithique de l'organisation et de son environnement qui risque de freiner et de rendre difficiles l'évolution et les changements qu'imposent certaines circonstances. Pendant des années, General Motors s'est distinguée par sa culture forte. Or, pendant que l'industrie mondiale de l'automobile se transformait, l'entreprise a été incapable de suivre le mouvement. Il a fallu que la faillite la secoue jusque dans ses fondations pour qu'elle trouve l'impulsion nécessaire à un changement radical.

Les hypothèses communes

Dans la plupart des organisations, on trouve un certain nombre d'hypothèses communes, connues et largement acceptées par tout le personnel : « Nous sommes différents » ; « Notre force, c'est... » ; « Nous possédons des compétences insoupçonnées ». Ainsi, chez Cisco Systems, les cadres de direction partagent des postulats du type : « Nous sommes de bons gardiens des biens qui nous ont été confiés » ; « Nous sommes

Louis Garneau

La culture de la passion

[…] Être de passion et généreux de nature, Louis Garneau a su insuffler ses valeurs dans son entreprise. Ainsi, les employés sont encouragés à enfourcher leur vélo, à faire de l'activité physique et à adopter de saines habitudes de vie.

Louis Garneau Sports a toujours su garder une grande proximité avec ses employés, encourageant la fraternité, les échanges et la communication, indique la directrice des ressources humaines, Élisabeth Petit, CRIA [conseillère en relations industrielles agréée]. « L'entreprise s'est donné comme mission de faire vivre des émotions à ses clients, ce qui ressort d'ailleurs clairement de notre dernière campagne publicitaire Vis ton rêve. Nous vendons du plaisir et nous voulons véhiculer les mêmes valeurs dans nos murs. Pour nous, plaisir et satisfaction au travail relèvent du même esprit. »

Dans l'ADN de Louis Garneau Sports, on trouve aussi respect, esprit de famille et travail d'équipe. « C'est la même chose en cyclisme : ce n'est pas un sport individuel, les courses se font en peloton, illustre Mme Petit. Nous avons transposé cette notion au sein même de nos activités, où chacun a un rôle à jouer et doit soutenir ses coéquipiers. »

L'innovation fait aussi partie des valeurs fortes de Louis Garneau Sports qui, pour rester constamment à la fine pointe, a besoin de gens créatifs qui réfléchissent à l'amélioration continue des processus. « Tous nos employés sont incités à faire preuve d'innovation. Ce n'est pas facile à mettre en œuvre dans chaque secteur ; la couture par exemple est un domaine qui est difficile à renouveler, mais on s'y efforce », souligne Élisabeth Petit.

« Nous avons résumé ces valeurs avec un acronyme : P.R.I.E.R., autrement dit Plaisir Respect Innovation Équipe Relève », indique la directrice des ressources humaines, qui précise en riant que cela n'a toutefois rien à voir avec la religion.

Enfin, développer la relève à l'interne pour assurer la pérennité de l'entreprise est aussi au cœur des préoccupations de Louis Garneau Sports. C'est ainsi que l'organisation familiale est en processus de relève par les enfants, Édouard, William et Victoria Garneau.

Très impliquée dans sa communauté, Louis Garneau Sports incite ses travailleurs à en faire autant. « Nous participons à des événements ou nous en organisons, et nous favorisons le bénévolat et les dons de nos employés », explique Élisabeth Petit. […] Mme Petit précise d'ailleurs que, dans la culture organisationnelle, il y a une forte adéquation entre le sport et l'engagement communautaire.

Le sport se trouve non seulement au centre des activités de l'entreprise, mais il la guide également dans sa gestion des ressources humaines. Le programme santé et mieux-être est très développé, avec un gym entièrement équipé et des cours de toutes sortes (Zumba, Pilates, cardiovélo, etc.) sur les lieux de travail ainsi que des ateliers et des formations (sommeil, physiothérapie, mécanique du vélo, etc.). […]

Selon elle, le fait que ces valeurs émanent du fondateur, qu'il ait su s'entourer d'une équipe de direction qui les partage et qui est très engagée en ce sens favorise leur enracinement dans la culture organisationnelle. Et elle conclut : « Le défi est de communiquer ces valeurs constamment et de rappeler à nos employés les services auxquels ils ont accès, car on peut avoir tendance à l'oublier. Au-delà du salaire, cela fait partie de l'ensemble de la rémunération globale. »

Source : Emmanuelle Gril, « Louis Garneau Sports : la culture de la passion », *Revue RH*, vol. 19, no 2 (avril-mai 2016), p. 18-21. Reproduction autorisée par l'Ordre des conseillers en ressources humaines agréés.

QUESTION

Chez Louis Garneau Sports, on trouve, bien ancrée dans la culture organisationnelle, la passion de son fondateur, ancien champion cycliste au grand cœur. Comment se transmettent ses valeurs dans son entreprise et à ses employés ?

des gestionnaires compétents »; « Nous sommes des innovateurs dotés d'un sens pratique ». Tout comme les valeurs, ces postulats finissent par se refléter dans la culture organisationnelle. Par ailleurs, les significations et les perceptions communes peuvent devenir une arme à double tranchant. Une perception commune peut donner aux gestionnaires une base pour la prise de décisions qui leur permettront de créer une organisation efficace, mais les entreprises peuvent commencer à s'effondrer si les gestionnaires partagent une perception positive irréaliste de leur établissement.

Les significations communes

Lorsqu'on observe ce qui se passe au sein d'une organisation, on doit garder à l'esprit les trois dimensions de la culture organisationnelle précédemment décrites. Ce que perçoit l'observateur extérieur ne correspond pas toujours à ce que les membres de l'organisation perçoivent de l'intérieur, car ces derniers sont susceptibles d'établir une relation entre les actions et des valeurs ou des hypothèses tacites[28].

Ainsi, au lendemain des attentats du 11 septembre 2001, on a pu voir à l'œuvre plusieurs opérateurs de grue dont la tâche consistait à extirper les débris d'un amas de décombres de plus de sept hectares et à les charger dans des camions rangés en file. Un peu plus loin sur le chantier, on pouvait observer des métallurgistes en train de tailler des poutres, tandis que des policiers discutaient à proximité avec quelques pompiers. Si on envisage cette situation sous l'angle des valeurs et des hypothèses, ces personnes effectuaient un travail d'une tout autre dimension que la dimension apparente. Elles ne faisaient pas que dégager les restes des tours jumelles du World Trade Center, mais étaient engagées dans la reconstruction de l'Amérique. Ces travailleurs investissaient leur tâche d'une signification commune plus large, d'un sens plus vaste.

Reconstruire sur les bases des anciennes tours du World Trade Center revêt une signification qui va bien au-delà de la dimension apparente.

Dans ce sens plus profond, la culture organisationnelle est un ensemble de significations et de perceptions communes. Dans la plupart des organisations, les employés créent et acquièrent des éléments partagés qui constituent la strate la plus profonde de leur culture.

Les mythes organisationnels

Dans plusieurs organisations, les mythes organisationnels constituent un élément clé des hypothèses communes. Les **mythes organisationnels** réfèrent à des croyances non fondées qui circulent et que la plupart des individus acceptent tacitement sans les remettre en cause. Souvent, la mythologie de l'entreprise se concentre sur des liens de cause à effet et sur des postulats qui sont énoncés par la haute direction, mais qui ne sont pas confirmés, prouvés par l'expérience[29]. Bien que certaines personnes se moquent de ce genre d'attitude et souhaitent qu'une réflexion sérieuse et rationnelle remplace la *mythologie organisationnelle*, il reste que toute organisation a besoin d'un certain nombre de mythes[30]. Ceux-ci permettent aux dirigeants d'aborder les problèmes insolubles selon une perspective différente, en les décomposant en éléments plus faciles à gérer. Ils peuvent favoriser l'expérimentation et la créativité, et ils aident les gestionnaires à diriger. Bien entendu, les mythes peuvent également présenter des inconvénients.

Mythe organisationnel
Croyance non fondée qui circule au sein de l'organisation et que la plupart des individus acceptent tacitement sans les remettre en cause

Trois mythes courants peuvent se combiner pour engendrer des problèmes majeurs[31]. Le premier est la présomption que *la haute direction ne porte pas de jugement tendancieux*. Il s'exprime souvent en ces termes: « Bien que d'autres puissent avoir une vision tendancieuse de la situation, je suis seul capable de cerner objectivement les problèmes et de trouver des solutions. » On est tous enclins aux erreurs à divers degrés et de diverses manières. Plus un problème est complexe, plus les interprétations valables sont nombreuses.

Le deuxième mythe courant est la *présomption de compétence administrative*. À tous les échelons de la hiérarchie, les gestionnaires sont portés à croire que la partie de l'administration dont ils sont responsables fonctionne bien et ne nécessite que des changements mineurs. Or, comme on l'a montré tout au long de cet ouvrage, c'est rarement le cas. Dans presque toutes les entreprises, il est possible d'apporter des améliorations importantes. L'une des manifestations particulièrement nuisibles de ce mythe est l'idée que les nouveaux procédés et les innovations en matière de produits se gèrent de la même manière que les anciens.

Le troisième mythe courant est le *refus des compromis*. La plupart des gestionnaires estiment que leur équipe, leur unité ou leur entreprise a la possibilité de refuser les compromis, tout en satisfaisant chaque intervenant. Lorsqu'il devient courant, ce mythe peut avoir des conséquences désastreuses. En effet, lorsqu'on ne s'attache qu'à un objectif, on risque de négliger les autres. Ainsi, tout au long de cet ouvrage, il a été grandement question d'éthique pour vous rappeler que cette dernière ne découle pas de la recherche de la satisfaction des intérêts d'une seule des parties prenantes, mais du bien du plus grand nombre.

Comme l'illustre la **figure 16.2**, ces mythes peuvent se combiner et entraîner des conséquences non voulues. Ces dernières, bien que délibérément occasionnées, découlent de l'application collective de ces trois mythes. Elles peuvent prendre la forme de coûts spectaculaires ou de bénéfices imprévus faisant suite à une certaine façon de diriger les affaires. Elles sont souvent très graves. On dit que ces conséquences sont délibérément occasionnées, car elles découlent de mythes non vérifiés, de mythes qui, dans l'esprit des gestionnaires, s'appliquent aux autres et jamais à eux-mêmes.

Vers la fin de 2008 et le début de 2009, le système financier mondial a failli s'effondrer à cause de ces mythes et des problèmes qui en ont découlé[32]. Les banques et les institutions financières avaient acheté et vendu des produits dérivés adossés à des crédits immobiliers (des instruments financiers complexes) en vertu du mythe qu'elles pourraient: (1) évaluer les risques sans se tromper (puisqu'elles avaient la certitude que *leur jugement n'était pas tendancieux*); (2) gérer ces instruments financiers complexes de la même manière qu'elles géraient les créances hypothécaires traditionnelles (*présomption de compétence administrative*); (3) obtenir des gains importants à court terme sans mettre en péril leurs profits à long terme (*refus des compromis*). Adhérant à ces trois mythes combinés, les gestionnaires en sont arrivés à faire collectivement peu de cas du risque d'un effondrement général du système financier (*lourdes conséquences non voulues*).

Est-ce que ces conséquences ont été occasionnées délibérément? Aucun des gestionnaires, à lui seul, n'a cherché à provoquer cet effondrement. Toutefois, collectivement, on a accordé des millions de prêts immobiliers à des personnes ayant des possibilités de remboursement incertaines et on a utilisé l'argent pour monter de nouveaux types d'instruments financiers. Pour empêcher l'effondrement, de nombreux gouvernements et banques centrales ont dû prendre des mesures sans précédent.

FIGURE **16.2** **Trois mythes organisationnels et leurs conséquences non voulues**

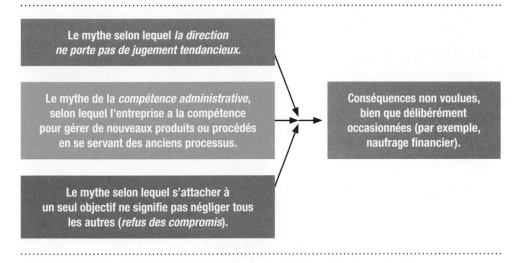

La gestion de la culture organisationnelle

Le processus de gestion de la culture organisationnelle est un défi d'une grande complexité. Avant tout, cette gestion requiert une bonne compréhension de la sous-culture propre à l'équipe de direction et la capacité de bien faire la distinction entre ce qui peut être changé et ce qui doit demeurer intact. La première étape de ce processus consiste donc, pour les dirigeants d'une organisation, à reconnaître leur propre sous-culture et à déterminer si cette sous-culture provenant de la tête du système s'est répandue dans toute l'organisation ou se limite à leur équipe. Une série d'objectifs en cascade allant de l'apport sociétal de l'organisation aux attentes de chaque unité et de chaque personne doit être mise en place. Une fois que tous partagent les objectifs, des systèmes de récompenses en lien avec ces objectifs doivent être élaborés et gérés équitablement afin de récompenser les groupes et les personnes qui adoptent les gestes appropriés. Cette approche descendante doit aussi être accompagnée d'une compréhension des aspects émergents de la culture organisationnelle ; elle doit aussi insister sur le fait d'aider les individus à relever les défis liés à l'adaptation externe et à l'intégration interne.

La philosophie de gestion et la stratégie

Les premières études consacrées à la culture organisationnelle et au changement culturel privilégiaient souvent les interventions directes des hauts dirigeants pour modifier les valeurs et les hypothèses des individus en resocialisant ces derniers[33]. Or, ces interventions revenaient en fait à essayer de modifier les sentiments et les attitudes des individus en espérant que leurs pensées et leurs actions suivraient, l'objectif étant d'établir un vaste consensus à l'échelle de l'organisation. Cette sous-culture propre à la direction est habituellement désignée par le terme «philosophie de gestion» dans le domaine du CO.

La **philosophie de gestion** fait le lien entre les questions clés, relatives aux objectifs de l'organisation, et les questions relatives à la collaboration entre ses membres pour déterminer les méthodes générales que l'organisation devrait adopter dans la conduite de ses affaires[34]. Une philosophie de gestion bien élaborée :

- fixe des limites qui s'appliquent à tous ses membres et que la plupart comprennent bien ;

- fournit à ses membres un modèle cohérent pour aborder les situations nouvelles et originales ;

- contribue à souder ses membres en leur garantissant une voie connue vers la réussite.

Lorsqu'elle fonde sa philosophie de gestion sur la stabilité et la sécurité, la direction renforce des valeurs comme la mansuétude. L'entreprise à la tête de laquelle elle se trouve tend alors à être moins novatrice que celle qui s'appuie sur une philosophie de gestion plus autodirigée et qui favorise la prise de risques. Lorsque, en vertu de sa philosophie, la direction préconise de prêter main-forte à autrui, de s'adapter aux nouvelles situations et de créer collectivement une voie menant à de nouvelles visions du succès, l'innovation est plus notable[35].

Par exemple, Cisco Systems applique une philosophie de gestion qui associe les enjeux stratégiques que sont la croissance, la rentabilité et le service à la clientèle à des aspects apparents de la culture et à certaines valeurs sous-jacentes qu'elle estime souhaitables. Dans une perspective de croissance et de rentabilité, Cisco Systems a établi que le service à la clientèle reposait sur les trois éléments suivants :

Philosophie de gestion
Philosophie organisationnelle qui fait le lien entre les questions clés, relatives aux objectifs de l'organisation, et les questions relatives à la collaboration entre ses membres pour déterminer les méthodes générales que l'organisation devrait adopter dans la conduite de ses affaires

1. L'habilitation du personnel, processus par lequel on donne au personnel la latitude nécessaire pour trouver rapidement les meilleures solutions et les appliquer avec succès.

2. L'embauche des meilleurs candidats, la réussite découlant avant tout des idées et des ressources intellectuelles des personnes employées par l'entreprise.

3. La collecte et la diffusion d'information permettant de s'illustrer dans le monde des idées[36].

Les principaux éléments de la philosophie de gestion peuvent figurer officiellement dans le plan d'entreprise ou dans l'énoncé de mission de l'organisation, mais le cœur d'une philosophie de gestion d'envergure réside surtout dans l'essence qui se dégage de ces documents écrits et que tous finissent par retenir.

Des travaux plus récents donnent toutefois à penser que cette approche unificatrice axée sur les valeurs n'est peut-être ni souhaitable ni réalisable[37]. Bien qu'il y ait plusieurs raisons à cela, on en retient deux. La première est que les valeurs et les significations communes proviennent des expériences, des dialogues et des discussions échangés par les membres, et que le « monde » des hauts dirigeants est en général fondamentalement différent du « monde » des autres employés. La deuxième raison est qu'il est habituellement impossible de modifier les valeurs des gens du haut vers le bas sans changer la façon dont l'organisation fonctionne ou récompenser les personnes et les groupes.

De plus, une culture étroitement diversifiée pourrait ne pas être souhaitable[38]. Lorsque la diversité des opinions est restreinte et que les significations sont limitées au sein de l'organisation, cette dernière devient plus vulnérable aux changements externes et moins capable de tirer profit des occasions externes qui se présentent à elle. La philosophie de gestion de la direction est souvent trop limitée. Par exemple, des recherches récentes sur les liens entre la culture d'une organisation et ses résultats financiers confirment la nécessité d'aider les travailleurs à s'adapter à l'environnement. Ces travaux indiquent qu'une perspective restreinte ne suffit pas. Ainsi, rien ne sert de se consacrer uniquement aux actionnaires ou aux clients pour garantir la réussite économique d'une entreprise à long terme. Les gestionnaires doivent plutôt tenir compte des pressions exercées par les concurrents, tout en cherchant à répondre aux besoins des actionnaires et aux désirs des clients.

En accord avec la philosophie de gestion de Cisco Systems, géant des TI, les enjeux stratégiques que sont la croissance, la rentabilité et le service à la clientèle s'associent à des aspects apparents de la culture et à certaines valeurs sous-jacentes qu'elle estime souhaitables.

La consolidation et la transformation de la culture organisationnelle

Les gestionnaires disposent de nombreux moyens d'action pour consolider ou transformer la culture organisationnelle. Ils peuvent, notamment, en modifier les aspects les plus apparents : langage, récits, épopées, rites et rituels. Ils peuvent aussi réorienter les leçons à tirer des histoires qui circulent, et même encourager les gens à adopter leur point de vue sur la réalité de l'organisation. En raison de leur statut, les cadres supérieurs peuvent réinterpréter certaines situations et modifier la signification des événements marquants de l'organisation. Ils peuvent aussi instituer de nouveaux rites et rituels, ce qui exige du temps et de l'énergie, mais peut être avantageux à long terme.

Parmi les principaux moyens dont disposent les gestionnaires pour influer sur la culture organisationnelle, il faut compter les systèmes de récompenses. Dans plusieurs grandes entreprises nord-américaines, ces systèmes sont intégrés à une stratégie d'ensemble et renforcent la culture, qui s'enracine ainsi dans le quotidien. Deux modèles, chacun englobant le système de récompenses, les stratégies et la culture organisationnelle, sont particulièrement courants.

DU CÔTÉ DE LA RECHERCHE

Les valeurs du chef de la direction changent la donne

Bien qu'elle ait été le sujet de nombreuses discussions, l'influence des valeurs du chef de la direction sur le rendement fait l'objet de peu de recherches approfondies. Récemment, Yair Berson, Shaul Oreg et Taly Dvir ont essayé de combler cette lacune en menant une étude sur les valeurs des chefs de la direction, la culture organisationnelle et le rendement. D'après ces chercheurs, les individus seraient attirés par les entreprises dont les valeurs prioritaires correspondent à leurs propres valeurs, et tendraient à rester dans ces entreprises. Le chef de la direction ne fait pas exception. De plus, celui-ci renforcerait certaines valeurs plutôt que d'autres et influencerait, de ce fait, la culture organisationnelle. Enfin, cette dernière mettrait l'accent sur certains aspects du rendement plutôt que sur d'autres.

Berson, Oreg et Dvir ont avancé quelques hypothèses et fait quelques constats en analysant 22 chefs de la direction d'Israël et leur entreprise. D'abord, les chefs de la direction tendent à donner la priorité à l'autodétermination, à la sécurité ou à l'altruisme. Plus précisément, lorsqu'ils prisent l'autodétermination, la culture organisationnelle est plutôt axée sur l'innovation. Lorsqu'ils valorisent la sécurité, la culture organisationnelle est plus bureaucratique et lorsqu'ils estiment l'altruisme, la culture organisationnelle est plutôt axée sur le soutien envers les employés. Par la suite, les chercheurs ont relié certains aspects de la culture organisationnelle à des éléments précis du rendement, des résultats obtenus par l'organisation. L'accent mis sur l'innovation conduit à une plus grande croissance des ventes. La culture bureaucratique est associée à une plus grande efficience. La culture axée sur le soutien est liée à une plus grande satisfaction des employés. En somme, les valeurs du chef de la direction influent sur la culture de l'entreprise, qui, à son tour, influence les résultats. Le schéma ci-dessous illustre ces conclusions.

Valeur du chef de la direction	Culture organisationnelle	Résultats de l'entreprise
• Autodétermination • Sécurité • Altruisme	• Axée sur l'innovation • Bureaucratique • Axée sur le soutien envers les employés	• Croissance des ventes • Efficience • Satisfaction des employés

Source : Yair Berson, Shaul Oreg et Taly Dvir, « CEO Values, Organizational Cultures and Firm Outcomes », *Journal of Organizational Behavior*, vol. 29, n° 5, 2008, p. 616.

Le premier modèle consiste en une stratégie qui est axée sur la stabilité, avec des récompenses hiérarchiques, et qui cadre avec ce qu'on pourrait appeler une « culture de clan ». Plus précisément, le système de récompenses souligne et renforce une culture qui se caractérise par l'engagement à long terme, l'aide mutuelle, les intérêts communs et la collégialité. Les pairs exercent une forte pression dans le sens de la conformité, et les supérieurs jouent le rôle de mentors. Les entreprises qui adoptent ce modèle se trouvent notamment dans les secteurs de la production d'énergie électrique, des produits chimiques, des mines et de l'industrie pharmaceutique.

Par contraste, le second modèle met l'accent sur l'évolution et le changement. Le système de récompenses souligne et renforce davantage la « culture de marché ». Concrètement, les récompenses mettent en évidence le lien contractuel entre l'employé et l'employeur, sont axées sur les résultats à court terme et valorisent les initiatives individuelles. Les pressions dans le sens de la conformité se font peu sentir de la part des pairs, et le rôle des superviseurs est d'attribuer des ressources. Les entreprises qui adoptent ce modèle se concentrent dans les secteurs de la restauration, des produits de grande consommation et des services aux entreprises[39].

Parmi les principaux moyens dont disposent les gestionnaires pour influer sur la culture organisationnelle, on compte les systèmes de récompenses. Dans plusieurs grandes entreprises nord-américaines, ceux-ci sont intégrés à une stratégie d'ensemble.

Au-delà des aspects apparents de la culture et des systèmes de récompenses, les dirigeants peuvent donner le ton à la culture organisationnelle et aux changements culturels notamment par leurs priorités, par l'exemple donné, par leur gestion des crises et des incidents importants, par les séances de formation ainsi que par la structure organisationnelle adoptée. Ainsi, des gestionnaires se trouvant à la tête d'une société d'assurances ont misé sur la tradition humaniste de cette dernière pour favoriser l'acquisition de compétences essentielles par un personnel très motivé, mais sous-qualifié. Dans une industrie sidérurgique où sévit une concurrence impitoyable, un président s'est appuyé sur les valeurs fondamentales de l'entrepreneuriat pour réduire de moitié le nombre de paliers hiérarchiques. Ces exemples montrent que les gestionnaires peuvent intervenir directement pour favoriser une culture organisationnelle capable de répondre aux importantes questions d'intégration interne et d'adaptation externe.

Par ailleurs, un des outils les plus efficaces dont disposent les gestionnaires pour influencer la culture organisationnelle est l'établissement d'objectifs partagés par tous et qui sont particuliers à l'organisation. Souvent, le point de départ pour déterminer ces objectifs particuliers est le type de contribution que l'organisation apporte à la société, soit ses objectifs sociétaux. Les gestionnaires bien avisés savent qu'ils doivent également préciser un ensemble de conditions internes souhaitées pouvant accroître les chances de survie de l'organisation, soit ses objectifs stratégiques (voir le chapitre 15).

En outre, bien qu'il semble évident que les gestionnaires de tous les paliers doivent établir et renforcer des normes culturelles d'éthique, il arrive trop fréquemment que cela ne se produise pas. La nécessité de respecter un cadre éthique dans la gestion de la culture saute aux yeux quand des cadres supérieurs transgressent les normes éthiques et les lois, en faisant par exemple de fausses déclarations. Une étude majeure a révélé que, si les amendes encourues pour avoir «truqué les comptes» pouvaient sembler peu élevées, les autres coûts étaient beaucoup plus conséquents. Le véritable prix à payer pour les entreprises concernées découle de la perte de leur réputation dans le monde des affaires. Les clients ne leur font plus confiance, les fournisseurs leur demandent des garanties plus solides et, bien entendu, les milieux financiers les dévaluent. En conséquence, elles doivent payer plus d'intérêts pour emprunter, le cours de leurs actions baisse et elles font l'objet d'une surveillance plus étroite. À combien se chiffre donc la sanction au bout du compte? L'amende imposée à une entreprise est en moyenne de 23 millions de dollars. Le coût financier associé à la perte de réputation est estimé, quant à lui, à 7,5 fois l'amende moyenne. La perte totale atteint ainsi environ 196 millions de dollars[40].

Les dirigeants peuvent donner le ton à la culture organisationnelle et aux changements culturels, mais ceux qui tentent de modifier les valeurs des individus par une approche autoritaire, sans changer le fonctionnement de l'organisation ni reconnaître l'importance des individus, font fausse route. L'exemple de Cisco Systems est encore une fois éclairant à cet égard. Les gestionnaires de cette société ont, en effet, pris conscience qu'une culture dynamique, axée sur le changement et la satisfaction professionnelle, ne peut naître que de la combinaison d'interventions de gestion, de choix technologiques et d'initiatives venant de tous les membres de l'organisation. Les valeurs ne s'imposent pas d'en haut. Elles émergent de l'ensemble des membres de l'organisation et peuvent même varier, de façon subtile, mais importante, d'une installation à une autre, selon qu'on se trouve à Ottawa, en Caroline du Nord ou en Australie.

En habile gestionnaire, Steve Jobs a su transformer profondément la stratégie, les produits et les activités d'Apple en ralliant ses collaborateurs autour d'hypothèses communes.

Les dirigeants qui tentent de relancer une organisation en décidant de changements majeurs au mépris des valeurs communes commettent également une erreur. Si les choses peuvent changer en surface, un examen approfondi de la situation révèle souvent la résistance de services entiers et le refus de personnes clés de s'engager dans la voie qu'on leur indique. De telles réactions montrent en général que les gestionnaires n'ont pas pris la mesure des effets des changements décidés sur les valeurs communes. Ils ne se sont pas demandé si ces changements heurtaient les valeurs des membres de l'organisation, ni s'ils allaient à l'encontre de vieilles hypothèses communes profondément enracinées dans la culture organisationnelle ou, pire, dans la culture nationale du pays où l'organisation est implantée.

À titre d'exemple, le regretté Steve Jobs, dont il a été question précédemment dans ce chapitre, a agi de façon à faire valoir ses idées au sein d'Apple. Au lieu de procéder unilatéralement aux changements qu'il souhaitait apporter, il a collaboré avec d'autres à des transformations touchant la stratégie organisationnelle, la structure de l'entreprise, ses produits et ses activités de commercialisation, en prenant appui sur des hypothèses communes profondément enracinées parmi les employés de longue date.

En conclusion, les gestionnaires avertis sont capables de renforcer et de soutenir une culture organisationnelle forte, déjà bien enracinée. En outre, ils peuvent contribuer à créer des cultures résilientes là où elles font défaut. Toutefois, ils reconnaissent aussi qu'une culture organisationnelle ne peut pas s'imposer unilatéralement du haut vers le bas et que sa gestion efficace passe par l'intégration du processus d'innovation.

L'innovation en milieu organisationnel

Lorsque, par l'analyse, on met en lumière les attitudes, les valeurs et les hypothèses communes des membres d'une organisation, on peut avoir l'impression que cette dernière est une entité statique, qui reste toujours la même. Il est certain que la culture et la structure de l'organisation favorisent largement la stabilité et le contrôle. Cependant, on sait tous que le monde change et que les entreprises doivent changer avec lui. Les organisations phares ne stagnent pas. Elles innovent constamment et vont jusqu'à intégrer l'innovation à leurs activités d'exploitation quotidiennes.

L'**innovation** est le processus de génération et de mise en pratique de nouvelles idées[41]. C'est le moyen par lequel les idées créatives trouvent leur place dans les activités quotidiennes, idéalement dans celles qui contribuent à améliorer le service à la clientèle ou la productivité de l'organisation. On peut aborder le sujet de l'innovation de diverses façons. Ici, l'analyse est faite sous l'angle du processus, en séparant l'innovation en matière de produits de l'innovation en matière de procédés et en insistant sur le parcours difficile entre les premières étapes de la génération des idées et la mise en application de celles-ci.

Innovation
Processus de génération et de mise en pratique de nouvelles idées

Le processus d'innovation

Pour mieux comprendre le processus complexe qu'est l'innovation, on peut le diviser en quatre étapes (voir la **figure 16.3**):

1. *L'imagination.* Découverte d'une idée grâce à la créativité spontanée, à l'ingéniosité et au traitement de l'information.

2. *L'expérimentation.* Détermination de la valeur et des applications potentielles de l'idée.

3. *L'étude de faisabilité.* Détermination des coûts et des bénéfices prévus.

4. *L'application.* Production et commercialisation du nouveau bien ou service, ou mise en place du nouveau procédé.

FIGURE 16.3 **Le processus d'innovation: exemple de la conception d'un nouveau produit**

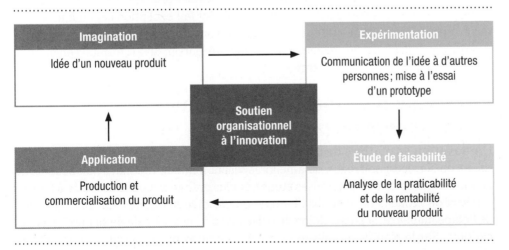

Il faut un grand nombre d'idées créatives pour pouvoir établir une base initiale d'expérimentation. De plus, beaucoup d'expériences initiales couronnées de succès sont impossibles à mettre en œuvre par la suite. Même parmi les quelques idées faisables, seule une rare idée sera mise en application. Finalement, les entités innovantes doivent bénéficier de l'appui de la haute direction ; en fait, elles ne peuvent s'en passer. Les hauts dirigeants doivent jouer un rôle de modèle positif, éliminer les obstacles à l'innovation et en faciliter le processus.

En mettant l'accent sur le processus d'innovation, les entités innovantes adoptent souvent une culture différente de celle qui caractérise les organisations où dominent les activités de routine. Comme on le verra plus loin, les entités innovantes sont tournées vers l'avenir, elles acceptent de sacrifier des produits existants au profit de la mise au point de nouveaux produits, elles possèdent une tolérance élevée aux risques et aux erreurs, elles respectent les idées bien intentionnées qui ne fonctionnent pas, elles valorisent la créativité et elles récompensent et mettent en valeur les générateurs d'idées, détenteurs d'information, créateurs de produits et meneurs de projets. Elles valorisent aussi la responsabilisation et mettent l'accent sur la communication, qu'elle soit ascendante, descendante ou horizontale, c'est-à-dire circulant entre toutes les personnes de l'unité[42].

Bien qu'il soit commode de décrire l'innovation comme un processus séquentiel en quatre étapes, vous devez savoir que, dans la réalité, les choses se passent de manière plutôt désordonnée. Regardez la figure 16.3. Au stade de l'expérimentation, par exemple, le simple fait de communiquer une idée aux autres peut générer – c'est régulièrement le cas – des idées complètement nouvelles. Même à la toute dernière étape, l'application, le processus ne s'arrête pas vraiment, car les novateurs avisés écoutent les clients et, sur leurs recommandations, apportent encore des améliorations au produit. Notez également que le soutien de l'organisation est nécessaire à chacune des étapes de ce processus continu d'innovation.

Si la volonté d'améliorer le rendement financier est de façon générale un facteur important dans l'innovation, cette dernière peut aussi découler du désir de l'entreprise de gagner en légitimité aux yeux des principales parties prenantes. Ainsi, d'après une étude réalisée aux États-Unis récemment, en raison de pressions exercées par les autorités gouvernementales et de médiocres résultats en matière de protection de l'environnement, un grand nombre d'entreprises ont pris des mesures novatrices sur le plan environnemental. Un certain nombre ont fait exception cependant : celles qui avaient le plus de ressources excédentaires n'ont pas répondu aussi positivement aux pressions des autorités réglementaires, malgré leurs mauvais résultats en matière de protection de l'environnement[43].

L'innovation en matière de produits et en matière de procédés

Innovation en matière de produits
Commercialisation de produits (biens ou services) nouveaux ou améliorés visant à mieux répondre aux besoins de la clientèle

L'**innovation en matière de produits** consiste en la commercialisation de produits (biens ou services) nouveaux ou améliorés visant à mieux répondre aux besoins de la clientèle. D'après de nombreuses études, la plus grande difficulté associée à la mise au point de produits réside dans l'intégration des diverses unités, qui permet d'aller de l'étape initiale de la présentation de l'idée jusqu'à l'étape finale de sa mise en application[44]. Sur le plan de la culture, la création d'un nouveau produit vient souvent bouleverser les pratiques, les systèmes de valeurs et les points de vue communs. Ainsi, par sa définition même, l'innovation en matière de produits suppose que l'essence de l'entreprise changera. Nombreuses sont les organisations qui ont du mal à cannibaliser leur gamme de produits actuelle dans l'espoir que de nouveaux produits connaîtront un succès encore plus grand. C'est pourtant ce qu'elles devraient faire[45].

L'innovation en matière de produits est tellement importante que certains gouvernements ont lancé des programmes visant à la soutenir. Les innovateurs évoquent la révolution qu'a constituée le développement d'Internet, l'espoir qu'apportent les nouvelles écotechnologies et les percées médicales prometteuses qui changeront la condition humaine. Toutefois, selon une grande étude récente, c'est la culture organisationnelle, plutôt que les politiques nationales qui favorisent l'innovation radicale en matière de produits[46].

Un certain nombre d'organisations apparentées peuvent se partager le processus d'innovation en matière de produits[47]. En général, les produits complexes sont des assemblages de composantes fabriquées par plusieurs entreprises. À l'extrême, l'innovation peut être ouverte, chaque entreprise étant au courant de ce que font les autres. Elle est sous le contrôle d'un design commun, d'un design dominant qui pourra être maintenu par un agent intégrateur, comme c'est le cas pour la mise au point de logiciels, par exemple. Il importe de noter que la conception du design dominant et la mainmise sur celui-ci peuvent être associés à une rentabilité élevée[48]. Par ailleurs, le design dominant ne représente pas toujours la meilleure solution du point de vue technique, mais il constitue plutôt la solution vers laquelle un grand nombre d'utilisateurs a tendance à se tourner.

Internet, écotechnologies et percées médicales : c'est la culture organisationnelle plutôt que les politiques nationales qui favoriseraient l'innovation radicale en matière de produits.

Lorsque le processus d'innovation en matière de produits est moins ouvert, les entreprises se rendent souvent compte que la coordination avec les utilisateurs les plus influents permet d'obtenir de l'information en matière de design[49]. En outre, elles doivent dans plusieurs cas faire face à un déclin de l'engagement envers l'innovation en matière de produits. Bien qu'aucune solution ne soit parfaite, selon un certain nombre d'études, la formation d'équipes multidisciplinaires peut aider à maintenir cet engagement. Il est évident que le rassemblement de personnes ayant des compétences, des perspectives et des intérêts divers requiert une gestion éclairée. Comme il a été dit ci-dessus, le processus d'innovation est loin d'être facile.

L'innovation en matière de procédés, quant à elle, permet la mise au point de méthodes de travail et d'activités d'exploitation nouvelles ou améliorées. Les procédés les plus difficiles et les plus intéressants à améliorer sont probablement ceux qui se rapportent à la gestion[50]. Évidemment, la plupart des innovations dans ce domaine sont générées par la vaste industrie de la consultation en gestion. Malheureusement, un grand nombre des nouvelles méthodes élaborées sont des modes plutôt que de véritables solutions aux problèmes qu'éprouve chaque entreprise. La clé du succès de l'innovation en matière de gestion est l'interaction poussée entre les collègues, les subordonnés et les supérieurs hiérarchiques. Lorsqu'ils mettent à l'essai une nouvelle méthode, les gestionnaires avisés tiennent compte des réactions des collègues et des

Innovation en matière de procédés
Mise au point de méthodes de travail ou d'activités d'exploitation nouvelles ou améliorées

subordonnés pour affiner, modifier et améliorer cette dernière. Ils doivent souvent reprendre ce processus d'essais et d'erreurs pour que la méthode soit bien acceptée et apporte les avantages souhaités.

Favoriser l'appropriation pour stimuler l'innovation

Google a emprunté à 3M sa volonté éprouvée de laisser les ingénieurs consacrer une partie de leurs heures de travail – jusqu'à 20 % – à penser à autre chose que leurs tâches quotidiennes. Chez Fusenet, un concepteur de logiciels de Toronto, le vendredi est une journée libre pour les employés, qui peuvent travailler à leurs propres projets. Ils terminent ainsi la semaine sur une note créative, sachant que si leurs innovations sont bonnes, ils profiteront des retombées économiques.

L'objectif est de libérer les gens du carcan de leur description de tâches et de la structure organisationnelle pour favoriser l'innovation. Selon les chercheurs en CO, la mesure est nécessaire pour éviter les inconvénients d'une trop grande bureaucratie dans des milieux dynamiques.

On suppose qu'en ayant la liberté de «bricoler», les employés généreront des idées susceptibles de déboucher sur des innovations pratiques et rentables. Certains appellent cela la «récréation planifiée au travail». Chez 3M, c'est ce qui a donné les papillons adhésifs communément appelés «Post-it». Chez Google, c'est de là qu'est né Gmail.

Mais que se passe-t-il lorsque ces temps libres ne produisent pas d'innovations? Peut-on exiger qu'une personne s'amuse à créer? Peut-on s'emparer de ce que des employés ont créé et s'attendre à ce qu'ils souhaitent encore innover?

Lorsque les employés ont un sentiment d'appropriation, ils ont tendance à travailler plus fort. Pensez, par exemple, à la participation à l'établissement des objectifs et au partage des profits. Si le sentiment d'appropriation motive les employés, pourquoi ne pas accorder des droits de propriété intellectuelle aux employés innovants et récompenser leur créativité par des gains financiers et émotionnels?

Les organisations doivent s'engager dans l'exploration et l'exploitation d'idées novatrices pour demeurer concurrentielles.

Les caractéristiques des organisations et des équipes novatrices

Le contexte actuel impose aux organisations et à leurs membres d'innover sans cesse. La volonté d'innover, tout particulièrement en matière de procédés, peut être essentielle au maintien de l'efficacité à long terme. Les organisations doivent ainsi s'engager dans l'exploration et l'exploitation d'idées novatrices pour demeurer concurrentielles[51].

Lorsqu'on examine les caractéristiques des organisations novatrices, on voit ressortir certains traits communs, dont voici les principaux.

- Leur *stratégie* et leur *culture* sont axées sur l'innovation, ce qui suppose, notamment, une certaine tolérance à l'égard des erreurs et des idées nées de bonnes intentions, mais n'aboutissant pas.

- Elles adoptent des *structures* qui soutiennent l'innovation, favorisent la créativité en privilégiant le travail d'équipe et l'intégration interfonctionnelle, et compensent l'incidence négative de leur grande taille par la décentralisation et la délégation de pouvoir.

- Elles ont une politique de *dotation en personnel* axée sur l'innovation, elles accordent une attention particulière au rôle déterminant que peuvent avoir les générateurs d'idées, les détenteurs d'information, les créateurs de produits et les meneurs de projets.

- Elles bénéficient du *soutien de la direction*; en effet, les cadres supérieurs donnent l'exemple à leurs collaborateurs, éliminent ce qui fait obstacle à l'innovation et tentent de favoriser l'éclosion d'idées nouvelles.

- Elles cherchent à créer des *environnements* stimulants; en outre, elles sollicitent et récompensent les personnes qui font preuve d'innovation.

La recherche montre également que certaines caractéristiques des équipes favorisent l'innovation, tout autant que les facteurs organisationnels dont il vient d'être question[52]. Un certain nombre de processus collectifs encouragent l'innovation. Tout d'abord, il est important qu'il y ait interdépendance des objectifs parmi les membres de l'équipe. L'interdépendance des objectifs est le degré auquel l'atteinte des objectifs d'un membre de l'équipe dépend de l'atteinte des objectifs d'autres membres. Plus l'interdépendance des objectifs est élevée, plus il y a d'innovation. Ensuite, pour certaines équipes, un processus de qualité plus élevé est lié à plus d'innovation. Six processus collectifs sont particulièrement importants pour obtenir le succès en matière d'innovation:

- la *vision*, qui renvoie à l'élaboration d'objectifs collectifs clairs et au degré d'engagement des membres envers ces objectifs;

- le *soutien à l'innovation*, qui doit venir tant de l'intérieur de l'équipe que de l'extérieur;

- l'*orientation vers la tâche,* climat qui favorise l'excellence;

- la *cohésion*, soit l'engagement envers l'équipe et le maintien de l'adhésion des membres;

- les *communications internes*, soit les interactions de qualité au sein du groupe;

- les *communications externes*, soit les interactions de qualité entre le groupe et l'extérieur.

L'équilibre entre l'exploration et l'exploitation

Les premières étapes du processus d'innovation requièrent beaucoup de temps, d'énergie et d'efforts pour l'exploration de toutes les possibilités. Elles se déroulent au sein du service de la recherche et du développement, qui existe dans de nombreuses entreprises. Cependant, si on s'attarde trop à l'exploration, on peut obtenir une longue liste d'idées de produits et de procédés destinés à de nouveaux clients et à de nouveaux marchés, mais peu de retombées. Il importe donc de s'attacher également à l'exploitation pour définir la rentabilité des idées explorées[53]. L'**exploitation** se concentre en général sur l'amélioration et la réutilisation de produits et de

Exploitation
Processus d'amélioration et de réutilisation de produits et de procédés existants

Une culture d'innovation

Le cuisiniste Miralis, une PME de Saint-Anaclet, près de Rimouski, a placé l'innovation parmi ses valeurs fondatrices. Une valeur qui se traduit aussi bien dans ses produits que dans sa gestion des ressources humaines.

Fondée en 1976, Miralis était au départ une petite entreprise familiale qui fabriquait des armoires de cuisine. Reconnu pour sa créativité, la qualité et l'avant-gardisme de ses produits, le manufacturier propose aujourd'hui des designs complets. [...]

Françoise Baki, CRHA, directrice des ressources humaines chez Miralis, explique que les 250 employés de l'entreprise sont répartis en plusieurs catégories d'emplois : techniciens et ingénieurs, équipe de marketing, vente, maintenance, administration, innovation, recherche et développement pour concevoir les machines de fabrication des produits. « Il faut être avant-gardiste et faire preuve d'innovation non seulement dans notre champ d'activité, mais également dans la gestion de nos ressources humaines », affirme-t-elle.

Ainsi, Miralis déploie sa philosophie sur plusieurs axes. Outre les nombreuses activités pour les employés, l'entreprise encourage l'apprentissage et le perfectionnement de même que les marques de reconnaissance et la transparence dans la gestion des affaires. [...]

Pour développer le plein potentiel de ses ressources humaines, Miralis mise sur la formation. « Nous encourageons l'apprentissage et le perfectionnement, par exemple en proposant aux employés d'assister à des séminaires, à des conférences et à des colloques afin d'améliorer les connaissances liées à leur corps de métier. Nous appuyons la mise à niveau et le développement des compétences et soutenons aussi des activités de mentorat », énumère Mᵐᵉ Baki. L'entreprise valorise également le retour aux études de ses jeunes employés qui souhaitent se former en leur garantissant un poste à l'obtention de leur diplôme, pour autant qu'il s'agisse d'une expertise dont elle a besoin. [...]

La reconnaissance est aussi au cœur des pratiques RH de Miralis. Chaque mois, la contribution d'un employé qui s'est démarqué en matière d'amélioration continue est mise de l'avant. « Nous affichons sa photo partout dans l'entreprise en tant qu'ambassadeur du mois. Nous avons aussi mis en place des marques de reconnaissance collectives. Ainsi, lorsque certains objectifs sont atteints dans un département, nous le soulignons avec un repas spécial ou bien en distribuant des t-shirts avec une mention spéciale. Nous nous assurons aussi que les marques de reconnaissance sont distribuées de façon équitable », indique Mᵐᵉ Baki. Elle ajoute qu'une véritable culture de reconnaissance a été implantée dans l'entreprise, aussi bien pour trouver de nouvelles façons de la mettre en œuvre que pour l'inculquer en tant que façon de faire chez les gestionnaires.

L'ouverture est également une valeur cardinale chez Miralis. « Pour la direction, il est important d'afficher sa transparence, précise Françoise Baki.

Françoise Baki, chez Miralis

Tous les employés peuvent solliciter et obtenir une rencontre avec le PDG, Daniel Drapeau. Le signal vient d'en haut : le dialogue est franc, ouvert et respectueux pour développer et maintenir la proximité avec les ressources humaines. »

En outre, au cours du Dîner du PDG qui a lieu toutes les deux semaines, M. Drapeau rencontre un groupe d'une dizaine de personnes à la fois. Ces dîners permettent d'aborder deux ou trois thèmes de discussion.

Par ailleurs, à raison de quatre fois par an, le PDG rencontre l'ensemble des employés pour faire le point sur les bons coups, les résultats obtenus, les objectifs à atteindre et les défis à relever. [...]

Innovation, reconnaissance, transparence, formation... Autant de valeurs qui font partie de l'ADN de Miralis. « C'est ce qui nous définit et fait de nous ce que nous sommes », conclut la directrice des ressources humaines.

Source : Emmanuelle Gril, « Miralis : une culture d'innovation », *Revue RH*, vol. 19, nº 4 (septembre/octobre 2016), p. 14-16. Reproduction autorisée par l'Ordre des conseillers en ressources humaines agréés.

procédés existants. L'amélioration d'un produit existant visant à en faciliter la vente sur un nouveau marché en est un exemple. Évidemment, si elle met trop l'accent sur l'exploitation, l'entreprise finit par perdre son avantage concurrentiel, car ses produits vieillissent, et ses procédés deviennent moins efficaces et moins rentables que ceux de ses concurrents.

Bien qu'il semble très simple à réaliser, l'équilibre entre l'exploration et l'exploitation s'accompagne d'un problème majeur. L'**exploration** exige de l'organisation et de ses cadres qu'ils mettent l'accent sur la liberté et sur une réflexion approfondie, qu'ils soumettent donc l'entreprise à de grands changements ou à ce que certains appellent des «innovations radicales»[54]. Si certains changements radicaux sont le fruit du savoir-faire existant, l'adoption d'un produit ou d'un procédé tout à fait nouveau signifie souvent que les connaissances accumulées par l'entreprise sont périmées[55]. Au contraire, l'exploitation requiert avant tout le contrôle et le développement progressif. Il s'agit de planifier avec des budgets serrés, des prévisions consciencieuses et une mise en œuvre régulière des nouveautés. Dans bien des cas, il est plus facile pour les entreprises de privilégier l'exploitation, car la plupart d'entre elles ont une structure et une culture favorisant la stabilité et le contrôle[56].

Les gestionnaires peuvent essayer de diminuer de différentes façons les tensions qui se créent entre l'exploration et l'exploitation. Pour résoudre en partie le problème, ils peuvent séparer les unités qui s'occupent de ces deux types d'activités. Par exemple, certains établissements vont s'appuyer, pour l'exploration, sur des partenariats avec d'autres firmes en matière de recherche et développement et garder à l'interne l'emprise sur l'exploitation[57]. D'autres délèguent à des cadres intermédiaires la tâche d'alléger les tensions qui découlent des tentatives de coordination des groupes chargés de l'exploration et de ceux chargés de l'exploitation. Par ailleurs, la combinaison souhaitable d'activités d'exploration et d'exploitation peut dépendre du secteur d'activité.

De récentes recherches indiquent que la solution serait plutôt culturelle et résiderait dans la notion d'organisation ambidextre. Il existerait quatre facteurs essentiels à la création d'une organisation de ce type :

1. La reconnaissance, par les gestionnaires, de l'existence de tensions entre l'exploration et l'exploitation.

2. L'acceptation, par les gestionnaires, du fait qu'il n'est pas approprié de recourir à une seule forme de réflexion, s'appuyant sur un seul point de vue.

3. La discussion et la communication entre les gestionnaires et leurs subordonnés à propos des paradoxes engendrés par la simultanéité des grandes idées et des améliorations graduelles et réfléchies.

4. L'incitation des gestionnaires, auprès des subordonnés, à accepter ces paradoxes et à les utiliser comme des stimulants pour découvrir et mettre en place des solutions créatives[58].

Exploration
Processus au cours duquel l'organisation et ses cadres mettent l'accent sur la liberté et sur une réflexion approfondie; ils soumettent donc l'entreprise à de grands changements ou à ce que certains appellent des «innovations radicales»

Les tensions entre la stabilité culturelle et l'innovation

Bien que la culture organisationnelle aide les individus à résoudre les questions d'adaptation externe et d'intégration interne, les trois dimensions de la culture organisationnelle que sont la culture apparente, les valeurs communes et les hypothèses communes n'évoluent pas aussi rapidement que les innovations l'exigent.

Décalage culturel organisationnel
Décalage qui se crée entre les schèmes de la culture dominante et les innovations émergentes

Le **décalage culturel organisationnel** définit l'écart qui se crée entre les schèmes de la culture dominante et les innovations émergentes inédites[59]. Comme il était expliqué ci-dessus, les éléments de la culture apparente, c'est-à-dire les rites, les rituels et les symboles culturels, ont souvent une signification sous-jacente profonde pour les membres de l'organisation. D'une certaine façon, ils symbolisent les anciens moyens utilisés avec succès pour résoudre les problèmes d'adaptation et d'intégration interne. Beaucoup de personnes hésitent à abandonner une approche qui a fait ses preuves au profit d'une autre qui n'a pas encore montré son efficacité. Un chercheur dit qu'il pourrait y avoir une forte «résistance culturelle à l'innovation à cause de l'héritage culturel[60]». L'influence de cet héritage découle de la confiance excessive des membres de l'organisation dans les règles qui régissent les anciens modes d'action et qui les renforcent.

Ainsi, l'un des principaux défis que la direction d'une organisation doit relever lorsqu'elle mise sur l'innovation et que les membres sont très attachés à des valeurs et à des hypothèses communes est de démontrer comment celles-ci s'appliquent aux innovations. Lorsqu'ils voient une occasion de créer de nouvelles visions, d'élaborer de nouvelles stratégies et de donner à l'organisation de nouvelles orientations, les gestionnaires doivent équilibrer le changement de règles avec le respect des règles[61]. S'il n'est pas maîtrisé, le changement de règles risque d'entraîner un changement organisationnel incontrôlable pouvant rapidement mener au chaos. Le respect des règles, lui, favorise une structure organisationnelle stable ou des changements organisationnels planifiés, mais peut aussi augmenter le décalage culturel.

Guide de RÉVISION

RÉSUMÉ

Qu'est-ce que la culture organisationnelle et quelles sont ses principales fonctions ?

- On appelle « culture organisationnelle », ou « culture d'entreprise », l'ensemble des attitudes, des valeurs et des croyances communes qu'acquièrent les membres d'une organisation et qui guident leur comportement.

- La culture d'une organisation a pour fonction la résolution de problèmes d'adaptation externe et d'intégration interne.

- On trouve, dans la plupart des organisations, de multiples sous-cultures et, dans certains cas, une ou plusieurs contre-cultures susceptibles d'engendrer des conflits destructeurs.

- La culture organisationnelle reflète aussi les valeurs et les hypothèses implicites de la culture du pays où l'organisation a été implantée originellement.

Quelles sont les trois dimensions de la culture organisationnelle et quel est leur rôle respectif ?

- On peut analyser une culture organisationnelle en étudiant ses trois dimensions : la culture apparente, les valeurs communes et les hypothèses communes.

- La culture apparente est constituée, entre autres, des récits, des rites et des rituels ainsi que des symboles communs aux membres de l'organisation.

- Les normes et les rôles véhiculés par la culture organisationnelle précisent quand certains comportements sont appropriés et quelles sont les positions des individus dans le système social de l'organisation.

- Les valeurs communes sont au cœur de la culture organisationnelle. Elles contribuent à transformer des activités routinières en activités importantes et appréciables. Elles relient l'organisation à des valeurs importantes de la société où elle est implantée. Elles peuvent même lui procurer un avantage concurrentiel notable.

- Des valeurs communes distinctives profondément enracinées peuvent renforcer l'identité organisationnelle, améliorer l'engagement collectif, créer un système social interne stable et amoindrir la nécessité des contrôles formels et bureaucratiques.

- Toutefois, une culture forte peut engendrer une vision monolithique de l'organisation et de son environnement qui risque de freiner et de rendre difficiles les changements qu'imposent certaines circonstances.

- Les hypothèses communes, ou vérités allant de soi, que les divers groupes de l'organisation ont formulées et adoptées au fil du temps en acquérant une expérience collective constituent la dimension la plus profonde de la culture organisationnelle.

- Les significations communes que les travailleurs construisent avec le temps leur donnent le sentiment de contribuer à un objectif plus vaste, auquel ils associent leurs activités quotidiennes.

- Les mythes organisationnels sont des croyances non fondées qui circulent dans l'organisation et que la plupart des membres acceptent tacitement sans les remettre en cause.

Comment peut-on gérer la culture organisationnelle ?

- La sous-culture propre à la direction d'une organisation est souvent désignée par le terme « philosophie de gestion » ; cette dernière fait le lien entre les questions clés relatives aux objectifs de l'organisation et celles relatives à la collaboration entre ses membres pour déterminer les méthodes générales que l'organisation devrait adopter dans la conduite de ses affaires.

- Pour consolider ou transformer la culture organisationnelle, les gestionnaires disposent de nombreux moyens d'action. Ils peuvent, notamment, gérer plusieurs aspects de la culture organisationnelle apparente. En outre, par le système de récompense adopté, les priorités établies, la structure organisationnelle mise en place ou les séances de formation offertes, les gestionnaires peuvent exercer une influence sur la culture organisationnelle.

- Le renforcement de valeurs communes au sein d'une organisation constitue un enjeu de taille pour ses dirigeants.

- Une culture organisationnelle ne peut pas s'imposer unilatéralement du haut vers le bas. Lorsqu'elles émanent des échelons supérieurs, les décisions ont une portée limitée parce qu'elles doivent tenir compte des perceptions et des valeurs largement partagées par les membres de l'organisation.

Qu'est-ce que l'innovation et pourquoi est-elle si importante pour l'organisation ?

- L'innovation est le processus de génération et de mise en pratique de nouvelles idées, lesquelles finissent par s'intégrer aux activités quotidiennes de l'organisation, idéalement à celles qui contribuent à améliorer sa productivité ou son service à la clientèle.

- L'innovation est un processus comportant quatre grandes étapes : l'imagination, l'expérimentation, l'étude de faisabilité et l'application.

- Les organisations les plus novatrices ont ceci en commun que leur stratégie, leur culture, leur structure, leur politique de dotation en personnel et le leadership des dirigeants soutiennent explicitement et activement l'innovation.

- L'innovation en matière de produits consiste en la commercialisation de produits (biens ou services) nouveaux ou améliorés visant à mieux répondre aux besoins de la clientèle.

- L'innovation en matière de procédés est la mise au point de méthodes de travail ou d'activités d'exploitation nouvelles ou améliorées.

- Bien qu'il soit nécessaire de trouver un équilibre entre l'exploration et l'exploitation, cette tâche n'est pas aisée.

- Dans la plupart des entreprises, on note des tensions entre la tendance à la stabilité culturelle et la nécessité d'innover. Le décalage culturel organisationnel définit l'écart qui se crée entre les schèmes de la culture dominante et les innovations émergentes inédites.

MOTS CLÉS

MaBiblio > MonLab > Exercices
> Ch16 > Exercice de révision

EXERCICE DE RÉVISION

Questions à choix multiple

1. La culture organisationnelle concerne tous les éléments suivants, sauf un. Lequel? **a)** Les hypothèses communes des membres de l'organisation **b)** Les capacités acquises des membres de l'organisation **c)** La personnalité du dirigeant **d)** Les croyances communes des membres de l'organisation

2. Les trois dimensions de la culture organisationnelle décrites dans ce chapitre sont _____ **a)** la culture apparente, les valeurs communes et les hypothèses communes. **b)** les récits, les rites et les rituels. **c)** les symboles, les mythes et les récits. **d)** la culture manifeste, la culture latente et les objets tangibles.

3. Le terme «adaptation externe» désigne _____ **a)** les croyances non fondées des cadres supérieurs. **b)** le processus qui permet à l'organisation de composer avec les forces de l'environnement. **c)** la vision du fondateur. **d)** le processus de collaboration au sein de l'organisation.

4. Le terme «intégration interne» désigne _____ **a)** le processus par lequel les membres de l'organisation se donnent une identité collective et harmonisent leurs façons de travailler ensemble. **b)** un ensemble de croyances non fondées et acceptées inconditionnellement, justifiant les procédés utilisés dans l'organisation. **c)** des sous-groupes qui possèdent leurs propres valeurs et rejettent celles de la collectivité. **d)** le processus qui permet à l'organisation de composer avec les forces de l'environnement.

5. La coutume voulant que les ouvriers japonais commencent leur journée en faisant de la gymnastique et en chantant en chœur l'hymne de l'organisation est un exemple _____ **a)** de symbole. **b)** de mythe organisationnel. **c)** d'hypothèse commune. **d)** de rituel.

6. Le terme _____ désigne le sentiment qu'ont les travailleurs de contribuer à un objectif plus vaste, qu'ils associent à leurs activités quotidiennes et qu'ils acquièrent au fur et à mesure de leurs interactions. **a)** « rite » **b)** « symbole culturel » **c)** « mythe de la fondation » **d)** « signification commune »

7. L'histoire d'un redressement miraculeux d'entreprise attribuable aux efforts d'un gestionnaire visionnaire est un exemple _____ **a)** d'épopée. **b)** de mythe fondateur. **c)** d'intégration interne. **d)** de concrétisation d'une culture latente.

8. Le processus de génération et de mise en pratique de nouvelles idées porte le nom _____ **a)** d'innovation. **b)** de destruction créative. **c)** d'innovation en matière de produits. **d)** d'innovation en matière de procédés.

9. Un objet, une action ou un événement qui sert à perpétuer une signification culturelle porte le nom de _____ **a)** récit. **b)** symbole culturel. **c)** décalage culturel. **d)** mythe culturel.

10. Les groupes ayant des valeurs en opposition à celles de l'organisation dans son ensemble _____ **a)** prônent le refus de l'adaptation externe. **b)** acceptent le décalage culturel. **c)** forment des contre-cultures. **d)** créent des mythes organisationnels.

11. Les groupes ayant des valeurs et une philosophie qui leur sont propres, mais qui demeurent en harmonie avec la culture dominante de l'organisation _____ **a)** forment des contre-cultures. **b)** forment des sous-cultures. **c)** créent les récits. **d)** créent des rituels.

12. _____ fait le lien entre les questions clés relatives aux objectifs de l'organisation et celles relatives à la collaboration entre ses membres pour déterminer les méthodes générales que l'organisation devrait adopter dans la conduite de ses affaires. **a)** La philosophie de gestion **b)** Le symbole culturel **c)** Le rite **d)** L'épopée

13. Les relations de cause à effet qu'on accepte couramment, mais qui ne sont pas confirmées par l'expérience, forment _____ **a)** le décalage culturel. **b)** les rituels. **c)** la philosophie de gestion. **d)** les mythes organisationnels.

14. Les quatre grandes étapes du processus d'innovation sont _____ **a)** l'imagination, l'expérimentation, l'étude de faisabilité et l'application. **b)** l'imagination, l'expérimentation, l'évaluation et le renforcement. **c)** la collecte des données, le diagnostic, l'application et le suivi. **d)** la collecte des données, le diagnostic, l'étude de faisabilité et l'application.

15. On parle _____ lorsque les schèmes de la culture dominante ne s'accordent pas avec les innovations émergentes. **a)** de décalage culturel **b)** de philosophie de gestion **c)** d'intégration interne **d)** d'adaptation externe

Questions à réponse brève

16. Décrivez les cinq étapes que recommande Taylor Cox pour la création d'une organisation multiculturelle.

17. Quelles sont les trois questions essentielles que soulève le fait de travailler en groupe ? Illustrez-les par des exemples.

18. Expliquez la façon dont les normes et les rôles culturels influent sur l'atmosphère d'une salle de classe. Donnez des exemples tirés de votre expérience personnelle.

19. Comment soutenir et consolider une culture organisationnelle forte ?

Question à développement

20. Expliquez pourquoi les gestionnaires doivent équilibrer l'exploration et l'exploitation lorsqu'ils recherchent des innovations marquantes.

Le CO dans le feu de l'action

Pour ce chapitre, nous vous suggérons les compléments numériques suivants dans MonLab.

MaBiblio >

MonLab > Documents > Études de cas
> 27. Mission Management and Trust
> 28. Novo Nordisk

MonLab > Documents > Activités
> 6. Un poste à l'étranger
> 7. Signaux culturels
> 9. Comment percevons-nous les différences?
> 23. La culture d'une équipe de travail
> 40. D'un hamburger à l'autre...
> 41. Une invasion extraterrestre

MonLab > Documents > Autoévaluations
> 8. Êtes-vous *universel*?
> 22. Quelle est la culture qui vous convient?

Le changement et le stress en milieu organisationnel

Les organisations contemporaines doivent évoluer au rythme de leur environnement. Ce chapitre traite du sujet crucial qu'est le changement, puis examine les effets du stress dans les milieux organisationnels d'aujourd'hui, qui ne cessent de se transformer et auxquels chacun doit s'adapter.

OBJECTIFS D'APPRENTISSAGE

Après l'étude de ce chapitre, vous devriez pouvoir :

- Expliquer la dynamique du changement en milieu organisationnel.
- Décrire les principales stratégies de changement planifié.
- Expliquer les principales causes de la résistance au changement et déterminer les meilleures façons d'y faire face.
- Définir le stress, ses causes et ses conséquences.
- Décrire les principales stratégies de gestion du stress.

PLAN DU CHAPITRE

> Aujourd'hui, les turbulences au sein des milieux organisationnels nous poussent à faire du changement une façon de vivre.

Ça va, patron?

«Où êtes-vous, monsieur Trudel? On vous attend...»

C'était un matin du printemps 2011. Un tout petit courriel pour lui rappeler que 150 personnes l'attendaient pour écouter sa conférence sur le développement durable. Il avait oublié.

Puis vinrent les difficultés de concentration, les troubles du sommeil, la grande fatigue. Il s'est imposé deux mois d'arrêt de travail. «Le cerveau est comme un disque dur, et vous avez dépassé sa capacité! Vous avez besoin de repos», lui avait dit son médecin.

Les mois précédents avaient été chargés: 60 heures par semaine à faire croître son entreprise, à donner des conférences, des formations, à assister à des comités, à siéger à des jurys, à fonder une association, à achever l'écriture d'un deuxième livre...

Il ne voyait pas qu'il travaillait trop. Moi, oui. Car cet entrepreneur qui a connu l'épuisement professionnel est mon conjoint.

On sait déjà que le phénomène est un fléau parmi les cadres et les employés salariés. [...]

Si la pression et la quantité de travail sont souvent des facteurs de risque, on peut imaginer ce qui guette les entrepreneurs! Les études sont pourtant peu nombreuses sur le sujet.

En France, une chaire de recherche sur la santé des dirigeants de PME a été créée en 2012 à l'Université de Montpellier pour remédier à la situation.

Sa première enquête, effectuée auprès de 400 chefs d'entreprise français, révèle que 94% d'entre eux souffrent d'insomnie! Le fondateur de la chaire, Olivier Torrès, travaille à mettre sur pied un observatoire du genre au Québec. «Les médias ont raison d'alerter la population sur la souffrance des salariés au travail, dit-il, mais ils devraient aussi nous alerter sur celle des patrons.»

Encore faut-il que ces derniers acceptent d'en parler. Ce fut le cas récemment de Jason Tryfon, président de Vital Insights, qui a fait la une du magazine *Profit*. L'article ne parlait pas de la croissance importante de cette entreprise de logiciels (232% en 5 ans), mais de la dépression de son fondateur, qui a ramé jour et nuit en 2007 pour la refinancer dans un moment critique.

La plupart des entrepreneurs éprouvent de grandes satisfactions dans la voie qu'ils ont choisie. Leur énergie hors du commun leur permet d'abattre une quantité de travail plus grande que la majorité des gens. Dans le cadre des «Leaders de la croissance» de *L'actualité*, j'ai rencontré une douzaine de ces super-athlètes. Ils travaillent en moyenne l'équivalent de huit heures par jour sept jours sur sept, mais ils essaient de mieux concilier travail et vie personnelle.

«Ce n'est pas tout le monde qui veut une grande entreprise. Je travaille fort, mais je veux dormir la nuit et passer du temps avec ma fille», m'a dit Caroline Néron, dont l'entreprise arrive en tête du palmarès.

> Quand le patron se préoccupe davantage de l'équilibre entre boulot et vie personnelle, on peut penser que ce sera plus facile pour les employés d'arriver à le faire aussi.

Mon conjoint? Lui aussi dort bien. Depuis cet épisode, il s'est concentré sur son entreprise et a diminué le «parascolaire», sauf le sport! Il y a moins de cinq à sept de réseautage et plus de séances de «lutte» sur le canapé avec notre fils de cinq ans. La croissance de son entreprise en souffre-t-elle? Elle est peut-être moins rapide, mais c'est un choix, qui semble refléter celui d'un nombre grandissant d'entrepreneurs.

L'autre bonne nouvelle? Quand le patron se préoccupe davantage de l'équilibre entre boulot et vie personnelle, on peut penser que ce sera plus facile pour les employés d'arriver à le faire aussi.

Source: Kathy Noël, «Ça va, patron?», *L'actualité*, vol. 38, n° 17, 1er novembre 2013, p. 58. Cet extrait a été reproduit aux termes d'une licence accordée par Copibec.

Tout au long de cet ouvrage, nous avons souligné l'importance qu'il y a à respecter et à valoriser les personnes pour ce qu'elles sont, dans toute leur diversité, et pour l'éventail des talents dont elles font profiter les organisations[1]. Les meilleurs gestionnaires contribuent à créer des cadres de travail propices au rendement professionnel et à la satisfaction personnelle des membres de leur organisation. Bien que les entreprises soient soumises à une concurrence accrue et qu'elles soient forcées d'évoluer et d'innover sans répit pour survivre, elles ne peuvent faire fi des personnes qui travaillent pour elles et des besoins de celles-ci. Vous-même aurez à prendre les bonnes décisions concernant votre avenir professionnel. À quel endroit travailler? Pour quel employeur? À quelles conditions? L'organisation idéale demeure sans doute celle qui sait gérer le changement tout en préservant, pour son personnel, un milieu de travail sain et gratifiant.

Un article paru dans la *Harvard Business Review* affirmait d'entrée de jeu: «La nouvelle économie a ouvert la voie à d'extraordinaires occasions d'affaires… et à de grands bouleversements. Les enjeux associés au changement et à notre façon d'y faire face n'ont jamais été aussi nombreux depuis la révolution industrielle[2].» On peut, sans exagérer, qualifier d'agité, de turbulent et même de houleux l'environnement actuel des affaires et de la gestion. La mondialisation de l'économie, avec son lot de problèmes et de possibilités, réserve sans cesse de nouvelles surprises, même aux gens d'affaires les plus chevronnés. Il n'est possible de relever avec brio les défis du changement que si on reconnaît le rôle absolument crucial que jouent les individus dans le fonctionnement des organisations. C'est ce qui rend la compréhension du comportement organisationnel si essentielle lorsqu'on tente de provoquer et de diriger une dynamique de transformation.

Trois mots d'ordre orientent les nouveaux milieux de travail: flexibilité, compétence et engagement. Les individus doivent être capables de s'adapter, de changer continuellement. On leur demande d'augmenter la productivité, d'apprendre des succès d'autrui, de viser la qualité totale et l'amélioration continue. En outre, on s'attend à ce qu'ils puissent générer et intégrer le changement et l'innovation, tout en gérant adéquatement le stress qui en résulte inévitablement. Le consultant, auteur et conférencier Tom Peters, connu mondialement comme le père du management moderne, affirme:

> Les turbulences du marché nous poussent à faire de l'innovation une façon de vivre. Nous devons tous apprendre, en tant qu'individus et en tant qu'organisations, à accueillir l'innovation et le changement aussi résolument que nous nous y sommes opposés dans le passé[3].

Le changement en milieu organisationnel

«Changement»: ce simple mot, qui a pris une valeur de slogan pour d'innombrables organisations, voire pour la plupart, décrit une transformation plus ou moins profonde, selon les cas. Le changement en profondeur, ou *changement radical*, est celui qui donne lieu à une révision majeure de l'organisation ou de certaines de ses composantes[4]. Dès lors, on parlera d'un **changement transformateur**, car il résulte d'une modification des caractéristiques fondamentales de l'organisation, telles que sa raison d'être et sa mission, les valeurs et les croyances qui l'animent ainsi que les structures et les stratégies sur lesquelles elle s'appuie[5].

Changement transformateur
Révision majeure des caractéristiques fondamentales d'une organisation

Dans le monde des affaires actuel, ce type de changement est en général la conséquence d'un événement déterminant, comme l'arrivée d'un nouveau directeur général ou d'un nouveau propriétaire à la suite d'une fusion ou d'une acquisition, ou une chute spectaculaire des résultats d'exploitation. Lorsqu'un tel événement survient dans l'existence d'une organisation, il peut déclencher un changement radical intense qui englobera toutes les dimensions de la réalité organisationnelle.

Le changement radical est celui qui transforme fondamentalement l'organisation, qui modifie en profondeur sa mission, ses valeurs, sa structure et ses stratégies.

Cependant, le changement organisationnel n'est pas toujours aussi radical. Très fréquent et moins traumatisant, le *changement graduel*, ou *changement superficiel*, fait partie de l'évolution normale d'une organisation. Il se caractérise, notamment, par l'introduction de nouveaux produits, de nouvelles technologies, de nouveaux systèmes ou de nouveaux procédés. Il ne modifie pas fondamentalement la nature de l'organisation, mais il vise ses modes d'exploitation, dans le but de les améliorer ou de leur donner de nouvelles extensions. Dans le contexte actuel, savoir mettre en place une amélioration continue grâce à une stratégie de changement graduel est un atout de taille pour une organisation.

La réussite d'un changement organisationnel, qu'il soit radical ou graduel, dépend en grande partie de l'**agent de changement** qui le suscite et le soutient, c'est-à-dire de l'individu ou du groupe qui prend en charge la modification des schèmes de comportement d'une personne ou d'un système social. Bien que des consultants externes puissent tenir ce rôle, le contexte dynamique des organisations contemporaines exige de tout dirigeant qu'il joue également le rôle de promoteur de changement ; cette responsabilité est maintenant considérée comme inhérente au leadership. Bref, aujourd'hui, le véritable leader se définit comme un « catalyseur de changement ».

Agent de changement
Individu ou groupe qui prend en charge la modification des schèmes de comportement d'une personne ou d'un système social

Le changement planifié et le changement non planifié

Le changement organisationnel n'est pas toujours inspiré par un agent de changement. Ainsi, le **changement non planifié** survient spontanément ou par hasard. S'il est susceptible de causer de graves perturbations – une grève sauvage risque d'entraîner la fermeture d'une usine, par exemple –, il peut aussi présenter des avantages. En effet, un conflit intergroupe peut donner lieu à de nouvelles procédures qui facilitent le déroulement des opérations entre deux services. Dès que se manifestent des forces provoquant un changement non planifié, le gestionnaire doit réagir rapidement pour atténuer les effets néfastes du phénomène et en maximiser les bienfaits potentiels. Il est possible de tirer parti de ce type de changement.

Changement non planifié
Changement qui survient spontanément ou par hasard, sans l'intervention d'un agent de changement

Le **changement planifié**, lui, résulte des efforts délibérés d'un agent de changement en réaction à un **écart de rendement** perçu entre le rendement constaté et le rendement désiré. Ce type d'écart peut se présenter non seulement comme un problème à surmonter, mais aussi comme une occasion à saisir. La plupart des changements organisationnels planifiés peuvent être envisagés comme un déploiement d'efforts visant à répondre à des écarts de rendement d'une manière avantageuse pour

Changement planifié
Changement qui résulte des efforts délibérés d'un agent de changement en réaction à un écart de rendement perçu

Écart de rendement
Écart entre le rendement constaté et le rendement désiré

l'organisation et pour ses membres. Dans un processus d'amélioration continue, le gestionnaire doit faire preuve d'une vigilance constante afin de déceler rapidement tout écart de rendement et d'y réagir adéquatement.

Le changement planifié : les forces motrices et les cibles organisationnelles

Indépendamment de leur nature et de leur taille, les organisations contemporaines sont soumises à des forces de changement qui viennent à la fois de l'intérieur et de la périphérie :

- *Dans les relations entre l'organisation et son environnement.* Fusions, alliances stratégiques et cessions d'actifs ne sont que quelques-unes des solutions possibles aux problèmes d'un environnement économicopolitique de plus en plus dynamique et complexe.

- *Dans le cycle de vie de l'organisation.* Les modifications structurelles et culturelles que connaît toute organisation au fil du temps et au cours de sa croissance, notamment, sont des mesures d'adaptation à son évolution.

- *Dans les relations de pouvoir au sein de l'organisation.* Les changements apportés aux mécanismes de contrôle interne, y compris aux systèmes de récompenses et d'avantages, sont des tentatives d'adaptation aux jeux politiques qui apparaissent.

Comme le montre la **figure 17.1**, le changement planifié qu'entraîne l'une ou l'autre de ces forces peut cibler plus particulièrement une ou plusieurs des composantes organisationnelles, entre autres la raison d'être de l'organisation, ses stratégies, sa structure et son personnel, de même que ses objectifs, sa culture, ses tâches et sa technologie. Cependant, toutes ces composantes sont intimement liées, de sorte que tout changement de l'une d'elles risque fort de se répercuter sur d'autres. Ainsi, un changement dans les tâches fondamentales entraîne presque inévitablement un changement dans la technologie, c'est-à-dire dans la façon d'exécuter les tâches. En outre, modifier les tâches et la technologie suppose généralement de changer quelque peu la structure organisationnelle, c'est-à-dire la hiérarchie de l'autorité, les réseaux de communication ainsi que les rôles des travailleurs. À leur tour, les changements technologiques et structurels peuvent exiger des transformations sur le plan des connaissances, des compétences et des comportements des travailleurs, des modifications qui touchent donc le personnel de l'organisation[6].

Évidemment, quelle que soit la cible du changement, il faut lutter contre la tendance à se rabattre sur des solutions toutes faites, faciles à implanter, mais dont les résultats peuvent laisser à désirer.

Les étapes du changement planifié

Selon certaines recherches, les tentatives de changement organisationnel atteindraient un taux d'échec aussi élevé que 70 %[7]. Comme le montre l'encadré de la page 622, la réalisation d'un changement transformateur constitue un enjeu de taille[8]. Une des façons d'accroître les chances de succès d'une démarche de transformation consiste à bien saisir le processus de changement social en milieu organisationnel. Pour qu'un

effort de changement aboutisse, le psychologue Kurt Lewin recommande de le considérer comme un processus comportant trois étapes distinctes, dont aucune ne doit
être négligée : la *décristallisation*, l'*instauration du changement* et la *recristallisation*[9].

Selon Kurt Lewin, on aurait trop tendance à se concentrer sur l'étape intermédiaire,
celle du changement lui-même, au détriment de la décristallisation et de la recristallisation. Malgré le caractère continu du changement, il arrive souvent, dans la réalité
des organisations actuelles, que les trois étapes se chevauchent. Néanmoins, le modèle
du psychologue américain s'avère très utile à la compréhension du processus de changement planifié et de ses difficultés.

FIGURE **17.1** **Les cibles organisationnelles d'un changement planifié**

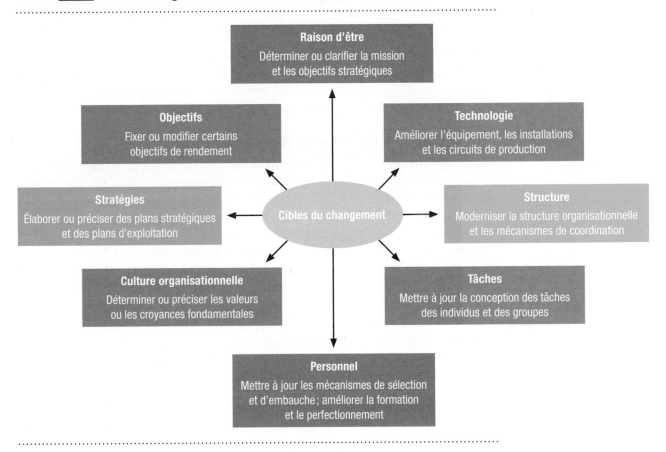

La décristallisation

Selon le modèle de Kurt Lewin, la **décristallisation** est l'étape préliminaire du
changement planifié. Au cours de cette étape, sous la responsabilité de la direction,
des attitudes et des comportements sont remis en question pour que le besoin de
changement soit clairement ressenti. Plusieurs facteurs peuvent favoriser la décristallisation, notamment les pressions de l'environnement, le déclin du rendement, le
constat de l'existence d'un problème ou la découverte d'une meilleure façon de procéder. Trop souvent, les innovations ne sont pas mises à l'essai ou échouent parce
que cette première étape a été négligée ou bâclée.

Décristallisation
Étape préliminaire
du changement planifié,
durant laquelle des attitudes
et des comportements sont
remis en question pour que
le besoin de changement soit
clairement ressenti

Les grandes organisations semblent particulièrement enclines à ce qu'on appelle le «syndrome de la grenouille ébouillantée», terme qui fait référence à un curieux phénomène: si on plonge une grenouille dans une casserole d'eau bouillante, elle saute immédiatement à l'extérieur; par contre, si on l'immerge dans une casserole d'eau froide qu'on amène lentement à ébullition, elle y reste jusqu'à ce que la chaleur de l'eau la tue[10]. De même, les gestionnaires, plongés dans l'action, ne sont pas toujours attentifs à ce qui se passe dans leur environnement, ne perçoivent pas toujours les tendances déterminantes et le besoin de changement. Leur organisation risque alors de décliner et de perdre peu à peu ses avantages concurrentiels. Habituellement, les indices d'un besoin de changement sont là, mais passent inaperçus ou sont négligés… jusqu'à ce qu'il soit trop tard. Les meilleures organisations sont dirigées par des gens vigilants qui ont compris l'importance de l'étape de la décristallisation dans le processus de changement.

L'instauration du changement

Instauration du changement
Étape intermédiaire du changement planifié, durant laquelle l'agent de changement prend des mesures pour transformer la situation en modifiant des paramètres comme les tâches, la structure, la technologie ou l'effectif de l'organisation

Recristallisation
Étape finale du changement planifié, durant laquelle les acquis du changement sont consolidés et assimilés à long terme

L'étape de l'**instauration du changement** est celle durant laquelle l'agent de changement prend des mesures pour transformer la situation en modifiant des paramètres comme les tâches, la structure, la technologie ou l'effectif de l'organisation. Selon Kurt Lewin, les agents de changement sont portés à aller trop vite: ils sautent l'étape de la décristallisation et commencent tout de suite à modifier les choses. Même s'ils sont bien intentionnés, ils courent souvent à l'échec parce qu'ils ne préparent pas adéquatement le processus. Apporter des changements est une opération assez difficile en soi pour qu'on ne s'y lance pas tête baissée.

La recristallisation

La dernière étape du processus de changement planifié est celle de la **recristallisation**, durant laquelle les acquis du changement sont consolidés et assimilés à long terme. Il est alors essentiel:

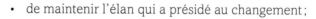

- de maintenir l'élan qui a présidé au changement;
- d'encourager les succès;
- d'intensifier le soutien en cas de difficulté;
- de faire en sorte qu'à long terme le changement soit intégré au mode de fonctionnement habituel.

Cette dernière étape repose donc sur une évaluation des progrès et des résultats du changement, de même que de son coefficient coûts-bénéfices. Au besoin, l'agent de changement pourra corriger le tir pour assurer la réussite à long terme du changement instauré. Si tout ce suivi est négligé ou si la recristallisation est bâclée, le changement risque de ne pas être instauré complètement ou d'être abandonné à courte échéance.

Telle la grenouille qui, plongée dans une eau qui devient graduellement bouillante, ne réalise pas qu'elle est en train de cuire, le gestionnaire peu attentif réagira parfois trop tard aux besoins de changement de son organisation.

Les diverses stratégies de changement planifié

Les gestionnaires et les autres agents de changement recourent à diverses stratégies pour exercer leur pouvoir, avoir de l'influence sur les autres et obtenir d'eux qu'ils soutiennent le changement planifié. Comme le montre la **figure 17.2**, ces stratégies s'appuient sur les divers types de pouvoirs (voir le chapitre 9), dont chacun a des répercussions assez différentes sur le processus de changement planifié[11].

FIGURE 17.2 Les types de pouvoirs et les stratégies de changement

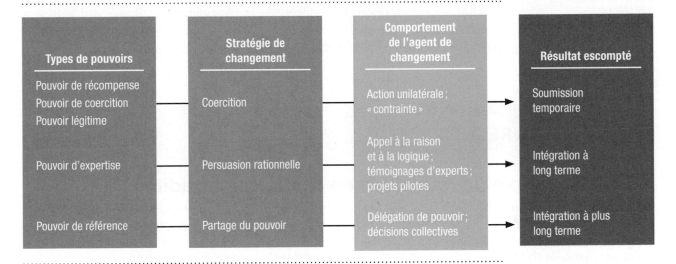

La coercition

Lorsqu'il recourt à la **stratégie de coercition**, l'agent de changement s'appuie sur son pouvoir légitime (l'autorité), sur son pouvoir de récompense ou sur son pouvoir de coercition pour amener certaines personnes à se soumettre à sa volonté de changement. Ce faisant, il agit unilatéralement et utilise l'autorité que lui confère sa position pour introduire le changement. Il suscite ce dernier par la promesse de récompenses alléchantes ou il l'impose par la menace de punitions. Les personnes concernées se plient à la décision essentiellement parce qu'elles convoitent les récompenses promises ou parce qu'elles ont peur d'être punies si elles s'y opposent. Mais leur soumission est généralement temporaire : elle dure tant que l'agent de changement maintient la pression et exerce visiblement son autorité ou que la possibilité de recevoir des sanctions ou des récompenses reste évidente.

L'agent de changement qui recourt à une stratégie de coercition se reconnaîtra dans la description suivante[12] :

> Vous estimez que les individus agissent essentiellement par intérêt personnel, c'est-à-dire en fonction des gains et des pertes que peut leur réserver une situation donnée. Comme vous croyez que seuls ces mobiles peuvent les amener à changer, vous tentez de découvrir leurs intérêts et vous faites pression sur eux. Si vous avez de l'autorité, vous vous en servez ; sinon, vous

Stratégie de coercition
Stratégie par laquelle l'agent de changement s'appuie sur son pouvoir légitime (l'autorité), sur son pouvoir de récompense ou sur son pouvoir de coercition pour amener les personnes à se soumettre à sa volonté de changement

faites miroiter des récompenses ou vous brandissez des menaces. Dès que vous découvrez un point faible, vous l'exploitez et vous *manœuvrez* pour vous faire des alliés chaque fois que l'occasion se présente.

La persuasion rationnelle

Lorsqu'il recourt à la **stratégie de persuasion rationnelle**, l'agent de changement s'appuie sur son pouvoir d'expertise pour convaincre les personnes qu'elles ont avantage à adhérer au changement qu'il propose. On qualifie parfois d'*approche rationnelle-empirique* cette stratégie, partant de l'idée selon laquelle ce sont la raison et la logique qui guident les individus lorsqu'ils décident de soutenir un changement ou de s'y opposer. L'agent de changement utilise ici ses connaissances, son expérience et son discernement pour convaincre les indécis que le changement qu'il promeut leur sera bénéfique. Lorsqu'elle réussit, cette approche donne généralement lieu à un changement mieux intégré et plus durable que celui qu'on obtient par la coercition.

DU CÔTÉ DE LA RECHERCHE

Le leadership et les subtilités du changement radical

Leaders et chercheurs tentent depuis longtemps de comprendre tous les rouages du changement organisationnel. Le rythme, les phases et la nature même du changement radical revêtent un intérêt particulier à cet égard. D'après John Amis, Trevor Slack et Christopher Hinings (qui ont effectué une recension des écrits sur la question du changement), ces dimensions devraient être explorées davantage. Les trois auteurs ont publié les résultats d'une vaste étude menée au Canada auprès de 36 fédérations nationales de sport reconnues par le Comité olympique canadien. Leur recherche s'est étendue sur 12 années qui correspondent, selon eux, à la période probablement la plus agitée de l'histoire du sport amateur canadien. Elle a permis de constater certaines tendances dans les organisations qui réussissaient le mieux à se transformer.

Il est apparu, notamment, que les fédérations sportives qui réussissaient le mieux faisaient alterner les périodes de changement et les périodes de consolidation, au cours desquelles elles s'attachaient à instaurer la confiance et à favoriser les relations de travail pouvant soutenir le processus. En outre, ces fédérations suivaient une certaine approche dans l'amorce du changement, axée d'abord sur les éléments organisationnels fondamentaux; elles signalaient ainsi à tous les membres l'importance du changement mis en œuvre.

Les chercheurs relèvent quelques-unes des difficultés associées à la réalisation d'une étude échelonnée sur une si longue période et menée auprès d'un ensemble d'organisations. Ils estiment que d'autres recherches permettraient de mieux

expliquer pourquoi et comment le rythme, les phases et la linéarité influent sur la réussite des changements organisationnels.

Quelques conseils en matière de changement radical:

- Prenez garde aux changements précipités.
- Prenez le temps de rallier les principales parties intéressées.
- Visez en priorité à changer les éléments organisationnels fondamentaux.
- Préparez-vous à rencontrer une résistance élevée chez les personnes les plus touchées par le changement.

Source: D'après J. Amis, T. Slack et C. R. Hinings, « The Pace, Sequence, and Linearity of Radical Change », *Academy of Management Journal*, vol. 47, n° 1, 2004, p. 15-40.

L'agent de changement qui recourt à la stratégie de persuasion rationnelle se reconnaîtra dans la description suivante[13] :

> Vous estimez que les individus sont fondamentalement rationnels, que c'est la raison qui guide leurs actes et leurs décisions. Vous présumez que, pour peu qu'on leur démontre les avantages qu'ils retireront du changement proposé, la logique et la raison les amèneront à y adhérer. Votre approche du changement consiste donc à transmettre de l'information et des faits, en insistant sur l'intérêt que présente votre proposition de changement pour les personnes que vous cherchez à persuader. Vous êtes certain qu'elles s'y rallieront si vous parvenez à les convaincre de sa logique.

Le partage du pouvoir

L'agent de changement qui recourt à la **stratégie de partage du pouvoir** s'appuie sur son pouvoir de référence pour favoriser sincèrement et activement la participation des personnes concernées à la planification et à l'implantation du changement qu'il propose. Cette stratégie vise à orienter et à soutenir le changement au moyen de l'engagement et de la délégation de pouvoir. Parfois appelée *approche normative-rééducatrice*, elle se fonde entre autres sur des valeurs personnelles, des normes collectives et des objectifs communs, de sorte que l'adhésion au changement suggéré se fait naturellement. Les gestionnaires qui utilisent cette stratégie misent sur leur réputation et leur charisme, et ils délèguent une partie de leur pouvoir aux personnes concernées pour leur permettre de participer à la planification et à la mise en œuvre du changement. Comme cette approche exige un engagement important des participants, elle produit généralement un changement mieux intégré et plus durable que celui qu'on obtient par la persuasion rationnelle.

Pour changer le cours des choses, les gestionnaires peuvent faire appel à la coercition, à la persuasion ou au partage de pouvoir, qui, lui, implique la participation des personnes concernées.

L'agent de changement qui recourt à la stratégie de partage du pouvoir se reconnaîtra dans la description suivante[14] :

> Vous estimez que les mobiles des individus sont complexes. Vous pensez que les normes socioculturelles auxquelles ils souscrivent et qu'ils s'efforcent de respecter guident leurs comportements. Vous savez que transmettre de l'information et des connaissances sur le changement proposé et en démontrer logiquement le bien-fondé ne suffit pas à modifier les tendances ; il faut aussi des changements sur le plan des attitudes, des valeurs, des compétences et des relations. Ainsi, lorsque vous cherchez à faire changer les autres, vous prenez en considération les effets incitatifs ou inhibiteurs des normes et des pressions du groupe. Lorsque vous travaillez avec les personnes, vous essayez de connaître leurs points de vue et de découvrir leurs sentiments et leurs attentes.

La résistance au changement

Résistance au changement
Tout comportement ou toute attitude indiquant le refus de soutenir ou d'apporter une modification proposée

Le terme **résistance au changement** désigne tout comportement ou toute attitude indiquant le refus de soutenir ou d'apporter une modification proposée. Généralement, en milieu organisationnel, les agents de changement considèrent à tort cette résistance comme un obstacle à la réussite du changement. Or ils pourraient l'envisager comme une forme de rétroaction dont ils peuvent tirer parti pour faciliter l'atteinte des objectifs du changement[15]. Cette approche constructive part de l'idée que, lorsque les gens résistent à un changement, ils le font pour préserver quelque chose qu'ils jugent important et qui leur semble menacé.

Pourquoi les gens résistent-ils au changement?

La résistance liée à des facteurs individuels

Certaines caractéristiques propres aux personnes soumises au changement peuvent expliquer leur opposition. La peur de l'inconnu, l'anxiété, la préférence pour la stabilité, l'attachement aux bonnes vieilles habitudes ou la remise en cause des compétences comptent parmi les principales sources de résistance liée à des facteurs individuels. Ainsi, les membres d'une équipe peuvent s'opposer à l'installation d'ordinateurs ultraperfectionnés à leur poste de travail parce qu'ils éprouvent de l'appréhension par rapport à un système d'exploitation qu'ils n'ont jamais utilisé, parce qu'ils redoutent que l'efficacité de ces machines serve de prétexte aux gestionnaires pour « se débarrasser » de certains d'entre eux ou encore parce qu'ils estiment qu'ils s'acquittent bien de leurs tâches et qu'ils n'ont pas besoin de ce matériel. Des raisons de cet ordre peuvent engendrer une résistance aux plus judicieux et aux mieux fondés des changements.

Les bouleversements au travail, par exemple un déménagement, suscitent une importante résistance chez de nombreuses personnes: peur de l'inconnu, anxiété, nostalgie, remises en cause…

La résistance liée à la nature même du changement

Il arrive que l'agent de changement constate une résistance à la nature même du changement qu'il propose. Les individus s'y opposent parce que, selon eux, il ne vaut pas le temps, les efforts et l'attention qu'ils devront y consacrer. Pour diminuer ce type de résistance, l'agent de changement doit d'abord s'assurer que sa proposition respecte les quatre conditions suivantes et veiller à ce que toutes les personnes concernées la perçoivent ainsi[16]:

1. *Le changement est bénéfique.* Il comporte un ou plusieurs avantages notables pour les personnes touchées et représente une amélioration par rapport à ce qui se faisait jusque-là.

2. *Le changement est conciliable avec les caractéristiques des individus concernés.* Il est aussi compatible que possible avec leurs valeurs et leur expérience.

3. *Le changement est relativement simple.* Il n'est pas trop complexe; les personnes sont en mesure de le comprendre et de le mettre en œuvre.

4. *Le changement s'accompagne d'une période d'essai.* Les personnes peuvent l'essayer graduellement et y apporter des modifications au fur et à mesure de son implantation.

La résistance liée à la stratégie de changement

Les agents de changement doivent aussi se préparer à affronter une résistance liée à la stratégie de changement qu'ils adoptent. Il leur faut tenir compte, notamment, des considérations suivantes :

- Une *stratégie de coercition* peut susciter de la résistance chez les individus qui n'aiment pas la gestion autoritaire ni le recours aux menaces.

- Une *stratégie de persuasion rationnelle* peut engendrer de la résistance si les données sur lesquelles s'appuie le changement ou l'expertise de ses promoteurs sont douteuses.

- Une *stratégie de partage du pouvoir* peut engendrer une résistance si les individus la jugent hypocrite et ont l'impression d'être manipulés.

La résistance liée à l'agent de changement

Cette résistance est dirigée vers la personne qui met en œuvre le changement. Elle découle souvent de conflits de personnalités ou d'autres différences entre le promoteur du changement et les gens concernés. Les agents de changement qui risquent plus particulièrement de déclencher des réactions de résistance sont ceux qui n'ont pas de contact étroit avec les personnes touchées, ceux qui semblent avoir un intérêt personnel dans le changement qu'ils proposent ou encore ceux qui s'investissent beaucoup sur le plan émotif. Les études indiquent également que ceux dont les caractéristiques individuelles (âge, formation, caractéristiques socioéconomiques) sont très différentes de celles des personnes touchées par le changement déclenchent une résistance accrue[17].

La résistance liée à des facteurs organisationnels et à des facteurs de groupe

Certaines caractéristiques organisationnelles et de groupe peuvent aussi favoriser la résistance au changement. Ainsi, une structure organisationnelle bureaucratique génère davantage de résistance qu'une structure plus souple. En outre, une culture organisationnelle forte favorise en général la ritualisation des conduites ou le conformisme et entraîne une opposition à tout changement allant à l'encontre des valeurs qui la caractérisent. Cette résistance se manifeste aussi au sein de groupes très cohésifs et solidaires qui privilégient le maintien des liens interpersonnels déjà créés. Finalement, des accords intergroupes peuvent aussi freiner l'introduction de certains changements.

Comment réagir à la résistance au changement ?

L'agent de changement avisé connaît plusieurs façons de réagir positivement à toute forme de résistance au changement[18]. La **figure 17.3** (p. 628) présente les six principales en précisant le moment opportun pour les mettre en application ainsi que leurs avantages et leurs inconvénients.

FIGURE **17.3** Les méthodes pour faire face à la résistance au changement

Méthode	À utiliser lorsque...	Avantages	Inconvénients
Information et communication	... l'information est insuffisante ou inexacte.	Elle suscite chez les personnes touchées le désir de contribuer au changement.	Elle peut exiger beaucoup de temps.
Participation et engagement	... les personnes touchées détiennent de l'information importante ou ont le pouvoir de résister au changement.	Elle améliore la planification du changement par l'augmentation de la quantité d'information disponible et favorise l'engagement des personnes touchées.	Elle peut exiger beaucoup de temps.
Facilitation et soutien	... la résistance au changement est liée à des problèmes de ressources ou d'adaptation.	Elle répond directement à des besoins précis sur le plan des ressources ou de l'adaptation.	Elle peut exiger beaucoup de temps et des coûts importants.
Négociation et entente	... le changement peut occasionner des pertes importantes pour certains individus ou certains groupes.	Elle permet d'éviter que la résistance prenne trop d'ampleur.	Elle peut être coûteuse et elle comporte le risque que d'autres personnes exigent des ententes similaires.
Manipulation	... les autres stratégies s'avèrent inefficaces ou sont jugées trop coûteuses.	Elle peut donner des résultats rapides et est peu coûteuse.	Elle peut causer d'autres problèmes si les personnes touchées se sentent manipulées.
Coercition explicite ou implicite	... l'agent de changement est en position d'autorité et qu'il faut agir vite.	Elle est rapide et permet de venir à bout de toute forme de résistance.	Elle peut causer d'autres problèmes si les personnes touchées se mettent en colère.

1. *L'information et la communication.* Avant d'implanter un changement, l'agent de changement informe les personnes concernées afin qu'elles en comprennent bien les motifs. Cette approche semble donner les meilleurs résultats lorsque la résistance résulte d'une information inexacte ou incomplète.

2. *La participation et l'engagement.* L'agent de changement permet aux personnes concernées de contribuer à la conception et à l'implantation du changement, soit en leur demandant leurs points de vue et leurs suggestions, soit en les intégrant au comité ou au groupe qui pilote le projet. Cette approche lui est particulièrement utile lorsqu'il ne possède pas toute l'information nécessaire pour traiter la situation problématique.

3. *La facilitation et le soutien.* L'agent de changement fournit de l'aide matérielle et psychologique aux personnes qui éprouvent des difficultés liées au changement. Le gestionnaire qui s'appuie sur cette méthode pour faire face à la résistance de ses subordonnés prête une oreille attentive à leurs problèmes et à leurs doléances, leur propose une formation adéquate et les aide à faire face aux exigences de rendement. Cette approche est particulièrement utile lorsque les contraintes et les difficultés liées à l'implantation du changement engendrent des frustrations.

4. *La négociation et l'entente.* L'agent de changement offre des incitatifs à ceux qui manifestent ou pourraient manifester de la résistance ; autrement dit, il leur accorde certains avantages en échange de leur promesse de ne pas bloquer le changement institué. Cette approche est particulièrement utile avec des individus ou des groupes pour qui le changement planifié représente une perte importante.

5. *La manipulation.* L'agent de changement manœuvre pour influencer les personnes touchées par le changement en sélectionnant l'information qui leur est transmise et en organisant le déroulement des événements de telle sorte que le changement souhaité ait lieu. Parfois, il est possible « d'acheter » le soutien des meneurs de la résistance en négociant des ententes particulières avec eux. La manipulation est une pratique courante lorsque les autres tactiques ne fonctionnent pas ou sont jugées trop coûteuses.

6. *La coercition explicite ou implicite.* L'agent de changement recourt à son autorité pour amener les récalcitrants à se plier aux directives. Il peut ainsi les menacer de diverses sanctions s'ils n'acceptent pas de se soumettre. Cette approche peut être utile lorsque le changement doit être instauré de toute urgence.

Quelle que soit l'approche choisie, il faut se souvenir qu'une résistance au changement dénote généralement la nécessité de prendre des mesures pour obtenir une meilleure adéquation entre le changement planifié, la situation et les personnes qui sont concernées. Un bon agent de changement saura y faire face en se montrant ouvert à la rétroaction et en agissant en conséquence.

Pour finir, il est important de tenir compte de l'histoire de l'entreprise, de la culture organisationnelle et du type de changement planifié pendant son implantation. Souvent, des modifications imprévues peuvent se produire dans la culture de l'entreprise.

La dynamique du stress

Les impératifs de changement en milieu organisationnel s'accompagnent fréquemment d'un surcroît de stress pour les personnes visées. Il faut considérer le stress comme un phénomène que le gestionnaire doit gérer. À ce titre, voici l'expérience de trois cadres qui doivent faire face à un grand stress professionnel[19].

Raymond. Chef de publicité et cadre auquel la réussite sourit, Raymond vient, comme d'habitude, de terminer un repas d'affaires copieusement arrosé avec un client potentiel. Mais il est soucieux. Ses brûlures d'estomac et le diagnostic médical reçu la veille accaparent toute son attention : il souffre de colites spasmodiques liées à son mode de vie. Raymond, qui vient de

Récemment divorcé, chef sollicité, Raymond ne compte plus les heures de travail et les dîners d'affaires. Il néglige sa santé, malgré les bobos qui surgissent et les recommandations de son médecin. Pas le temps. Un candidat aux troubles de santé physique et mentale.

divorcer, sait pertinemment que sa consommation d'alcool et de tabac ainsi que ses journées de travail de 12 heures nuisent à sa santé, mais, pour le moment, toute sa vie tourne autour de son travail, d'autant plus que ses affaires commencent à connaître une réussite qui dépasse toutes ses espérances. Il décide donc de ne plus prêter attention à sa santé et concentre tous ses efforts sur la signature d'un contrat important avec son client.

Marie. Jeune titulaire d'une maîtrise en administration des affaires, Marie a passé une nuit blanche à préparer le premier exposé qu'elle doit faire devant le conseil de direction de son nouvel employeur. Elle travaille depuis six mois sur un rapport qu'on lui a demandé, et sa présentation orale lui permettra de tester, pour la première fois, son potentiel de cadre. Marie parle pendant 5 minutes, puis répond aux questions des membres du comité pendant 10 minutes. Le président la remercie pour la qualité de son travail et lui demande de quitter la réunion. Elle se précipite alors dans la salle la plus proche pour relâcher sa tension nerveuse et se met à trembler de la tête aux pieds.

Robert. Jeanne est de plus en plus inquiète au sujet de son mari, Robert. Il y a plusieurs mois, ce dernier a failli être promu au rang de directeur d'usine, promotion qu'il était convaincu de mériter après 15 ans de bons et loyaux services. Auparavant, il rentrait généralement fourbu de son travail, mais de très bonne humeur, et il passait une heure à jouer avec ses fils. Aujourd'hui, il a un comportement complètement différent. Dès qu'il rentre du travail, il se sert une bière et s'affale sur le divan, devant la télévision, qu'il délaisse uniquement pour le souper. Il passe la soirée ainsi et ne leur parle presque plus, ni à elle ni à ses enfants. Jeanne n'en peut plus. Elle supplie son mari d'aller consulter un médecin. « Je vais très bien, rétorque-t-il. Qu'est-ce que tu vas imaginer ! »

Qu'est-ce que le stress ?

Le **stress** peut se définir comme la tension qu'une personne ressent lorsqu'elle est soumise à des exigences, à des contraintes ou à des demandes inhabituelles[20]. Dans le cas de Raymond, il est dû au tiraillement vécu entre les recommandations du médecin et les exigences d'un emploi particulièrement stressant. En ce qui concerne Marie, le stress est lié au fait de devoir faire un exposé décisif pour sa carrière. Enfin, chez Robert, il est le résultat d'une contrainte, c'est-à-dire de l'impossibilité d'obtenir une promotion.

Le stress est donc la *résultante* d'événements auxquels les personnes doivent s'adapter, et plus particulièrement de la perception que celles-ci en ont. Il se traduit par diverses réactions :

- Des réactions physiologiques, telles qu'une augmentation de la tension artérielle et du rythme cardiaque, l'insomnie, des tensions musculaires, des troubles gastro-intestinaux, des affections dermatologiques, etc.

- Des réactions psychologiques, telles que l'anxiété, l'apathie, la frustration, une perte d'estime de soi, une humeur dépressive, etc.

- Des réactions comportementales, telles que l'abus de drogues, d'alcool, de tabac et de nourriture, l'absentéisme, des comportements impulsifs, etc.

- Des réactions sur le plan cognitif, telles que des difficultés à prendre de bonnes décisions, des problèmes de concentration, des erreurs de jugement, etc.

Il serait parfaitement irréaliste de votre part d'imaginer votre avenir de gestionnaire sans tenir compte du stress et des réactions qui y sont associées, car il sera présent tout au long de votre vie professionnelle[21]. À ce sujet, un psychologue qui travaille auprès de cadres supérieurs présentant de graves problèmes d'alcoolisme déclarait : « Tous les dirigeants doivent faire face au stress, faute de quoi ils ne se seraient jamais hissés à la position qu'ils occupent. Certains le gèrent bien. D'autres pas.» Si vous comprenez le stress et la façon dont il agit en milieu professionnel, vous serez certainement mieux à même d'y répondre, qu'il s'agisse du stress que vous vivez ou de celui que vivent vos subordonnés.

Les sources de stress

À une époque aussi mouvementée que la nôtre, quiconque réfléchit à sa carrière doit prendre en considération le stress, auquel personne n'échappe[22]. Les **facteurs de stress** représentent les éléments ou les stimuli qui génèrent du stress chez les individus. La **figure 17.4** indique quatre catégories de facteurs ayant une incidence sur le degré de stress vécu en milieu de travail, à savoir les facteurs professionnels, individuels, socioéconomiques et relatifs à la vie privée. Le cadre doit savoir reconnaître et comprendre les éléments professionnels ainsi que les autres éléments qui peuvent provoquer du stress professionnel et qui se répercutent sur les attitudes et les comportements au travail.

Facteur de stress
Stimulus qui génère du stress chez les individus

FIGURE **17.4** **Quatre catégories de facteurs ayant une incidence sur le stress en milieu de travail**

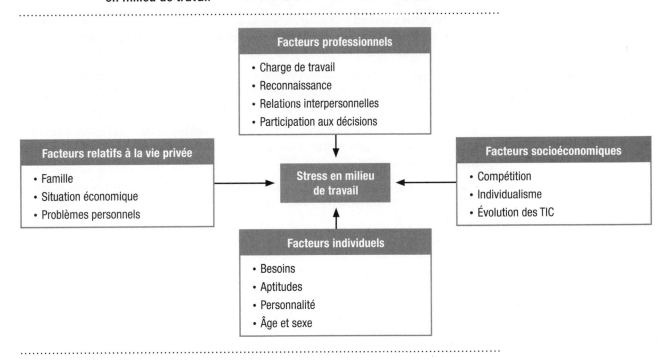

Les facteurs de stress liés à la vie professionnelle

Personne n'en doute : le travail peut être stressant. Les exigences d'un emploi peuvent rompre l'équilibre entre la vie professionnelle et la vie personnelle et affecter la santé. Que ce soit au Canada, aux États-Unis ou en Europe, la situation est préoccupante. D'après une enquête de Morneau Shepell menée au Canada, 58 % des employés se disent affectés négativement par le stress, 45 % ont pensé quitter leur emploi à cause du stress et 25 % déclarent avoir été malades à cause du stress au travail. Selon Statistique Canada, 6 travailleurs sur 10 indiquent que le travail est leur principale

Six travailleurs sur dix estiment que le travail est leur principale source de stress, selon Statistique Canada.

source de stress. Aux États-Unis, une enquête de l'American Psychological Association indique que le travail est une source importante de stress pour 60 % des Américains. En Europe, 50 % des travailleurs estiment que le stress est courant sur leur lieu de travail et qu'il intervient dans près de la moitié de tous les jours de travail perdus[23]. D'où vient le stress ? Entre autres choses, il a été démontré que travailler dans un contexte de forte demande psychologique et de faible latitude ou qu'être dans une situation où on doit faire beaucoup d'efforts sans recevoir de reconnaissance en retour est étroitement associé à la détresse psychologique. De même, les travailleurs vivant des situations d'insécurité d'emploi ou de précarité contractuelle, n'ayant pas les moyens de faire un travail de qualité ou étant victimes de harcèlement psychologique connaissent du stress[24].

La surcharge de travail, première source de stress pour les Français

La surcharge de travail est le premier facteur de stress cité par les salariés français, devant la pression hiérarchique, la peur de perdre leur travail ou encore le flou sur les responsabilités, selon un sondage rendu public lundi.

Interrogés sur les situations qui contribuent à les stresser, 43 % des sondés citent la surcharge de travail, devant la pression de la hiérarchie (41 %), selon cette enquête réalisée en France par OpinionWay pour les Éditions Tissot, spécialisées en droit du travail.

Les salariés citent ensuite la situation économique de l'entreprise ou de la France, assimilée par les auteurs à la peur de perdre leur emploi (32 %) et l'ambiguïté des rôles et responsabilités de chacun (30 %).

Viennent ensuite la pression des résultats (29 %), les contraintes organisationnelles (27 %), la pression des clients (20 %), les relations avec les collègues (18 %) et le confort au travail (16 %).

Le sondage montre également que, chez la moitié des salariés, les événements qui surviennent dans leur vie privée contribuent « plutôt » (39 %) ou « tout à fait » (11 %) à les stresser dans leur vie professionnelle. [...]

....

Source : Agence France-Presse, « La surcharge de travail, première source de stress pour les Français », lesaffaires.com, 26 novembre 2012.

Plus spécifiquement, voici les principales causes de stress professionnel[25] :

- *La surcharge quantitative de travail.* La personne doit accomplir une trop grande quantité de travail par rapport au temps dont elle dispose.

- *La surcharge qualitative de travail.* La personne doit accomplir des tâches qu'elle estime trop complexes, compte tenu de ses connaissances, de ses aptitudes et de son expérience.

- *La sous-charge quantitative de travail.* La personne doit accomplir une trop faible quantité de travail.

- *La sous-charge qualitative de travail.* La personne doit accomplir des tâches monotones et répétitives qui ne lui permettent pas d'utiliser au maximum l'ensemble de ses aptitudes et d'en cultiver de nouvelles.

- *Le manque de reconnaissance.* La personne ne se sent pas reconnue et estimée à sa juste valeur.

- *Les problèmes de relations interpersonnelles.* La personne vit des relations tendues avec ses supérieurs, ses collègues ou ses clients.

- *Le manque de participation aux décisions.* La personne n'a pas voix au chapitre en ce qui concerne les stratégies et les objectifs organisationnels ou les décisions qui concernent directement son travail.

- *Le manque d'information.* La personne n'est pas tenue au courant des stratégies et des objectifs organisationnels ou ne dispose pas de toutes les données qui lui permettraient d'accomplir ses tâches le mieux possible.

- *Les contraintes de temps.* La personne est soumise à des cadences de travail élevées.

- *L'ambiguïté de rôle.* La personne a des incertitudes concernant ce qu'on attend d'elle ou les critères qui serviront à évaluer son rendement.

- *Le conflit de rôles.* La personne ne parvient pas à répondre à certaines attentes liées à ses rôles, parce qu'elles sont contradictoires ou incompatibles.

- *Le pouvoir décisionnel.* La personne n'a pas la latitude qu'il lui faut pour planifier et organiser son travail comme bon lui semble.

- *Les horaires de travail.* La personne doit travailler de longues heures ou des heures irrégulières.

- *Le rythme de la progression professionnelle.* La personne a un cheminement de carrière trop rapide (les promotions viennent trop vite) ou trop lent (les promotions tardent à venir) ou encore elle fait face à un *plafonnement professionnel.* Elle a cessé de gravir les échelons de la hiérarchie organisationnelle et elle ne pourra probablement pas assumer de responsabilités professionnelles plus importantes.)

- *La structure organisationnelle.* Centralisée et bureaucratique, la structure organisationnelle ne favorise ni la participation de la personne aux prises de décision, ni l'autonomie, ni le partage d'information.

- *Le dilemme éthique.* La personne doit choisir d'agir ou non d'une façon qui présente des avantages potentiels, tout en étant contraire à l'éthique.

- *Le harcèlement psychologique au travail.* Un supérieur, un collègue ou un client adopte une conduite vexatoire envers la personne, c'est-à-dire qu'il a un comportement ou des propos qui sont hostiles à son égard, qui portent atteinte à son intégrité physique ou psychologique et qui nuisent au climat de travail.

- *Des conditions physiquement éprouvantes.* La personne travaille dans de mauvaises conditions, telles que le bruit, le manque d'intimité, la pollution ou d'autres conditions de travail déplaisantes.

Les facteurs de stress liés à la vie personnelle

Des problèmes extérieurs à la vie professionnelle des travailleurs ont également une incidence sur le stress vécu en milieu organisationnel. Des événements familiaux (naissance, séparation, divorce, etc.), des difficultés financières (perte considérable liée à un mauvais investissement, etc.) et d'autres problèmes personnels se révèlent parfois extrêmement stressants. Comme il est difficile, voire impossible, d'établir une frontière entre la vie professionnelle et la vie personnelle, les facteurs de stress liés à la vie personnelle peuvent influer sur les attitudes et les comportements au travail comme à l'extérieur du travail.

En outre, en matière de conciliation travail-vie personnelle, une nouvelle réalité émerge, celle de la «génération sandwich», formée de personnes qui doivent s'occuper à la fois de jeunes enfants et de parents âgés. La vie de ces personnes peut être particulièrement chargée et pleine de stress. Selon Statistique Canada, 3 parents sur 10, ayant entre 45 et 64 ans et dont les enfants ont moins de 25 ans, ne sont pas mariés et vivent encore chez eux, prennent soin d'un parent âgé. La très grande majorité de ces personnes (80 %) occupe également un emploi. Ce phénomène résulte essentiellement de changements sociodémographiques : grossesses tardives et vieillissement de la population. Évidemment, plus la vie personnelle est exigeante, plus la vie professionnelle en est affectée. Ainsi, 15 % des individus de la «génération sandwich» ont dû réduire leurs heures de travail, 20 % ont dû modifier leur horaire et 10 % ont subi une perte de revenus[26]. La génération sandwich a plus tendance à se sentir généralement stressée. Environ 70 % des personnes de cette génération disent l'être, comparativement à près de 60 % de ceux qui n'avaient aucune responsabilité en matière de soins aux enfants et aux aînés. La génération sandwich risque de voir ses rangs grossir en raison, notamment, du vieillissement de la génération des baby-boomers. D'ici 2031, l'avancée en âge des générations déjà en place, particulièrement celles des baby-boomers (1946-1966), fera doubler le nombre d'aînés, selon l'Institut de la statistique du Québec.

Les grossesses tardives et le vieillissement de la population accentuent le phénomène de la «génération sandwich», ces parents qui doivent à la fois prendre soin de leurs enfants et de leurs parents âgés, une source majeure de stress.

L'échelle d'évaluation de la réadaptation sociale de Holmes et Rahe, présentée à la **figure 17.5**, est un outil couramment utilisé pour mesurer le stress ressenti par une personne. Remarquez que cet outil intègre les facteurs de stress liés à la vie professionnelle et à la vie personnelle.

Vous souhaitez peut-être remplir cette grille pour vous-même ou pour un proche ? Il vous suffit alors d'encercler la valeur moyenne de chaque événement que vous avez vécu au cours des derniers mois. Faites le total pour déterminer votre degré de stress. Généralement, on interprète les notes obtenues de la façon suivante :

- Un résultat de 150 points ou moins signale que les probabilités de tomber malade en raison du stress sont très faibles ou quasi inexistantes.

- Un résultat situé entre 150 et 300 points indique qu'il existe de 35 % à 50 % de risques de souffrir de maladies liées au stress.

- Un résultat supérieur à 300 points signale que les probabilités de tomber malade en raison du stress s'élèvent à 80 %.

Événement	Valeur moyenne
1. Décès du conjoint	100
2. Divorce	73
3. Séparation d'avec le conjoint	65
4. Détention en prison ou dans un autre établissement	63
5. Décès d'un parent proche	63
6. Blessure ou maladie grave	53
7. Mariage	50
8. Licenciement	47
9. Réconciliation avec le conjoint	45
10. Départ à la retraite	45
11. Changement important dans la santé ou dans le comportement d'un membre de la famille	44
12. Grossesse	40
13. Problèmes d'ordre sexuel	39
14. Naissance	39
15. Changement important au travail	39
16. Changement important dans la situation financière	38
17. Décès d'un ami proche	37
18. Changement de poste	36
19. Augmentation importante des querelles avec le conjoint	35
20. Hypothèque ou emprunt pour un gros achat	31
21. Saisie de biens à la suite d'un défaut de paiement d'hypothèque ou d'emprunt	30
22. Changement important dans les responsabilités professionnelles	29
23. Départ du foyer d'un des enfants	29
24. Difficultés avec les beaux-parents	29
25. Exploit personnel marquant	28
26. Début ou fin de l'emploi du conjoint en dehors du foyer	26
27. Début ou fin d'un programme d'études	26
28. Changement important dans les conditions de vie	25
29. Modification des habitudes personnelles	24
30. Problème avec le supérieur	23
31. Changement important dans les horaires ou les conditions de travail	20
32. Déménagement	20
33. Changement d'école des enfants	20
34. Changement important du type ou du temps de loisir	19
35. Changement important dans les activités religieuses	19
36. Changement important dans les activités sociales	18
37. Hypothèque ou emprunt pour un achat de moindre importance	17
38. Changement important dans les habitudes de sommeil	16
39. Changement important dans la fréquence des réunions de famille	15
40. Changement important dans les habitudes alimentaires	15
41. Vacances	13
42. Noël	12
43. Infractions mineures à la loi	11

Source: T. H. Holmes, R. H. Rahe, « The Social Reajustment Rating Scale », *Journal of Psychosomatic Research*, vol. 11, n° 2, Pergamon Press, 1967, p. 216. Reproduction autorisée par Elsevier, par l'entremise de Copyright Clearance Center.

Si vous comprenez bien l'incidence potentielle de ces événements personnels sur le bien-être général de la personne, vous maîtriserez mieux leurs conséquences néfastes.

Le stress et les caractéristiques individuelles

Qu'ils soient liés à la vie professionnelle ou à la vie personnelle, les divers facteurs de stress qui viennent d'être énumérés n'ont pas le même effet sur tous les individus. En fait, deux personnes soumises à un même facteur de stress le percevront différemment et y réagiront en fonction de leurs caractéristiques propres : traits de personnalité, valeurs, attitudes, besoins, antécédents, compétences, âge, sexe, etc. Les caractéristiques individuelles ont donc une incidence déterminante sur l'intensité du stress éprouvé. Par exemple, le stress se révèle plus rapidement destructeur chez les personnes très émotives ou ayant une faible estime de soi. Les individus qui perçoivent une discordance entre les exigences de leur emploi et leurs compétences éprouvent un stress plus intense que ceux pour qui ce n'est pas le cas[27].

La Chaire en gestion de la santé organisationnelle et de la sécurité du travail de l'Université Laval

La Chaire en gestion de la santé organisationnelle et de la sécurité du travail (CGSST) de l'Université Laval, à Québec, a été créée en 2000 afin de soutenir les gestionnaires et les employés, de valoriser la prise en charge et de préconiser la prévention dans la gestion de la santé et de la sécurité du travail. Elle a pour mission de contribuer activement au développement des connaissances et des pratiques de gestion favorisant la prévention en matière de santé et de sécurité du travail en milieu organisationnel.

Pour réaliser sa mission, la CGSST s'est dotée d'un modèle original de partenariat tripartite pour répondre aux besoins de formation, de recherche appliquée et de transfert des connaissances. Ce modèle regroupe autour de projets spécifiques des chercheurs, des organisations d'où émergent des enjeux actuels en santé organisationnelle et en sécurité du travail et des praticiens porteurs de changements et de transfert dans les organisations (RH, syndicats, associations sectorielles, consultants, etc.).

La CGSST propose deux grands axes de recherche :

- un axe santé et sécurité du travail orienté sur les enjeux d'analyse et les déterminants organisationnels des risques en santé et sécurité du travail ainsi que sur la gestion de la prévention ;
- un axe santé organisationnelle valorisant le développement de connaissances sur les risques organisationnels pour la santé et sur l'accompagnement des organisations dans les démarches d'intervention.

Source : cgsst.com.

Certaines dimensions fondamentales de la personnalité entrent également en jeu. Par exemple, l'impatience, le désir de réussite et le perfectionnisme, caractéristiques de la *personnalité de type A* (décrite au chapitre 2), font que les gens peuvent éprouver un stress élevé dans un milieu de travail que d'autres trouveront peu stressant[28]. En ce sens, l'individu ayant une personnalité de type A s'expose particulièrement au stress. On le reconnaît aux comportements suivants[29] :

• Il ne cesse de bouger et de marcher, et il mange sur le pouce.

• Les choses ne vont jamais assez vite pour lui ; il bouscule les autres et déteste attendre.

• Il fait plusieurs choses en même temps.

• Il se sent coupable lorsqu'il se détend.

• Il essaie d'en faire toujours plus en un laps de temps toujours plus court.

• Ses gestes sont nerveux ; il serre les poings et tapote sur les tables.

• Il n'a pas le temps de profiter de la vie.

Il est intéressant de s'attarder aux avantages et aux inconvénients de la personnalité de type A en milieu de travail. Les caractéristiques de cette personnalité peuvent servir le gestionnaire qui se trouve en début ou en milieu de carrière. En effet, avec l'efficacité professionnelle qu'elles favorisent, ces caractéristiques permettent souvent d'atteindre rapidement les échelons supérieurs de la hiérarchie. Cependant, pour ce qui est du travail de dirigeant au sommet de l'organisation, elles ne s'avèrent pas forcément avantageuses. Le cadre supérieur de type A risque de manquer de la patience nécessaire pour mener un raisonnement équilibré, satisfaire à des exigences multiples et contradictoires et faire face aux immanquables retards. Sa réussite dépendra de son aptitude à modifier ou à atténuer les caractéristiques de sa personnalité de type A de manière à remplir les différentes obligations de sa position. Soulignons que l'aptitude à gérer le stress est capitale pour parvenir à une certaine souplesse. Elle est également indispensable pour rester en santé et répondre aux normes de rendement exigées à toutes les étapes d'une carrière.

La personnalité de type A s'expose au stress : elle mange sur le pouce, fait plusieurs choses en même temps, bouscule les autres, agit nerveusement et ne sait pas se détendre.

Le stress et la société

L'environnement socioéconomique dans lequel évolue une personne peut aussi favoriser l'apparition des symptômes du stress[30]. À titre d'exemple, l'expansion des TIC et la mondialisation de l'économie ont accru les pressions qui s'exercent sur les travailleurs. L'obsession de la productivité ainsi que la compétitivité à outrance caractérisant plusieurs sociétés peuvent conduire à des situations intenables pour bon nombre de personnes. En outre, l'individualisme découlant de la précarité d'emploi entraîne en général une diminution de l'engagement et de la motivation, puis un retrait du travail.

Les tests de personnalité

Imaginez que vous recevez cette lettre :

Madame/Monsieur,

Je suis très heureux de vous inviter à une deuxième entrevue de présélection pour l'entreprise ABC. Votre rencontre sur le campus avec notre représentant s'est très bien déroulée, et nous aimerions discuter avec vous d'un éventuel poste à temps plein. Veuillez communiquer avec moi pour planifier une date. Nous aurons besoin d'une journée complète. Il y aura plusieurs rencontres avec les dirigeants et les membres de votre équipe potentielle ainsi que quelques tests de personnalité.

Merci encore de l'intérêt que vous portez à ABC ! Je suis impatient de vous rencontrer lors de cette prochaine étape de notre processus de recrutement.

Agréez, Monsieur/Madame, mes sincères salutations,

Le directeur des ressources humaines,

/signé/

Voilà une bonne nouvelle : vous venez de recevoir une confirmation de votre dur labeur et de votre bon rendement à l'université. Vous avez évidemment fait une bonne première impression. Cependant, avez-vous réfléchi à ces « tests de personnalité » ? Que savez-vous à ce sujet et comment sont-ils utilisés pour la présélection des candidats à un emploi ?

La commission américaine de l'égalité des chances en matière d'emploi mentionne que les tests de personnalité peuvent avoir un impact négatif sur les membres de groupes protégés. De plus, un reportage du *Wall Street Journal* mentionne qu'il y a matière à poursuite lorsque les employeurs utilisent des tests de personnalité qui ne sont pas spécifiquement conçus pour aider à la prise de décision en matière d'embauche. Certaines personnes peuvent même considérer leur utilisation comme une atteinte à la vie privée.

QUESTIONS

Quels sont les problèmes éthiques liés aux tests de personnalité ? Dans quelle circonstance les tests de personnalité pourraient-ils être considérés comme une atteinte à la vie privée ? Dans quelle circonstance leur utilisation pourrait-elle être considérée comme contraire à l'éthique ? En reprenant l'exemple décrit ci-dessus : voudriez-vous passer les tests d'ABC ? Poseriez-vous des questions au directeur des ressources humaines sur ces tests lorsque vous communiqueriez avec lui ? Le fait qu'ABC utilise des tests de personnalité a-t-il une incidence positive ou négative sur la probabilité que vous vous sentiez à l'aise au sein de cette entreprise ?

Les conséquences du stress

Le stress et le rendement

Les propos qui viennent d'être tenus peuvent donner l'impression que le stress n'exerce qu'une influence néfaste sur les individus. En fait, comme le montre la **figure 17.6**[31], le stress possède deux facettes, une bonne et une mauvaise. Le **bon stress** (ou **eustress**), qui se traduit par une tension modérée, a des effets bénéfiques tant pour l'individu que pour l'organisation : augmentation des efforts et de l'application au travail, stimulation de la créativité et amélioration du rendement. Le bon stress se manifeste lorsqu'il y a adéquation entre les capacités d'une personne et les exigences de son milieu professionnel, ou entre ses besoins et ceux que son travail lui permet de combler. Vous avez probablement déjà éprouvé les effets de ce type de

Bon stress (ou eustress)
Stress se traduisant par une tension modérée et ayant des effets bénéfiques, tant pour l'individu que pour l'organisation

stress : dans un cours difficile que vous croyez pouvoir réussir, vous êtes plus attentif en classe, vous étudiez plus intensément avant l'examen et vous redoublez d'efforts pour terminer à temps le travail de session.

En revanche, le **mauvais stress** (ou **détresse**) a des effets néfastes tant pour l'individu que pour l'organisation : insatisfaction, baisse de motivation et de rendement, absentéisme, erreurs, comportements contraires à l'éthique, maladies et roulement de personnel accru. Associé à une tension très faible ou excessive, le mauvais stress se manifeste lorsqu'il y a discordance entre les capacités d'une personne et les exigences de son milieu professionnel, ou entre ses besoins et ceux que son travail lui permet de combler.

Mauvais stress (ou détresse)

Stress se traduisant par une tension étant très faible ou excessive et ayant des effets néfastes, tant pour l'individu que pour l'organisation

FIGURE **17.6** **L'intensité du stress et le rendement individuel : le bon stress et le mauvais stress**

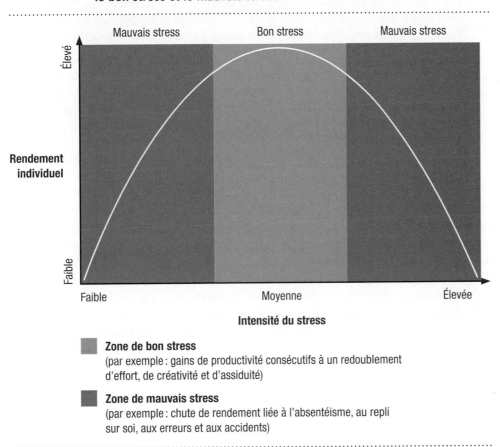

Zone de bon stress
(par exemple : gains de productivité consécutifs à un redoublement d'effort, de créativité et d'assiduité)

Zone de mauvais stress
(par exemple : chute de rendement liée à l'absentéisme, au repli sur soi, aux erreurs et aux accidents)

Ainsi, lorsque les demandes de l'environnement sont trop faibles et que les capacités d'une personne sont sous-utilisées, il est possible de voir apparaître chez elle un état d'apathie et les symptômes du mauvais stress. Une personne très compétente qui est réduite à effectuer des tâches simples, répétitives et monotones peut en faire l'expérience. Par ailleurs, une personne soumise à des exigences qui excèdent ses capacités ne pourra répondre adéquatement aux attentes ; comme l'excès de stress affaiblit les défenses psychologiques et physiologiques, les symptômes du mauvais stress risquent aussi d'apparaître.

Les quatre étapes de l'épuisement professionnel

1. *L'idéalisme*. La personne est enthousiaste et ambitieuse au travail. Ses idéaux et ses objectifs professionnels sont très élevés. Elle se consacre entièrement à l'organisation qui l'emploie. Même si son travail est très exigeant et que les conditions dans lesquelles elle l'effectue ne sont pas des plus favorables, elle y investit quand même tout son temps et toute son énergie.

2. *La stagnation*. La personne prend conscience que, malgré ses efforts soutenus, les résultats ne sont pas à la hauteur de ses attentes. L'organisation exige d'elle toujours plus. Ses efforts ne sont pas reconnus. En réponse à ce constat, la personne redouble d'ardeur, se met à travailler davantage pour répondre aux exigences de son travail.

3. *La désillusion*. La personne manifeste de la fatigue et de la déception. Les attentes de l'organisation sont démesurées, et la reconnaissance se fait toujours attendre. La personne a le sentiment qu'elle ne pourra jamais y arriver. Elle commence à devenir impatiente, irritable et cynique. Elle vit une période de frustration.

4. *L'apathie*. La personne fait preuve d'un certain détachement dans ses relations avec ses collègues ou ses clients, et de cynisme envers l'organisation. Elle éprouve un sentiment d'inefficacité au travail. Ces éléments caractérisent cette étape qui est celle de l'épuisement professionnel proprement dit.

Épuisement professionnel
Syndrome de détresse psychologique qui résulte de conditions de travail stressantes et qui se manifeste, notamment, par une perte d'intérêt pour le travail, des attitudes négatives au travail et un faible sentiment d'accomplissement personnel

Le mauvais stress prend parfois la forme d'un **épuisement professionnel**, syndrome de détresse psychologique qui résulte de conditions de travail stressantes et qui se manifeste, notamment, par une perte d'intérêt professionnel, des attitudes négatives au travail et un faible sentiment d'accomplissement personnel. La personne qui en est atteinte ressent un épuisement émotionnel et se sent incapable de répondre aux exigences de son emploi et d'en tirer parti. Elle peut également ressentir des symptômes physiques comme de l'insomnie, des ulcères, des migraines ou des maux de dos. Par ailleurs, on a vu dans les médias les réactions encore plus extrêmes d'individus qui sont allés jusqu'à attaquer leurs collègues ou leur employeur, se livrant ainsi à des actes criminels qu'on désigne sous les termes de « rage au bureau » ou de « rage au travail ».

Reconnaître les signes du mauvais stress

- Changement dans les habitudes alimentaires
- Augmentation de la consommation d'alcool ou de tabac
- Sensation de ne pas être en bonne santé, douleurs, maux d'estomac
- Impatience, incapacité à se concentrer, troubles du sommeil
- Tension, agitation, susceptibilité, nervosité
- Désorientation, accablement, humeur dépressive, irritabilité

Jeffrey Pfeffer, professeur à Stanford et consultant de renommée internationale, critique sévèrement les organisations où sévissent des situations favorisant le mauvais stress, les accusant de créer des milieux de travail délétères[32]. Ce type d'organisations transmet implicitement à son personnel le message suivant : « Nous allons vous placer dans un environnement où vous devrez travailler à un rythme et dans des conditions insoutenables. Nous vous garderons ici jusqu'à ce que vous soyez épuisés. Ensuite, vous pourrez partir[33]. »

Agence fédérale : un patron avait l'habitude de faire des « crises de rage violente » au bureau

Un patron violent a terrorisé son entourage dans une agence fédérale durant des années pendant que la haute direction est restée les bras croisés.

Le commissaire à l'intégrité du secteur public, Joe Friday, a déposé au Parlement un rapport dévastateur dans lequel il décrit en détail l'enfer qu'a fait subir à ses employés un haut fonctionnaire de l'Agence de la santé publique du Canada (ASPC). Le cadre en question succombait fréquemment à des « crises de rage violente ». Il criait, hurlait et sacrait contre ses employés, allant même parfois jusqu'à s'approcher d'eux de façon agressive en serrant les poings, écrit M. Friday.

Le commissaire a rencontré une quarantaine de témoins au cours de son enquête sur ce qu'il qualifie de « cas grave de mauvaise gestion ». Certains d'entre eux ont comparé le comportement du cadre à leur égard à de la « violence conjugale ». La majorité a aussi expliqué que le patron « dévalorisait et critiquait » leur travail « de façon dégradante », au point où certains « fondaient en larme ».

Les explosions de colère étaient régulièrement suivies d'excuses, contribuant à alimenter un cercle vicieux. L'auteur des actes répréhensibles a été transféré dans un autre ministère en 2014. M. Friday dit avoir communiqué avec le nouveau département du cadre afin de recommander des mesures disciplinaires.

Dans son rapport, M. Friday accuse l'ASPC d'avoir laissé la situation se dégrader après une première intervention auprès du patron. La haute direction, dit-il, « n'a pas fait preuve du leadership » nécessaire en effectuant un suivi de la situation à moyen ou à long terme. « Ce rapport est un rappel de l'importance de traiter et de gérer des cas de harcèlement complètement et efficacement », poursuit le commissaire.

Plus inquiétant encore, M. Friday a expliqué en conférence téléphonique que la violence verbale semble être répandue dans la fonction publique. Le commissaire n'a justement pas cru bon de nommer le patron en question pour ne pas occulter l'aspect « potentiellement systémique » du problème. « Nous sommes en train de voir une augmentation du nombre de divulgations relatives au comportement dans le milieu du travail », a-t-il affirmé.

Source : Guillaume Saint-Pierre, « Le pire patron au monde était-il haut fonctionnaire ? » journaldemontreal.com, 16 février 2017. (Archives/*Journal de Montréal*)

Le stress et la santé

Comme on le sait, le stress peut être néfaste pour la santé. À long terme, l'anxiété et la frustration qu'il engendre quand il est excessif peuvent compromettre le bien-être physique et mental de l'individu[34]. Les ennuis de santé associés au mauvais stress comprennent les troubles cardiaques et les accidents cardiovasculaires, l'hypertension, la migraine, les ulcères gastriques, les abus de substances toxiques, la suralimentation, la dépression et les douleurs musculaires, pour n'en nommer que quelques-uns. Les cadres et les chefs d'équipe devraient être à l'affût des signes qui peuvent se manifester chez eux comme chez leurs collègues. Le principal symptôme du mauvais stress est un changement de comportement : l'assiduité se transforme en absentéisme, la ponctualité en retards fréquents, le travail soigné en travail bâclé,

À long terme, le stress peut provoquer une anxiété et des frustrations qui peuvent miner sérieusement le bien-être physique et mental des personnes touchées.

l'attitude positive en attitude négative, l'ouverture au changement en résistance, l'esprit d'équipe en hostilité, etc. Selon les données de la Commission de la santé mentale du Canada, chaque année, une personne sur cinq au Canada est aux prises avec un problème de santé mentale, ce qui représente des coûts de plus de 50 milliards de dollars pour l'économie canadienne. Chaque semaine, un demi-million de Canadiens s'absentent du travail pour cause de problèmes de santé mentale. Une demande de prestations d'invalidité sur trois présentées en milieu de travail se rapporte à un problème de santé mentale[35]. Ajoutons que près de 50 % des cas d'absentéisme au travail sont liés à des troubles de santé mentale, ce qui représente de 70 % à 80 % du nombre de jours perdus[36].

Apprendre à décrocher : les habitudes relatives aux congés varient sur la planète

« Je ne prends pas les jours de congé annuel auxquels j'ai droit dans une année », mentionne un responsable du marketing d'une banque. Cela vous semble inconcevable ? Le cas est peut-être un peu extrême, mais il révèle quand même une tendance. En effet, un sondage mondial sur les habitudes relatives aux vacances a démontré que la plupart des Américains ne prennent pas tous les jours de congé annuel auxquels ils ont droit, en prenant en moyenne 12 sur 14 et se privant de 2 à 11 jours. À l'opposé, les Français et les Espagnols prennent tous les 30 jours auxquels ils ont droit, alors que les Japonais ne prennent que de 4 à 10 jours. Un travailleur affirme : « Cela m'évite le stress de faire le double du travail à mon retour. » Certains employeurs essaient de freiner cette tendance à *trop travailler* afin d'aider les gens à *mieux travailler*. La société d'experts-conseils KPMG utilise des cartes de pointage de bien-être afin de suivre et de conseiller les travailleurs qui ne prennent pas leurs jours de congé annuel ou qui font beaucoup d'heures supplémentaires.

Selon l'Enquête québécoise sur des conditions de travail, d'emploi et de santé et de sécurité du travail (EQCOTESST), un travailleur sur trois présente un risque élevé (14,8 %) ou modéré (18,1 %) de détresse psychologique. En outre, 7 % des travailleurs disent souffrir de symptômes dépressifs (humeur dépressive, perte d'intérêt ou de plaisir pour la plupart des activités quotidiennes) qu'ils associent à leur travail[37].

Santé mentale : quels travailleurs sont le plus à risque ?

Les personnes exerçant certaines fonctions ou appartenant à certains corps de métiers risquent-elles plus que les autres de souffrir de problèmes de santé mentale ? Gestionnaires, enseignants, infirmières ou policiers sont-ils les plus vulnérables ? À cette dernière question, une étude menée par Alain Marchand, de l'École des relations industrielles de l'Université de Montréal et publiée dans *l'International Journal of Law and Psychiatry*, répond par la négative[38].

Cette recherche a été effectuée auprès d'un échantillon de 77 377 travailleurs canadiens occupant 139 emplois différents dans 95 secteurs d'activité. Les résultats s'appuient sur la banque de données constituée par Statistique Canada à la suite de son enquête sur la santé dans les collectivités canadiennes, dans laquelle les répondants évaluaient eux-mêmes leur santé mentale. Une moins bonne santé mentale peut ainsi être associée à des épisodes d'épuisement professionnel (*burnout*), de dépression ou de détresse psychologique. Environ le quart des répondants ont dit avoir une « moins bonne » santé mentale, selon les termes utilisés dans l'enquête. Dans le cadre de son étude, le professeur Marchand a recoupé ces réponses avec le type d'emplois et le secteur d'activité, en utilisant les classifications faites, elles aussi, par Statistique Canada. En outre, il a contrôlé les variables généralement reconnues comme ayant un effet sur la santé mentale : sexe, âge, éducation, statut matrimonial, revenu familial.

Les résultats de la recherche montrent que les personnes occupant des fonctions de direction dans des bibliothèques, des musées, des galeries d'art, des maisons d'édition, des studios de production cinématographique et des organisations offrant des programmes de sports et de loisirs font état de la santé mentale la plus stable. Ainsi, seulement 9,3 % des directeurs travaillant dans les arts, la culture et les sports ont dit avoir une moins bonne santé mentale. La proportion est de 9,8 % chez les pompiers et les policiers, et de 12,4 % chez les professeurs d'université.

En ce qui concerne les réponses fournies par les cadres supérieurs, elles confirment les résultats obtenus dans d'autres recherches menées ailleurs dans le monde, indiquant que les personnes qui occupent des postes de direction ont moins de problèmes de santé mentale : la possibilité de prendre des décisions atténue la pression subie par les dirigeants. En plus des emplois cités ci-dessus, les risques de souffrir de problèmes de santé mentale sont particulièrement peu élevés chez les secrétaires, les vendeurs, les athlètes, les enseignants et les infirmières.

À l'inverse, 32,7 % des journaliers en construction et 43,1 % des personnes utilisant des machines à coudre ont rapporté une moins bonne santé mentale. Ainsi, selon les réponses fournies, les personnes les plus sujettes aux problèmes de santé mentale sont celles qui actionnent des machines à coudre ou des machines de fabrication, le personnel de montage, le personnel des chemins de fer, les grutiers-foreurs-dynamiteurs, les manœuvres, les travailleurs d'ateliers de meubles, les travailleurs du secteur forestier ainsi que les nettoyeurs. Suivent les caissiers et les caissières, le personnel de soutien dans la santé, les mécaniciens, les machinistes et les employés de restaurant. Ce sont, dans l'ensemble, des salariés qui ont peu ou pas de contrôle sur leur travail. Le fait de simplement obéir aux ordres et d'accomplir un travail routinier, excluant toute possibilité de prendre des initiatives, semble compromettre l'équilibre des exécutants et nuire à leur bien-être mental.

Source : D'après André Noël, « Au bas de l'échelle et au bout du rouleau », *La Presse*, 8 septembre 2007, p. A24.

Les diverses stratégies de gestion du stress

La gestion du stress vécu en milieu professionnel relève à la fois de l'organisation et de l'individu. Cette section du chapitre examinera, dans un premier temps, les stratégies que peut adopter une organisation pour réduire ou éliminer les sources de stress en son sein, aider les travailleurs à mieux s'adapter à leur environnement de travail et aider ceux qui souffrent de problèmes de santé psychologique au travail. Il se concentrera dans un deuxième temps sur les stratégies auxquelles peut recourir l'individu lui-même.

Les stratégies organisationnelles de gestion du stress

Le rôle du stress en milieu professionnel est pour le moins complexe. On sait déjà que le bon stress peut favoriser l'efficacité du travailleur. En revanche, le mauvais stress peut réduire son rendement et altérer sa santé. Ainsi, le gestionnaire efficace devra trouver un équilibre entre les caractéristiques de l'employé, le milieu de travail et le degré de stress professionnel acceptable. Un équilibre adéquat stimule la productivité sans avoir d'incidence néfaste sur la santé. Il s'agit de parvenir à une gestion efficace du stress, d'y faire face, le cas échéant, et de maintenir les travailleurs dans un état de bien-être.

Sur le plan organisationnel, les stratégies de gestion du stress peuvent être classées ainsi[39] :

- *Stratégies primaires.* Les stratégies visant à réduire ou à éliminer certains agents de stress au travail.

- *Stratégies secondaires.* Les stratégies visant à augmenter la résistance au stress des personnes.

- *Stratégies tertiaires.* Les stratégies visant à traiter les personnes qui souffrent notamment de problèmes de santé psychologique au travail.

Les stratégies visant à réduire ou à éliminer certains agents de stress au travail

Les stratégies primaires de gestion du stress s'attaquent directement aux causes et aux sources du stress présentes dans le milieu organisationnel pour les réduire ou les éliminer. Plusieurs types d'interventions permettent de diminuer les effets néfastes de ces agents de stress en milieu de travail. En voici quelques exemples :

- Clarifier les tâches et les responsabilités.

- Tenir régulièrement des réunions d'équipe favorisant la rétroaction et l'échange d'information sur les activités de l'entreprise.

- Offrir de la formation aux salariés pour leur permettre d'éviter la surcharge qualitative de travail, de progresser dans leur carrière et d'accepter plus de responsabilités.

- Redistribuer la charge de travail selon les capacités et les champs d'intérêt personnels.

- Mettre en place des pratiques de reconnaissance de l'individu et de son travail.

- Procéder à des appréciations de la contribution des salariés.

- Augmenter la participation des salariés aux décisions.

- Augmenter l'autonomie des salariés et le contrôle qu'ils exercent sur leurs activités professionnelles.

- Implanter des pratiques de conciliation travail-famille.

- Mettre en place des horaires de travail flexibles.

Les stratégies visant à augmenter la résistance au stress des personnes

Les stratégies secondaires de gestion du stress, en agissant sur les facteurs personnels, ont pour but d'aider les personnes à s'adapter à leur environnement de travail. Elles visent à leur faire acquérir des connaissances et des habiletés qui leur permettront de mieux reconnaître et gérer leurs réactions au stress. Si leur contenu et leur forme peuvent varier considérablement, ces interventions comprennent généralement des activités de sensibilisation et d'information ainsi que des programmes de développement des habiletés.

S'entraîner, méditer, apprendre à bien manger et cesser de fumer : des actions qui augmentent la résistance au stress.

Plus particulièrement, les activités de sensibilisation et d'information passent par la publication de textes traitant du stress ou de l'épuisement professionnel, la tenue de conférences portant sur les causes du stress professionnel et ses conséquences ainsi que la présentation de séminaires sur la prévention des problèmes de santé psychologique au travail.

Quant aux programmes de développement des habiletés, ils se traduisent par des séances de formation sur la gestion du stress, des séances d'entraînement physique, de méditation, de yoga ou de relaxation, des cours d'alimentation saine ou des programmes pour cesser de fumer. L'élaboration, par l'organisation, d'un programme de bien-être personnel fait évidemment partie des stratégies visant à augmenter la résistance au stress des personnes.

Les stratégies visant à traiter les personnes qui souffrent, notamment, de problèmes de santé psychologique au travail

Les stratégies tertiaires de gestion du stress visent à apaiser la souffrance des personnes qui éprouvent des problèmes de santé psychologique ou des problèmes de comportement au travail. Elles peuvent par exemple consister en des rencontres avec un psychologue, qui apporte soutien et écoute.

Ainsi, en milieu organisationnel, on préconise de plus en plus la mise en place de **programmes d'aide au personnel**, dont le but est d'apporter un soutien aux employés qui font face à des problèmes personnels ou professionnels générateurs de stress. Ces

Programme d'aide au personnel
Programme que met en place l'organisation dans le but d'apporter un soutien aux employés qui font face à des problèmes personnels ou professionnels générateurs de stress

programmes permettent de diriger les individus vers les ressources appropriées, selon la nature de leurs difficultés – violence conjugale, toxicomanie, difficultés financières, problèmes juridiques, etc. L'employeur s'assure ainsi, à tout le moins, que la personne a accès à l'information pertinente et qu'elle est orientée vers les conseils professionnels et, dans certains cas, le traitement requis. Plus de 25 % des travailleurs canadiens du secteur privé ont accès à un programme d'aide au personnel[40].

Les stratégies individuelles de gestion du stress

La gestion du stress est aussi une question individuelle. Plus précisément, le stress peut être géré par l'adoption de stratégies de prévention, d'adaptation ou de bien-être personnel.

Les stratégies de prévention

Pour lutter contre les ravages du stress, la première et la meilleure des approches est la prévention, c'est-à-dire l'adoption de mesures visant à empêcher que le stress atteigne des degrés alarmants. Pour prévenir les effets négatifs des divers facteurs de stress, l'individu doit apprendre à les reconnaître et à y réagir adéquatement. Que son stress découle de son travail ou de sa vie privée ou qu'il soit lié à certaines caractéristiques individuelles, il doit pouvoir prendre des mesures pour prévenir son apparition ou en minimiser les impacts négatifs. Ainsi, les personnes de type A doivent faire preuve d'autodiscipline. Les problèmes familiaux peuvent être partiellement soulagés par un changement d'horaire de travail. Pour prévenir les facteurs de stress liés à la vie professionnelle, l'individu peut refuser la responsabilité d'un dossier s'il a l'impression de ne pas avoir le temps ou les compétences nécessaires pour l'assumer, se faire entendre lorsque la dynamique des rôles pose des problèmes et favoriser une bonne communication avec ses supérieurs.

L'ÉTHIQUE EN CO

Trois normes visant la santé et le mieux-être du personnel

La norme Entreprise en santé[41]

La norme Prévention, promotion et pratiques organisationnelles favorables à la santé en milieu de travail, communément appelée « Entreprise en santé », vise à outiller les entreprises qui veulent agir de façon positive sur la santé et le mieux-être de leurs employés. Cette démarche s'appuie sur la promotion de la santé, la prévention des maladies et l'amélioration de la santé globale (physique et psychologique) du personnel.

Concrètement, cette norme amène les entreprises à agir dans quatre sphères d'activité reconnues pour avoir un impact significatif sur la santé du personnel :

1. les pratiques de gestion (la reconnaissance au travail, le respect au travail, le soutien social, la charge de travail, la participation aux décisions, la clarté des rôles, etc.);

2. l'équilibre travail-vie personnelle (politique de conciliation travail-vie

personnelle, horaires flexibles, garderie en milieu de travail, congés pour des raisons familiales, retour progressif à la suite d'une absence pour raisons de santé, etc.);

3. l'environnement de travail (distributrices d'aliments santé, aires de stationnement sécuritaires pour les vélos, programmes de soutien aux travailleurs ayant des malaises physiques, aménagement d'aires de relaxation, etc.);

4. les habitudes de vie du personnel (services-conseils en nutrition, programmes de sensibilisation à l'activité physique, formation sur la gestion du stress, activités d'éducation sur différentes maladies, etc.).

Précisons que cette norme est assortie d'un programme de certification offert par le Bureau de normalisation du Québec (BNQ).

La norme Conciliation travail-famille[42]

La norme Conciliation travail-famille (CTF) vise à outiller les entreprises qui veulent agir dans la sphère de la conciliation travail-famille. Elle a pour but de soutenir les travailleurs et travailleuses dans la recherche d'un équilibre entre les exigences et les responsabilités liées à la vie professionnelle et celles liées à la vie familiale, ce qui correspond à la définition de la CTF, tout en respectant les contraintes et les priorités des organisations. Les mesures et pratiques de CTF sont regroupées selon les catégories suivantes :

- gestion de la CTF ;
- adaptabilité de l'organisation du travail ;
- aménagement du temps de travail ;
- congés ;
- flexibilité dans le lieu de travail ;
- services ou biens offerts dans les lieux de travail.

Ajoutons que cette norme est également assortie d'un programme de certification offert par le Bureau de normalisation du Québec (BNQ).

La norme Santé et sécurité psychologiques en milieu de travail[43]

La norme Santé et sécurité psychologiques en milieu de travail, conçue à l'initiative de la Commission de la santé mentale du Canada et élaborée par l'Association canadienne de normalisation (CSA) et le BNQ, propose la mise en place d'un système visant la gestion des risques en matière de santé psychologique ainsi que la promotion de bonnes pratiques organisationnelles et de saines habitudes pour les employés.

Elle cible des actions associées à 13 facteurs du milieu de travail ayant des répercussions sur la santé et la sécurité psychologiques : le soutien psychologique, la culture organisationnelle, la politesse et le respect, la reconnaissance, le leadership, les compétences et exigences psychologiques, la croissance et le perfectionnement, l'implication et l'influence, la gestion de la charge de travail, l'engagement, l'équilibre travail-vie personnelle, la protection de la sécurité psychologique ainsi que la protection de la sécurité physique.

QUESTIONS

Pourquoi les organisations devraient-elles adhérer à ces différentes normes et obtenir leur certification ? En quoi l'intégration de l'une ou l'autre de ces normes dans les pratiques de gestion des entreprises québécoises est-elle une action concrète et probante en faveur du développement durable au sein de notre société ?

Les stratégies d'adaptation

Si les stratégies de prévention ne sont pas couronnées de succès et que le stress commence à poser des problèmes, on devra recourir à certaines techniques pour gérer le stress ou *s'adapter* à la détresse. L'*adaptation* est une réponse ou une réaction à la détresse qui s'est produite. Elle suppose des efforts cognitifs et comportementaux afin de maîtriser, de réduire ou de tolérer les demandes provenant de la situation éprouvante.

Il existe deux principaux types de mécanismes d'adaptation. Les *stratégies d'adaptation axées sur le problème* essaient de gérer le problème causant la détresse. Les indicateurs de ce type d'adaptation sont des commentaires tels que « Je vais demander à la personne responsable de changer d'idée », « Je vais faire un nouveau plan d'action et le suivre » ou « Je vais rester sur mes positions et me battre pour ce que je veux ». Les *stratégies d'adaptation axées sur les émotions* essaient de réguler les émotions provenant du stress. Les indicateurs de ce type d'adaptation comprennent des commentaires tels que «Je vais essayer de trouver le côté positif, de voir les choses du bon côté», «Je vais accepter la sympathie et la compréhension des autres» ou «Je vais simplement essayer de tout oublier»[44].

Les personnes possédant des traits de personnalité différents ont tendance à gérer le stress de façons différentes. S'appuyant sur les traits de personnalité définis par le modèle à cinq facteurs (voir le chapitre 2), on a constaté que l'instabilité émotionnelle est liée à une grande utilisation des réactions d'hostilité, d'évasion/fantasme, d'autoculpabilité, de retrait, de douce illusion, de passivité et d'indécision. Les personnes très extraverties et optimistes ont tendance à faire preuve d'action rationnelle, de pensée positive, de substitution et de retenue. De plus, les personnes qui sont très ouvertes aux expériences utiliseront davantage l'humour pour gérer le stress.

EN MATIÈRE DE LEADERSHIP

S'entraîner pour mieux performer: les leçons de trois dirigeants

Isabelle Côté et le demi-marathon

Trois succursales du fleuriste Centres des roses de Trois-Rivières vont bientôt changer leurs enseignes pour afficher un nouveau nom: Il était une fleur. Pour affronter l'immense défi que représentent l'adoption de cette nouvelle image de marque et la fermeture de la quatrième succursale, Isabelle Côté, copropriétaire de l'entreprise d'une douzaine d'employés, dit puiser dans le courage qu'elle s'est découvert en effectuant ses démarches pour compléter un demi-marathon. «Il y a 18 mois, est-ce que j'aurais dit de moi que je suis une fille persévérante? Pas du tout. J'ai découvert cette qualité en moi», affirme-t-elle. «Des projets qui m'auraient paru avant insurmontables me semblent maintenant beaucoup plus faciles à prendre une bouchée à la fois.»

Ce demi-marathon lui paraissait au départ un objectif insurmontable.

«Au début de mon entraînement, je pensais faire 5 km. Ensuite, je me suis dit que j'arriverais à faire 10 km. Et à trois semaines du défi, j'ai pris conscience que je pourrais certainement le réaliser au complet, soit 21,1 km.»

Après avoir parcouru une telle distance, elle ne souhaite pas recommencer l'exploit. Mais elle continue aujourd'hui de courir trois fois par semaine avant de commencer ses journées de travail. Elle assure que les endorphines engendrées par l'activité physique lui permettent de démarrer sa journée «sur les chapeaux de roues». «Pour arriver au bout de nos journées, avec toute la montagne de projets qu'on doit mener de front, il faut être en forme», dit l'entrepreneure.

Robert Dumas et le vélo d'affaires

Robert Dumas, président de la Financière Sun Life pour le Québec, fait du sport cinq matins par semaine,

dont trois en faisant du vélo avec quatre autres gens d'affaires. Et ce n'est pas pour parler *business*, mais bien pour se dépasser physiquement. M. Dumas constate lui aussi que l'effort lui procure de l'énergie et hausse sa productivité dans les heures suivantes. «Faire du sport aide énormément à gérer le stress», constate-t-il. «On développe une aisance devant des situations non planifiées.»

Stéphane Lessard et l'endurance heureuse

Stéphane Lessard, vice-président vente et marketing de Nadurel Pharma, s'est lui aussi entiché des sports d'endurance au tournant de la quarantaine. Auparavant, il jouait au golf, un sport qui lui enseignait la maîtrise de soi, selon lui. Mais en se préparant pour l'ascension du mont Kilimandjaro, il a constaté que la course, le vélo et le ski de fond lui procuraient d'autres avantages. « J'ai trouvé dans les exercices cardiovasculaires et les sports d'endurance un équilibre au niveau de la gestion de ma concentration, dit-il. J'arrive dans les réunions en pleine forme et avec les idées claires. »

Aujourd'hui âgé de 51 ans, il constate que ces sports lui ont appris beaucoup sur la manière de gérer ses objectifs. En 2012, il a investi dans une PME spécialisée dans les produits pharmaceutiques, rebaptisée alors Nadurel Pharma. En période d'expansion, M. Lessard suit les leçons tirées des marathons de ski de fond de 160 km, dans lesquels il a pris l'habitude de segmenter ses objectifs en portions de 10 kilomètres. « C'est la même chose en affaires. On se fixe un chiffre d'affaires dans cinq ans, puis dans chaque petite victoire qu'on a dans la direction de cet objectif, on se félicite, on célèbre un peu ce moment, et on repart. »

C'est sans compter les intempéries et les bris d'équipement qui peuvent ponctuer ces deux jours de ski de fond. M. Lessard ne manque pas d'y voir une analogie avec les embûches rencontrées dans son travail chez Nadurel Pharma, que ce soit dans les démarches entourant la réglementation des produits ou le réinvestissement nécessaire avant de générer des profits. « Ça demande beaucoup d'effort et de conviction, et on doit se convaincre à nouveau soi-même qu'on va atteindre cet objectif », observe-t-il.

Source : Étienne Plamondon Émond, « S'entraîner pour mieux performer : les leçons de trois dirigeants », lesaffaires.com, 15 septembre 2016.

QUESTIONS

Quelles sont les principales leçons à tirer des trois expériences sportives de ces trois chefs d'entreprise ? Quel lien peut-on établir entre leur pratique du sport et leur performance au travail ?

La gestion du stress et le bien-être personnel

Le **bien-être personnel** est un état de satisfaction du corps et de l'esprit qui passe par une bonne santé physique et mentale et qui permet de mieux résister au stress. En vertu de ce concept, la personne assume la responsabilité de son bien-être en adoptant un mode de vie qui favorise sa santé physique et mentale. Ainsi, elle surveille son poids, son régime alimentaire, sa consommation d'alcool et de tabac et suit un programme de mise en forme. Un mode de vie qui traduit un engagement réel envers la santé est l'essence même du bien-être.

Comme le stress peut être préjudiciable à la santé, le bien-être fait partie des stratégies permettant de mieux résister au stress organisationnel. Le gestionnaire qui emploie tous les moyens nécessaires au maintien de sa santé sera certainement mieux armé pour faire face aux inévitables facteurs de stress propres à sa fonction. Il pourra même tirer profit du stress, qui, autrement, deviendrait destructeur.

L'organisation peut aussi élaborer, pour son personnel, un programme de bien-être. Comme mentionné dans la section sur les stratégies de gestion organisationnelle du stress, ce programme fait partie des stratégies secondaires, soit celles visant à augmenter la résistance au stress des personnes. En effet, le gestionnaire est également responsable du bien-être de ses subordonnés, qu'il peut influencer en donnant le bon exemple, en prodiguant des encouragements, en se montrant sensible ou en appliquant les principaux concepts et techniques d'une gestion adéquate du personnel qui

Bien-être personnel
État de satisfaction du corps et de l'esprit qui passe par une bonne santé physique et mentale et qui permet de mieux résister au stress

sont présentés dans ce manuel. Lorsque le cadre parvient à créer un climat de travail sain, il améliore la capacité des travailleurs à faire face au changement et au stress, qui sont indissociables de leur vie professionnelle, ce qui ne peut qu'être profitable à tout le monde. Les statistiques montrent que chaque dollar qu'une organisation investit dans la mise en place et le maintien de programmes de santé visant l'amélioration des habitudes de vie et de l'environnement de travail génère de 2,75 $ à 4 $ de gains de productivité dans les cinq années qui suivent. En outre, les recherches montrent que l'élimination d'un seul facteur de risque pour la santé des travailleurs augmente la productivité au travail de 9 % et réduit l'absentéisme de 2 %. Enfin, précisons qu'un employé actif physiquement est 12 % plus productif qu'un employé sédentaire[45].

Réussir tout en apprenant à dire non

Les personnes ayant un fort désir d'accomplissement peuvent être dépassées par les occasions qui se présentent. Elles peuvent prendre trop d'engagements et finir par moins bien réussir. Un élément essentiel de la gestion du stress est d'apprendre à dire non[46].

Quand dire non

- Mettez l'accent sur ce qui vous importe le plus ou sur vos priorités.
- Soupesez le rapport acceptation/stress : y aura-t-il un stress supplémentaire ? Est-ce que cela en vaut la peine ?
- Enlever le facteur culpabilité : la culpabilité augmente en raison d'un sentiment de suffisance, alors qu'il est correct de dire non.
- Prenez le temps d'y penser : disciplinez-vous à ne pas toujours dire oui. Qu'est-ce que ça vous coûtera ?

Comment dire non

- Dites simplement « Non » ou « Désolé, mais je ne peux pas... »
- Soyez bref : donnez votre raison et évitez d'élaborer ou de justifier.
- Soyez honnête : n'inventez pas de raison. Il vaut mieux dire la vérité : les gens comprennent.
- Soyez respectueux : « Je suis flatté que tu me le demandes, mais je ne peux pas. »
- Préparez-vous à répéter : maintenez votre position si on renouvelle la demande. Répétez la même chose et ne cédez pas.

Les organisations qui créent des milieux de travail sains et investissent dans leur personnel sont les mieux placées pour bénéficier pleinement des talents et des compétences des travailleurs. Comme le disait Jeffrey Pfeffer[47], professeur à l'université Stanford :

> Ce qui vous distingue de vos concurrents, c'est le savoir, les talents, les compétences et l'engagement des gens qui travaillent pour vous. Les entreprises qui traitent bien leur personnel recevront beaucoup en retour.

Des phrases qui résument l'essence même du comportement organisationnel.

L'activité physique engendre des bienfaits pour les employés et pour l'entreprise

Selon Rémun, une enquête de rémunération globale menée par la firme d'experts-conseils en ressources humaines Normandin-Beaudry, 48 % des entreprises québécoises offrent un programme structuré de santé et mieux-être à leurs employés.

Mais Suzanne Paiement, conseillère santé et performance pour cette firme, prévient que l'implantation d'un programme favorisant l'activité physique ne doit pas viser les gens qui s'entraînent déjà, mais ceux « qui ne savent pas trop comment s'y prendre. C'est ce groupe de personnes qu'il faut influencer pour les amener du côté de la prise en charge. » Selon elle, l'une des principales clés consiste à offrir une variété d'activités. Elle suggère aussi de permettre aux employés d'inviter un ami ou un membre de la famille dans les conférences sur la santé ou les activités sportives organisées.

Pierre Audet, PDG d'Olympe, rappelle l'importance de sonder ses employés. Dans le cas de l'aménagement d'un centre d'activité physique, il suggère de se doter d'équipements accessibles à tous plutôt que de faire plaisir aux sportifs aguerris. Il conseille aussi d'imposer des codes vestimentaires pour mettre à l'aise tous les utilisateurs.

Danielle Danault, PDG de Cardio Plein Air, précise la grande portée qu'a le service personnalisé. C'est, selon elle, le secret qui explique un taux de rétention de 80 % à l'intérieur de ses activités. En 2015, Cardio Plein Air a adopté une stratégie axée sur les milieux de travail et est passée de 34 à plus de 400 contrats d'entreprise. « On n'entraîne pas de gens en groupe de plus de 15 personnes », dit-elle, afin que l'entraîneur connaisse bien l'état de santé des participants et puisse s'adapter à ceux qui ont des conditions particulières ou qui risqueraient de se blesser.

Pour créer une émulation, Guy Desrosiers, chef de la direction chez Capsana, organisation québécoise dédiée à la promotion de la santé (autrefois nommée Acti-Menu), note l'efficacité d'une bonne utilisation des médias sociaux, que ce soit pour lancer des concours ou organiser des randonnées pédestres de manière impromptue. Sur le long terme, il souligne l'importance de faire plusieurs rappels sur le sujet. « Une intervention par année en entreprise, ce n'est pas un coup d'épée dans l'eau, mais ce n'est pas suffisant pour encourager ceux qui ont plus de difficultés à trouver la motivation », considère-t-il.

La retombée la plus appréciable des programmes de mieux-être en milieu de travail est de stimuler la pratique de l'activité physique. C'est du moins le constat des premiers résultats dévoilés en 2016 par une étude menée durant trois ans par la Financière Sun Life et la Ivey Business School auprès de 820 participants dans 28 établissements associés à 6 organisations différentes.

Dans le cadre de cette étude, un sondage sur le mieux-être et une séance d'évaluations biométriques ont été réalisés auprès des employés des établissements du groupe témoin. Dans ceux du groupe expérimental, une séance d'information, un encadrement individuel, un programme de modification des habitudes de vie et l'accès à un service web sur le mieux-être ont été offerts en plus.

Au bout de la troisième année, une amélioration légèrement plus importante a été observée dans les habitudes en matière de nutrition, ainsi que dans la réduction de la consommation de tabac et d'alcool, chez les participants du groupe expérimental. Il en allait de même pour la réduction du stress. Mais l'écart n'était pas aussi fulgurant que dans le cas de la pratique de l'activité physique : l'indice de mieux-être organisationnel associé à cet aspect a augmenté de 3,4 % dans le groupe témoin et de 25,6 % dans le groupe expérimental.

[...]

Une méta-analyse des programmes de mieux-être hors des États-Unis, qui accompagne l'étude, note que ces derniers entraînent une réduction de 1,5 jour d'absentéisme par employé sur un an, soit une économie d'environ 251 $ par année par employé.

Source : Étienne Plamondon Émond, « L'activité physique engendre des bienfaits pour les employés et pour l'entreprise », lesaffaires.com, 15 septembre 2016.

Guide de RÉVISION

RÉSUMÉ

Qu'est-ce que le changement en milieu organisationnel ?

- Le changement organisationnel peut être radical, transformateur ou, au contraire, graduel, superficiel. Il peut être planifié ou non planifié.

- Le changement transformateur correspond à un changement radical, à une révision majeure des caractéristiques fondamentales de l'organisation : raison d'être et mission, valeurs et croyances, structure et stratégies.

- On parle de changement planifié lorsqu'un agent de changement, individu ou groupe, déploie des efforts délibérés en réaction à un écart de rendement perçu.

- Les principales cibles organisationnelles du changement planifié sont : la raison d'être de l'organisation, les stratégies, les objectifs, la culture, la structure, les tâches, la technologie et le personnel.

- Le processus de changement planifié comporte trois étapes, toutes essentielles à sa réussite : la décristallisation, l'instauration du changement et la recristallisation.

Quelles sont les diverses stratégies de changement planifié ?

- Selon les situations, l'agent de changement peut recourir à diverses stratégies pour modifier les comportements des individus et des systèmes sociaux.

- Lorsqu'il recourt à une stratégie de coercition, l'agent de changement s'appuie sur son autorité, son pouvoir de récompense ou son pouvoir de coercition pour contraindre les personnes à se soumettre à sa proposition de changement.

- Lorsqu'il recourt à une stratégie de persuasion rationnelle, l'agent de changement s'appuie sur son pouvoir d'expertise pour convaincre les personnes qu'elles ont avantage à adhérer à sa proposition de changement.

- Lorsqu'il recourt à une stratégie de partage du pouvoir, l'agent de changement s'appuie sur son pouvoir de référence pour favoriser la participation des personnes concernées à la planification et à l'implantation du changement qu'il propose.

Quelles sont les principales causes de la résistance au changement et quelles sont les meilleures façons de faire face à ce phénomène ?

- Le gestionnaire doit s'attendre à une certaine résistance au changement de la part des employés. Au lieu de la craindre, il doit y voir une forme de rétroaction dont il peut se servir pour faciliter l'atteinte des objectifs de changement et améliorer le changement planifié.

- Généralement, les gens s'opposent au changement pour défendre quelque chose qu'ils estiment important et qu'ils croient menacé. Leur résistance peut être liée à des facteurs individuels, à la nature même du changement, à la stratégie de changement employée, à l'agent de changement lui-même ou à des facteurs organisationnels et de groupe.

- Le gestionnaire dispose de plusieurs moyens pour faire face à la résistance au changement, notamment : l'information et la communication ; la participation et l'engagement ; la facilitation et le soutien ; la négociation et l'entente ; la manipulation ; la coercition explicite ou implicite.

Qu'est-ce qui caractérise la dynamique du stress et quels sont ses causes et ses effets en milieu organisationnel ?

- Le stress est la tension qu'une personne ressent lorsqu'elle est soumise à des exigences, à des contraintes ou à des demandes inhabituelles.

- Les principaux facteurs de stress liés à la vie professionnelle sont, entre autres : la surcharge ou la sous-charge de travail, qualitative ou quantitative ; le manque de reconnaissance ; les problèmes de relations interpersonnelles ; le manque de participation aux décisions ; le manque d'information ; l'ambiguïté de rôle ; le conflit de rôles ; le dilemme éthique ; le rythme de la progression professionnelle ; les conditions de travail physiquement éprouvantes.

- Des événements familiaux, des difficultés financières ou d'autres problèmes personnels peuvent être très stressants pour le travailleur. Or le stress lié à la vie personnelle peut déborder dans la vie professionnelle.

- Chaque individu perçoit les facteurs de stress et y réagit en fonction de ses caractéristiques propres. Les caractéristiques individuelles, comme les traits de personnalité, les valeurs, les attitudes, les besoins, les antécédents, les compétences, l'âge, le sexe, etc., ont une incidence déterminante sur l'intensité du stress qu'éprouve une personne.

- Certaines caractéristiques de l'environnement socioéconomique dans lequel évolue et travaille une personne peuvent aussi favoriser l'apparition des symptômes du stress : l'expansion des TIC, la mondialisation de l'économie, la forte concurrence.

- Le bon stress se traduit par une tension modérée et a des effets bénéfiques tant pour l'individu que pour l'organisation.

- Le mauvais stress se traduit par une tension très faible ou excessive et a des effets néfastes tant pour l'individu que pour l'organisation.

Comment gérer efficacement le stress ?

- Sur le plan organisationnel, il existe trois types de stratégies de gestion du stress : les stratégies visant à réduire ou à éliminer certains agents de stress au travail ; les stratégies visant à augmenter la résistance au stress des personnes ; les stratégies visant à traiter les personnes qui souffrent, notamment, de problèmes de santé psychologique au travail.

- Sur le plan individuel, le stress peut être géré par l'adoption de stratégies de prévention, d'adaptation ou de bien-être personnel. La prévention, qui consiste à prendre des mesures pour que les facteurs de stress liés à la vie personnelle ou à la vie professionnelle soient réduits ou n'entraînent pas d'effets néfastes, constitue la meilleure approche. En ce qui concerne les stratégies d'adaptation, elles peuvent être axées sur le problème, soit les sources mêmes du stress, ou sur les émotions qu'elles génèrent. Finalement, le bien-être personnel consiste à maintenir une bonne santé physique et mentale afin de mieux résister aux situations stressantes.

- La personne doit veiller à son bien-être en adoptant des habitudes de vie favorables à la santé physique et mentale afin de mieux supporter les situations stressantes. Les organisations ont intérêt à contribuer au bien-être de leur personnel. Celles qui créent des milieux de travail sains et qui investissent dans leurs ressources humaines sont les mieux placées pour bénéficier pleinement des talents et des compétences de ces dernières.

MOTS CLÉS

EXERCICE DE RÉVISION

MaBiblio > MonLab > Exercices
> Ch17 > Exercice de révision

Questions à choix multiple

1. Quel type de changement modifie en profondeur les caractéristiques fondamentales de l'organisation ? **a)** Le changement transformateur. **b)** Le changement graduel. **c)** Le changement transactionnel. **d)** Le changement hiérarchique.

2. La forme la plus courante de changement est le changement _____
   a) transformateur. **b)** graduel. **c)** transactionnel. **d)** hiérarchique.

3. La stratégie de _____ est une stratégie de changement planifié où l'agent de changement a recours à l'autorité, aux récompenses et aux punitions pour amener les personnes à se soumettre à sa proposition de changement.
   a) persuasion rationnelle **b)** partage du pouvoir **c)** compatibilité des bénéfices
   d) coercition

4. _____ est une méthode pour faire face à la résistance au changement par laquelle l'agent de changement peut menacer de diverses sanctions les personnes qui résistent ou pourraient résister au changement.
   a) La manipulation **b)** La coercition explicite ou implicite **c)** La négociation et l'entente **d)** L'information

5. Dans un processus de changement planifié, la prise de conscience de la nécessité d'un changement se fait à l'étape _____ **a)** du diagnostic. **b)** de l'évaluation. **c)** de la décristallisation. **d)** de l'instauration du changement.

6. La stratégie _____ est une stratégie de changement planifié par laquelle l'agent de changement s'appuie essentiellement sur son pouvoir d'expertise.
   a) de coercition **b)** de persuasion rationnelle **c)** de partage du pouvoir **d)** de l'autorité

7. La stratégie _____ débouche souvent sur une soumission temporaire au changement planifié. **a)** de coercition **b)** de persuasion rationnelle **c)** de partage du pouvoir **d)** normative-rééducatrice

8. L'une des conditions d'un changement planifié réussi suppose la perception d'une amélioration par rapport à ce qui se faisait auparavant. De quelle condition s'agit-il? **a)** Le changement doit être bénéfique. **b)** Le changement doit s'accompagner d'une période d'essai. **c)** Le changement doit être relativement simple. **d)** Le changement doit être conciliable avec les caractéristiques des individus concernés.

9. La stratégie _____ est une stratégie de changement planifié par laquelle l'agent de changement s'appuie essentiellement sur son pouvoir de référence.
   a) de coercition **b)** de persuasion rationnelle **c)** de partage du pouvoir **d)** de l'autorité

10. La surcharge qualitative et quantitative de travail ainsi que le manque de participation aux décisions sont des facteurs de stress _____ ; en revanche, les difficultés financières et le divorce sont des facteurs de stress _____ **a)** liés à la vie professionnelle ; liés à la vie personnelle. **b)** liés à la vie professionnelle ; liés à la personnalité. **c)** collectifs ; personnels. **d)** réels ; imaginaires.

11. Le stress éprouvé par une personne qui ne sait pas ou qui ne comprend pas ce qu'on attend d'elle est attribuable à _____ **a)** un conflit de rôles. **b)** une surcharge quantitative de travail. **c)** des problèmes de relations interpersonnelles. **d)** une ambiguïté de rôle.

12. _____ est un exemple typique de facteur de stress lié à la vie personnelle. **a)** Un cheminement de carrière trop rapide **b)** L'absence d'espace de travail individuel **c)** Un problème matrimonial ou amoureux **d)** L'obligation de faire de nombreuses heures de travail

13. Phénomènes associés à un stress excessif, la perte d'intérêt pour le travail, le cynisme et le faible sentiment d'accomplissement personnel peuvent être des signes que la personne _____ **a)** fait face à un dilemme éthique. **b)** souffre d'épuisement professionnel. **c)** possède une personnalité de type A. **d)** possède une personnalité de type B.

14. Le terme _____ désigne le facteur de stress auquel fait face une personne qui doit accomplir des tâches qu'elle estime monotones et répétitives. **a)** ambiguïté de rôle **b)** surcharge quantitative de travail **c)** sous-charge qualitative de travail **d)** surcharge qualitative de travail

15. Lequel des éléments suivants ne constitue pas une stratégie primaire de gestion du stress visant à réduire ou à éliminer un agent de stress ? **a)** La clarification de rôle. **b)** L'augmentation de l'autonomie. **c)** La pratique régulière d'exercices physiques. **d)** La mise en place d'horaires de travail flexibles.

Questions à réponse brève

16. Que devrait faire le gestionnaire qui décèle l'apparition de forces provoquant un changement non planifié ?

17. Quelles forces internes et externes provoquent un changement organisationnel planifié ?

18. Qu'indique le syndrome de la grenouille ébouillantée sur les réactions au changement en milieu organisationnel ?

19. Quelle incidence le stress a-t-il sur le rendement des travailleurs ?

Question à développement

20. Votre patron a constaté une augmentation du taux de stress chez les membres de votre unité de travail. Il vous demande donc d'évaluer l'ampleur du problème et de proposer un plan d'action pour y remédier. Quelle démarche décidez-vous d'entreprendre en réponse à cette demande ? Qu'allez-vous faire en premier lieu ? Quels facteurs allez-vous prendre en considération dans l'évaluation de la situation ? Selon vous, quel plan d'action a le plus de chances de réussite ?

Le CO dans le feu de l'action

Pour ce chapitre, nous vous suggérons les compléments numériques suivants dans MonLab.

MaBiblio >

MonLab > Documents > Études de cas
> 8. La société aérienne Maritime
> 13. Le cas de la nouvelle cage
> 29. Le bouleversement des fusions départementales
> 30. L'arrivée de Mme Roy

MonLab > Documents > Activités
> 38. Analyse du champ des forces

MonLab > Documents > Autoévaluations
> 3. Votre tolérance à l'agitation
> 6. Votre degré de tolérance à l'ambiguïté
> 19. Votre type de personnalité
> 20. Comment gérez-vous votre temps ?

Glossaire

Accommodation (p. 507) Stratégie de gestion des conflits par laquelle on aplanit les divergences et on se concentre sur les ressemblances et les points d'entente

Activité de leadership liée aux relations (p. 284) Activité qui consiste à entretenir les relations collectives et interpersonnelles dans une équipe, et qui permet à celle-ci de maintenir sa cohésion et sa vitalité en tant qu'entité sociale en évolution

Activité de leadership liée aux tâches (p. 284) Activité qui contribue directement à l'accomplissement des tâches importantes incombant à un groupe

Adaptation externe (p. 579) Processus qui permet à l'organisation d'atteindre ses objectifs et de composer avec les forces de l'environnement; plus précisément, ensemble des tâches à accomplir et des méthodes à employer pour atteindre les objectifs organisationnels et pour assumer les succès et les échecs

Adéquation personne-organisation (p. 209) Mesure dans laquelle les valeurs, intérêts et comportements d'une personne correspondent à la culture de l'organisation

Adéquation personne-poste (p. 209) Mesure dans laquelle les aptitudes, intérêts et caractéristiques personnelles d'une personne correspondent aux exigences du poste

Adhésion (p. 328) Réaction à l'exercice du pouvoir qui consiste à se conformer à la volonté d'autrui non pas par devoir ou par obligation, mais par conviction

Adhocratie (p. 558) Structure organisationnelle caractérisée par: la rareté des politiques, des procédures et des directives; une décentralisation marquée; un processus décisionnel participatif; une spécialisation horizontale poussée; un petit nombre de paliers hiérarchiques; l'absence quasi totale de mécanismes de contrôle formels

Affect (p. 81) Terme générique désignant le large éventail de sentiments que les individus éprouvent dans leur vie et qui se manifestent sous forme d'émotions et d'humeurs

Affectivité négative (p. 84) Tendance à être démoralisé la plupart du temps

Affectivité positive (p. 84) Tendance à être continuellement positif

Affrontement (p. 508) Stratégie de gestion des conflits par laquelle la victoire revient à la partie qui réussit à s'imposer par sa force, par la supériorité de ses compétences ou par son influence

Agent de changement (p. 619) Individu ou groupe qui prend en charge la modification des schèmes de comportement d'une personne ou d'un système social

Agent de liaison (p. 340) Personne qui établit des liens entre les vides structurels d'un réseau, offrant ainsi un accès plus vaste aux ressources, à l'information et aux possibilités

Alliance interentreprise (p. 563) Accord de coopération ou de coparticipation visant le rapprochement stratégique d'entreprises indépendantes, qui forment alors une coentreprise

Alliances réciproques (p. 326) Forme de pouvoir provenant de relations avec les autres établies grâce à la réciprocité (soit un échange de pouvoir ou de faveurs favorisant les gains mutuels lors d'opérations organisationnelles)

Ambiguïté de rôle (p. 282) Situation dans laquelle une personne a des incertitudes quant à ce qu'on attend d'elle

Apprentissage (p. 11) Changement durable du comportement

Apprentissage continu (p. 11) Développement permanent d'une personne et de ses connaissances, jour après jour, grâce aux expériences vécues

Approche de la contingence (p. 10) Approche qui consiste à tenter de répondre aux besoins de gestion en tenant compte des particularités du contexte

Approche décisionnelle optimale (p. 435) Approche considérant que le décideur est en mesure de choisir la meilleure solution possible

Approche décisionnelle satisfaisante (p. 435) Approche selon laquelle le décideur choisit la première possibilité qui lui semble apporter une solution satisfaisante ou acceptable à un problème donné

Approches du leadership héroïque (p. 401) Approches du leadership selon lesquelles le leadership résulte des agissements de grands leaders qui inspirent et motivent les autres à accomplir des choses extraordinaires

Aptitude (p. 71) Prédisposition à apprendre; capacité potentielle

Arbitrage (p. 519) Processus de règlement des différends par lequel un tiers neutre agit comme arbitre et, après avoir entendu les arguments respectifs des parties, prend une décision par laquelle celles-ci sont liées

Assises du pouvoir (p. 336) Sources de pouvoir que les personnes acquièrent et utilisent au sein des organisations

Attachement à l'organisation (p. 94) Attitude au travail qui traduit le degré de loyauté d'une personne envers son organisation

Atteinte relationnelle (p. 479) Violation de la «limite» du comportement acceptable dans une relation

Attentes (p. 169) Dans la théorie des attentes, probabilité, aux yeux de l'individu, que les efforts investis dans l'exécution d'une tâche se traduisent par le niveau de rendement visé

Attitude (p. 91) Disposition d'esprit positive ou négative à l'égard d'une personne ou d'un objet de l'environnement

Attitude de subordination fondée sur la distance hiérarchique (p. 360) Attitude du subordonné qui, à des degrés divers, accepte les inégalités de statut et de pouvoir entre les leaders et les subordonnés au sein de l'organisation

Attitude de subordination proactive (p. 360) Attitude d'une personne qui, dans un contexte de subordination, croit qu'elle doit collaborer avec les leaders, agir de façon utile et efficace en vue d'atteindre des objectifs communs

Attitude défensive (p. 481) Attitude qu'adopte une personne lorsqu'elle a l'impression qu'on l'attaque et qu'elle doit se défendre

Attribution (p. 133) Processus par lequel un individu tente de trouver des explications à un événement, d'en déterminer les causes

Attribution de l'identité (p. 353) Dans le processus de leadership, ensemble d'actions entreprises par une personne pour accorder une identité de leader ou de subordonné à une autre personne

Autoritarisme (p. 49) Tendance à adhérer scrupuleusement à des valeurs traditionnelles, à obéir à l'autorité établie et à privilégier la fermeté et le pouvoir

Barrière relationnelle (p. 464) Obstacle à la communication qui survient lorsqu'une personne est incapable d'écouter objectivement son interlocuteur à cause d'une mauvaise réputation de celui-ci, d'un manque de confiance à son égard, de stéréotypes ou de préjugés, ou de conflits interpersonnels, notamment

Besoin d'accomplissement (p. 161) Dans la théorie des besoins acquis, désir de faire mieux et plus efficacement, de résoudre des problèmes ou de maîtriser des tâches complexes

Besoin d'acquérir (p.163) Dans la théorie des quatre besoins humains, désir d'obtenir des gratifications matérielles ou psychologiques

Besoin d'affiliation (p. 161) Dans la théorie des besoins acquis, désir d'établir et d'entretenir des relations chaleureuses avec autrui

Besoin d'établir des liens (p.163) Dans la théorie des quatre besoins humains, désir d'entrer en relation avec d'autres personnes, individuellement et en groupes

Besoin de comprendre (p. 163) Dans la théorie des quatre besoins humains, désir de saisir les choses et d'acquérir un sentiment de maîtrise

Besoin de pouvoir (p. 161) Dans la théorie des besoins acquis, désir d'exercer son emprise sur les autres, d'influencer leur comportement ou d'en être responsable

Besoin de se défendre (p. 163) Dans la théorie des quatre besoins humains, désir d'être protégé contre les menaces et d'obtenir justice

Besoins d'ordre inférieur (p. 159) Dans la théorie de la hiérarchie des besoins de Maslow, besoins physiologiques, besoin de sécurité et besoins sociaux

Besoins d'ordre supérieur (p. 159) Dans la théorie de la hiérarchie des besoins de Maslow, besoin d'estime et besoin de réalisation de soi

Besoins de développement (p. 160) Dans la théorie ERD, besoins liés au désir de croissance et d'évolution

Besoins existentiels (p. 160) Dans la théorie ERD, besoins liés au désir de bien-être physique et matériel

Besoins relationnels (p.160) Dans la théorie ERD, besoins liés au désir de relations interpersonnelles satisfaisantes

Bien-être personnel (p. 649) État de satisfaction du corps et de l'esprit qui passe par une bonne santé physique et mentale et qui permet de mieux résister au stress

Bon stress (ou eustress) (p. 638) Stress se traduisant par une tension modérée et ayant des effets bénéfiques, tant pour l'individu que pour l'organisation

Bouche-à-oreille (p. 470) Transmission de rumeurs et d'information officieuse par l'intermédiaire des réseaux d'amis et de connaissances

Bruit parasite (p. 461) Toute perturbation qui interfère dans la transmission du message et gêne le processus de communication

Bureaucratie (p. 403) Structure organisationnelle caractérisée par la division du travail, la précision des titres, la spécialisation des tâches et les relations d'autorité clairement définies pour assurer l'efficacité et le contrôle des activités; **(p. 564)** Forme d'organisation, idéale selon le sociologue allemand Max Weber, qui s'appuie sur l'autorité, la logique et l'ordre, et qui a pour fondements la division du travail, le contrôle hiérarchique, l'avancement au mérite avec les possibilités de carrière à long terme pour les employés et une gestion fondée sur des directives

Bureaucratie mécaniste (p. 565) Type de bureaucratie qui privilégie la centralisation verticale ainsi que la spécialisation verticale et horizontale du travail, qui recourt à des modes de coordination formels et qui s'appuie fortement sur la standardisation, la formalisation, les directives, les politiques et les procédures

Bureaucratie professionnelle (ou structure organique) (p. 566) Type de bureaucratie qui privilégie la décentralisation, la spécialisation horizontale et le contrôle exercé par des professionnels; recourt à des modes de coordination interpersonnels

But lucratif (p. 411) But d'une entreprise qui est de faire de l'argent, basé sur le point de vue de Milton Friedman

Cadrage (p. 26) Processus d'adaptation de la communication de façon à favoriser certaines interprétations et à en défavoriser d'autres

Canal de communication (p. 460) Voie utilisée pour la transmission d'un message (rencontre en personne, téléphone, lettre, note de service, courriel, messagerie vocale, etc.)

Canal de communication formel (p. 469) Canal de communication qui suit la voie hiérarchique déterminée par la structure officielle de l'organisation

Canal de communication informel (p. 469) Canal de communication qui emprunte d'autres voies que les voies hiérarchiques déterminées par la structure officielle de l'organisation

Capacité (p. 71) Faculté d'accomplir les tâches inhérentes à un poste donné

Capital humain (p. 338) Connaissances, compétences et atouts intellectuels que les employés apportent au travail

Capital social (p. 21) Ensemble des relations et des réseaux sur lesquels le gestionnaire peut, au besoin, s'appuyer pour mener à bien certaines tâches

Caractéristique sociodémographique (p. 60) Variable qui reflète la situation sociale d'un individu (âge, sexe, etc.) et qui influe sur son devenir

Centralisation (p. 541) Concentration du pouvoir décisionnel aux échelons supérieurs de la hiérarchie organisationnelle

Cercle de qualité (p. 245) Groupe de travailleurs qui se rencontrent régulièrement pour trouver des moyens d'améliorer la qualité de leurs activités au sein de leur organisation et de leurs produits ou services

Changement non planifié (p. 619) Changement qui survient spontanément ou par hasard, sans l'intervention d'un agent de changement

Changement planifié (p. 619) Changement qui résulte des efforts délibérés d'un agent de changement en réaction à un écart de rendement perçu

Changement transformateur (p. 618) Révision majeure des caractéristiques fondamentales d'une organisation

Charisme (p. 396) Qualité ou ascendant particulier qui permet à une personne d'influencer les autres

Classement (p. 222) Méthode comparative d'évaluation du rendement selon laquelle on classe les personnes évaluées de la meilleure à la moins bonne pour chacun des aspects du rendement visés par l'évaluation ou pour leur rendement global

Climat éthique (p. 411) Milieu de travail caractérisé par des valeurs, normes, attitudes, sentiments et comportements éthiques, tel qu'il est perçu par les employés

Climat organisationnel (p. 15) Perception qu'ont les employés de leur milieu de travail, notamment de l'ambiance de travail, des relations avec les collègues et de la supervision

Climat politique (p. 334) Perception qu'ont les membres d'une organisation concernant le jeu politique qui s'y déroule

Cohésion (p. 288) Intensité du désir des membres d'une équipe d'y appartenir et force de leur motivation à y maintenir une participation active

Coleadership (p. 369) Répartition des principaux rôles de leadership au sommet de telle sorte que le pouvoir de diriger n'est pas entre les mains d'une seule personne pouvant agir unilatéralement

Communication (p. 459) Processus d'émission et de réception de messages porteurs de sens

Communication ascendante (p. 474) Communication qui circule des paliers inférieurs vers les paliers supérieurs de la hiérarchie d'une organisation

Communication descendante (p. 473) Communication qui circule des paliers supérieurs vers les paliers inférieurs de la hiérarchie d'une organisation

Communication horizontale (p. 474) Communication qui circule entre employés de même niveau hiérarchique d'une organisation

Communication non verbale (p. 461) Communication qui passe notamment par l'expression du visage, le regard, la position du corps et les gestes

Comparaison par paires (p. 222) Méthode comparative d'évaluation du rendement selon laquelle on compare chaque travailleur à chacun de ses collègues évalués

Compétence (p. 20) Aptitude à traduire un savoir en actions qui produiront les résultats escomptés

Compétence conceptuelle (p. 21) Aptitude à analyser et à résoudre des problèmes complexes

Compétence humaine (p. 20) Aptitude qui permet de bien travailler avec d'autres

Compétence politique (p. 338) Capacité d'utiliser la connaissance des autres pour les influencer et les faire agir d'une façon donnée

Compétence technique (p. 20) Aptitude à effectuer certaines tâches spécialisées

Complexité de l'environnement (p. 561) Ampleur des problèmes et des occasions que présente l'environnement organisationnel immédiat et global, révélée par les trois variables majeures de ce dernier: sa richesse, l'étroitesse de ses liens d'interdépendance avec l'organisation et le degré d'incertitude qu'il génère

Comportement de citoyenneté organisationnelle (p. 102) Comportement du travailleur qui manifeste sa volonté d'aller au-delà de son devoir ou de faire un effort supplémentaire dans son travail

Comportement organisationnel (p. 5) Étude du comportement humain au sein des organisations

Comportement perturbateur (p. 285) Comportement qui nuit au fonctionnement de l'équipe

Comportement professionnel contreproductif (p. 102) Comportement professionnel visant à perturber les relations ou à freiner le rendement au travail

Composante affective d'une attitude (p. 92) Sentiment particulier qu'éprouve un individu à l'égard de quelqu'un ou de quelque chose; attitude elle-même

Composante cognitive d'une attitude (p. 91) Ensemble des croyances, des opinions, des connaissances et de l'information que possède un individu et qui engendrent des sentiments; antécédents de l'attitude

Composante comportementale d'une attitude (p. 92) Intention de comportement ou prédisposition à agir d'une façon donnée, résultant d'une attitude

Composition de l'équipe (p. 262) Ensemble des compétences, des traits de personnalité et des expériences que les membres apportent à l'équipe

Compromis (p. 507) Stratégie de gestion des conflits par laquelle chaque partie cède face à l'autre sur un point important

Conception de poste (p. 192) Planification et description des tâches inhérentes à un poste, et détermination des conditions dans lesquelles celles-ci doivent être accomplies

Conception organisationnelle (p. 552) Processus qui consiste à déterminer la structure d'organisation appropriée et à la mettre en œuvre

Concordance de statut (p. 263) Situation dans laquelle la position d'une personne au sein d'une équipe correspond à celle qu'elle occupe à l'extérieur de l'équipe

Conditionnement opérant (ou conditionnement instrumental) (p. 140) Processus qui vise à influer sur le comportement d'autrui en manipulant ses conséquences

Conditionnement répondant (ou conditionnement classique) (p. 139) Forme d'apprentissage par association qui fait appel à la manipulation de stimuli pour agir sur le comportement

Confiance (p. 366) Dans la théorie des échanges sociaux, croyance que l'autre veut et peut s'acquitter de sa dette

Conflit (p. 497) Désaccord entre des individus ou des groupes concernant des questions de fond ou frictions résultant de problèmes relationnels

Conflit constructif (p. 500) Conflit qui a des retombées positives pour les individus, les groupes ou l'organisation

Conflit de fond (p. 497) Désaccord fondamental sur les objectifs à poursuivre ou sur les moyens de les atteindre

Conflit de rôle (p. 282) Situation dans laquelle une personne ne parvient pas à répondre aux attentes liées à son rôle parce qu'elles sont contradictoires ou incompatibles

Conflit destructeur (p. 501) Conflit qui a des retombées négatives pour les individus, les groupes ou l'organisation

Conflit émotionnel (p. 497) Problème relationnel qui se manifeste, notamment, par des sentiments de colère, de méfiance, d'animosité, de crainte et de rancune

Conflit intergroupe (p. 500) Conflit qui oppose deux groupes ou plus au sein d'une organisation

Conflit interorganisationnel (p. 500) Conflit qui oppose deux organisations ou plus

Conflit interpersonnel (p. 498) Conflit qui oppose deux individus ou plus

Conflit intrapersonnel (p. 498) Déchirement intérieur découlant d'un choix qu'une personne doit faire ou déchirement intérieur d'une personne dû à l'incompatibilité, réelle ou perçue, entre ses attentes ou ses objectifs, d'une part, et les attentes qu'on entretient à son égard ou les objectifs qu'on lui fixe, d'autre part

Conglomérat (p. 568) Société formée par la concentration de plusieurs organisations exerçant des activités diversifiées sans rapport entre elles

Congruence des valeurs (p. 53) Situation dans laquelle des individus se disent satisfaits d'être en relation avec d'autres personnes aux valeurs comparables aux leurs

Conscience de l'autre (p. 41) Connaissance des comportements, préférences, styles, louvoiements et traits de personnalité d'autrui

Conscience de soi (p. 41) Connaissance de ses propres comportements, préférences, styles, louvoiements, traits de personnalité, etc.; **(p. 82)** Capacité de comprendre ses propres émotions et leurs répercussions sur soi et sur les autres

Conscience éthique (p. 22) Conscience enrichie qui incite la personne à s'interroger systématiquement sur la valeur éthique de ses décisions et de ses comportements

Conscience sociale (p. 82) Capacité de faire preuve d'empathie, de comprendre les émotions des autres

Conseil (p. 484) Dans le processus d'écoute, réponse qui consiste à dire quoi faire à son interlocuteur

Consensus (p. 297) Décision de groupe appuyée par la plupart des membres et à laquelle les autres acceptent de se rallier

Consolidation d'équipe (p. 278) Série d'actions planifiées visant à recueillir et à analyser des données sur le fonctionnement d'une équipe, puis à amorcer des changements pour faciliter la collaboration entre les membres et améliorer l'efficacité opérationnelle de l'équipe

Construction identitaire dans le processus de leadership (p. 353) Processus par lequel les personnes négocient leur identité de leader ou de subordonné

Construction sociale (p. 351) Processus par lequel le comportement des individus se «construit» au fil des situations qu'ils vivent, selon les contextes, les actions et les interactions avec les autres

Construction sociale du leadership (p. 351) Processus par lequel le leadership se «construit» au fil des interactions sociales entre les individus concernés, selon le contexte

Contagion des émotions et de l'humeur (p. 85) Propagation des émotions et de l'humeur d'une personne à d'autres personnes de son entourage

Contexte décisionnel d'incertitude (p. 430) Contexte dans lequel les décideurs disposent de si peu d'information qu'il leur est impossible d'évaluer les probabilités associées aux résultats des diverses actions qu'ils envisagent

Contexte décisionnel de certitude (p. 429) Contexte dans lequel les décideurs disposent de suffisamment d'information pour prévoir les résultats de chacune des actions qu'ils envisagent

Contexte décisionnel de risque (p. 431) Contexte dans lequel les décideurs n'ont pas de certitude absolue quant aux résultats des diverses actions qu'ils envisagent, mais connaissent les probabilités qui y sont associées

Contournement (p. 335) Situation où les personnes enfreignent les règles dans le but d'accomplir une tâche ou d'atteindre un objectif parce que la méthode ou le processus conventionnel ne produit pas le résultat escompté

Contrainte (p. 508) Stratégie de gestion des conflits par laquelle l'une des parties, s'appuyant sur son autorité hiérarchique, impose sa solution et spécifie les gains et les pertes de chacune

Contre-culture (p. 583) Philosophie et valeurs propres à un groupe qui se définissent par opposition à la culture dominante de l'organisation

Contrôle (p. 18) Surveiller le rendement et prendre les mesures correctives qui s'imposent; **(p. 317)** Autorité ou capacité d'exercer une influence contraignante ou dominatrice sur quelqu'un ou quelque chose; **(p. 537)** Ensemble de mécanismes qui servent à maintenir les activités et la production d'une organisation dans des limites prédéterminées

Contrôle des processus (p. 539) Ensemble de mécanismes de contrôle organisationnel qui consistent à spécifier la façon dont les tâches doivent être accomplies

Contrôle des résultats (p. 538) Ensemble de mécanismes de contrôle organisationnel consistant à fixer des objectifs et à définir des critères d'évaluation des résultats, à évaluer les résultats par rapport aux objectifs et à instaurer des mesures correctives

Coordination (p. 548) Ensemble des mécanismes qu'utilise l'organisation pour établir un agencement cohérent des activités de ses diverses unités

Créativité (p. 444) Capacité d'élaborer des réponses originales et ingénieuses pour résoudre les problèmes ou saisir les occasions qui se présentent

Crédit idiosyncrasique (p. 366) Capacité d'enfreindre les normes établies avec d'autres personnes en fonction d'un capital permettant de couvrir son infraction

Croyance (p. 91) Idée qu'entretient un individu sur une personne ou une situation, et conclusion qui en découle

Culture à contexte pauvre (p. 468) Culture dans laquelle les locuteurs ont tendance à être très explicites dans leur utilisation du discours ou de l'écrit; le message est en grande partie transmis par les mots utilisés plutôt que par le contexte

Culture à contexte riche (p. 468) Culture dans laquelle les locuteurs ont tendance à ne transmettre par les mots qu'une partie du message, le reste devant être interprété selon la situation, le langage corporel ou d'autres indices contextuels

Culture organisationnelle (ou culture d'entreprise) (p. 14 et p. 579) Ensemble des attitudes, des valeurs et des croyances communes qu'acquièrent les membres d'une organisation et qui guident leur comportement

Décalage culturel organisationnel (p. 608) Décalage qui se crée entre les schèmes de la culture dominante et les innovations émergentes

Décentralisation (p. 541) Délégation du pouvoir décisionnel aux échelons inférieurs de la hiérarchie organisationnelle

Décision collective (ou décision consensuelle) (p. 442) Décision prise par l'ensemble des membres d'un groupe

Décision de crise (p. 433) Décision qui vise à résoudre un problème imprévu dont les conséquences peuvent être dangereuses, voire désastreuses, en l'absence de solution rapide et adéquate

Décision non programmée (p. 430) Décision qui vise à résoudre un problème par une solution originale, conçue sur mesure

Décision par consultation (p. 442) Décision que prend un responsable après avoir demandé leur avis aux membres de son groupe

Décision par voie d'autorité (p. 442) Décision que prend un responsable en s'appuyant sur l'information dont il dispose et sans consulter les membres de son groupe

Décision programmée (p. 429) Décision qui vise à résoudre un problème par une solution normalisée ayant fait ses preuves

Décodage (p. 460) Processus par lequel le récepteur attribue un sens au message reçu

Décristallisation (p. 621) Étape préliminaire du changement planifié, durant laquelle des attitudes et des comportements sont remis en question pour que le besoin de changement soit clairement ressenti

Délégation ascendante (p. 28) Transmission des problèmes ou des responsabilités aux supérieurs, ayant pour conséquence de les surcharger

Demande de rétroaction (p. 486) Expression du souhait d'obtenir de la rétroaction sur soi de la part des autres

Démenti (p. 481) Attitude qu'adopte une personne lorsqu'elle a l'impression qu'on met en doute sa valeur

Dépendance (p. 317) Situation d'une personne ou d'un groupe qui compte sur une autre personne ou un autre groupe pour obtenir ce qu'elle ou ce qu'il veut

Différences individuelles (p. 40) Différences sur le plan des caractéristiques personnelles qui distinguent les êtres humains les uns des autres

Dilemme moral (p. 427) Dilemme qui oblige à faire un choix entre plusieurs solutions comportant des inconvénients sur le plan éthique

Direction (p. 18) Insuffler au personnel de l'enthousiasme et de l'ardeur au travail

Discrimination (p. 60) Refus d'accorder aux membres d'un groupe minoritaire des avantages auxquels les autres membres de l'organisation ont droit

Dissonance cognitive (p. 92) Malaise que ressent un individu en cas de contradiction entre son attitude et son comportement

Dissonance émotionnelle (p. 87) Écart susceptible de survenir entre les émotions qu'on ressent réellement et celles qu'on tente d'exprimer, de projeter

Distance hiérarchique (p. 398) Degré d'acceptation des différences de statut et de pouvoir entre les subordonnés et le leader

Distribution forcée (p. 222) Méthode comparative d'évaluation du rendement qui se fonde sur un nombre restreint de catégories d'appréciation (excellent, bon, acceptable, médiocre, insatisfaisant) dans lesquelles l'évaluateur doit placer une proportion donnée des personnes évaluées

Diversion (p. 484) Dans le processus d'écoute, réponse qui consiste à passer à un autre sujet de conversation

Diversité de la main-d'œuvre (p. 16) Présence, au sein de la main-d'œuvre, d'une variété d'individus se différenciant par le sexe, l'origine ethnoculturelle, l'âge, l'état physique et mental, et l'orientation sexuelle ou l'identité de genre

Diversité en profondeur (p. 40) Différences individuelles dans des attributs tels que la personnalité et les valeurs

Diversité en surface (p. 40) Différences individuelles dans les attributs visibles tels que l'origine ethnoculturelle, le sexe, l'âge ainsi que l'état physique et mental

Divulgation (p. 478) Dévoilement ou révélation sur soi-même fait à une autre personne

Dogmatisme (p. 49) Tendance à percevoir le monde comme une source de menaces et à tenir l'autorité légitime pour absolue

Dynamique d'équipe (p. 280) Ensemble des phénomènes psychosociaux qui influent sur les relations personnelles et professionnelles existant entre les membres d'une équipe

Dynamique interéquipe (p. 291) Ensemble des phénomènes relationnels se produisant entre deux équipes ou plus

Écart de rendement (p. 619) Écart entre le rendement constaté et le rendement désiré

Échange social (p. 26) Processus d'échange et de réciprocité favorisant le développement de partenariats et de réseaux

Échelle d'évaluation comportementale (p. 223) Méthode de mesure absolue du rendement selon laquelle, après avoir recensé une série de comportements observables dans un emploi donné, on construit une échelle avec différents comportements typiques servant de références et correspondant chacun à un niveau de rendement

Échelle d'évaluation graphique (p. 222) Méthode de mesure absolue qui permet d'évaluer le rendement selon divers critères qu'on estime liés à un rendement satisfaisant, à un poste donné; l'appréciation relative à chacun des critères est indiquée sur une échelle

Écoute active (p. 483) Façon d'écouter qui aide l'émetteur d'un message à exprimer ce qu'il veut vraiment dire

Écoute sélective (p. 464) Tendance d'une personne à bloquer l'information qu'on lui transmet ou à n'entendre que ce qui correspond à ses idées reçues

Effet «motus» (p. 467) Phénomène par lequel le subordonné reste «bouche cousue» en face de son supérieur par politesse ou par réticence à transmettre une mauvaise nouvelle

Effet d'indulgence (p. 226) Dans l'évaluation du rendement, erreur par laquelle l'évaluateur tend à accorder des notes exagérément élevées à la quasi-totalité des personnes évaluées

Effet de complaisance (p. 134) Tendance à nier sa responsabilité personnelle en cas d'échec, mais à s'attribuer le mérite d'un succès

Effet de contraste (p. 131) Tendance à se faire une fausse impression d'une personne lorsqu'on compare ses caractéristiques à celles d'une autre personne rencontrée un peu plus tôt et évaluée nettement plus favorablement ou défavorablement.

Effet de halo (p. 129) Erreur de perception qui consiste à se faire une impression générale d'une personne ou d'une situation en se fondant sur une seule de ses caractéristiques

Effet de la position hiérarchique (p. 467) Obstacle à la communication entre personnes de paliers hiérarchiques différents

Effet de récence (p. 226) Dans l'évaluation du rendement, erreur par laquelle l'évaluateur, obnubilé par des événements récents, occulte des faits antérieurs qu'il devrait pourtant prendre en considération

Effet de sévérité (p. 226) Dans l'évaluation du rendement, erreur par laquelle l'évaluateur tend à accorder des notes exagérément faibles à la quasi-totalité des personnes évaluées

Effet de tendance centrale (p. 226) Dans l'évaluation du rendement, erreur par laquelle l'évaluateur tend à accorder à toutes les personnes qu'il évalue des notes proches de la moyenne

Effet des préjugés personnels (p. 226) Dans l'évaluation du rendement, erreur par laquelle l'évaluateur laisse ses préjugés personnels touchant certaines caractéristiques sociodémographiques, comme l'origine ethnoculturelle, l'âge, le sexe, l'orientation sexuelle, l'identité de genre ou les handicaps, influer sur son évaluation

Effet du plafond de verre (p. 60) Barrière invisible qui restreint l'avancement professionnel des femmes et des minorités

Efficacité fonctionnelle (p. 17) Obtention, par un individu, par une unité de travail ou par une organisation dans son ensemble, des résultats escomptés, autant sur le plan du rendement quantitatif que qualitatif

Élargissement des tâches (p. 193) Approche de la conception de poste selon laquelle on augmente la diversité des tâches en confiant au titulaire du poste un plus grand nombre de tâches, sans pour autant augmenter le degré de difficulté de celles-ci ni le niveau de responsabilité du poste

Émetteur (p. 460) Individu ou groupe d'individus qui tente de communiquer avec quelqu'un d'autre

Émotion (p. 81) Fort sentiment, positif ou négatif, ressenti à l'égard de quelqu'un ou de quelque chose

Émotion liée à la conscience de soi (p. 83) Émotion d'origine interne

Émotion liée à la conscience sociale (p. 83) Émotion liée à une information externe

Empathie cognitive (p. 88) Capacité de saisir comment les autres voient les choses

Empathie émotionnelle (p. 88) Capacité de ressentir ce qu'une autre personne vit dans une situation particulière

Encodage (p. 460) Traduction d'une idée ou d'une pensée en un message constitué de symboles verbaux (oraux ou écrits) ou non verbaux (comme les gestes), ou une combinaison des deux

Endogroupe (p. 68) Groupe dont une personne se sent membre à part entière et dans lequel elle jouit d'un bon statut

Engagement de l'employé (p. 95) Attitude de l'employé qui traduit la force de son sentiment d'appartenance envers l'organisation et sa passion pour son emploi

Énoncé de mission (p. 532) Déclaration écrite qui décrit la raison d'être d'une organisation

Enrichissement des tâches (p. 194) Approche de la conception de poste selon laquelle on améliore le contenu du travail en ajoutant aux fonctions d'exécution des fonctions de planification, d'organisation et de contrôle traditionnellement attribuées à des cadres

Épopée (p. 589) Récit légendaire qui raconte les exploits d'un héros

Épuisement professionnel (p. 640) Syndrome de détresse psychologique qui résulte de conditions de travail stressantes et qui se manifeste, notamment, par une perte d'intérêt pour le travail, des attitudes négatives au travail et un faible sentiment d'accomplissement personnel

Équipe (p. 240) Groupe de personnes qui collaborent en mettant leurs habiletés respectives au service de la poursuite d'un but commun dont elles sont collectivement responsables

Équipe de résolution de problèmes (p. 244) Groupe de travailleurs qui se rencontrent sur une base temporaire pour trouver une solution à un problème particulier ou un moyen de saisir une occasion

Équipe efficace (p. 250) Équipe caractérisée par son rendement élevé, la satisfaction professionnelle de ses membres et sa viabilité

Équipe favorisant la participation des travailleurs (p. 245) Groupe de travailleurs qui se rencontrent régulièrement pour se pencher sur des questions importantes concernant leur milieu de travail

Équipe formelle (p. 242) Équipe désignée officiellement pour assumer un rôle précis au sein d'une organisation

Équipe hétérogène (p. 264) Équipe dont les membres ont des profils divers

Équipe homogène (p. 263) Équipe dont les membres ont sensiblement le même profil

Équipe interfonctionnelle (p. 244) Équipe au sein de laquelle sont réunis, pour travailler à une tâche commune, des employés occupant diverses fonctions dans l'organisation ou provenant de différentes unités de travail

Équipe semi-autonome (p. 245) Équipe de travail dont les membres sont habilités à prendre des décisions relatives à la planification, à l'organisation et à l'évaluation de leurs tâches quotidiennes

Équipe virtuelle (p. 247) Équipe dont les membres se réunissent et travaillent ensemble à distance, grâce aux technologies de l'information et des communications (TIC)

Équivalence (p. 365) Dans la théorie des échanges sociaux, mesure selon laquelle ce qui est redonné est sensiblement de même valeur que ce qui a été reçu

Erreur d'exclusion (p. 425) Erreur par laquelle une équipe exclut du processus décisionnel certains de ses membres dont l'appui s'avère nécessaire au moment de la mise en œuvre de la décision prise

Erreur de cadrage (p. 439) Erreur qui consiste à résoudre un problème dans le contexte où on le perçoit

Erreur de faible différenciation (p. 226) Dans l'évaluation du rendement, erreur par laquelle l'évaluateur n'utilise qu'une petite partie de l'échelle d'évaluation; il est sous le coup de l'effet d'indulgence, de l'effet de sévérité ou de l'effet de tendance centrale

Erreur fondamentale d'attribution (p. 134) Tendance à sous-estimer l'influence des facteurs externes et à surestimer celle des facteurs internes lorsqu'on évalue le comportement d'autrui

Espoir (p. 409) Tendance à envisager diverses voies pour atteindre ce qu'on désire

Esprit de clocher (p. 468) Tendance à présumer que les façons de faire de sa propre culture sont universelles

Estime de soi (p. 41) Opinion que chacun a de lui-même en fonction d'une autoévaluation générale

Étape de la cohésion (p. 256) Troisième étape de l'évolution d'une équipe au cours de laquelle les membres commencent réellement à se souder et à coordonner leurs contributions individuelles

Étape de la constitution (p. 255) Première étape de l'évolution d'une équipe au cours de laquelle chacun des membres commence à s'identifier à d'autres membres et à l'équipe elle-même, et se pose un certain nombre de questions sur son intégration à l'équipe

Étape de la dissolution (p. 256) Dernière étape de l'évolution d'une équipe au cours de laquelle l'équipe, ayant rempli son rôle ou accompli ses tâches, se dissout

Étape du rendement (p. 256) Quatrième étape de l'évolution d'une équipe au cours de laquelle l'équipe atteint la maturité et devient bien organisée et opérationnelle

Étape du tumulte (p. 255) Deuxième étape de l'évolution d'une équipe qui est riche en émotions et en tensions pour ses membres

Éthique (p. 426) Étude philosophique de la moralité ou des normes qui régissent une haute moralité et une bonne conduite

Éthique du leadership (p. 409) Étude des problèmes d'éthique et des défis propres ou inhérents aux processus, aux pratiques et aux résultats liés au leadership ou à la subordination

Ethnocentrisme (p. 468) Tendance à penser que les façons de faire de sa propre culture sont les seules valables

Évaluation par incidents critiques (p. 224) Méthode de mesure absolue du rendement selon laquelle on consigne dans un registre des incidents critiques liés au comportement du travailleur: succès ou échecs sortant de l'ordinaire et touchant diverses dimensions du rendement

Éventail de subordination (ou effectif sous responsabilité directe) (p. 536) Nombre d'individus qui dépendent d'un même supérieur hiérarchique

Évitement (ou fuite) (p. 507) Stratégie de gestion des conflits par laquelle chacune des parties concernées élude le problème en se comportant comme s'il n'existait pas

Exogroupe (p. 68) Groupe dont une personne ne se sent pas acceptée, à l'égard duquel elle se sent mal à l'aise et éprouve un sentiment de non-appartenance

Exploitation (p. 605) Processus d'amélioration et de réutilisation de produits et de procédés existants

Exploration (p. 607) Processus au cours duquel l'organisation et ses cadres mettent l'accent sur la liberté et sur une réflexion approfondie; ils soumettent donc l'entreprise à de grands changements ou à ce que certains appellent des «innovations radicales»

Extinction (p. 146) Stratégie de modification du comportement qui consiste dans le retrait du renforçateur d'un comportement, ce qui a pour effet d'atténuer ou de faire disparaître ce dernier

Facilitation sociale (p. 251) Influence qu'exerce sur le comportement d'une personne la simple présence d'autres personnes

Façonnement (p. 141) Stratégie de renforcement qui consiste à obtenir un comportement donné par le renforcement positif d'approximations successives de ce comportement

Facteur de stress (p. 631) Stimulus qui génère du stress chez les individus

Facteurs d'hygiène (ou facteurs d'ambiance) (p. 162) Dans la théorie bifactorielle, facteurs associés au cadre de travail et déterminant le degré d'insatisfaction professionnelle

Facteurs moteurs (p. 162) Dans la théorie bifactorielle, facteurs associés à la nature même du travail et déterminant le degré de satisfaction professionnelle

Fenêtre de Johari (p. 485) Outil qui aide à comprendre sa relation avec soi-même et avec les autres

Filtrage de l'information (p. 464) Tendance d'une personne à ne pas transmettre l'information dans sa totalité

Filtrage sélectif (p. 118) Processus par lequel une personne trie les données fournies par l'environnement pour n'en retenir qu'une infime partie

Fixation des objectifs (p. 172) Processus d'élaboration, de négociation et de mise en forme des objectifs ou des cibles que le travailleur doit atteindre

Force (p. 316) Pouvoir opérationnel qui s'exerce contre la volonté d'autrui

Formalisation (p. 539) Mécanisme de contrôle des processus qui consiste à présenter par écrit les politiques, les procédures et les directives de l'organisation

Gestion de soi (p. 82) Capacité de penser avant d'agir et de maîtriser des impulsions susceptibles d'être destructrices

Gestion des impressions (p. 122) Déploiement systématique d'efforts par une personne dans le but d'influer sur la perception des autres à son sujet

Gestion des relations (p. 82) Capacité d'établir de bons rapports avec les autres, de manière à nouer avec eux des relations satisfaisantes

Gestion des risques (p. 432) Activité de gestion qui consiste à cerner les divers risques associés à chaque option ou possibilité d'action, puis à intégrer ces derniers dans le processus de prise de décision

Gestion fondée sur des données probantes (p. 10) Approche de gestion qui s'appuie, en matière de prise de décision, sur des faits indéniables et des preuves empiriques

Gestion par déambulation (p. 467) Stratégie de gestion qui consiste, pour le gestionnaire, à sortir régulièrement de son bureau pour aller parler à ses subordonnés à leur poste de travail

Gestion par objectifs (GPO) (p. 175) Mode de gestion qui repose essentiellement sur la fixation conjointe d'objectifs par le supérieur et le subordonné

Gestionnaire (p. 17) Au sein d'une organisation, personne dont la tâche consiste à soutenir les efforts déployés par d'autres

Gestionnaire amoral (p. 22) Gestionnaire qui omet de considérer les enjeux éthiques de ses décisions ou de ses comportements

Gestionnaire efficace (p. 17) Gestionnaire qui aide le personnel à atteindre à la fois un rendement excellent et un degré élevé de satisfaction personnelle

Gestionnaire immoral (p. 22) Gestionnaire qui ne souscrit à aucun principe éthique; quelle que soit la situation, il agit et prend des décisions uniquement en fonction de ses propres intérêts

Gestionnaire moral (p. 22) Gestionnaire qui intègre des principes et des visées éthiques dans son comportement personnel

Grille du leadership de Blake et Mouton (p. 385) Modèle comportemental du leadership, conçu par Robert Blake et Jane Mouton, qui permet d'évaluer le leader par rapport à son orientation envers les personnes et envers les tâches, et de le situer dans une grille dont l'axe des abscisses (intérêt envers la tâche) et l'axe des ordonnées (intérêt envers autrui) comportent chacun neuf graduations

Groupe informel (p. 243) Groupe qui se forme spontanément, au gré des relations personnelles ou en réponse à certains domaines d'intérêt communs, sans l'intervention ou sans l'appui officiel de l'organisation

Guerre d'insultes (ou flambée) (p. 472) Échanges de propos enflammés dans le cyberespace

Habilitation (p. 319) Processus par lequel le gestionnaire accorde un pouvoir décisionnel accru aux membres de son personnel, leur permettant ainsi de prendre les décisions qui les concernent directement et qui ont des répercussions sur leur travail

Heuristique (p. 438) Stratégie ou procédé permettant de simplifier la prise de décision

Heuristique de l'accessibilité mentale (p. 438) Procédé qui consiste à juger un événement à la lumière des situations passées qui reviennent le plus facilement à la mémoire

Heuristique de la représentativité (p. 439) Procédé qui consiste à évaluer la probabilité d'un événement sur la base des similitudes qu'il présente avec d'autres situations à propos desquelles on entretient des idées préconçues

Heuristique des données de référence (p. 439) Procédé qui consiste à évaluer un événement sur la base de données provenant d'un précédent historique ou d'une source extérieure, et adaptées aux nouvelles circonstances

Horaire de travail variable (p. 203) Aménagement du temps de travail consistant à laisser aux travailleurs une certaine latitude quant à leur horaire de travail quotidien, notamment leurs heures d'arrivée et de départ

Humeur (p. 83) Sentiment ou état d'esprit, négatif ou positif, moins intense qu'une émotion, mais pouvant persister pendant un certain temps et ne résultant généralement pas d'un stimulus contextuel particulier

Identification (p. 328) Réaction à l'exercice du pouvoir qui consiste à se conformer à la volonté d'une autre personne par volonté de maintenir une relation positive avec elle

Identification organisationnelle (p. 95) Attitude au travail qui traduit l'intensité de l'attachement affectif et du sentiment d'identification d'une personne à l'organisation

Image de soi (p. 41) Conception que chacun se fait de son identité sociale, physique, spirituelle et morale

Immédiateté (p. 365) Dans la théorie des échanges sociaux, vitesse à laquelle la dette est acquittée

Impuissance (p. 318) Manque d'autonomie ou de contrôle par rapport à soi-même ou à son milieu

Inclusion (p. 17) Degré selon lequel une organisation respecte et valorise la diversité dans sa culture, en s'ouvrant à quiconque se montre capable d'accomplir adéquatement son travail, quelles que soient les différences qui pourraient le caractériser

Indice du potentiel de motivation (IPM) (p. 196) Indice qui permet de déterminer dans quelle mesure les caractéristiques fondamentales d'un emploi le rendent stimulant pour son titulaire

Innovation (p. 601) Processus de génération et de mise en pratique de nouvelles idées

Innovation en matière de procédés (p. 603) Mise au point de méthodes de travail ou d'activités d'exploitation nouvelles ou améliorées

Innovation en matière de produits (p. 602) Commercialisation de produits (biens ou services) nouveaux ou améliorés visant à mieux répondre aux besoins de la clientèle

Insatisfaction professionnelle (p. 94) Attitude négative ou sentiment négatif qu'un individu éprouve, à divers degrés, à l'égard de son emploi et de son milieu de travail

Instauration du changement (p. 622) Étape intermédiaire du changement planifié, durant laquelle l'agent de changement prend des mesures pour transformer la situation en modifiant des paramètres comme les tâches, la structure, la technologie ou l'effectif de l'organisation

Instrumentalité (p. 169) Dans la théorie des attentes, probabilité, aux yeux de l'individu, que le rendement atteint se traduise par une récompense proportionnelle

Insuffisance de rôle (p. 282) Situation dans laquelle les attentes à l'égard d'une personne sont trop faibles, si bien que celle-ci se sent sous-utilisée

Intégration (p. 68) Création d'un milieu de travail où tous les employés sont traités équitablement et respectueusement, ont des chances égales de promotion et un même accès aux ressources, et peuvent contribuer pleinement au succès de l'organisation

Intégration interne (p. 581) Processus par lequel les membres de l'organisation se donnent une identité collective et harmonisent leurs façons de travailler ensemble et de se côtoyer

Intelligence collective (p. 265) Capacité d'une équipe à bien s'acquitter d'un vaste éventail de tâches

Intelligence culturelle (p. 54) Capacité de reconnaître et de comprendre les traits propres à une culture, et d'agir avec tact et efficacité en situation interculturelle

Intelligence émotionnelle (IE) (p. 20) Capacité de reconnaître ses propres sentiments et ceux des autres, de se motiver et de bien gérer ses émotions, en soi-même et dans ses relations avec autrui

Intérêt (p. 365) Dans la théorie des échanges sociaux, motif qui pousse une personne à faire un échange

Intériorisation (p. 328) Réaction à l'exercice du pouvoir qui consiste à se conformer à la volonté d'autrui parce que la demande émise concorde avec son système de valeurs

Intimidation au travail (p. 102) Type spécial de comportement contreproductif qui se manifeste lorsqu'une personne agit de manière abusive, humiliante, intimidante ou violente envers une autre personne, et ce, sur une base continue

Intuition (p. 436) Faculté de connaître ou de déceler rapidement et sans hésiter les possibilités qu'offre une situation donnée

Investissement professionnel (p. 94) Attitude qui se manifeste par l'intensité du dévouement d'un individu à l'égard de son emploi

Jeu à somme nulle (ou situation gagnant-perdant) (p. 320) Situation selon laquelle le gain de pouvoir d'une personne équivaut à la perte de pouvoir d'une autre personne

Jeu en profondeur (p. 87) Tentative de modification de ses sentiments intimes, selon des règles de présentation de soi, pour mieux s'adapter à une situation

Jeu en surface (p. 88) Dissimulation de ses sentiments intimes et renoncement à les exprimer, en réponse aux règles de présentation de soi

Jeu politique en milieu organisationnel (p. 331) Selon deux perspectives : (1) Exercice du pouvoir pour parvenir à des fins que l'organisation désapprouve ou pour obtenir des résultats qu'elle approuve, mais par des moyens qu'elle réprouve ; (2) Art d'élaborer des compromis originaux pour concilier des intérêts rivaux

Jeu politique intéressé (p. 332) Jeu politique qui se manifeste lorsque des personnes travaillent de façon à s'approprier, pour leur propre avantage, des résultats qui, autrement, seraient ambigus, sans se préoccuper des collègues ou de l'organisation

Justice commutative (p. 168) Justice qui règle les échanges entre les parties concernées selon les principes de la transparence et de la rectitude

Justice distributive (p. 167) Justice qui garantit le traitement équitable de tout être humain

Justice interactionnelle (p. 168) Justice qui garantit le traitement respectueux et digne des diverses personnes concernées par une décision

Justice organisationnelle (p.167) Appréciation de justice et d'équité que font les individus quant aux pratiques existant dans leur milieu de travail

Justice procédurale (p. 167) Justice qui garantit le respect des règles et des procédures établies dans tous les cas où elles s'appliquent

Leadership (p. 349) Processus d'influence qui émerge lorsque des comportements de leadership (par exemple influencer) sont combinés à des comportements de subordination (par exemple s'en remettre à la source d'influence) ; processus permettant de soutenir les efforts individuels et collectifs en vue de l'atteinte d'objectifs communs

Leadership administratif (p. 404) Style de leadership qui se manifeste dans les rôles officiels de gestion et qui met l'accent sur la coordination et le contrôle afin d'améliorer les résultats de l'entreprise

Leadership ascendant (p. 351) Leadership exercé par des personnes dans leur relation avec des personnes de niveaux hiérarchiques supérieurs au leur

Leadership au service des autres (p. 405) Style de leadership par lequel le dirigeant se met au service des autres

Leadership autocratique (p. 407) Style de leadership qui consiste à dicter des politiques et procédures, à prendre les décisions individuellement et à diriger et contrôler toutes les activités sans consultation des subordonnés

Leadership axé sur la considération pour autrui (p. 385) Style de leadership dans lequel le dirigeant, axé sur les travailleurs, est très sensible à ce que ressentent ses subordonnés et s'efforce de les satisfaire

Leadership axé sur la structuration des activités (p. 385) Style de leadership dans lequel le dirigeant, axé sur la tâche, cherche surtout à en préciser les exigences et à clarifier les divers aspects du travail

Leadership collectif (p. 366) Leadership vu comme un phénomène social qui se construit au gré des interactions, plutôt que comme un ensemble de caractéristiques particulières des personnes et de leurs comportements

Leadership d'adaptation (p. 404) Style de leadership flexible qui s'exerce dans l'interface commune aux systèmes administratif et entrepreneurial et qui favorise les conditions propices à son émergence

Leadership de soutien (p. 392) Style de leadership qui accorde la priorité aux besoins et au bien-être des subordonnés et qui favorise l'instauration et le maintien d'un climat de travail amical

Leadership directif (p. 392) Style de leadership qui consiste à expliquer de manière très détaillée aux subordonnés les tâches qu'ils doivent accomplir ainsi que la manière dont ils doivent procéder

Leadership distribué (p. 367) Leadership envisagé sous l'angle d'un phénomène de groupe et qui s'appuie sur une variété d'expertises provenant de nombreuses personnes plutôt que sur l'expertise limitée d'une poignée de leaders

Leadership entrepreneurial (p. 404) Style de leadership qui stimule l'innovation, l'adaptabilité et le changement

Leadership formel (p. 350) Leadership exercé par des personnes nommées ou élues à un poste qui leur confère une autorité officielle au sein d'une organisation

Leadership habilitant (p. 407) Style de leadership qui favorise le partage de pouvoir avec les employés en transmettant la signification du travail, en accordant de l'autonomie, en exprimant de la confiance envers les capacités des employés et en éliminant les entraves à l'atteinte d'un bon rendement

Leadership informel (p. 350) Leadership exercé par des personnes dont l'ascendant tient à des compétences particulières leur permettant de répondre aux besoins de leurs collègues, ou à des traits de caractère particuliers qui incitent leurs collègues à s'identifier à elles et à les imiter

Leadership orienté vers les objectifs (p. 392) Style de leadership qui met l'accent sur la fixation d'objectifs stimulants et sur l'obtention d'un rendement élevé, et qui repose sur une confiance inébranlable en la capacité des membres du groupe à atteindre les résultats visés, si ambitieux soient-ils

Leadership partagé (p. 284) Responsabilité collective, partagée entre tous les membres, quant à la satisfaction des besoins du groupe en matière de tâches et de relations harmonieuses ; **(p. 369)** Processus dynamique et interactif d'influence entre les membres d'un groupe se guidant mutuellement vers l'atteinte de leurs objectifs communs ou de ceux de l'organisation

Leadership participatif (p. 392) Style de leadership axé sur la consultation, dans lequel le dirigeant invite les subordonnés à lui faire part de leurs suggestions et en tient compte dans ses prises de décision

Leadership transactionnel (p. 399) Style de leadership qui repose sur les échanges nécessaires que doivent avoir le dirigeant et ses subordonnés pour satisfaire leurs intérêts personnels et atteindre le rendement convenu

Leadership transformateur (p. 400) Style de leadership par lequel le dirigeant: (1) amène ses subordonnés à élargir leurs horizons, à mieux comprendre les objectifs et la mission du groupe et à se les approprier; (2) incite ses subordonnés à voir au-delà de leur propre intérêt pour considérer celui d'autrui

Lieu de contrôle (p. 47) Degré d'emprise que les gens ont l'impression d'avoir sur leur propre vie

Lieu de contrôle externe (p. 47) Tendance de l'individu à attribuer ce qui lui arrive à des facteurs externes sur lesquels il n'a pas d'emprise

Lieu de contrôle interne (p. 47) Tendance de l'individu à attribuer ce qui lui arrive à des facteurs inhérents à sa personne et à se croire maître de sa destinée

Loi d'airain de la responsabilité (p. 320) Principe selon lequel un déséquilibre important du pouvoir déclenche des forces qui font en sorte de rétablir l'équilibre

Loi de l'effet (p. 140) Principe selon lequel un comportement suivi d'une conséquence agréable a de fortes chances de se répéter, tandis qu'un comportement suivi d'une conséquence désagréable ne se reproduira probablement pas

Loi du renforcement contingent (p. 141) Principe du renforcement positif selon lequel la récompense doit être accordée uniquement s'il y a manifestation du comportement souhaité

Loi du renforcement immédiat (p. 141) Principe du renforcement positif selon lequel la récompense doit être accordée le plus rapidement possible après la manifestation du comportement souhaité

Machiavélisme (p. 49) Tendance à manœuvrer en usant de tous les moyens pour parvenir à ses fins

Main-d'œuvre intelligente (p. 6) Communauté d'action dont les membres mènent des projets en évolution constante, tout en partageant leurs connaissances et leurs compétences afin de résoudre des problèmes réels et souvent complexes

Maîtrise situationnelle (p. 388) Marge de manœuvre dont jouit le leader pour influer sur les comportements des membres de son groupe et déterminer les résultats des actions et des décisions de ces membres

Manipulateur (p. 398) Personne utilisant le pouvoir pour faire avancer ses propres intérêts sans tenir compte des besoins des subordonnés

Marge de négociation (p. 515) Écart entre les montants acceptables respectifs des protagonistes d'une négociation, c'est-à-dire entre le minimum de l'un et le maximum de l'autre

Mauvais stress (ou détresse) (p. 639) Stress se traduisant par une tension étant très faible ou excessive et ayant des effets néfastes, tant pour l'individu que pour l'organisation

Médiation (p. 519) Processus de règlement des différends par lequel un tiers neutre tente, par la persuasion et des arguments rationnels, d'amener les parties à une solution négociée

Message contradictoire (p. 466) Décalage entre les mots que prononce un individu et ce que révèlent ses gestes et son langage corporel

Mesure des activités (p. 220) Évaluation du rendement par rapport aux efforts ou aux moyens mis en œuvre dans le travail

Mesure des résultats (p. 220) Évaluation du rendement par rapport au produit effectif du travail

Mirage du leadership (p. 357) Phénomène qui consiste à attribuer tous les résultats organisationnels – bons ou mauvais – aux faits et gestes des leaders

Mise à l'épreuve relationnelle (p. 478) Processus par lequel une personne A fait des divulgations à une personne B qui s'en forge une opinion et qui attribue certaines caractéristiques à la personne A basées sur les divulgations qui lui ont été faites

Modèle (p. 8) Vision simplifiée de la réalité par laquelle le chercheur tente d'expliquer un phénomène du monde réel

Modèle décisionnel classique (p. 434) Modèle selon lequel le décideur évolue dans un univers de certitude absolue

Modèle décisionnel comportemental (p. 435) Modèle selon lequel le décideur agit seulement en fonction de ce qu'il perçoit d'une situation donnée

Modification du comportement organisationnel (p. 140) En milieu de travail, renforcement systématique des comportements recherchés et non-renforcement ou punition des comportements indésirables

Monitorage de soi (p. 49) Capacité qu'a un individu d'adapter son comportement aux facteurs environnementaux

Motivation à diriger (p. 354) Désir d'assumer les rôles et les responsabilités d'un leader et d'être formé en conséquence

Motivation au travail (p. 157) Ensemble des énergies qui soustendent l'orientation, l'intensité et la persistance des efforts qu'un individu consacre à son travail

Mythe organisationnel (p. 593) Croyance non fondée qui circule au sein de l'organisation et que la plupart des individus acceptent tacitement sans les remettre en cause

Négociation (p. 512) Processus par lequel des parties privilégiant des positions divergentes tentent de parvenir à une entente, à une décision commune

Négociation des rôles (p. 284) Méthode qui consiste à réunir les membres d'une équipe afin qu'ils expriment et clarifient leurs attentes respectives et mutuelles dans leurs relations professionnelles et qu'ils se mettent tous d'accord à leur sujet

Négociation distributive (p. 514) Négociation centrée sur les positions respectives des parties, luttant chacune pour maximiser ses propres gains

Négociation raisonnée (ou négociation à gains mutuels) (p. 514) Négociation centrée sur l'évaluation des questions à régler et des intérêts en jeu, toutes les parties recherchant conjointement une solution qui maximise leurs gains mutuels

Non-substituabilité (p. 337) Caractéristique d'une personne difficilement remplaçable

Norme (p. 285) Règle de conduite ou critère de comportement que se donnent les membres d'une équipe

Norme de réciprocité (p. 365) Dans la théorie des échanges sociaux, norme qui stipule que, lorsqu'une personne rend service à une autre personne, cette dernière est redevable envers la première jusqu'à ce qu'elle lui ait rendu la pareille

Norme de rendement (p. 285) Attente du groupe quant à l'intensité des efforts que ses membres doivent déployer et quant à la quantité et à la qualité du travail à accomplir

Objectif de production (p. 532) Objectif de l'organisation qui délimite son champ d'activité et précise son énoncé de mission, plus général

Objectif sociétal (p. 532) Objectif relatif à la contribution que l'organisation entend apporter à l'ensemble de la société

Objectif stratégique (p. 532) Objectif de l'organisation qui énonce une condition susceptible d'accroître ses chances de survie

Optimisme (p. 409) Attente d'un résultat positif

Organigramme (p. 534) Représentation graphique de la structure formelle d'une organisation

Organisation (p. 13) Regroupement d'individus qui travaillent à la réalisation d'un objectif commun; **(p. 18)** Répartir les tâches et distribuer les ressources en fonction des objectifs

Paresse sociale (ou effet Ringelmann) (p. 252) Phénomène qui se manifeste par une diminution du rendement des individus en situation de travail collectif

Parole (p. 477) Fait, pour les employés, de parler pour partager des idées, des renseignements, des suggestions ou des préoccupations avec les échelons supérieurs d'une organisation

Partage de poste (p. 204) Formule qui consiste à répartir la totalité des tâches d'un poste à temps plein entre deux travailleurs ou plus, selon des horaires convenus entre eux et avec l'employeur

Partage du travail (ou travail partagé) (p. 204) Procédé par lequel un employeur et son personnel s'entendent pour réduire le nombre d'heures de travail afin d'éviter des licenciements

Parties prenantes (p. 14) Individus, groupes et organisations ayant des intérêts dans l'évolution du rendement de l'organisation

Pensée analytique (p. 436) Approche méthodique et réfléchie des problèmes

Pensée de groupe (p. 300) Tendance, chez les membres de groupes à la cohésion très forte, à perdre tout sens critique

Pensée hiérarchique (p. 322) Mentalité émanant d'un système hiérarchique selon laquelle les gestionnaires sont supérieurs et les subordonnés, inférieurs

Pensée intuitive (p. 436) Approche souple et spontanée des problèmes

Perception (p. 115) Processus par lequel on sélectionne, organise, interprète et récupère l'information transmise par l'environnement

Perception d'iniquité (p. 165) Sentiment éprouvé par une personne qui, se comparant à d'autres, estime qu'elle est trop ou pas assez récompensée pour son travail

Perception qu'a le subordonné de son rôle (p. 360) Croyance du subordonné quant à la manière dont il devrait interagir et dialoguer avec son leader pour répondre aux besoins de son unité de travail

Perception sélective (p. 130) Tendance d'une personne à privilégier une lecture de la réalité qui correspond à ses besoins, à ses attentes, à ses valeurs et à ses attitudes, et qui l'amène à ne voir que certains aspects d'une situation, d'une personne ou d'un point de vue

Personnalité (p. 42) Profil global d'un individu; combinaison de traits qui font de lui un être unique dans la manière qu'il a de se comporter et d'entrer en relation avec autrui

Personnalité de type A (p. 51) Personnalité caractérisée par l'impatience, le désir de réussite et le perfectionnisme

Personnalité de type B (p. 51) Personnalité caractérisée par un tempérament calme et un faible esprit de compétition

Personnalité proactive (p. 48) Disposition d'un individu qui tend à agir en vue de modifier son environnement

Phénomène du tuyau percé (p. 62) Expression utilisée pour désigner le fait que les femmes quittent leur organisation avant d'atteindre les échelons les plus élevés

Philosophie de gestion (p. 596) Philosophie organisationnelle qui fait le lien entre les questions clés, relatives aux objectifs de l'organisation, et les questions relatives à la collaboration entre ses membres pour déterminer les méthodes générales que l'organisation devrait adopter dans la conduite de ses affaires

Piège de la confirmation (p. 439) Tendance poussant l'individu à rechercher l'information qui confirme ce qu'il croit être vrai et à faire fi de celle qui pourrait infirmer ses convictions ou à la négliger

Piège du jugement *a posteriori* (p. 439) Tendance à surestimer rétrospectivement ce qu'on aurait pu ou dû prévoir concernant un événement

Planification (p. 18) Fixer des objectifs et déterminer les actions à entreprendre pour les atteindre

Point de vue de la valeur partagée (p. 411) Point de vue selon lequel les organisations devraient créer une valeur économique tout en créant une valeur pour la société

Polyvalence (p. 245) Capacité des travailleurs à assumer une grande variété de fonctions et de tâches

Pouvoir (p. 316) Capacité d'amener autrui à faire ce qu'on lui demande ou capacité d'influer sur le cours des événements

Pouvoir charismatique désintéressé (p. 397) Pouvoir charismatique exercé dans le sens des intérêts de la collectivité plutôt que pour des intérêts personnels

Pouvoir charismatique égocentrique (p. 397) Pouvoir charismatique exercé dans le sens d'intérêts personnels plutôt que pour les intérêts de la collectivité

Pouvoir d'association (p. 326) Forme de pouvoir provenant de la relation établie avec une personne puissante dont les autres dépendent

Pouvoir d'expertise (p. 324) Capacité qu'a un individu d'influer sur le comportement d'autrui grâce aux connaissances, à l'expérience et au jugement qui lui sont propres et dont d'autres, qui ne les possèdent pas, ont besoin

Pouvoir de coercition (p. 323) Capacité qu'a un individu d'influer sur le comportement d'autrui en lui refusant les récompenses qu'il convoite ou en le punissant

Pouvoir de l'information (p. 324) Forme de pouvoir qui résulte de l'accès à l'information et de la mainmise qu'on a sur elle

Pouvoir de récompense (p. 322) Capacité qu'a un individu d'influer sur le comportement d'autrui en lui offrant des récompenses ou en mettant fin à une situation désagréable

Pouvoir de référence (p. 324) Capacité qu'a un individu d'influer sur le comportement d'autrui parce que celui-ci veut s'identifier à lui, comme source de pouvoir

Pouvoir des relations (p. 326) Forme de pouvoir provenant de la capacité d'être à même de compter sur ses liens et ses réseaux, à l'intérieur comme à l'extérieur de l'organisation, pour accomplir ses tâches et atteindre ses objectifs

Pouvoir légitime (p. 321) Capacité qu'a un gestionnaire d'influer sur le comportement de ses subordonnés en s'appuyant sur l'autorité hiérarchique qu'il détient

Pouvoir lié au poste (p. 321) Pouvoir qui découle de la hiérarchie officielle ou de l'autorité conférée à une personne en raison du poste qu'elle occupe ou du rôle qu'elle assume

Pouvoir personnel (p. 321) Pouvoir propre à la personne et généré par sa relation avec les autres

Pouvoir social (p. 316) Capacité d'influencer autrui dans le cadre d'une relation sociale

Présence (p. 462) Art de communiquer sans les mots

Prime (p. 213) Complément de salaire en espèces visant à récompenser les individus dont le rendement est supérieur aux normes ou aux attentes de l'organisation

Principes de la communication collaborative (p. 481) Dans le processus de communication, ensemble de règles qui favorisent la résolution commune de problèmes

Prise de décision (ou processus décisionnel) (p. 295) Processus qui consiste à choisir, parmi plusieurs lignes de conduite possibles, un plan d'action visant à régler un problème ou à saisir une occasion

Problématique diversité-consensus (p. 264) Phénomène par lequel une grande diversité au sein d'une équipe tend à rendre la collaboration plus difficile, bien qu'elle augmente la somme d'aptitudes et de compétences disponibles pour la résolution des problèmes

Problème moral (p. 426) Problème qui a des conséquences éthiques importantes pour le décideur ou d'autres personnes

Processus de gestion (p. 18) Processus intégrant les responsabilités devant être assumées par un gestionnaire, soit la planification, la direction, l'organisation et le contrôle

Processus de leadership (p. 24) Processus menant leaders et subordonnés à travailler de concert pour mettre en œuvre des changements favorisant la réalisation de la mission et de la vision de l'organisation

Programme d'aide au personnel (p. 645) Programme que met en place l'organisation dans le but d'apporter un soutien aux employés qui font face à des problèmes personnels ou professionnels générateurs de stress

Programme d'options d'achat d'actions (p. 215) Système de rémunération donnant aux employés qui y adhèrent le droit d'acheter ultérieurement des actions à un prix fixé à l'avance

Programme de formation « adéquation leader-situation » (p. 390) Programme de formation visant à apprendre aux leaders à analyser la situation dans laquelle ils se trouvent afin d'harmoniser leur indice CMA et leur maîtrise situationnelle

Programme de partage des gains de productivité (p. 213) Système de rémunération qui accorde aux travailleurs un supplément de rémunération proportionnel aux gains de productivité de l'organisation

Programme de participation aux bénéfices (p.213) Système de rémunération qui récompense les travailleurs en liant leur rémunération aux profits de l'organisation

Projection (p. 130) Fait d'attribuer à autrui des caractéristiques, des attentes, des besoins ou des convictions propres à soi

Prophétie qui se réalise (p. 131) Propension à découvrir ou à susciter ce à quoi on s'attend chez quelqu'un ou dans une situation donnée

Proposition de valeur à l'employé (PVE) (p. 207) Offre de l'organisation à l'employé en contrepartie de sa contribution au travail

Prototype du leader (p. 355) Représentation mentale du leader idéal

Proxémie (p. 293) Utilisation de l'espace dans lequel ont lieu les interactions entre les employés

Punition (p. 145) Stratégie de modification du comportement qui consiste à attribuer des conséquences négatives ou à supprimer des conséquences positives à la suite d'un comportement indésirable, et ce, afin de diminuer la probabilité que le comportement se répète dans des conditions similaires

Questionnaire du collègue le moins apprécié (CMA) (p. 388) Instrument de mesure qui permet de déterminer, avec une description du collègue le moins apprécié, si le répondant a un style de leadership axé sur les relations ou sur la tâche

Questionnement (p. 484) Dans le processus d'écoute active, réponse qui consiste à demander à l'émetteur d'approfondir, de préciser ou de répéter au besoin

Récepteur (p. 460) Individu ou groupe à qui s'adresse un message

Réceptivité (p. 487) Aptitude générale d'une personne à recevoir de la rétroaction

Récompense extrinsèque (p. 140 et p. 211) Gratification ou avantage attribué par une personne à une autre pour un travail jugé satisfaisant

Récompense intrinsèque (p. 210) Sentiment de satisfaction éprouvé par l'individu qui découle directement de l'accomplissement du travail et du résultat obtenu

Recristallisation (p. 622) Étape finale du changement planifié, durant laquelle les acquis du changement sont consolidés et assimilés à long terme

Reflet (p. 484) Dans le processus d'écoute active, réponse qui consiste à paraphraser ce que l'interlocuteur a dit, à résumer ses propos ou encore à lui poser une question pour s'assurer d'avoir bien compris

Régime d'actionnariat des employés (p. 215) Système de rémunération par lequel une société de capitaux donne à ses salariés des actions de l'entreprise ou leur permet d'en acquérir à un prix inférieur à celui du marché

Règle de la conformité aux normes (p. 288) Règle selon laquelle plus une équipe ou un groupe est cohésif, plus les membres en respectent les normes

Règle de réciprocité (p. 26) Sentiment de devoir rendre la pareille à quelqu'un qui a fait quelque chose pour soi

Règles de présentation de soi (p. 87) Normes informelles d'un groupe social donné qui déterminent dans quelle mesure il est approprié, pour ses membres, de manifester ses émotions

Remue-méninges (p. 302) Technique d'aide à la prise de décision collective fondée sur la libre expression du plus grand nombre possible d'idées, sans critiques immédiates

Rémunération au mérite (p. 212) Système de rémunération selon lequel le salaire et les augmentations des travailleurs sont directement liés à l'évaluation de leur rendement pour une période donnée

Rémunération fondée sur les compétences (p. 217) Système de rémunération qui récompense les travailleurs pour l'acquisition ou le perfectionnement d'habiletés associées à leur travail

Rémunération selon le rendement (p. 212) Système de rémunération selon lequel les individus qui fournissent le meilleur rendement sont les mieux rémunérés, et ceux dont le rendement est le plus faible sont les moins bien rémunérés

Renforcement (p. 139) Attribution d'une conséquence à un comportement afin d'influer sur celui-ci

Renforcement continu (p. 142) Stratégie de renforcement qui consiste à récompenser le comportement souhaité chaque fois qu'il se manifeste

Renforcement intermittent (ou partiel) (p. 142) Stratégie de renforcement qui consiste à ne récompenser le comportement souhaité qu'occasionnellement

Renforcement négatif (ou évitement) (p. 143) Stratégie de modification du comportement qui consiste à faire suivre un comportement du retrait de conséquences négatives ou désagréables afin de favoriser la répétition du comportement dans des conditions similaires

Renforcement positif (p. 141) Stratégie de modification du comportement qui consiste à faire suivre le comportement souhaité par des conséquences positives afin d'augmenter la probabilité de le voir se reproduire dans un contexte similaire

Réparation relationnelle (p. 480) Actions pour retourner la relation à un état positif

Réseau de communication centralisé (p. 293) Réseau de communication dans lequel le coordonnateur du groupe centralise l'information

Réseau de communication décentralisé (p. 292) Réseau de communication dans lequel la circulation et le partage de l'information s'effectuent par communication directe entre tous les membres de l'équipe

Réseau de communication restreint (p. 293) Réseau de communication dans lequel les sous-groupes en présence sont en désaccord et campent sur leurs positions respectives, ce qui limite la circulation et la communication de l'information

Réseau de communication virtuel (p. 295) Réseau de communication donnant aux membres d'une équipe la possibilité de communiquer par voie électronique tout le temps ou presque

Résilience (p. 409) Capacité à retomber sur ses pieds et à continuer d'aller de l'avant après un échec

Résistance au changement (p. 626) Tout comportement ou toute attitude indiquant le refus de soutenir ou d'apporter une modification proposée

Résistance constructive (p. 328) Réaction à l'exercice du pouvoir caractérisée par une dissidence réfléchie visant à défier de manière constructive l'agent d'influence afin que ce dernier revoie sa position

Résistance dysfonctionnelle (p. 329) Réaction à l'exercice du pouvoir caractérisée par une forme de non-conformité plutôt passive dans laquelle les personnes font fi de la demande de l'agent d'influence ou la rejettent

Résolution de conflit (p. 503) Situation dans laquelle les causes sous-jacentes d'un conflit ont été éliminées

Résolution de problème (p. 508) Stratégie de gestion directe des conflits qui s'appuie sur la collecte et l'évaluation de l'information pertinente et sur des discussions franches entre les parties pour éliminer les antécédents du conflit

Rétroaction (p. 461) Dans le processus de communication, message de retour qu'adresse le récepteur d'un message à son émetteur, généralement pour l'informer de sa compréhension ou de son interprétation de ce que ce dernier a dit ou fait

Rétroaction à 360 degrés (p. 224) Approche de l'évaluation du rendement qui ajoute à l'évaluation faite par les supérieurs, l'évaluation par les collègues et les subordonnés, l'évaluation par la clientèle ou par d'autres personnes avec qui le travailleur est en contact à l'extérieur de son unité de travail ainsi que l'auto-évaluation

Rétroaction constructive (p. 485) Rétroaction donnée d'une manière franche et positive afin d'aider l'autre à s'améliorer

Revendication de l'identité (p. 353) Dans le processus de leadership, ensemble d'actions entreprises par une personne pour affirmer son identité de leader ou de subordonné

Rite (p. 589) Activité planifiée, standardisée et récurrente à laquelle on recourt à un moment précis afin d'influer sur la perception et sur le comportement des membres de l'organisation

Rituel (p. 589) Ensemble de rites

Rôle (p. 282) Ensemble des attentes associées à un poste ou à une fonction au sein d'une équipe

Rotation des postes (p. 194) Approche de la conception de poste selon laquelle on augmente la diversité des tâches en changeant périodiquement les travailleurs de poste, sans pour autant augmenter le degré de difficulté des tâches ni le niveau de responsabilité du poste

Satisfaction professionnelle (p. 17 et p. 94) Attitude positive ou sentiment positif qu'un individu éprouve, à divers degrés, à l'égard de son emploi et de son milieu de travail

Scénario de gestion (p. 555) Habitude qu'acquièrent à la longue les gestionnaires d'une même organisation, tant dans leur façon de diagnostiquer et d'analyser les problèmes que dans celle d'envisager les solutions possibles

Schème (p. 119) Cadre cognitif qui correspond à la connaissance, structurée par le temps et l'expérience, qu'a l'individu d'un concept ou d'un stimulus donné

Semaine de travail comprimée (p. 202) Aménagement de l'horaire de travail consistant en une répartition des tâches hebdomadaires d'un emploi à temps plein sur moins de cinq jours complets

Sens politique (p. 338) Aptitude à interpréter les milieux politiques et à y exercer une influence efficace

Sentiment d'autonomisation (p. 197) Sentiment d'accomplissement personnel et de réalisation d'un but engendré par une liberté d'action accrue permettant l'utilisation des talents et du savoir-faire personnels; ce sentiment alimente le sentiment de compétence et d'engagement au travail

Sentiment de compétence (ou autoefficacité) (p. 41) Conviction intime qu'un individu a de pouvoir accomplir avec succès une tâche déterminée

Silence (p. 477) Fait, pour les employés, de ne pas partager des données qui pourraient être précieuses

Simplification des tâches (p. 193) Approche de la conception de poste selon laquelle les procédés sont standardisés et les travailleurs, confinés dans des tâches normalisées, clairement définies et hautement spécialisées

Sociogramme (p. 244) Diagramme des structures informelles et des liens sociaux existant au sein d'une organisation

Sophisme écologique (p. 57) Processus qui consiste à agir en fonction de la fausse prémisse selon laquelle une valeur culturelle est partagée indistinctement par tous les membres d'une culture

Soumission (p. 327) Réaction à l'exercice du pouvoir qui consiste à se conformer à la volonté d'autrui, non pas par conviction, mais plutôt en raison des récompenses qui s'ensuivront ou des punitions qui seront évitées

Source de distraction environnementale (p. 465) Source de distraction liée à l'environnement, telle qu'un bruit ou un visiteur impromptu, qui interfère avec la transmission d'un message et interrompt le processus de communication

Sous-culture (p. 582) Philosophie et valeurs qui sont propres à un groupe, mais qui demeurent en harmonie avec la culture dominante de l'organisation

Spécialisation horizontale (p. 543) Division du travail qui mène à la création d'unités ou de groupes de travail au sein de l'organisation

Spécialisation verticale (p. 534) Division hiérarchique du travail qui répartit l'autorité et détermine les échelons auxquels se prennent les décisions importantes

Standardisation (p. 540) Mécanisme de contrôle des processus qui consiste à imposer des limites aux actions permises dans l'accomplissement d'une tâche ou d'une série de tâches, à définir des lignes de conduite très précises afin que des activités similaires soient toujours accomplies de la même manière

Stéréotype (p. 62) Attribution à une personne des caractéristiques couramment prêtées à une catégorie ou à un groupe de la population auquel on l'associe – les femmes, par exemple –, sans tenir compte de ses particularités individuelles

Stigmatisation (p. 67) Déni ou rejet d'une personne à cause d'un attribut que la société dans laquelle elle vit dénigre fortement

Stimulus (p. 139) Agent déclencheur qui provoque une réaction comportementale

Stratégie de coercition (p. 623) Stratégie par laquelle l'agent de changement s'appuie sur son pouvoir légitime (l'autorité), sur son pouvoir de récompense ou sur son pouvoir de coercition pour amener les personnes à se soumettre à sa volonté de changement

Stratégie de partage du pouvoir (p. 625) Stratégie par laquelle l'agent de changement s'appuie sur son pouvoir de référence pour favoriser sincèrement et activement la participation des personnes concernées à la planification et à l'implantation du changement qu'il propose

Stratégie de persuasion rationnelle (p. 624) Stratégie par laquelle l'agent de changement s'appuie sur son pouvoir d'expertise pour convaincre les personnes qu'elles ont avantage à adhérer au changement qu'il propose

Stratégie organisationnelle (p. 553) Plan d'ensemble de l'organisation résultant d'un processus de positionnement dans l'environnement concurrentiel et de détermination des mesures à implanter pour soutenir efficacement la concurrence

Stress (p. 630) Tension qu'une personne ressent lorsqu'elle est soumise à des exigences, à des contraintes ou à des demandes inhabituelles

Structure divisionnaire (p. 544) Structure organisationnelle qui regroupe les individus et les ressources par produits, secteurs géographiques, types de services, clients ou entités juridiques

Structure fonctionnelle (p. 543) Structure organisationnelle qui regroupe les individus par compétences, connaissances ou activités

Structure matricielle (p. 547) Structure organisationnelle qui combine des éléments des structures fonctionnelle et divisionnaire, et où le travailleur dépend de deux autorités

Structure simple (p. 554) Configuration structurelle caractérisée par des mécanismes de coordination formels peu nombreux et peu élaborés, une forte centralisation, un contrôle exercé par le dirigeant, une spécialisation horizontale peu poussée et un personnel fonctionnel peu nombreux

Subordination (p. 357) Processus par lequel des personnes choisissent comment elles s'engageront dans leurs relations avec leur leader afin de cocréer le leadership et les résultats qui en découlent

Surcharge de rôle (p. 282) Situation dans laquelle les attentes à l'égard d'une personne sont trop élevées, si bien que celle-ci se sent submergée par la charge de travail

Surenchère irrationnelle (p. 440) Investissement d'efforts supplémentaires dans un plan d'action dont tout indique qu'il ne fonctionne pas

Symbole culturel (p. 590) Objet, action ou événement qui transmet un message d'ordre culturel

Syndrome de Bethsabée (p. 329) Syndrome incarné par des hommes ou des femmes intelligents et intègres qui, au sommet du pouvoir, adoptent un comportement immoral et égoïste parce qu'ils se croient, à tort, au-dessus des lois

Syndrome de la compartimentation (p. 244) Ensemble de problèmes qui résultent d'un manque de communication et d'interactions entre les travailleurs des divers services et unités d'une organisation

Synergie (p. 250) Phénomène de coordination des énergies qui fait que le tout dépasse la somme des parties

Système adaptatif complexe (p. 13) Système qui interagit avec son environnement et s'y adapte pour survivre

Système adaptatif complexe (p. 402) Système qui s'adapte et qui évolue au cours d'un processus d'interaction avec des milieux dynamiques

Système formel (p. 332) Système organisationnel qui détermine ce qui doit être fait et comment les processus de travail doivent être coordonnés et structurés

Système informel (p. 332) Modèle d'activité et de relations qui émerge au gré des activités quotidiennes alors que des personnes et des groupes travaillent pour atteindre des objectifs

Système ouvert (p. 13) Système qui interagit avec son environnement, transforme les ressources qu'il reçoit de lui, avant de les y retourner sous forme de produits finis (biens ou services)

Technique Delphi (p. 303) Technique d'aide à la prise de décision collective qui repose sur une série de questionnaires distribués à de nombreux décideurs et qui vise à faire émerger un consensus

Technique du groupe nominal (p. 302) Technique d'aide à la prise de décision collective qui, s'appuyant sur des règles précises, permet à tous les membres de l'équipe, de façon indépendante les uns des autres, d'émettre leurs idées, pour les faire émerger et les hiérarchiser

Technologies de l'information et des communications (TIC) (p. 556) Combinaison de l'équipement, du matériel, des procédures et des systèmes qui est utilisée pour recueillir, emmagasiner, analyser et diffuser l'information afin qu'elle puisse se traduire en connaissances, en savoir

Technologies liées aux activités d'exploitation (p. 556) Combinaison des ressources, des connaissances et des techniques qui crée un extrant (bien ou service) pour l'organisation

Télétravail (p. 204) Aménagement du travail qui permet aux individus d'exercer leurs activités professionnelles à distance, chez eux ou ailleurs, tout en restant reliés à l'organisation grâce aux technologies de l'information et des communications

Théorie bifactorielle (ou théorie des deux facteurs) (p. 162) Théorie de la motivation élaborée par Frederick Herzberg qui distingue les facteurs de satisfaction professionnelle (facteurs moteurs) des facteurs pouvant prévenir l'insatisfaction professionnelle (facteurs d'hygiène)

Théorie de l'apprentissage social (p. 135) Théorie selon laquelle le processus d'apprentissage se fonde sur l'interaction entre l'individu, le comportement des gens qui l'entourent et l'environnement

Théorie de l'autodétermination (p. 176) Théorie qui s'appuie sur une approche multidimensionnelle de la motivation et selon laquelle le type de motivation est fonction du degré d'autodétermination dont dispose l'individu; un degré élevé d'autodétermination est source, notamment, de bien-être, d'engagement et de rendement

Théorie de l'équité (p.165) Théorie de la motivation élaborée par J. Stacy Adams selon laquelle l'iniquité perçue par un individu qui compare ce qu'il reçoit pour son travail avec ce que d'autres reçoivent pour le leur devient une source de motivation; l'individu tentera de redresser la situation afin d'éliminer la tension résultant de la perception d'une iniquité

Théorie de l'évaluation cognitive (p. 178) Théorie selon laquelle le fait de récompenser extrinsèquement un individu pour un travail intrinsèquement satisfaisant réduit sa motivation

Théorie de l'identité sociale (p. 68) Théorie visant à déterminer les bases psychologiques de la discrimination

Théorie de la hiérarchie des besoins (p. 158) Théorie de la motivation d'Abraham Maslow en vertu de laquelle les besoins humains sont organisés selon une pyramide hiérarchique: à la base se trouvent les besoins les plus élémentaires (besoins physiologiques, besoin de sécurité et besoins sociaux) et, au sommet, se situent les besoins d'ordre supérieur (besoin d'estime et besoin de réalisation de soi)

Théorie de la réactance psychologique (p. 320) Théorie selon laquelle les personnes se rebellent contre les contraintes et les efforts visant à contrôler leur comportement

Théorie des attentes (p. 169) Théorie de la motivation, élaborée par Victor Vroom, selon laquelle la motivation au travail résulte d'un calcul rationnel faisant intervenir la perception du lien entre les efforts déployés, le rendement atteint et la valeur de la récompense qui y est associée

Théorie des besoins acquis (p. 160) Théorie de la motivation élaborée par David I. McClelland qui met en lumière trois besoins particulièrement importants en milieu professionnel: le besoin d'affiliation, le besoin de pouvoir et le besoin d'accomplissement; selon cette théorie, ces besoins s'acquièrent avec le temps et l'expérience

Théorie des besoins relationnels (FIRO-B) (p. 263) Théorie qui met en lumière les différences dans la façon dont les gens entrent en rapport les uns avec les autres selon leurs besoins d'exprimer des sentiments liés à l'appartenance, au pouvoir et à l'affection, et de se voir témoigner de tels sentiments

Théorie des caractéristiques de l'emploi (p. 195) Théorie qui met en lumière cinq caractéristiques fondamentales d'un emploi enrichi, particulièrement importantes dans la conception de poste: la polyvalence, l'intégralité de la tâche, la valeur de la tâche, l'autonomie et la rétroaction

Théorie des échanges leader-membres (ou théorie LMX) (p. 364) Théorie du leadership qui se concentre sur la qualité des relations entre le leader et ses subordonnés

Théorie des échanges sociaux (p. 365) Théorie du leadership qui décrit comment les relations émergent et évoluent dans des processus d'échanges et de réciprocité

Théorie des quatre besoins humains (p. 163) Théorie de la motivation élaborée par Paul Lawrence et Nitin Nohria qui met l'accent sur quatre désirs ou besoins que les individus cherchent à satisfaire: le besoin d'acquérir, le besoin d'établir des liens, le besoin de comprendre et le besoin de se défendre

Théorie du cheminement critique (p. 391) Théorie du leadership selon laquelle la fonction clé du leader consiste à adapter ses comportements aux caractéristiques d'une situation donnée de manière à en combler les manques

Théorie du traitement des données sociales (p. 199) Théorie selon laquelle les besoins individuels, la perception des tâches et les comportements qui en découlent se fondent sur des réalités socialement construites

Théorie ERD (p. 160) Théorie de la motivation, élaborée par Clayton Alderfer, selon laquelle les besoins humains se répartissent en besoins existentiels, en besoins relationnels et en besoins de développement

Théorie implicite de la subordination (p. 362) Ensemble d'idées préconçues que les leaders ont concernant les comportements et les caractéristiques prototypiques et contreprototypiques des subordonnés

Théorie implicite du leadership (p. 354) Ensemble d'idées préconçues qu'a un individu concernant les attributs des leaders ou les caractéristiques du leadership et qui traduisent la structure et le contenu des «catégories cognitives» qu'il utilise pour distinguer les leaders parmi les personnes qui l'entourent

Théories des comportements du leader (p. 383) Théories du leadership selon lesquelles ce sont principalement les comportements du leader qui permettent de prédire le rendement et les autres résultats organisationnels

Théories des processus (p. 158) Théories de la motivation qui portent sur la compréhension des processus cognitifs ou mentaux déterminant le comportement des individus

Théories des traits personnels du leader (p. 381) Théories du leadership selon lesquelles ce sont en grande partie les attributs personnels qui permettent de distinguer les leaders des autres et de prédire les succès d'un leader ou les résultats de son organisation

Théories du contenu (p. 157) Théories de la motivation qui portent sur la compréhension des besoins susceptibles d'influencer le comportement des individus

Théories du leadership situationnel (p. 387) Théories du leadership selon lesquelles ce sont les caractéristiques situationnelles qui, associées aux traits et aux comportements du leader, permettent de prédire les résultats d'un leadership donné

Traits de personnalité (p. 43) Caractéristiques marquées et durables qui déterminent le comportement d'un individu

Traits relatifs à l'adaptation affective (p. 50) Traits de personnalité qui déterminent dans quelle mesure un individu est émotionnellement instable ou enclin à adopter des comportements inadmissibles

Traits relatifs à la conception personnelle du monde (p. 47) Traits de personnalité qui se rapportent à la façon dont un individu conçoit son environnement social et physique, à ses croyances et à ses convictions intimes sur diverses questions

Traits sociaux (p. 45) Caractéristiques apparentes qui composent l'image que projette un individu en interaction sociale

Travail d'équipe (p. 240) Travail d'un groupe dont les membres se sentent collectivement responsables de l'atteinte d'un objectif commun

Travail émotionnel (p. 86) Effort déployé par un individu pour manifester les émotions que l'organisation attend de lui au cours des échanges interpersonnels au travail

Travail permanent à temps partiel (p. 205) Formule qui consiste, pour une personne ayant un statut de travailleur permanent, à travailler moins d'heures que si elle faisait une semaine de travail normale

Travail temporaire à temps partiel (p. 205) Formule qui consiste, pour une personne ayant un statut de travailleur temporaire, à travailler moins d'heures que si elle faisait une semaine de travail normale

Unité fonctionnelle (p. 537) Groupe de travail qui seconde les unités opérationnelles de l'organisation en leur fournissant de l'expertise et des services spécialisés

Unité opérationnelle (p. 537) Groupe de travail qui assume les activités premières de l'organisation

Valence (p. 170) Dans la théorie des attentes, valeur accordée par l'individu à chaque récompense possible

Valeur du canal de communication (p. 470) Capacité du canal de communication à transmettre efficacement l'information

Valeurs (p. 51) Principes généraux qui orientent les actions et les jugements d'un individu

Valeurs finales (p. 51) Valeurs relatives aux choix de l'individu quant aux buts et aux objectifs qu'il se fixe dans la vie

Valeurs instrumentales (p. 51) Valeurs relatives aux moyens qu'utilise l'individu pour atteindre ses buts

Variable dépendante (p. 8) Fait ou événement auquel le chercheur s'intéresse et qui, selon son hypothèse de recherche, devrait varier sous l'effet de la variable indépendante

Variable indépendante (p. 9) Fait ou événement qui, selon l'hypothèse de recherche, devrait avoir une incidence sur la variable dépendante

Vide structurel (p. 340) Absence de lien entre des personnes et des groupes au sein d'un réseau social

Zone d'indifférence (p. 321) Éventail des demandes de ses supérieurs auxquelles un subordonné accepte de se conformer sans jugement ni critiques

Notes

Chapitre 1

1. Voir Jeffrey Pfeffer, *The Human Equation: Building Profits by Putting People First*, Boston, Harvard Business School Press, 1998; Charles O'Reilly III et Jeffrey Pfeffer, *Hidden Value: How Great Companies Achieve Extraordinary Results with Ordinary People*, Boston, Harvard Business School Press, 2000.

2. «Unlock the Potential in All Your People», *Bloomberg Businessweek*, 28 janvier-3 février 2013, p. 63.

3. «The Rise of Social Business», *The Wall Street Journal*, 30 janvier 2013, p. A14.

4. D'après Jay A. Conger, *Winning'Em Over: A New Model for Managing in the Age of Persuasion*, New York, Simon & Schuster, 1998, p. 180-181; Stewart D. Friedman, Perry Christensen et Jessica DeGroot, «Work and Life: The End of the Zero-Sum Game», *Harvard Business Review*, novembre-décembre 1998, p. 119-129; C. Argyris, «Empowerment: The Emperor's New Clothes», *Harvard Business Review*, mai-juin 1998, p. 98-105.

5. Pour un aperçu général, voir Jay W. Lorsch (sous la dir. de), *Handbook of Organizational Behavior*, Englewood Cliffs (New Jersey), Prentice Hall, 1987.

6. Jeffrey Pfeffer et Robert I. Sutton, *Hard Facts, Dangerous Half-Truths, and Total Nonsense: Profiting from Evidence-Based Management*, Boston, Harvard Business School Press, 2006. Voir aussi Jeffrey Pfeffer et Robert I. Sutton, «Management Half-Truths and Nonsense», *California Management Review*, vol. 48, n° 3, 2006, p. 77-100; Jeffrey Pfeffer et Robert I. Sutton, «Evidence-Based Management», *Harvard Business Review*, janvier 2006, R0601E.

7. Geert Hofstede, «Cultural Constraints in Management Theories», *Academy of Management Executive*, vol. 7, n° 1, 1993, p. 81-94.

8. Pour un exposé récent sur l'apprentissage expérientiel, voir D. Christopher Kayes, «Experiential Learning and Its Critics: Preserving the Role of Experience in Management Learning and Education», *Academy of Management Learning and Education*, vol. 1, n° 2, 2002, p. 137-149.

9. *Leading through Connections*, IBM Institute for Business Value. En ligne: www-01.ibm.com/software/solutions/soa/newsletter/june12/leading_connections.html, p. 12.

10. Rajiv Dutta, «eBay's Meg Whitman on Building a Company's Culture», *Businessweek*, 27 mars 2009. En ligne: businessweek.com.

11. R. Roosevelt Thomas Jr., *Beyond Race and Gender: Unleashing the Power of Your Total Workforce by Managing Diversity*, New York, AMACOM, 1992, p. 10. Voir aussi R. Roosevelt Thomas Jr., «From "Affirmative Action" to "Affirming Diversity"», *Harvard Business Review*, nov.-déc. 1990, p. 107-117; R. Roosevelt Thomas Jr. et Marjorie I. Woodruff, *Building a House for Diversity*, New York, AMACOM, 1999.

12. D'après Workforce 2000: *Work and Workers in the 21st Century*, Indianapolis (Indiana), Hudson Institute, 1987. Pour un exposé complet, voir Martin M. Chemers, Stuart Oskamp et Mark A. Costanzo, *Diversity in Organizations: New Perspectives of a Changing Workplace*, Beverly Hills, Sage, 1995; Robert T. Golembiewski, *Managing Diversity in Organizations*, Tuscaloosa (Alabama), University of Alabama Press, 1995.

13. statcan.gc.ca.

14. Statistique Canada, *Enquête sur la population active* (2016), statcan.gc.ca.

15. statcan.gc.ca.

16. Institut de la statistique du Québec, *État du marché du travail au Québec. Bilan de l'année 2015*.

17. Thomas et Woodruff, 1991.

18. *Ibid.*; Thomas, 1990, 1992.

19. *Women in Work Index – La perspective canadienne*, PwC Canada. En ligne: pwc.com/ca.

20. D'après le Conseil canadien pour la diversité administrative.

21. Henry Mintzberg, *The Nature of Managerial Work*, New York, Harper & Row, 1973. Voir aussi Henry Mintzberg, *Mintzberg on Management*, New York, Free Press, 1989; «Rounding Out the Manager's Job», *Sloan Management Review*, automne 1994, p. 11-26.

22. Robert L. Katz, «Skills of an Effective Administrator», *Harvard Business Review*, n° 52, septembre-octobre 1974, p. 94. Voir aussi Richard E. Boyatzis, *The Competent Manager: A Model for Effective Performance*, New York, Wiley, 1982.

23. Daniel Goleman, *Emotional Intelligence*, New York, Bantam, 1995; Daniel Goleman, *Working with Emotional Intelligence*, New York, Bantam, 1998. Voir aussi Daniel Goleman, «What Makes a Leader», *Harvard Business Review*, novembre-décembre 1998, p. 93-102; Daniel Goleman, «Leadership that Makes a Difference», *Harvard Business Review*, mars-avril 2000, p. 79-90, citation de la p. 80.

24. Herminia Ibarra, Managerial Networks, notes d'enseignement n° 9-495-039, Harvard Business School Publishing, Boston (Massachusetts).

25. Archie B. Carroll, «In Search of the Moral Manager», *Business Horizons*, mars-avril 2001, p. 7-15.

26. Mahzarin R. Banagji, Max H. Bazerman et Dolly Chugh, «How Unethical Are You?», *Harvard Business Review*, décembre 2003.

27. Terry Thomas, John R. Schermerhorn Jr. et John W. Dinehart, «Strategic Leadership of Ethical Behavior in Business», *Academy of Management Executive*, 2004.

Chapitre 2

1. À titre d'exemple, voir S. E. Jackson, K. E. May et K. Whitney, « Understanding the Dynamics of Diversity in Decision-Making Teams », p. 204-261, dans Richard A. Guzzo et Eduardo Salas (sous la dir. de), *Team Decision-Making Effectiveness in Organizations,* San Francisco, Jossey-Bass, 2005 ; Kenneth H. Price et Myrtle P. Bell, « Beyond Relational Demography : Time and the Effects of Surface-and Deep-Level Diversity on Work Group Cohesion », *Academy of Management Journal*, vol. 41, 1998, p. 96-107 ; Kenneth H. Price, Joanne H. Gavin et Anna T. Florey, « Time, Teams, and Task Performance : Changing Effects of Surface-and Deep-Level Diversity on Group Functioning », *Academy of Management Journal*, vol. 45, 2002, p. 1029–1045.

2. Catalyst.org.

3. Anabelle Nicoud, « À Montréal, les employeurs préfèrent les "Bélanger" aux "Traoré" », *La Presse* (site web), 29 mai 2012.

4. Information tirée de « Racism in Hiring Remains, Study Says », *The Columbus Dispatch*, 17 janvier 2003, p. B2.

5. Viktor Gecas, « The Self-Concept », dans Ralph H. Turner et James F. Short Jr. (sous la dir. de), *Annual Review of Sociology*, Palo Alto (Californie), 1982, vol. 8, p. 3. Voir aussi Arthur P. Brief et Ramon J. Aldag, « The Self in Work Organizations : A Conceptual Review », *Academy of Management Review*, janvier 1981, p. 75-88 ; Jerry J. Sullivan, « Self Theories and Employee Motivation », *Journal of Management*, juin 1989, p. 345-363.

6. Partiellement basé sur une définition donnée dans Gecas, 1982, p. 3.

7. Suggéré par J. Brockner, *Self-Esteem at Work*, Lexington (Massachusetts), Lexington Books, 1988, p. 144 ; John A. Wagner III et John R. Hollenbeck, *Management of Organizational Behavior*, Englewood Cliffs (New Jersey), Prentice Hall, 1992, p. 100-101.

8. Voir N. Brody, *Personality : In Search of Individuality*, San Diego (Californie), Academic Press, 1988, p. 68-101 ; C. Holden, « The Genetics of Personality », *Science*, 7 août 1987, p. 598-601.

9. M. R. Barrick et M. K. Mount, « The Big Five Personality Dimensions and Job Performance : A Meta Analysis », *Personnel Psychology*, vol. 44, 1991, p. 1-26 ; M. R. Barrick et M. K. Mount, « Autonomy as a Moderator of the Relationships Between the Big Five Personality Dimensions and Job Performance », *Journal of Applied Psychology*, février 1993, p. 111-118.

10. « The Big Five Personality Dimensions and Job Performance : A Meta Analysis », 1991.

11. Raymond G. Hunt, Frank J. Krzystofiak, James R. Meindl et Abdalla M. Yousry, « Cognitive Style and Decision Making », *Organizational Behavior and Human Decision Processes*, vol. 44, n° 3, 1989, p. 436-453. Pour consulter d'autres études sur les différents modes de résolution de problèmes, voir Ferdinand A. Gul, « The Joint and Moderating Role of Personality and Cognitive Style on Decision Making », *Accounting Review*, avril 1984, p. 264-277 ; Brian H. Kleiner, « The Interrelationship of Jungian Modes of Mental Functioning with Organizational Factors : Implications for Management Development », *Human Relations*, novembre 1983, p. 997-1012 ; James L. McKenney et Peter G.W. Keen, « How Managers' Minds Work », *Harvard Business Review*, mai-juin 1974, p. 79-90.

12. On trouvera quelques exemples d'organisations utilisant l'indicateur typologique de Myers-Briggs dans J. M. Kunimerow et L. W. McAllister, « Team Building with the Myers-Briggs Type Indicator : Case Studies », *Journal of Psychological Type*, vol. 15, 1988, p. 26-32 ; G. H. Rice Jr. et D. P. Lindecamp, « Personality Types and Business Success of Small Retailers », *Journal of Occupational Psychology*, vol. 62, 1989, p. 177-182 ; B. Roach, *Strategy Styles and Management Types : A Resource Book for Organizational Management Consultants*, Stanford (Californie), Balestrand, 1989.

13. J. B. Rotter, « Generalized Expectancies for Internal Versus External Control of Reinforcement », *Psychological Monographs*, vol. 80, 1966, p. 1-28.

14. Voir J. Michael Crant, « Proactive Behavior in Organizations », *Journal of Management*, vol. 26, 2000, p. 435-462 ; T. S. Bateman et J. M. Crant, « The Proactive Component of Organizational Behavior », *Journal of Organizational Behavior*, vol. 14, 1993, p. 103-118.

15. Voir Wagner et Hollenbeck, 1982, chap. 4.

16. Don Hellriegel, John W. Slocum Jr. et Richard W. Woodman, *Organizational Behavior*, 5e éd., St. Paul (Minnesota), West, 1989, p. 46.

17. Nicolas Machiavel, *Le Prince*, Paris, J'ai Lu (Librio Martinguale), 1997.

18. Richard Christie et Florence L. Geis, *Studies in Machiavellianism*, New York, Academic Press, 1970.

19. Voir M. Snyder, *Public Appearances/Private Realities : The Psychology of Self-Monitoring*, New York, Freeman, 1987.

20. *Ibid.*

21. Voir Meyer Friedman et Ray Roseman, *Type A Behavior and Your Heart*, New York, Knopf, 1974. Pour un autre point de vue, voir Walter Kiechel III, « Attack of the Obsessive Managers », *Fortune*, 16 février 1987, p. 127-128.

22. Voir P. E. Jacob, J. J. Flink et H. L. Schuchman, « Values and Their Function in Decisionmaking », *American Behavioral Scientist*, vol. 5, suppl. 9, 1962, p. 6-38.

23. Voir M. Rokeach et S. J. Ball Rokeach, « Stability and Change in American Value Priorities », 1968-1981, *American Psychologist*, mai 1989, p. 775-784.

24. Milton Rokeach, *The Nature of Human Values*, New York, Free Press, 1973.

25. Gordon Allport, Philip E. Vernon et Gardner Lindzey, *Study of Values*, Boston, Houghton Mifflin, 1931.

26. Bruce M. Meglino et Elizabeth C. Ravlin, « Individual Values in Organizations : Concepts, Controversies and Research », *Journal of Management*, vol. 24, 1998, p. 351-389.

27. *Ibid.*

28. Geert Hofstede, *Culture's Consequences : International Differences in Work-Related Values*, 2e éd., Beverly Hills (Californie), Sage, 2001 ; Fons Trompenaars et Charles Hampden-Turner, *Riding the Waves of Culture : Understanding Cultural Diversity in Global Business*, 2e éd., New York, McGraw-Hill, 1998. Pour un excellent débat sur la culture, voir « Culture : The Neglected Concept », dans Peter B. Smith et Michael Harris Bond, *Social Psychology Across Cultures*, 2e éd., Boston, Allyn & Bacon, 1998. Voir aussi Michael H. Hoppe, « An Interview with Geert Hofstede », *Academy of Management Executive*, vol. 18, 2004, p. 88-93.

29. Geert Hofstede, *Culture and Organizations : Software of the Mind*, Londres, McGraw-Hill, 1991.

30. P. Christopher Earley et Randall S. Perterson, « The Elusive Cultural Chameleon: Cultural Intelligence as a New Approach to Intercultural Training for the Global Manager », *Academy of Management Learning and Education*, vol. 3, n° 1, 2004, p. 100-115.

31. Hofstede, 2001 ; Geert Hofstede et Michael H. Bond, « The Confucius Connection: From Culture Roots to Economic Growth », *Organizational Dynamics*, vol. 16, 1988, p. 4-21.

32. Zhan Su et Louis-Frédéric Lessard, « Les traits culturels des gestionnaires québécois », *Revue Organisation*, vol. 7, n° 1, printemps 1998, p. 29-40.

33. Hofstede, 2001.

34. Chinese Culture Connection, « Chinese Values and the Search for Culture-Free Dimensions of Culture », *Journal of Cross-Cultural Psychology*, vol. 18, 1987, p. 143-164.

35. Hofstede et Bond, 1988 ; Geert Hofstede, « Cultural Constraints in Management Theories », *Academy of Management Executive*, vol. 7, 1993, p. 81-94. Pour découvrir d'autres discussions sur les valeurs asiatiques et confucianistes, voir Jim Rohwer, *Asia Rising: Why America Will Prosper as Asia's Economies Boom*, New York, Simon & Schuster, 1995.

36. À titre d'exemple, voir John R. Schermerhorn Jr. et Michael H. Bond, « Cross-Cultural Leadership Dynamics in Collectivism and High Power Distance Settings », *Leadership and Organization Development Journal*, vol. 18, 1997, p. 187-193.

37. Hofstede, 1991.

38. À titre d'exemple, voir Edward T. Hall, *The Silent Language*, New York, Anchor Books, 1959 ; Fons Trompenaars, *Riding the Waves of Culture: Understanding Cultural Diversity in Business*, London, Nicholas Brealey Publishing, 1993 ; Steven H. Schwartz, « A Theory of Cultural Values and Some Implications for Work », *Applied Psychology: An International Review*, vol. 48, 1999, p. 23-47 ; Robert J. House, Paul J. Hanges, Mansour Javidan, Peter W. Dorfman et Vipin Gupta (sous la dir. de) ; *Culture, Leadership and Organizations: The GLOBE Study of 62 Societies*, Thousand Oaks (Californie), Sage, 2004 ; Michele J. Gelfand et autres (42 coauteurs), « Differences Between Tight and Loose Cultures: A 33 Nation Study », *Science*, vol. 332, mai 2011.

39. L. R. Gómez-Mejía, D. B. Balkin et R. L. Cardy, *Managing Human Resources*, Englewood Cliffs (New Jersey), Prentice Hall, 1995, p. 154.

40. John P. Fernandez, *Managing a Diverse Workforce*, Lexington (Massachusetts), Heath, 1991 ; David Jamieson et Julie O'Mara, *Managing Workforce 2000: Gaining the Diversity Advantage*, San Francisco, Jossey-Bass, 1991.

41. statcan.gc.ca.

42. statcan.gc.ca.

43. statcan.gc.ca.

44. Adapté de Rob McInnes, « Workforce Diversity: Changing the Way You Do Business », *Diversity World*, 1999. En ligne: diversityworld.com.

45. À titre d'exemple, voir Judith B. Rosener, « Women Make Good Managers. So What? », *Businessweek*, 11 décembre, 2000, p. 24. Voir aussi P. E. Jacob, J. J. Flink, et H. L. Schuchman, « Values and Their Function in Decision Making », *American Behavioral Scientist*, vol. 5, suppl. 9, 1962, p. 6-38.

46. Voir Taylor H. Co et Stacy Blake, « Managing Cultural Diversity: Implications for Organizational Competitiveness », *Academy of Management Executive*, vol. 5, n° 3, 1991, p. 45.

47. lois.justice.gc.ca.

48. catalyst.org.

49. statcan.gc.ca.

50. Voir Lois Joy, *Advancing Women Leaders: The Connection between Women Corporate Board Directors and Women Corporate Officers*, Catalyst, 2008. En ligne: catalyst.org.

51. Voir Lynda Gratton, *Inspiring Women: Corporate Best Practice in Europe*, The Lehman Brothers Centre for Women in Business, 2007.

52. Voir l'étude de Catalyst, *The Double-Bind Dilemma for Women in Leadership: Damned if You Do, Doomed if You Don't*, 2007. En ligne: catalyst.org.

53. *Ibid.*

54. Voir les études de: Catalyst, *The Double-Bind Dilemma for Women in Leadership: Damned if You Do, Doomed if You Don't*, 2007. En ligne: catalyst.org ; Pricewaterhouse Coopers, *The Leaking Pipeline: Where are our Female Leaders?*, PwC Gender Advisory Council, mars 2008. En ligne: pwc.com/women.

55. Voir Carol Mithers, « Workplace Wars », *Ladies' Home Journal*, mai 2009, p. 104-109

56. Mithers, 2009.

57. François Normand, « Un demi-siècle de galère », *Les Affaires*, 21 janvier 2012, p. 12.

58. laws-lois.justice.gc.ca.

59. publicationsduquebec.gouv.qc.ca.

60. laws-lois.justice.gc.ca.

61. stat.gouv.qc.ca.

62. *Enquête sur la santé dans les collectivités canadiennes*, Statistique Canada, 2015.

63. statcan.gc.ca.

64. laws-lois.justice.gc.ca.

65. laws-lois.justice.gc.ca.

66. Voir Katharine Esty, « From Diversity to Inclusion », 30 avril 2007, boston.com/jobs/nehra/043007.shtml, page consultée le 15 février 2013.

67. Voir Henri Tajfel et John Turner, « An Integrative Theory of Intergroup Conflict », dans William G. Austin et Stephen Worchel, *The Social Psychology in Intergroup Relations*, Monterey (Californie), Brooks-Cole, 1979, p. 94-109.

68. catalystwomen.org, page consultée le 4 mai 2009.

69. Larry L. Cummings et Donald P. Schwab, *Performance in Organizations: Determinants and Appraisal*, Glenview (Illinois), Scott Foresman, 1973, p. 8.

70. Voir J. Hogan, « Structure of Physical Performance in Occupational Tasks », *Journal of Applied Psychology*, vol. 76, 1991, p. 495-507.

Chapitre 3

1. Définitions de concepts et exposés d'après J. M. George, « Trait and State Affect », dans K. R. Murphy (sous la dir. de), *Individual Differences in Behavior in Organizations*, San Francisco, Jossey-Bass, 1996, p. 45 ; N. H. Frijda, « Moods, Emotion Episodes and Emotions », dans M. Lewis et J. M. Haviland (sous la dir. de), *Handbook of Emotions*, New York, Guilford Press, 1993, p. 381-403 ; H. M. Weiss et R. Cropanzano,

«Affective Events Theory: A Theoretical Discussion of the Structure, Causes, and Consequences of Affective Experiences at Work», dans B. M. Staw et L. L. Cummings (sous la dir. de), *Research in Organizational Behavior*, vol. 18, Greenwich (Connecticut), JAI Press, 1996, p. 17-19; P. Ekman et R. J. Davidson (sous la dir. de), *The Nature of Emotions*: *Fundamental Questions*, Oxford University Press, 1994; Frijda, 1993, p. 381.

2. Pour un exemple, voir Mary Ann Hazen, «Grief and the Workplace», *Academy of Management Perspective*, vol. 22, n° 3, août 2008, p. 78-86.

3. J. A. Fuller, J. M. Stanton, G. G. Fisher, C. Spitzmuller, S. S. Russell et P. C. Smith, «A Lengthy Look at the Daily Grind: Time Series Analysis of Events, Mood, Stress, and Satisfaction», *Journal of Applied Psychology*, vol. 88, 2003, p. 1019-1033; C. J. Thoreson, S. A. Kaplan, A. P. Barsky, C. R. Warren et K. de Chermont, «The Affective Underpinnings of Job Perceptions and Attitudes; A Meta-Analytic Review and Integration», *Psychological Bulletin*, vol. 129, 2003, p. 914-925.

4. Daniel Goleman, «Leadership That Gets Results», *Harvard Business Review*, mars-avril 2000, p. 78-90. Voir aussi ses livres *Emotional Intelligence*, New York, Bantam Books, 1995, et *Working with Emotional Intelligence*, New York, Bantam Books, 1998.

5. Voir Davies L. Stankow et R. D. Roberts, «Emotion and Intelligence: In Search of an Elusive Construct», *Journal of Personality and Social Psychology*, vol. 75, 1998, p. 989-1015; I. Greenstein, *The Presidential Difference: Leadership Style from FDR to Clinton*, Princeton (New Jersey), Princeton University Press, 2001; Goleman, 2000.

6. Goleman, 1998.

7. H. M. Weiss et R. Cropanzano, «An Affective Events Approach to Job Satisfaction», dans B. M. Staw et L. L. Cummings (sous la dir. de), *Research in Organizational Behavior*, vol. 18, Greenwich (Connecticut), JAI Press, 1996, p. 1-74; N. M. Ashkanasy et C. S. Daus, «Emotion in the Workplace: New Challenges for Managers», *Academy of Management Executive*, vol. 16, 2002, p. 76-86.

8. J. P. Tangney et K. W. Fischer (sous la dir. de), «Self-Conscious Emotions: The Psychology of Shame, Guilt, Embarrassment and Pride», New York, Guilford Press, 1995; J. L. Tracy et R. W. Robbins, «Putting the Self into Self-Conscious Emotions: A Theoretical Model», *Psychological Inquiry*, vol. 15, 2004, p. 103-125; D. Keltner et C. Anderson, «Saving Face for Darwin: The Functions and Uses of Embarrassment», *Current Directions in Psychological Science*, vol. 9, 2000, p. 187-192; J. S. Beer, E. A. Heery, D. Keltner, D. Scabini et R. T. Knight, «The Regulatory Function of Self-Conscious Emotion: Insights from Patients with Orbitofrontal Damage», *Journal of Personality and Social Psychology*, vol. 85, 2003, p. 594-604; R. P. Vecchio, «Explorations of Employee Envy: Feeling Envious and Feeling Envied», *Cognition and Emotion*, vol. 19, 2005, p. 69-81; C. F. Poulson II, «Shame and Work», dans N. M. Ashkanasy, W. Zerby et C. E. J. Hartel (sous la dir. de), *Emotions in the Workplace*: *Research, Theory, and Practice*, Westport (Connecticut), Quorum Books, p. 490-541.

9. Diane Brady, «Charm Offensive», *Businessweek*, 26 juin 2006, p. 76-80.

10. Lewis et Haviland, 1993.

11. R. E. Lucas, A. E. Clark, Y. Georgellis et E. Deiner, «Unemployment Alters the Set Points for Life Satisfaction», *Psychological Science*, vol. 15, 2004, p. 8-13; C. Graham, A. Eggers et S. Sukhtaner, «Does Happiness Pay?: An Exploration Based on Panel Data from Russia», *Journal of Economic Behaviour and Organization*, 2006; C. H. Howell, R. T. Howell et K. A. Schwabe, «Does Wealth Enhance Life Satisfaction for People Who Are Materially Deprived?: Exploring the Association Among the Orang Asli of Peninsular Malaysia», *Social Indicators Research*, 2006; G. L. Clore, N. Schwartz et M. Conway, «Affective Causes and Consequences of Social Information Processing», dans R. S. Wyer Jr. et T. K. Srull (sous la dir. de), *Handbook of Social Cognition*, vol. 1, Hillsdale (New Jersey), Erlbaum, 1994, p. 323-417; K. D. Vohs, R. F. Baumeister et G. Lowenstein, *Do Emotions Help or Hurt Decision Making?*, New York, Russell Sage Foundation Press; H. M. Weiss, J. P. Nicholas et C. S. Daus, «An Examination of the Joint Effects of Affective Experiences and Job Beliefs on Job Satisfaction and Variations in Affective Experiences over Time», *Organizational Behavior and Human Decision Processes*, vol. 78, 1999, p. 1-24; N. M. Ashkanasy, «Emotion and Performance», *Human Performance*, vol. 17, 2004, p. 137-144.

12. Voir Robert G. Lord, Richard J. Klimoski et Ruth Knafer (sous la dir. de), *Emotions in the Workplace*: *Understanding The Structure and Role of Emotions in Organizational Behavior*, San Francisco, Jossey-Bass, 2002; Roy L. Payne et Cary L. Cooper (sous la dir. de), *Emotions at Work*: *Theory Research and Applications for Management*, Chichester (Royaume-Uni), John Wiley & Sons, 2004; Daniel Goleman et Richard Boyatzis, «Social Intelligence and the Biology of Leadership», *Harvard Business Review*, septembre 2008, réimpression R0809E.

13. Joyce K. Bono et Remus Ilies, «Charisma, Positive Emotions and Mood Contagion», *Leadership Quarterly*, vol. 17, 2006, p. 317-334; Goleman et Boyatzis, 2008.

14. Daniel Goleman, Richard Boyatzis et Annie McKie, *Primal Leadership*: *Realizing the Power of Emotional Intelligence*, Boston, Harvard Business School Publishing, 2002; citation tirée de «Managing the Mood Is Crucial When Times are Tough», *Financial Times*, 24 mars 2009.

15. Bono et Ilies, 2006, p. 317-334; Goleman et Boyatzis, 2008.

16. Caroline Bartel et Richard Saavedra, «The Collective Construction of Work Group Moods», *Administrative Science Quarterly*, vol. 45, juin 2000, p. 197-231.

17. S. M. Kruml et D. Geddes, «Catching Fire Without Burning Out: Is There an Ideal Way to Perform Emotional Labor?», dans N. M. Ashkanasy C. E. J. Hartel et W. J. Zerby (sous la dir. de), *Emotions in the Workplace*, New York, Quorum, 2000, p. 177-188.

18. James H. Fowler et Nicholas A. Christakis, «Dynamic Spread of Happiness in a Large Social Netwok: Longitudinal Analysis over 20 Years in the Framingham Heart Study», *British Medical Journal*, 2008, p. 337-338.

19. A. Grandey, «Emotional Regulation in the Workplace: A New Way to Conceptualize Emotional Labor», *Journal of Occupational Health Psychology*, vol. 5, n° 1, 2000, p. 95-110; R. Cropanzano, D. E. Rupp et Z. S. Byrne, «The Relationship of Emotional Exhaustion to Work Attitudes, Job Performance and Organizational Citizenship Behavior», *Journal of Applied Psychology*, 2003, p. 160-169.

20. W. Tasi et Y. Huang, «Mechanisms Linking Employee Affective Delivery and Customer Behavioral Intentions», *Journal of Applied Psychology*, vol. 87, 2002, p. 1001-1008.

21. A. A. Grandey, «When "The Show Must Go on": Surface Acting and Deep Acting as Determinants of Emotional Exhaustion and Peer-Rated Service Delivery», *Academy of Management Journal*, 2003, p. 86-96.

22. Voir Adam Smith, «Cognitive Empathy and Emotional Empathy in Human Behavior and Evolution», *The Psychological Record*, vol. 56, 2006, p. 3-21.

23. Daniel Goleman, « Are Women More Emotionally Intelligent than Men ? » page consultée le 26 juin 2013, à psychologytoday. com/blog/the-brain-and-emotional-intelligence/201104/are -women-more-emotionally-intelligent-men.

24. Shiri Cohen, Marc S. Shulz, Emily Weiss et Robert J. Waldinger, « Eye of the Beholder : The Individual and Dyadic Contributions of Empathic Accuracy and Perceived Effort to Relationship Satisfaction », *Journal of Family Psychology*, vol. 26, 2012, p. 236-245.

25. Michele Williams, « Building Genuine Trust Through Interpersonal Emotion Management : A Threat Regulation Model of Trust and Collaboration across Boundaries », *Academy of Management Review*, vol. 32, 2007, p. 595-621.

26. Daniel Goleman, « Are Women More Emotionally Intelligent than Men ? », *Psychology Today*, avril 2011. En ligne : psycholo-gytoday.com.

27. M. Eid et E. Diener, « Norms for Experiencing Emotions in Different Cultures : Inter- and Intranational Differences », *Journal of Personality and Social Psychology*, vol. 81, n° 5, 2001, p. 869-885.

28. *Ibid.*

29. B. Mesquita, « Emotions in Collectivist and Individualist Contexts », *Journal of Personality and Social Psychology*, vol. 80, n° 1, 2001, p. 68-74.

30. D. Rubin, « Grumpy German Shoppers Distrust the Wal-Mart Style », *Seattle Times*, 30 déc. 2001, p. a15 ; A. Rafaeli, « When Cashiers Meet Customers : An Analysis of Supermarket Cashiers », *Academy of Management Journal*, 1989, p. 245-273.

31. Weiss et Cropanzano, 1996, p. 1-74 ; Ashkanasy et Daus, 2002, p. 76-86.

32. A. G. Miner et C. L. Hulin, *Affective Experience at Work : A Test of Affective Events Theory*. Affiche présentée à la 15e conférence annuelle de la Society for Industrial and Organizational Psychology, en 2000.

33. Comparer avec Martin Fishbein et Icek Ajzen, *Belief, Attitude, Intention and Behavior : An Introduction to Theory and Research*, Reading (Massachusetts), Addison-Wesley, 1973.

34. Voir A. W. Wicker, « Attitude Versus Action : The Relationship of Verbal and Overt Behavioral Responses to Attitude Objects », *Journal of Social Issues*, vol. 25, n° 1, automne 1969, p. 41-78.

35. L. Festinger, *A Theory of Cognitive Dissonance*, Palo Alto (Californie), Stanford University Press, 1957.

36. Voir « The Things They Do for Love », *Harvard Business Review*, décembre 2004, p. 19-20.

37. Voir Henry Tajfel et John C. Turner, « The Social Identity Theory of Intergroup Behavior », dans S. Worchel et W. Austin (sous la dir. de), *Psychology of Intergroup Relations,* Chicago, Nelson, 1986.

38. À titre d'exemple, voir Blake E. Ashforth, Spencer H. Harrison et Kevin G. Corely, « Identification in Organizations : An Examination of Four Fundamental Questions », *Journal of Management*, vol. 34, 2008, p. 325-274.

39. *Ibid.*

40. Glen E. Kreiner et Blake E. Ashforth, « Evidence Toward an Expanded Model of Organizational Identification », *Journal of Organizational Behavior*, vol. 25, 2004, p. 1-27.

41. Tony DiRomualdo, « The High Cost of Employee Disen-gagement », *Wise Technology*, 7 juillet 2004. En ligne : wistech nology.com.

42. Jeffrey Pfeffer, « Building Sustainable Organizations : The Human Factor », *Academy of Management Perspectives*, vol. 24, février 2010, p. 34-45.

43. Information tirée de Sue Shellenbarger, « Employers Are Finding It Doesn't Cost Much to Make a Staff Happy », *The Wall Street Journal*, 19 novembre 1977, p. B1. Voir aussi « Job Satisfaction on the Decline », The Conference Board, juillet 2002.

44. gallup.com.

45. Kelly Schwind Wilson et David T. Wagner, « The Spillover of Daily Job Satisfaction onto Employees' Family Lives : The Facilitating Role of Work-Family Integration », *Academy of Management Journal*, vol. 52, février 2009, p. 87-102.

46. Voir W. E. Wymer et J. M. Carsten, « Alternative Ways to Gather Opinions », *HR Magazine*, vol. 37, n° 4, avril 1992, p. 71-78.

47. Le Job Descriptive Index (JDI) peut être obtenu auprès de la Dre Patricia C. Smith, Département de psychologie, Bowling Green State University. Le Minnesota Satisfaction Questionnaire (MSQ) peut être obtenu auprès de l'Industrial Relations Center et du Vocational Psychology Research Center, University of Minnesota.

48. randstad.ca.

49. Données issues de Jeannine Aversa, « Happy Workers Harder to Find », *Columbus Dispatch*, 5 janvier 2010, p. A1 et A4. Données du communiqué de presse « U.S. Job Satisfaction the Lowest in Two Decades », The Conference Board, 5 janvier 2010, consulté le 6 janvier 2010 à conference-board.org.

50. « Despite Low Job Satisfaction, Employees Unlikely to Seek New Jobs, Accenture Research Reports, Prefer to Focus on Creating Opportunities with Current Employers », 4 mars 2011, newsroom.accenture. com/article_display.cfm?article_id =5163.

51. « U.S. Job Satisfaction at Lowest Level in Two Decades », communiqué de presse, The Conference Board, 5 janvier 2009. En ligne : conferenceboard.org.

52. Pour une recherche historique, voir B. M. Staw, « The Consequences of Turnover », *Journal of Occupational Behavior*, vol. 1, 1980, p. 253-273.

53. C. N. Greene, « The Satisfaction-Performance Controversy », *Business Horizons*, vol. 15, 1972, p. 31-41 ; M. T Iaffaldano et P. M. Muchinsky, « Job Satisfaction and Job Performance : A Meta-Analysis », *Psychological Bulletin*, vol. 97, 1985, p. 251-273 ; D. Organ, « A Reappraisal and Reinterpretation of the Satisfaction-Causes-Performance Hypothesis », *Academy of Management Review*, vol. 2, 1977, p. 46-53 ; P. Lorenzi, « A Comment on Organ's Reappraisal of the Satisfaction-Causes-Performance Hypothesis », *Academy of Management Review*, vol. 3, 1978, p. 380-382.

54. Salary.com, « Survey Shows Impact of Downturn on Job Satisfaction », *OH&S : Occupational Health and Safety*, 7 février 2009. En ligne : ohsonline.com.

55. Tony DiRomualdo, « The High Cost of Employee Disengage-ment », *Wise Technology*, 7 juillet 2004. En ligne : wistechnology. com.

56. Dennis W. Organ, *Organizational Citizenship Behavior : The Good Soldier Syndrome*, Lexington (Massachusetts), Lexington Books, 1988 ; Dennis W. Organ, « Organizational Citizenship Behavior : It's Constructive Cleanup Time », *Human Perfor-mance*, vol. 10, 1997, p. 85-97.

57. Voir Mark C. Bolino et William H. Turnley, «Going the Extra Mile: Cultivating and Managing Employee Citizenship Behavior», *Academy of Management Executive*, vol. 17, août 2003, p. 60-67.

58. Voir Venetta I. Coleman et Walter C. Borman, «Investigating the Underlying Structure of the Citizenhip Performance Domain», *Human Resource Management Review*, vol. 10, 2000, p. 115-126.

59. Sandra L. Robinson et Rebecca J. Bennett, «A Typology of Deviant Workplace Behaviors: A Multidimensional Scaling Study», *Academy of Management Journal*, vol. 38, 1995, p. 555-572.

60. Reeshad S. Dalal, «A Meta-Analysis of the Relationship Among Organizational Citizenship Behavior and Counterproductive Work Behavior», *Journal of Applied Psychology*, vol. 90, 2005, p. 1241-1255.

61. HealthForceOntario, *Bullying in the Workplace: A Handbook for the Workplace*, Toronto, Ontario Safety Association for Community and Health Care, 2009.

62. Timothy A. Judge et Remus Ilies, «Affect and Job Satisfaction: A Study of Their Relationship at Work and at Home», *Journal of Applied Psychology*, vol. 89, 2004, p. 661-673.

63. Remus Ilies, Kelly Schwind Wilson et David T. Wagner, «The Spillover of Daily Job Satisfaction onto Employees' Family Lives: The Facilitating Role of Work-Family Integration», *Academy of Management Journal*, vol. 52 février, 2009, p. 87-102.

64. Voir Benjamin Schneider, Paul J. Hanges, D. Brent Smith et Amy Salvaggio, «Which Comes First: Employee Attitudes or Organizational, Financial, and Market Performance?», *Journal of Applied Psychology*, vol. 88, n° 5, 2003, p. 836-851.

65. Voir Satoris S. Culbertson, «Do Satisfied Employees Mean Satisfied Customers?», *The Academy of Management Perspectives*, vol. 23, février 2009, p. 76-77.

66. Voir Schneider, Hanges, Smith et Salvaggio, 2003.

67. L. W. Porter et E. E. Lawler III, *Managerial Attitudes and Work Performance*, Homewood (Illinois), Irwin, 1968.

68. Schneider, Hanges, Smith et Salvaggio, 2003.

69. *Ibid.*

Chapitre 4

1. H. R. Schiffmann, *Sensation and Perception: An Integrated Approach*, 3ᵉ éd., New York, Wiley, 1990.

2. Voir Georgia T. Chao et Steve W. J. Kozlowski, «Employee Perceptions on the Implementation of Robotic Manufacturing Technology», *Journal of Applied Psychology*, vol. 71, 1986, p. 70-76; Steven F. Cronshaw et Robert G. Lord, «Effects of Categorization, Attribution and Encoding Processes in Leadership Perceptions», *Journal of Applied Psychology*, vol. 72, 1987, p. 97-106.

3. Voir Robert Lord, «An Information Processing Approach to Social Perceptions, Leadership and Behavioral Measurement in Organizations», dans B. M. Staw et L. L. Cummings (sous la dir. de), *Research in Organizational Behavior*, vol. 7, Greenwich (Connecticut), JAI Press, 1985, p. 87-128; T. K. Skrull et R. S. Wyer, *Advances in Social Cognition*, Hillsdale (New Jersey), Erlbaum, 1988; U. Neisser, *Cognitive and Reality*, San Francisco, Freeman, 1976, p. 112.

4. Voir: J. G. Hunt, *Leadership: A New Synthesis*, Newbury Park (Californie), Sage, 1991, chap. 7; R.G. Lord et R. J. Foti, «Schema Theories, Information Processing and Organizational Behavior», dans H. P. Simms Jr. et D. A. Gioia (sous la dir. de), *Thinking Organization*, San Francisco, Jossey-Bass, 1986, p. 20-48; S. T. Fiske et S. E. Taylor, *Social Cognition*, Reading (Massachusetts), Addison-Wesley, 1984.

5. Voir William L. Gardner et Mark J. Martinko, «Impression Management in Organizations», *Journal of Management*, juin 1988, p. 332.

6. Citation tirée de Sheila O'Flanagan, «Underestimate Casual Dressers at Your Peril», *Irish Times*, 22 juillet 2005.

7. Voir B. R. Schlenker, *Impression Management: The Self-Concept, Social Identity, and Interpersonal Relations*, Monterey (Californie), Brooks/Cole, 1980; W. L. Gardner et M. J. Martinko, «Impression Management in Organizations», *Journal of Management*, juin 1988, p. 332; R. B. Cialdini, «Indirect Tactics of Image Management: Beyond Basking», dans R. A. Giacolini et P. Rosenfeld (sous la dir. de), *Impression Management in the Organization*, Hillsdale (New Jersey), Erlbaum, 1989, p. 45-71; Sandy Wayne et Robert Liden, «Effects of Impression Management on Performance Ratings», *Academy of Management Journal*, février 1995, p. 232-260.

8. *Bulletin de rendement annuel 2016*, Conseil canadien pour la diversité administrative.

9. *L'effectif de la fonction publique du Québec*, Secrétariat du Conseil du trésor du Québec.

10. Information tirée de «Misconceptions about Women in the Global Arena Keep Their Number Low». En ligne: catalyst women.org.

11. Ces exemples sont tirés de Natasha Josefowitz, *Paths to Power*, Reading (Massachusetts), Addison-Wesley, 1980, p. 60. Pour plus d'information sur le thème du genre, voir Gray N. Powell (sous la dir. de), *Handbook of Gender and Work*, Thousand Oaks (Californie), Sage, 2009.

12. *Bulletin de rendement annuel 2016*, Conseil canadien pour la diversité administrative.

13. *Ibid.*

14. Elizabeth Thompson, «Les Canadiens sensibles aux commentaires racistes», Agence QMI, Réseau Canoë, 16 mars 2010.

15. Manon Cornellier, «Le contrat», *Le Devoir*, 30 septembre 2016.

16. Anabelle Nicoud, «À Montréal, les employeurs préfèrent les "Bélanger" aux "Traoré"», *La Presse*, 29 mai 2012.

17. Cornellier, 2016.

18. Gary Johns et Alan M. Saks, *Organizational Behaviour: Understanding and Managing Life at Work*, 10ᵉ édition, Toronto, Pearson, 2017, p. 103.

19. *Bulletin de rendement annuel 2016*, Conseil canadien pour la diversité administrative.

20. Pour un récent rapport sur la discrimination fondée sur l'âge, voir Joseph C. Santora et William J. Seaton, «Age Discrimination: Alive and Well in the Workplace?», *The Academy of Management Perspectives*, vol. 22, mai 2008, p. 103-104.

21. Sondage cité dans Kelly Greene, «Age Is Still More Than A Number», *The Wall Street Journal*, 10 avril 2003, p. D2.

22. « Facebook Gets Down to Business », *Businessweek*, 20 avril 2009, p. 30.

23. *Bulletin de rendement annuel 2016*, Conseil canadien pour la diversité administrative.

24. Dewitt C. Dearborn et Herbert A. Simon, « Selective Perception : A Note on the Departmental Identification of Executives », *Sociometry*, vol. 21, 1958, p. 140-144.

25. J. Sterling Livingston, « Pygmalion in Management », *Harvard Business Review*, juillet-août 1969, p. 81-89.

26. R. A. Rosenthal et L. Jacobson, *Pygmalion à l'école – Succès ou échec scolaire, un facteur important : le préjugé du maître*, Tournai, Casterman, 1971.

27. D. Eden et A. B. Shani, « Pygmalion Goes to Boot Camp », *Journal of Applied Psychology*, vol. 67, 1982, p. 194-199.

27. Voir H. H. Kelley, « Attribution in Social Interaction », dans E. Jones et autres (sous la dir. de), *Attribution : Perceiving the Causes of Behavior*, Morristown (New Jersey), General Learning Press, 1972.

29. Voir Terence R. Mitchell, S. G. Green et R. E. Wood, « An Attribution Model of Leadership and the Poor Performing Subordinate », dans Barry Staw et Larry L. Cummings (sous la dir. de), *Research in Organizational Behavior*, New York, JAI Press, 1981, p. 197-234 ; John H. Harvey et Gifford Weary, « Current Issues in Attribution Theory and Research », *Annual Review of Psychology*, vol. 35, 1984, p. 427-459.

30. Voir F. Fosterling, « Attributional Retraining : A Review », *Psychological Bulletin*, novembre 1985, p. 496-512.

31. R. M. Steers, S. J. Bischoff et L. H. Higgins, « Cross Cultural Management Research », *Journal of Management Inquiry*, décembre 1992, p. 325-326 ; J. G. Miller, « Culture and the Development of Everyday Causal Explanation », *Journal of Personality and Social Psychology*, vol. 46, 1984, p. 961-978.

32. A. Maass et C. Volpato, « Gender Differences in Self-Serving Attributions About Sexual Experiences », *Journal of Applied Psychology*, vol. 19, 1989, p. 517-542.

33. Voir J. M. Crant et T. S. Bateman, « Assignment of Credit and Blame for Performance Outcomes », *Academy of Management Journal*, février 1993, p. 7-27 ; E. C. Pence, W. E. Pendelton, G. H. Dobbins et J. A. Sgro, « Effects of Causal Explanations and Sex Variables on Recommendations for Corrective Actions Following Employee Failure », *Organizational Behavior and Human Performance*, avril 1982, p. 227-240.

34. Tiré de B. R. Schlenker, 1980.

35. A. Bandura, *Social Learning Theory*, Englewood Cliffs (New Jersey), Prentice Hall, 1977.

36. Voir, notamment, A. M. Morrison, R. P. White et E. Van Velsor, *Breaking the Glass Ceiling*, Reading (Massachusetts), Addison-Wesley, 1987 ; J. D. Zalesny et J. K. Ford, « Extending the Social Information Processing Perspective : New Links to Attitudes, Behaviors and Perceptions », *Organizational Behavior and Human Decision Processes*, vol. 47, n° 2, 1990, p. 205-246 ; M. E. Gist, C. Schwoerer et B. Rosen, « Effects of Alternative Training Methods of Self-Efficacy and Performance in Computer Software Training », *Journal of Applied Psychology*, vol. 74, 1989, p. 884-891 ; D. D. Sutton et R. W. Woodman, « Pygmalion Goes to Work : The Effects of Superviser Expectations in a Retail Setting », *Journal of Applied Psychology*, vol. 74, n° 6, 1989, p. 943-950 ; M. E. Gist, « The Influence of Training Method on Self-Efficacy and Idea Generation Among Managers », *Personnel Psychology*, vol. 42, n° 6, 1989, p. 787-805.

37. Bandura, 1977.

38. Voir M. E. Gist, « Self Efficacy : Implications in Organizational Behavior and Human Resource Management », *Academy of Management Review*, vol. 12, n° 3, 1987, p. 472-485 ; A. Bandura, « Self-Efficacy Mechanisms in Human Agency », *American Psychologist*, vol. 37, n° 4, 1987, p. 122-147.

39. Adapté de « Gaining Perspective – A Discussion [with Rushworth M. Kidder] on the Topic of Ethical Business Leadership », *BGS International Exchange*, vol. 5, n° 3, automne 2006, p. 6-8.

40. Pour un bon aperçu des approches axées sur le renforcement, voir W. E. Scott Jr. et P. M. Podsakoff, *Behavioral Principles in the Practice of Management*, New York, Wiley, 1985 ; Fred Luthans et Robert Kreitner, *Organizational Behavior Modification and Beyond*, Glenview (Illinois), Scott Foresman, 1985.

41. Quelques ouvrages de B. F. Skinner qu'on pourra consulter : *Walden Two*, New York, Macmillan, 1948 ; *Science and Human Behavior*, New York, Macmillan, 1953 ; *Contingencies of Reinforcement*, New York, Appleton-Century-Crofts, 1969.

42. Fred Luthans et Robert Kreitner, *Organizational Behavior Modification*, Glenview (Illinois), Scott Foresman, 1975 ; Luthans et Kreitner, 1985 ; Fred Luthans et Alexander D. Stajkovic, « Reinforce for Performance : The Need to Go Beyond Pay and Even Rewards », *Academy of Management Executive*, vol. 13, 1999, p. 49-57.

43. E. L. Thorndike, *Animal Intelligence*, New York, Macmillan, 1911, p. 244.

44. Exemple adapté de Luthans et Kreitner, 1985.

45. Cet exposé est basé sur Luthans et Kreitner, 1985.

46. Les deux lois sont traitées dans Keith L. Miller, *Principles of Everyday Behavior Analysis*, Monterey (Californie), Brooks-Cole, 1975, p. 122.

47. Cet exemple s'appuie sur une étude de Barbara Price et Richard Osborn, « Shaping the Training of Skilled Workers », document de travail, Detroit (Michigan), Département de gestion de la Wayne State University, 1999.

48. Robert Kreitner et Angelo Kiniki, *Organization Behavior*, 2e éd., Homewood (Illinois), Irwin, 1992.

49. A. R. Korukonda et James G. Hunt, « Pat on the Back Versus Kick in the Pants : An Application of Cognitive Inference to the Study of Leader Reward and Punishment Behavior », *Group and Organization Studies*, vol. 14, 1989, p. 299-234.

50. Edwin A. Locke, « The Myths of Behavior Mod in Organizations », *Academy of Management Review*, vol. 2, octobre 1977, p. 543-553. Voir aussi Jerry L. Gray, « The Myths of Locke's Criticisms of Behavior Modification », *Academy of Management Review*, vol. 4, janvier 1979, p. 121-129.

51. Robert Kreitner, « Controversy in OBM : History, Misconceptions and Ethics », dans Lee Frederiksen (sous la dir. de), *Handbook of Organizational Behavior Management*, New York, Wiley, 1982, p. 71-91.

52. W. E. Scott Jr. et P. M. Podsakoff, *Behavioral Principles in the Practice of Management*, New York, Wiley, 1985. Voir aussi W. Clay Hamner, « Reinforcement Theory and Contingency Management in Organizational Settings », dans Richard M. Steers et Lyman W. Porters (sous la dir. de), *Motivation and Work Behavior*, 4e éd., New York, McGraw-Hill, 1987, p. 139-165 ; Luthans et Kreitner, 1985 ; Charles C. Manz et Henry P. Sims Jr., *Superleadership*, New York, Berkeley, 1990.

Chapitre 5

1. Adapté de Dale McConkey, « The "Jackass Effect" in Management Compensation », *Business Horizons*, vol. 17, juin 1974, p. 81-91.

2. Voir John P. Campbell, Marvin D. Dunnette, Edward E. Lawler III et Karl E. Weick Jr., *Managerial Behavior Performance and Effectiveness*, New York, McGraw-Hill, 1970, chap. 15.

3. Abraham Maslow, *Eupsychian Management*, Homewood (Illinois), Irwin, 1965 ; Abraham Maslow, *Motivation and Personality*, 2ᵉ éd., New York, Harper & Row, 1970.

4. Lyman W. Porter, « Job Attitudes in Management : II. Perceived Importance of Needs as a Function of Job Level », *Journal of Applied Psychology*, vol. 47, avril 1963, p. 141-148.

5. Douglas T. Hall et Khalil E. Nougaim, « An Examination of Maslow's Need Hierarchy in an Organizational Setting », *Organizational Behavior and Human Performance*, vol. 3, 1968, p. 12-35 ; Porter, 1963 ; John M. Ivancevich, « Perceived Need Satisfactions of Domestic Versus Overseas Managers », *Journal of Applied Psychology*, vol. 54, août 1969, p. 274-278.

6. Mahmoud A. Wahba et Lawrence G. Bridwell, « Maslow Reconsidered : A Review of Research on the Need Hierarchy Theory », *Academy of Management Proceedings*, 1974, p. 514-520 ; Edward E. Lawler III et J. Lloyd Shuttle, « A Causal Correlation Test of the Need Hierarchy Concept », *Organizational Behavior and Human Performance*, vol. 7, 1973, p. 265-287.

7. Nancy J. Adler, *International Dimensions of Organizational Behavior*, 2ᵉ éd., Boston, PWS-Kent, 1991, p. 153 ; Richard M. Hodgetts et Fred Luthans, *International Management*, New York, McGraw-Hill, 1991, chap. 11.

8. Clayton P. Alderfer, « An Empirical Test of a New Theory of Human Needs », *Organizational Behavior and Human Performance*, vol. 4, 1969, p. 142-175 ; Clayton P. Alderfer, *Existence, Relatedness and Growth – Human Needs in Organizational Settings*, New York, Free Press, 1972 ; Benjamin Schneider et Clayton P. Alderfer, « Three Studies of Need Satisfaction in Organization », *Administrative Science Quarterly*, vol. 18, 1973, p. 489-505.

9. Voici quelques références utiles sur le sujet. David C. McClelland, *The Achieving Society*, New York, Van Nostrand, 1961 ; David C. McClelland, « Business, Drive and National Achievement », *Harvard Business Review*, vol. 40, juillet-août 1962, p. 99-112 ; David C. McClelland, « That Urge to Achieve », *Think*, nov.-déc. 1966, p. 19-32 ; G. H. Litwin et R. A. Stringer, *Motivation and Organizational Climate*, Boston, Division de la recherche du Harvard Business School, 1966, p. 18-25.

10. George Harris, « To Know Why Men Do What They Do : A Conversation with David C. McClelland », *Psychology Today*, vol. 4, janvier 1971, p. 35-39.

11. David C. McClelland et David H. Burnham, « Power Is the Great Motivator », *Harvard Business Review*, vol. 54, mars-avril 1976, p. 100-110 ; David C. McClelland et Richard E. Boyatzis, « Leadership Motive Pattern and Long-Term Success in Management », *Journal of Applied Psychology*, vol. 67, 1982, p. 737-743.

12. Herzberg et ses associés ont expliqué en détail la théorie bifactorielle dans Frederick Herzberg, Bernard Mausner et Barbara Bloch Synderman, *The Motivation to Work*, 2ᵉ éd., New York, Wiley, 1967 ; Frederick Herzberg, « One More Time : How Do You Motivate Employees ? », *Harvard Business Review*, vol. 46, nº 1, janvier-février 1968, p. 53-62.

13. Tiré de Herzberg, 1968.

14. Voir Robert J. House et Lawrence A. Wigdor, « Herzberg's Dual-Factor Theory of Job Satisfaction and Motivation : A Review of the Evidence and a Criticism », *Personnel Psychology*, vol. 20, hiver 1967, p. 369-389 ; Steven Kerr, Anne Harlan et Ralph Stogdill, « Preference for Motivator and Hygiene Factors in a Hypothetical Interview Situation », *Personnel Psychology*, vol. 27, hiver 1974, p. 109-124 ; Nathan King, « A Clarification and Evaluation of the Two-Factor Theory of Job Satisfaction », *Psychological Bulletin*, juillet 1970, p. 18-31 ; Marvin Dunnette, John Campbell et Milton Hakel, « Factors Contributing to Job Satisfaction and Job Dissatisfaction in Six Occupational Groups », *Organizational Behavior and Human Performance*, mai 1967, p. 143-174.

15. Adler, 1991, chap. 6 ; Nancy J. Adler et J.T. Graham, « Cross-Cultural Interaction : The International Comparison Fallacy », *Journal of International Business Studies*, automne 1989, p. 515-537 ; Frederick Herzberg, « Workers Needs : The Same Around the World », *Industry Week*, 21 septembre 1987, p. 29-32.

16. Paul R. Lawrence et Nitin Nohria, *Drive : How Human Nature Shapes Our Choices*, San Francisco, Jossey-Bass, 2002 ; Nitin Nohria, Boris Groysberg et Linda-Eling Lee, « Employee Motivation : A Powerful New Model », *Harvard Business Review*, juillet-août 2008, p. 78-84.

17. Nohria, Groysberg et Lee, 2008.

18. *Ibid*, p. 83.

19. Voir notamment J. Stacy Adams, « Toward an Understanding of Inequality », Journal of *Abnormal and Social Psychology*, vol. 67, 1963, p. 422-436 ; J. Stacy Adams, « Inequity in Social Exchange », dans L. Berkowitz (sous la dir. de), *Advances in Experimental Social Psychology*, vol. 2, New York, Academic Press, 1965, p. 267-300.

20. Adams, 1965.

21. On trouvera un exposé sur ces questions dans C. Kagitcibasi et J. W. Berry, « Cross-Cultural Psychology : Current Research and Trends », *Annual Review of Psychology*, vol. 40, 1989, p. 493-531.

22. Voir Blair Sheppard, Roy J. Lewicki et John Minton, *Organizational Justice : The Search for Fairness in the Workplace*, New York, Lexington Books, 1992 ; Jerald Greenberg, *The Quest for Justice on the Job : Essays and Experiments*, Thousand Oaks (Californie), Sage, 1995 ; Robert Folger et Russell Cropanzano, *Organizational Justice and Human Resource Management*, Thousand Oaks (Californie), Sage, 1998 ; Mary A. Konovksy, « Understanding Procedural Justice and Its Impact on Business Organizations », *Journal of Management*, vol. 26, 2000, p. 489-511.

23. La notion de justice interactionnelle est définie par Robert J. Bies, « The Predicament of Injustice : The Management of Moral Outrage », dans L. L. Cummings et B. M. Staw (sous la dir. de), *Research in Organizational Behavior*, vol. 9, Greenwich (Connecticut), JAI Press, 1987, p. 289-319. L'exemple est de Carol T. Kulik et Robert L. Holbrook, « Demographics in Service Encounters : Effects of Racial and Gender Congruence on Perceived Fairness », *Social Justice Research*, vol. 13, 2000, p. 375-402. Pour la notion de justice commutative, voir Marion Fortin et Martin Fellenz, « Hypocrisies of Fairness : Towards a More Reflexive Ethical Base in Organizational Justice Research and Pratice », *Journal of Business Ethics*, vol. 78, 2008, p. 415-433.

24. Victor H. Vroom, *Work and Motivation*, New York, Wiley, 1964.

25. *Ibid.*

26. Voir Terence R. Mitchell, «Expectancy Models of Job Satisfaction, Occupational Preference and Effort: A Theoretical, Methodological and Empirical Appraisal», *Psychological Bulletin*, vol. 81, 1974, p. 1053-1077; Terence R. Mitchell, «Expectancy-Value Models in Organizational Psychology», dans N. Feather (sous la dir. de), *Expectancy, Incentive and Action*, New York, Erlbaum and Associates, 1980; Mahmoud A. Wahba et Robert J. House, «Expectancy Theory in Work and Motivation: Some Logical and Methodological Issues», *Human Relations*, vol. 27, janvier 1974, p. 121-147; Terry Connolly, «Some Conceptual and Methodological Issues in Expectancy Models of Work Performance Motivation», *Academy of Management Review*, vol. 1, octobre 1976, p. 37-47.

27. Voir Adler, 1991.

28. Edwin A. Locke, Karyll N. Shaw, Lise M. Saari et Gary P. Latham, «Goal Setting and Task Performance: 1969-1980», *Psychological Bulletin*, vol. 90, juillet-novembre 1981, p. 125-152; Edwin A. Locke et Gary P. Latham, «Work Motivation and Satisfaction: Light at the End of the Tunnel», *Psychological Science*, vol. 1, n° 4, juillet 1990, p. 240-246, et *A Theory of Goal Setting and Task Performance*, Englewood Cliffs (New Jersey), Prentice Hall, 1990.

29. Edwin A. Locke et Gary P. Latham, «Has Goal Setting Gone Wild, or Have Its Attackers Abandoned Good Scholarship?», *The Academy of Management Perspective*, vol. 23, février 2009, p. 17-23.

30. Pour une discussion récente sur la fixation d'objectifs, voir Lisa D. Ordóñez, Maurice E. Schwitzer, Adam D. Galinsky et Max H. Bazerman, «Goals Gone Wild: The Systematic Side Effects of Overprescribing Goal Setting», *The Academy of Management Perspective*, vol. 23, février 2009, p. 6-16; Locke et Latham, 2009.

31. D'après Alexander D. Stajkovic, Edwin A. Locke et Eden S. Blair, «A First Examination of the Relationships Between Primed Subconscious Goals, Assigned Conscious Goals, and Task Performance», *Journal of Applied Psychology*, vol. 91, n° 5, 2006, p. 1172-1180.

32. Pour une réflexion et de l'information sur la GPO, voir Anthony P. Raia, *Managing by Objectives*, Glenview (Illinois), Scott Foresman, 1974.

33. *Ibid.*; Steven Kerr résume également très bien les principales critiques sur ce sujet dans «Overcoming the Dysfunctions of MBO», *Management by Objectives*, vol. 5, n° 1, 1976.

34. Edward L. Deci et Richard M. Ryan, *Intrinsic Motivation and Self-Determination in Human Behavior*, New York, Plenum Press, 1985; Edward L. Deci et Richard M. Ryan, «The "What" and "Why" of Goal Pursuits: Human Needs and the Self-Determination of Behaviour», *Psychological Inquiry*, 2000, vol. 11, p. 227-268; Richard M. Ryan et Edward L. Deci, «Self-Determination *Theory and the Facilitation of Intrinsic Motivation, Social Development, and Well-Being*», American *Psychologist*, vol. 55, n° 1, 2000, p. 68-78.

35. M. R. Blais, N. M. Brière, L. Lachance, A. S. Riddle et R. J. Vallerand, «L'inventaire des motivations au travail», *Revue québécoise de psychologie*, vol. 14, 1993, p. 185-215.

36. Deci et Ryan, 1985.

37. G. R. Salancik, «Interaction Effects of Performance and Money on Self-Perception of Intrinsic Motivation», *Organizational Behavior and Human Performance*, juin 1975, p. 339-351; F. Luthans, M. Martinko et T. Kess, «An Analysis of the Impact of Contingency Monetary Rewards on Intrinsic Motivation», *Proceedings of the Nineteenth Annual Midwest Academy of Management*, Saint-Louis (Missouri), 1976, p. 209-221.

38. Edward L. Deci et Richard M. Ryan, «The "What" and "Why" of Goal Pursuits: Human Needs and the Self-Determination of Behavior», *Psychological Inquiry*, vol. 11, 2000, p. 227-268.

39. Richard M. Ryan et Edward L. Deci, «Self-Determination Theory and the Facilitation of Intrinsic Motivation, Social Development, and Well-Being», *American Psychologist*, vol. 55, n° 1, 2000, p. 68-78.

40. D'après N. Gillet, E. Fouquereau, J. Forest, P. Brunault et P. Colombat, «The Impact of Organizational Factors on Psychological Needs and Their Relations with Well-Being», *Journal of Business and Psychology*, vol. 27, n° 4, décembre 2012, p. 437-450.

Chapitre 6

1. Pour un aperçu général, voir Greg R. Oldham et J. Richard Hackman, «Not What It Was and Not What It Will Be: The Future of Job Design Research», *Journal of Organizational Behavior*, vol. 31, 2010, p. 463-479.

2. Frederick W. Taylor, *The Principles of Scientific Management*, New York, Norton, 1967.

3. Frederick Herzberg, «One More Time: How Do You Motivate Employees?», *Harvard Business Review*, vol. 81, n° 1, janvier-février 2003, p. 87-96.

4. Pour une description complète, voir J. Richard Hackman et Greg R. Oldham, *Work Redesign*, Reading (Massachusetts), Addison-Wesley, 1980.

5. Voir J. Richard Hackman et Greg R. Oldham, «Development of the Job Diagnostic Survey», *Journal of Applied Psychology*, vol. 60, 1975, p. 159-170.

6. *Ibid.*

7. Voir, par exemple, Kenneth D. Thomas et Betty A. Velthouse, «Cognitive Elements of Empowerment: An "Interpretive" Model of Intrinsic Task Motivation», *Academy of Management Review*, vol. 15, n° 4, 1990, p. 666-681.

8. Hackman et Oldham, 1975. Pour une étude novatrice, voir Charles L. Hulin et Milton R. Blood, «Job Enlargement, Individual Differences and Worker Responses», *Psychological Bulletin*, vol. 69, 1968, p. 41-55; Milton R. Blood et Charles L. Hulin, «Alienation, Environmental Characteristics and Worker Responses», *Journal of Applied Psychology*, vol. 51, 1967, p. 284-290.

9. Gerald Salancik et Jeffrey Pfeffer, «An Examination of Need-Satisfaction Models of Job Attitudes», *Administrative Science Quarterly*, vol. 22, 1977, p. 427-456; Gerald Salancik et Jeffrey Pfeffer, «A Social Information Processing Approach to Job Attitude and Task Design», Administrative Science Quarterly, vol. 23, 1978, p. 224-253.

10. George W. England et Itzhak Harpaz, «How Working Is Defined: National Contexts and Demographic and Organizational Role Influences», *Journal of Organizational Behavior*, juillet 1990, p. 253-266.

11. William A. Pasmore, «Overcoming the Roadblocks to Work-Restructuring Efforts», *Organizational Dynamics*, vol. 10, 1982, p. 54-67; Hackman et Oldham, 1975.

12. Pour des aperçus, voir Allan R. Cohen et Herman Gadon, *Alternative Work Schedules: Integrating Individual and Organizational Needs*, Reading (Massachusetts), Addison-Wesley, 1978; Jon L. Pearce, John W. Newstrom, Randall B. Dunham et Alison E. Barber, *Alternative Work Schedules*, Boston, Allyn & Bacon, 1989. Voir aussi Sharon Parker et Toby Wall, *Job and Work Design*, Thousand Oaks (Californie), Sage, 1998.

13. B. J. Wixom, Jr., «Recognizing People in a World of Change», *HR Magazine*, juin 1995, p. 7-8; «The Value of Flexibility», *Inc.*, avril 1996, p. 114.

14. Données rapportées dans «A Saner Workplace», *Businessweek*, 1er juin 2009, p. 66-69, et basées sur un extrait de Claire Shipman et Katty Kay, *Womenomics: Write Your Own Rules for Success*, New York, Harper Business, 2009; Claire Shipman et Katty Kay, «A to Z of Generation Y Attitudes», *Financial Times*, 18 juin 2009.

15. Lia Lévesque, «L'emploi atypique n'est pas en hausse au Québec», *Le Soleil*, 23 novembre 2014; Évolution de l'emploi atypique au Québec depuis 1997, Institut de la statistique du Québec.

16. Olga Kharif, «Chopping Hours, Not Heads», *Businessweek*, 5 janvier 2009, p. 85.

17. Voir Wayne F. Cascio, «Managing a Virtual Workplace», *Academy of Management Executive*, vol. 14, 2000, p. 81-90.

18. Émilie Laperrière, «Le télétravail: pas pour tout le monde», *La Presse Affaires*, 23 juillet 2011, p. 9.

19. *Ibid.*

20. François Cardinal, «Boulot, dodo», *La Presse*, 3 septembre 2011.

21. lbmg-worklabs.com.

22. Tiré de Phil Porter, «Telecommuting Mom Is Part of a National Trend», *Columbus Dispatch*, 29 novembre 2000, p. H1, H2.

23. «Hurting, But Often Uncounted», *Businessweek*, 20 avril 2009, p. 20.

24. Tiré de Phil Porter, 2000.

25. Heesun Wee, «Why More Millennials Go Part Time for Full Time Pay», 1er octobre 2013. En ligne: cnbc.com/id/49181054, consulté le 29 juin 2013.

26. *Times*, opinionator.blogs.nytimes.com, 26 janvier 2013, consulté le 8 août 2013.

27. Pour un bon aperçu, voir Adrienne Fox, «Make a 'Deal'», *HR Magazine*, janvier 2012, p. 37-42.

28. Information tirée d'Adam Lashinsky, «Zappos: Life After Acquisition», *Fortune*, 24 novembre 2010. En ligne: tech.fortune.cnn.com; Nicholas Boothman, «Will You Be My Friend?» *Bloomberg-Businessweek*, 7-13 janvier 2013, p. 63-65.

29. Steve Hamm, «A Passion for the Planet», *Businessweek*, 21 août 2006, p. 92-94. Voir aussi Yvon Chouinard, *Let My People Go Surfing: The Education of a Reluctant Businessman*, New York, Penguin, 2006.

30. Pour des analyses poussées de la théorie, de la recherche et des applications, voir Edward E. Lawler III, *Pay and Organizational Effectiveness*, New York, McGraw-Hill, 1971; *Pay and Organizational Development*, Reading (Massachusetts), Addison-Wesley, 1981; «The Design of Effective Reward Systems», dans Jay W. Lorsch (sous la dir. de), *Handbook of Organizational Behavior*, Englewood Cliffs (New Jersey), Prentice Hall, 1987, p. 255-271.

31. «Reasons for Pay Raises», *Businessweek*, 29 mai 2006, p. 11.

32. À titre d'exemple, voir D. B. Balkin et L. R. Gómez-Mejía (sous la dir. de), *New Perspectives on Compensation*, Englewood Cliffs (New Jersey), Prentice Hall, 1987.

33. Jone L. Pearce, «Why Merit Pay Doesn't Work: Implications from Organization Theory», dans Balkin et Gómez-Mejía, 1987, p. 169-178; Jerry M. Newman, «Selecting Incentive Plans to Complement Organizational Strategy», dans Balkin et Gómez-Mejía, 1987, p. 214-224; Edward E. Lawler III, «Pay for Performance: Making It Work», *Compensation and Benefits Review*, vol. 21, 1989, p. 55-60.

34. Erin White, «How to Reduce Turnover», *Wall Street Journal*, 21 novembre 2005, p. B5.

35. Jon R. Katzenbach et Douglas K. Smith, «The Discipline of Teams», *Harvard Business Review*, mars-avril 1993, p. 111-120; Jon R. Katzenbach et Douglas K. Smith, *The Wisdom of Teams: Creating the High Performance Organization*, Boston, Harvard Business School Press, 1993.

36. S. E. Markham, K. D. Scott et B. L. Little, «National Gainsharing Study The Importance of Industry Differences», *Compensation and Benefits Review*, janvier-février 1992, p. 34-45.

37. Information tirée de Stratford Shermin, «Secrets of HP's "Muddle" Team», *Fortune*, 18 mars 1996, p. 116-120.

38. L. R. Gómez-Mejía, D. B. Balkin et R. L. Cardy, *Managing Human Resources*, Englewood Cliffs (New Jersey), Prentice Hall, 1995, p. 410-411.

39. N. Gupta, G. E. Ledford, G. D. Jenkins et D. H. Doty, «Survey-Based Prescriptions for Skill-Based Pay», *American Compensation Association Journal*, vol. 1, no 1, 1992, p. 48-59; L. W. Ledford, «The Effectiveness of Skill-Based Pay», *Perspectives in Total Compensation*, vol. 1, no 1, 1991, p. 1-4.

40. Mina Kines, «P&G's Leadership Machine», *Fortune*, 14 avril 2009.

41. Pour plus de détails, voir G. P. Latham et K. N. Wexley, *Increasing Productivity Through Performance Appraisal*, 2e éd.; Stephen J. Carroll et Craig E. Schneier, *Performance Appraisal and Review Systems*, Glenview (Illinois), Scott Foresman, 1982.

42. Voir George T. Milkovich et John W. Boudreau, *Personal/Human Resource Management: A Diagnostic Approach*, 5e édition, Plano (Texas), Business Publications, 1988.

43. Mark R. Edwards et Ann J. Ewen, *360-Degree Feedback: The Powerful New Tool For Employee Feedback and Performance Improvement*, New York, Amacom, 1996.

44. Exemples tirés de Jena McGregor, «Job Review in 140 Keystrokes», *Businessweek*, 23 et 30 mars 2009, p. 58.

45. Pour un examen de plusieurs de ces erreurs, voir David L. Devries, Ann M. Morrison, Sandra L. Shullman et Michael P. Gerlach, *Performance Appraisal on the Line*, Greensboro (Caroline du Nord), Center for Creative Leadership, 1986, chap. 3.

Chapitre 7

1. Information tirée de Scott Thurm, «Teamwork Raises Everyone's Game», *The Wall Street Journal*, 7 novembre 2005, p. B7.

2. *Ibid.*

3. Jon R. Katzenbach et Douglas K. Smith, «The Discipline of

Teams», *Harvard Business Review*, mars-avril, 1993a, p. 111-120; Jon R. Katzenbach et Douglas K. Smith, *The Wisdom of Teams: Creating the High-Performance Organization*, Boston, Harvard Business School Press, 1993b.

4. Pour un bon aperçu, voir Greg L. Stewart, Charles C. Manz et Henry P. Sims, *Team Work and Group Dynamics*, New York, Wiley, 1999.

5. Katzenbach et Smith, 1993a, 1993b.

6. Katzenbach et Smith, 1993a, p. 112.

7. Katzenbach et Smith, 1993a, 1993b.

8. Voir Jon R. Katzenbach, «The Myth of the Top Management Team», *Harvard Business Review*, vol. 75, novembre-décembre 1997, p. 83-91.

9. Information tirée de Stratford Shermin, «Secrets of HP's "Muddled" Team», *Fortune*, 18 mars 1996, p. 116-120.

10. Rensis Likert, *New Patterns of Management*, New York, McGraw-Hill, 1961.

11. Voir Stewart, Manz et Sims, 1999, p. 43-44.

12. Rensis Likert, 1961.

13. Voir Jay R. Galbraith, *Designing Organizations*, San Francisco, Jossey-Bass, 1998.

14. Robert P. Steel, Anthony J. Mento, Benjamin L. Dilla, Nestor Ovalle et Russell F. Lloyd, «Factors Influencing the Success and Failure of Two Quality Circles Programs», *Journal of Management*, vol. 11, n° 1, 1985, p. 99-119; Edward E. Lawler III et Susan A. Mohrman, «Quality Circles: After the Honeymoon», *Organizational Dynamics*, vol. 15, n° 4, 1987, p. 42-54.

15. Voir, par exemple, Paul S. Goodman, Rukmini Devadas et Terri L. Griffith Hughson, «Groups and Productivity: Analyzing the Effectiveness of Self-Managing Teams», chapitre 11, dans John R. Campbell et Richard J. Campbell, *Productivity in Organizations*, San Francisco, Jossey-Bass, 1988; Jack Orsbrun, Linda Moran, Ed Musslewhite et John H. Zenger, avec la collaboration de Craig Perrin, *Self-Directed Work Teams: The New American Challenge*, Homewood (Illinois), Business One Irwin, 1990; Dale E. Yeatts et Cloyd Hyten, *High Performing Self-Managed Work Teams*, Thousand Oaks (Californie), Sage, 1997.

16. Voir D. Duarte et N. Snyder, *Mastering Virtual Teams: Strategies, Tools, and Techniques That Succeed*, San Francisco, Jossey-Bass, 1999; Jessica Lipnack et Jeffrey Stamps, *Virtual Teams: Reaching Across Space, Time, and Organization with Technology*, New York, Wiley, 1997.

17. Pour une analyse, voir Wayne F. Cascio, «Managing a Virtual Workplace», *Academy of Management Executive*, vol. 14, 2000, p. 81-90.

18. *Ibid.*; Stacie A. Furst, Martha Reeves, Benson Rosen et Richard S. Blackburn, «Managing the Life Cycle of Virtual Teams», *Academy of Management Executive*, vol. 18, n° 2, 2004, p. 6-11; Duarte et Snyder, 1999; Lipnack et Stamps, 1997; J. Richard Hackman, en entrevue avec Diane Coutu, «Why Teams Don't Work», *Harvard Business Review*, mai 2009, p. 99-105.

19. Voir, par exemple, J. Richard Hackman et Nancy Katz, «Group Behavior and Performance», dans Susan T. Fiske, Daniel T. Gilbert et Gardner Lindzey (sous la dir. de), *Handbook of Social Psychology*, 5e édition, Hoboken (New Jersey), Wiley, 2010, chapitre 32, p. 1208-1251.

20. Marvin E. Shaw, *Group Dynamics: The Psychology of Small Group Behavior*, 2e éd., New York, McGraw-Hill, 1976.

21. Bib Latané, Kipling Williams et Stephen Harkins, «Many Hands Make Light the Work: The Causes and Consequences of Social Loafing», *Journal of Personality and Social Psychology*, vol. 37, 1978, p. 822-832; E. Weklon et G.M. Gargano, «Cognitive Effort in Additive Task Groups: The Effects of Shared Responsibility on the Quality of Multi-Attribute Judgments», *Organizational Behavior and Human Decision Processes*, vol. 36, 1985, p. 348-361; John M. George, «Extrinsic and Intrinsic Origins of Perceived Social Loafing in Organizations», *Academy of Management Journal*, mars 1992, p. 191-202; W. Jack Duncan, «Why Some People Loaf in Groups While Others Loaf Alone», *Academy of Management Executive*, vol. 8, 1994, p. 79-80.

22. Latané, Williams et Harkins, 1978; E. Weldon et G.M. Gargano, «Cognitive Effort in Additive Task Groups: The Effects of Shared Responsibility on the Quality of Multi-Attribute Judgments», *Organizational Behavior and Human Decision Processes*, vol. 36, 1985, p. 348-361; John M. George, «Extrinsic and Intrinsic Origins of Perceived Social Loafing in Organizations», *Academy of Management Journal*, mars 1992, p. 191-202; W. Jack Duncan, 1994.

23. D. A. Kravitz et B. Martin, «Ringelmann Rediscovered», *Journal of Personality and Social Psychology*, vol. 50, 1986, p. 936-941.

24. Un article classique: Richard B. Zajonc, «Social Facilitation», *Science*, vol. 149, 1965, p. 269-274.

25. Voir, par exemple, Leland P. Bradford, *Group Development*, 2e éd., San Francisco, Jossey-Bass, 1997.

26. J. Steven Heinen et Eugene Jacobson, «A Model of Task Group Development in Complex Organization and a Strategy of Implementation», *Academy of Management Review*, vol. 1, octobre 1976, p. 98-111; Bruce W. Tuckman, «Developmental Sequence in Small Groups», *Psychological Bulletin*, vol. 63, 1965, p. 384-399; Bruce W. Tuckman et Mary Ann C. Jensen, «Stages of Small Group Development Revisited», *Group & Organization Studies*, vol. 2, 1977, p. 419-427.

27. Citation tirée d'Alex Markels, «Money & Business», *U.S. News Online*, 22 octobre 2006.

28. Voir J. Richard Hackman, «The Design of Work Teams», dans Jay W. Lorsch (sous la dir. de), *Handbook of Organizational Behavior*, Englewood Cliffs (New Jersey), Prentice Hall, 1987, p. 343-357.

29. Markels, 2006.

30. Exemple tiré de Jessica Sung, «Designed for Interaction», *Fortune*, 8 janvier 2001, p. 150.

31. David M. Herold, «The Effectiveness of Work Groups», dans Steven Kerr (sous la dir. de), *Organizational Behavior*, New York, Wiley, 1979, p. 95. Voir aussi la discussion sur les tâches de groupe dans Stewart, Manz et Sims, 1999, p. 142-143.

32. E. J. Thomas et C. F. Fink, «Effects of Group Size», dans Larry L. Cummings et William E. Scott (sous la dir. de), *Readings in Organizational and Human Performance*, Homewood (Illinois), Irwin, 1969, p. 394-408.

33. *Ibid.*

34. Robert D. Hof, «Amazon's Risky Bet», *Businessweek*, 13 novembre 2006, p. 52.

35. Shaw, 1976.

36. William C. Schutz, *FIRO-B : A Three-Dimensional Theory Behavior*, New York, Rinehart, 1958.

37. William C. Schutz, « The Interpersonal Underworld », *Harvard Business Review*, vol. 36, juillet-août 1958, p. 130.

38. Daniel R. Ilgen, Jeffrey A. LePine et John R. Hollenbeck, « Effective Decision Making in Multinational Teams », dans P. Christopher Earley et Miriam Erez (sous la dir. de), *New Perspectives on International Industrial/Organizational Psychology*, San Francisco, New Lexington Press, 1997, p. 377-409.

39. Matt Golosinski, « Teamwork Takes Center Stage », *Northwestern*, hiver 2005, p. 39.

40. Daniel R. Ilgen, Jeffrey A. LePine et John R. Hollenbeck, « Effective Decision Making in Multinational Teams », dans P. Christopher Earley et Miriam Erez (sous la dir. de), 1997 ; Warren Watson, « Cultural Diversity's Impact on Interaction Process and Performance », *Academy of Management Journal*, vol. 16, 1993.

41. L. Argote et J. E. McGrath, « Group Processes in Organizations : Continuity and Change », dans C. L. Cooper et I. T. Robertson (sous la dir. de), *International Review of Industrial and Organizational Psychology*, New York, Wiley, 1993, p. 333-389.

42. Voir Ilgen, LePine et Hollenbeck, 1997.

43. Golosinski, 2005.

44. « Dream Teams », *Northwestern*, hiver 2005, p. 10 ; Golosinski, 2005.

45. Anita Williams Woolley, Christopher F. Chabris, Alex Pentland, Nada Hasmi et Thomas W. Malone, « Evidence for a Collective Intelligence Factor in the Performance of Human Groups », *Science*, vol. 330, 29 octobre 2010, p. 686-688.

Chapitre 8

1. Voir Owen Linzmeyer et Owen W. Linzmeyer, *Apple Confidential 2.0 : The Definitive History of the World's Most Colorful Company*, San Francisco, No Starch Press, 2004 ; Jeffrey L. Cruikshank, *The Apple Way*, New York, McGraw-Hill, 2005.

2. Diane Coutu, « Why Teams Don't Work », *Harvard Business Review*, mai 2009, p. 99-105.

3. *Ibid.*

4. Steven Levy, « Insanely Great », *Wired*, février 1994. En ligne : wired.com.

5. Diane Coutu, 2009, p. 99-105.

6. Anita Williams Woolley, Christopher F. Chabris, Alex Pentland, Nada Hasmi et Thomas W. Malone, « Evidence for a Collective Intelligence Factor in the Performance of Human Groups », *Science*, vol. 330, 29 octobre 2010, p. 686-688.

7. Pour une étude intéressante sur les équipes sportives, voir Ellen Fagenson-Eland, « The National Football League's Bill Parcells on Winning, Leading and Turning Around Teams », *Academy of Management Executive*, vol. 15, août 2001, p. 48-57 ; Nancy Katz, « Sports Teams as a Model for Workplace Teams : Lessons and Liabilities », *Academy of Management Executive*, vol. 15, août 2002, p. 56-69.

8. Pour une bonne analyse de la formation d'équipes, voir William D. Dyer, *Team Building*, 3e éd., Reading (Massachusetts), Addison-Wesley, 1995.

9. Dennis Berman, « Zap ! Pow ! Splat ! », *Businessweek*, numéro sur les entreprises, 9 février 1998, p. ENT22.

10. Le classique dans ce domaine est l'ouvrage de George Homans, *The Human Group*, New York, Harcourt Brace, 1950.

11. D'après l'étude d'Edgar H. Schein, *Process Consultation*, Reading (Massachusetts), Addison-Wesley, 1969, p. 32-37, ou vol. 1, 1988, p. 40-49.

12. Le texte suivant est devenu un classique sur le sujet : Robert F. Bales, « Task Roles and Social Roles in Problem-Solving Groups », dans Eleanor E. Maccoby, Theodore M. Newcomb et E.L. Hartley (sous la dir. de), *Readings in Social Psychology*, New York, Holt, Rinehart and Winston, 1958.

13. Pour une bonne description des activités de leadership liées aux tâches et aux relations, voir John J. Gabarro et Anne Harlan, « Note on Process Observation », note 9-477-029, Harvard Business School, 1976.

14. Christine Porath et Christine Pearson, « How Toxic Colleagues Corrode Performance », *Harvard Business Review*, avril 2009, p. 24.

15. Voir Daniel C. Feldman, « The Development and Enforcement of Group Norms », *Academy of Management Review*, vol. 9, 1984, p. 47-53.

16. Voir Robert F. Allen et Saul Pilnick, « Confronting the Shadow Organization : How to Select and Defeat Negative Norms », *Organizational Dynamics*, printemps 1973, p. 13-17 ; Alvin Zander, *Making Groups Effective*, San Francisco, Jossey-Bass, 1982, chap. 4 ; Feldman, 1984.

17. Pour un résumé de la recherche menée sur la cohésion des groupes, voir Marvin E. Shaw, Group Dynamics, New York, McGraw-Hill, 1971, p. 110-112 et 192.

18. Pour une étude sur la dynamique intergroupe, voir Edgar H. Schein, Process Consultation, vol. 1, Reading (Massachusetts), Addison-Wesley, 1988, p. 106-115.

19. On trouvera une étude sur les notions de groupe interactif, de groupe d'action parallèle et de groupe de neutralisation dans Fred E. Fiedler, *A Theory of Leadership Productivity*, New York, McGraw-Hill, 1967.

20. Pour la recherche sur les réseaux de communication, voir Alex Bavelas, « Communication Patterns in Task-Oriented Groups », *Journal of the Acoustical Society of America*, vol. 22, 1950, p. 725-730. Voir aussi « Research on Communication Networks », dont le résumé est présenté dans Shaw, 1976, p. 137-153.

21. Le livre suivant est devenu un classique sur la proxémie : Edward T. Hall's, *The Hidden Dimension*, Garden City (New York), Doubleday, 1986.

22. Mirand Weill, « Alternative Spaces Spawning Desk-Free Zone », *The Columbus Dispatch*, 18 mai 1998, p. 10-11.

23. « Tread : Rethinking the Workplace », *Businessweek*, 25 septembre 2006, p. IN.

24. Michelle Conlin et Douglas MacMillan, « Managing the Tweets », *Businessweek*, 1er juin 2009, p. 20-21.

25. Voir Wayne F. Cascio, « Managing a Virtual Workplace », *Academy of Management Executive*, vol. 14, 2000, p. 81-90 ; Sheila Simsarian Webber, « Virtual Teams : A Meta-Analysis », Society for Human Resource Management. En ligne : shrm.org ; Stacie A. Furst, Martha Reeves, Benson Rosen et Richard S. Blackburn, « Managing the Life Cycle of Virtual Teams », *Academy of Management Executive*, vol. 18, 2004, p. 6-20.

26. Analyse préparée à partir des propos de Schein, 1988.

27. *Ibid.*

28. Élaboré à partir des lignes directrices proposées dans l'article de Jay Hall, «Decisions, Decisions, Decisions», *Psychology Today*, novembre 1971, p. 55-56.

29. Norman R.F. Maier, «Assets and Liabilities in Group Problem Solving», *Psychological Review*, vol. 74, 1967, p. 239-249.

30. Irving L. Janis, «Groupthink», *Psychology Today*, novembre 1971, p. 33-36; *Groupthink*, 2ᵉ éd., Boston, Houghton Mifflin, 1982. Voir aussi J. Longley et D. G. Pruitt, «Groupthink: A Critique of Janis's Theory», dans L. Wheeler (sous la dir. de), *Review of Personality and Social Psychology*, Beverly Hills (Californie), Sage, 1980; Carrie R. Leana, «A Partial Test of Janis's Groupthink Model: The Effects of Group Cohesiveness and Leader Behavior on Decision Processes», *Journal of Management*, vol. 11, nᵒ 1, 1985, p. 5-18; Jerry Harvey, «Managing Agreement in Organizations: The Abilene Paradox», *Organizational Dynamics*, été 1974, p. 63-80.

31. Voir Janis, 1971, 1982.

32. Janis, 1982.

33. Ces techniques sont bien décrites dans George P. Huber, *Managerial Decision Making*, Glenview (Illinois), Scott Foresman, 1980; Andre L. Delbecq, Andrew L. Van de Ven et David H. Gustafson, *Group Techniques for Program Planning: A Guide to Nominal Groups and Delphi Techniques*, Glenview (Illinois), Scott Foresman, 1975; William M. Fox, «Anonymity and Other Keys to a Successful Problem-Solving Meeting», *National Productivity Review*, vol. 8, printemps 1989, p. 145-156.

34. Anne Stein, «On Track», *Kellogg*, hiver 2012, p. 14-27. Voir aussi Leigh Thompson, *The Creative Conspiracy: The New Rules of Breakthrough Collaboration*, Cambridge (Massachusetts), Harvard Business Review Press, 2013.

35. Delbecq et autres, 1975; Fox, 1989.

Chapitre 9

1. Voir Richard M. Emerson, «Power-Dependence Relations», *American Sociological Review*, vol. 27, nᵒ 1, 1962. Voir aussi David Mechanic, «Sources of Power of Lower Participants in Complex Organizations», *Administrative Science Quarterly*, vol. 7, nᵒ 3, décembre 1962.

2. Voir Mechanic, 1962.

3. Voir Emerson, 1962. Voir aussi Lisa A. Mainiero, «Coping with Powerlessness: The Relationship of Gender and Job Dependency to Empowerment-Strategy Usage», *Administrative Science Quarterly*, vol. 31, 1986; Blake E. Ashforth, «The Experience of Powerlessness in Organizations», *Organizational Behavior and Human Decision Processes*, vol. 43, 1989; R. Blauner, *Alienation and Freedom: The Factory Worker and His Industry*, Chicago, University of Chicago Press, 1964.

4. Cameron Anderson et Jennifer L. Berdahl, «The Experience of Power: Examining the Effects of Power on Approach and Inhibition Tendencies», *Journal of Personality and Social Psychology*, vol. 83, 2002, p. 1362-1377.

5. Voir Ashforth, 1989.

6. Jack W. Brehm, *A Theory of Psychological Reactance*, New York, Academic Press, 1966.

7. Voir Mary Parker Follett, «The Basis of Authority», dans L. Urwick (sous la dir. de), *Freedom and Coordination: Lectures in Business Organisation by Mary Parker Follett*, London, Management Publications Trust, Ltd., 1949, p. 34-46.

8. Voir John R. P. French, Jr. et Bertram Raven, «The Bases of Social Power», dans D. Cartwright (sous la dir. de), *Studies in Social Power*, Ann Arbor (Michigan), Institute for Social Research, 1959, p. 259-269.

9. Voir Chester Barnard, *The Functions of the Executive*, Cambridge (Massachusetts), Harvard University Press, 1938.

10. Voir Bill McKelvey, «Emergent Strategy via Complexity Leadership: Using Complexity Science and Adaptive Tension to Build Distributed Intelligence», dans Mary Uhl-Bien et Russ Marion (sous la dir. de), *Complexity Leadership, Volume I: Conceptual Foundations*, Charlotte (Caroline du Nord), Information Age Publishing, 2008, p. 225-268.

11. Voir Bernard M. Bass, *Leadership, Psychology, and Organizational Behavior*, New York, Harper, 1960. Voir aussi French et Raven, 1959; Erin Landells et Simon L. Albrecht, «Organizational Political Climate: Shared Perceptions about the Building and Use of Power Bases», *Human Resource Management Review*, vol. 23, 2013, p. 357-365.

12. Voir Richard M. Emerson, «Power-Dependence Relations», *American Sociological Review*, vol. 27, nᵒ 1, 1962.

13. Voir Paul Hersey, Kenneth H. Blanchard et Walter E. Natemeyer, «Situational Leadership, Perception, and the Impact of Power», *Group and Organization Studies*, vol. 4, 1979. Voir aussi Bertram Raven, «Social Influence and Power», dans I. D. Steiner et M. Fishbein (sous la dir. de), *Current Studies in Social Psychology*, New York, Holt, Rinehart, Winston, 1965, p. 371-381.

14. Voir L. E. Greiner et V. E. Schein, *Power and Organization Development: Mobilizing Power to Implement Change*, Reading (Massachusetts), Addison-Wesley, 1988. Voir aussi Hersey, Blanchard et Natemeyer, 1979; Landells et Albrecht, 2012.

15. Voir Rob Cross, «A Smarter Way to Network», *Harvard Business Review*, juillet-août 2011.

16. Voir Herbert C. Kelman, «Compliance, Identification, and Internalization: Three Processes of Attitude Change», *Journal of Conflict Resolution*, vol. 2, nᵒ 1, mars 1958, p. 53.

17. Voir Bennett J. Tepper, Michelle K. Duffy et Jason D. Shaw, «Personality Moderators of the Relationship between Abusive Supervision and Subordinates' Resistance», *Journal of Applied Psychology*, vol. 86, nᵒ 5, 2001, p. 974-983.

18. Voir Bennett J. Tepper, Mary Uhl-Bien, Gary Kohut, Steven Rogelberg, Daniel Lockhart et Michael Ensley, «Subordinates' Resistance and Managers' Evaluations of Subordinates' Performance», *Journal of Management*, vol. 32, nᵒ 2, 2006, p. 185-209.

19. *Ibid.*

20. Voir Tepper, Duffy et Shaw, 2001.

21. Voir Bennett J. Tepper, C. A. Schriesheim, D. Nehring, R. J. Nelson, E. C. Taylor et R. J. Eisenbach, «The Multi-Dimensionality and Multi-Functionality of Subordinates' Resistance to Downward Influence Attempts», document présenté lors de la conférence annuelle de l'Academy of Management, San Diego (Californie), 1998.

22. Voir Dean C. Ludwig et Clinton O. Longenecker, «The Bathsheba Syndrome: The Ethical Failure of Successful Leaders», *Journal of Business Ethics*, vol. 12, nᵒ 4, 1993, p. 265-273.

23. Voir ces travaux pertinents sur le jeu politique en milieu organisationnel: Robert H. Miles, *Macro Organizational Behavior*, Santa Monica (Californie), Goodyear, 1980; Bronston T. Mayes

et Robert W. Allen «Toward a Definition of Organizational Politics», *Academy of Management Review*, vol. 2, 1977, p. 672-677 ; Dan Farrell et James C. Petersen, «Patterns of Political Behavior in Organizations», *Academy of Management Review*, vol. 7, juillet 1982, p. 403-412; D. L. Madison, R. W. Allen, L. W. Porter et B. T. Mayes, «Organizational Politics: An Exploration of Managers' Perceptions», *Human Relations*, vol. 33, 1980, p. 92-107.

24. Voir Philip Selznick, «Foundations of the Theory of Organizations», *American Sociological Review*, vol. 13, 1948, p. 25-35 ; Philip Selznick, *Leadership in Administration*, New York, Harper and Row, 1957.

25. Voir Chu-Hsiang Chang, Christopher C. Rosen et Paul E. Levy, «The Relationship between Perceptions of Organizational Politics and Employee Attitudes, Strain, and Behavior: A Meta-Analytic Examination», *The Academy of Management Journal*, vol. 52, n° 4, août 2009, p. 779-801.

26. Gerald F. Cavanagh, Dennis J. Moberg et Manuel Velasquez, «The Ethics of Organizational Politics», *Academy of Management Review*, vol. 6, juillet 1981, p. 363-374.

27. Voir Landells et Albrecht, 2012.

28. *Ibid.*

29. *Ibid.*

30. Voir A. Drory, «Perceived Political Climate and Job Attitudes», *Organization Studies*, vol. 4, 1993, p. 59-71. Voir aussi G. R. Ferris, Darren C. Treadway, Pamela L. Perrewe, Robyn L. Brouer, Ceasar Douglas et Sean Lux, «Political Skill in Organizations», *Journal of Management*, vol. 33, 2007. Voir aussi Chu-Hsiang Chang, 2009.

31. Voir Landells et Albrecht, 2012.

32. Voir Gerald R. Ferris, Sherry L. Davidson et Pamela L. Perrewe, *Political Skill at Work*, Palo Alto (Californie), Davies Black Publishing, 2005.

33. Voir J. Nahapiet et S. Ghoshal, «Social Capital, Intellectual Capital, and the Organizational Advantage», *Academy of Management Review*, vol. 23, n° 2, 1998, p. 243.

34. Voir Daniel J. Brass, «Taking Stock of Networks and Organizations: A Multilevel Perspective», *Academy of Management Journal*, vol. 47, n° 6, 2004; E. Bueno, P. Salmador et O. Rodriguez, «The Role of Social Capital in Today's Economy», *Journal of Intellectual Capital*, vol. 5, 2004, p. 556-574; H. C. Sozen, «Social Networks and Power in Organizations: A Research on the Roles and Positions of Junior Level Secretaries in an Organizational Network», *Personnel Review*, vol. 41, 2012, p. 487-512.

35. Voir R. S. Burt, *Structural Holes: The Social Structure of Competition*, Cambridge (Massachusetts), Harvard University Press, 1992.

Chapitre 10

1. Voir Edwin P. Hollander et James W. Julian, «Contemporary Trends in the Analysis of Leadership Processes», *Psychological Bulletin*, vol. 71, 1969, p. 387-397. Voir aussi Gary Yukl, *Leadership in Organizations*, 8ᵉ éd., Boston, Pearson, 2013.

2. Voir Edwin P. Hollander, «Emergent Leadership and Social Influence», dans L. Petrullo et B.M. Bass (sous la dir. de), *Leadership and Interpersonal Behavior*, New York, Holt, Rinehart & Winston, 1961, p. 30-47. Voir aussi Edwin P. Hollander, «Processes of Leadership Emergence», *Journal of*

Contemporary Business, vol. 3, 1974, p. 19-33.

3. Voir Gail Fairhurst et Mary Uhl-Bien, «Organizational Discourse Analysis (ODA): Examining Leadership as a Relational Process», *The Leadership Quarterly*, vol. 3, n° 6, 2012, p. 1043-1062.

4. Voir D. Scott DeRue et Susan J. Ashford, «Who Will Lead and Who Will Follow? A Social Process of Leadership Identity Construction in Organizations», *Academy of Management Review*, vol. 35, 2010, p. 627-647.

5. *Ibid.*

6. Voir K. Y. Chan et F. Drasgow, «Toward a Theory of Individual Differences and Leadership: Understanding the Motivation to Lead», *Journal of Applied Psychology*, vol. 86, 2001, p. 481-498; R. Kark et D. van Dijk, «Motivation to Lead, Motivation to Follow: The Role of the Self-Regulatory Focus in Leadership Processes», *Academy of Management Review*, vol. 32, 2007, p. 500-528.

7. Robert Lord et Karen Maher, *Leadership and Information Processing*, Boston, Unwin Hyman, 1991.

8. Thomas Sy et autres, «Leadership Perceptions as a Function of Race-Occupation Fit: The Case of Asian Americans», *Journal of Applied Psychology*, vol. 95, n° 5, 2010, p. 902-919.

9. L. R. Offermann, John K. Jr. Kennedy et P. W. Wirtz, «Implicit Leadership Theories: Content, Structure and Generalizability», *The Leadership Quarterly*, vol. 5, 1994, p. 43-58.

10. J. Meindl, S. Erlich et J. Dukerich, «The Romance of Leadership», *Administrative Science Quarterly*, vol. 30, 1985, p. 78-102.

11. M. Uhl-Bien et R. Pillai, «The Romance of Leadership and the Social Construction of Followership», dans B. Shamir, R. Pillai, M. Bligh et M. Uhl-Bien (sous la dir. de), *Follower-Centered Perspectives on Leadership: A Tribute to the Memory of James R. Meindl*, Charlotte (North Carolina), Information Age Publishers, 2007, p. 187-209.

12. M. Carsten, M. Uhl-Bien et L. Huang, «How Followers See Their Role in Relation to Leaders: An Investigation of Follower Role Orientation», document de travail, University of Nebraska, 2013.

13. Voir Bradley Kirkman, Gilad Chen, Jiing-Lih Harh, Zhen Xiong Chen et Kevin Lowe, «Individual Power Distance Orientation and Follower Reactions to Transformational Leaders: A Cross-Cultural Examination», *Academy of Management Journal*, vol. 52, 2009, p. 744-764.

14. Carsten et autres, 2013.

15. T. Sy, «What Do You Think of Followers? Examining the Content, Structure, and Consequences of Implicit Followership Theories», *Organizational Behavior and Human Decision Processes*, vol. 113, n° 2, 2010, p. 73-84.

16. Fondé sur T. Sy, 2010, p. 73-84.

17. G. B. Graen et M. Uhl-Bien, «Relationship-Based Approach to Leadership: Development of Leader-Member Exchange (LMX) Theory of Leadership over 25 Years: Applying a Multi-Level Multi-Domain Perspective», *The Leadership Quarterly*, vol. 6, 1995, p. 219-247.

18. Voir B. Tepper, «Abusive Supervision in Work Organizations: Review, Synthesis and Research Agenda», *Journal of Management*, vol. 33, 2007, p. 261-289.

19. G. C. Homans, «Social Behavior as Exchange», *American Journal of Sociology*, vol. 63, 1958, p. 597-606.

N-14 Notes

20. A. W. Gouldner, « The Norm of Reciprocity : A Preliminary Statement », *American Sociological Review*, vol. 25, 1960, p. 161-177.

21. E. P. Hollander, « Conformity, Status, and Idiosyncrasy Credit », *Psychological Review*, vol. 65, 1958, p. 117-127.

22. C. A. Gibb, « The Sociometry of Leadership in Temporary Groups », *Sociometry*, vol. 13, n° 3, p. 226-243 ; C. A. Gibb, « Leadership », dans G. Lindsey (sous la dir. de), *Handbook of Social Psychology*, vol. 2, Reading (Massachusetts), Addison-Wesley, 1954, p. 877-917.

23. R. Bolden, « Distributed Leadership in Organizations : A Review of Theory and Research », *International Journal of Management Reviews*, vol. 13, n° 3, 2011, p. 251-269 ; R. Bolden, G. Petrov et J. Gosling, « Distributed Leadership in Higher Education : Rhetoric and Reality », *Educational Management Administration & Leadership*, vol. 37, n° 2, 2009, p. 257-277.

24. Voir Mary Uhl-Bien, Russ Marion et Bill McKelvey, « Complexity Leadership Theory : Shifting Leadership from the Industrial Age to the Knowledge Era », *The Leadership Quarterly*, vol. 18, n° 4, 2007, p. 298-318.

25. Voir J. L. Denis, A. Langley et V. Sergi, « Leadership in the Plural », *The Academy of Management Annals*, vol. 6, 2012, p. 211-283.

26. *Ibid.*

27. C. L. Pearce, « The Future of Leadership : Combining Vertical and Shared Leadership to Transform Knowledge Work », *Academy of Management Executive*, vol. 18, n° 1, 2004, p. 47-59 ; C. L. Pearce et J. A. Conger (sous la dir. de), *Shared Leadership : Reframing the Hows and Whys of Leadership*, Thousand Oaks (Californie), Sage Publications, 2003.

28. C. Pearce et C. Manz, « The New Silver Bullets of Leadership : The Importance of Self- and Shared Leadership in Knowledge Work », *Organizational Dynamics*, vol. 34, n° 2, 2005, p. 130-140.

Chapitre 11

1. Voir Alan Bryman, *Charisma and Leadership in Organizations*, Londres, Sage, 1992, chap. 5 ; Ralph M. Stogdill, *Handbook of Leadership*, New York, Free Press, 1974.

2. Voir Gary Yukl, *Leadership in Organizations*, 8e éd., New York, Pearson, 2013.

3. Voir Timothy Judge, Joyce Bono, Remus Ilies et Megan Gerhardt, « Personality and Leadership : A Qualitative and Quantitative Review », *Journal of Applied Psychology*, vol. 87, 2002, p. 765-780.

4. Voir Mark Van Vugt, Robert Hogan et Robert Kaiser, « Leadership, Follower and Evolution : Some Lessons from the Past », *American Psychologist*, vol. 63, 2008, p. 182-196. Voir aussi Timothy Judge et Ronald Piccolo, « The Bright and Dark Sides of Leader Traits : A Review and Theoretical Extension », *Leadership Quarterly*, vol. 20, 2009, p. 855-875.

5. Rensis Likert, *New Patterns of Management*, New York, McGraw-Hill, 1961.

6. Bernard M. Bass, *Bass and Stogdill's Handbook of Leadership*, 3e éd., New York, Free Press, 1990, chap. 24.

7. Robert R. Blake et Jane S. Mouton, *The New Managerial Grid*, Houston, Gulf Publishing Company, 1991, p. 29.

8. Voir R. Arvey, Z. Zhang, B. Avolio et R. Krueger, « Developmental and Genetic Determinants of Leadership Role Occupancy among Women », *Journal of Applied Psychology*, vol. 92, 2007, p. 693-706.

9. F. E. Fiedler et M. M. Chemers, *Leadership and Effective Management*, Glenview (Illinois), Scott Foresman, 1974.

10. Voir L. H. Peters, D. D. Harke et J. T. Pohlmann, « Fiedler's Contingency Theory of Leadership : An Application of the Meta-Analysis Procedures of Schmidt and Hunter », *Psychological Bulletin*, vol. 97, 1985, p. 274-285.

11. F. E. Fiedler, Martin Chemers et Linda Mahar, *Improving Leadership Effectiveness : The Leader Match Concept*, 2e éd., New York, Wiley, 1984.

12. Pour de la documentation sur ce sujet, voir Fred E. Fiedler et Linda Mahar, « The Effectiveness of Contingency Model Training : A Review of the Validation of Leader Match », *Personnel Psychology*, printemps 1979, p. 45-62 ; Fred E. Garcia, Cecil H. Bell, Martin M. Chemers et Dennis Patrick, « Increasing Mine Productivity and Safety Through Management Training and Organization Development : A Comparative Study », *Basic and Applied Social Psychology*, mars 1984, p. 1-18 ; Arthur G. Jago et James W. Ragan, « The Trouble with Leader Match Is That It Doesn't Match Fiedler's Contingency Model », *Journal of Applied Psychology*, novembre 1986, p. 555-559 ; Gary Yukl, *Leadership in Organizations*, 6e éd., Upper Saddle River (New Jersey), Prentice Hall, 2006, chap. 8 ; R. Ayman, M. M. Chemers et F. E. Fiedler, « The Contingency Model of Leadership Effectiveness : Its Levels of Analysis », *The Leadership Quarterly*, vol. 6, n° 2, 1995, p. 147-168.

13. Yukl, 2006 ; R. Ayman, M. M. Chemers et F. E. Fiedler, 1995, p. 141-188.

14. Cette section est basée sur Robert J. House et Terence R. Mitchell, « Path-Goal Theory of Leadership », *Journal of Contemporary Business*, automne 1977, p. 81-97.

15. House et Mitchell, 1977.

16. C. A. Schriesheim et L. L. Neider, « Path-Goal Leadership Theory : The Long and Winding Road », *The Leadership Quarterly*, vol. 7, n° 3, 1996, p. 317-321 ; M. G. Evans, « Commentary on R.J. House's A Path-Goal Theory of Leader Effectiveness », *The Leadership Quarterly*, vol. 7, n° 3, 1996, p. 305-309.

17. R. J. House, « Path-Goal Theory of Leadership : Lessons, Legacy, and a Reformulated Theory », *The Leadership Quarterly*, vol. 7, 1996, p. 323-352.

18. Pour une étude de cette approche, voir Paul Hersey et Kenneth H. Blanchard, *Management of Organizational Behavior*, Englewood Cliffs (New Jersey), Prentice Hall, 1988 ; Paul Hersey, Kenneth Blanchard et Dewey E. Johnson, *Management of Organizational Behavior*, 8e éd., Upper Saddle River (New Jersey), Prentice Hall, 2001.

19. R. P. Vecchio et C. Fernandez, « Situational Leadership Theory Revisited », dans M. Schnake (sous la dir. de), *1995 Southern Management Association Proceedings*, Valdosta (Georgia), Georgia Southern University, 1995, p. 137-139 ; Claude L. Graeff, « Evolution of Situational Leadership Theory : A Critical Review », *The Leadership Quarterly*, vol. 8, 1997, p. 153-170.

20. Voir Jerry Hunt, « Transformational/Charismatic Leadership's Transformation of the Field : An Historical Essay », *Leadership Quarterly*, vol. 10, 1999, p. 129-144 ; Russ Marion et Mary Uhl-Bien, « Leadership in Complex Organizations », *Leadership Quarterly*, vol. 12, 2001, p. 389-418.

21. Voir Max Weber, *The Theory of Social and Economic Organizations*, New York, Free Press, 1947.

22. Voir Katherine Klein et Robert House, « On Fire : Charismatic Leadership and Levels of Analysis », *Leadership Quarterly*, vol. 6, 1995, p. 183-198.

23. *Ibid.*

24. Voir B. Angle, J. Nagarajan, J. Sonnenfeld et D. Srinivisan, « Does CEO Charisma Matter ? An Empirical Analysis of the Relationships Among Organizational Performance, Environmental Uncertainty and Top Management Team Perceptions of CEO Charisma », *Academy of Management Journal,* vol. 49, 2006, p. 161-174 ; Yukl, 2013 ; H. Tosi, V. Misangyi, A. Fanelli, D. Waldman et F. Yammarino, « CEO Charisma, Compensation and Firm Performance », *Leadership Quarterly*, vol. 15, 2004, p. 405-420.

25. Voir Jean Lipman-Blumen, *The Allure of Toxic Leaders*, Oxford (Grande-Bretagne), Oxford University Press, 2005.

26. Voir G. Hofstede, *Culture's Consequences : Comparing Values, Behaviors, Institutions, and Organizations Across Nations*, Thousand Oaks (Californie) Sage, 2001 ; B. Kirkman, G. Chen, J-L. Fahr, Z. Chen et K. Lowe, « Individual Power Distance Orientation and Follower Reactions to Transformational Leaders : A Cross-Level, Cross-Cultural Examination », *Academy of Management Journal*, vol. 52, 2009, p. 744-764.

27. Voir James MacGregor Burns, *Leadership*, New York, Harper & Row, 1978.

28. Voir Ram de la Rosa, « Book Synopsis : Leadership – James McGregory Burns », 23 janvier 2012. En ligne : ramdelarosa. blogspot.com/2012/01/book-synopsis-leadership-james.html, consulté le 7 octobre 2017.

29. Voir J. Ciulla, « Leadership Ethics : Mapping the Territory », *The Business Ethics Quarterly,* vol. 5, 1995, p. 5-24 ; J. Ciulla, « Introduction to Volume I : Theoretical Aspects of Leadership Ethics », dans J. Ciulla, M. Uhl-Bien et P. Werhane (sous la dir. de), *Leadership Ethics*, Londres, Sage, 2013.

30. Voir Scott London, « Book Review : Leadership », 2008, scott-london.com/reviews/burns.html, consulté le 7 octobre 2017.

31. Voir Yukl, 2013 ; Bernard M. Bass, *Leadership and Performance Beyond Expectations*, New York, Free Press, 1985.

32. Voir B. Bass et B. Avolio, « Multifactor Leadership Question-naire, Form 5x ». En ligne : mindgarden.com/products/mlq. htm, consulté le 7 octobre 2017.

33. Voir K. Dirks et D. Ferrin, « Trust in Leadership : Meta-Analytic Findings and Implications for Research and Practice », 2002, p. 611-628 ; T. Judge et R. Piccolo, « Transformational and Transactional Leadership : A Meta-Analytic Test of Their Relative Validity », *Journal of Applied Psychology*, vol. 89, 2004, p. 755-768 ; K. Lowe, K. G. Kroeck, et N. Sivasubramaniam, « Effectiveness of Correlates of Transformational and Transactional Leadership : A Meta-Analytic Review of the MLQ Literature », *Leadership Quarterly,* vol. 7, 1996, p. 385-425 ; G. Wang, I-S. Oh, S. Courtright et A. Colbert, « Transformational Leadership and Performance Across Criteria and Levels : A Meta-Analytic Review of 25 Years of Research », *Group and Organization Management*, vol. 36, 2011, p. 223-270.

34. Voir M. Kets de Vries et D. Miller, « Narcissism and Leadership : An Object Relations Perspective », *Human Relations*, vol. 38, 1985, p. 583-601 ; Dirk Van Dierendonck, « Servant Leadership : A Review and Synthesis », *Journal of Management*, vol. 37, 2011, p. 1228-1261 ; J. Ciulla, « Leadership Ethics : Mapping the Territory », *The Business Ethics Quarterly*, vol. 5, 1995, p. 5-24.

35. Voir Warren Bennis, *On Becoming a Leader*, Reading (Massachusetts), Addison-Wesley, 2009.

36. Voir Richard Osborn, Jerry Hunt et Larry Jauch, « Toward a Contextual Theory of Leadership », *The Leadership Quaterly*, vol. 13, 2002, p. 797-837.

37. Voir Melanie Mitchell, *Complexity : A Guided Tour*, Oxford (Grande-Bretagne), Oxford University Press, 2009.

38. Voir Yasmin Merali et Peter Allen, « Complexity and Systems Thinking », dans Peter Allen, Steve Maguire et Bill McKelvey (sous la dir. de), *The Sage Handbook of Complexity and Management*, Londres, Sage, 2011, p. 41.

39. Voir Gary Hamel, « Moon Shots for Management », *Harvard Business Review*, février 2009, p. 91-98.

40. Voir Charles C. Heckscher, « Defining the Post-Bureaucratic Type », dans Charles Heckscher et Anne Donnellon (sous la dir. de), *The Post-Bureaucratic Organization : New Perspectives on Organizational Change*, Thousand Oaks (Californie), Sage, 1994, p. 14-62.

41. Voir Edwin Olson et Glenda Eoyang, *Facilitating Organizational Change : Lessons from Complexity Science*, San Francisco (Californie), Jossey-Bass/Pfeiffer, 2001.

42. Voir Mary Uhl-Bien, Russ Marion et Bill McKelvey, « Complexity Leadership Theory : Shifting Leadership from the Industrial Age to the Knowledge Era », *The Leadership Quarterly*, vol. 18, nº 4, 2007, p. 298-318.

43. Voir Mary Uhl-Bien et Russ Marion, « Complexity Leadership in Bureaucratic Forms of Organizing : A Meso Model », *The Leadership Quarterly*, vol. 20, 2009, p. 631-650.

44. Voir Uhl-Bien et Marion, 2007 ; Uhl-Bien et Marion, 2009.

45. Basé sur Louis W. Fry, « Toward a Paradigm of Spiritual Leadership », *The Leadership Quarterly*, vol. 16, 2005, p. 619-622 ; Louis W. Fry, Steve Vitucci et Marie Cedillo, « Spiritual Leadership and Army Transformation : Theory, Measurement, and Establishing a Baseline », *The Leadership Quarterly*, vol. 16, nº 5, 2005, p. 835-862.

46. Voir Dirk Van Dierendonck, « Servant Leadership : A Review and Synthesis », *Journal of Management*, vol. 37, 2011, p. 1228-1261 ; Dirk Van Dierendonck, « The Servant Leadership Survey : Development and Validation of a Multidimensional Measure », *Journal of Business and Psychology*, vol. 26, 2011, p. 249-267.

47. *Ibid.*

48. Dirk Van Dierendonck, « The Role of the Follower in the Rela-tionship Between Empowering Leadership and Empower-ment : A Longitudinal Investigation », *Journal of Applied Social Psychology*, vol. 42, 2012, p. E1-E20 ; J. Arnold, S. Arad, J. Rhoades et F. Drasgow, « The Empowering Leadership Ques-tionnaire : The Construction and Validation of a New Scale for Measuring Leader Behaviors », *Journal of Organizational Behav-ior*, vol. 21, 2000, p. 249-269 ; B. Kirkman et B. Rosen, « A Model of Work Team Empowerment », dans R. W. Woodman & W. A. Pasmore (sous la dir. de), *Research in Organizational Change and Development*, vol. 10, Greenwich (Connecticut), JAI Press, 1997, p. 131-167 ; B. Kirkman et B. Rosen, « Beyond Self-Manage-ment : Antecedents and Consequences of Team Empower-ment », *Academy of Management Journal*, vol. 42, 1999, p. 58-74.

49. Voir M. Ahearne, J. Mathieu et A. Rapp, « To Empower or Not to Empower Your Sales Force ? An Empirical Examination of the Influence of Leadership Empowerment Behavior on

Customer Satisfaction and Performance», *Journal of Applied Psychology*, vol. 90, 2005, p. 945-955; X. Zhang et K. Bartol, «Linking Empowering Leadership and Employee Creativity: The Influence of Psychological Empowerment, Intrinsic Motivation, and Creative Process Engagement», *Academy of Management Journal*, vol. 53, 2010, p. 107-128.

50. Basé sur Bruce J. Avolio et William L. Gardner, «Authentic Leadership Development: Getting to the Root of Positive Forms of Leadership», *The Leadership Quarterly*, vol. 16, 2005, p. 315-338; William L. Gardner, Bruce J. Avolio, Fred Luthans, Douglas R. May et Fred O. Walumba, «Can You See the Real Me? A Self-Based Model of Authentic Leader and Follower Development», *The Leadership Quarterly*, vol. 16, 2005, p. 343-372.

51. Bill George, Peter Sims, Andrew N. McLean et Diana Mayer, «Discovering Your Authentic Leadership», *Harvard Business Review*, février 2007, p. 1-9.

52. Pour une discussion plus approfondie sur la psychologie positive, voir Avolio et Gardner, 2005; Judith A. Ross, «Making Every Leadership Moment Matter», *Harvard Management Update*, septembre 2006, p. 3-5.

53. Voir Joanne Ciulla, Mary Uhl-Bien et Patricia Werhane, *Leadership Ethics*, Londres, Sage, 2013; Mary Uhl-Bien et Melissa Carsten, «How to Be Ethical When the Boss Is Not», *Organizational Dynamics*, vol. 36, 2007, p. 187-201.

54. Voir Joanne Ciulla, «Introduction to Volume I: Theoretical Aspects of Leadership Ethics», dans Joanne Ciulla, Mary Uhl-Bien et Patricia Werhane (sous la dir. de), *Leadership Ethics*, Londres, Sage, 2013; Joanne Ciulla, «Leadership Ethics: Mapping the Territory», *The Business Ethics Quarterly*, vol. 5, 1995, p. 5-24. Joanne Ciulla, *Ethics: The Heart of Leadership*, New York, Praeger, 2004.

55. Voir Milton Friedman, «The Social Responsibility of Business Is to Increase Its Profits», *New York Times Magazine*, 13 septembre 1970.

56. Voir M. Porter et M. Kramer, «Creating Shared Value», *Harvard Business Review*, janvier-février 2011, p. 63-77. Voir aussi «Conscious Capitalism». En ligne: consciouscapitalism.org, consulté le 13 juillet 2013.

57. Voir M. Brown, L. Trevino et D. Harrison, «Ethical Leadership: A Social Learning Perspective for Construct Development and Testing», *Organizational Behavior and Human Decision Processes*, vol. 97, 2005, p. 117-134.

58. Voir M. Schminke, A. Arnaud et M. Kuenzi, «The Power of Ethical Work Climates», *Organizational Dynamics*, vol. 36, 2007, p. 171-186.

59. Voir Brown, Trevino et Harrison, 2005.

Chapitre 12

1. Pour des aperçus sur le sujet, voir Susan J. Miller, David J. Hickson et David C. Wilson, «Decision-Making in Organizations», dans Stewart R. Clegg, Cynthia Hardy et Walter R. Nord (sous la dir. de), *Handbook of Organizational Studies*, Londres, Sage, 1996, p. 293-312; George P. Huber, *Managerial Decision Making*, Glenview (Illinois), Scott Foresman, 1980.

2. Cette figure et l'exposé qui s'y rapporte sont inspirés de conversations avec la Dre Alma Acevedo, de la Universidad de Puerto Rico, à Rio Piedras, et de deux de ses articles: «Of Fallacies and Curricula: A Case of Business Ethics», *Teaching Business Ethics*, vol. 5, 2001, p. 157-170; «Business Ethics: An Introduction», document de travail, 2009.

3. Acevedo, 2009.

4. Stephen Fineman, «Emotion and Organizing», dans Clegg, Hardy et Nord (sous la dir. de), *Handbook of Organization*, New York, Sage, 1996, p. 542-580.

5. Pour une discussion sur le cadre éthique de la prise de décision, voir Joseph R. Desjardins, *Business, Ethics and the Environment*, Upper Saddle River (New Jersey), Pearson Education, 2007; Linda A. Trevino et Katherine A. Nelson, *Managing Business Ethics*, New York, Wiley, 1995; Saul W. Gellerman, «Why "Good" Managers Make Bad Ethical Choices», *Harvard Business Review*, vol. 64, juillet-août 1986, p. 85-90; Barbara Ley Toffler, *Tough Choices: Managers Talk Ethics*, New York, Wiley, 1986.

6. Basé sur Gerald F. Cavanagh, *American Business Values*, 4e édition, Upper Saddle River (New Jersey), Prentice Hall, 1998.

7. josephsoninstitute.org.

8. Cette partie s'appuie sur des travaux classiques sur la prise de décision dont il est question dans Michael D. Cohen, James G. March et Johan P. Olsen, «The Garbage Can Model of Organizational Choice», *Administrative Science Quarterly*, vol. 17, 1972, p. 1-25; James G. March et Herbert A. Simon, *Organizations*, New York, Wiley, 1958, p. 137-142.

9. Voir, par exemple, Jonathan Rosenoer et William Scherlis, «Risk Gone Wild», *Harvard Business Review*, mai 2009, p. 26.

10. Voir KPMG, qui offre des services de gestion des risques de l'entreprise. En ligne: kpmg.com.

11. Pour une revue scientifique, voir Dean Tjosvold, «Effects of Crisis Orientation on Managers' Approach to Controversy in Decision Making», *Academy of Management Journal*, vol. 27, 1984, p. 130-138; Ian I. Mitroff, Paul Shrivastava et Firdaus E. Udwadia, «Effective Crisis Management», *Academy of Management Executive*, vol. 1, 1987, p. 283-292.

12. *Ibid.*

13. Mitroff, Shrivastava et Udwadia, 1987.

14. Chris Bart et Gregory, McQueen, «Why Women Make Better Directors», *International Journal of Business Governance and Ethics*, vol. 8, nº 1, 2013, p. 93-99.

15. On attribue généralement cette distinction à Herbert Simon, dans *Administrative Behavior*, New York, Free Press, 1945; voir aussi, du même auteur: *The New Science of Management Decision*, New York, Harper & Row, 1960.

16. Pour un rappel historique, voir Leigh Buchanan et Andrew O'Connell, «Thinking Machines», *Harvard Business Review*, vol. 84, nº 1, 2006, p. 38-49. Pour des applications récentes, voir Jiju Anthony, Raj Anand, Maneesh Kumar et M.K. Tiwari, «Multiple Response Optimization Using Taguchi Methodology and Nero-Fuzzy Based Model», *Journal of Manufacturing Technology Management*, vol. 17, nº 7, 2006, p. 108-112; Craig Boutilier, «The Influence of Influence Diagrams on Artificial Intelligence», *Decision Analysis*, vol. 2, nº 4, 2005, p. 229-232.

17. Simon, 1945. Voir aussi Mary Zey (sous la dir. de), *Decision Making: Alternatives to Rational Choice Models*, Thousand Oaks (Californie), Sage, 1992.

18. March et Simon, 1958.

19. Pour une discussion complète, voir Daniel Kahneman, *Thinking, Fast and Slow*, New York, Random House, 2011.

20. Pour une bonne discussion sur le sujet, voir Watson H. Agor, *Intuition in Organizations: Leading and Managing Productively*, Newbury Park (Californie), Sage, 1989; Herbert A. Simon, «Making Management Decisions: The Role of Intuition and Emotion», *Academy of Management Executive*, vol. 1, 1987, p. 57-64; Orlando Behling et Norman L. Eckel, «Making Sense Out of Intuition», *Academy of Management Executive*, vol. 5, 1991, p. 46-54.

21. Agor, 1989.

22. Citation tirée de Susan Carey, «Pilot "in Shock" as He Landed Jet in River», *Wall Street Journal*, 9 février 2009, p. A6.

23. Malcolm Gladwell, *Intuition: comment réfléchir sans y penser*, Montréal, Transcontinental, 2005, p. 25-26.

24. Lili Marin, «Malcolm Gladwell: le gourou du moment», *Commerce*, vol. 106, n° 4, avril 2005, p. 45.

25. Pour un classique sur ce sujet, voir la liste d'articles publiés par D. Kahneman et A. Tversky, «Subjective Probability: A Judgment of Representativeness», *Cognitive Psychology*, vol. 3, 1972, p. 430-454; «On the Psychology of Prediction», *Psychological Review*, vol. 80, 1973, p. 237-251; «Prospect Theory: An Analysis of Decision Under Risk», *Econometrica*, vol. 47, 1979, p. 263-291; «Psychology of Preferences», *Scientific American*, 1982, p. 161-173; «Choices, Values, Frames», *American Psychologist*, vol. 39, 1984, p. 341-350. Voir aussi Kahneman, 2011.

26. Les définitions et l'analyse qui suit s'appuient sur Max H. Bazerman, *Judgment in Managerial Decision Making*, 6ᵉ éd., New York, Wiley, 2011.

27. Barry M. Staw, «The Escalation of Commitment to a Course of Action», *Academy of Management Review,* vol. 6, 1981, p. 577-587; Barry M. Staw et Jerry Ross, «Knowing When to Pull the Plug», *Harvard Business Review*, vol. 65, mars-avril 1987, p. 68-74. Voir aussi Glen Whyte, «Escalating Commitment to a Course of Action: A Reinterpretation», *Academy of Management Review*, vol. 11, 1986, p. 311-321; Joel Brockner, «The Escalation of Commitment to a Failing Course of Action: Toward Theoretical Progress», *Academy of Management Review*, vol. 17, 1992, p. 39-61; J. Ross et B. M. Staw, «Organization Escalation and Exit: Lessons from the Shoreham Nuclear Power Plant», *Academy of Management Journal*, vol. 36, 1993, p. 701-732.

28. Joel Brockner, «The Escalation of Commitment to a Failing Course of Action: Toward Theoretical Progress», *Academy of Management Review*, vol. 17, 1992, p. 39-61; J. Ross et B. M. Staw, «Organizational Escalation and Exit: Lessons from the Shoreham Nuclear Power Plant», *Academy of Management Journal*, vol. 36, 1993, p. 701-732.

29. Il peut arriver aussi qu'il y ait trop de décideurs, comme l'ont démontré Phillip G. Clampitt et M. Lee Williams, «Decision Downsizing», *MIT Sloan Management Review*, vol. 48, n° 2, 2007, p. 77-89.

30. Victor H. Vroom et Arthur G. Jago, *The New Leadership: Managing Participation in Organizations*, Englewood Cliffs (New Jersey), Prentice Hall, 1988. Cet ouvrage s'appuie sur des travaux antérieurs: Victor H. Vroom, «A New Look in Managerial Decision-Making», *Organizational Dynamics*, printemps 1973, p. 66-80; Victor H. Vroom et Philip W. Yetton, *Leadership and Decision-Making*, Pittsburgh, University of Pittsburgh Press, 1973.

31. Vroom et Yetton, 1973; Vroom et Jago, 1988.

32. *Ibid.*

33. Voir la discussion dans Victor H. Vroom, «Leadership and the Decision Making Process», *Organizational Dynamics*, vol. 28, 2000, p. 82-94.

34. Voir, par exemple, les livres suivants de Roger von Oech: *A Whack on the Side of the Head*, New York, Warner Books, 1983; *A Kick in the Seat of the Pants*, New York, Harper & Row, 1986.

35. Voir Cameron M. Ford et Dennis A. Gioia, *Creative Action in Organizations*, Thousand Oaks (Californie), Sage, 1995.

36. G. Wallas, *The Art of Thought*, New York, Harcourt, 1926, cité dans Bazerman, 1994.

37. E. Glassman, «Creative Problem Solving», *Supervisory Management*, janvier 1989, p. 21-26; B. Kabanoff et J. R. Rossiter, «Recent Developments in Applied Creativity», *International Review of Industrial and Organizational Psychology*, vol. 9, 1994, p. 283-324.

38. Teresa M. Amabile, «Motivating Creativity in Organizations», *California Management Review*, vol. 40, automne 1997, p. 39-58.

39. Inspiré d'Edward DeBono, *Lateral Thinking: Creativity Step-by-Step*, New York, HarperCollins, 1970; John S. Dacey et Kathleen H. Lennon, *Understanding Creativity*, San Francisco, Jossey-Bass, 1998; Bettina von Stamm, *Managing Innovation, Design and Creativity*, Chichester (Angleterre), Wiley, 2003.

40. R. Drazen, M. Glynn et R. Kazanjian, «Multilevel Theorizing about Creativity in Organizations: A Sense-making Perspective», *Academy of Management Review*, vol. 21, 1999, p. 286-307.

41. Inspiré de DeBono, 1970; Dacey et Lennon, 1998; Von Stamm, 2003.

42. Voir «Mosh Pits for Creativity», *Businessweek*, 7 novembre 2005, p. 98-99.

43. I. L. Thompson et L. Brajkovich, «Improving the Creativity of Organizational Work Groups», *Academy of Management Journal*, vol. 17, 2003, p. 96-115.

44. *Ibid.*

45. Drazen, Glynn et Kazanjian, 1999.

46. *Ibid.*

47. Pour des études récentes, voir J. Perry-Smith et C. Shalley, «The Social Side of Creativity: A Static and Dynamic Social Network Perspective», *Academy of Management Review*, vol. 28, 2003, p. 89-101; S. Taggar, «Individual Creativity and Group Ability to Utilize Individual Creative Resources: A Multilevel Model», *Academy of Management Journal*, vol. 45, 2002, p. 315-330.

48. *Ibid.*

Chapitre 13

1. Edward T. Hall, *The Hidden Dimension*, Garden City (New York), Doubleday, 1966.

2. Voir D. E. Campbell, «Interior Office Design and Visitor Response», *Journal of Applied Psychology*, vol. 64, 1979, p. 648-653; P. C. Morrow et J. C. McElroy, «Interior Office Design and Visiter Response: A Constructive Replication», *Journal of Applied Psychology*, vol. 66, 1981, p. 646-650.

3. Variante d'une citation de Ralph Waldo Emerson. En ligne: quotationspage.com/quotes/Ralph_Waldo_Emerson, pages consultées le 8 avril 2013.

4. Cet exemple est tiré de Richard V. Farace, Peter R. Monge et Hamish M. Russell, *Communicating and Organizing*, Reading (Massachusetts), Addison-Wesley, 1977, p. 97-98.

5. Ces exemples sont tirés de *Businessweek*, 6 juillet 1981, p. 107.

6. Voir A. Mehrabian, *Silent Messages*, Belmont (Californie), Wadsworth, 1981.

7. Étude revue dans John C. Athanassiades, «The Distortion of Upward Communication in Hierarchical Organizations», *Academy of Management Journal*, vol. 16, juin 1973, p. 207-226.

8. F. Lee, «Being Polite and Keeping MUM: How Bad News is Communicated in Organizational Hierarchies», *Journal of Applied Social Psychology*, vol. 23, 1993, p. 1124-1149.

9. Thomas J. Peters et Robert H. Waterman Jr., *Le prix de l'excellence*, Paris, InterÉditions, 1983.

10. N. Shivapriya, «Accenture All Set to Venture into Corporate Training», *Economic Times*, 17 février 2007, p. 5.

11. Voir C. Barnum et N. Woliansky, «Taking Cues from Body Language», *Management Review*, vol. 78, 1989, p. 59 ; S. Bochner (sous la dir. de), *Cultures in Contact: Studies in Cross-Cultural Interaction*, Londres, Pergamon, 1982 ; A. Furnham et S. Bocher, *Culture Shock: Psychological Reactions to Unfamiliar Environments*, Londres, Methuen, 1986 ; «How Not to Do International Business», *Businessweek*, 12 avril 1999 ; Yori Kagegama, «Tokyo Auto Show Highlights», Associated Press, 24 octobre 2001.

12. Edward T. Hall, *Beyond Cultures*, New York, Doubleday, 1976.

13. Citations tirées de «Lost in Translation», *Wall Street Journal*, 18 mai 2004, p. BI et B6.

14. Voir Gary P. Ferraro, «The Need for Linguistic Proficiency in Global Business», *Business Horizons*, vol. 39, mai-juin 1966, p. 39-46.

15. Le réseautage est considéré par Kotter comme une pratique de gestion essentielle ; voir J. P. Kotter, *The General Managers*, New York, Free Press, 1982.

16. Peters et Waterman, 1983.

17. Voir Robert H. Lengel et Richard L. Daft, «The Selection of Communication Media as an Executive Skill», *Academy of Management Executive*, août 1998, p. 225-232.

18. Diane Brady, «*#!@the E-Mail. Can We Talk?», *Businessweek*, 4 décembre 2006, p. 109-110.

19. Voir Daniel Goleman, *Social Intelligence: The New Science of Human Relationships*, New York, Bantam Books, 2006.

20. *Ibid.*

21. *Businessweek*, 16 mai 1994, p. 8.

22. Voir Elizabeth W. Morrison, «Employee Voice Behavior: Integration and Directions for Future Research», *The Academy of Management Annals*, vol. 5, 2011, p. 373-412.

23. *Ibid.*

24. Voir Elizabeth W. Morrison et Frances Milliken, «Organizational Silence: A Barrier to Change and Development in a Pluralistic World», *Academy of Management Review*, vol. 25, 2000, p. 706-725 ; Elizabeth W. Morrison et Frances Milliken, «Speaking Up, Remaining Silent: The Dynamics of Voice and Silence in Organizations», *Journal of Management Studies*, vol. 40, n° 6, 2003, p. 1353-1358 ; Elizabeth W. Morrison,

«Employee Voice Behavior: Integration and Directions for Future Research», *The Academy of Management Annals*, vol. 5, 2011, p. 373-412.

25. *Ibid.*

26. *Ibid.*

27. D. A. Whetten et K. S. Cameron, *Developing Management Skills*, New York, Prentice Hall, 2006.

28. D'après Épictète.

29. Scott D. Williams, «Listening Effectively». En ligne: wright. edu/~scott.williams/skills/listening.htm, page consultée le 19 octobre 2017.

30. *Ibid.*

31. «Giving Feedback: Keeping Team Member Performance High, and Well Integrated». En ligne: mindtools.com, consulté le 2 juin 2013.

32. Voir Susan Ashford, Ruth Blatt et Don VandeWalle, «Reflections on the Looking Glass: A Review of Research on Feedback-Seeking Behavior in Organizations», *Journal of Management*, vol. 29, 2003, p. 773-799.

33. *Ibid.*

34. Voir Susan Ashford et Anne Tsui, «Self-Regulation for Managerial Effectiveness: The Role of Active Feedback Seeking», *Academy of Management Journal*, vol. 34, 1991, p. 251-280.

35. Voir Jason J. Dahling, Samantha L. Chau et Alison O'Malley, «Correlates and Consequences of Feedback Orientation in Organizations», *Journal of Management*, vol. 38, 2012, p. 531-546.

36. B. G. Linderbaum et P. E. Levy, «The Development and Validation of the Feedback Orientation Scale (FOS), *Journal of Management*, vol. 36, 2010, p. 1372–1405 ; M. London et J. W. Smither, «Feedback Orientation, Feedback Culture, and the Longitudinal Performance Management Process», *Human Resource Management Review*, vol. 12, 2002, p. 81-100.

37. Voir Jason J. Dahling, Samantha L. Chau et Alison O'Malley, «Correlates and Consequences of Feedback Orientation in Organizations», *Journal of Management*, vol. 38, 2012, p. 531-546.

Chapitre 14

1. Voir notamment Henry Mintzberg, *The Nature of Managerial Work*, New York, Harper & Row, 1973 ; John R. P. Kotter, *The General Managers*, New York, Free Press, 1982.

2. Sur ce sujet, un classique: Richard E. Walton, *Interpersonal Peacemaking: Confrontations and Third-Party Consultation*, Reading (Massachusetts), Addison-Wesley, 1969.

3. Kenneth W. Thomas et Warren H. Schmidt, «A Survey of Managerial Interests with Respect to Conflict», *Academy of Management Journal*, vol. 19, 1976, p. 315-318.

4. Pour un bon aperçu sur le sujet, voir Richard E. Walton, *Managing Conflict: Interpersonal Dialogue and Third-Party Roles*, 2e éd., Reading (Massachusetts), Addison-Wesley, 1987 ; Dean Tjosvold, *The Conflict-Positive Organization: Stimulate Diversity and Create Unity*, Reading (Massachusetts), Addison-Wesley, 1991.

5. Walton, 1969.

6. *Ibid.*

7. Richard E. Walton et John M. Dutton, «The Management of Interdepartmental Conflict : A Model and Review», *Administrative Science Quarterly*, vol. 14, 1969, p. 73-84.

8. Geert Hofstede, *Culture's Consequences* : International *Differences in Work-Related Values*, Beverly Hills (Californie), Sage, 1980 ; «Cultural Constraints in Management Theories», *Academy of Management Executive*, vol. 7, 1993, p. 81-94.

9. D'après «Capitalizing on Diversity : Navigating the Seas of the Multicultural Workforce and Workplace», *Businessweek*, section Special Advertising, 4 décembre 1998.

10. Ces phases sont conformes aux modèles décrits dans *Administrative Science Quarterly*, septembre 1967, p. 269-320 : Alan C. Filley, *Interpersonal Conflict Resolution*, Glenview (Illinois), Scott Foresman, 1975 ; Louis R. Pondy, « Organizational Conflict : Concepts and Models», *Administrative Science Quarterly*, septembre 1967, p. 269-320.

11. Voir Filley, 1975 ; L. David Brown, *Managing Conflict at Organizational Interfaces*, Reading (Massachusetts), Addison-Wesley, 1983.

12. *Ibid.*, p. 27 et 29.

13. Pour quelques études sur ce sujet, voir Robert R. Blake et Jane Strygley Mouton, «The Fifth Achievement», *Journal of Applied Behavioral Science*, vol. 6, 1970, p. 413-427 ; Kenneth Thomas, «Conflict and Conflict Management», dans M. D. Dunnett (sous la dir. de), *Handbook of Industrial and Organizational Behavior*, Chicago, Rand McNally, 1976, p. 889-935 ; Kenneth W. Thomas, «Toward Multi-Dimensional Values in Teaching : The Examples of Conflict Behaviors», *Academy of Management Review*, vol. 2, 1977, p. 484-490.

14. Walton et Dutton, 1969.

15. Rensis Likert et Jane B. Likert, *New Ways of Managing Conflict*, New York, McGraw-Hill, 1976.

16. Voir Jay Galbraith, *Designing Complex Organizations*, Reading (Massachusetts), Addison Wesley, 1973 ; David Nadler et Michael Tushman, *Strategic Organizational Design*, Glenview (Illinois), Scott Foresman, 1988.

17. E. M. Eisenberg et M. G. Witten, «Reconsidering Openness in Organizational Communication», *Academy of Management Review*, vol. 12, 1987, p. 418-426.

18. R. G. Lord et M. C. Kernan, «Scripts as Determinants of Purposeful Behavior in Organizations», *Academy of Management Review*, vol. 12, 1987, p. 265-277.

19. Voir notamment Valerie Patterson, «How to Negotiate Pay in a Tough Economy», *The Wall Street Journal*, 29 mars 2004, p. R7.

20. Pour un excellent aperçu, voir Roger Fisher et William Ury, *Getting to Yes* : *Negotiating Agreement Without Giving In*, New York, Penguin, 1983. Voir aussi James A. Wall Jr., *Negotiation* : *Theory and Practice*, Glenview (Illinois), Scott Foresman, 1985.

21. Roy J. Lewicki et Joseph A. Litterer, *Negotiation*, Homewood (Illinois), Irwin, 1985, p. 315-319.

22. *Ibid.*, p. 328-329.

23. Pour une bonne analyse, voir Michael H. Bond, *Behind the Chinese Face*, Londres, Oxford University Press, 1991 ; Richard D. Lewis, *When Cultures Collide*, Londres, Nicholas Brealey, 1996, chap. 23.

24. L'analyse qui suit est basée sur Fisher et Ury, 1983 ; Lewicki et Litterer, 1985.

25. David Gauthier-Villars et Leila Abboud, «In France, CEOs Can Become Hostages», *The Wall Street Journal*, 3 avril 2009, p. B1, B4 ; «Bossnapping of Executives Wins 45 % Backing in Poll», *The Wall Street Journal*, 8 avril 2009, p. A8.

26. Exemple élaboré à partir de Max H. Bazerman, *Judgment in Managerial Decision Making*, 2e éd., New York, Wiley, 1991, p. 106-108.

27. D'après Robert Moskowitz, «How to Negotiate an Increase», jobhunt.com, 1995, consulté le 27 octobre 2017. Mark Gordon, «Negotiating What You're Worth», Harvard Management Communication Letter 2.1, hiver 2005 ; Dona Dezube, «Salary Negotiation Know-How», monster.com, consulté le 27 octobre 2017.

28. Pour une analyse détaillée, voir Fisher et Ury, 1983 ; Lewicki et Litterer, 1985.

29. Élaboré à partir de Bazerman, 1991, p. 127-141.

30. Fisher et Ury, 1983, p. 33.

31. Lewicki et Litterer, 1985, p. 177-181.

Chapitre 15

1. L'essentiel de ce chapitre s'appuie sur Richard N. Osborn, James G. Hunt et Lawrence R. Jauch, *Organization Theory* : *Integrated Text and Cases*, Melbourne (Floride), Krieger, 1985. Pour un aperçu plus récent s'inscrivant dans le prolongement de cet ouvrage, voir Lex Donaldson, «The Normal Science of Structural Contingency Theory», dans Stewart R. Clegg, Cynthia Hardy et Walter R. Nord (sous la dir. de), *Handbook of Organizational Studies*, Londres, Sage, 1996, p. 57-76. Pour un traitement plus approfondi, voir W. Richard Scott et Gerald F. Davis, *Organizations and Organizing* : *Rational and Open Systems*, Englewood Cliffs (New Jersey), Prentice Hall, 2007.

2. H. Talcott Parsons, *Structure and Processes in Modern Societies*, New York, Free Press, 1960.

3. Voir B. Bartkus, M. Glassman et B. McAfee, «Mission Statement Quality and Financial Performance», *European Management Journal*, vol. 24, n° 1, 2006, p. 66-79 ; J. Peyrefitte et F. R. David, «A Content Analysis of the Mission Statements of United States Firms in Four Industries», *International Journal of Management*, vol. 23, n° 2, 2006, p. 296-305 ; Terri Lammers, «The Effective and Indispensable Mission Statement», Inc., août 1992, p. 1, 7 et 23 ; I. C. MacMillan et A. Meshulack, «Replacement Versus Expansion : Dilemma for Mature U.S. Businesses», *Academy of Management Journal*, vol. 26, 1983, p. 708-726.

4. Voir Scott et Davis, 2007 ; Stewart R. Clegg et Cynthia Hardy, «Organizations, Organization and Organizing», dans Clegg, Hardy et Nord, 1996, p. 1-28 ; William H. Starbuck et Paul C. Nystrom, «Designing and Understanding Organizations», dans P. C. Nystrom et W. H. Starbuck (sous la dir. de), *Handbook of Organizational Design* : *Adapting Organizations to Their Environments*, New York, Oxford University Press, 1981.

5. Voir Jeffrey Pfeffer, «Barriers to the Advance of Organization Science», Academy of Management Review, vol. 18, n° 4, 1994, p. 599-620 ; Richard M. Cyert et James G. March, *A Behavioral Theory of the Firm*, Englewood Cliffs (New Jersey), Prentice Hall, 1963. On trouvera également une bonne analyse des objectifs organisationnels dans Charles Perrow, *Organizational Analysis* : *A Sociological View*, Belmont (Californie), Wadsworth, 1970 ; Richard H. Hall, «Organizational Behavior : A Sociological Perspective», dans

Jay W. Lorsch (sous la dir. de), *Handbook of Organizational Behavior*, Englewood Cliffs (New Jersey), Prentice Hall, 1987, p. 84-95.

6. Osborn, Hunt et Jauch, 1984.

7. Voir Scott et Davis, 2007; Osborn, Hunt et Jauch, 1984; Stewart R. Clegg, Cynthia Hardy et Walter R. Nord, 1996.

8. William G. Ouchi et M. A. McGuire, «Organization Control: Two Functions», *Administrative Science Quarterly*, vol. 20, 1977, p. 559-569.

9. *Ibid.*

10. Osborn, Hunt et Jauch, 1984.

11. Cette analyse est adaptée de W. Edwards Deming, «Improvement of Quality and Productivity Through Action by Management», *Productivity Review*, hiver 1982, p. 12 et 22; Edwards Deming, *Quality, Productivity and Competitive Position*, Cambridge (Massachusetts), MIT Center for Advanced Engineering, 1982.

12. Pour des études sur le sujet, voir Scott et Davis, 2007; Osborn, Hunt et Jauch, 1984; Clegg, Hardy et Nord, 1996.

13. Rhys Andrews, George A. Boyne, Jennifer Law et Richard M. Walker, «Centralization, Organization Strategy, and Public Service Performance», *Journal of Public Administration Research and Theory*, vol. 19, n° 1, 2009, p. 57-81.

14. Voir C. Bradley, «Succeeding by Organizational Design», *Decision: Irelands Business Review*, vol. 11, n° 1, 2006, p. 24-29; Osborn, Hunt et Jauch, 1984, pour des études sur la centralisation-décentralisation.

15. Bradley, 2006; Osborn, Hunt et Jauch, 1984, pour des études sur la centralisation-décentralisation.

16. R. Durand, «Predicting a Firm's Forecasting Ability: The Roles of Organizational Illusion of Control and Organizational Attention», *Strategic Management Journal*, vol. 24, septembre 2003, p. 821-838.

17. Bradley, 2006; Osborn, Hunt et Jauch, 1984.

18. Pour un examen des tendances structurelles actuelles et de leurs répercussions sur les résultats, voir aussi Scott et Davis, 2007; Clegg, Hardy et Nord, 1996.

19. *Ibid.*

20. Pour une bonne analyse des premières applications de la structure matricielle, voir Stanley Davis, Paul Lawrence, Harvey Kolodny et Michael Beer, *Matrix*, Reading (Massachusetts), Addison-Wesley, 1977.

21. Voir P. R. Lawrence et J. W. Lorsch, *Organization and Environment: Managing Differentiation and Integration*, Homewood (Illinois), Richard D. Irwin, 1967.

22. Voir Osborn, Hunt et Jauch, 1984; Scott et Davis, 2007.

23. Chris P. Long, Corinee Bendersky et Calvin Morrill, «Fair Control: Complementarities Between Types of Managerial Controls and Employees' Fairness Evaluations», *2008 Academy of Management Proceedings*, 2008, p. 362-368.

24. Cette analyse de la conception organisationnelle s'appuie sur OsbornHunt et Jauch, 1984, p. 123-215. Pour un traitement plus approfondi, voir W. Richard Scott et Gerald F. Davis, 2007.

25. L'idée que la stratégie est un processus coévolutif émane de plusieurs sources, notamment: David Simon, Michael Hitt et Duane Ireland, «Managing Firm Resources in Dynamic Environments to Create Value: Looking Inside the Black Box», *Academy of Management Review*, vol. 32, 2007, p. 273-292; Alfred D. Chandler, *The Visible Hand: The Managerial Revolution in America*, Cambridge (Massachusetts), Belknap, 1977; Michael E. Porter, *Competitive Strategy*, New York, Free Press, 1980; L. R. Jauch et R. N. Osborn, «Toward an Integrated Theory of Strategy», *Academy of Management Review*, vol. 6, n° 3, 1981, p. 491-498; B. Wernefelt, «A Resource-Based View of the Firm», *Strategic Management Journal*, vol. 5, n° 2, 1984, p. 171-180; J. B. Barney, «Firm Resources and Sustained Competitive Advantage», *Journal of Management*, vol. 17, n° 1, 1991, p. 99-120; Ross Marion, *The Edge of Organization: Chaos and Complexity Theories of Formal Social Systems*, Londres, Sage, 1999; Arie Lewin, Chris Long et Timothy Caroll, «The Coevolution of New Organizational Forms», *Organization Science*, vol. 10, 1999, p. 535-550; Hitt, Ireland et Hoskisson, *Strategic Management: Competition and Globalization*, Cincinnati (Ohio), Southwestern, 2001.

26. Simon, Hitt et Ireland, 2007; Marion, 1999; Jauch et Osborn, 1981.

27. Porter, 1980.

28. Pour un exemple, voir Simon, Hitt et Ireland, 2007.

29. Jeffrey Pfeffer, «Producing Sustainable Competitive Advantage Through the Effective Management of People», *Academy of Management Executive*, vol. 19, n° 4, 2005, p. 85-115.

30. Voir Henry Mintzberg, *Structure in Fives: Designing Effective Organizations*, Englewood Cliffs (New Jersey), Prentice Hall, 1983, p. 76-83.

31. Osborn, Hunt et Jauch, 1984.

32. Cette inertie peut aussi bien être la conséquence d'une routine rigide que de problèmes liés aux ressources; voir Gilbert Clark, «Unbundling the Structure of Inertia: Resource Versus Routine Rigidity», *Academy of Management Journal*, vol. 48, n° 6, 2005, p. 741-763.

33. Voir R. Lord et M. Kernan, «Scripts as Determinants of Purposeful Behavior in Organizations», *Academy of Management Review*, vol. 12, n° 2, 1987, p. 265-278; A. L. Stinchcombe, *Economic Sociology*, New York, Academic Press, 1983.

34. Cette analyse de l'organisation sans frontières se fonde sur R. Ashkenas, D. Ulrich, T. Jick et S. Kerr, *The Boundaryless Organization: Breaking the Chains of Organizational Structure*, San Francisco (Californie), Jossey-Bass, 1995. Pour une analyse antérieure, voir aussi R. Golembiewski, *Men, Management and Morality*, New Brunswick (New Jersey), Transaction, 1989. Pour une analyse critique, voir R. Golembiewski, «The Boundaryless Organization: Breaking the Chains of Organizational Structure, A Review», *International Journal of Organizational Analysis*, vol. 6, 1998, p. 267-270.

35. S. Kerr et D. Ulrich, «Creating the Boundaryless Organization: The Radical Reconstruction of Organization Capabilities», *Planning Review*, vol. 23, 1995, p. 41-44.

36. Voir Scott et Davis, 2007; David A. Nadler et Michael L. Tushman, *Competing by Design: The Power of Organizational Architecture*, New York, Oxford University Press, 1997; Jack Veiga et Kathleen Dechant, «Wired World Woes: www.help», *Academy of Management Executive*, vol. 11, n° 3, 1997, p. 73-79.

37. Voir Scott et Davis, 2007; Osborn, Hunt et Jauch, 1984.

38. *Ibid.*

39. Voir Peter M. Blau et Richard A. Schoenner, *The Structures of Organizations*, New York, Basic Books, 1971; Joan Woodward, *Industrial Organization: Theory and Practice*, Londres, Oxford University Press, 1965.

40. Geraldine DeSanctis, « Information Technology », dans Nigel Nicholson (sous la dir. de), *Blackwell Encyclopedic Dictionary of Organizational Behavior*, Cambridge (Massachusetts), Blackwell, 1995, p. 232-233.

41. James D. Thompson, *Organization in Action*, New York, McGraw-Hill, 1967.

42. Woodward, 1965.

43. Pour un compte rendu récent, voir Scott et Davis, 2007 ; cette analyse inclut également celle de Osborn, Hunt et Jauch, 1984. Voir aussi Louis Fry, « Technology-Structure Research: Three Critical Issues », *Academy of Management Journal*, vol. 25, 1982, p. 532-552.

44. Mintzberg, 1983.

45. Voir Henry Mintzberg et Alexandra McHugh, « Strategy Formulation in an Adhocracy », *Administrative Science Quarterly*, vol. 30, nᵒ 2, 1985, p. 160-193.

46. Halit Keskis, Ali E. Akgun, Ayse Gunsel et Salih Imamoglu, « The Relationship Between Adhocracy and Clan Cultures and Tacit Oriented KM Strategy », *Journal of Transnational Management*, vol. 10, nᵒ 3, 2005, p. 39-51.

47. Prashant C. Palvia, Shailendra C. Palvia et Edward M. Roche, *Global Information Technology and Systems Management: Key Issues and Trends*, Nashua (New Hampshire), Ivy League, 1996.

48. D'autres noms désignent ce concept d'organisation virtuelle, mais nous nous concentrons sur les technologies de l'information et des communications qui la rendent possible. Voir Peter Senge, Benjamin B. Lichtenstein, Katrin Kaeufer, Hilary Bradbury et John S. Carol, « Collaborating for Systematic Change », *MIT Sloan Management Review*, vol. 48, nᵒ 2, 2007, p. 44-59 ; Josh Hyatt, « The Soul of a New Team », *Fortune*, vol. 153, nᵒ 11, 2006, p. 134-145 ; M. L. Markus, B. Manville et C. E. Agres, « What Makes a Virtual Organization Work », *MIT Sloan Management Review*, vol. 42, 2002, p. 13-27 ; B. Hedberg, G. Hahlgren, J. Hansson et N. Olve, *Virtual Organizations and Beyond*, New York, Wiley, 2001 ; Janice Beyer, Danti P. Ashmos et R. N. Osborn, « Contrasts in Enacting TQM: Mechanistic vs. Organic Ideology and Implementation », *Journal of Quality Management*, vol. 1, 1997, p. 13-29.

49. Markus, Manville et Agres, 2002, p. 13-27.

50. *Ibid.*

51. Cette section s'appuie sur R. N. Osborn, « The Evolution of Strategic Alliances in High Technology », document de travail, Détroit, Department of Business, Wayne State University, 2007 ; R. N. Osborn et J. G. Hunt, « The Environment and Organization Effectiveness », *Administrative Science Quarterly*, vol. 19, 1974, p. 231-246 ; Osborn, Hunt et Jauch, 1984. Pour une analyse plus poussée, voir P. Kenis et D. Knoke, « How Organizational Field Networks Shape Interorganizational Tie-Formation Rates », *Academy of Management Journal*, vol. 27, 2002, p. 275-294.

52. Voir R. N. Osborn et C. C. Baughn, « New Patterns in the Formation of U.S. Japanese Cooperative Ventures », *Columbia Journal of World Business*, vol. 22, 1988, p. 57-65.

53. Cette section s'appuie sur R. N. Osborn, « International Alliances: Going Beyond the Hype », *Mt. Eliza Business Review*, vol. 6, 2003, p. 37-44 ; S. Reddy, J. F. Hennart et R. Osborn, « The Prevalence of Equity and Non-Equity Cross-Border Linkages: Japanese Investments in the U.S. », *Organization Studies*, vol. 23, 2002, p. 759-780 ; Wepin Tsai, « Knowledge Transfer in Interorganizational Networks: Effects of Network Position and Absorptive Capacity on Business Unit Innovation and Performance », *Academy of Management Journal*, vol. 44, nᵒ 5, 2001, p. 996-1004.

54. Osborn, 2003.

55. *Ibid.*

56. Max Weber, *The Theory of Social and Economic Organization*, traduit de l'allemand par A. M. Henderson et H. T. Parsons, New York, Free Press, 1947.

57. Stephen Cummings et Todd Bridgman, « The Strawman: The Reconfiguration of Max Weber in Management Textbooks and Why It Matters », *2008 Academy of Management Proceedings*, 2008, p. 243-249.

58. Osborn, 2007.

59. On doit les premières observations sur le sujet à Tom Burns et G. M. Stalken, *The Management of Innovation*, Londres, Tavistock, 1961.

60. Voir Mintzberg, 1983.

61. *Ibid.*

62. Pour une analyse étoffée, voir Osborn, Hunt et Jauch, 1984.

63. Voir Peter Clark et Ken Starkey, *Organization Transitions and Innovation – Design*, Londres, Pinter, 1988.

Chapitre 16

1. La présente analyse, comme beaucoup d'autres sur le sujet de la culture organisationnelle, est fondée sur Edgar Schein : « Organizational Culture », *American Psychologist*, vol. 45, nᵒ 2, février 1990, p. 109-119 ; *Organizational Culture and Leadership*, San Francisco, Jossey-Bass, 1985.

2. Pour des travaux récents, voir Ali Danisman, C. R. Hinnings, et Trevor Slack, « Integration and Differentiation in Institutional Values: An Empirical Investigation in the Field of Canadian National Sport Organizations », *Canadian Journal of Administrative Sciences*, vol. 23, nᵒ 4, 2006, p. 301-315.

3. Schein, 1990.

4. *Ibid.*

5. Voir dellapp.us.dell.com.

6. Cet exemple a été cité dans une interview d'Edgar Schein, « Corporate Culture Is the Real Key to Creativity », *Business Month*, mai 1989, p. 73-74.

7. Schein, 1990.

8. Aetna, 2001-2013. « Culture ». En ligne : qawww.aetna.com/working/why/culture.html, consulté le 19 juin 2013.

9. Voir Schein, 1990.

10. Jeffrey Pfeffer, *The Human Equation: Building Profits by Putting People First*, Boston, Harvard Business School Press, 1998.

11. Pour une analyse approfondie, voir J. M. Beyer et H. M. Trice, « How an Organization's Rites Reveal Its Culture », *Organizational Dynamics*, printemps 1987, p. 27-41.

12. A. Cooke et D. M. Rousseau, « Behavioral Norms and Expectations: A Quantitative Approach to the Assessment of Organizational Culture », *Group and Organizational Studies*, vol. 13, 1988, p. 245-273.

13. Mary Trefy, « A Double-Edged Sword: Organizational Culture in Multicultural Organizations », *International Journal of Management*, vol. 23, 2006, p. 563-576; H. Martin et C. Siehl, « Organization Culture and Counterculture: An Uneasy Symbiosis », *Organizational Dynamics*, vol. 12, n° 2, automne 1983, p. 52-64.

14. apple-history.com.

15. Pour des travaux récents sur le choc des cultures organisation-nelles, voir George Lodorfos et Agyenim Boateng, « The Role of Culture in the Merger and Acquisition Process: Evidence from the European Chemical Industry », *Management Decision*, vol. 44, 2006, p. 1405-1410.

16. R. N. Osborn, « The Culture Clash at BofA », document de travail, Department of Management, Wayne State University, 2008; Osawa Juro, « Japan Investors: Why No Women, Foreigners in the Board Room », *Wall Street Journal*, 30 août 2010. En ligne : blogs.wsj.com/japanrealtime/2010/06/30/japan-investors-why-no-women-foreigners-in-the-boardroom, consulté le 8 novembre 2017.

17. Taylor Cox Jr., « The Multicultural Organization », *Academy of Management Executive*, vol. 2, n° 2, 1991, p. 34-47.

18. Voir Schein, 1985, p. 52-57; Schein, 1990.

19. Pour des études classiques, voir T. Deal et A. Kennedy, *Corporate Culture*, Reading (Massachusetts), Addison-Wesley, 1982; T. Peters et R. Waterman, *Le Prix de l'excellence*, Paris, InterÉditions, 1983. Par ailleurs, Joanne Martin et Peter Frost ont résumé des études encore plus récentes dans leur article « The Organizational Culture War Games: The Struggle for Intellectual Dominance », paru dans Stewart R. Clegg, Cynthia Hardy et Walter R. Nord (sous la dir. de), *Handbook of Organization Studies*, Londres, Sage, 1996, p. 599-621.

20. Pour une perspective différente, voir Ana Rafaeli et Michael G. Pratt (sous la dir. de), *Artifacts and Organizations: Beyond Mere Symbols*, Mahwah (New Jersey), Lawrence Erlbaum Associates, 2006.

21. Schein, 1990.

22. montereypasta.com, traduction libre.

23. H. Gertz, *The Interpretation of Culture*, New York, Basic Books, 1973.

24. Voir Rafaeli et Pratt, 2006; Beyer et Trice, 1987.

25. H. M. Trice et J. M. Beyer, « Studying Organizational Cultures Through Rites and Ceremonials », *Academy of Management Review*, vol. 9, n° 4, octobre 1984, p. 653-669.

26. J. Martin, M. S. Feldman, M. J. Hatch et S. B. Sitkin, « The Uniqueness Paradox in Organizational Stories », *Administrative Science Quarterly*, vol. 28, n° 3, 1983, p. 438-453.

27. Pour une étude récente, voir John Barnes, Donald W. Jackson, Michael D. Hutt et Ajith Kumar, « The Role of Culture Strength in Shaping Sale Force Outcomes », *Journal of Personal Setting and Sales Management*, vol. 26, n° 3, 2006, p. 255-269. Cette tradition des cultures fortes reprend le travail de Deal et Kennedy, 1982, et de Peters et Waterman, 1983.

28. Trice et Beyer, 1984.

29. R. N. Osborn et D. Jackson, « Leaders, River Boat Gamblers or Purposeful Unintended Consequences », *Academy of Management Journal*, vol. 31, 1988, p. 924-947.

30. Pour une analyse originale, voir John Connolly, « High Performance Cultures », *Business Strategy Review*, vol. 17, 2006, p. 19-32; pour un traitement plus classique, voir Martin, Feldman, Hatch et Sitkin, 1983.

31. Osborn et Jackson, 1988.

32. R. N. Osborn, « Purposeful Unintended Consequences and Systemic Financial Risk », document de travail, Département du management, Wayne State University, 2009.

33. Martin et Frost, 1996.

34. Cette section est fondée sur C. C. Baughn, *An Assessment of the State of the Field of Organizational Design*, Alexandria (Virginie), US Army Research Institute, 1994.

35. Y. Berson, S. Oreg et T. Dvir, « CEO Values, Organizational Culture and Firm Outcomes », *Journal of Organizational Behavior*, vol. 29, 2008, p. 615-633.

36. cisco.com.

37. Pour un exemple, voir Gerard J. Tellis, Jaideep C. Prabhu et Rajesh K. Chandy, « Radical Innovation Across Nations: The Preeminence of Corporate Culture », *Journal of Marketing*, vol. 73, n° 1, 2009, p. 3-23.

38. Richard N. Osborn, James G. Hunt et Lawrence R. Jauch, *Organization Theory: Integrated Text and Cases*, Melbourne (Floride), Krieger, 1985.

39. J. Kerr et J. Slocum, « Managing Corporate Culture Through Reward Systems », *Academy of Management Executive*, vol. 19, n° 4, 2005, p. 130-138.

40. J. Karpoff, D. S. Lee et Gerald Martin, « A Company's Reputation Is What Gets Fried When Its Books Are Cooked », uwnews.org, 2007.

41. Pour une étude classique et populaire, voir Peter F. Drucker, *Innovation and Entrepreneurship*, New York, Harper, 1985. Edward B. Roberts, dans son article « Managing Invention and Innovation », *Research Technology Management*, janvier-février 1989, p. 1-19, apporte la perspective d'un praticien, tandis que John Clark, avec son livre *Managing Innovation and Change*, Thousand Oaks (Californie), Sage, 1985, fournit une étude de cas vaste et intéressante.

42. C. Miller, *Formalization and Innovation: An Ethnographic Study of Process Formalization*, Ann Arbor (Michigan), Proquest, 2008.

43. P. Berrone, L. Gelabert, A. Fosfuri et L. Gomez-Mejia, « Can Institutional Forces Create Competitive Advantage? An Empirical Examination of Environmental Innovation », *Academy of Management Proceedings*, 2008.

44. D. Dougherty, « Organizing for Innovation », dans Clegg, Hardy et Nord (sous la dir. de), *Handbook of Organization Studies*, 1996, p. 424-439.

45. Pour une discussion sur la cannibalisation des produits, voir S. Netessie et T. Taylor, « Product Line Design and Production Technology », *Marketing Science*, vol. 26, n° 1, 2007, p. 101-118.

46. Tellis, Prabhu et Chandy, 2009.

47. N. Clymer et S. Asaba, « A New Approach for Understanding Dominant Design: The Case of the Ink-jet Printer », *Journal of Engineering and Technology Management*, vol. 25, n° 3, 2008, p. 137-152.

48. V. Acha, « Open by Design: The Role of Design in Open Innovation », *2008 Academy of Management Proceedings*, 2008, p. 1-6.

49. L'un des premiers à avoir souligné le rôle de la « consommation influente » fut E. von Hippel, *The Sources of Innovation*, New York, Oxford University Press, 1988.

50. Voir J. Birkinshaw, G. Hamel et M. Mol, « Management Innovation », *Academy of Management Review*, vol. 33, 2008, p. 825-845.

51. Voir Justin J. P. Jansen, Frans A. J. Van Den Bosh et Henk W. Volberda, « Exploratory Innovation, Exploitive Innovation and Performance : Effects of Organizational Antecedents and Environmental Moderators », *Management Science*, vol. 52, nº 11, 2006, p. 197-226.

52. U. Hulsher, N. Anderson et J. Salgado, « Team-Level Predictors of Innovation at Work : A Comprehensive Meta-Analysis Spanning Three Decades of Research », *Journal of Applied Psychology*, vol. 94, nº 5, 2009, p. 1128-1145.

53. Les termes « exploration » et « exploitation » ont été popularisés par James G. March. Voir James G. March, « Exploration and Exploitation in Organizational Learning », *Organization Science*, vol. 2, nº 1, 1991, p. 71-87. Pour un compte rendu récent, voir Sung-Choon Kang, Shad S. Morris et Scott A. Shell, « Relational Archetypes, Organizational Learning, and Value Creation : Extending the Human Resource Architecture », *Academy of Management Review*, vol. 32, 2007, p. 236-256.

54. Tellis, Prabhu et Chandy, 2009. Pour une discussion approfondie sur l'innovation radicale, voir Osborn et Baughn, 1994.

55. Voir M. Tushman et P. Anderson, « Technological Discontinuities and Organizational Environments », *Administrative Science Quarterly*, vol. 31, 1986, p. 439-465.

56. M. Tushman et C. O. Reilly, « Ambidextrous Organizations : Managing Evolutionary and Revolutionary Change », *California Management Review*, vol. 38, nº 4, 1996, p. 8-30.

57. M. Tokman, R. G. Richey, L. Marino et K. M. Weaver, « Exploration, Exploitation and Satisfaction in Supply Chain Portfolio Strategy », *Journal of Business Logistics*, vol. 28, 2007, p. 25-48.

58. Voir C. Mirow, K. Hoelzle et H. Gemueden, « The Ambidextrous Organization in Practice : Barriers to Innovation Within Research and Development », *2008 Academy of Management Proceedings*, 2008, p. 1-6.

59. Pour une bonne analyse, voir C. Miller, *Formalization and Innovation : An Ethnographic Study of Process Formalization*, Ann Arbor (Michigan), Proquest, 2008.

60. *Ibid.*, p. 391.

61. Voir K. Boal et P. Schultz, « Storytelling, Time and Evolution : The Role of Strategic Leadership in Complex Adaptive Systems », *The Leadership Quarterly*, vol. 18, 2007, p. 411-428 ; A. Grove, *Only the Paranoid Survive*, New York, Doubleday, 1996.

Chapitre 17

1. Voir Robert Reich, « The Company of the Future », *Fast Company*, novembre 1998, p. 124.

2. Michael Beer et Nitin Mitra, « Cracking the Code of Change », *Harvard Business Review*, mai-juin 2000, p. 133.

3. Tom Peters, *Thriving on Chaos*, New York, Random House, 1987 ; « Managing in a World Gone Bonkers », *World Executive Digest*, février 1993, p. 26-29 ; *The Circle of Innovation*, New York, Knopf, 1997.

4. Voir David Nadler et Michael Tushman, *Strategic Organizational Design*, Glenview (Illinois), Scott Foresman, 1988 ; Noel M. Tichy, « Revolutionize Your Company », *Fortune*, 13 décembre 1993, p. 114-118.

5. Jerry I. Porras et Robert C. Silvers, « Organization Development and Transformation », *Annual Review of Psychology*, vol. 42, 1991, p. 51-78.

6. Information tirée de Ken Brown et Gee L. Lee, « Lucent Fires Top China Executives », *Wall Street Journal*, 7 avril 2004, p. A8.

7. Beer et Mitra, 2000, p. 133.

8. John P. Kotter, « Why Transformation Efforts Fail », *Harvard Business Review*, mars-avril 1995, p. 59-67.

9. Kurt Lewin, « Group Decision and Social Change », dans G. E. Swanson, T. M. Newcomb et E. L. Hartley (sous la dir. de), *Readings in Social Psychology*, New York, Holt, Rinehart & Winston, 1952, p. 459-473.

10. Noel M. Tichy et Mary Anne Devanna, *The Transformational Leader*, New York, John Wiley & Sons, 1986, p. 44.

11. Pour une description des stratégies de changement, voir Robert Chin et Kenneth D. Benne, « General Strategies for Effecting Changes in Human Systems », dans Warren G. Bennis et autres (sous la dir. de), *The Planning of Change*, 3ᵉ éd., New York, Holt, Rinehart & Winston, 1969, p. 22-45.

12. Exemple élaboré à partir d'un exercice figurant dans J. William Pfeiffer et John E. Jones, *A Handbook of Structural Experiences for Human Relations Training*, vol. 2, La Jolla (Californie), University Associates, 1973.

13. Pfeiffer et Jones, 1973.

14. *Ibid.*

15. Donald Klein, « Some Notes on the Dynamics of Resistance to Change : The Defender Role », dans Bennis et autres, 1969, p. 117-124.

16. Voir Everett M. Rogers, *Communication of Innovations*, 3ᵉ éd., New York, Free Press, 1993.

17. *Ibid.*

18. John P. Kotter et Leonard A. Schlesinger, « Choosing Strategies for Change », *Harvard Business Review*, vol. 57, mars-avril 1979, p. 109-112.

19. Arthur P. Brief, Randall S. Schuler et Mary Van Sell, *Managing Job Stress*, New York, Little, Brown, 1981.

20. *Ibid.*

21. John R. Schermerhorn, *Management for Productivity*, 1ʳᵉ éd. canadienne, Toronto, John Wiley, 1989, p. 636-642.

22. Pour un résumé de la recherche sur ce sujet, voir Steve M. Jex, *Stress and Job Performance*, Thousand Oaks (Californie), Sage, 1998.

23. Jean-Pierre Brun et autres, « Stress au travail : La prévention serait-elle en burnout ? », *Revue RH*, vol. 19, nº 2, avril-mai 2016, p. 24-29.

24. M. Vézina, E. Cloutier, S. Stock, K. Lippel, É. Fortin et autres, *Rapport sommaire. Enquête québécoise sur des conditions de travail, d'emploi et de santé et de sécurité du travail (EQCOTESST)*, Québec, Institut de recherche Robert-Sauvé en santé et en sécurité du travail – Institut national de santé publique du Québec et Institut de la statistique du Québec, 2011.

25. D'après Jean-Pierre-Brun (sous la dir. de), *La santé psychologique au travail… de la définition des problèmes aux solutions*, fascicule 2 : *Les causes du problème*, Chaire en gestion de la santé et de la sécurité du travail dans les organisations, Université Laval, Québec, 2003.

26. statcan.gc.ca.

27. Voir Orlando Behling et Arthur L. Darrow, *Managing Work-Related Stress*, Chicago, Science Research Associates, 1984.

28. Meyer Friedman et Ray Roseman, *Type A Behavior and Your Heart*, New York, 1974.

29. *Ibid.*

30. Jean-Pierre Brun, 2003.

31. Voir H. Selye, *Le stress de ma vie*, Montréal, Stanké, 1976.

32. Jeffrey Pfeffer, *The Human Equation : Building Profits by Putting People First*, Boston, Harvard Business School Press, 1998.

33. Citations tirées de Alan M. Webber, « Danger : Toxic Company », *Fast Company*, novembre 1998, p. 152.

34. Voir John D. Adams, « Health, Stress and the Manager's Life Style », *Group and Organization Studies*, vol. 6, septembre 1981, p. 291-301.

35. Marie Lyan, « Prendre soin de ses employés, c'est bon pour les affaires ! », lesaffaires.com, 15 janvier 2015.

36. Guillaume Bourgault-Côté, « Le nouveau mal du siècle », *Le Devoir*, 2 novembre 2007, p. A1.

37. Vézina, Cloutier, Stock, Lippel, Fortin et autres, 2011.

38. Alain Marchand, « Mental Health in Canada : Are There Any Risky Occupations and Industries ? », *International Journal of Law and Psychiatry*, vol. 30, nos 4-5, juillet-octobre 2007, p. 272-283.

39. Jean-Pierre-Brun, 2003.

40. C. Williams, « Sources de stress en milieu de travail », *L'emploi et le revenu en perspective*, juin 2003, vol. 4, no 6, p. 5-14.

41. bnq.qc.ca/fr/normalisation/sante-et-travail/entreprise-en-sante.html.

42. bnq.qc.ca/fr/normalisation/sante-et-travail/conciliation-travail-famille.html.

43. bnq.qc.ca/fr/normalisation/sante-et-travail/sante-psychologique-au-travail.html.

44. Voir Mayo Clinic, « Stress Relief : When and How to Say No », 23 juillet 2010. En ligne : riversideonline.com, consulté le 11 juin 2013.

45. GP2S, *La santé au travail, une avenue rentable pour tous*, mémoire présenté au ministre des Finances Raymond Bachand durant la consultation prébudgétaire 2010-2011, janvier 2010.

46. Voir Mayo Clinic, « Stress Relief : When and How to Say No ». En ligne : mayoclinic.org/healthy-lifestyle/stress-management/in-depth/stress-relief/art-20044494, consulté le 15 novembre 2017.

47. Pfeffer, 1998.

Sources des photos

Index

efficace, **250**, 257f-258, 280

en milieu organisationnel, 240

enrichissement des tâches, 200

étape

de la cohésion, **256**

de la constitution, **255**

de la dissolution, **256**

du rendement, **256**

du tumulte, **255**

évolution, 254-257

facilitation sociale, **251**

favorisant la participation des travailleurs, **245**

fonctions, 241

formelle, **242**

gestion, 290

hautement performante, 275-276

hétérogène, **264**

homogène, **263**, 289

intégration des recrues, 281

interculturelle, 265

interfonctionnelle, **244**

maturité, 256f

membres, 241, 255, 259, 260, 263, 287

rôles, **282**-284

normes, **285**-287, 288

novatrice, 604-605

objectifs, 287

permanente, 242

prise de décision, **295**-298

pensée de groupe, **300**-301

techniques d'aide, 301-303

productivité, 244, 252

récompenses, 259, 283

rendement, 284, 288, 370-371

responsable, 245

ressources, 258

rôle, 249-251

semi-autonome, **245**-247, 559

synergie, **250**

tâche, 259-260

exigences

d'ordre social, 260

d'ordre technique, 260

taille, 260-261, 289

techniques, 258

télétravail, 205

temporaire, 242

travail d'équipe, **240**

usage de l'espace, 293

virtuelle, **247**-248, 295, 560

voir aussi Leadership

Équité, 53, 60

perception, 121

récompense, 105

théorie, **165**-168, 210

Équivalence, **365**

Ernst & Young, 125

Erreur(s)

d'attribution, 134

de cadrage, **439**

de faible différenciation, **226**

de perception, 124-132

d'évaluation, 225-226

d'exclusion, **425**

du critère unique, 226

écoute active, 483

fondamentale d'attribution, **134**, 135

prise de décision, 430, 438-441

Espace de travail, 462, 509, 583

Espagne, 125, 642

Espionnage, 472

Espoir, **409**

Esprit

de clocher, **468**

d'équipe, 262

de subordination, 358

passif, 358

proactif, 358

Estime de soi, **41**

appartenance à l'organisation, 95

groupe informel, 243

État physique et mental, 58, 66-67

stéréotype, 129

voir aussi Santé, Stress

États-Unis, 55, 57, 67, 88, 135, 160, 171, 200, 219, 468, 501, 551, 563, 651

congé annuel, 642

culture d'entreprise, 585

engagement de l'employé, 95-97

éthique en milieu de travail, 138

innovation, 602

négociation, 518

présentéisme, 208

prototype du leader, 356

salaires des hauts dirigeants, 216

satisfaction au travail, 99-100

stress, 631-632

travailleurs âgés, 128

Éthique, 4, 6, 49, **426**

apprentissage social, 137-138

du leadership, **409**

en milieu de travail (sondage), 138

gestion, 22-23

jeu politique, 332-333

négociation, 513

normes (équipe), 286

pouvoir organisationnel, 315

prise de décision, 333, 423, 425-426f

récompense, 323

salaires des hauts dirigeants, 216

Ethnocentrisme, **468**

Europe, 125, 502, 518, 631

Eustress, **638**

Évaluation

cognitive (théorie), **178**

des données, 45

des résultats (problème), 425

par incidents critiques, **224**

Évaluation du rendement, 168, 219

conflit interpersonnel, 498

entrevue, 115f

erreurs, 225-226

mesure

des activités, **220**

des résultats, **220**

méthodes, 221-225

comparatives, 221-222

de mesure absolue, 221-225

norme de quantité, 220

partialité, 59

rétroaction constructive, 484

voir aussi Rendement

Éventail de subordination, **536**

Évitement, **143**, 464-465, 498

gestion des conflits, **507**

Évolution vertueuse, 22-23f

Exaltation, 81

Excitation, 81

Exogroupe, **68**

Expansion

horizontale des tâches, 193-194

verticale des tâches, 195

Expérience de vie, 42

Expertise (pouvoir), **324**, 337

Exploitation, **605**

Exploration, **607**

Extinction, **146**

Extraversion, 43, 47

F -

Facebook, 15, 85, 128-129, 205, 249, 294, 359, 459, 463

Facilitation

résistance au changement, 628

sociale, **251**